Yapuzuy

...s y mi compañera es
...adre es un obrero italiano.
...a a Brasil. Mi madre
...anos. Tengo hermanos y
...y empleadas. Pero mi
...scuela y hey estudiado
...iendo el curso completo
                de la classe,
...nos y después hey ingre-
...ior, indo al estudio en
...cultad superior del estu-
...ni estado natal, Bahia.

MARIGHELLA

MÁRIO MAGALHÃES

Marighella
O guerrilheiro que incendiou o mundo

12ª reimpressão

Copyright © 2012 by Mário Magalhães

Grafia atualizada segundo o Acordo Ortográfico da Língua Portuguesa de 1990, que entrou em vigor no Brasil em 2009.

Capa
Alceu Nunes

Ilustração de capa
Gian Paolo La Barbera, sobre fotografia de Carlos Marighella

Guardas
Biografia manuscrita de Carlos Marighella. Arquivo Estatal Russo de História Político-Social

Quarta capa
Cortesia de Suzana Keniger Lisboa

Caderno de fotos
Joana Figueiredo

Preparação
Cacilda Guerra

Checagem
Luiz Arturo Obojes

Pesquisa iconográfica
Mário Magalhães e Vladimir Sacchetta/ Porviroscópio

Índice onomástico
Luciano Marchiori

Revisão
Ana Maria Barbosa, Márcia Moura e Carmen S. da Costa

Dados Internacionais de Catalogação na Publicação (CIP)
(Câmara Brasileira do Livro, SP, Brasil)

Magalhães, Mário
  Marighella : o guerrilheiro que incendiou o mundo / Mário Magalhães. — 1ª ed. — São Paulo : Companhia das Letras, 2012.

  ISBN 978-85-359-2170-0

  1. Brasil – Política e governo – 1954-1964 2. Brasil – Política e governo – 1964-1985 3. Comunismo – Brasil – História – Século 20 4. Guerrilhas – Brasil – História – Século 20 5. Marighella, Carlos 6. Marighella, Carlos – Assassinato 7. Perseguição política – Brasil – História – Século 20 8. Prisioneiros políticos – Brasil – História – Século 20 I. Título.

12-11084   CDD-981.06092

Índice para catálogo sistemático:
1. Brasil : Guerrilheiros : Biografia   981.06092

[2021]
Todos os direitos desta edição reservados à
EDITORA SCHWARCZ S.A.
Rua Bandeira Paulista, 702, cj. 32
04532-002 — São Paulo — SP
Telefone: (11) 3707-3500
www.companhiadasletras.com.br
www.blogdacompanhia.com.br
facebook.com/companhiadasletras
instagram.com/companhiadasletras
twitter.com/cialetras

Para Fernanda

Não esqueçamos jamais que as ideias são menos interessantes do que os seres humanos que as inventam, modificam, aperfeiçoam ou traem.
François Truffaut

Ao princípio era a Ação.
J. W. Goethe, *Fausto*

Sumário

Prólogo: Tiro no cinema 13

PARTE I

1. Menino preso ao pé da mesa 31
2. Uma prova em versos 42
3. Os fuzis de Canudos 54
4. *Estanislau* encara os galinhas-verdes 67
5. A revolução que não houve 78
6. Três semanas no inferno 88
7. "Atenção, camaradas! Fala Moscou!" 104
8. Bicão Siderúrgico 118
9. Por um lugar no front 131
10. Racha na ilha 141

PARTE II

11. A marcha dos archotes 153
12. Um comunista na Comissão de Polícia 166
13. Deputado acossado 180

14. *Chapeuzinho* foge de casa 192

15. São Paulo vai parar 200

16. O mundo de Stálin 214

17. Meu mundo caiu 227

18. Enfim, o verão 238

19. O taquígrafo da história 255

20. Cutucando Jango 267

21. Soldados vermelhos 282

22. O ghost-writer 294

23. Os aviões ficaram no chão 300

PARTE III

24. A *CPI da Linguiça* 321

25. Adeus, Prestes 332

26. Conexão Havana: um filho de Oxóssi na ilha da santeria 343

27. A Quadrilha da Metralhadora ou *Ciro Monteiro* rouba o banco 360

28. O filatelista invocado 373

29. Assalto ao trem pagador 384

30. A revolução vem do campo 392

31. A ditadura dá o alarme: o inimigo público número um 406

32. Kubrick dá ideia 420

33. O infiltrado: um espião dá carona 431

34. O boxeur da ALN criava passarinhos 441

35. Quem não se comunica se trumbica 452

36. Os *sobrinhos do titio Marighella* 461

37. É melhor ser alegre que ser triste 474

38. Sequestro do embaixador: o último a saber 486

39. O *Minimanual* não era Bíblia 499

40. A queda do GTA e os gritos de *Jonas* 513

41. Os frades voltam com Fleury 530

42. Tocaia 545

43. Post-mortem: anatomia de uma farsa 556

Epílogo: Uma pandorga no céu 571

Agradecimentos 583

Entrevistas e consultas 589
Lista de siglas 593
Bibliografia 595
Fontes 617
Notas 625
Créditos das imagens 715
Índice onomástico 717

Prólogo
Tiro no cinema

Carlos Marighella viu a zeladora do prédio onde morava caminhando em sua direção e pensou que, outra vez, conseguira ludibriar a polícia. Valdelice carregava um embrulho cor-de-rosa. Enfim, ele resolveria o problema da falta de roupa que o apoquentava havia mais de um mês. Na noite de 1º de abril, saíra às carreiras do quarto e sala que alugava no bairro do Catete e pulara com as pernas longas os degraus da escada do sétimo andar até o térreo. Temia ser surpreendido pela polícia política do estado da Guanabara, que talvez já preparasse o bote para capturá-lo.

Estava certo. O presidente João Goulart ainda hesitava no palácio do Planalto sobre o que fazer diante do golpe militar deflagrado na véspera enquanto, no Rio, o Departamento de Ordem Política e Social (Dops) escalava uma turma tarimbada para farejar o velho freguês da sua carceragem. Antes de despachar seu pessoal à rua, o ex-arremessador de peso Cecil Borer, chefe do Dops, alertou:

"Cuidado, que o Marighella é valente."

Meia hora depois, os policiais invadiram o apartamento no Catete, mas não encontraram ninguém. Por pouco. Se em vez de subir pelo elevador tivessem se arriscado pela escada, teriam dado com quem buscavam. A correria foi tamanha que Marighella só teve tempo de pegar uma troca de roupa. Amassou-a na malinha compartilhada com Clara Charf, sua companheira havia quinze anos. Desceram até a calçada e desapareceram em um táxi. No começo da madrugada, um bimotor Avro da Força Aérea Brasileira (FAB) voou de Brasília para Porto Alegre, onde Goulart jogou a toalha. Na mesma hora, no subúrbio do Méier, Marighella reencontrava a vida clandestina.

Não era novidade para ele. Nas três décadas anteriores, passara mais tempo fugindo da polícia do que mostrando a cara. Também tinha sido assim nas últimas semanas, até o sábado em que finalmente resgataria camisas, calças e cuecas. De meias, não fazia questão. Abominava-as desde a juventude, na Bahia. Era deputado, no Rio de Janeiro ainda capital da República, e as canelas sem meias pareciam aos amigos mais uma das privações decorrentes dos modos franciscanos de quem possuía apenas três ternos, todos doados. Ganhou tantas de presente que se obrigou a mudar de hábito antes que o comércio esgotasse os estoques. No Méier, queria outras peças. Improvisou, comprou uma ou duas, porém lhe faltava o que vestir naquele mês de maio que nem estava tão quente. Na sexta-feira, a máxima mal arranhara os 27 graus.

A temperatura aumentou quando Marighella notou um homem que vigiava Valdelice a uma distância que não chamava a atenção, mas sem perdê-la de vista. Com a mesma rapidez com que superou as escadarias no Catete, comprou dois ingressos na bilheteria do Eskye-Tijuca, o cinema em frente ao qual marcara com a zeladora. Fez-lhe um sinal, e entraram sem dar ao intruso a chance de se chegar.

Marighella se precavera para o encontro, não era para falhar. Como sempre, estava desarmado. Ignorava se havia mais de um tira. Mesmo cercado, poderia escapar, imaginou. Bastaria ganhar a sala de projeção e sumir, com as roupas lavadas e passadas sob o braço, por um caminho desprotegido. Como nas telas, uma fuga cinematográfica. Ele recebeu o embrulho e sentou-se numa poltrona central, mais ao fundo. Mesmo na escuridão, viu que crianças tomavam a matinê.

Antes de o dia amanhecer um gari da Limpeza Urbana se avizinhou do prédio 131 da rua Corrêa Dutra, no Catete. Dez anos antes, a duzentos metros dali, o presidente Getúlio Vargas se matara com um tiro no peito. Limpar, o gari não limpava. Lixo não era o seu negócio. João Barreto de Macedo vendia remédios, mas tonificava a saúde do bolso com outro ofício, o de caçador de subversivos. Não era funcionário público, e sim colaborador da polícia, que o recompensava pelo trabalho como espião e alcaguete. No sábado, chegou às cinco horas, disfarçado com o uniforme de gari.

As tocaias para Marighella foram montadas desde que ele escapara por um triz. Deram em nada. João Macedo jamais cruzara com seu alvo, mas sabia quem procurava. No arquivo do Dops, no prédio da rua da Relação, familiarizou-se com Marighella de frente e perfil, na coleção de fotografias inaugurada na década de 1930 e atualizada com diligência. Desde a infância, em Salvador, ouvia falar do conterrâneo ilustre e suas querelas com a polícia. Nunca simpatizara com os comunistas e não haveria de querer bem ao cabra que julgava um malfeitor dos mais daninhos. Esquerda, para João Macedo, só a ponta do Botafogo, na qual teve uma passagem obscura aquecendo o banco de reservas do time que se orgulhava de Mané Garrincha na direita do ataque. Tinha a quem puxar na aversão ao comunismo: o diretor do Dops, Cecil de Macedo Borer. O Macedo comum os unia. Preferiam que ninguém soubesse do parentesco e, se soubesse, calasse. Não faltavam insinuações sobre o apadrinhamento de Borer, o tio zeloso, para João arrumar a boquinha.

De tão anticomunista, o baiano Cecil Borer fora tido, nos anos de ascensão de Adolf Hitler, como descendente de alemães. Engano: seu pai imigrara da Inglaterra. Para montar a Polícia Especial, o governo de Getúlio Vargas garimpara atletas parrudos em academias e clubes esportivos. O fortão Borer arremessava peso e disco no Fluminense, agremiação rival do Botafogo que seu irmão Charles viria a presidir. Foi recrutado e virou "cabeça de tomate", como o povaréu apelidou os integrantes da Polícia Especial, por causa dos quepes vermelhos.

Borer formou na equipe que em 1936 varejou o Rio até agarrar os comunistas Luiz Carlos Prestes e Olga Benario nos arredores do Méier, onde agora Marighella se escondia. A primeira prisão do jovem esquerdista Carlos Lacerda fora de autoria de Borer, ao reprimir uma agitação na porta da Companhia Lloyd Brasileiro, em 1933. Dali a décadas, Lacerda se elegeria governador da Guanabara. Já na pele de inimigo figadal dos correligionários de outrora, convocou o ex-algoz.

"Quem diria, doutor Borer, nós dois juntos", ironizou Lacerda.

Pouco afeito a licenças de humor, o delegado retrucou:

"Não fui eu quem mudou, governador. Continuo na polícia."

Lacerda sugeriu que ele desse um tempo na repressão política para se dedicar aos delinquentes que infernizavam os cariocas. Borer aplicou-se. Um por um, os bandidos trocaram as primeiras páginas dos jornais sensacionalistas pelos cemitérios. Isso quando os cadáveres não sumiam. O assaltante José Miranda Rosa, afamado como Mineirinho, era o terror do Rio. Seu corpo apareceu em um capinzal com tiros nas costas (três), pescoço (cinco), peito (dois), axila (um), perna (um) e braço (um). No bolso da calça, tinha uma oração a santo Antônio.

Contra Borer, não havia santo que protegesse. O delegado se proclamava insultado quando o vinculavam ao emergente Esquadrão da Morte e a execuções como a de Mineirinho. A posse de João Goulart como presidente da República, em setembro de 1961, estimulou Lacerda a devolver Borer ao setor em que se notabilizara. Para o delegado, parecia não haver diferença. Inexistia policial sobre quem pesassem tantas acusações de truculência quanto ele. Era o síndico do prédio da rua da Relação, no Centro do Rio, celebrizado menos como pérola da arquitetura em estilo eclético afrancesado do princípio do século xx que como reduto de selvageria contra prisioneiros políticos. Contava sem constrangimento que encomendava ratos para apavorar as mulheres detidas. *Novos Rumos*, semanário comunista, tratava-o como "carrasco", "nazista" e "torturador". O colunista Paulo Francis, do vespertino janguista *Última Hora*, escreveu: "A fachada do fascismo é sempre popular. No interior é que se encontra Cecil Borer".

Para má sorte de Marighella, Borer não engolira a fuga no dia do golpe. Conheciam-se desde outro maio, 28 outonos antes. Borer odiava Marighella e era desprezado pelo antagonista. O diretor do Dops destacou quem mais confiava para espreitar o prédio do Catete. O morador do apartamento 704 não apareceu, mas João Macedo perseverou. Soube que a zeladora guardava correspondência para Marighella e supôs que o destinatário gostaria de verificar o conteúdo. Passou a campaná-la. Às seis horas do sábado, quando o dia clareou com o sol inibido além das nuvens, a mulher saiu. Circulou pelo bairro, comprou na feira livre e voltou para casa sem reparar na onipresença de um gari. João Macedo quase desistiu. Tirou o uniforme. Por volta das quatro da tarde, Valdelice de Almeida Santana partiu com o embrulho.

Caminhou até a rua do Catete e dobrou à direita. Na mesma calçada, acompanhou-a o olheiro Carlos Gomes, detetive que secundava João Macedo. Do outro lado da rua, o apaniguado de Borer a observava. No largo do Machado, Valdelice tomou o ônibus para a Tijuca sem perceber a companhia. João Macedo sentou-se atrás dela. O colega, na frente. A zeladora desceu na praça Saens Peña, e os dois, separados, seguiram-na. Ao se aproximar do cinema, Valdelice obedeceu ao aceno de Marighella para entrar. João Macedo correu a um telefone e chamou a rua da Relação. Borer ordenou que seu primeiro time de agentes se apressasse. Só desligou depois de martelar:

"Cuidado, que o Marighella é valente."

Aos 52 anos, Carlos Marighella era mesmo tido como valente, favorecido pelo tamanho, que intimidava — embora não fosse brigão, de partir para o tapa. Aos 27, registraram sua altura em 1,78 metro, um porte de respeito para o homem brasileiro da época. Acadêmico da Escola Politécnica, Marighella tornou-se conhecido em Salvador pela assiduidade nas manifestações contra o palácio da Aclamação e pelos poemas que compunha desde o ginásio. Iniciara-se nas rodas de capoeira soteropolitanas, onde mestre Pastinha o encantava. Mas não se contavam entreveros em que tivesse saído no braço — ou nas pernas de capoeirista. As exceções eram as prisões, e as histórias sobre sua valentia falavam de gestos na cadeia. É possível que o cabelo, cortado com uma bossa ainda nova, reforçasse as tintas do seu cartaz: diante do espelho, navalhava as laterais da cabeça e deixava de pé uma faixa longitudinal que se prolongava até a nuca. O penacho sugeria um índio pronto para a guerra. Ao conhecê-lo, o jornalista Paulo Francis lembrou-se do último dos moicanos.

Depois dos idos de março, nem o cabelo Marighella aparava. O visual ajudava a disfarçar. O corre-corre roubou-lhe tempo para os afazeres mais comezinhos. Assim que uma família de operários do Méier acolheu-o com Clara, ligou para a escola onde seu filho de quinze anos de idade estudava de segunda a sexta-feira, em regime de semi-internato. Carlinhos passava os fins de semana no Catete. Que ele não pisasse em casa, pois o perigo rondava. Duas semanas mais tarde, surgiu de surpresa no Colégio Batista, na Tijuca, e conversou com o garoto numa padaria nas cercanias. De peruca cabeluda, calça e blusão jeans, vestia aos olhos do filho a indumentária de motoqueiro. Só faltava a motocicleta. Enquanto comiam um sanduíche, orientou Carlinhos sobre como se virar enquanto o pai se mantivesse na moita. Falou da decisão do presidente deposto de não resistir:

"Esse Jango é frouxo."

Não era apenas o já exilado João Goulart que o exasperava. O Partido Comunista Brasileiro (PCB), em que militava havia trinta anos e do qual era dirigente graduado, contrariara Marighella com o que ele considerou inação frente aos golpistas. O partido jogara suas fichas em Jango, e o cacife fizera dos comunistas sócios beneméritos da derrota do estancieiro gaúcho que prometia a reforma agrária. Aos camaradas, pronunciava resmungos contra o comando partidário. Foi assim no apartamento do dramaturgo Oduvaldo Vianna, demitido da Rádio Nacional em abril. Lá, à beira do canal que separa o Leblon de Ipanema, desabafou com o anfitrião e a atriz Vera Gertel, do recém-banido Centro Popular de Cultura.

No início da tarde da sexta-feira, véspera do sábado em que iria recuperar suas roupas, Marighella compareceu sem avisar à casa de outro comunista degolado da Rádio Nacional. Diretor artístico da emissora até março, Dias Gomes levou-o para o escritório discreto nos fundos da residência no Jardim Botânico. Ocorreu-lhe que o amigo viesse segregar iniciativas contra o regime. Surpreendeu-se quando Marighella, em vez de sacar um manifesto incendiário, mostrou seus poemas recentes. Mais um dos tantos camaradas baianos radicados no Rio, Dias escrevera a peça *O pagador de promessas*, cuja adaptação para o cinema conquistou a Palma de Ouro no Festival de Cannes de 1962. Ao contrário dele, sua mulher, a novelista Janete Clair, não militava no partido. Marighella despediu-se depois de passar horas a papear sobre teatro e poesia. Muitos anos mais tarde, em uma telenovela de que foi coautor, Dias Gomes batizaria como "arapongas" os espiões da polícia política e seus congêneres das Forças Armadas.

Em atividade febril, na qual era raro um descanso como o da sexta-feira, Marighella se expunha aos arapongas. A maioria dos seus confrades do Comitê Central do PCB se mantinha em isolamento monástico. Eles privilegiavam a segurança, sem os riscos decorrentes das articulações políticas. Marighella ousava, nos esforços de recomposição da militância dispersa. Para isso, precisava conversar e circular. Questionava: como combater a ditadura trancado em casa? Andara para cima e para baixo desde o golpe. Apostara em rebelião de sargentos nos quartéis e investira em reviravolta na Vila Militar contra os revoltosos de abril. Nada vingara, nem no Rio de Janeiro nem Brasil afora. Comovera-se com as notícias vindas do Recife dando conta das surras e humilhações impostas por oficiais do IV Exército ao líder camponês Gregório Bezerra. No Quartel de Motomecanização haviam colocado os pés do sexagenário Gregório, em carne viva, numa poça de ácido de bateria. Com o pescoço laçado por três cordas, ele fora arrastado pelas ruas feito potro chucro, com um coronel a anunciar:

"Este é o bandido comunista Gregório Bezerra! Vai ser enforcado na praça! Venham assistir!"

Marighella já vivenciara cenas parecidas, com ele no lugar de Bezerra, seu companheiro de bancada na Assembleia Constituinte de 1946 e para quem redigia discursos. Em caminhadas com Carlinhos pela praia do Flamengo, contou das brutalidades que sofrera e garantiu: se o tempo político fechasse, não o capturariam vivo. No começo do ano, em viagem a Salvador, suas palavras ficaram na memória de Caetano, o irmão caçula:

"Se quiserem me prender outra vez, eu não deixo. Resisto, dou tiros e até morro. O que não quero é voltar a ser torturado."

A despeito do perigo, Marighella deu um jeito de combinar com a zeladora para o sábado. Não pegaria somente roupas. Ansiava pelas cartas, como previu na mosca o atinado João Macedo. Saiu cedinho do Méier, conversou com militantes e leu nos jornais o desfecho de mais uma semana ruim. Era o dia 9 de maio de 1964, um mês após o ato institucional com o primeiro pacote de cassações de direitos políticos.

Na quinta-feira, o presidente Castello Branco engordara a lista com dois deputados federais, sete estaduais, um prefeito de capital e outros derrotados de abril. Velho camarada de Marighella, compositor e ator demitido da Rádio Nacional, Mário Lago foi levado ao Dops. Apresentou-se como comunista. O ministro da Guerra, Arthur da Costa e Silva, sublinhou na celebração do 19º aniversário da vitória dos Aliados na Europa: "A luta não terminou, porque o comunismo está sempre atuante em sua guerra ideológica contra o mundo democrático e cristão". Os jornais faziam rir. O general Mourão Filho, que em 31 de março descera suas tropas de Juiz de Fora para o Rio, autorretratou-se: "Em matéria de política, não entendo nem falo nada. Sou uma vaca fardada".

Ao ir para o cinema, Marighella já lera a reportagem sobre um dos seus compositores favoritos. Internado para uma cirurgia no nariz, Cartola antecipara: sem dinheiro, pagaria os médicos em samba. Marighella se distraía ao compor. Às vezes se mostrava inspirado, como em um frevo cheio de graça sobre Cacareco, o rinoceronte campeão de votos numa eleição em São Paulo. Nunca teve uma música gravada. Um cantor amigo, Jorge Goulart, interpretou o grande sucesso do último Carnaval sob a democracia: a marchinha "Cabeleira do Zezé", de João Roberto Kelly e Roberto Faissal.

Na tarde do sábado, a cabeça de Marighella não estava sintonizada em música. Ele pressentiu a encrenca quando Valdelice caminhava pela rua Conde de Bonfim trazendo o pacote e a campana. No escuro do cinema, sentou-se para planejar a fuga. Já tinha escapado tantas vezes. Por que não dessa? Tinha que pensar rápido. Pela porta da frente não teria chance, e a saída lateral parecia temerária. Não ligou para o filme que arrancava gargalhadas do público infantil. Até que a projeção foi interrompida, e as luzes se acenderam.

O cinema não se ilumina por acaso, nem o projetor falha ou o projecionista se atrapalha na troca de rolos. A pane é uma farsa, ordenada por João Macedo ao gerente. Antes, ele e seu parceiro contaram os minutos para a chegada dos reforços. Na entrada da galeria onde fica o Eskye-Tijuca, exibe-se o anúncio da comédia *Rififi no safári*, com Bob Hope e Anita Ekberg: "Um explorador de araque na África com a mais sensacional das louras". A sessão das quatro da tarde está mais perto do fim que do começo. O crítico do *Correio da Manhã* detonou o filme. Abominou a sisudez dos decotes da bem fornida Anita e salvou apenas uma gag sobre o presidente americano John Kennedy e o governante soviético Nikita Khruschóv. Um fotógrafo do jornal fez pouco da opinião e levou a filha.

A tarde tem mais sabor para a estudante Elisabeth Mamede, seu irmão Celso e a prima Kátia. Aos catorze anos, Elisabeth foi autorizada pela família a ir sozinha pela primeira vez com os mais novos. Nenhum deles percebe, alguns metros atrás, um homem que se atrasa demais para a sessão ou se adianta para a próxima. Mais de dez policiais enviados por Cecil Borer não se atrasam. Desconhecendo o ponto preciso onde Marighella se acha, bloqueiam as saídas e adentram no salão. Não admitirão escapadas cinematográficas. Sabem que crianças dominam o ambiente. Ex-atleta, cerca de dez anos mais jovem que Marighella, João Macedo não se esquece da advertência de Borer. Simulado o defeito na projeção, as luzes se acendem, e os caçadores vislumbram a caça.

De pé, por trás e pela direita de Marighella, sentado na cadeira, um policial ordena-lhe que o acompanhe. Outro cerca-o por trás, pela esquerda. À sua frente, o terceiro mostra a carteira com as iniciais do Dops. Tudo num instante. O quarto, ao lado do que dá a carteirada, agacha-se e aponta o revólver calibre 38. Marighella pensa que vai morrer e grita:

"Matem, bandidos! Abaixo a ditadura militar fascista! Viva a democracia! Viva o Partido Comunista!"

Não terminou, quando o agente dispara à queima-roupa. Ferido no peito, Marighella equilibra o corpo na perna esquerda e, com a direita, acerta um golpe que joga longe a arma. Outro chute destrói uma cadeira. Seus sapatos voam longe. Os policiais o chutam e esmurram, ele não cai e retribui as agressões. Um gosto adocicado tempera sua boca. É o sangue que o empapa. No rosto, o sangue turva a visão, e Marighella tem a impressão de que enfrenta ao menos sete. São oito, somam testemunhas. Não consegue ver a face dos tiras e nunca poderá identificá-los.

O tiro foi um, mas o sangue escorre por três perfurações. A bala entrou no tórax, saiu pela axila e se alojou no braço esquerdo. Marighella continua a lutar. Como um leão, compara um dos contendores que tentam imobilizá-lo. Outro berra, encolerizado:

"Vermelho! Vermelho!"

Com a altercação, o público se vira, ouve o tiro e enxerga o clarão que ele acende. Em pânico, as crianças choram. Elisabeth, Celso e Kátia se abaixam e engatinham. Dominado, com a camisa desabotoada e já sem o paletó ensanguentado, Marighella é puxado pelos policiais para fora do cinema. O fotógrafo do *Correio da Manhã* que passeia com a filha empunha a câmera, mas os policiais o ameaçam e impedem de registrar a cena. Corajoso, logra fazer algumas chapas, tremidas. Valdelice é presa.

Quase na calçada, Marighella reconhece a camionete do Dops e decide: "Não vou entrar no tintureiro". É a expressão popular para os veículos da polícia destinados à condução de presos. A resistência não tem fim. Empurrado, apoia as pernas no teto da viatura e não entra. Leva mais pontapés e socos. Já são catorze homens contra um. Ao cair, pisoteiam-no, e o corpo avermelha a calçada. Transeuntes protestam. Os passageiros de um lotação os imitam e são corridos por policiais que surgem de todos os cantos. O secundarista Alcides Raphael, que assistirá à sessão das seis horas, estima em cinco minutos o tempo para o homem que luta sozinho ser embarcado — o *Correio da Manhã* cronometrou dez minutos de espancamento.

Marighella só para quando lhe acertam uma pancada na cabeça e ele desmaia. Chega apagado ao Hospital Souza Aguiar. Policiais militares com metralhadoras esperam o tintureiro 964 do Dops. Ao deparar com o corpo imóvel, os médicos não sabem se está vivo ou morto. Tomam-lhe os sinais vitais e o socorrem. Os plantonistas do maior pronto-socorro do país custam a crer que aquele cinquentão, ferido, encarou tantos policiais mais jovens. A bala atingiu a ponta da costela e por pouco não perfurou o apêndice xifoide, o que poderia ter lhe custado a vida. Com perda abundante de sangue, são incertas as perspectivas. A extração do projétil terá de esperar.

Para a polícia, critérios médicos nada diziam. Com Marighella ainda desmaiado, algemaram-no e o amarraram à maca. Além dos agentes do Dops e dos policiais militares, o 19º Distrito providenciou um efetivo a fim de assegurar que o comunista não escapuliria na madrugada dominical. Temiam o restabelecimento milagroso e a ação de um comando de resgate. Não havia ordem de prisão contra Marighella. Não era um foragido. Nos novos tempos, o de menos. O garrote, no entanto, estava longe do aperto que o país conheceria. Já na noite de sábado, as rádios trombetearam a operação policial no cinema tijucano. No domingo, o *Jornal do Brasil* titulou: "Ex-deputado Marighella foi ferido a bala num cinema quando resistiu à prisão". O *Correio da Manhã* foi mais conciso: "Dops atira contra ex-deputado na GB".

Ao saber do tiro no homem de sua vida, Clara Charf se desesperou. Se ela o acudisse no hospital, seria presa. Já haviam experimentado situação semelhante, uma década antes, com os papéis invertidos: ela em cana e ele solto. Era hora de se despedir do Méier. Apanhou seus poucos pertences e se refugiou no apartamento do embaixador Álvaro Lins, no Parque Guinle, a poucos passos do palácio Laranjeiras, onde Jango despachara até 1º de abril.

As chances de seu marido fugir andando eram tantas quanto as de uma das cotias do Campo de Santana, defronte ao Souza Aguiar, subir os degraus do ônibus e pedir troco para uma nota de dez cruzeiros. Não que fosse improvável arregimentar um punhado de militantes para libertá-lo. Com a debandada pós-golpe, era difícil até reuni-los para um inofensivo convescote de análise conjuntural.

Marighella dormiu colado ao sobrado da praça da República, esquina da rua da Constituição, que em 1922 abrigara a primeira sede do PCB. No outro lado, a menos de cem metros do hospital, fincava-se a Faculdade Nacional de Direito. Os estudantes lá feridos em 1º de abril foram atendidos no Souza Aguiar, bem como os baleados na Cinelândia. Mais um pouco e se alcançava a estação ferroviária da Central do Brasil, palco do comício pró-reformas na sexta-feira 13 de março de 1964. O prédio do Ministério da Guerra, quartel da conspiração anti-Goulart, era vizinho da Central.

Não era essa geografia que embalava os sonhos — ou pesadelos — de Marighella. Horas depois da internação, ele se levantou com a maca nas costas e discursou com paixão. No delírio, estava preso na rua da Relação. Praguejou contra o Dops e os meganhas. Os policiais observaram com atenção quando os médicos o acordaram e o acalmaram. A sangria não estancava, e os analgésicos não aliviavam a dor. Faltava-lhe força para se virar no leito. Voltou a dormir, alternando estalos de consciência. Em um deles, ao abrir os olhos, deu de cara com um rosto familiar, o do cunhado Armando Teixeira. Casado com Tereza Marighella, ele tinha sabido da prisão pelo rádio e dera um jeito de averiguar como estava o irmão de sua mulher. Desviara da recepção e subira à enfermaria, sem notar os guardas que à distância monitoravam o paciente. Embora sob efeito de sedativos, Marighella reagiu: com um dedo, apontou a vigilância; com outro, disse que estava bem.

O magote de repórteres que tentavam ouvir Marighella obteve êxito na manhã seguinte ao domingo em que Teixeira se certificou de que o cunhado sobrevivera. O ferido era removido de maca da sala de curativos para a de raio X quando os jornalistas o cercaram. Contorcendo-se, falou com dificuldade. O sangue escorria pela boca:

"Eles não tiveram dúvidas em me eliminar. Sou comunista, sim, mas não um criminoso. Não lamento o que me aconteceu, mas lamentemos pelos inocentes que estão caindo nas garras da nova ordem."

Esforçava-se para prosseguir quando um soldado da Polícia Militar afastou os entrevistadores. Logo Marighella presenciou o bate-boca entre médicos e policiais. A equipe do hospital resistiu à determinação para que o paciente fosse transferido de imediato. Seria imprudência mandá-lo para a penitenciária Lemos de Brito, a menos de dois quilômetros dali. De nada adiantaram os argumentos. Pouco mais de quarenta horas depois de dar entrada no Souza Aguiar com a vida em jogo, Marighella foi levado de ambulância.

As dores aumentaram. No destino, o contratempo: o diretor da penitenciária recusou o hóspede involuntário. Temia responder pelo que sucedesse com um ferido grave que só teria condições de tratamento decente longe dali. E inexistia condenação ou mandado de prisão. Por motivos idênticos, o presídio Fernandes Viana fechou as portas a Marighella. Voltaram ao Souza Aguiar, de passagem. Ele foi novamente algemado à maca e transportado para a Lemos de Brito, porque não haveria de ser um reles burocrata de cadeia quem mandava. O lugar estava longe de lhe ser estranho.

Havia quase vinte anos que passara pela última vez no complexo penitenciário da rua Frei Caneca. Ele não esquecera as horas de euforia em um pernoite que antecedeu a liberdade. Agora, voltava por baixo. Puseram-no em um cubículo estreito, o de número 31. Leu a placa do lado de fora: "Incomunicável". Para falar com o corredor, só por uma janelinha que nunca se abria na porta de madeira. O ar penetrava por um buraco gradeado no alto da cela. Um muro baixo separava catre e colchão de privada e pia.

Sem ordem judicial para encarcerá-lo, não poderia ser considerado prisioneiro. Foi registrado em "regime de depósito". Era o depositado 523. À noite, deparou-se com companhia. Pequenas baratas se insinuavam. Poderia contá-las, substituindo ovelhas oníricas, se o sono demorasse. Não precisou: enfraquecido, adormeceu. Ao despertar na madrugada, descobriu que as baratinhas festejavam carne nova onde brincar: perambulavam por seus lábios. Nos dias seguintes, foi submetido ao isolamento, só quebrado por idas à enfermaria, onde o cirurgião Acioly Maia extraiu a bala. A ponta vermelha, achatada pelo impacto na costela, chamou a atenção de Marighella. Então ele soube que, além de escapar da morte, quase tivera o braço esquerdo incapacitado — o projétil raspara no tendão.

No cubículo, continuou proibido de receber visitantes e de apelar a advogado. Não podia conversar com ninguém. Sem ser requisitado para depoimento ou audiência, comparou-se a um objeto que a polícia largara no almoxarifado. Gostaria de saber do que o acusavam. No inquérito a que não teve acesso, a resposta era um branco: formalmente, de nada. Ignorava o que ia pelo mundo, porque também vetaram jornais. Se pudesse ler, talvez desconfiasse de que a cidade se esquecera do joelho estourado que provocou o corte de Garrincha da seleção convocada para a Copa das Nações; da campanha de um padre para os militares banirem o beijo e outros "costumes indecorosos"; e das especulações sobre como podia uma cabeça, a do marechal Castello Branco, se equilibrar sobre o tronco sem o apoio de pescoço. Parecia não haver outro assunto que Carlos Marighella e sua resistência à prisão.

A *Última Hora* condenou, no editorial "Show sanguinário", a remoção para a Lemos de Brito. Considerou-a ameaça à vida: "Se amanhã o sr. Carlos Marighella aparecer morto, tratar-se-á por certo de um 'lamentável acidente', segundo as versões oficiais. Mas que outra coisa se pode esperar, quando um homem, odiado pela polícia e por ela ferido, vai receber 'tratamento' na enfermaria de um presídio?". Ao descrever os procedimentos no cinema, o *Correio da Manhã* falou de "crueldade" e "imbecilidade". O jornal incitara a deposição de Goulart, mas em poucas edições se tornou opositor da maré repressiva. Em seguida à prisão de Marighella, publicou na primeira página os trinta tópicos da Declaração Universal dos Direitos Humanos. No artigo "Em defesa das crianças", o colunista Sérgio Bittencourt exaltou, em Marighella, a "valentia de alguém desarmado": "O que sei, o pouco que sempre soube, é o que um bom senso me grita: pior que fazer uma 'revolução' com aspas é aliar essa mesma 'revolução' ao sangue inútil arrancado do corpo de um homem cambaleante, indefeso e sozinho — tudo isto, ante os olhos confusos e assustados de crianças, que podem não saber o que seja uma 'revolução', mas já percebem o que é uma covardia".

Um dos pilares da "Revolução", como se proclamou o novo regime, o Conselho de Segurança Nacional queria interrogar Marighella com urgência. Por isso mandou transferi-lo, recém-baleado, para a Lemos de Brito. Foi o que informou o *Jornal do Brasil*. As redações botaram as tropas em campo para apurar o caso do cinema. O *Jornal do Commercio* revelou uma testemunha que confidenciou ter ouvido o investigador Hiram dizer a um companheiro da polícia política: "O homem já estava dominado, não havia necessidade de atirar". O furo de maior repercussão foi a fotografia de Marighella carregado por dois policiais, antes de se rebelar novamente na entrada do tintureiro. O *Correio da Manhã* batizou-a como "A imagem do terror".

Com base nela, o matutino qualificou de "falsa e tola" a versão do coronel Gustavo Borges, secretário de Segurança da Guanabara. O coronel e seus subordinados do Dops alegaram que a arma era de Marighella, que ele tinha se ferido sozinho, e um único policial o detivera. Nos relatos que mais falseavam do que esclareciam, o secretário deu uma pista de quem havia apertado o gatilho, abandonando a ficção de que o ferido alvejara a si mesmo: "Quem atirou contra o cidadão Carlos Marighella não pertence aos quadros da polícia". João Macedo não pertencia. Não era o único. Sobrou para Valdelice Santana. Presa no Eskye--Tijuca, levaram-na para a rua da Relação, onde apanhou para fornecer informações que desconhecia. Casada com um funcionário do prédio do Catete, foi apresentada pelo Dops como amante do preso famoso. A zeladora mantinha consigo uma chave do apartamento, que eventualmente limpava. Por essa razão, Marighella lhe encomendara as roupas e a correspondência.

Ele não sabia o que se passava fora do cubículo — o Conselho de Segurança Nacional não o procurou. De tão sozinho, na sexta-feira seguinte à prisão espalhou-se o boato de que morrera. Já era junho, dia 5, quando o mandaram se aprontar, pois o Dops o convocava. Pediu a roupa com que desembarcara na Lemos de Brito. Era a mesma que usava no cinema. Vestiu a calça com manchas de sangue ressecado e a camisa, mais ensanguentada ainda, com três furos de bala. Nos pés, nada, porque os sapatos se perderam na pancadaria. Iria descalço. Planejou o visual como "libelo acusatório".

A caminho do Dops, parou no Instituto Médico-Legal, na rua dos Inválidos. Um médico o examinou e confidenciou que o tiro fora para matar. Meia quadra depois de sair de lá, Marighella distinguiu na esquina da rua da Relação o prédio onde um dia o inferno se descortinara para ele. Ao dar com o maltrapilho, o escrivão indagou:

"Por que o senhor veio com esta roupa suja de sangue?"

"Porque o Dops me deixou incomunicável esses dias todos", rebateu Marighella. Ele avisou: "Não ponha aí no papel que isso é 'Revolução', senão eu não assino coisa nenhuma! Ponha 'golpe militar fascista, ato institucional fascista'!".

Encerrado o depoimento, voltou para o cubículo 31, onde vegetou por mais vinte dias. Retornou ao Dops sem saber por quê. Cedeu a um par de chinelos e manteve a roupa avermelhada. Ao chegar, policiais de São Paulo retiraram dezenove cadernetas de uma pasta de couro amarelo. As anotações tinham a letra inconfundível de Luiz Carlos Prestes: pequena, arredondada e feminina. Foragido desde o golpe, o secretário-geral do PCB deixara em sua casa apontamentos sobre o cotidiano do partido. Citava Marighella 133 vezes. Provocado sobre os blocos espirais que tinha diante de si, Marighella os reconheceu, porém desconversou:

"Não conheço; nada a declarar."

Para sua surpresa, na saída não foi reconduzido à Lemos de Brito. Ficaria no Dops. Comemorou o reencontro com companheiros detidos. Marighella lhes disse que, se tivesse aceitado a prisão no cinema em silêncio, seria torturado, e ninguém saberia. Sem colchões para todos, alguns dormiam sobre jornais. Marighella dividiu o colchão com o "vice-xerife" eleito pelo coletivo de presos, José

Maria Nunes Pereira. Em seu apartamento, gravitava a representação do Movimento Popular de Libertação de Angola. A despeito da recepção calorosa, Marighella deu-se conta de que se metera numa fria. O vento úmido e gelado entrava pelas barras de ferro da porta do xadrez. Os cariocas equiparavam o inverno de 1964 ao de três anos antes, quando pinguins da Patagônia tinham visitado as praias da cidade. Marighella tossia e sentia os pulmões fracos. A comida causava disenteria, e uma centena de presos disputava um só sanitário. O passeio das baratas era melhor que aquela boia. Perdeu os quilos que recuperara. Quis voltar para a penitenciária, mas lhe disseram não.

No fim da tarde de 2 de julho, data da independência da Bahia que tanto estudara na escola, avisaram-no que se preparasse para pegar a estrada. Seu destino seria o Dops de São Paulo. A temperatura despencara para os doze graus. Os companheiros arrecadaram algum dinheiro, frutas e agasalhos para confortá-lo. Funcionários da polícia, apiedados do seu abatimento, também. No portão, encontrou a camionete cinza com faixa amarela. Recordou-se da empresa de transportes Lusitana e seu slogan consagrado, "O mundo gira, a Lusitana roda". Repetiu para si: "O mundo gira, o Marighella roda".

Pelas frestas, espiou a via Dutra. Os policiais da escolta lhe atiraram uma japona para afugentar o frio. A cada buraco, a cabeça batia no teto baixo. Ao protegê-la com as mãos, largava o banco de ferro e se desequilibrava. Sacolejando, identificou-se com uma fruta no liquidificador. Dividia os fundos do tintureiro com o pneu sobressalente e algumas ferramentas. O antigo aluno de engenharia projetou uma viagem menos sofrida. Deitou-se sobre o estepe e apoiou os pés em uma lateral e no piso da camionete. A mão esquerda segurou outra lateral. A direita salvou o cocuruto das batidas. As feridas doíam como agulhadas. Com o balanço, os vômitos se sucediam. A madrugada estava longe do fim quando Carlos Marighella se sentiu numa nave a viajar pela estratosfera. Lembrou-se do cosmonauta pioneiro do espaço. E sonhou, acordado, que era Yuri Gagárin.

PARTE I

1. Menino preso ao pé da mesa

Aos primeiros raios de sol, a Bahia começaria a escapar das mãos dos brancos para as dos negros. Mais de cinquenta africanos ceavam na madrugada de 25 de janeiro de 1835 à espera do amanhecer. Espremiam-se no subsolo de um sobrado da ladeira da Praça, no coração de Salvador. Recapitularam o combinado: entre as cinco e as seis horas, como de costume, os escravos deixariam as senzalas e acorreriam às fontes da cidade em busca de água. Naquele domingo, seria diferente: conterrâneos procedentes da mesma margem do Atlântico os conclamariam a pôr fim a tal estado de coisas. Não haveria mais senhores, pelo menos senhores brancos. Quase três séculos depois de os primeiros navios negreiros ancorarem, chegara a hora de o povo da África mandar.

Aqueles negros tinham intimidade atávica com a arte de guerrear. Haviam acabado no cativeiro não ao serem surpreendidos por traficantes de escravos quando corriam de leões famintos, mas ao caírem prisioneiros em guerras entre reinos do Noroeste da África. Tinham sido trocados por legítimo fumo baiano e despachados pelos portos do golfo de Benin. Entre os cabeças do levante iminente, a maioria era de nagôs. Secundavam-nos os haussás, provenientes do Sudão, em um território que viria a fazer parte da Nigéria, onde corre o rio Mariga. Camadas expressivas de nagôs e haussás eram muçulmanas. Os africanos do islã se tornaram conhecidos como malês. A surpresa seria seu trunfo na revolta. Não reviveriam derrotas passadas.

Elas não foram poucas. Desde o início do século, os haussás tinham feito arder a Bahia. Planejaram envenenar os brancos, em 1807, e um líder fora castigado com mil açoites em praça pública. Dois anos mais tarde, o ferro em brasa marcara com o *f* de *fujão* os corpos dos cativos recapturados. Os haussás se transformaram no espectro que aterrorizava os senhores de escravos e engenhos. Sobressaíam-se por ler e escrever em árabe, o que os distinguia dos africanos analfabetos. A quantidade, da mesma forma, fazia a força malê. Nas primeiras décadas do século XIX, a Bahia recebera mais de 230 mil escravos dos numerosos grupos étnicos do golfo de Benin. Nos anos 1830, os nagôs eram majoritários na província do Brasil imperial. Na projeção do principal historiador da rebelião de 1835, João José Reis, naquele ano os africanos, cerca de 22 mil, representavam um terço dos moradores de Salvador. Havia quase um escravo — 42% da população, incluindo os nascidos no Brasil — por homem ou mulher livre.

A agenda dos rebeldes avançava além dos quilombos. Em aliança com africanos de Pernambuco, formariam um reino. Eles não contavam, porém, com a descoberta da conspiração pelas autoridades. À uma hora da madrugada, uma patrulha alcançou o sobrado da ladeira da Praça, e o movimento irrompeu antes do combinado. Ali mesmo os revoltosos assassinaram com armas brancas um guarda nacional e feriram um tenente. Um insurreto foi morto a tiro por um soldado. Os insurgentes se dividiram em grupos. Liquidaram dois mulatos na Baixa dos Sapateiros. No Terreiro de Jesus, uma patrulha abateu dois africanos.

Escravos e libertos apalavrados com a insurreição dormiam quando ela rebentou. Aderiram ao acordar com a gritaria e o barulho de um tambor. Vestiam abadás e demais roupas próprias dos islâmicos. Carregavam amuletos e papéis com trechos do Corão. Sem luar, a noite descera escura. Com os choques, iluminou-se. Em Água de Meninos, a Revolta dos Malês sucumbiu na batalha derradeira. Seiscentos africanos teriam combatido. As mais de três horas de luta deixaram cerca de setenta mortos, dos quais pelo menos cinquenta rebelados. A corveta *Erie*, dos Estados Unidos, passava pela Bahia. Seu comandante ofereceu fuzileiros e marinheiros para proteger os residentes americanos e ingleses. Se os marines desembarcassem, enfrentariam a mistura de identidades étnica e religiosa que foi a combustão do levante. É possível que, vitoriosos, os negros introduzissem novas formas de escravidão. O certo é que estavam cansados da dominação branca e ambicionavam o poder.

Incansáveis nas revoltas baianas, em 1835 os haussás não se mobilizaram como os nagôs. Dali a um século e meio, João José Reis especularia: talvez estivessem cansados da luta armada. Sua influência social se dissiparia com os anos, mas não seria esquecida. O escritor Afrânio Peixoto comparou: "Os angolenses [eram] mais dóceis, servis, fiéis e domésticos do que os sudaneses, mais inteligentes, rebeldes, bonitos e esbeltos [...]. A Bahia preferiu estes".

Em nome da assombração dos sudaneses, a repressão espalhou o terror. Condenados à morte, quatro africanos seriam enforcados. Por falta de carrasco, fuzilaram-nos no Campo da Pólvora. Emitiram penas de prisão, galés e açoite — cinquenta a 1200 chibatadas nas costas e nádegas nuas dos corpos amarrados aos troncos. Puniram os libertos com a deportação. Em novembro de 1835, duzentos africanos foram depositados no patacho *Maria Damiana*. Do porto de Salvador, seguiram para Uidá, então Reino de Daomé, no futuro a República do Benin. Nunca mais a Bahia arderia com um levante malê.

Setenta e dois anos após o *Maria Damiana* zarpar, o paquete alemão *Santos* atracou no dia 4 de novembro de 1907. A temperatura talvez tenha iludido os dez trabalhadores italianos que desembarcaram no porto de Salvador — cinco ferreiros, dois pintores, um pedreiro, um carpinteiro e um barbeiro. Dava a impressão de que o calor não os derreteria, ao contrário do que ouviam dizer de outras paragens brasileiras desde antes de se despedirem de seu país. O termômetro da Estação Meteorológica da Escola de Aprendizes Marinheiros se conteve na máxima de 29 graus. Para melhorar, o vento sudoeste refrescava.

Não era sombra o que buscava o ferreiro Augusto Marighella. Ele queria trabalho. Passara uma temporada em São Paulo ao lado da mãe, em companhia de quem deixara a Itália depois da morte do pai. A viúva Edvige não seguiu o filho rumo ao norte do Brasil, casou-se de novo e se acomodou no interior paulista. Às vésperas de completar 23 anos, Augusto ostentava silhueta de atleta, topete imponente e um rosto que parecia esculpido. Aparentava mais um galã do cinema mudo e menos o operário que se iniciara no ofício ainda em Ferrara, cidade renascentista da Emília-Romanha, na Itália setentrional.

Colonos oriundos da região não gozavam de boa fama entre os senhores de terras que, com o fim do tráfico de africanos, recorreram à mão de obra europeia. Eram evitados em contratos de imigração por conta de relatos de insubmissão ao trabalho degradante. De 1903 a 1920, no ocaso da vinda de italianos para o Brasil, os "encrenqueiros" da Emília-Romanha não passaram de 3%

(9103 entre 306 652). Educaram-nos para não baixar a cabeça. Como todos os companheiros de viagem que trocavam a existência sem eira nem beira pelas esperanças do Novo Mundo, recebiam no cais um guia de dezesseis páginas do Commissariato Generale dell'Emigrazione. Intitulado *Avvertenze per l'emigrante italiano*, predicava: "Mantenha a sua dignidade de trabalhador e de italiano: não aceite ocupação humilde demais ou pagamento inferior ao do trabalhador do país". E relacionava as representações diplomáticas mundo afora, sem esquecer do consulado da Bahia.

Os italianos eram velhos conhecidos da *"baia di tutti i santi"*, na letra do florentino Américo Vespúcio. O navegador a tinha avistado em 1º de novembro de 1501, Dia de Todos os Santos. Diante da enseada, batizara-a e a descrevera como "bela e cômoda". A imigração italiana para lá seria inaugurada na década de 1830, a mesma do levante dos malês. Não seriam muitos. O censo de 1920 descobriu 1448 no estado.

Augusto parecia dar de ombros à ausência de uma *comunità* grandiosa como a paulistana. Tinha mais com o que se preocupar: inexistia época pior para procurar ocupação. Antiga capital, a primeira do Brasil, Salvador permanecia como o terceiro município mais populoso da República, que festejava dezoito anos. Perdia por pouco para São Paulo — 319 mil a 346 mil habitantes —, mas já não atraía muita gente. O cacau compensava em parte a queda de ganhos da Bahia com açúcar e café. O boom da produção da fruta de cuja semente se fabrica o chocolate conduzia os migrantes para o sul do estado. Não para Salvador, onde Augusto buscava trabalho desde o término da viagem na terceira classe do navio da companhia Hamburg Süd, no qual embarcara no Rio de Janeiro. Operário qualificado, não o encontrou na metalurgia — o único ramo de expressão da raquítica indústria baiana era o têxtil. Topou uma vaga de motorista e mecânico dos caminhões do lixo. Logo se sentiu em casa.

Com os italianos era assim, para desconsolo de um cônsul que choramingou numa carta: "[Os conterrâneos] deixam de falar a língua pátria, acabam por esquecê-la, adotam com extrema facilidade todos os hábitos dessas regiões, mesmo os mais estranhos [...]. São, na maior parte, pouco menos que assimilados aos nativos, também em virtude de não raras uniões que [...] contraem com mulheres do lugar, de pele mais ou menos escura".

Ao se lamuriar, o diplomata não fora apresentado a Augusto Marighella, ainda distante. Mas era como se o recriminasse. O *ferrarese* não deixava de proclamar seu encanto com as composições de Paganini nem se cansava de, no banho, cantarolar cançonetas. Persistia a pronunciar *"Porca Madonna"* até diante de igrejas. Do mal nostálgico, contudo, não padecia. Suas veleidades de cantor lhe foram preciosas quando, rodando de caminhão pelas ruas de pedra, esticou os olhos para uma negra alta e esbelta como uma haussá. Ela carregava a lata de lixo até a porta da casa da família francesa na qual trabalhava e vivia. Chamava-se Maria Rita dos Santos, repartia o cabelo rigorosamente no meio e era uma tentação. Em 1908, completara vinte anos — nascera a 22 de maio de 1888, nove dias após a Lei Áurea. Jamais revelaria se, por um instante, resistiu aos galanteios do italiano sedutor que interpretava músicas românticas em serenatas dedicadas a ela.

Formaram um casal tão belo que nenhum dos oito filhos, alguns bem-apanhados, haveria de igualar a beleza dos pais. Mudaram-se para uma casa na rua da Fonte das Pedras, onde ficava uma das vinte fontes públicas inventariadas por um observador em 1829. Forneciam água potável, e não salobra como a de tantas residências. A rua era uma ladeira nas proximidades do dique do Tororó. No futuro, seria erguido ali o maior estádio de futebol da Bahia, a Fonte Nova. Maria Rita estava em casa às três horas da madrugada da terça-feira 5 de dezembro de 1911, quando uma parteira a ajudou a pôr no mundo o primeiro filho, o mulato Carlos Marighella.

Quem se aconselhasse sobre um lugar sossegado para aninhar um bebê na virada de 1911 para 1912 ouviria que, quanto mais longe da Cidade da Bahia, como Salvador era conhecida, melhor. Pouco incomodavam os entreveros de bebuns na praça Castro Alves, as cenas de pugilato nos bondes da Companhia Linha Circular ou as rodas de samba noite adentro. Uma delas, na rua Bom Gosto da Calçada, com viola, pandeiro e harmônica, foi até o fim da madrugada seguinte à do nascimento de Marighella. Terminou às seis horas com distúrbios entre as rameiras e a polícia. A azáfama para impedir o desembarque de militantes anarquistas no porto e os apitos das dezenas de praças do regimento destacado para vigiar os estivadores em greve também não roubavam o sono de ninguém. O barulho era outro.

Pontualmente à uma e quarenta da tarde de 10 de janeiro de 1912, os canhões do forte São Marcelo dispararam tiros de pólvora seca, na baía de Todos os Santos. Os canhoneiros do forte do Mar acompanharam, com balas de verdade, o ataque contra o centro de Salvador. Provocaram estragos na Câmara Municipal, no palácio quase ao lado e em sobrados da rua Chile. As chamas consumiram a Biblioteca Pública, e da Casa dos Governadores pouco sobrou. Soldados do Exército confrontaram os da PM, e o sangue respingou. Durante quatro horas os estrondos foram ouvidos em toda a cidade, e a rua da Fonte das Pedras não foi exceção.

Cinco dias antes, o bebê Marighella completara um mês. O governador Araújo Pinho renunciara, abrindo um ciclo de manobras contra o favorito à sucessão, José Joaquim Seabra. O marechal Hermes da Fonseca, presidente da República de quem Seabra era ministro, contrariou-se com a desobediência a uma ordem judicial para desocupar um prédio invadido por tropas do estado. Voltou para Salvador sua artilharia, cuja vocação original era proteger a cidade contra os perigos vindos do mar. J. J. Seabra acabou por se eleger. A incandescente política baiana se resolvia a bala, se necessário de canhão.

Dias depois do bombardeio, policiais militares se atracaram com populares na Baixa dos Sapateiros, onde uma pessoa foi morta. Caso a refrega ocorresse poucos anos mais tarde, os Marighella a teriam testemunhado. Quando Carlinhos ensaiava as primeiras sílabas, o ferreiro Augusto já se transferira para uma rua do bairro, a Barão do Desterro. O italiano largou o caminhão de lixo e, com parcas economias, estabeleceu uma oficina mecânica no número 8. Na casa número 9, foi morar com a família que crescia. Anita, a segunda filha, nasceu ainda na Fonte das Pedras. Até janeiro de 1929 seriam quatro os filhos homens (Agostinho e Humberto vieram depois de Carlos e antes do caçula Caetano) e quatro as mulheres (Anita foi seguida por Julieta, Edwiges e Tereza). Na tradição italiana, receberam somente um sobrenome, o paterno. Augusto decidia os nomes. Seu pai fora Carlos, assim seria seu primeiro filho. Edwiges foi batizada como a avó, embora o cartório tenha trocado algumas letras. Do novo matrimônio da mãe em São Paulo, Augusto ganhou uma irmã, a roliça Tereza, homenageada com a última sobrinha baiana.

O pai tinha paciência infinda com as crianças. Se Maria Rita se exasperava ao ver um brinquedo desmontado, o marido deixava por menos:

"Fare e disfare è tutto lavorare."

Se fazer e desfazer eram ambos trabalho, não havia mesmo motivo para aborrecimento. A marca do carro americano de Augusto inspirava os filhos. Chamavam-no de "papai Buick", a senha para que corresse atrás deles com uma toalha de banho nas mãos. Era um tipo divertido e sedento por novidades. Introduziu em Salvador o martelo de borracha no conserto da lataria de automóveis, foi dos raros mecânicos que consertavam motores de navios e, na década de 1940, sagrou-se recordista na conversão para gasogênio de motores a gasolina. Professor Pardal *avant la lettre* — o personagem do estúdio Disney é de 1952 —, inventou uma engenhoca para abastecer a caixa-d'água. Instalou uma roleta na frente da oficina e estimulava a criançada a passar por ela. Acionada pela rotação, uma bomba enchia a caixa. Fez escola: ex-aprendiz de Augusto, Osmar Macedo, já dono de sua própria oficina, conceberia com o amigo Dodô o protótipo do trio elétrico carnavalesco.

O inventor Augusto não militou no anarquismo como os imigrantes italianos que pararam São Paulo na greve geral de 1917 — a de 1919, na Bahia, foi dirigida por um socialista, o advogado Agripino Nazareth. Proprietário de um pequeno empreendimento, Augusto era patrão, não assalariado. Em vez de frequentar assembleias sindicais, cuidava dos músculos, exercitando-os com marombas em casa e remando em um clube. A Lei Adolfo Gordo, de 1907, fabricada para expulsar estrangeiros associados à agitação social, nunca o ameaçou. Homem do seu tempo, não compreendia a insistência das filhas com os estudos. Algumas chegaram à universidade, e Tereza inscreveu-se escondida no curso de formação de professores.

"Tua escola é dentro de casa", ralhava.

Embora não vestisse a camisa rubro-negra dos anarquistas, compartilhava identidades com eles. Se a mãe se distraía, Carlinhos escapava para assistir aos desfiles militares. Uma vez se perdeu e não soube voltar para casa. O pai resmungava:

"Militar é igual a macaco: só sabe imitar os outros."

Provocava:

"Por que o pobre trabalha toda a vida e nunca tem nada?"

Seu anticlericalismo flertava com o ideal libertário. Não que sonhasse com o último burguês enforcado na tripa do último bispo. Até se permitia uma palavra carinhosa para são Brás, invocado contra as doenças da garganta. Mas parecia preferir a companhia do belzebu à de um sacerdote. Aos brados, botou um padre para correr de uma reunião comunitária. O guardião da igreja de São Francisco podia faltar, mas a família Marighella não perdia a primeira missa dominical. Enquanto Carlinhos era garoto, apenas um não aparecia: o seu Augusto da oficina. Em alguns anos, o filho mais velho não o deixaria só.

* * *

Se Augusto Marighella fazia qualquer coisa para se manter longe dos padres, Maria Rita não saberia viver sem eles. A mudança para a Baixa dos Sapateiros foi uma graça para ela. Não que faltassem igrejas para os lados da Fonte das Pedras. A bem da verdade, não faltava igreja em lado algum. Rezava a lenda que havia em Salvador uma para cada dia do ano. O compositor Dorival Caymmi, outro mulato baiano com ascendência italiana, consagraria a centena 365 em um samba. Baiano de Itabuna, o romancista Jorge Amado ouviria de amigos o número 76, somando as capelas. Um príncipe alemão contou 36 igrejas mais um "grande número de conventos" em 1816. Em 1935, uma pagadora de promessas, mãe do dramaturgo Dias Gomes, comprometeu-se a assistir à missa em todas elas. Ajoelhou-se em 92. No comecinho do século XXI, de acordo com a arquidiocese, eram 371 igrejas e capelas.

O que animava a mãe de Carlinhos na nova morada era a vizinhança da sua igreja mais querida, a de São Francisco — nada franciscana, a considerar o ouro que a revestia e que dava a impressão de produzir mais brilho em sua nave central do que o sol lá fora. Maria Rita saía de casa, em pouco mais de cem passos estava na calçada da Baixa dos Sapateiros (uma rua em curva que viria a se chamar J. J. Seabra), atravessava-a, subia a ladeira lateral à Ordem Terceira de São Francisco, dobrava à esquerda e logo dava de cara com a fachada barroca. Da porta de casa ao pórtico da igreja caminhava, se muito, quinhentos metros. Era lá que comungava com os filhos, onde os batizou e mandou à primeira comunhão.

Primeiro rebento, Carlos Marighella vivenciou a fé tendo a mãe como guia. A despeito de "sua" igreja, ela não guardava nenhum são Francisco no altar doméstico, consagrado a santa Rita, em cujo dia nasceu, santo Antônio, são Cosme e são Damião. Na infância, Carlinhos foi íntimo dos dois protetores das crianças. Em nome deles, não se avexava em pedir doações, na tradição católica da missa pedida. Maria Rita fazia uma promessa aos santos. Alcançada a graça, encomendava a missa. Acomodava as esculturas de madeira numa cesta, enfeitava-a com flores malmequer e a passava ao filho. Ele anunciava de casa em casa:

"Missa pedida para Cosme e Damião!"

Recolhia o óbolo, e a mãe o oferecia à igreja de São Francisco, onde se celebrava a missa para os santos. Maria Rita zelava pela formação da prole nos conformes do catecismo. Enquanto vivesse, nenhum filho deixaria de lhe tomar a bênção. Pequeno, Carlinhos soube pelos frades franciscanos o que era voto de pobreza. Já universitário, empunhava o bandolim de Anita, galhofava dedilhando-o sem jeito e repetia o refrão "justiça de Deus na voz da história". De tanto acompanhar os sermões contra o ateísmo, Tereza manteria para sempre um pé atrás em relação aos comunistas. A mãe, os dois.

Desconfiança maior, só das religiões e rituais de transe que tinham navegado o Atlântico com os escravos e feito da Bahia o terreiro inigualável do Brasil. Se alguém quisesse cutucar Maria Rita, bastava convidá-la ao candomblé. Não se tem notícia de que tenha pisado em um só dos centros identificados com pelo menos dezessete grupos étnicos de origem africana. Ela adoeceu, e uma vizinha sugeriu apelar aos orixás. A sra. Marighella exorcizou:

"Deus me livre! Jesus vai me curar."

Na Bahia, contudo, ninguém sabia ao certo onde principiava a influência dos bispos católicos e onde terminava a dos babalorixás e das ialorixás dos terreiros. Tinham mais confluências que Salvador tinha ladeiras — 190, segundo a tradição, por volta de 45 na contagem de Afrânio Peixoto. No mesmo mês de setembro em que os órgãos ribombavam nas missas de Cosme e Damião, os atabaques reverenciavam os Ibêjis. O candomblé sincretizava seus orixás irmãos nos gêmeos católicos. No dia 27, não se presenteava as crianças com balas, mas com um prato de sustança: o caruru, receita africana com quiabo e azeite de dendê. Serviam-no tanto beatas como filhas de santo. Na Liberdade, a Igreja encrencou com Cosme e Damião, padroeiros do bairro. Alegou serem "santos do candomblé".

Em janeiro, Maria Rita não perdia uma festa do Senhor do Bonfim, sincretizado pelo povo de santo com Oxalá, o orixá da criação. Muito menos, em dezembro, a de santa Bárbara, pertinho de casa. O povo saudava:

"Viva santa Bárbara! Viva Iansã [orixá das tempestades, raios e trovões]!"

Era no Mercado de Santa Bárbara que, a partir de certa idade, as crianças Marighella iam comprar condimentos. Além de em 27 de setembro, nos dias de batizado e aniversário infantil o caruru era sagrado.

Cozinheira de mão-cheia, Maria Rita não decepcionava os seus glutões, embora tenham permanecido magros na juventude. Ela temperava o ar com suas panelas de barro e cobre. Só Edwiges, "Duizinha" entre os seus, teimava em reclamar de odor ruim em tudo. O azeite de cheiro, nome na Bahia para o azeite de dendê, era onipresente na cozinha: vatapá, xinxim de galinha, sarapatel, moquecas de siri-mole e outros crustáceos e peixes, frigideira de camarão, siri e mexilhão. Acarajé, que a mãe não fritava, Carlinhos comia na rua. Não satisfeito com os pratos fundos que raspava no almoço, sua barriga roncava pelas sobremesas: arroz-doce e mungunzá, feito de milho branco e chamado de canjica em rincões longínquos. O comilão se servia em um copo, saía da mesa, voltava e pedia mais. Em outros tempos, não se vivia sem mungunzá nas senzalas.

O passado de Maria Rita, nascida com a Abolição, era um mistério. Mais que discreta, ela dava mostras de que as lembranças a incomodavam. Quando as evocava, murmurava fragmentos. Dizia, ao se abespinhar com a bagunça das crias: "Escapei da escravidão, mas virei escrava de vocês."

Ela contava que sua mãe, Maria Especiosa dos Santos, fora escrava. Calava sobre o pai, Jesuíno dos Santos. Já adulto, Carlinhos reivindicaria em prosa e poesia a condição de neto de escravos haussás. Ele e seus irmãos ignoravam o destino dos avós. A mãe e a irmã de Augusto se abalavam de São Paulo para visitá-los, porém nunca apareceu um parente da mãe baiana. Criança ou pouco mais do que isso, Maria Rita fora para a casa de franceses, na qual vivia ao se apaixonar por Augusto. Na intuição dos filhos, tinha sido "dada", figura jurídica inexistente mas comum no país que foi o último a extinguir formalmente o regime servil na América. Significava agregar-se, labutar em troca de moradia, comida e remuneração eventual. O quarto de empregada sucedeu a senzala.

A agregada recebera lições de bons modos para servir, daí a fineza no trato. Entretanto, descuidaram de alfabetizá-la. Tropeçava ao ler e escrever, apesar de falar corretamente. O primeiro filho a ajudaria com as palavras. Ela aprendeu a preparar as iguarias da *cuisine* francesa, às quais incorporou, no seu repertório de forno e fogão, os clássicos locais e as massas, em cujos segredos o marido a iniciou. Maria Rita nascera em Santo Amaro, no Recôncavo, a região que contorna a baía de Todos os Santos. Lá se concentraram os engenhos de açúcar e o escravismo. O lugar foi palco de revoltas negras e território de quilombolas. Na véspera do levante dos malês, um saveiro levou rebeldes de Santo Amaro para Salvador. Os filhos de Maria Rita não souberam de possíveis andanças da mãe atrás da família no Recôncavo. Sua maior confidência foi feita a Carlos e Caetano: ela descendia de haussás. Tinha o físico dos haussás, que eram altos e, como descrito por Afrânio Coutinho, esbeltos. Da cabeça aos pés, equivalia a Tereza, de 1,72 metro. Todas as filhas eram compridas.

O tráfico para a Bahia minguou em 1850. Se a mãe de Maria Rita fosse africana, como escreveria Marighella, teria chegado quase bebê e tido a filha na idade avançada de quarenta anos. Ocorre que não era comum o tráfico de crianças e mulheres haussás. É razoável supor que a mãe de Maria Rita tenha nascido no Brasil em meio a uma comunidade haussá. Neto de escravos, Carlos Marighella seria bisneto de africanos haussás, cuja cultura não sobreviveu na Bahia como a de outras nações africanas. A herança do islamismo foi residual, com a maioria das gerações seguintes identificadas com o catolicismo e o candomblé. Em 1903, o antropólogo Nina Rodrigues contou apenas quinhentos africanos em Salvador, um terço de malês. Naquele ano, os jornais informavam sobre um passatempo de brancos racistas: laçar velhos africanos nas ruas, como se fossem animais.

Maria Rita não era uma mulher triste, mas contida. Passional, Augusto chorou de raiva a perda de um funcionário para a marcenaria da esquina. Sua mulher soluçava escondida, por causa de um episódio com Carlinhos. As portas das casas de Salvador viviam abertas, não havia por que fechá-las na Barão do Desterro. O problema é que o filho, mal saído dos cueiros, sumia para jogar futebol. A mãe temia que algo de ruim lhe sucedesse. Para não perdê-lo de vista, passou a amarrar um tornozelo do menino ao pé da mesa, com uma corda fina. Uma vizinha viu e exclamou:

"Dona Rita, não faça isso! Criança que é presa assim acaba presa de verdade."

Maria Rita Marighella bambeou. Nunca mais amarrou o filho. Se um dia Carlinhos fosse preso, ela não se perdoaria.

2. Uma prova em versos

Se dependesse de um flagrante por falta de carteira de motorista, Carlos Marighella viveria até o fim dos seus dias sem o risco de ser preso ou multado. Não apenas porque teria os documentos que bem quisesse, quentes ou frios. Mas porque jamais aprendeu a manejar o volante de um automóvel. Não deixava de ser curioso para o filho de um mecânico, ex-condutor de caminhão de lixo e orgulhoso proprietário de um Buick. Agostinho e Humberto seguiriam os passos do pai na oficina. Para as meninas, o italiano mostrava as ferramentas sujas e esbravejava:

"Olhem aqui os meus livros!"

Com Carlinhos era diferente. As ferramentas construíram estantes de ferro para os livros que o garoto não cansava de devorar. Antes mesmo de liquidar o crediário anterior, o pai se empenhava para abastecê-lo com volumes nacionais e importados, com inclinação por autores franceses. Reformou o escritório da oficina para servir como aposento de estudo do filho, que adormecia ali com a cabeça caída sobre as páginas e despertava com o cacarejo dos galos e o repique dos sinos das igrejas. Carlinhos passou a ajudar os vizinhos nas lições, sem cobrar. Com alguns, jogava xadrez. Os alunos riam do seu jeito de encaixar o lápis entre os dedos indicador e médio da mão direita ao escrever. De tanto procurar e obter respostas, uma irmã pensou que ele decorara o dicionário. Se houve, perdeu-se na memória o dia em que, de volta ao lar, não encontrou sobre a cama um jornal deixado por Augusto.

Ninguém o influenciou como o pai, cujas ambições maiores contemplavam o primogênito. Em vez de introduzi-lo nos macetes das chaves de fenda, distanciou-o da graxa. Se a inveja e o rancor não corroeram a família, foi porque, para os irmãos, Carlinhos também era especial. Veneravam-no. Nem era mais Carlinhos, como só Augusto ainda dizia. Uma criança pronunciou "Carrinho", e assim ficou. Os pais se impressionaram desde cedo com Carrinho. A mãe, para quem as letras faziam pouco sentido, não era uma aberração: em 1920, a cada brasileiro acima de quinze anos que sabia ler e escrever correspondiam quase dois analfabetos. De mãos dadas com Maria Rita, o menino silabava ao passar pelo teatro no qual o jurista soteropolitano Ruy Barbosa discursava: "Po-li-the-a-ma". Havia outra alma a lhe tomar conta: a costureira Maria Laurinda Cardoso, a Mocinha, empregada de um ateliê, passava a semana com os Marighella. Ela "virou da família" e amadrinhou Edwiges. Com Mocinha, Carrinho lia: "Ci-ne-ma-I-de-al".

Augusto vibrou com a alfabetização precoce do filho, aos quatro anos de idade. Propiciou-lhe chances que não batiam à porta de todo garoto da Baixa dos Sapateiros, área pobre, e não miserável. Todavia, não lhe permitiu esquecer quem era o pai: um operário — mais bem-sucedido que seus peões, mas operário — que alimentava bocas demais. Carrinho pediu botinas para a escola e chuteiras para o futebol. Abraçara o Esporte Clube Vitória como time do coração. Augusto disse que o dinheiro, contado, dava para um par. Que escolhesse. Carrinho matutou por dois dias e optou pelas botinas. Quando tinha algum "babá", o nome baiano para as peladas, ia à oficina e pregava cravos na sola, improvisando os calçados como chuteiras.

Era um futebolista pacato, ao contrário do que seria Caetano. Mais taludo que os irmãos, o caçula foi o único a rivalizar em simpatia com Carrinho, seu padrinho de batismo. Atacante, às vezes se destemperava com os marcadores, e as vias de fato o tentavam. Augusto formou os filhos na cultura da coragem física. Notou "Gaetano", como o chamava, amuado. Indagou, o rapaz desconversou, mas acabou por se abrir: cortejava a irmã de um bombeiro, de mais idade e tão corpulento quanto ele, um gigante de quase dois metros. O soldado dera-lhe uma corrida. Filho de Augusto Marighella não haveria, no entanto, de se acovardar. O pai alardeava a própria força. Apertava porcas de parafuso com as mãos como se empunhasse a chave de boca. Ordenou que Gaetano peitasse o bombeiro durão. Ensinou um murro certeiro no coração. Exultou quando soube da boa sova aplicada por seu *bambino*.

A casa da rua Barão do Desterro era uma festa. A começar por Carrinho, que inventou paródias de letras de músicas e poemas, tomou gosto e não parou mais. Aprazia-lhe apelidar. Em virtude do pescoço curto, Caetano virou "Sergipano". Julieta, de pernas finas, era a "Canela de Sabiá". Depois que se formou no curso normal e sugeriu ao irmão uma vida sem sustos, Tereza foi rebatizada como "Professora Sem Juízo". Anita só largava o bandolim quando Carrinho o tomava para gracejar.

A oficina e a casa ficavam do lado direito da rua acanhada e sem saída. Separavam-nas algumas residências, e uniam-se pelos fundos. O que tinha de estreita, com uma porta e duas janelas na fachada, a casa tinha de comprida. Sem forro no teto, expediente nas edificações da Bahia para amainar o bafo, cobria-se apenas de telhas. Casas com forro eram as dos bacanas que moravam na avenida Sete de Setembro e frequentavam o Clube Bahiano de Tênis, onde negros não entravam no time de futebol e muito menos nos bailes.

A rígida hierarquia social baiana desfilava aos olhos do jovem Marighella na Baixa dos Sapateiros, assim nomeada por causa dos artesãos dedicados a esse ofício que lá se instalaram. Os ricos se engalanavam para as matinês dos cinemas Olímpia e Jandaia, que em alguns anos viriam a atrair plateias menos endinheiradas. Crianças trabalhadoras se machucavam ao pegar o bonde em movimento para vender jornais, o que não passava despercebido a Carrinho.

O bairro era um caldeirão. Em 1917, populares destruíram candeeiros e lâmpadas em protesto contra o aumento do pão — faltavam três meses para os revolucionários bolcheviques tomarem o palácio de Inverno. Em 1919, a revolta explodiu devido à putrefação da carne à venda em carroças e caminhões — pelo mesmo motivo, os marinheiros do encouraçado *Potemkin* tinham se amotinado na Rússia em 1905. Viam-se poucos vendedores negros e mulatos nas lojas da Baixa dos Sapateiros. Nas da rua Chile, passarela de ternos brancos, chapéus e luvas, praticamente nenhum.

As linguarudas da vizinhança davam conta de tudo, inclusive do tom da pele da prole do casal Marighella. Augusto era branquelo; Maria Rita, negra; os filhos, mulatos. Por não terem nascido brancos, "dona Rita" tinha "barriga suja", cochichavam as comadres. A futrica chegou ao ouvido das crianças, que lhe deram as costas. Carrinho aproveitava o cabelo pixaim para ousar nos cortes que sugeriam um excêntrico. Um escrivão registrou-o como branco em 1928, na certidão tardia de nascimento — consta como declaração de Augusto. Apareceu como mulato no atestado de vacina contra varíola em 1931.

Contrastando com capitais ao sul, negros e mestiços compunham a maioria em Salvador. O censo de 1940 estimou os não brancos em 64,9%. No século XIX e na entrada do seguinte, a sociedade baiana projetou mulatos em profusão: o engenheiro Teodoro Sampaio, os irmãos André e Antônio Rebouças (também engenheiros), o psiquiatra Juliano Moreira e o abolicionista Luiz Gama (rábula, defendeu a tese de que, ao matar o seu senhor, o escravo exerce o direito de legítima defesa).

A cor persistia, entretanto, como fator de discriminação. Em 1911, quando Marighella nasceu e a Lei Áurea contava mais de 23 anos, o jornal *A Bahia* quantificou: "[...] Três mil anos! Tal é [n]o mínimo a dianteira da raça branca sobre a negra". Um capitão-de-corveta da Escola de Aprendizes da Marinha respondeu a uma denúncia de racismo no recrutamento confirmando-a. Sobre candidatos "brancos e pretos", pontificou em 1923: "É natural que sejam preferidos os primeiros". Um sociólogo proeminente como Oliveira Viana saudava, na introdução do censo de 1920, um "movimento de arianização": "Os elementos inferiores [a população negra e mestiça] que formam o nosso povo estão sendo, pois, rapidamente reduzidos".

Os vestígios da escravidão não se detinham nas páginas impressas. Já não havia os africanos que recolhiam os excrementos dos brancos em gamelas e os atiravam ao mar. Nem os escravos de ganho que carregavam cadeiras de arruar e amealhavam uns cobres para os seus donos. Contudo os aguadores só desapareceram quando Marighella deixava a infância. Eles levavam sobre os ombros barris com água apanhada nas fontes, para vender. Eram todos negros. O que não impediu os proprietários de engenhos e terras, beneficiários da economia agroexportadora assentada no suor escravo, de associar os homens de cor da Bahia à preguiça.

Não era somente ao trabalho que o preconceito fazia sombra. Também se enxeria no amor. Nem todos os italianos eram como Augusto e os patrícios malditos pelo cônsul. Aos dezoito anos, um ex-sacristão da igreja de São Francisco foi constrangido pela mãe a romper com a namorada porque ela era mulata. O moço, que nada tinha de racista, chamava-se Giocondo Gerbasi Alves Dias. Sua mãe era filha de imigrantes italianos.

Com oportunidades desiguais, se negro ou mestiço, maior a perspectiva de se eternizar a pobreza. Em 1936, o sociólogo americano Donald Pierson apurou que no ensino secundário do estado havia apenas 6,4% de alunos negros e 18,9% de mulatos — os brancos representavam 74,3%. Nos três cursos superiores (medicina, direito e engenharia), os autodeclarados brancos dominavam 80% das listas de presença.

Aos treze anos de idade, concluído o primário, Carrinho foi estudar em um colégio particular, idealizado e dirigido por mulatos baianos.

Nascido na ilha de Itaparica, um ensaio de paraíso na baía de Todos os Santos, o filólogo Ernesto Carneiro Ribeiro era filho de mãe negra e pai português. Celebrizou-se nos salões literários ao duelar com Ruy Barbosa em uma inflamada polêmica linguística. Morto em 1920, deixou para o filho Helvécio a escola à qual dera nome, o Ginásio Carneiro Ribeiro. Na estrutura de ensino da época, o ginásio tinha cinco anos de duração e constituía o último degrau acadêmico antes da faculdade.

O estudante Carlos Marighella foi matriculado no primeiro ano em 1925. Encontrou um colega mais novo, cinco da mesma idade e dezessete mais velhos. Na sua turma, Iracema Guedes ainda estava bem longe de se tornar a primeira mulher a exercer a função de promotor público na Bahia. Conversador e risonho, Marighella logo se fez conhecido. Não pelas notas, embora não desse vexame. Nunca foi o primeiro da classe, mas nas três séries que frequentou esteve entre o terço e o quarto de melhor aproveitamento, com médias anuais de 6,4, 7,3 e 7. Foi bem em geografia (9), história universal (8,75), inglês (8,5; falado, o seu era macarrônico) e português (7,5). Garantiu-se em álgebra (7,16) e passou raspando em desenho (5) e aritmética (5,5; surpreendente, para quem dava lições de matemática aos vizinhos).

O que fazia a escola reparar em Marighella não era o desempenho de bom aluno, mas, na expressão dos professores, o "comportamento". Iracema espantou-se quando o colega apareceu com o cabelo cortado de um lado só. Ele também raspava um círculo no alto da cabeça, como tonsura eclesiástica. Se uma máquina do tempo o transportasse ao futuro, talvez o convidassem para um concerto punk. Gostava de calçar sandálias, porém o colégio não permitia. Para implicar, recortou o bico dos sapatos e deixou os dedos à mostra. Perguntou em casa:

"Se Jesus Cristo andou de sandália, por que me proibir?"

Partiu para o colégio, na ladeira da Soledade, na Lapinha. Barraram-no. Talvez tenha escrito versos apimentados para dar o troco aos bedéis. A poesia o seduzira mesmo antes das aulas de português e literatura. De devoções diversas, cultivou duas paixões: os baianos Antônio de Castro Alves, romântico e antiescravista do século xix, e Gregório de Matos Guerra, o sátiro do século xvii.

Inspirado na dupla, Marighella esboçou adaptações com trocadilhos em que mangava de uns e outros. Compartilhou-as com a família. Além dos poetas, encantavam-no geografia e história, as matérias das notas altas. Lecionava-as o historiador Bernardino José de Souza, que viria a presidir o Tribunal de Contas da União. Nos largos, becos e ladeiras, seu aluno revisitou episódios que, longe da insipidez das cartilhas escolares, tingiam-se de cor de sangue. Na rua Chile, antiga Direita do Palácio, mais de um século antes fora exibida a cabeça de um mestre alfaiate castigado com esquartejamento por causa da sedição de 1798. Mais radical que a Inconfidência Mineira, a Conjuração dos Alfaiates falava em fim da escravidão (viria em 1888), República (1889) e independência.

Para o Brasil, a independência vingou em 1822, quando o filho do rei de Portugal tornou-se imperador. Na Bahia, não houve arranjo. Foi arrancada no ano seguinte, após uma guerra encarniçada contra as tropas do brigadeiro português Inácio Luís Madeira de Melo. O Exército Pacificador expulsou-as no dia 2 de julho de 1823. Desde então o Sete de Setembro foi data oficial na província, depois estado. O Dois de Julho, data oficial e popular. Do épico da independência baiana, algumas passagens se narravam com mais sabor. Os homens de Madeira de Melo, nomeado governador das Armas, avançaram para invadir o convento da Lapa. A abadessa Joana Angélica postou-se à porta, e a vazaram com uma baioneta. Outra heroína da guerra, Maria Quitéria de Jesus, sentou praça na infantaria e na artilharia. Vestia roupa emprestada por um cunhado.

Colado ao convento da Lapa, funcionava na década de 1920 o Ginásio da Bahia. Pertinho dali, na rua Chile, suas alunas faziam brilhar os olhos e disparar o coração de Marighella e seus amigos do Carneiro Ribeiro. Os ginasianos espreitavam o momento de as garotas apoiarem o pé no estribo do bonde. Era a glória entrever um naco de perna por entre as saias plissadas e bem-comportadas do uniforme. Já então os bondes trafegavam em mão dupla. No seu primeiro governo (1912-6), J. J. Seabra promoveu a reforma urbana que, como ministro, incentivara na capital da República. No espírito dos bulevares parisienses, o Rio de Janeiro abriu a avenida Central e botou abaixo antigas construções. Na belle époque baiana, o governador alargou a rua Chile, levantou prédios e inaugurou a avenida Sete de Setembro. Excitou Salvador de tal modo que promoveu um paradoxo: mesmo com a economia a definhar, parecia não haver um lugar para as coisas acontecerem como a Cidade da Bahia.

A rua Chile renovou sua condição de endereço dos cafés e hotéis, como o Palace, mais perfumados. Era o lugar para ver e ser visto. Com menos de meio quilômetro de extensão, a "cidade que importava" cabia ali. No centro e na orla, a oligarquia faustosa desfilava seus automóveis. Em 1927, eram 884. Marighella não perdia um passeio à rua Chile, mas não deixava de reparar nas redondezas. Nas rodas de capoeira-angola do Terreiro de Jesus, aprendeu a executar rasteiras e rabos de arraia. Nas esquinas, flagrou pedintes mutilados nas atrocidades do fim do século no arraial de Canudos. Perambulava por toda Salvador, com a disposição para caminhadas que manteria até o fim da vida e que desesperavam amigos de fôlego curto. No início de 1928, ele soube que não precisaria mais caminhar até a rua Chile para espiar os joelhos das moças do Ginásio da Bahia. Aprovado no exame de seleção para o meio do curso, bastaria olhar para o lado. Era lá que iria estudar.

O Ginásio da Bahia tinha tanta história para contar que às vezes os alunos tinham mais prazer em ouvir as histórias sobre ele do que as lições dos seus adoráveis professores de história. Criado por lei em 1836 como Liceu Provincial, no ano seguinte entrara em atividade e já suspendera as aulas em decorrência das contendas políticas. Professores cônegos tinham sido encarcerados por participar do movimento federalista que trocou o poder de mãos na Bahia de novembro de 1837 a março de 1838, quando o sufocaram. Chefiado pelo cirurgião mulato Francisco Sabino Álvares da Rocha Vieira, ficara conhecido como Sabinada. Mais de mil rebeldes morreram. Nenhuma morte marcara a escola como a de autoria de um professor em meados do século XIX. Desprezado pela noiva, ele a havia fulminado com uma bala de ouro. O causo do crime passional e do mestre abandonado era real. A bala de ouro, fundida com a aliança de noivado, ficção.

Ao vencer os quatro degraus da escada de mármore e passar por uma das três portas do prédio neoclássico de dois pisos, Marighella deparou-se com uma instituição agitada. A efervescência tinha um "culpado", o até pouco tempo antes anônimo advogado Anísio Teixeira. Aos 24 anos, ele procurara o governador Francisco Marques de Góes Calmon a fim de cavar uma vaga de promotor na sua cidade, Caetité. Saiu da conversa como inspetor-geral da Instrução Pública, ou seja, o secretário estadual de Educação. De 1925 a 1928, conduziu uma ruidosa reforma do ensino. Incomodou-se com o crescimento dos estabelecimentos privados durante sua gestão: 211 em 1926, 249 em 1928. Padeciam, em sua opinião, de má qualidade. Teixeira ergueu dois pavilhões no Ginásio da Bahia, mas sua obra essencial foram as estocadas na trincheira das ideias. Desaprovou a subordinação de programa ao Colégio Pedro II, do Rio de Janeiro. Pregou a transformação do pensamento que condenou como anacrônico e elitista. Assinalou: "O ginásio, com a sua atual organização, é uma máquina para conservar e alimentar a mentalidade que uma velha e longa associação entre trabalho manual e classe social inferior criou, de uma pretensa superioridade das profissões não manuais".

E olha que, se havia um ranço que não saltava à vista no Ginásio da Bahia, era o do conservadorismo. Não se via por lá a palmatória pendurada na parede do Colégio Olímpio Cruz, com um furo no meio, destinada a castigar os indisciplinados. Desde 1900 as turmas misturavam os dois sexos — o Pedro II, no Rio, somente admitiria mulheres um quarto de século depois. As alunas eram 138, e os alunos 624, em 1927. Em maio deste ano, a primeira professora estreou. Ex-estudante da casa, a senhorinha Heddy Peltier dava aulas de inglês. Tivera como colegas os irmãos Jaime e Bernardo Grabois. Tornara-se mestra de outros dois irmãos Grabois, Maurício e José, no ginásio desde 1925. Seu aluno Marighella chegou em 1928, no quarto dos cinco anos do currículo. Ele e Maurício não tinham como saber que a camaradagem de colegas da mesma classe iria longe. Os documentos diziam que Grabois era baiano, mas ele era paulista. Temeroso de perseguições antissemitas, seu pai pedira à mulher para queimar papéis, e ela sem querer pusera fogo na certidão de nascimento. Em Salvador, providenciaram outra.

Augustin Grabois era um mascate judeu que imigrara da cidade de Kishinev, na Bessarábia, onde um pogrom havia matado mais de uma dezena de pessoas e destruído centenas de casas em 1903. Dora viera de Odessa, na Ucrânia. Seu filho Maurício tinha um ano a menos que Marighella. Não enganava apenas no local de nascimento: seriíssimo nas fotografias, tratava-se de um gozador mordaz. O garoto da Baixa dos Sapateiros fez amizade com outros dois irmãos, Armando e Jayme Pondé, filhos de um magistrado conhecido como "o bom juiz". No Ginásio da Bahia era assim: os filhos de juiz, de mecânico e de mascate estudavam juntos. Havia também os de carpinteiro e de banqueiro, como o ex-governador Góes Calmon, ele mesmo um professor do colégio. Nas décadas seguintes, passariam por suas classes estudantes como os — mais tarde — dirigentes comunistas Mário Alves, Jacob Gorender e Fernando Sant'Anna, o empresário João Falcão, o governador Antonio Carlos Magalhães e o cineasta Glauber Rocha.

Houve duas boas razões para Marighella trocar a escola privada pela pública: estudar em um educandário melhor e aliviar o orçamento doméstico. A oligarquia baiana preferia as classes do Antônio Vieira e dos Maristas. Mas nenhuma se equiparava às do Ginásio da Bahia no que ele tinha de excelência: a seleção de docentes. Muitos ensinavam nos cursos universitários, que davam aos seus lentes — como os professores também se chamavam — prestígio ao qual nada ficava a dever o dos catedráticos do ginásio. Nenhum mestre foi tão querido por Marighella como Francisco da Conceição Menezes. Negro e gordo, lecionava história e geografia sem azedar a voz doce. Gráfico na juventude, perdera um olho atingido por cassetete policial numa greve.

Não foi apenas nas matérias de Conceição Menezes que Marighella foi bem no Ginásio da Bahia. Ele concluiu o quinto ano com avaliações melhores do que as do tempo do Carneiro Ribeiro. "Fui um dos primeiros alunos da classe", recordaria. Das novidades, interessou-se pelas aulas de grego. No fim de 1929, recebeu o grau *plenamente* em todas as matérias (sem a *distinção* do 10, mas sem nenhum *simplesmente* da aprovação medíocre). Documentadas, ficaram as notas de português (9,5), química (9), física (8,2), história natural (8), filosofia (8), latim (8) e cosmografia (8). Poderia ter prestado o vestibular, mas preferiu permanecer mais um ano, no bacharelado de ciências e letras. Ao colar grau, em março de 1931, obteve o título de bacharel e se habilitou para ser professor do ensino ginasial.

Era o aluno mais popular do Ginásio da Bahia. Brincalhão, anunciou um concerto ao piano. Os colegas se mobilizaram, porém Marighella, para quem as teclas eram estranhas, só as batucou. A direção repreendeu-o. Além do sorriso escancarado, ficou conhecido pelos livros, dos quais não desgrudava. Fez o tiro de guerra, breve serviço militar, com Maurício Grabois e amigos de turma. Posou com o quepe apoiado no bico do coturno. Aprendeu os rudimentos do manejo de armas curtas e longas. Atirou.

Encorajou-se a mostrar aos amigos seus poemas. O professor de matemática Tito Vespasiano Augusto César Pires inspirou uma epigrama:

Contra este lente, seu mano,
diz um verme, não te atires.
É todo o Império Romano
ressuscitado num Pires.

Os amigos quase morreram de rir, e os versos se espalharam por Salvador. Não foi nada perto do que aconteceu em 29 de agosto de 1929, dia da prova de física. O ponto sorteado pedia que se discorresse sobre a catóptrica, o estudo da luz refletida. Como os colegas, Marighella desenhou no papel figuras com pontos e retas para ilustrar a resposta. Dissertou à sua maneira, considerando, como bom baiano, o "J" como "ji" (e não "jota"), o "L" como "lê" (em vez de "ele") e o "R" como "rrê" (não "erre"). Tinha dezessete anos:

Doutor, a sério falo, me permita,
em versos rabiscar a prova escrita.

Espelho é a superfície que produz,
quando polida, a reflexão da luz.

Há nos espelhos a considerar
dois casos, quando a imagem se formar.

Caso primeiro: um ponto é que se tem;
ao segundo um objeto é que convém.

Seja a figura abaixo que se vê,
o espelho seja a linha beta cê.

O ponto P um ponto dado seja,
como raio incidente R se veja.

O raio refletido vem depois
e o raio luminoso ao ponto 2.

Foi traçada em seguida uma normal,
o ângulo I de incidência a R igual.

Olhando em direção de R segundo,
a imagem vê-se nítida ao fundo.

No prolongado, luminoso raio,
que o refletido encontra de soslaio.

Dois triângulos então o espelho faz,
retângulos os dois, ambos iguais.

Iguais porque um cateto tem comum,
dois ângulos iguais formando um.

Iguais também, porque seus complementos
iguais serão, conforme uns argumentos.

Quanto a graus, A + I possui noventa,
B + J outros tantos apresenta.

Por vértices opostos R e J
são iguais assim como R e I.

Mostrado e demonstrado o que é mister,
I é igual a J como se quer.

Os triângulos iguais viram-se acima,
L2, P2, iguais, isto se exprima.

[Aqui Marighella desenhou uma figura.]

*Atrás do espelho plano então se forma
a imagem, que é simétrica por norma.*

[Desenhou outra.]

*Simétrica, direita e virtual,
e da mesma grandeza por final.*

*Melhor explicação ou mais segura
encontra-se debaixo da figura.*

Redigiu algumas linhas de teoria, assinou e entregou a prova.

Na correção, o professor Clemente Guimarães tomou um susto. Nunca vira coisa igual. Respondeu com um soneto. Na primeira estrofe, reconheceu "graça, talento, inspiração e finura". Na segunda apontou um "vício grande" que poderia influir na "futura carreira social de Marighella". Os versos finais:

*Vício aliás que muitos têm por norma
Descuido quanto ao fundo, culto à forma,
Às aparências, ao exterior*

*A forma tem alhures cabimento
Mas aqui tendo vindo em detrimento
Do fundo, perdeu todo o seu valor.*

Naquele ano, o aluno receberia a média de 8,2 em física. Não ficou registro da avaliação da prova em versos. Embevecidos, os colegas de Marighella publicaram o exame no jornal de estudantes *O Cenáculo* e pregaram uma cópia no mural. Pouco lhes importou que não fosse nota 10. Nenhuma prova merecera tamanha aclamação no Ginásio da Bahia.

3. Os fuzis de Canudos

O calouro Marighella engatinhava na Escola Politécnica da Bahia quando esbarrou em uma senhora de ares abomináveis. Ela lhe pareceu "devoradora", "supervingativa", um "tormento". Atendia pelo nome de geometria descritiva, cadeira do curso de engenharia civil. Em vez de copiar as anotações do professor, o aluno escrevia versos no caderno:

Se Lampião fosse agarrado
numa batalha decisiva,
devia ser encarcerado
para estudar a descritiva.

Em outra aula versejou:

Se a descritiva em português
é tão massuda e complicada,
que não será feita em inglês?
Ou hieroglifo ou então charada.

Era ela ou ele, matar ou morrer:

Morra de vez a descritiva,
que a sua perda ninguém sente.
Mas se a bichona ficar viva,
Morra eu então, subitamente.

Numa paródia de Bocage, anteviu a "bomba", mas passou raspando.

Mal se bacharelara no Ginásio da Bahia, foi aprovado no vestibular de abril de 1931 com grau *plenamente* (nota 7). Meses depois, imaginou uma odisseia por Lavras Diamantinas, Jeremoabo e Canudos, terras baianas, e o Saara africano. Concluiu:

Andei como o diabo! Enfim... eis-me de novo aqui:
quero ver se descubro se já me descobri.

No dia 22 de agosto de 1932, Carlos Marighella descobriu o seu futuro.

O sol fulgurante iluminou como quase sempre a manhã da segunda-feira em Salvador. Estranho foi ver, aglomerados em frente ao Ginásio da Bahia, os estudantes uniformizados que deveriam estar lá dentro. Prosseguiam a greve pelo adiamento dos exames, iniciada uma semana antes. O Ministério da Educação postergara as provas parciais dos cursos superiores, mas não as dos secundários. Escola pública do estado, o ginásio se curvava, como maldissera Anísio Teixeira, ao calendário do colégio federal Pedro II. Os alunos não queriam as provas. As autoridades não queriam conversa. Quatro votos solitários contestaram a paralisação.

Antes das oito horas apareceram os policiais. Os jovens os recepcionaram com slogans de apoio ao movimento de São Paulo, em armas desde 9 de julho contra o governo provisório chefiado por Getúlio Vargas. A calma prevaleceu até um ginasiano arremessar um caroço de manga para o alto e acertar por acaso o rosto de um motorista da polícia. Sobressaltado, o homem atingido disparou para cima. Uma aluna golpeou um policial com um livro. Imobilizaram-na e a esbofetearam. Os colegas a resgataram. Alguns acabaram presos, outros se refugiaram no ginásio. A maioria se incorporou à passeata que serpenteou até o Terreiro de Jesus, onde partidários dos paulistas se acotovelavam na Faculdade de Medicina.

O anfiteatro Alfredo Brito fervilhava quando os acadêmicos perceberam o alarido na praça. Saudaram a adesão dos secundaristas e assumiram o controle do prédio. Às nove e meia, a bandeira do Brasil recebeu companhia no mastro. Também tremulava um pano branco com uma inscrição em azul, "Faculdade livre". Leu-se a proclamação:

"São Paulo fez o primeiro Sete de Setembro. Reproduziu-o agora. A mocidade acadêmica dirige o segundo Dois de Julho de nossa história. Às armas, baianos!"

As tropas do interventor Juracy Magalhães já bloqueavam os caminhos que levavam à faculdade. Lá dentro, o segundanista de engenharia Carlos Marighella se aprumava para o combate. Os amotinados passaram o chapéu para recolher alguns tostões e engordar o estoque de pistolas e revólveres. Difícil seria buscá-los. Nas ladeiras que unem a Cidade Baixa e a Cidade Alta, os planos geográficos de Salvador, a polícia revistava tudo e todos. Temeroso de uma marcha sobre o palácio da Aclamação, o governo cercou o Terreiro de Jesus. De uma janela do segundo andar, alguém avistou numa torre da catedral vizinha um atirador apontando a metralhadora.

Não deixava de ser ironia: de uma igreja, o militar mirava o prédio no qual o Colégio de Jesus se estabelecera no século XVI. José de Anchieta havia residido e ensinado ali, onde Antônio Vieira pronunciou sermões. Em 1808, a corte portuguesa determinara que lá se instalasse o primeiro curso de medicina do Brasil. Já hospital militar, o local acudira feridos da carnificina de Canudos. O arcebispo dom Augusto Álvaro da Silva, devoto do interventor Juracy, não esclareceria se cedeu as dependências para metralhar os estudantes, mas logo celebraria com uma procissão o "castigo de Deus" aos oposicionistas de 1932.

O lado de fora da faculdade também evocava a história. No Terreiro de Jesus, o Exército Pacificador festejara a libertação da Bahia em 1823, dois malês tinham sido abatidos em 1835, e os sabinos discursaram em 1837. Agora, um orador reverenciava Castro Alves e repetia que "a praça é do povo como o céu é do condor". Os milhares de manifestantes aplaudiram um dos raros não estudantes entrincheirados: aos 22 anos, Nelson de Souza Carneiro era bacharel em direito e redator do diário *O Imparcial* — sexagenário, seria o senador da Lei do Divórcio. Sua prisão, no mês anterior, evidenciara o recrudescimento das medidas repressivas para vacinar os baianos contra a contaminação pelo vírus paulista. A censura asfixiou os jornais, e dois foram impedidos de circular. Na Rádio

Sociedade da Bahia, Juracy Magalhães anunciou o envio para o front de um batalhão de caçadores (infantaria) e um destacamento de polícia.

De longe, a Rádio Educadora Paulista conclamou à rebeldia. Grupos se espremiam ao redor dos aparelhos que sintonizavam as emissoras da guerra civil. Em julho, a venda de radiolas, 116 unidades, bateu recorde em Salvador. O rádio, cujas transmissões haviam sido inauguradas no país dez anos antes, informou a morte do craque de futebol Arthur Friedenreich. O atacante lutava nas trincheiras paulistas de 1932, porém a notícia era falsa.

No antigo colégio dos jesuítas, duas mobilizações distintas se fundiram. Os futuros médicos rejeitavam o regime instaurado pelo golpe de outubro de 1930 e que prolongava o arbítrio do seu estatuto "provisório". Ecoavam na Bahia a Revolução Constitucionalista que levantara São Paulo. Não haviam estocado alimentos. Além de pão, ficaram sem água e luz, cujo fornecimento foi cortado à tarde. As reivindicações dos ginasianos não eram políticas, mas acadêmicas — pleiteavam o adiamento das provas. Eles só acabaram no Terreiro de Jesus por causa da truculência da polícia do estado. Como o interventor (governador não eleito) da Bahia fora imposto pelo governo provisório, a bronca estendeu-se ao palácio do Catete, sede da administração federal. Somadas, as duas vertentes aparentavam pujança de tísico para resistir ao aparato de segurança.

O cinturão que os cercava era integrado por Exército, Força Pública, polícia, Corpo de Bombeiros, Guarda Civil e Legião Acadêmica (civis armados). O chefe de polícia, capitão João Facó, retornara de uma blitz contra os cangaceiros no Nordeste — a Bahia se incluía na região Leste. Aprisionara a "rapariga" Maria da Conceição, apresentada como "amante do perigoso Ferrugem, cabra destemido e bem-disposto". Naquela tarde, a refrega não seria com Lampião e seu bando. Os estudantes recolheram no museu do Instituto Nina Rodrigues fuzis Mauser modelo de 1895 que haviam sido disparados no extermínio dos milhares de moradores de Canudos no fim do século XIX. Um amotinado estimou, na projeção ufanista própria das batalhas, em duzentos os revólveres disponíveis. Marighella empunhou um deles.

Contavam de fato com pelo menos doze Mauser, nove revólveres, cinco pistolas automáticas, três pistolas de fogo central, duas espingardas e uma espada. Os pacotes de dinamite eram 29 e a munição, limitada. Centenas de bombas artesanais foram feitas com ácidos armazenados nos laboratórios de farmacologia, histologia e química geral e mineral. Tijolos, pedras e tubos de ferro completaram o arsenal. A frente da faculdade dava para o Terreiro de Jesus. A lateral, para a rua das Portas do Carmo, pela qual se alcançava o largo do Pelourinho. Pela mesma rua se penetrava no Nina Rodrigues, vizinho à Medicina. Policiais escalavam a fachada do instituto para surpreender os alunos pela retaguarda. Flagrados, recuaram.

Passava das quatro horas quando os universitários identificaram um policial infiltrado. Desarmaram-no na sala da diretoria e o expulsaram. Reconheceram mais dois "secretas" em meio ao mundaréu na praça. Dirigiam-se a eles quando um guarda puxou o gatilho e foi imitado pelos agentes desmascarados. Os estudantes responderam ao fogo. Um empregado de hotel morreu. Foram feridas quatro pessoas, entre as quais um guarda-civil e um acadêmico. Em rimas, Marighella contou ter disparado:

Foi depois dos discursos... Um secreta [...]
Feriu um popular...
E eu gritei ao sicário desalmado:
"Vou furar-te, ladrão, de lado a lado...".
E me pus a atirar.

Ao primeiro estampido, a multidão correu. Em poucos minutos, não se via uma só alma na praça.

Enquanto a bruma de pólvora caía sobre o Terreiro de Jesus, o interventor do estado telegrafava ao chefe. Carimbou os insurgentes como "reacionários", antípodas dos "revolucionários" que ele e Getúlio Dornelles Vargas representaram no movimento que tomara o poder em 1930:

Reacionários aqui acordo alguns oficiais região insuflaram estudantes ocupando Faculdade Medicina pt Cerrada escola [...] estamos efetuando prisões pt Contam apenas alguns fuzis dinamite pt
  Dei prazo entregarem-se findo qual atacarei pt Nada há que recear pt
  Convém fechar faculdade [...] pt Atenciosas saudações

  Juracy Magalhães interventor

O chefe de governo sentia a "atmosfera um tanto enervante" no Catete. Nada grave. Se havia um talento do gaúcho de São Borja, era o de cavalgar crises. Getúlio recomendou, ao tomar conhecimento dos coices da elite baiana no interventor:

"Juracy, quando o burro começa a escoicear, é bom dar um murro na cangalha para o bicho ver que tem gente em cima."

Os gaúchos apearam no Centro do Rio de Janeiro em novembro de 1930 e amarraram seus cavalos no obelisco da avenida Rio Branco. Em setembro de 1931, Juracy desembarcou no porto da Cidade da Bahia após uma viagem de navio em que a garganta inflamada e a febre o maltrataram. Ele tinha um defeito irrevogável para os condestáveis da política baiana, cuja autoestima definhava havia gerações, desde que Salvador perdera a condição de capital: para um estado de talentos abundantes, Getúlio despachara um cearense de 26 anos. O ex-governador J. J. Seabra esperneava, chamando-o de "rapazola imberbe" e "energúmeno interventor forasteiro".

Do Ceará, viera também Antônio Conselheiro, o messias do arraial de Canudos, morto em 1897, mas essa era outra história. Juracy chegou para mandar em nome de uma revolução triunfante. O grupo dominante de Góes Calmon, professor de Marighella no Ginásio da Bahia, alinhou-se na eleição de março de 1930 a Júlio Prestes, o vitorioso nas urnas, cujo vice foi o baiano Vital Soares. Era a chapa apoiada pelo presidente Washington Luís, de quem o opositor Getúlio Vargas, da Aliança Liberal, fora ministro da Fazenda. Os vencidos acusaram fraude, mas não se sabia ao certo quem aprontava mais. Em outubro, os minoritários de março se impuseram pelas armas.

O tenente Juracy Magalhães se empenhou na derrubada de cinco governadores. De lenço vermelho, seus comandados foram recebidos com flores e festa popular na Bahia. Os salões não gostavam deles, mas as ruas eram suas. Dias antes, elas arderam com mais de cem bondes queimados em protesto contra o aumento das passagens pela Companhia Linha Circular, subsidiária da gigante americana Electric Bond & Share Company. Um popular exclamou, ao dar com a bandeira brasileira a servir de tapume em um prédio da empresa:

"Os gringos estão fazendo da bandeira do Brasil porta de latrina!"

A Circular negaria, mas a fagulha já provocara labaredas. Fogo, Juracy não temia. Fizera-se legenda do tenentismo, o movimento político-militar que balançara o país com revoltas sufocadas em 1922 e 1924, mas vingara em 1930. Os oficiais de patentes inferiores propugnavam o fim da fraude eleitoral, dos políticos "carcomidos" e das oligarquias senis. Era uma agenda democrática tímida, mas desconcertava o atraso.

Bem-sucedido, o golpe dos tenentes aliados a oligarquias do Rio Grande do Sul e de Minas Gerais se proclamou Revolução de 30 e acendeu esperanças. Muitos dos que o apoiaram se bandearam em 1932 para as linhas inimigas, cujos protagonistas eram políticos paulistas. O jovem Marighella, antigetulista, se referia ao "país traído" pelo presidente. Sem mandato popular, o governo provisório de Getúlio Vargas configurava uma ditadura. Obediente às instruções do ditador, Juracy bateu forte com o relho de um lado do burro. Do outro, acercou-se de banqueiros, arcebispo, usineiros de açúcar e produtores de cana. Interesses preservados, eles até simpatizaram com o sotaque fortalezense. Com a elegância de um dândi, o interventor contrastava com Getúlio, em quem o cós da bombacha se avizinhava mais dos mamilos que do púbis. Para Juracy, mais importante que o charme foi assegurar o predomínio sobre fuzis e canhões. Bravateava que era bom de tiro.

Na tarde de 22 de agosto, o interventor recebeu uma comissão de professores que buscava evitar que as balas zunissem no Terreiro de Jesus. Mandou o ultimato: se todos se entregassem, prometia consideração com os presos; se os líderes se apresentassem, os demais seriam liberados. Em qualquer hipótese, estipulava o prazo de sete horas da noite para a desocupação. Caso contrário, as tropas invadiriam. Na faculdade, ninguém duvidou de que seria suicídio lutar em condições tão desiguais. Alguns manifestantes fugiram pelos fundos do prédio, descendo uma ribanceira até a Cidade Baixa. A maioria se entregou e resolveu que todos pagariam pela ousadia coletiva, não somente as lideranças. Os jovens cantaram o Hino Nacional, arriaram a bandeira e o pano branco. Ônibus levaram 514 estudantes para a Penitenciária do Estado, conhecida como Engenho da Conceição, no largo do Curtume. Sete professores foram encaminhados para a 1ª e a 2ª delegacias. As alunas imploraram para serem detidas, mas as autoridades só encarceraram os homens. Era quase meia-noite quando um veículo fez a última viagem para a cadeia.

A centenas de metros dali, na Baixa dos Sapateiros, Maria Rita Marighella não se aquietava no travesseiro. A mãe rezava pelo filho e não se conformava com o maldito dia em que amarrara o seu menino ao pé da mesa.

* * *

O ônibus despejou Marighella depois de ultrapassar os coqueiros que no entorno da penitenciária lhe davam a aparência, à distância, de colônia de férias. Os estudantes foram conduzidos a uma antiga galeria que parecia sem fim. Grupos de dez foram atirados em celas construídas para três. Estavam vazias porque a Saúde Pública as interditara, tamanha a imundície, aos presos comuns. Homicidas e larápios de toda espécie ficavam numa área próxima, de onde provocaram os jovens bem nutridos. Um bandido desdenhou do moço alto e magro que aparentava menos que os seus vinte anos:

"Ei-lo engaiolado, tal e qual como nós."

Em um embate do dia, haviam golpeado Marighella no dorso, que sangrava. Na cama sem colchão, ele se deitou de lado, mas a dor não o largou. Envolveu a cabeça com um gorro fornecido aos detentos. O vento esfriou a madrugada, e não havia pano para se cobrir. Marighella sentiu gosto de argamassa na comida e teve sede. Para um preso político curtido nos cárceres, talvez fossem pequenos inconvenientes. Para quem se habituara aos carinhos de Maria Rita, não. Nas primeiras horas, ninguém dormiu. Um samba caçoando do interventor os manteve acordados:

Juracy,
se você quiser,
vamos brincar
de marido e mulher.

Cansaram e tentaram dormir. Marighella, sem sucesso. Mesmo na cela escura, ele espiava as aranhas, menos intrometidas que as baratas com as quais viria a conviver décadas adiante. Numa cidade que denominava seus sítios de ladeira dos Aflitos, beco da Agonia e ladeira da Misericórdia, inexistia pior lugar do que aquele. Com a terça-feira clara, os acadêmicos votaram um manifesto em que se proclamaram "vitoriosos morais" e convocaram a greve geral estudantil. Um inquérito sui generis foi tocado pela Delegacia Especial. Em suas 114 páginas, não constaria um só depoimento individual. Na quarta-feira, um abaixo-assinado em papel almaço com 130 signatários afirmou que eles tinham se mobilizado exclusivamente "contra violências de que foram alvo [...] os alunos e alunas do Ginásio da Bahia". Declararam que "durante o período de anormalidades" por que passava o país não se reuniriam "para discussão de assuntos políticos". Marighella assinou com bico de pena e acrescentou um enigmático "sem observação".

À noite, antes da soltura dos estudantes, ele apresentou sua versão de "Vozes d'África", o poema de Castro Alves que sabia de cabeça. O seu era "Vozes da mocidade acadêmica".

A abertura de Castro Alves:

Deus! Ó Deus! Onde estás que não respondes?
Em que mundo, em qu'estrela tu t'escondes
Embuçado nos céus?
Há dois mil anos te mandei meu grito,
Que embalde desde então corre o infinito...
Onde estás, Senhor Deus?...

Marighella:

Juracy! Onde estás que não respondes!?
Em que escusa latrina tu te escondes,
Quando zombam de ti?
Há duas noites te mandei meu brado,
Que embalde desde então corre alarmado...
Onde estás, Juracy?

Fechou:

Basta, senhor tenente! De teu bucho
Jorre através das tripas
Um repuxo de Judas e sandeus!
Há duas noites... eu soluço um grito...
Escuta-o, conclamando do infinito
"À morte os crimes teus!".

Os aplausos machucaram as mãos e ensurdeceram o presídio, mas a afronta custaria caro. Ao pisar no Engenho da Conceição, Marighella já era conhecido em Salvador. A prova de física fora comentada da rua Chile ao Mercado Modelo. Na Escola Politécnica, ele se juntara ao grêmio nos trotes aos calouros e saraus literários. Seu caderno de versos, "Engenhariadas", recebia crônicas de costumes universitários, indiferentes ao poder. Marighella não encabeçou a mobilização de 22 de agosto, e sim alunos de medicina, liberais da campanha pró-Constituição. Na copiosa paródia matutada nos dois dias de cana, os paulistas foram ignorados. Futuros camaradas apoiaram São Paulo, como o tenente Agildo Barata, em seguida exilado; Nelson Werneck Sodré, na Escola Militar, no Rio de Janeiro; e o secundarista Pedro Pomar, no Ginásio Paraense, em Belém. A causa não empolgou Marighella, que foi sincero ao firmar o abaixo-assinado. O movimento de São Paulo, exausto, depôs as armas em outubro.

Embora tenha sido militante de base na ocupação, Marighella despertou como ninguém o ódio de Juracy Magalhães. É possível que Nelson Carneiro o emparelhasse, mas o jornalista foi embora depois de levar uma surra. O interventor disse que a sova, de chicote e cano de borracha, não fora ordem sua. E que não tinham agredido nenhuma aluna do Ginásio da Bahia ou disparado em frente ao colégio. Os presos, fantasiou, usufruíram instalações novas. Seria um mistério a autoria do tiro que causou a morte do empregado de hotel no Terreiro de Jesus — fora um policial, apontaram testemunhas. Não era à toa que repetia: "Em tempo de guerra, mentira é como terra".

O inofensivo poema de Marighella fez furor, disseminado em cópias manuscritas, e Juracy soube contra quem fazer a "sua" guerra. Um verso reduzia-o a um "boçal". Logo o tenente, envaidecido leitor de Marcel Proust. Ele não perdeu tempo: chegou aos ouvidos do estudante que o interventor mandara "triturar-lhe os ossos" — quinze anos depois, Juracy negaria a acusação. Os policiais tocaiaram Marighella sem êxito em toda a cidade. Pode ser que não fosse para moer os ossos; para massageá-los, certamente não era.

O promotor Roberto Heskett conduziu o inquérito policial sobre a ocupação da Faculdade de Medicina. Sem ser indiciado, Marighella deixara a penitenciária em 24 de agosto de 1932. Escondeu-se por mais de um mês. Não compareceu à faculdade para as provas. No dia 28 de setembro, seu pai oficiou o Conselho Técnico: "Estando seu filho coagido pela polícia [...] e [com] paradeiro ignorado, vem justificar sua ausência às aulas e também aos exames parciais da presente época [e] pedir que lhe sejam concedidas novas chamadas para os referidos exames, em tempo oportuno, quando cessada a coação".

Em dezembro, aparentemente esquecido pela polícia, o aluno reapareceu e prestou os exames. As notas murcharam, e ele foi reprovado em mecânica racional e geologia. A calmaria seria breve: não desistiram de Marighella; deram-lhe uma trégua.

Até então, a vida de universitário fora divertimento.

O ingresso do filho do mecânico no curso de engenharia civil mereceu velas e orações na rua Barão do Desterro. Marighella ia a pé para o palacete onde ficava a Escola Politécnica, na avenida Sete. Resmungos, só contra a geometria descritiva e as mesas pequenas para as suas pernas. Poucos meses após a matrícula, emplacou um artigo na prestigiosa *Revista Brasileira de Matemática*. Intitulou-o "O teorema de Ptolomeu na avaliação dos lados dos polígonos regulares inscritos". Os colegas esperavam o fim das aulas para ouvir os versos frescos. Irritados com os quinze pontos sorteados nas provas, reconheceram-se nas rimas e aliterações:

Por que se fala tanto em ponto?
E mesmo em ponto de concurso?
Ponto de exame?... Acho-me tonto
Com tanto ponto neste curso.

Marighella parodiou Prudhomme, Casimiro de Abreu e Raimundo Correia, além de Castro Alves e Bocage. Não houve dia em que não o estimulassem a reeditar a fórmula do exame de física no Ginásio da Bahia. Demorou pouco, e foi uma única vez. A questão de química, em 27 de junho de 1931, versou sobre hidrogênio. Antes de a campainha tocar, ele já terminara:

De leveza no peso são capazes
Diversos elementos, vários gases;

O hidrogênio, porém, é um gás que deve
Ter destaque, por ser o gás mais leve [...].

Arrematou, sobre uma combinação de elementos:

O seu som é típico e semelha um longo ronco
De um urso velho dorminhoco e bronco.

Marighella acrescentou à resposta uma prosa ortodoxa. O professor Archimedes Pereira Guimarães deu nota 5, mas suas anotações na prova não permitem saber se o aproveitamento do aluno foi de 50% (no caso de o exame valer 10). A nota em química no fim do período foi 7. Para Marighella, estava bom. Ele andava mais interessado em outras químicas.

No "Engenhariadas", confidenciou o amor "fervido" e "impetuoso" por uma musa anônima. Queixou-se das restrições às mulheres no universo dos engenheiros — havia poucas alunas na faculdade. Mesmo "morto de estudar", arrumava um jeito de passar no Cine Guarany para ver os filmes com a atriz carioca Lia Torá. Frequentava os forrobodós, mas não era um bom dançarino. Encantou-se com certa Zulita, a quem assistiu bailando um fox. No cais do porto, ocorreu-lhe a onomatopeia "tipuque-tipaque, tipuque-tipaque" no barulho do motor dos navios. Conversava com os portuários sobre trabalho e greves. O olhar não desgrudava das mulheres. Esperava que o vento soprasse e levantasse os vestidos. Reparava nos encontros urgentes das quengas com os homens do mar e nos lenços que elas abanavam nas despedidas.

Na Baixa dos Sapateiros, as amigas das irmãs se embelezavam para serem notadas por ele. Teve tantas namoradas que granjeou fama de não poder com um rabo de saia. Desconheciam-se casos duradouros. Não era um Rodolfo Valentino como fora Augusto, tinha o nariz adunco, mas estava longe de ser feioso. Os amigos distinguiam seu forte. Troçavam: para neutralizá-lo, bastava lhe roubar a voz. Calado, tornava-se inofensivo. Se falasse, seduzia. Marighella escreveu sobre uma "menina" que queria ver à noite. Discreto, não disse seu nome nem o local do encontro. Sua geração de universitários visitava os randevus da ladeira da Montanha e da velha rua da Lapa. Em todos os lugares o olhavam como a um marciano. Em plena Bahia, parecia mesmo vindo de outro planeta: não fumava nem bebia álcool.

Gostava tanto da noite como do sol abrasante. Criança, dera as primeiras braçadas ao lhe faltar pé na praia e quase se afogar. Vivenciara, no susto, o dito popular que repetiria a quem hesitasse frente a um desafio: "É quando a água bate nos fundilhos que se aprende a nadar". Às vezes tinha vontade de não sair de Itapoã, aonde ia com os amigos. Dava-se com os pescadores de lá e do Rio

Vermelho. Passeava de carona nos saveiros que ancoravam no cais do Mercado. Foi folião de fôlego no Carnaval e não perdeu um São João. No de 1933, bateu de porta em porta com colegas da engenharia a pedir canjica. Agradeceu em versos.

A essa altura, a festa esfriara na Politécnica. Desde o seu retorno após a prisão, o observador do cotidiano foi também crítico do poder. Na conclusão do terceiro ano, em 1933, passou nas sete cadeiras. Projetou um pavilhão com dois pavimentos para a faculdade, da qual se distanciaria cada vez mais. Uma comissão de inquérito subordinada à direção inquiriu-o em dezembro de 1933. Queriam explicações sobre "o aparecimento de boletins no interior da escola". Acusavam Marighella de ser o autor. Os panfletos sumiriam do arquivo da universidade. Sobre seu conteúdo, restou a pista fornecida por um funcionário. Ele escreveu que o aluno demonstrara "convicções contrárias ao regime". A investigação se arrastou até março de 1934, mês em que o julgaram culpado. Pouco antes, o Conselho Técnico lhe aplicara a pena de advertência, condenando-o como responsável pelo furto de provas de física da secretaria da escola. Na tarde de 8 de maio de 1934, por unanimidade, a congregação negou provimento ao seu recurso no processo dos panfletos. A pena foi de três meses sem pôr os pés na Escola Politécnica da Bahia.

Marighella nunca seria engenheiro.

4. *Estanislau* encara os galinhas-verdes

Com o esboço do projeto na cabeça de estudante de engenharia, Marighella manipulou com cuidado o foguete de quinze centímetros de diâmetro. Era o tipo de fogo de artifício que estourava nos céus da Bahia feito trovão. O efeito agora pretendido era de outra ordem. O rapaz que preterira as ferramentas e o macacão do pai fabricava o seu primeiro engenho. O inventor debutante retirou as bombas e a pólvora do foguete. Por um lado, introduziu duzentos gramas de panfletos enrolados em um cartucho. Pelo outro, recolocou a pólvora. Antes, isolou-a dos papéis com uma rodela de cartolina. Riscou o fósforo e acendeu o detonador. Amarrado a uma flecha, o foguetão subiu duzentos metros e, paralelo ao chão, percorreu trezentos. O fogo queimou o cartucho, e os volantes com mensagens antifascistas se espalharam no ar. Nas guerras do século xx, aviões e helicópteros sobrevoariam territórios hostis e despejariam comunicados. Nas ruas de Salvador, os manifestantes integralistas tiveram a impressão de que os boletins caíam das nuvens como gotas gigantes e disformes.

Identificado o veículo que os transportara, os matutinos o apelidaram de "foguetão extremista". Marighella incluiu-o no rol dos "métodos originais de agitação e propaganda". Criou uma variante em que acomodava no cartucho um paraquedas de papel de seda, suavizando a queda de uma bandeira vermelha.

E empregou o velho sistema no qual balões com gás decolam carregando um cartaz com os recados da hora.

Naquela hora de 1934, a da suspensão na Escola Politécnica, a bandeira desfraldada por Marighella tinha a cor encarnada porque ele se fizera militante comunista. Participava da Federação Vermelha dos Estudantes e da Juventude Comunista. No mesmo ano, incorporou-se ao Partido Comunista do Brasil. Não era como se associar ao clube do bairro ou desfilar com a camisa do time de futebol do coração. Em mais de uma década, o PCB experimentara apenas dois períodos efêmeros de existência legal: de março a julho de 1922 e de janeiro a agosto de 1927.

Fosse na República Velha ou no governo estabelecido pela Revolução de 30, os comunistas se organizavam secretamente para evitar as cadeias que tinham se habituado a enclausurá-los. No festejo clandestino dos treze anos da Revolução Russa, em 1930, militantes encerrados numa casa do subúrbio carioca haviam cantado a meia-voz *A Internacional*. Temiam que a polícia escutasse e os prendesse pelo ato proibido. Na sessão derradeira do congresso de fundação do partido, os nove delegados entoaram a mesma canção. Tinham aberto os trabalhos a 25 de março de 1922, no Rio de Janeiro. Despediram-se dois dias depois, na casa de tias do jornalista Astrojildo Pereira, em Niterói, margem oposta da baía de Guanabara. Representavam 73 revolucionários, nenhum deles da Bahia. O único oriundo da militância socialista era um alfaiate. Os demais haviam crescido no anarquismo, corrente que perdera para o marxismo a hegemonia do movimento proletário europeu.

Astrojildo era uma personalidade da vida política e cultural carioca. Aos dezessete anos, em 1908, tinha pegado a barca em Niterói, atravessado a baía e tomado a condução para o bairro do Cosme Velho. Velara o escritor Machado de Assis em seu leito pouco antes da morte. Não conhecia o "bruxo" cujos escritos o enfeitiçavam. Ajoelhara-se, segurara com reverência sua mão e a beijara, antes de sumir na noite. O barbeiro libanês Abílio de Nequete, radicado em Porto Alegre, foi eleito secretário-geral, o principal dirigente do partido. Astrojildo sucedeu-o. O congresso aprovou as 21 condições de admissão da Terceira Internacional, também conhecida por Internacional Comunista ou Komintern, a combinação das sílabas iniciais do nome em alemão (Kommunistische Internationale). Criada em 1919 em um congresso no palácio do Kremlin, em Moscou, congregava partidos e grupos que lutavam contra o capitalismo e pela revolução social.

O século XX não foi o mesmo depois que os comunistas russos tomaram o poder em outubro de 1917 — dia 7 de novembro, pelo calendário gregoriano. Eles formavam a ala majoritária (bolchevique, em russo) do Partido Operário Social-Democrata, em breve denominado Partido Comunista da União Soviética (PCUS). Instauraram o primeiro Estado socialista, fundamentado no governo dos conselhos (sovietes) de operários, soldados e camponeses. Um dos mais populares bolcheviques, Nikolai Bukhárin definiu a Rússia soviética como "o primeiro gigantesco laboratório onde se forma o futuro da humanidade". Com o PCB, os brasileiros se associaram ao clube mundial dos revolucionários. Quem leu o *Diário Oficial da União* na primeira semana de abril de 1922 inteirou-se da novidade. O registro anunciou o nascimento do Partido Comunista — Seção Brasileira da Internacional Comunista, logo renomeado Partido Comunista do Brasil. O Komintern concedeu a filiação em 1924. No mesmo ano, surgiu a Juventude Comunista, que Marighella abraçaria.

Marighella ouviu falar do movimento que, na Bahia, ainda era verde como os cocos abarrotados d'água. Aproximou-se dele por intermédio de estivadores. Em Salvador, a categoria acumulara dezenove greves na Primeira República. Na Baixa dos Sapateiros, imigrantes judeus conduziam o Socorro Vermelho, círculo internacional de amparo a perseguidos políticos organizado pelo Komintern. Na Revolução de 30, o médico pernambucano Leôncio Basbaum enfiou panfletos do PCB sob as portas das casas da vizinhança de Marighella.

O partido menosprezou o triunfo de Getúlio Vargas como uma vitória dos aliados dos Estados Unidos sobre os da Inglaterra. Em outubro de 1930, o farmacêutico Octavio Brandão discursou do alto de uma estátua na praça Mauá, no Rio. Desceu e foi preso, pela 14ª vez. Os comunistas inscreveram naquele ano um candidato presidencial, o marmorista Minervino de Oliveira, que mal beirou 1% dos sufrágios. Encarceraram-no durante a campanha. Em 1928, com Brandão, ele fora eleito vereador do Distrito Federal. Integraram a chapa do Bloco Operário e Camponês, coligação impulsionada pelo PCB, impedido de concorrer. Os mandatos dos eleitos foram cassados antes do fim.

Criança miserável em Alagoas, Brandão não tivera nem leite para beber. Alimentava-se de café ralo. Diria ter "entrado na vida pela porta da desgraça". Ingressou no PCB sete meses depois da fundação e formou com Astrojildo o duo de formuladores políticos da infância do partido. Traduziu o *Manifesto comunista*, de Karl Marx e Friedrich Engels. Basbaum completava o trio de intelectuais do comando partidário. Eles foram afastados da direção por não se enquadrarem numa fórmula tratada como "proletarização", no futuro desmoralizada com a pecha de "obreirismo": o PCB trocou quadros de boa formação por operários de instrução escassa. Brandão perdeu poder, Astrojildo e Basbaum foram expulsos.

Em 1927, ainda universitário no Rio, Basbaum tinha passado pela Bahia. Diagnosticara um cenário desolador de alguns anarquistas tentando erguer o PCB. A bagunça persistia na primeira metade da década de 1930. O partido interpretou o confronto de 1932 como uma escaramuça de elites sem mocinhos, portanto não participou da ocupação da Faculdade de Medicina. O vimeiro Manoel Batista de Souza, o *Bedegueba*, dirigia o Comitê Regional baiano desde 1934. Marighella livrou-se do ambiente de fracasso partidário porque se filiou à seção juvenil do PCB. Em vez do ar carregado do ressentimento e das intrigas, respirou o frescor das conspirações revolucionárias recém-semeadas. Recepcionou-o na Juventude Comunista o médico Manoel Isnard Teixeira. Filho de uma família de posses de Itapipoca, era um cearense na oposição de esquerda ao conterrâneo Juracy Magalhães.

A trégua que a polícia de Juracy concedera a Marighella no fim de 1932 se exauriu cedo. O estudante desembainhou armas antes mesmo de descobrir o comunismo. Seus versos brejeiros deram lugar a rimas com estocadas na administração da faculdade. Marighella recebeu outra suspensão porque a congregação tomou como insolente o discurso que ele pronunciara ao recorrer do castigo de origem, pela distribuição de panfletos. "Liderei uma série de movimentos na escola, motivo pelo qual fui afastado", escreveria. Engavetou o sonho de ser engenheiro: não frequentou o curso em 1934 e não se matriculou em 1935. Feito revolucionário, atormentou a segurança pública. O pai não lhe faltou.

Augusto Marighella abriu um buraco no quintal de casa para ocultar os livros suspeitos do filho. Contratou um motorista que lhe deu fuga para o interior. Acomodou-o em Piritiba, piemonte da Chapada Diamantina. As solas das sandálias de Carrinho, em idas e vindas para despistar, lamberam os trilhos dos trens que ligavam as localidades dos arredores. Ele tentou se disfarçar com um vestido comprido, mas desistiu porque os pés 42-43 chamavam a atenção. Ignora-se se Augusto riu como o pai do revolucionário russo Liev Trótski ao tomar conhecimento da suspensão escolar do filho, por atiçar manifestação contra um professor (a mãe de Trótski chorou). O que se sabe é da brincadeira:

"Carlinhos, você começa com esse negócio de comunismo, depois os comunistas vêm e tomam seus livros."

Maria Rita se remoía com o mantra:

"Eu pedi a Deus que tirasse esses pensamentos dele."

Mesmo para Deus seria difícil. As ideias de justiça social e revolução seduziam. Na rivalidade ideológica da década de 1930, o ideário comunista se opunha ao do fascismo de Benito Mussolini na Itália e ao nazismo de Adolf Hitler na Alemanha. Comunismo e fascismo se batiam pela condição de opção mais poderosa à democracia liberal. O sonho igualitário da sociedade sem classes do marxismo talvez não se afastasse, nos corações, da pregação cristã e da convivência dos primeiros cristãos, como observaram os comunistas Karl Marx e Rosa Luxemburgo. Com a mãe, Marighella aprendeu a repartir o pão com os pedintes que faziam das ruas o seu lar. Com os planos acima e ao nível do mar, a cidade expressava em andares metafóricos as suas desigualdades. O elevador Lacerda a unia, mas não socialmente. A Cidade Baixa estava mais para Nordeste, onde em 1930, de mil nascidos, 193 bebês morriam de pobreza antes de um ano. A Cidade Alta se aproximava do Sul do Brasil, cuja marca de então, 121 mortos por mil, o Nordeste somente alcançaria em meio século.

Os comunistas ostentavam a União das Repúblicas Socialistas Soviéticas, arrancada do atraso secular e dos destroços da guerra civil, como exemplo do que o planejamento estatal da economia poderia produzir — mais tarde ficaria claro o custo humano da coletivização forçada do campo e da industrialização acelerada. Contavam histórias de heroísmo: em agosto de 1931, o estivador Herculano de Souza fora baleado pela polícia em um comício do Socorro Vermelho na cidade portuária de Santos, no litoral paulista. Homenageavam os operários Sacco e Vanzetti, executados na cadeira elétrica dos Estados Unidos. Ferido, Herculano caiu nos braços da escritora e militante comunista Patrícia Galvão. Antes de morrer, ele exclamou:

"Continue o comício! Continue o comício!"

O comício continuou, e Pagu pediu aos presentes para cantar *A Internacional*. A cavalaria invadiu a praça e a prendeu.

* * *

Os comícios que preocupavam Marighella em 1934 atraíam cada vez mais gente. O "foguetão extremista" foi arremessado sobre um deles, da Ação Integralista Brasileira (AIB), versão nacional do fascismo assentada em 1932. Seu líder, Plínio Salgado, deslumbrara-se com o *fascio* ao visitar a Itália. O chefe das milícias, o germanófilo Gustavo Barroso, apregoava vulgaridades antissemitas. Eles vestiram camisas verdes (os fascistas, pretas) e adotaram a letra grega sigma como emblema (os nazistas, a suástica). Saudavam com o tupi "anauê" (na Alemanha, "*heil*, Hitler") e estendiam o braço para o alto (na Itália, à romana, na horizontal). Ultranacionalistas, adotaram a divisa "Deus, Pátria e Família".

Enxergavam em comunistas e judeus uma coalizão perversa. Extasiaram-se quando o governo brasileiro deportou, em outubro de 1935, a tecelã judia Genny Gleiser, nascida na Bessarábia. Portuários franceses a resgataram e salvaram do terror. Antiliberais, os integralistas se identificavam com o liberalismo na defesa da propriedade privada. Compartilhavam com o governo a aversão aos comunistas. Mobilizaram 400 mil aderentes em 1123 núcleos. A posteridade os lembraria como fanfarrões, janotas envaidecidos com suas paradas burlescas. Para a geração do moço Marighella, aparentavam uma ameaça do naipe de Hitler e Mussolini.

A despeito da harmonia com o presidente da República, a AIB media forças com Juracy. Getúlio fora aclamado presidente em eleição indireta na Constituinte em 1934. O interventor tornou-se governador com a Constituinte estadual. Ele golpeava mais os integralistas, oponentes robustos, do que os combativos, porém frágeis, comunistas baianos. Dizia com razão que o médico Eliéser Magalhães, seu irmão, era um "marxista fichado". À esquerda, encrencava mesmo era com Marighella. Uma carta sua para Getúlio em 1933 escancarou o caráter mais pragmático, a disputa pelo poder na Bahia, do que ideológico das suas desavenças com os galinhas-verdes, como os antagonistas detratavam os rivais da AIB: "Sabe vossa excelência que, pessoalmente, minha orientação doutrinária é pela adoção do integralismo no Brasil".

Em 1935, Eliéser Magalhães vendeu uma casa no Rio de Janeiro para contribuir com a Aliança Nacional Libertadora (ANL), surgida no princípio do ano. Seus idealizadores foram intelectuais, políticos, estudantes e militares tenentistas da esquerda não comunista. O PCB não demorou a assumir o controle. A organização arrastou multidões, rivalizando com o integralismo. Instalaram-na em 3 de maio em Salvador, no Cine Jandaia. Com vitrais coloridos na fachada, o prédio da Baixa dos Sapateiros ficava no lado da calçada onde afluía a rua Barão do Desterro. Os três andares lotaram no lançamento da ANL, e os aliancistas não perceberam a sabotagem dos camisas-verdes. Quando abriram o ato, os "sigmoides" — termo com que os adversários galhofavam dos integralistas — estavam sentados nas primeiras filas. Bateram os pés para tumultuar e precipitaram a pancadaria.

A ANL escolheu o advogado Edgar Mata para presidir a seção baiana. Esconjurou a Lei de Segurança Nacional, aprovada em abril e dita Lei Monstro pela oposição. No cais do porto, promoveu comício com a caravana da entidade. Divulgou nos meetings o programa de "cancelamento das dívidas", "nacionalização das empresas imperialistas" e "entrega dos latifúndios ao povo laborioso". Seu lema, "Pão, terra e liberdade", continha dois terços da palavra de ordem bolchevique de 1917, "Pão, paz e terra".

A agenda da ANL não tomava todo o tempo de Marighella porque o partido concorria.

Ele integrava o Comitê Regional do PCB e o dirigiu por um período, como recordaria:

> Logo [após deixar a faculdade] fui recrutado para o partido e ingressei em uma célula de trabalhadores de tecidos. [...] Nesse período, organizei células do partido entre os trabalhadores do porto da Bahia, entre os trabalhadores do serviço de bondes da cidade, entre os padeiros etc. e cheguei a ser o secretário do partido, havendo também organizado a Juventude Comunista.

Marighella transformou a Federação Vermelha dos Estudantes em associação estudantil. Em março de 1935, coordenou a constituição da célula comunista da Faculdade de Direito, numa reunião na residência dos Souza Carneiro. Quem cedeu a casa no bairro dos Barris foi o estudante Edison Carneiro, irmão do advogado Nelson, surrado em 1932. Às vésperas de completar dezessete anos, compareceu o calouro Armênio Guedes. Era um dos dez irmãos de Iracema, colega de Marighella no Ginásio Carneiro Ribeiro — os onze irmãos Guedes seriam comunistas, como a mãe. O organismo de base partidário somaria em breve mais de vinte acadêmicos, incluído o futuro deputado Sinval Palmeira.

Marighella chegou sem meias e se apresentou como *Estanislau*. Medida de segurança protocolar, já que era preciso ser muito desinformado para não reconhecê-lo. Por duas horas, explicou o funcionamento da célula e ensinou como rolar bolas de gude para derrubar os cavalos dos soldados; jogar um pedaço de arame por cima da rede elétrica para pendurar a bandeira vermelha; e planejar a autodefesa de comícios-relâmpago — tudo voltado para a ação. O anfitrião Édison Carneiro seria um etnógrafo de prestígio e militante diligente nas pontes do PCB com as religiões africanas. Anos mais tarde, em meio a uma vaga repressiva, os terreiros abrigaram os comunistas baianos perseguidos.

Os militantes da Faculdade de Direito mergulharam nas campanhas da ANL. A organização decolara com a assembleia de 30 de março de 1935, no teatro João Caetano, na capital. Incendiou-a o discurso do universitário comunista Carlos Lacerda, o mais talentoso orador que a República ouviria. Aos doze anos, ele ganhara do tio Paulo de Lacerda, por curto período o número um do PCB, o clássico de Bukhárin *ABC do comunismo*. Seu pai era Maurício de Lacerda, calejado parlamentar aliado das lutas operárias, que falou à plateia no João Caetano. O auge da noite foi quando Carlos, de voz vigorosa em contraste com o corpo franzino, propôs o nome de Luiz Carlos Prestes para presidente de honra da ANL. Uma ovação estremeceu o teatro.

De 1924 a 1927, Prestes abalara o país. À frente de centenas de combatentes, o capitão do Exército percorreu 25 mil quilômetros em desafio épico ao governo central. Eram seiscentos ao se desmobilizarem e 1500 no apogeu. Em outubro de 1924, o militar levantou o Batalhão Ferroviário de Santo Ângelo, nos cafundós do oeste do Rio Grande do Sul. Uniu-se aos paulistas rebelados desde julho contra o presidente Artur Bernardes, compondo a Coluna Miguel Costa-Prestes. A ascendência de Prestes na tropa rebatizou-a com nome único, sem o do major da Força Pública de São Paulo. Atravessaram treze estados rumo ao norte numa guerra de movimento em que desconheceram revés em 53 combates. Ao se internarem na Bolívia, Prestes era o mais popular dos brasileiros, que passaram a chamá-lo de Cavaleiro da Esperança.

O estandarte da Coluna Prestes foi o do tenentismo — contra a bandalheira eleitoral e a corrupção, por reformas sociais. Empolgou em particular as classes médias urbanas. Doente, seu comandante não pelejou na revolta de 1922. Sobreveio a Coluna Invicta, que assombrou o mundo. Palmilhou o dobro da distância da Longa Marcha do comunista chinês Mao Tsé-tung na década seguinte. O que de início pareceu a alguns uma procissão quixotesca revelou-se expressão de genialidade militar, no nível da qual não estaria o repertório do capitão para a arte da política. Como Napoleão, Prestes, com menos de 1,60 metro, era baixo. O general francês não teria sido um amante virtuoso. O oficial gaúcho perdeu a virgindade aos 36 anos.

Ele nasceu em Porto Alegre em 3 de janeiro de 1898 (quatro anos mais jovem que Mao) e ficou órfão de pai aos dez anos. Criou-se em meio à penúria, com quatro irmãs mais novas. Idolatrava a mãe, Leocádia, matriarca determinada e valente. Aceitou a contragosto mulheres na coluna. Hipnotizava a audiência, mesmo sem dominar os truques da oratória. Primeiro da turma na Escola Militar do Realengo, tinha a entonação marcial dos quartéis e a voz monocórdia. Combinava carisma com timidez. Em uma carta de apresentação ao Komintern, o alemão Arthur Ernst Ewert descreveu-o em 1931 como "muito retraído". Instruído nos manuais do positivismo pelo Exército, seria o mais influente personagem do comunismo brasileiro.

No começo, os comunistas o quiseram longe. Quando o cavaleiro cavalgava sua legenda, em 1925, o PCB descartou o tenentismo como "um movimento reacionário da pequena burguesia". Em 1927, no segundo encontro marcante da sua vida, Astrojildo Pereira lhe forneceu na Bolívia literatura marxista elementar. Por reconhecer no PCB excessos à esquerda, Prestes disse não à proposta de sair candidato presidencial dos comunistas em 1930. Em maio daquele ano, contudo, assinou um manifesto em tintas vermelhas no qual clamou pela constituição de sovietes.

Parlamentou em segredo com Getúlio Vargas em Porto Alegre e recusou o convite para ser o chefe militar da Aliança Liberal. Em 1931, fundou no exílio a Liga de Ação Revolucionária. A organização antigetulista sobreviveu pouco mais que um gafanhoto. Em seguida, Prestes se declarou comunista e bateu às portas do PCB. Na estação do "obreirismo", que só identificava virtudes em dirigentes com calos nas mãos, o novo Comitê Central tinha por Prestes a repulsa das beatas à tentação. Com a soberba das seitas, esnobou o herói das massas. Mais esperta, a Internacional Comunista hospedou-o a partir de 1931 com a família em Moscou. Como a seção brasileira refugava sua admissão, em 1934 o Komintern o impôs goela abaixo ao PCB.

* * *

Marighella tinha treze anos quando a passagem de Prestes pela caatinga baiana, noticiada pelos jornais, fascinou-o. Intrigou-o a engenhosidade da guerrilha a fustigar, driblar e derrotar destacamentos mais numerosos e bem apetrechados. Mais tarde, em 1935, Prestes regressou clandestino ao Brasil. Ele escolheu o dia 5 de julho, exatos treze anos após o levante de 1922, para lançar seu manifesto. Nessa época, os outrora "tenentes" marchavam em peso com Getúlio. Sua minoria se digladiava nas barricadas da ANL e do integralismo. Prestes falou grosso: "A ideia do assalto amadurece na consciência das grandes massas. Cabe aos seus chefes organizá-las e dirigi-las". Parafraseou o *Manifesto comunista*, de 1848: "Vós que nada tendes para perder e a riqueza imensa de todo Brasil a ganhar!". (No original de Marx e Engels, "os proletários nada têm a perder com ela [a revolução comunista], exceto as cadeias; têm um mundo a ganhar".) Indicou o que fazer com o presidente: "Abaixo o governo odioso de Vargas!". E lembrou a proclamação ("Todo o poder aos sovietes!") de Vladímir Ilitch Uliânov, o Lênin, dirigente da Revolução Russa de 1917: "Todo o poder à Aliança Nacional Libertadora".

Se faltasse pretexto, o Catete ganhou um para fechar a ANL uma semana depois. Quando se esperava o contra-ataque dos aliancistas, testemunhou-se a inércia. Marighella já se locomovia com discrição em Salvador. Com a ilegalidade da ANL, além da do PCB, ele submergiu. Fugindo da polícia do Rio de Janeiro, o secretário de *agitprop* (Agitação e Propaganda) do Birô Político do Comitê Central se refugiou na Bahia. O mossoroense Lauro Reginaldo da Rocha, magro de dar dó, parecia um retirante. Conhecido como *Bangu*, improvisou uma tipografia. Ele fora enviado por Antônio Maciel Bonfim, o secretário-geral *Miranda*. Quando chegou a Salvador, os secretas estavam nos calcanhares de Marighella, cuja permanência no estado se tornara arriscada. Ainda mais com a infiltração de dois policiais no partido.

A vida de Marighella se transformou desde que a militância o obrigou a abandonar as aulas particulares pelas quais passara a cobrar dos alunos mais abastados, para não pedir ajuda ao pai. O PCB bancava certos gastos, mas o dinheiro era minguado. De bolso vazio, ele adentrou outubro sobrecarregado de tarefas. No dia 1º, o partido incentivou o boicote dos consumidores contra a alta no preço da carne, e os açougues ficaram às moscas. Na mesma semana, a União

Sindical dos Trabalhadores peitou um desfile integralista, e os funcionários dos transportes se negaram a embarcar quem vestisse verde. Além do "trabalho de massas" e do setor estudantil, Marighella teve que elaborar um estudo sobre a economia do estado, encomendado pelo Comitê Regional.

Redigia-o quando *Bangu* ordenou que, para escapar da perseguição policial, partisse para o Rio. Marighella separou o traje de passeio completo, um chapéu preto e uma abotoadura dourada com as iniciais CM. Na mala pequena, dobrou quatro paletós, duas calças, três camisas, três cuecas e dois lenços. Já clandestino, pouco ia à casa da rua Barão do Desterro. Passou lá, pediu a bênção aos pais e se despediu. Os lamentos da mãe eram incansáveis. Maria Rita dizia que o rebento se distanciara da Igreja "por ler muita bobagem".

Com toda a leitura, dificilmente ele saberia que a corruptela Mariga, pela qual os amigos o tratavam, era o nome do rio que cortava as planícies africanas de onde tinham vindo os negros haussás — o levante dos malês completava um século em 1935. O navio zarpou no fim de outubro. Em 5 de dezembro, Marighella faria 24 anos, a idade na qual Castro Alves morrera tuberculoso. Se havia uma coisa em que ele não falava, era na morte.

5. A revolução que não houve

A vida no Rio de Janeiro de 1935 se coloria de tantos encantos que só um bairrista empedernido, com aversão figadal aos cariocas, ousaria implicar com o título da marchinha "Cidade maravilhosa". Consagrada no ano anterior, ela arrebatava os cordões carnavalescos nas vozes da cantora Aurora Miranda e do autor, André Filho. O Rio era mesmo o "coração do meu Brasil". E os pulmões do PCB: a influência dos comunistas na capital ia dos palcos dos teatros às relações estreitas com o prefeito Pedro Ernesto. No início de novembro, quando Marighella desembarcou no porto, o dramaturgo Oduvaldo Vianna alinhavava o roteiro do seu primeiro filme, *Bonequinha de seda* — sua peça *Amor* estourara em 1934 no Teatro Rival. Oduvaldo era simpatizante do comunismo. Valia ouro o ingresso para assistir a Procópio Ferreira. O ator dava dinheiro para o PCB. (Em São Paulo, o partido tinha os pés no modernismo. O escritor Oswald de Andrade, um dos organizadores da Semana de Arte Moderna de 1922, um mês antes da fundação do PCB, era militante desde 1931.)

O Rio contaria 1 756 000 habitantes em alguns meses, quase cinco vezes os 370 mil de Salvador. Na Bahia, Marighella esgueirava-se pelos becos da clandestinidade. Agora, também viveria nos subterrâneos, mas podia comprar de qualquer jornaleiro o diário *A Manhã*, mantido pela ANL e controlado pelo PCB. Mesmo com as organizações proscritas, o matutino circulava legalmente, editado por Pedro Motta Lima — no Recife, o iniciante Rubem Braga era o redator-chefe do jornal aliancista *Folha do Povo*.

A avenida Rio Branco, antiga avenida Central, era a rua Chile multiplicada em largura, comprimento e pose. Cavalheiros elegantes flanavam por ela com seus colarinhos imponentes como os prédios alicerçados na época em que J. J. Seabra dava expediente no Ministério da Justiça e no de Viação e Obras Públicas. Até pouco tempo antes, o capitão do Exército Agildo Barata, companheiro de Juracy Magalhães nos bivaques de 1930, divertia-se por ali nas tardes de sábado com os amigos. Se flagrassem integralistas em seus uniformes verdes, arrancavam-lhes as calças e os deixavam de cuecas.

Marighella foi morar a menos de meia hora da avenida Rio Branco, no bairro de São Cristóvão. Recém-aportado na cidade, ele procurava um cômodo quando deu com uma tinturaria em funcionamento no número 229 da rua Bella de São João. Seu dono, Isaac Souhami, resolvera alugar uma sala e um quarto nos fundos da casa. Um homem que lhe pareceu discreto reparou na placa com o anúncio e o abordou. Apresentou-se como Armando Silveira, um embarcadiço, como também eram chamados os marinheiros. Souhami o acompanhou aos aposentos, aos quais se chegava por um portão de ferro lateral, sem passar pela tinturaria. Combinaram o aluguel mensal em 130 mil-réis.

Cumprido o roteiro de contatos de *Bangu*, Marighella se incorporou ao núcleo local do partido. Nele, não usava a identidade com que se alojou na rua Bella. Era o camarada *Nerval* (nome de um poeta francês), da comissão especial da comissão de organização do Comitê Central. "Essa comissão especial era incumbida de fazer ligações marítimas, ligações com a imprensa ilegal e com as casas ilegais da direção", escreveria Marighella. Talvez ele já tivesse lido uma edição estrangeira — brasileira, inexistia — de *O capital* com a citação de Marx "A força é a parteira de toda sociedade velha que traz uma nova em suas entranhas". Marighella não tinha ideia de que o parto da revolução estava próximo. Os parteiros não conspiravam nos bairros operários da zona norte, como São Cristóvão, mas no balneário de Ipanema, na zona sul.

Em meio aos perfumes da primavera, duas mulheres de pele alva como leite caminhavam na calçada da praia de Ipanema. Uma era a alemã Olga Benario. A outra, sua compatriota Elise Saborowski. Se um burocrata da imigração brasileira lhes requisitasse o passaporte, Olga mostraria sua fotografia no documento de Maria Bergner, casada com o português Antonio Vilar. Elise se diria Machla Lenczycki, esposa do cidadão norte-americano Harry Berger. Os cariocas que viravam o pescoço para admirar as estrangeiras não imaginavam o que as trouxera ao Rio. Elas se banhavam nas águas verdes do mar e divisavam as ilhas Cagarras no horizonte, mas sua praia era outra, a da revolução mundial. O Komintern as mandara ao Brasil.

Ipanema era um bairro distante do centro, com ares interioranos. Apesar do sol, prestava-se às conspirações à sombra. Olga era agente do serviço secreto militar soviético e ex-dirigente da Juventude Comunista Internacional. Habitava uma casa na rua Barão da Torre com o sr. Vilar, nome falso que Luiz Carlos Prestes adotou na viagem iniciada em Moscou. Bela e esbelta, com 1,75 metro de altura, fora destacada para a segurança do comandante da coluna. Coragem não lhe faltava: em 1928, tomara parte na ação armada que libertou seu namorado, o professor comunista Otto Braun, da prisão política berlinense de Moabit. No navio em que deveriam interpretar um casal, Olga e Prestes se apaixonaram de verdade.

Pertinho da Barão da Torre, na rua Paul Redfern, viviam Elise e o marido, Arthur Ernst Ewert, o nome verdadeiro de Berger. Ele era um antigo membro do Birô Político do poderoso Partido Comunista Alemão. Ewert (*Negro*) e o argentino Rodolfo Ghioldi (*Índio*) compuseram com Prestes (*Garoto*) o triunvirato do Komintern para comandar com o PCB uma revolução no Brasil. Assinavam textos como "GIN", as iniciais dos nomes de guerra dos três.

A presença de assessores da Internacional no Rio não era novidade. Diferente era a qualificação de boa parte dos pelo menos catorze estrangeiros escalados em 1935. Na década de 1920 e no início da seguinte, passara pelo Brasil o polonês Boris Heifetz, ou *Guralski*, que não deixara saudades. Tratavam-no por *Rústico*, tal a sua sofisticação. Outros vieram. Em seu VII Congresso, o Komintern aprovou a política de frente única com a social-democracia e frações da burguesia, na forma de frentes populares contra o nazifascismo. A linha anterior, ultrassectária, isolava os comunistas. O padrinho das duas orientações foi Ióssif Stálin, o georgiano de bigodes grossos e gestos rudes que se assenhoreou da União Soviética, do PCUS e da Internacional Comunista após a morte de Lênin em 1924.

O VII Congresso se estendeu de julho a agosto de 1935, quando os preparativos da insurreição no Brasil andavam a passos largos. Da resolução do sexto conclave, em 1928, sobreviveu a receita que definiu o caráter da revolução como democrático e burguês nos países semicoloniais, categoria em que o Komintern classificava o Brasil — não era uma colônia formal, mas teria relações de submissão a potências estrangeiras. Conforme essa interpretação, a estrutura econômica, especialmente no campo, onde vivia a maioria da população, mantinha mais características do feudalismo que do capitalismo. Desde 1928, a Internacional propugnava a revolução em etapas. A primeira, democrático-burguesa, seria anti-imperialista e antifeudal. A segunda, socialista. Antes, o proletariado se aliaria à burguesia para instaurar e desenvolver o capitalismo. Bem mais tarde, expropriaria os meios de produção.

Por isso a ANL com hegemonia dos comunistas propunha a "libertação nacional", em aliança com segmentos burgueses, e não coletivizar a propriedade privada. Seu presidente era o capitão-tenente Herculino Cascardo, oficial da Marinha que expressava o flanco do tenentismo que navegara a bombordo. Ao contrário de Agildo Barata e outros militares, não se filiara ao PCB. A dispersão dos tenentes e a trajetória de Prestes fizeram do Brasil o país latino-americano de contingente comunista mais numeroso nos quartéis. Quem lia periódicos como *Sentinela Vermelha* e *Asas Vermelhas* tinha a impressão de que a presença do PCB na caserna era maior do que a existente. Os líderes do partido convenceram o Komintern a consagrar uma contradição e a nela investir recursos humanos e financeiros: recém-convertida às frentes populares, tática defensiva para conter o fascismo — nenhuma revolução socialista triunfara depois de 1917 —, a organização apostou no assalto ao poder. Com uma cajadada, afastaria o Brasil tanto da ambição de Hitler e Mussolini como da órbita, em vigor, de britânicos e americanos.

Não se jogava pouco na maior nação da América Latina. Em 20 de junho de 1935, Getúlio Vargas anotou no seu diário: "O embaixador inglês, que foi despedir-se, informou-me do trabalho comunista no Brasil auxiliado pela Rússia, e que aqui se achavam o comitê russo que estava em Montevidéu e Luiz Carlos Prestes". De nada adiantou a notícia plantada em agosto pelos soviéticos no diário *Pravda*, para despistar os espiões do serviço de inteligência britânico, informando que Prestes se encontrava em Moscou.

No mesmo instante, em Ipanema, ele e os enviados do Komintern gestavam a revolução. Trabalhavam com a cúpula do PCB, a mesma que rejeitara Prestes. O secretário-geral *Miranda* fora professor primário e sargento do Exército. Nascido no sertão da Bahia, não militara em Salvador. O secretário de Organização, Honório de Freitas Guimarães, era conhecido como *Martins*. Alguns militantes se referiam a ele, o número dois do partido, como "Milionário". Menino rico, estudara em Eton, escola inglesa de elite.

Desde agosto, a convivência de Prestes com o PCB se deu em relações hierárquicas incomuns. Como Rodolfo Ghioldi, no VII Congresso ele foi (mesmo ausente) um dos 31 eleitos para o Comitê Executivo da Internacional, ao lado do chinês Mao Tsé-tung, do italiano Palmiro Togliatti e do grande fiador da operação no Brasil pelo Komintern, o soviético Dmitri Manuilski. Prestes, entretanto, não integrava o Comitê Central da seção brasileira: era dirigente mundial, mas não nacional. O nonsense se resolveu na sessão do CC de 21 a 24 de novembro, que o cooptou para a direção e ultimou as providências para o levante.

Enquanto Prestes mantinha correspondência copiosa com antigos companheiros, o PCB infiltrava nas Forças Armadas um comitê antimilitar ultrassecreto, o Antimil. O efetivo do Exército era de 80 145 homens. Embora agremiação oriunda da classe operária, o PCB se importava mais com sua construção nos pelotões do que nas fábricas. Quem ignorasse o programa da revolução e considerasse os métodos talvez pensasse que se reeditava um plano tenentista da década anterior. Em julho de 1935, o Comitê Central brandiu: "Povo do Brasil, às armas!". Em outubro, uma carta do Secretariado Nacional advertiu o Comitê Regional do Maranhão: "É bem possível, ou pelo menos não de todo impossível, que as grandes lutas pelo poder, pelo governo popular revolucionário, pelo governo de Prestes, comecem pelo Norte e Nordeste do Brasil".

Até o encerramento da reunião dominical do CC em 24 de novembro, a informação não chegou; alguns souberam à noite; a maioria tomou um susto com os jornais cariocas de segunda-feira: bem longe dali, a revolução já começara.

Às 19h12 de sábado, o cabo Giocondo Gerbasi Alves Dias anunciou ao sargento José Farias de Almeida, que comandava a guarda do quartel do 21º Batalhão de Caçadores:

"O senhor está preso, em nome do general Luiz Carlos Prestes!"

Vinte minutos depois da ordem de prisão, os revoltosos se apoderaram da unidade de infantaria e detiveram os oficiais. Partiram para conquistar a cidade, Natal, capital do estado nordestino do Rio Grande do Norte. Centenas de homens e mulheres libertaram os presos da Casa de Detenção. Multidões invadiram o palácio do governo, como os russos, em 1917, no palácio de Inverno. As massas queriam sangue, mas os líderes resguardaram a integridade física do governador Rafael Fernandes — ele se asilou no consulado italiano — e de figurões da sociedade que assistiam a uma colação de grau no Teatro Carlos Gomes. Após horas de tiroteio, soldados e populares controlaram o quartel de cavalaria. Apossaram-se de 99 revólveres na Inspetoria de Polícia. Como a PM resistia em sua sede, 135 estivadores reforçaram o ataque com bombas, metralhadoras e fuzis, até a rendição.

Com o sol a pino no domingo, brigadas de trabalhadores ocuparam fábricas e empresas. Militares e civis — até coveiros — dominaram telégrafos e rádios. Levaram automóveis e caminhões de grandes firmas e os puseram a serviço da nova administração. No cartório, derramaram gasolina e queimaram os registros das grandes propriedades de terra. Cortaram os trilhos das estradas de ferro para atrapalhar o acesso de tropas legalistas. Mal passava um grupo cantando *A Internacional*, aparecia outro em coro com as canções revolucionárias da ANL. Com bandeiras e faixas, a cidade se pintou de vermelho. Pelo menos doze municípios vizinhos passaram às mãos das colunas despachadas pelos rebeldes, e portuários depredaram centros do integralismo.

Às dez horas da manhã de segunda-feira, a junta governativa, denominada Comitê Popular Revolucionário, foi aclamada em praça pública e decretou a ilegalidade da AIB. Assegurou liberdade irrestrita de culto e religião, aboliu os impostos cobrados aos feirantes, baixou a tarifa dos bondes para a metade e o preço do pão para cem réis — custava duzentos. De posse dos recursos da Recebedoria de Rendas, pagou os vencimentos atrasados do funcionalismo. Arrombou o cofre do Banco do Brasil e saldou as dívidas com pequenos credores do estado. Delegações de trabalhadores enumeraram suas reivindicações. Os pescadores ganharam auxílio em material e financiamento. Operários intimaram o comandante de um navio a atender os reclamos da tripulação. Era o *Santos* — o mesmo do qual Augusto Marighella, em 1907, e Juracy Magalhães, em 1931, haviam desembarcado em Salvador.

A cada nova proclamação, milhares de vozes celebravam: "Viva a revolução!". Um comunicado apelou aos "camaradas em armas e ao povo em geral" para "guardar às famílias o máximo respeito" e "garantir os comerciantes, em especial os pequenos". Dois deles tiveram as mercadorias roubadas, e as novas autoridades os indenizaram — no ardor de Outubro, dezoito anos antes, os bolcheviques tinham fuzilado os saqueadores de casas. Para manter a ordem, elas notificaram: "Serão presos e punidos com o máximo rigor todos os que forem pegados na prática de atos atentatórios à moral [...] e qualquer indivíduo que transite pelas ruas em visível estado de embriaguez".

No mesmo dia, um avião tomado pelos insurretos despejou um panfleto sobre Natal: "A liberdade é a vida, sem aquela, esta nada vale, e por isso é que nós jogamos esta nas ruas para conquistar aquela... ou a morte. Pensando assim, resolvemos dar amplo direito de reunião e manifestação de pensamento falado ou escrito a todas as organizações estritamente trabalhistas e às organizações de massa verdadeira e reconhecidamente revolucionárias". O volante foi distribuído de residência em residência. Na do governador, na Vila Cincinato, instalou-se o Comitê Popular Revolucionário. O novo governo tinha cinco pastas, encabeçadas por titulares de 31 a 38 anos de idade. Para ódio dos oficiais do Exército, o sargento Quintino Clementino de Barros, da banda de música, foi nomeado secretário da Defesa. O sapateiro José Praxedes de Andrade se tornou o secretário do Abastecimento. Praxedes diria que o quinteto militava no PCB — seria um governo de frente popular na agenda, mas comunista "puro-sangue" na composição. O sapateiro pertencia à direção estadual do partido. Ligava a capital e a região salineira de Mossoró.

O efeito surpresa decidiu a favor dos revolucionários potiguares, porém alertou sobre a conspiração em curso no país. Inteirado dos planos centralizados no Rio de Janeiro, o Comitê Regional do PCB no Rio Grande do Norte não quis ou não pôde esperar. Previu que a revolta militar eclodiria de qualquer maneira, depois que oficiais do 21º Batalhão de Caçadores humilharam dezenas de praças. Ou o partido se punha à frente ou iria a reboque. O cabo Dias, que chefiou a tomada do quartel, era o mesmo sacristão baiano cuja mãe se incomodara com a namorada mulata do filho. Aos 22 anos, tinha cabelo loiro, olhos verdes e perfil de faquir. Mais velho de cinco irmãos, ficara órfão de pai aos sete e fora trabalhar num armazém. Havia entrado para o PCB em 1934, cinco décadas antes de chegar ao posto de secretário-geral. Logo após sair do 21º BC com seu fuzil-metralhadora, balearam-no. Passou horas no hospital e voltou ao combate mesmo com um projétil alojado no corpo. Uma cunhada teve menos sorte: um tiro a matou. Para evitar o linchamento por soldados, cabos e sargentos, Dias confinou os oficiais em uma embarcação mexicana no rio Potengi.

Na virada de segunda para terça-feira, os revolucionários concluíram a edição do "número 1" do "ano 1" do jornal *A Liberdade*. Rodaram-no nas oficinas de

A República, porta-voz do poder que estava trocando de donos, com a manchete "Sob a aleluia nacional da liberdade". O movimento cujo estopim fora uma rebelião militar contra a hierarquia do Exército se transformara numa revolução social dirigida pelo PCB dentro e fora da caserna.

As balas iluminavam Natal quando, no fim da noite do sábado, a notícia da insurreição alcançou Pernambuco. O Comitê Revolucionário local apressou-se em levantar os quartéis. Um dos seus dirigentes era o comunista Silo Meireles, veterano da revolta de 1922. Às sete e meia da manhã, um sargento aliancista avisou o cabo Severino Teodoro de Mello de que a rebelião fora marcada para as nove horas. Estavam no 29º Batalhão de Caçadores, em Socorro, município de Jaboatão, nos arredores do Recife. O cabo Mello entendeu nove da noite. Afinal, era domingo, e o quartel estava quase vazio. O sargento esclareceu: faltava hora e meia.

No horário previsto, o tenente Lamartine Coutinho gritou "camaradas!" e conclamou à revolução. Oficiais reagiram, entrincheiraram-se em um pavilhão e alvejaram uma perna do tenente Alberto Besouchet. Coordenados pelo tenente ferido, duas dezenas de rebeldes cercaram os superiores e dominaram a unidade. Dezesseis seguiram com Lamartine para a capital. Confraternizaram com uma patrulha de policiais militares, que aderiram. Por volta de uma hora, já estavam no largo da Paz, no bairro de Afogados. Não atravessaram a ponte sobre o rio Capibaribe porque forças legalistas tinham tomado posição na margem oposta. Ao cair da tarde, posicionaram uma metralhadora pesada na torre da igreja Matriz e dispararam para intimidar. Aguardavam reforços para progredir.

Um homem encarnava a esperança dos revoltosos. A considerar as tantas tarefas que lhe destinaram, o sargento de infantaria Gregório Lourenço Bezerra era um super-homem. Aos 35 anos, parecia forte como um herói de quadrinhos. Nem sempre fora assim: a mãe camponesa passara fome na gravidez; quando o filho tinha quatro anos, não houve o que comer no Natal; aos quinze, Gregório era anêmico e raquítico; aos dezesseis, as prostitutas o rechaçavam por ser "muito menino". O sargento recebeu a ordem para a sublevação e obedeceu, mesmo com as instalações militares às moscas. Militava no PCB desde 1930. Ao meio-dia, estava carregando os pentes das metralhadoras no quartel-general da 7ª Região Militar quando surgiram o tenente Agnaldo Oliveira de Almeida e dois subalternos. Com uma pistola Parabellum, o tenente atingiu uma coxa de Gregório, que se engalfinhou com um sargento. O tenente errou dois novos tiros. No quarto, a arma enguiçou. Gregório apanhou um fuzil, feriu os três e matou o tenente José Sampaio, que chegara depois. Tudo sozinho.

Ele prevaleceu nos pátios internos do quartel-general e no Centro de Preparação de Oficiais da Reserva, no qual era instrutor de educação física. Mandou abrir os portões para "armar e municiar a massa operária" que o partido prometera arregimentar. Ao procurá-la, não viu viva alma. Correu até o tiro de guerra, onde armazenara 175 fuzis e 6500 tiros. Em busca de apoio, discursou nas ruas, em vão. Invadiu uma delegacia. Sangrava como um animal no abate quando foi preso no pronto-socorro.

Os bondes pararam, trabalhadores saudaram o movimento nos subúrbios e uma bandeira da revolução foi hasteada em um sindicato. A ajuda, no entanto, não chegou às barricadas no largo da Paz, e tropas de Alagoas e Paraíba acudiram os governistas. Na tarde da segunda-feira, elas tirotearam com o tenente Lamartine e seus homens. Batidos, os rebeldes abandonaram a igreja e o quartel do 29º BC. Entregaram-se na manhã seguinte.

No começo da madrugada da quarta-feira, a confirmação do fracasso em Pernambuco foi recebida como tragédia no Rio Grande do Norte. Os revolucionários souberam de derrotas das suas colunas para milícias de "coronéis" do interior potiguar e do avanço de batalhões hostis dos estados vizinhos. Estavam cercados. Retiraram-se às quatro e meia da manhã. O jornal *A Liberdade* só teria uma edição. Em 1871, a Comuna de Paris pulsara por dois meses. A Comuna de Natal sobreviveu pouco mais de oitenta horas. Isolada, morreu de solidão.

Se a revolução se manteve no poder por três dias em Natal e os revoltosos se fortificaram por 24 horas à beira do Capibaribe, o levante comandado por Luiz Carlos Prestes no Rio de Janeiro foi sufocado em bem menos tempo. Apesar de perdido o trunfo da surpresa, Prestes, Ewert, Ghioldi e *Miranda* bancaram a insurreição. Reunidos na segunda-feira, decidiram desencadear o movimento na madrugada da quarta. A empreitada militar de 27 de novembro de 1935 principiou dentro de um Opel que penetrou na Escola de Aviação pelo portão de trás. Ao volante estava o capitão Sócrates Gonçalves da Silva. Ao seu lado, o capitão Agliberto Vieira de Azevedo. Na janela do carona, o tenente Dinarco Reis. No banco traseiro, um tenente e um aspirante. Todos fardados. No caminho para o Campo dos Afonsos, dobraram uma esquina e quase atropelaram desocupados que jogavam baralho. Um dos passageiros brincou:

"Já começou a encrenca; o inimigo se retirou."

Passaram pelo tenente Ivan Ramos Ribeiro, que ia a pé. Lá dentro, aguardavam-nos os tenentes José Gay da Cunha e Carlos França, além de alguns cabos, como David Capistrano. Planejavam tomar a Escola e o 1º Regimento de Aviação. Mal se anunciaram, e a Companhia de Guardas e os oficiais do comando abriram fogo.

Já esperavam os aliancistas, articulados em torno de uma base do PCB em atividade desde 1932. Quando os tenentes Dinarco e França correram para preparar os aviões que apoiariam o que fantasiavam ser outras guarnições sublevadas, encontraram os tanques sem combustível. A infantaria da Vila Militar marchou sobre eles, que contra-atacaram com uma metralhadora antiaérea. O comandante do 1º Regimento, tenente-coronel Eduardo Gomes, dirigiu as tropas governistas. Em 1922, ele fora herói "subversivo" na tomada do forte de Copacabana. Em 1935, lutou na trincheira da hierarquia. Pela artilharia, pelejou o capitão gaúcho Ernesto Geisel, 39 anos antes de ser empossado na presidência. Ao amanhecer, a aventura estava liquidada.

Enquanto os revolucionários da aviação sucumbiam, seus camaradas do 3º Regimento de Infantaria combatiam no sítio batizado com um nome (para eles) de bom agouro: praia Vermelha, em virtude da cor da areia. Às duas e meia da manhã, rajadas de metralhadora deram o sinal para a revolta, que se impôs em quinze minutos. Os líderes da ANL na unidade eram o capitão Álvaro de Souza e o tenente Francisco Leivas Otero. O capitão Agildo Barata, que lá estava como preso, assumiu o comando do regimento. No confronto, morreram um tenente rebelde, Thomaz Meirelles Filho, e um major legalista, Misael de Mendonça. Obuses da artilharia e bombas vomitadas por aviões provocaram mais mortes e arruinaram o prédio do 3º RI. Pouco depois do meio-dia, os aliancistas se renderam. Antes, nas negociações, um capitão cutucou:

"Quem é esse filho da puta do Agildo Barata?"

O próprio respondeu:

"O Agildo Barata sou eu. O filho da puta és tu?"

Com um ponto de interrogação, cujo conteúdo era de exclamação, esfumou-se o sonho dos revolucionários de 1935.

6. Três semanas no inferno

Marighella ignorava os planos para a madrugada de 27 de novembro de 1935, não conspirou para o levante, manteve-se a léguas das zonas sul (3º RI) e oeste (Escola de Aviação), vivenciou os entreveros pelos jornais que se atualizavam em edições nervosas e sucessivas e torceu apaixonadamente pelos revoltosos. Foi o papel que coube no Rio aos militantes civis do PCB: torcer. Numa concepção singular para quem assumia a condição de discípulo do marxismo, os enviados da Internacional Comunista e o comando partidário restringiram a insurreição aos militares — sem convite, a classe operária ficou de fora, com exceção dos tecelões de três fábricas que fizeram greve em apoio aos rebeldes. Quase nenhuma célula foi acionada, tampouco a maioria dos Comitês Regionais. Mas a tormenta se abateria sobre todos os antigetulistas de esquerda, até os que não tinham empunhado armas.

Antes de o Opel atravessar o portão no Campo dos Afonsos e de o tenente comunista Leivas Otero puxar o gatilho da metralhadora que trombeteou a rebelião na praia Vermelha, o presidente da República pretextou os eventos do Nordeste para pedir ao Congresso autorização para o estado de sítio. Obteve-a na manhã de segunda-feira, 25 de novembro, sufocando as liberdades e expandindo a repressão. Os integralistas ofereceram 100 mil combatentes para esmagar os comunistas. O governo dispensou-os, pois os métodos do capitão Affonso Henrique de Miranda Corrêa bastavam. Seu desempenho como delegado especial de Segurança Política e Social lhe renderia a Ordem de Primeira Classe da Cruz Vermelha — entregue por Heinrich Himmler, o mandachuva da Geheime Staatspolizei (Gestapo, polícia secreta da Alemanha nazista) e das Schutzstaffel (ss, organizações paramilitares do partido do chanceler Adolf Hitler).

Se conhecesse o general brasileiro Newton Cavalcanti, Himmler teria motivos para se orgulhar dele. O oficial fustigava, nas suas próprias palavras, "as investidas subterrâneas do mal judaico". Era membro da Comissão Nacional de Repressão ao Comunismo, constituída em seguida à quartelada pecebista. Os presos políticos eram tantos que as celas no continente não deram conta, e os enfurnaram na Ilha Grande, no estado do Rio de Janeiro. Sem mais instalações, o governo improvisou o navio *Pedro I*, do Lloyd Brasileiro, como cadeia flutuante na baía de Guanabara. Em São Paulo, a tecelagem Maria Zélia virou prisão.

Em meados de 1936, o PCB estimou em 15 mil os encarcerados por motivos políticos. O chefe de polícia, Filinto Strubing Müller, vestiu gravata-borboleta para apresentar, em julho de 1937, as estatísticas falando de 7056 somente na capital. Os conspiradores de 1935, que estavam entre eles, caíam como as folhas das amendoeiras cariocas no inverno. *Miranda* e Ewert foram carregados para o quartel da Polícia Especial, no morro de Santo Antônio, no centro da cidade. Ali dava plantão um jovem troncudo chamado Cecil Borer. De tanto apanhar, o secretário-geral sairia de lá com um rim nocauteado, e o ex-deputado do Reichstag não recuperaria a razão.

Prestes e Olga escaparam por um triz da incursão da polícia à casa da rua Barão da Torre. Os tiras os perderam, mas ganharam uma documentação formidável sobre a revolta, que o inquilino deixou intacta em um cofre. Com razão, Prestes poria a culpa no sabotador que o Komintern enviara: os explosivos de segurança do cofre, com detonação automática, não funcionaram. Como Olga, o expert em explosivos era agente do serviço secreto militar soviético. Portava documentos em nome de Franz Paul Gruber, mas seu nome autêntico era Johnny de Graaf, nascido na Alemanha. Foram desastrosos para os comunistas seus ofícios a outro patrão, o Secret Intelligence Service, a espionagem britânica. Numerosos revolucionários de 1935 foram presos em virtude das delações do agente duplo, embora não tenha sido ele o responsável pela descoberta do paradeiro de Prestes. A correspondência colecionada em Ipanema expôs a ligação de Pedro Ernesto com o líder comunista, e o prefeito do Rio acabou em cana. A caçada implacável fez os membros do Secretariado Nacional do PCB fugirem para Recife e Salvador.

Se a cúpula se precaveu e sumiu, quem permaneceu ficou com o trabalho dela e dos companheiros detidos. Marighella nunca militara em clandestinidade tão rígida nem acumulara tantos afazeres. De uma hora para outra, numa cidade estranha, passou a gerenciar a produção gráfica (panfletos, folhetos, cartazes) do núcleo central do PCB. Recolhia os manuscritos com o punhado de dirigentes soltos no Rio, datilografava-os, imprimia-os e os distribuía — tudo isso com a polícia nos calcanhares. Apanhava dinheiro para manter a engrenagem, pagava as despesas e gastava as migalhas restantes com a manutenção dos camaradas dedicados em tempo integral ao partido. Ele também se transformara em revolucionário profissional.

Com a militância acuada e o caixa vazio, Marighella mimeografou e divulgou o seu projeto de "foguetão extremista". Reproduziu um folheto sobre o reco-reco, técnica de imprensa artesanal: datilografava o estêncil, ajeitava-o sobre uma tábua e imprimia folha por folha. Mais aprendeu do que ensinou procedimentos conspiratórios. Escreveu e recebeu cartas com sumo de limão no verso. Quando era o destinatário, pressionava o ferro quente sobre o papel, e as letras se revelavam. Conheceu os códigos exclusivos do Comitê Central. Um deles traduzia: onde lia "a", deveria considerar p, h ou 5; "b" era igual a g ou e. Redigia sem espaços entre as palavras. Codificava duas vezes as mensagens especiais. Em um código suplementar, a congratulação "parabéns" significava "pedidos notícias urgentes". Outros truques: "João doente = pedidos delegados; segue o amigo Fulano de Tal = segue o provocador Fulano de Tal".

Marighella destruía as cartas que, depois de lidas, tornavam-se inúteis, a não ser para as autoridades ou como fetiche de arquivista. Pontuava as anotações particulares com as letras gregas estudadas no Ginásio da Bahia. Misturava-as diabolicamente, de modo a só se encaixarem na sua cabeça, e parecia incrível que fizessem sentido aos miolos de alguém. Mesmo para especialistas, seriam combinações indecifráveis. Em dezembro, ele assumiu a gestão da rede que assegurou a circulação da literatura e da propaganda partidárias. Não cuidara da impressão, de 26 para 27 de novembro, das 40 mil proclamações assinadas por Prestes, alardeando a implantação do Governo Nacional Popular Revolucionário — quase todas encalharam. Seu colaborador mais assíduo foi o prático de farmácia Taciano José Fernandes, dezenove anos mais velho. Marighella o conhecia como *Paulo*.

Em uma empresa, Taciano seria qualificado como comprador — encomendava papel, tinta e serviços gráficos. Arrematara para o PCB uma impressora francesa de segunda mão. Também providenciava as remessas: adquiria caixotes no Mercado Municipal, entulhava-os de documentos políticos, cobria-os com frutas e os despachava de barco pela baía. Em Niterói, no café Vista Alegre, companheiros os resgatavam.

Sob o comando de *Nerval*-Marighella, a linha de produção do abatido PCB reimprimiu o manifesto da direção pós-levante. Como se a ficha do malogro não caísse, bravateava com o título "Começou a revolução". Em março, os panfletos protestaram contra a introdução do estado de guerra e da pena de morte. A cada nova detenção, como a de Pedro Ernesto, pediam a soltura. Nenhuma queda doeu tanto aos comunistas quanto a de Prestes, junto com Olga, a 5 de março de 1936, numa casa do subúrbio de Todos os Santos. Ele contaria que a mulher, já se sabendo grávida, jogou-se à sua frente para impedir que os policiais atirassem. Salvou-lhe a vida. Com Ghioldi no cárcere, não restara livre nenhuma letra do "GIN" (*Garoto*-Prestes, *Índio*-Ghioldi e *Negro*-Ewert).

Mais de meio século depois, um sedento perseguidor de Prestes narraria como as agulhas foram achadas no palheiro. De acordo com Cecil Borer, a polícia cooptou sigilosamente pelo menos quatro presos comunistas, um deles praça da Marinha. Soltou-os, e eles a mantiveram informada sobre o partido. Em outra armadilha, liberou lambaris — militantes de base — para que eles, sem querer, a conduzissem a peixes graúdos, os dirigentes. Uma das iscas foi monitorada e desapareceu na rua Honório. Um pente-fino esquadrinhou as casas até a de número 279, onde se escondia o casal foragido. Marighella logo pôs a rodar um fascículo com a chamada "Libertemos Luiz Carlos Prestes e todos os presos políticos civis e militares". Por aquelas noites, ele distribuiu duas folhas com a advertência "Pela segurança! Contra a subestimação do perigo!". Os pontos de exclamação não eram mero vício estilístico de época, pois o cerco de fato apertava. Enquanto os comunistas eram asfixiados — até o diário *A Manhã* o governo fechou —, os integralistas se moviam sem cabresto, e o Partido Nazista se estabelecia em no mínimo nove estados.

Meses antes, no início do ano, Marighella passara a dormir em outro local, próximo à rua Bella, mantendo as duas residências. Alugou a sala do sobrado da rua Senador Alencar, 115, com muro e grades de ferro na frente, a algumas pernadas do Campo de São Cristóvão. Topou os 110 mil-réis mensais exigidos pelo português Francisco Magalhães e alongou o sobrenome para Armando Silveira *Lopes*, "despachante da alfândega" que partia às seis e meia da manhã e retornava à noite. Não o visitavam. À vista, deixava uma máquina de escrever Remington. No guarda-roupa, armazenava restos de munição, porém andava desarmado. Suas armas preferenciais estavam ali: 4275 tipos metálicos de impressão. Tinha à mão nove petardos para explodir, cinco deles em latas de folhas de flandres. Comprara produtos químicos para a confecção de bombas e copiara de próprio punho uma receita de artefato.

Justificando a vida em terra de um embarcadiço, disse na rua Bella que trocara o mar pelo ofício de vendedor de praça. Nos fundos da tinturaria, preparava os textos para rodar. Raramente escrevia — seus encargos eram operacionais. O esquema de elaboração da "Dona Claudina", como se referia ao jornal do PCB *A Classe Operária*, não passava por ele, que a distribuía. O destaque da edição de abril foi a convocação para o Primeiro de Maio como jornada de luta pela liberdade dos presos políticos e as reivindicações populares. Marighella espalhou um panfleto que mobilizava pela "grande data do proletariado".

O Dia do Trabalhador, uma sexta-feira, começou animado. Pelas cinco e meia da manhã, o cozinheiro da Taberna da Glória e um garçom desempregado picharam um muro na praia do Russel com os dizeres "Abaixo o fascismo de Getúlio — Viva Luiz Carlos Prestes — Primeiro de Maio". Pouco depois das seis horas, Marighella dobrou à direita na rua do Riachuelo, no bairro boêmio da Lapa, e subiu a ladeira do Castro rumo a Santa Teresa. Não imaginava que, ao contrário do combinado, não seria recebido pelo morador da casa 71, com quem trataria de protestos naquele dia. Taciano Fernandes fora preso às duas e meia da madrugada. Pior, os investigadores da Seção de Armas e Explosivos da Polícia do Distrito Federal souberam que um militante apareceria quando o dia clareasse. Muito pior, suspeitavam que seria ninguém menos que o sucessor de *Miranda* na secretaria geral do Partido Comunista. Marighella bateu, e a porta se abriu. A sua hora chegara.

Em vez de Taciano, Marighella se deparou com um magote de policiais que voaram em sua direção como a tarrafa sobre o cardume. Reagiu, mas o agarraram por braços e pernas. Sentiu as primeiras pancadas e pensou em disparar ladeira abaixo. Dificilmente conseguiria: além de o imobilizarem, arrancaram-lhe o cinto e os suspensórios — se a calça caísse, tropeçaria nela. Seguraram-no pelo cós, empurraram-no para dentro de um carro na rua do Riachuelo e aceleraram para a Polícia Central, na rua da Relação. No caminho de quatro quadras, retiraram dos seus bolsos a carteira com 140 mil-réis e cartas para o exterior com denúncias contra o governo. Nos envelopes, não constavam os nomes dos destinatários.

Mal desceram, deram-lhe as boas-vindas esmurrando-o no rosto, no peito e nas costas. Xingavam e batiam. Arrastaram-no até o chefe de Segurança Social, Serafim Braga, um português que nos tempos pré-polícia granjeara reputação de casca-grossa nos inferninhos da Lapa. Ele mandou retomar a pancadaria, e Marighella curvou-se com os socos no estômago. Insistiram em informações sobre o destino da correspondência. Ele disse ignorá-lo e apanhou mais. Braga ordenou que o castigassem com canos de borracha. Marighella tentou se desvencilhar, porém o seguraram para expor as plantas dos pés. Golpearam até cansar, e ele não traiu a dor que sentia. Contrariados com a resistência, os agressores — o único nome ouvido foi o do "investigador Matos" — puseram-se a açoitá-lo nos rins, nas costas e nas nádegas.

As penas dos rebeldes malês, um século antes, limitavam-se a cinquenta chibatadas diárias. Marighella não somou com quantas o maltrataram até que os policiais parassem de indagar sobre encontros marcados com militantes. Sem respostas, cinco sessões de espancamento depois, encaminharam o comunista renitente a uma sala exclusiva para tortura. Os torturadores nada lhe deram para comer até que no começo da tarde o introduziram ao chefe de Segurança Política. Antônio Emílio Romano queria saber de "atividades subversivas". Ficou sem saber. Comandou outra sova, concentrada na cabeça. O sangue escorreu pelo nariz, e Marighella desmaiou. Ao recobrar os sentidos, ameaçaram despejá-lo em outra sucursal do inferno — o quartel da Polícia Especial, que arrepiava os revolucionários em seus pesadelos mais tenebrosos.

Marighella desejava distância do morro de Santo Antônio. Lembrou que nenhum companheiro conhecia seus endereços, portanto não seria nas casas de São Cristóvão que a polícia pegaria algum deles. Gozou de um instante de paz ao contar que morava na rua Bella. O tintureiro Isaac Souhami quase caiu para trás ao ver seu pacato inquilino com acompanhantes enfurecidos. Nada — nem uma cueca — foi achado nos aposentos que Marighella já esvaziara. Os investigadores perceberam o logro, regressaram à rua da Relação e aplicaram o "corretivo".

Marighella apelou ao derradeiro recurso para interromper o sofrimento: indicou a rua Senador Alencar. Dessa vez, não foi junto. Ele suportara mais de doze horas a ocultar os pontos de encontro daquele dia. Seu silêncio salvou companheiros, e os policiais se vingaram. Já era noite quando cruzaram o portão do quartel do morro de Santo Antônio.

Marighella foi jogado para fora do carro e se defrontou com uma roda de agentes. O pátio mal iluminado não o impediu de reconhecer, matizado pela nuvem da fumaça dos cigarros, o investigador José Torres Galvão. Foi a voz de Galvão que Olga e Prestes haviam escutado ao serem capturados em Todos os Santos. O visitante involuntário vislumbrou Francisco Menezes Julien, um dos tipos mais mal-encarados da repressão, ligado à embaixada alemã nazista. Identificou o chefe do grupo, tenente Eusébio de Queiroz. Os três eram da Polícia Especial. Com os colegas da polícia política, Galvão, Julien e Queiroz colocaram o preso no centro do círculo e o cobriram de murros e pontapés. Desequilibrado e com os pés feridos, ele balançava feito joão-bobo. Marighella execrava tabaco, e ali descobriu que a catinga, como chamava o mau cheiro, podia ser o de menos: apagaram as pontas dos cigarros no seu corpo. Acendiam-nos novamente e queimavam sua pele. Galvão retirou o alfinete da gravata, segurou as mãos de Marighella e enfiou o metal sob as unhas, perfurando a carne. Com capricho de sádico, foi até o último dedo. As mãos se ensanguentaram e incharam.

Deram-lhe uma chave de braço e o derrubaram de barriga para baixo. Sem trégua, bateram a cabeça no chão. O supercílio esquerdo arrebentou, e a face se banhou de sangue. O pior estava por vir: Marighella pressentiu as duas palavras apavorantes, "tortura chinesa". Enquanto exigiam confissões, comprimiram seus testículos. A cada curiosidade não saciada, apertaram com mais força. À dor sobreveio a sensação de perda dos sentidos e exaustão dos pulmões. Antes de desfalecer, Marighella se deu conta de que era madrugada. Acordou na enfermaria com um curativo no supercílio. Os guardas falaram que o sangrariam mais e o isolaram na sala Santa Fé. Para não apanhar, teria de andar sem descanso. Não comera desde a manhã da sexta-feira, e o alvorecer do sábado se insinuava. Caminhou até as pernas dobrarem. Caído, notou a aproximação de um policial de apelido Gaúcho. De mosquete na mão, o verdugo obrigou-o a se levantar. Marighella se ergueu, tombou e foi intimidado. Repetiu o ritual até que, esgotado, desabou de vez.

Nos depoimentos sobre o seu suplício, Marighella não falaria sobre gritos e lágrimas. As paredes do quartel da Polícia Especial haviam ensurdecido com os berros desesperados de Arthur Ewert, cuja loucura provocada pela truculência já se manifestava. Para estancar a covardia contra o alemão, o advogado Heráclito Sobral Pinto, um católico com alma de santo, invocou a Lei de Proteção aos Animais. Além de Ewert, Prestes estava no morro de Santo Antônio em 2 de maio. Como a maioria dos oficiais militares revoltosos, ele foi poupado da tortura física, embora o mantivessem em confinamento rigoroso. Marighella não cruzou com nenhum dos dois. O dia nascera quando o removeram para a rua da Relação.

Chegou apanhando. Como se defendia com os braços, Antônio Romano determinou que o algemassem com os pulsos às costas. Deitaram-no de bruços sobre uma cama e o açoitaram com canos de borracha. Miranda Corrêa recebera já no dia da prisão a papelada descoberta na rua Senador Alencar. Os balancetes financeiros e demais anotações, entre as quais os hieroglifos gregos, citavam nomes de guerra. Os tiras teimaram em identificar *Manon, Jorge, Valentim, Pinto, Travasso* e outros. Marighella os despistou e pagou por isso. Trancaram-no em uma sala com vedação para a luz. De tão escura, a noção do tempo se diluiu. Mãos invisíveis o sentaram numa cadeira, aproximaram uma lâmpada de alta potência e a acenderam. Atrás dela, um homem que o torturado não enxergava perguntou pelo local da gráfica de *A Classe Operária*. Sabendo ou não, Marighella disse que não sabia. Puniram-no com novo espancamento, repetido sem piedade nos dias seguintes.

De volta à Polícia Especial, na quarta-feira, reencontrou socos, pontapés e cassetetes. Mesmo se gritasse, ninguém o ouviria. Não havia o isolamento acústico que décadas depois se tornaria comum em dependências arquitetadas para a tortura. Não precisava: inexistia trânsito de automóveis e pessoas nas cercanias do quartel. Por isso, barbarizavam até no pátio, como Marighella aprendera no dia 1º de maio.

A polícia é que custava a aprender: quem era, afinal, Carlos Marighella?

Já no caminho para a Polícia Central, conheceram nome e sobrenome, impressos na identidade legal que ele mantivera no Rio, embora informasse outra aos senhorios. No chorrilho de falsidades que as autoridades divulgariam, a primeira coube no radiograma que Antônio Romano despachou no dia 2 para a Ordem Pública da Bahia. Solicitava dados e afirmava que o preso estava "sendo processado" pela Lei de Segurança Nacional. Não estava, ainda. O inspetor Sá Pereira, da polícia baiana, foi à rua Barão do Desterro e conversou com Augusto Marighella. Sempre solidário, o pai inventou que o filho desaparecera depois de se desavir com ele e não dera notícias. O sumiço se devia à querela familiar, e não à política.

No que dependesse de novidades de Salvador, a polícia de Filinto Müller, um ex-integrante da Coluna Prestes expulso sob acusação de desvio de fundos, não prosperaria nas investigações. No que dependeu de Marighella, também não avançou. Os interrogatórios sob pau cessaram para o primeiro depoimento protocolar, no dia 12 de maio, ao delegado Linneu Cotta, escalado para presidir o inquérito. O depoente foi conduzido até o cartório da Delegacia Especial de Segurança Pública e Social, no primeiro andar de um prédio vizinho, na avenida Gomes Freire, esquina com a Relação.

A considerar o seu relato aos policiais, Marighella era de uma ignorância de dar dó. Só encontrava os camaradas na rua e desconhecia a localização de gráficas e aparelhos (as moradas e instalações secretas dos militantes e do partido). Citou dois nomes: o de Taciano Fernandes, que sabia atrás das grades, e o de quem o teria transferido para o Rio de Janeiro, um certo José Athayde, operário da construção civil. Esse era um personagem valioso. Conhecera-o na Bahia, ele o recepcionara na capital, destacara-o para os serviços técnicos do PCB, tinham morado juntos na rua Bella — tudo segundo Marighella. Seu mundo girava em torno de Athayde, cujo nome partidário seria *Domiciano*. Onde haviam sido impressos os documentos apreendidos no guarda-roupa da rua Senador Alencar? "O declarante não sabe explicar", datilografou o escrivão. Marighella ignorava o conteúdo do material porque *Domiciano* é que o deixara lá. Quem o distribuiria? *Domiciano*, por suposto. Por onze dias, induziram Marighella a "parir", a expressão do dialeto dos torturadores para a confissão. Ele não pariu.

Mesmo assim, Miranda Corrêa se apressou em ordenar que "fosse descoberto o paradeiro" de José Athayde. Nos dois endereços de Marighella, nunca o viram. Os agentes suaram, os infiltrados assuntaram, e quase oito semanas depois veio a resposta: "Não foi possível identificar" o bambambã. Pela primeira vez, Marighella experimentara um expediente ao qual recorreria em momentos de apuro: a criação de companheiros fictícios a fim de proteger os de carne e osso.

Não se sabe quando ruiu a ilusão que animara Monclair Martinho da Rocha a preparar a tocaia para Marighella no dia 1º de maio. Investigador da Seção de Explosivos, ele recebera uma dica sobre Taciano Fernandes. O prático de farmácia foi preso no quarto alugado na ladeira do Castro — o processo não revelou como o acharam — e submetido aos costumes na Polícia Central. A dor lancinante de uma hérnia, castigada pelos golpes, quase o enlouqueceu. Antes de o sol raiar, os torturadores ouviram que o "secretário técnico da organização" logo bateria na casa da Lapa. O caos do PCB, com a lacuna de liderança no Rio e o Secretariado Nacional fora, combinou-se com a excitação dos policiais e causou a trapalhada: o "secretário técnico" virou "*o* secretário", portanto o misterioso dirigente ungido para as funções do encarcerado *Miranda* — o sucessor real era *Bangu*. De qualificado carregador de piano, Marighella virou o novo solista da avariada orquestra comunista.

Ele sofreu muito devido à presunção dos algozes. É possível que tenha apanhado não só para "abrir" o esquema gráfico, mas por frustrar quem fantasiara ter agarrado um chefão. Por seu intermédio, não chegaram a nenhum camarada. Não houve um só dia em que não batessem em Marighella, com ou sem depoimentos formais. Três semanas depois de 1º de maio, ele queria que sua condição de prisioneiro se tornasse pública. Só assim teria certeza de que seu fim não seria igual ao do americano Victor Allen Baron, operador de rádio enviado pelo Komintern. Destroçado pelas torturas, Baron havia caído do terceiro andar até o pátio do prédio da rua da Relação. A polícia alegara suicídio. Talvez o tenham empurrado vivo ou já o houvessem assassinado antes. Mais gente seria morta lá, e os funcionários se assombrariam com o que temiam ser almas penadas a arrastar correntes.

Os jornais noticiavam a chegada do Graf Zeppelin; a verdadeira identidade de Maria Prestes, como Olga se apresentara ao ser presa; e a mudança das placas da rua dos Ourives para seu novo nome, Miguel Couto. Sobre o comunista baiano detido, nenhuma palavra. Marighella sentiu um alívio enorme ao ser transferido para a Casa de Detenção na sexta-feira 22 de maio. Mais ainda no sábado, quando os vespertinos manchetaram sua prisão.

Temerosa de que Marighella se valesse do acesso aos repórteres para denunciar o que sofrera, a polícia o manteve à distância. Na manhã de sábado, anunciou a captura e distribuiu uma fotografia sua. As autoridades conheciam as ocupações dele no PCB, mas promoveram a fato o que sabiam ser suspeita infundada: apontaram-no como sucessor de *Miranda*. A cascata estampou a manchete do *Diário da Noite*, o vespertino dos Diários Associados. A investidura de Marighella na direção não era a única invencionice dos policiais. O "copioso material de guerra" encontrado com ele, na expressão do delegado Linneu Cotta, também. De Salvador, um jornalista contou que "Carlos era muito popular nos bairros proletários". Seus versos renderam títulos como "Marighella nasceu poeta e criou-se agitador". Reproduziram a prova de física no Ginásio da Bahia, contudo a cobertura esteve longe de lhe ser generosa. O *Diário da Noite* asseverou que o detento se dissera engenheiro — ao contrário, ele se assumira como universitário impedido de prosseguir os estudos. O jornal apurou que "esse vermelhaço" não era "portador de nenhum diploma científico". A edição apimentou: "Além de comunista, embusteiro!".

O *Diário Carioca* veiculou que, na Bahia, "sua palavra fluente dominava todos os espíritos fracos e fáceis de sugestão". Para os jornais, tão difícil como acertar a grafia do sobrenome (*Marighela, Menghella, Merighela, Meringhella, Marichella, Miringhella, Miranghala*) era escapar das esparrelas das versões oficiais. Houve mais que deslizes. As publicações imprimiram a foto na qual Marighella aparecia com um curativo num supercílio. Dois neurônios bastavam para desconfiar do que ocorrera. Quem prestasse atenção veria o lábio inferior contundido e a equimose sob a vista esquerda. O *Correio de S. Paulo* limpou a imagem, subtraindo o curativo.

As reportagens continham um buraco: a data da prisão. A polícia dava a entender que fora no dia 22. A fotografia de Marighella exibia-o com o cabelo cheio e a barba cerrada que engordava o seu rosto e o envelhecia. Ele posou com o número 2140 e o paletó sobre o peito nu. Desde a véspera não tinham mais por que mantê-lo na rua da Relação, e as duas portas de ferro do elevador se fecharam às suas costas. Na Casa de Detenção, a fina flor da revolta de 1935 tomara conhecimento do estudante baiano que padecera os diabos, mas guardara os seus segredos.

Alguém que tivesse adormecido meses antes e despertasse na Casa de Detenção ou na Casa de Correção, os presídios gêmeos na rua Frei Caneca, talvez se sentisse numa celebração da vitória. Todos os sentimentos conviviam ali, mas o do desalento era o menor ou mais discreto. Marighella ouviu a paródia de "Cidade maravilhosa", em reverência aos rebeldes da praia Vermelha:

Praia maravilhosa
Cheia de balas mil
Vermelha e radiosa
Redentora do Brasil.

Os presos "irradiavam" o programa noturno *A Voz da Liberdade*, pela "Rádio PR-ANL", a "Rádio Libertadora". Revezavam-se na crônica política. O jornalista Aparício Torelli, o Barão de Itararé, cuidava do humor. Dos sambas, o tenente José Guttman, o "Sabiá Vermelho". Do andar de cima da Detenção, onde ficavam as celas das mulheres, a voz da pianista e cantora Beatriz Bandeira acalentava os corações. Os cárceres davam para o centro do pavilhão, cujo rés do chão foi apelidado de praça Vermelha. O auge da noite era a adaptação de "Pierrô apaixonado", a marcha de Noel Rosa e Heitor dos Prazeres que emplacara no Carnaval de 1936 ("Gegê" era Getúlio Vargas):

Governo mais avacalhado
Com o Gegê sempre sorrindo
Por causa da nossa aliança
Acabará caindo
Acabará caindo.

O presidente não dava sinais de que cairia tão cedo, mas os oposicionistas não desanimavam. Nos últimos dias de junho de 1936, eles lhe enviaram um memorial sobre os atos desumanos da polícia. Pormenorizaram a tortura contra Marighella. A carta atacava a indigência das instalações prisionais, contra as quais se uniam em marmitaços e greves de fome. Em maio, Getúlio falara em "benignidade" e "procedimento magnânimo" no tratamento aos presos. Em junho, não se deu ao trabalho de responder às queixas — dois meses depois, a polícia espancou até matar José Lourenço Bezerra, irmão do sargento Gregório. A imprensa comunista batizou a Detenção de "Bastilha da rua Frei Caneca". Marighella descobriu o coletivo, a coordenação eleita pelos detentos para gerir a vida na cadeia. Ele puxava os protestos contra o diretor da penitenciária:

"Aluizio Neiva é ladrão?"

Seguia-se a resposta estrondosa:

"É ladrão!"

Os presos zombavam: chiavam como queriam, e nada lhes acontecia. "Este é o único lugar do Brasil onde se pode falar mal do governo", gracejava o Barão de Itararé. Não era de muitas caçoadas um escritor de silhueta diáfana que em 1934 lançara o romance *São Bernardo* — Graciliano Ramos dirigia a Instrução Pública de Alagoas e acabara preso. Mesmo taciturno, era querido.

Nada atormentava o coletivo como a situação das "garotas de Ipanema", companheiras de infortúnio na Detenção. O governo queria expulsá-las. Na tortura, Elise Saborowski tivera os seios esmagados por torquês. Em vez de engordar, a gestante Olga Benario definhava. Fora presa em março com 67 quilos e até maio perdera doze.

Em outubro, Olga — grávida, judia, comunista e com ordem de prisão decretada em seu país — e Elise foram embarcadas à força no vapor de bandeira nazista *La Coruña*. Com o aval do Supremo Tribunal Federal (STF), o governo Getúlio Vargas deportou-as como "nocivas à ordem política e social". Os presos da Casa de Detenção tentaram impedir a saída delas, mas foram enganados com a alegação de que não haveria expulsão. Jamais se saberia se Arthur Ewert teve consciência do destino de sua *Sabo*, tantas vezes torturada diante dele. Na virada da década, Elise morreria doente no campo de concentração de Ravensbrück.

Olga deu à luz, numa prisão berlinense, sua filha com Prestes, entregue à avó e a uma tia paternas. Em 1942, foi executada na câmara de gás em Bernburg. Horas antes, escreveu na última carta a Prestes ("Meu garoto") e à pequena Anita Leocádia ("Filha querida"), dirigindo-se a ele: "Lutei pelo justo, pelo bom e pelo melhor do mundo. Prometo-te agora, ao despedir-me, que até o último instante não terão por que se envergonhar de mim".

A ação dos enviados do Komintern foi explorada na histeria anticomunista que sucedeu o levante. O governo tinha argumentos fortes: uma organização (a Internacional Comunista) vinculada a um governo do exterior (o da União Soviética) contribuíra para um golpe de Estado em uma nação estrangeira. Para os militantes do PCB, a colaboração dos camaradas de fora na revolução brasileira constituía saudável expressão do internacionalismo proletário. No entanto, o putsch que os quadros do Komintern tinham ajudado a organizar estava longe de ser unanimidade na cadeia. O partido tivera sua iniciativa e o liderara em nome da ANL, mas a conta foi cobrada da esquerda em bloco.

Herculino Cascardo estava entre os signatários do memorial sobre torturas remetido a Getúlio. Presidente da ANL, não participara da insurreição e tomara distância do manifesto de Prestes que pregou todo poder à frente popular em julho de 1935. O outro comandante da coluna, Miguel Costa, condenara em agosto a mesma palavra de ordem como "brado [...] só aconselhável nos momentos que devessem preceder a ação". Os acontecimentos reduziram a um blefe a conclamação de Prestes. Quando ele se pronunciou, em 5 de julho, não houve quem aderisse. Nenhuma desventura do PCB serviria de combustível tão duradouro ao anticomunismo. Até o fim da vida Marighella aplaudiria o levante. O partido reconheceria o grave erro político, mas sustentaria ter contribuído para impedir que o governo, mesmo com a direitização futura, adotasse o fascismo mais escrachado. Em 1936, a discussão principiava.

Da cadeia, os comunistas promoviam novas denúncias: desaparecera Elza Fernandes, o nome falso de Elvira Cupello Colônio. Era a namorada de *Miranda*, preso na Detenção. Os culpados seriam os tiras. A polícia brandiu papéis arquivados por Prestes, dessa vez no subúrbio. Indicavam que os comunistas a teriam eliminado por suspeitá-la agente policial. A direção do partido negou, e os militantes acreditaram. Eles também miraram o recém-criado Tribunal de Segurança Nacional (TSN), corte de exceção instituída pelo governo para julgar os comunistas e seus aliados. Na sua fase inicial, foi a primeira instância da Justiça Militar. Marighella e quatro centenas de prisioneiros assinaram em outubro de 1936 uma declaração contra o TSN. Alegaram que era inconstitucional e resolveram boicotá-lo.

O primeiro pacote de condenações atingiu os rebelados do 3º Regimento de Infantaria e da Escola de Aviação — as maiores penas foram para os envolvidos diretamente na revolta: Prestes pegou dezesseis anos e oito meses de detenção; Ewert, treze anos e quatro meses; o capitão Agliberto Azevedo, 27 anos e seis meses. O procurador Himalaia Virgulino denunciou Marighella, em 10 de maio de 1937, com base na Lei de Segurança Nacional de abril de 1935. No dia 21 de junho, o auditório do tribunal lotou para a audiência de Marighella. Ele chegou escoltado ao prédio da avenida Oswaldo Cruz, perto da enseada de Botafogo. Deu de cara com o juiz Raul Campello Machado. Como seus companheiros, recusou-se a depor e a assinar a folha de qualificação e o termo de audiência. Afirmou que o TSN não tinha "competência para iniciar o processo".

Com a negativa de Marighella em constituir defensor, Machado solicitou à Ordem dos Advogados do Brasil que designasse um. O escolhido foi Ulysses Moreira Senna, que teve três dias para ler as centenas de páginas do processo (seriam 432 ao todo) e apresentar a defesa (106 linhas em duas páginas). O defensor foi à rua Frei Caneca e conversou com o prisioneiro. Adjetivou as cicatrizes da tortura como algo "dantesco e apavorante". Escreveu, no que talvez fosse licença de causídico, que as "lágrimas [de Marighella] acompanhavam a trágica narrativa".

Raul Machado rejeitou a única testemunha indicada pela defesa — um deputado da Bahia — e aceitou as sete da acusação. O julgamento foi marcado para 25 de agosto. As perspectivas do réu eram cinzentas. A sua chance surgiu quando José Carlos de Macedo Soares foi empossado no Ministério da Justiça e convenceu Getúlio Vargas a libertar os presos políticos sem condenação — eles aguardariam a sentença em liberdade. O presidente anotou em seu diário no dia 7 de junho: "Foram soltos trezentos e tantos presos, na qualidade de presos políticos, para bem impressionar a opinião, conforme desejava o novo ministro. Na verdade, tratava-se de simples batedores de carteira e punguistas, que o estado de guerra permitia sequestrar". Alguns meliantes podem ter caroneado a dita "Macedada", mas não era o caso de revolucionários como Apolônio de Carvalho, tenente aliancista que servia no município gaúcho de Bagé — ele formalizou seu recrutamento pelo PCB no dia seguinte à saída da Detenção. Um mês após o comentário de Getúlio, Marighella permanecia preso.

Em 7 de julho, Lourenço Moreira Lima impetrou em seu favor, no Supremo Tribunal Militar (STM), um habeas corpus manuscrito em papel almaço. Secretário da Coluna Prestes, o advogado estivera encarcerado na Detenção depois do levante de 1935. O ministro-relator, general Álvaro Guilherme Mariante, se opôs. Ele apadrinhara o casamento do capitão integralista Olímpio Mourão Filho, o oficial que em 1964 se declararia uma vaca fardada. No dia 9, o baiano João Mangabeira voltou à Câmara. O deputado amargara um ano e três meses no cárcere. Reestreou com um discurso furibundo contra as atrocidades do governo: "O que se fez com o estudante de engenharia Marighella no dia 1º de maio é de fazer piedade a um coração empedernido. [...] Monstruosidades como essa degradam a civilização brasileira e desonram o nosso nome perante o mundo civilizado". As últimas testemunhas do processo 65 do TSN, contra Carlos Marighella, foram interrogadas em 15 de julho. Como não havia condenação, em 19 de julho o STM concedeu-lhe habeas corpus, contra a opinião do relator, que alegou ter o réu culpa formada. Só no dia 27 Marighella deixou a Casa de Detenção.

Foi por pouco, menos de um mês: em 25 de agosto de 1937, o TSN condenou-o por unanimidade à pena de dois anos e seis meses de reclusão. À frente da 18ª sessão do tribunal, esteve o seu presidente, Frederico de Barros Barreto. Um repórter do jornal *O Globo* perguntou se seria fácil prender quem fora solto antes da condenação.

"Não será", respondeu o juiz.

Marighella, àquela altura, estava longe da enseada de Botafogo.

7. "Atenção, camaradas! Fala Moscou!"

Marighella nem foi tão longe. Poucos minutos separavam Niterói, onde ele se escondeu nos meses seguintes ao alvará de soltura, da enseada de Botafogo. O PCB fora proclamado quinze anos antes naquela margem da baía de Guanabara, na mesma cidade em que a I Conferência Nacional havia entregue a *Miranda*, *Martins* e *Bangu* o leme partidário em 1934. Por intermédio de Taciano Fernandes, Marighella estabelecera contato com militantes niteroienses antes da prisão e com eles se arrumou depois dela. Os jornais estampavam sua fotografia de maio de 1936, mas só um fisionomista de olho clínico reconheceria o foragido com o cabelo mais curto e a barba desbastada até restar um bigode.

Reconhecer o partido era tão difícil quanto identificar Marighella. Em meados de 1934, o PCB tinha inventariado 3 mil militantes. Vitaminara-se com a organização de massas que fora a ANL. Já ferido quando capturaram o baiano *Nerval*, não estancava a sangria. No começo de 1937, *Martins* contabilizou 2160, sem contar os efetivos dos estados que fariam pouca diferença. No primeiro trimestre daquele ano, a penúria era tanta que ao Secretariado Nacional, acantonado em Salvador, faltaram recursos para viajar a São Paulo. Para complicar, os beleguins de Filinto Müller não davam trégua, as prisões se sucediam, e os anticomunistas se excitavam. Uma definição do jornal *O Paiz*, em 1930, antecipara o tom do porvir: "O bolchevismo [...] é a animalização da criatura humana".

Era o que se via e ouvia por toda parte, em uma cruzada na qual a beligerância da Igreja Católica rivalizava com a dos integralistas e dos governistas inclinados para o fascismo. Em 1936, no II Congresso Eucarístico, em Belo Horizonte, um cardeal sentenciou que a "bandeira vermelha" era o "novo Barrabrás que destrói e mata". O papa Pio XI abençoou tal furor na encíclica *Divinis redemptoris*, editada quatro meses antes de Marighella deixar a cadeia. Pregou: "Intrinsicamente mau é o comunismo".

Com os comunistas alquebrados, Plínio Salgado denunciou em agosto de 1937 o iminente assalto do PCB aos céus. O presidente da Comissão de Repressão ao Comunismo, deputado Adalberto Corrêa, especulou sobre a "necessidade de medidas extremas, até de fuzilamento" contra os cultores do "ideal exótico". No dia 30 de setembro, os fuzis miraram os resquícios do estado de direito, quando os jornais noticiaram uma conspiração da Internacional Comunista para a revanche de 1935. Era o "Plano Cohen". O documento com as orientações aos camaradas não se limitava a esmiuçar um levante político vindouro, mas aterrorizava as famílias com uma excitação "nitidamente sexual". Bem que Plínio Salgado acabara de alertar. O papel tinha autor, um incerto Cohen — comunista e, traía o nome, judeu. O governo irradiou o teor pela *Hora do Brasil*, e o presidente obteve do Congresso autorização para o estado de guerra. A exposição de motivos citou os ministros militares, para os quais a "catástrofe" se avizinhava.

Quem se aproximou dos prédios da Câmara e do Senado, na manhã de 10 de novembro, foram os cavalarianos. Por mais de oito anos, os palácios Tiradentes e Monroe não teriam serventia democrática: afiançado pelas Forças Armadas, Getúlio Vargas deu um golpe e instaurou o Estado Novo. Um colégio eleitoral restrito promulgara a Constituição de 1934 — em 1933, votaram privilegiados 3% dos brasileiros. Os constituintes transformaram o chefe do governo provisório em presidente constitucional sem o submeter ao sufrágio popular. Seria ainda pior: em 1937, as eleições foram canceladas e a Justiça Eleitoral, extinta. A Carta de 1934 foi substituída pela Polaca, assim apelidada porque se inspirava na Constituição do falecido ditador polonês Józef Pilsudski.

Getúlio se fez ditador sem Legislativo, com o Judiciário manietado pelas cartas marcadas do TSN, partidos banidos, interventores nos estados, polícia sem limites, greves proibidas e sindicatos atrelados ao Ministério do Trabalho. O pretexto para a farra, o "Plano Cohen", não passara de falsificação. Tratava-se de um estudo datilografado na sede da AIB pelo chefe do seu serviço secreto, Olímpio

Mourão Filho. O oficial do Exército atendia a uma encomenda para o boletim da entidade: devanear uma segunda intentona vermelha e prescrever o contra-ataque. Mostrou o arrazoado ao general Álvaro Mariante, então na presidência do STM. Era o mesmo ministro que se opusera ao habeas corpus a Marighella em julho. Mariante levou o embuste ao chefe do Estado-Maior do Exército, general Pedro Aurélio de Góis Monteiro, que o apresentou ao presidente e ao ministro da Guerra, Eurico Gaspar Dutra.

Em novembro de 1937, os comunistas chegaram ao texto da Carta Magna. O preâmbulo referiu-se ao "estado de apreensão criado no país pela infiltração comunista, que se torna dia a dia mais extensa e mais profunda, exigindo remédios, de caráter radical e permanente". O PCB, contudo, cambiara de bula: abandonara a tática insurrecional, levada a cabo em 1935, e apoiava o candidato presidencial que se lançara como o preferido de Getúlio Vargas ao pleito de janeiro de 1938. Bancado pelo esquema político do Catete, o escritor paraibano José Américo de Almeida era o concorrente situacionista contra Plínio Salgado e Armando de Salles Oliveira, ex-governador de São Paulo. O Komintern incentivava a formação de frentes populares antifascistas como as que triunfaram nas urnas da França e da Espanha em 1936. No Brasil, o PCB centrou fogo em quem considerava o inimigo principal: o integralismo e os setores mais reacionários do governo.

Dezessete dias após a libertação de Marighella, o Birô Político abriu uma reunião ampliada em São Paulo da qual ele não participou. O encontro não marcou apenas a decisão de sufragar José Américo. Expôs o maior racha que já abatera o partido. De um lado, o grupo do secretário-geral interino *Bangu* focava no isolamento dos camisas-verdes e personalidades com simpatias pelo Eixo Roma-Berlim. Para essa política de "união nacional contra o nazifascismo", valia sustentar o candidato getulista das fileiras mais liberais. Do outro, combateu o maior Comitê Regional, o paulista, com mil militantes. Encabeçavam-no o jornalista Hermínio Sacchetta, *Paulo*, o alfaiate Heitor Ferreira Lima, *Barreto*, e o ex-líder estudantil Hílio de Lacerda Manna, *Luiz*. Eles queriam propor uma agenda democrática e de reformas sociais aos dois adversários de Plínio Salgado. O voto dependeria das respostas.

Os bangusistas venceram por sete a cinco, o PCB aderiu sem condições a José Américo e se dilacerou numa guerra fratricida. Em 6 de outubro, quinze destacados militantes de São Paulo firmaram com seus nomes de guerra uma carta pelo afastamento de *Bangu*. Entre eles, Waldemar Zumbano, um boxeur que com a perseguição policial sobrevivia peregrinando pelo interior a desafiar fortões. Como sua identificação lhe custaria a liberdade, ele adotara o nome Frank Éder, que uma irmã eternizou, em 1936, ao batizar o filho como Éder. O menino Éder Jofre se transformaria no maior lutador de boxe brasileiro, conquistaria os cinturões mundiais dos pesos galo e pena e teria como fã o capoeirista Carlos Marighella.

Marighella foi introduzido à luta interna pelo corner do Birô Político de *Bangu*. Os paulistas se aliaram em novembro a camaradas de outras regiões e formaram um Comitê Central Provisório, desbancando a direção anterior. Na análise do historiador Dainis Karepovs, arregimentaram a maioria do partido fora da cadeia. Em 15 de novembro de 1937, o BP expulsou Sacchetta, Ferreira Lima e Manna. Isolado em São Paulo, onde se instalara depois da estadia em Salvador, o birô chispou para o Rio. Desfalcado dos militantes presos e dos que tinham viajado à União Soviética, incorporara um ex-acadêmico de engenharia. Como Marighella, o paulista Joaquim Câmara Ferreira, o *Alberto* ou *Jurandir*, não terminou a faculdade. Em 1936, ele se mudou para a capital do país, onde conheceu o companheiro *Nerval* no ano seguinte. O destino de um se enredaria ao do outro. No começo de 1938, Câmara continuava no Rio. Marighella estava a quatrocentos quilômetros a sudoeste, no maior centro operário brasileiro, na cidade que seria sua vida e sua morte.

A barriga roncava em uma caminhada solitária na São Paulo do outono de 1938. Morto de fome, Marighella remexia as mãos e não achava um único tostão nos bolsos. Avistou ao longe uma moeda grande no chão, o suficiente para tapear o estômago com um salgado. Noite de sorte, pensou. Acelerou o passo com apetite. Ao se abaixar e esticar o braço, a moeda subiu ligeira como um anzol, puxada por um fio quase transparente colado nela. Marighella levantou a cabeça, deu com os peões de uma obra a gargalhar do transeunte incauto e levou na esportiva o deboche:

"Primeiro de abril!"

Sua pindaíba ilustrava a estrutura da qual partia para reconstruir um Comitê Regional paulista vinculado ao Birô Político: nenhuma. Marighella chegou como secretário de Propaganda e logo ascendeu a número um no estado. Topou com uma massa falida. As duas correntes confrontadas se diziam comando legítimo do PCB. Juravam aplicar a linha da Internacional e bravateavam ser os discípulos mais cumpridores de Stálin. Os partidos comunistas reivindicavam a exclusividade dos interesses históricos dos trabalhadores. A convivência de frações com diferentes tonalidades de vermelho que caracterizara a infância do Partido Bolchevique dera lugar ao monopólio da expressão das ideias. Assim como o pluralismo de organizações operárias do despertar da Revolução Russa fora substituído pelo regime de partido único, o stalinismo asfixiou o debate no PCUS — e no Komintern, que pendia para o lado dos soviéticos. As divergências passaram a ser dirimidas a bala.

Na segunda metade dos anos 1930, o stalinismo exterminou a velha guarda bolchevique, acusando-a de servir à contrarrevolução. Marighella e sua geração não tinham ideia de que, em um "testamento" de 1922, Lênin pedira a remoção de Stálin da secretaria geral do PCUS. O georgiano a ocupava devido à convalescença do comandante de Outubro — baleado em 1918, Lênin sofrera derrames até morrer em 1924. Na década em que Marighella ingressou no PCB, em vez de decair como o militante reprovado por Lênin, Stálin já havia se elevado a seu sucessor. Para milhões de revolucionários, a bandeira do comunismo e da Revolução Russa era representada por ele.

O stalinismo comparou Liev Trótski a um "cão raivoso". Comissário do povo para os Negócios Estrangeiros, comandante-em-chefe do Exército Vermelho e membro do Comitê Executivo do Komintern, ele perdeu postos e títulos. Expulsaram-no do PCUS, da Internacional e da União Soviética. Judeu, foi incriminado por ter feito um — inexistente — pacto secreto com Hitler. Marighella coordenou a produção de folhetos contra Trótski e seus seguidores. Miguel Costa Filho traduziu um deles, *A luta contra Trótski*. Saíam em defesa do "guia genial dos povos", como Stálin era idolatrado, escritores de esquerda como o russo Maksim Gorki e os franceses Louis Aragon e Romain Rolland.

Não se chegou à eliminação física na discórdia entre as tendências de *Bangu* e Sacchetta, mas o embate na União Soviética e no Komintern estendeu-se ao Brasil. Os paulistas advogavam uma orientação à esquerda em 1937, contra a submissão aos "candidatos da burguesia" à presidência. Atacavam os oponentes internos como oportunistas e direitistas. O setor ao qual Marighella se associava respondeu com a acusação de trotskismo, mais infame que o xingamento de verme, inclusive na opinião de muitos atingidos. Com ou sem ultraje, a apreciação era injusta: só Hermínio Sacchetta e poucos companheiros, então abnegados stalinistas, se tornariam trotskistas. Como os dois lados da contenda garantiam aplicar os mandamentos da Internacional, faltava a própria se manifestar. O silêncio de Moscou fez com que, na prática, coexistissem dois PCBS. Do nada, Marighella empenhou-se em erguer um Comitê Regional em São Paulo.

Ou de quase nada. Militantes foram enviados do Rio, como um ex-funcionário da Light, Agostinho José de Carvalho. Ele datilografava os estênceis depois impressos por Jamile Hadad, tecelã de 21 anos, magra, de pele e cabelos claros. Sua mãe, a tchecoslovaca Eugenia Hadad, colaborava dobrando papéis e amarrando pacotes. Os olhos tristonhos de Jamile se alegravam ao ver Marighella. Em julho de 1938, ele distribuiu ao menos 330 cópias de uma circular sobre trabalho sindical, o que expressava a rearticulação do partido em algumas regiões paulistas. Secretário do Comitê Regional, era responsável também pelo Triângulo Mineiro e o Mato Grosso.

A evolução não era linear: até março de 1939, por falta de estrutura, *A Classe Operária* foi rodada apenas duas vezes em São Paulo. Cabo do 4º Regimento de Infantaria preso em 1935, Clóvis de Oliveira Netto era o tesoureiro do Comitê Regional. Penava para pagar o salário dos quadros profissionais. A militância arrecadava com rifas, listas de apoio ao jornal e às famílias de presos, contribuição mensal de cada um — mínimo de 1% do salário — e venda de retratos de Prestes, cuja legenda puxava a campanha pela anistia.

Era uma vida arriscada. Oferecido à pessoa errada, um cartão mostrando o chefe da revolta de 1935 levaria o proponente a fazer companhia atrás das grades ao camarada da fotografia. As autoridades não estavam para brincadeira: um ano antes de os peões se divertirem com a moeda, quatro comunistas tinham sido mortos depois de imobilizados, numa tentativa de fuga do Maria Zélia. Os militantes próximos a Marighella eram fugitivos da Justiça e portavam identidades frias. A dele era Orlando José dos Reis. Seu primeiro nome de guerra na Pauliceia manteve a terminação do *Estanislau* da Bahia e do *Nerval* do Rio: *Lourival*. Por vezes se apresentou como *Mauro* e *Mário*.

Preocupou-se em não morar muito tempo no mesmo lugar. No fim de 1938, estava na rua Perrella, em São Caetano do Sul. Em março de 1939, transferiu-se para a rua Ibicaba, no bairro operário paulistano do Tatuapé, dividindo o imóvel com o eletricitário português Domingos Pereira Marques. Em maio, foi para uma casa de cômodos na rua Abolição, na Bela Vista. Temeroso de ser descoberto, habituou-se a gestos repentinos para surpreender eventuais perseguidores. Ao andar, virava-se de supetão. Pegava bondes em movimento. Como senha, carregava cédulas rasgadas para cotejar com a metade em posse do interlocutor desconhecido.

Comia sempre na rua, com pressa. Em um encontro com o rechonchudo Antônio Rodrigues Gouveia, capitão da marinha mercante e seu ex-companheiro na Casa de Detenção, eles pediram doces numa confeitaria da rua da Liberdade. Na semana seguinte, Marighella devorou mais guloseimas na avenida Francisco Matarazzo, em São Caetano. Em uma sexta-feira, comprou frutas numa quitanda da avenida Rangel Pestana antes de subir no bonde de volta para casa. Teria programa das dez e meia às onze e quinze da noite: acompanhar a transmissão em português da Rádio Central de Moscou, na qual vibrava a voz da poeta Laura Brandão, mulher de Octavio Brandão. Pelas ondas curtas, o conflito com a facção de Sacchetta mudara de feição em 26 de agosto de 1938, quando os comunistas brasileiros ouviram a saudação: "Atenção, camaradas! Fala Moscou!". A Internacional, enfim, tomara partido na crise do PCB.

Como em todo o globo, desde o VII Congresso de 1935, o Komintern patrocinou a ala comunista à direita. Atacou Sacchetta no comunicado de rádio cuja versão impressa Marighella editou no *Boletim Interno-Regional*:

> Os fracionistas-trotskistas do Brasil, tendo à frente o renegado Erminio Sacheta (*Paulo*), Hilio Mana (*Luiz*) e Heitor Silva (*Barreto*), vendo fracassar seus planos divisionistas e provocadores, estão empregando novas manobras a fim de enganar os inexperientes. [...] O trotskismo há muito que deixou de ser uma corrente política no meio da classe operária para se converter num bando de sabotadores, espiões, desagregadores e provocadores a serviço do fascismo.

Apesar da grafia errada de alguns nomes, foi um golpe baixo: o PCB identificou publicamente, com os nomes legais, três (ex-) militantes de uma agremiação proscrita. Até um mentecapto entenderia que o trio se batia pelo choque com o ditador Getúlio Vargas.

Quando a Internacional disparou, não revelou à polícia nenhuma novidade sobre Sacchetta, mas forneceu prova ao Judiciário: ele fora detido em junho de

1938 — fugiu sete dias antes de a Rádio Moscou bater o martelo, e o recapturaram dois meses depois. O PCB acusou-o de, por esquerdismo, empurrar o presidente para as hostes da reação. Expulso, um camarada seu retrucou: "Nossa moral não deixa aflorar em nossos lábios um sorriso fingido a esse monstro [Getúlio] que nos odeia". Pois era para o "monstro" que piscava a linha de "união democrática nacional", com Getúlio Vargas e contra o nazifascismo. Não pediam mais sua cabeça, mas a dos direitistas do governo; que o presidente cumprisse as promessas sociais e concedesse anistia. Sob aplausos de comunistas e liberais, o ditador puxara o tapete dos camisas-verdes ao banir a AIB.

A controvérsia sobre o caráter ideológico de Getúlio, um pragmático, viveria mais que o século. Em 1929, ele interpretou sua diretriz no governo do Rio Grande do Sul: "Assemelha-se ao direito corporativo ou organização das classes promovido pelo regime fascista no período de renovação criadora que a Itália atravessa". Em junho de 1940, reverenciou os alemães ao argumentar que os povos "fortes têm direito a buscar um lugar ao sol". Um ano mais tarde, telegrafou a Hitler cumprimentando-o pelo aniversário.

O PCB festejou o fiasco do ataque integralista ao palácio Guanabara em maio de 1938, no Rio. A política de aliança exprimia a determinação da Internacional de despejar a munição no nazifascismo, suando para impedir que o Eixo cooptasse Getúlio. A orientação das seções nacionais se subordinava à prioridade de defesa da União Soviética, mesmo que isso implicasse compor com uma ditadura anticomunista. O cerco contra o único Estado socialista do planeta apertou. Alemanha e Japão brindaram, em 1936, a um pacto anti-Komintern, ao qual a Itália se uniu. Em setembro de 1938, Hitler, Mussolini, o britânico Neville Chamberlain e o francês Edouard Daladier se acertaram em Munique. As duas maiores democracias liberais europeias aceitaram entregar territórios da Tchecoslováquia aos nazistas, que já haviam abocanhado a Áustria. Os soviéticos se inquietaram.

Marighella soltou um boletim contra as concessões a Hitler e mencionou a "onda de sangue jorrando dos povos judeus e católicos do Terceiro Reich". Britânicos e franceses deram as costas ao regime constitucional da República espanhola, contra o qual o general Francisco Franco se sublevara em 1936. Os soviéticos ajudaram os republicanos; alemães e italianos reforçaram muito mais os franquistas. Pela primeira vez, o PCB embarcou militantes para uma empreitada militar além-fronteiras. Os voluntários perfilaram nas Brigadas Internacionais de iniciativa do Komintern e no Exército regular. Duas dezenas de combatentes partiram do Brasil. Na Casa de Detenção, Marighella convivera com futuros brigadistas. Com eles desenhou mapas do teatro de operações e encenou peças de propaganda. O Comitê Regional paulista divulgou a luta antifascista espanhola. O Kremlin desmobilizou as brigadas no fim de 1938, meses antes da queda de Madri. Na despedida dos voluntários estrangeiros, discursou a comunista Dolores Ibárruri, cujo brado *"No pasarán"* inflamava corações. Lágrimas escorreram quando a "Pasionaria" de roupas pretas exclamou:

"Bandeiras da Espanha, inclinem-se diante de tantos mártires!"

O pronunciamento da Internacional feriu de morte o Comitê Central Provisório de Hermínio Sacchetta. Era a organização fundada por Lênin que encarnava as esperanças dos comunistas. Muitos militantes retornaram ao partido reconhecido pelo Komintern, e o Comitê Regional de Marighella se desenvolveu. Seu desafio não fora fácil: dirigido por *Bangu*, o Birô Político se entrincheirara no Rio com os paulistas que julgava mais preparados, como Joaquim Câmara Ferreira e o ex-estudante de direito Noé Gertel. Marighella não pertencia à cúpula, não frequentava nem suas reuniões ampliadas e seu nome não apareceu nos documentos fundamentais da luta interna de 1937 e 1938. De certo modo, foi largado à própria sorte em São Paulo.

Ele teve quatro obstáculos notáveis: a repressão da ditadura; a tática de união nacional pouco sedutora à base comunista; o isolamento decorrente da revolta de 1935 dissociada da classe operária; e a formação mais sólida de Sacchetta. Compensava o handicap com disciplina e trabalho de formiguinha. Devotou suas maiores energias às polêmicas intestinas. Nunca houvera tamanha intolerância no movimento operário. Vinte anos mais tarde, Marighella se desesperaria pela profissão de fé no stalinismo. Em três décadas, estaria junto com Sacchetta contra outra ditadura. Para a polícia, não importava se os comunistas minavam Getúlio e o interventor Adhemar de Barros ou os queriam na frente anti-Eixo: eram todos vermelhos. Tinham abatido a organização de Sacchetta em 1938. Agora, corriam atrás de Marighella. Se havia uma coisa que ele levava a sério eram as regras da clandestinidade. Um roteiro com "normas para o trabalho conspirativo" enumerava recomendações como não estender as reuniões após as dez da noite.

Em maio de 1939, o Comitê Regional elegeu três campanhas: pela redução do preço da carne, a favor da siderurgia nacional e pró-anistia aos antifascistas. Um panfleto redigido por Marighella e impresso em papel amarelo recebeu o título "Sob as ordens de Hitler e Mussolini, Plínio Salgado conspira contra a nossa independência". Ele carregava dezoito exemplares no dia 26. Às sete e meia da noite, pisava com passadas firmes a avenida São João, onde se encontraria com Clóvis de Oliveira Netto. Quando deu por si, os policiais estavam se atirando sobre ele. Dessa vez não deu nem para reagir.

Marighella não foi preso antes porque a repressão não quis. Desde o início de 1939, o Comitê Regional estava ao alcance dela. Os inspetores da Delegacia de Ordem Política e Social vigiavam locais habituais de encontros de comunistas. Não deu outra no fim da tarde de 6 de janeiro, na estação do Norte, bairro do Brás. Um policial flagrou um ponto de Marighella ("moreno alto e de bigodes aparados") com a datilógrafa gaúcha Anita Axelrud ("loira de cabelos pensos aos ombros"). Mulher de Antônio Rodrigues Gouveia e processada no Rio Grande do Sul, ela era um quadro importante. Os dois conversaram com Agostinho José de Carvalho e um "senhor idoso". Ao se separarem, o tira apostou na sorte: acompanhou a moça, que pegou o ônibus para Santo André e desceu em São Caetano. Perdeu-a quando ela entrou numa rua sem luz, mas a redescobriu na campana de dois dias depois.

Seguiu-a ao consultório do médico Quirino Pucca, do Socorro Vermelho. Anita esteve com Marighella e Gouveia. Em pouco tempo, mais de dez inspetores espionavam os militantes que se enredavam na sua teia. Sem saber, um levava a outro, e o outro levava a mais um. Os agentes se deram conta de que Marighella era o dirigente. Por ignorar sua identidade, o subchefe da Seção de Investigações, José Gomes, batizou-o *Oswaldo*. Assim era tratado nos relatórios. Foram 69, em 139 dias. Nada escapava, nem as visitas aos mictórios do parque Dom Pedro II e do largo do Arouche. Em 25 de maio, o delegado adjunto Antônio de Pádua Pinto Moreira, chefe da Seção de Investigações, pediu por escrito autorização para pôr fim à observação e engaiolar os comunistas. O quinto delegado auxiliar, Juvenal de Toledo Ramos, aceitou as ponderações: já sabiam o possível por aquele método. Às seis da tarde do dia seguinte, estavam prontos para o bote.

Caíram 22 militantes, dos quais dezenove seriam denunciados no TSN. Metade não comemorara os trinta anos. O Comitê Regional foi desarticulado, e um ano e meio de trabalho se desfez. Marighella, 27 anos, foi levado para a delegacia. Os investigadores Daltro e Marcílio expuseram o material apreendido com ele — as anotações não fizeram sentido para os policiais. Os dois se juntaram à equipe do titular do inquérito, delegado Pinto Moreira, que às oito e meia da noite estourou o quarto da rua Abolição onde o preso residia. Acharam dois poemas ridicularizando Plínio Salgado. A verve revelava o autor, que os assinou como "Dr. Carijó". A vida clandestina não lhe roubara o humor, evidenciava o soneto "Galinha morta":

Foi um zunzum feroz no galinheiro!
Chegara a hora H e o chefe bamba,
Com tanto galinhaço no poleiro,
Ia fazer Gegê dançar no samba.

Mas Gegê, galo velho de terreiro,
Que sabe de que lado a roda camba,
Foi deixando que o Hitler brasileiro
Forjasse, alvoroçado, a sua muamba.

O choque, até dá pena confessá-lo,
Parecia vitória em toda a linha…
Mas, na hora fatal, foi grande o abalo.

Pois quando o Sigma todo, em torno à rinha,
Cria ouvir seu herói cantar de galo
Ele saiu cantando de galinha!!!

No cômodo alugado pelo poeta Marighella, nas campanas e nos depoimentos dos presos na delegacia, esteve como escrivão ad hoc a alma da polícia política paulista: ninguém entendia de comunismo e comunistas como o onipresente investigador Luis Apollonio. Em perspicácia, era o Cecil Borer de São Paulo. A diferença é que costumava usar a cabeça sem depender do braço. No entanto, o jornalista David Nasser o chamaria de torturador. Uma resolução do Comitê Regional do PCB, de março de 1939, afirmou que ele mandava "espancar presos políticos a cano de borracha e torturá-los na 'geladeira'". Não foi assim com Marighella. Heitor Ferreira Lima narrou que Apollonio deixou-o onze horas em pé. Ao revê-lo, caçoou:

"Você é durão, hein!"

Não havia quem não o conhecesse em São Paulo — da família, só seria mais falado um sobrinho então com doze anos, o futuro economista Delfim Netto. Marighella tinha aversão a Apollonio, mas foi um alívio tê-lo pela frente no lugar dos sádicos do Rio de Janeiro. O investigador conduziu seu primeiro depoimento, no qual o preso confidenciou a existência do supercamarada José Lino do Carmo. Incomunicável, Marighella não fazia ideia do monitoramento de quatro meses e meio. Tomaria conhecimento dele em semanas, mas não saberia que o pedreiro Amaro Cavalcanti, militante do partido, se tornara informante policial em 1938. Era um "reservado", como a polícia paulista se referia a seus infiltrados. Identificavam-no pelo prefixo "X-U". Em janeiro de 1941, Apollonio informaria: "Cavalcanti revelou-se ótimo elemento, tendo sido um dos últimos 'serviços' prestados pelo mesmo o descobrimento do 'Comitê Regional de São Paulo', do PCB, em maio de 1939 [...]". O tira sugeriu que o "reservado" surpreendera os militantes na estação do Norte ou dera a dica sobre o local.

Isolaram Marighella até o aniversário de um mês na delegacia. Então, ele voltou a depor. Surpreendeu-se com a exatidão das perguntas. Sabiam sobre tal encontro, no dia tal, a tal hora, com tal pessoa e em tal lugar. Inverteu os papéis e deu corda para os policiais desfiarem o que conheciam. Pediu para pensar e retomou a conversa no dia seguinte. Nada confirmou que os esbirros não soubessem e encheu a bola de José Lino do Carmo. Apollonio não engoliu a trapaça e tratou o desconhecido como "personagem". Indagado se pretendia abandonar a "atividade comunista", Marighella tripudiou:

"Por ora, não."

Ele quis avisar os companheiros sobre a mosca que todos tinham comido durante a vigilância despercebida. Demorou dois dias para obter com um funcionário da carceragem lápis, cinco pedaços pequenos de papel grosso e outro de cigarro Astoria. Numerou os cinco em frente e verso e preencheu os dez lados com letra pequena. Escreveu nos três primeiros:

> Prezado Clóvis, há muita gente presa: Armando Coutinho — o magro — pílulas — Gouveia, Anita — a companheira dele — etc. Tudo campana. Já fui interrogado. Durou cinco dias. É tudo baseado em relatório dos tiras. Descobriram que eu morava com Domingos Marques na rua Ibicaba. Todos os meus passos foram descobertos. Declare que me conheceu há um ano
>
> atrás em S. Paulo apresentado por um ex-militar que eu conheci na Bahia e você no Exército. Este ex-militar é branco, baixo, [...]. Seu nome é José. Diga que era o organizador do partido em São Paulo e me correspondia com o Birô Político. Diga
>
> que sabe que eu me ligava em São Caetano e na avenida Brasil com um tipo chamado José Lino do Carmo, nome verdadeiro, comerciário, baiano, incumbido das ligações com o setor militar, o presídio, São Caetano, Santo André [...].

No papel de cigarro, Marighella instruiu o amigo a enviar lenço, pão ou dinheiro, para confirmar o recebimento da mensagem. Abriu o pão que acompanhara o jantar e retirou o miolo. Enfiou os seis papeletes enrolados em forma de canudo, fechou o pão, embrulhou-o com papel e pediu ao ajudante de carcereiro Bibiano Gonçalves para levá-lo a Clóvis de Oliveira Netto. Era a última chance de padronizar depoimentos, perfilar com verossimilhança a figura ficcional de José Lino do Carmo e salvar alguns tijolos das ruínas do Comitê Regional. Mal recebeu o pão, Gonçalves correu ao encarregado da carceragem. Serapião Pio dos Santos desfez o embrulho e recolheu os pergaminhos. No dia seguinte, Marighella adormeceu sem receber a confirmação de Clóvis. No outro, encarou Luis Apollonio em novo depoimento, sobre o pãozinho de Troia.

A temporada na delegacia terminou, e os presos foram para a Casa de Detenção paulistana. Homens e mulheres tiveram o direito de se ver em espaço coletivo, não íntimo. A direção do presídio encurtou o tempo dos encontros, e Marighella protestou numa carta em que aludiu a Jamile Hadad como sua noiva. Na cadeia, ele não deixou de compor versos, como os de "Liberdade":

E que eu por ti, se torturado for,
Possa feliz, indiferente à dor,
Morrer sorrindo a murmurar teu nome.

Em outubro, mandaram-no para onde ele fora torturado pela primeira vez, a Polícia Central no Rio de Janeiro, para aguardar o julgamento. Marighella dormiu três noites na rua da Relação e seguiu para a Casa de Detenção, também conhecida sua. Luis Apollonio fez questão de transportar pessoalmente para a capital os treze volumes do inquérito, com 1203 folhas. O tribunal instaurou o processo 827, contra "Carlos Marighella e outros", e designou para sua defesa o cearense Francisco Moésia Rolim. Em 1935, o advogado era capitão do Exército e dirigente da ANL gaúcha.

O procurador adjunto Clóvis Kruel de Morais pediu ao juiz Antonio Pereira Braga a condenação da maioria dos indiciados, e Marighella foi sentenciado na tarde de 6 de março de 1940. O juiz descreveu-o como "o mais saliente de todos os acusados". Com base no decreto-lei 431, de 1938, apenou-o com cinco anos de reclusão. Foi a punição máxima do grupo, igual à de Clóvis e Gouveia. Jamile e Anita pegaram dois anos. Marighella apelou ao próprio TSN e não levou. Somou a pena de 1937 e subtraiu o período cumprido: liberdade somente no segundo semestre de 1945.

Não era só ele que estava na pior: os franquistas passaram na Espanha, Stálin fechou com Hitler um pacto de não agressão que deixou os comunistas zonzos e a Alemanha invadiu a Polônia. No mês do julgamento, caiu a direção do PCB — do Comitê Central, restou livre um membro. O futuro se anunciava sombrio como o presente. No passado próximo, o partido editara a *Revista Proletária*. A publicação mimeografada tinha alcunhado de "Ilha Maldita" a de Fernando de Noronha, para onde o Estado Novo degredava presos políticos. A sorte parecia ter mesmo desamparado Marighella: foi para lá que o embarcaram com outros condenados, no dia 1º de maio de 1940, a bordo do navio *Almirante Alexandrino*.

8. Bicão Siderúrgico

Revolucionários sem fortuna não eram passageiros estranhos ao *Almirante Alexandrino*. O navio conduzia-os entre portos nacionais e levava alguns para a Europa. Em 1936, o governo Getúlio Vargas expulsara duas dezenas de estrangeiros do Brazkor, organização político-assistencial da comunidade judaica vinculada aos comunistas. Acusou-os de perigosos à ordem pública e de nocivos ao país. Os romenos Waldemar Roitberg e Moises Lipes atravessaram o oceano na embarcação. Roitberg graduou-se capitão das Brigadas Internacionais na Espanha e, de acordo com o camarada Apolônio de Carvalho, foi fuzilado em Paris quando combatia pela Resistência francesa. É possível que Lipes tenha lutado contra os franquistas, mas os voluntários brasileiros não tiveram certeza do seu destino.

O de Marighella foi uma ilha do Atlântico na qual desterrados eram comuns à paisagem como as coreografias dos golfinhos. No século XVIII, tinham sido enviados para Fernando de Noronha os ciganos que as autoridades perseguiam por vadiagem. No século XIX, desembarcaram os conjurados alfaiates da Bahia, capoeiristas reprimidos como desordeiros e o líder farroupilha Bento Gonçalves. Os criminosos *Pirão Escaldado, Cão do Mercado, Caveira, Tripa Oca* e *Pé de Cabra* haviam pontificado nas primeiras décadas do século XX. O jornalista Amorim Netto a visitara em 1931 e a pintara com tintas trágicas: "Ilha do sofrimento, da dor e da expiação". Não era sua vocação — ao dar com ela no século XVI, depois de batizar a baía de Todos os Santos, Américo Vespúcio tinha suspirado: "O paraíso é aqui". O naturalista inglês Charles Darwin o conhecera e fizera coletas botânicas em 1832. O arquipélago — 21 ilhas, ilhotas e lajedos — de origem vulcânica e a ilha maior receberam o nome do seu donatário, um fidalgo português. Holandeses e franceses o ocuparam antes da restauração do domínio lusitano.

Quem mandava lá em 1940 era um veterano da Coluna Prestes, o coronel gaúcho Nestor Verissimo da Fonseca. No ano anterior, seu sobrinho Erico Verissimo lançara *Saga*, romance ambientado na Guerra Civil Espanhola. O escritor se inspiraria no tio para compor um personagem da trilogia *O tempo e o vento*: o major Toríbio, irmão do dr. Rodrigo Cambará, que se junta à Coluna Invicta. Para Erico, Nestor era "vigoroso como um touro", tinha "um tremendo apetite pela vida" e demonstrava "coragem cega". O coronel Verissimo só abandonara a marcha de Prestes depois de colecionar incríveis 27 ferimentos. Dirigia o presídio político, instalado em 1938, sob controle da União. Na sua gestão, não se empregavam os grilhões e gargalheiras esquecidos pela ilha — os castigos físicos eram vergonha do passado. Os presos antifascistas já haviam feito um acordo com o diretor quando o *Almirante Alexandrino* se aproximou dos 3° 50' ao sul do equador e 32° 25' a oeste de Greenwich, embicou na enseada de Santo Antônio e uma balsa carregou os novos hóspedes à terra firme: em troca do direito de administrar suas vidas e andar livremente, comprometiam-se a não fugir.

Se tentassem, teriam chances reduzidas: Natal, a 360 quilômetros, e Recife, a 545, estavam longe demais para uma aventura a braçadas ou em um barquinho improvisado. Arriscavam-se a ser degustados pelos tubarões cuja gula apimentava os casos narrados pelos moradores permanentes da ilha. Marighella viu poucos habitantes pelos quatro quilômetros percorridos a pé do desembarque no nordeste de Fernando de Noronha até a Vila dos Remédios, onde se fincava o prédio principal do presídio.

Sem considerar os minoritários presos comuns mantidos para prestar serviços à administração, os condenados se apartavam em dois grupos: por volta de noventa integralistas e 180 militantes de esquerda, quase todos da extinta ANL, com hegemonia comunista. Não se misturavam: camisas-verdes se acomodavam num prédio, aliancistas em outros — no alojamento maior, em duas edificações médias também de alvenaria e em casas nas quais cabia meia dúzia de pessoas. As casinhas se erguiam com pedras, cobriam-se de palha de coco e tinham chão de terra. Em uma delas, Marighella dormia numa cama patente, de espaldar alto de madeira e molas de arame sob o colchão.

Um mutirão levantou mais duas construções: uma que servia como dispensa e uma para sede do Grêmio Atlético Brasil, o clube desportivo que os aliancistas fundaram. Eles aprimoraram a cancha de futebol já existente e fizeram uma quadra de vôlei. Com a orientação do comunista Soveral Ferreira de Souza, oficial do Exército da arma de engenharia, eliminaram declives e introduziram um sistema de drenagem com a alternância de camadas de pedras graúdas e pequenas sob a superfície de terra batida. Podia cair um dilúvio, mas não alagava.

Marighella nunca fez chover no vôlei, esporte do gosto do tenente José Guttman e do sargento Gregório Bezerra. Nenhum dos dois jogava futebol, a modalidade que empolgava o companheiro civil. Ele brincava dizendo que era bom de bola por ter se empanturrado de chocolate na infância. Enquanto alguns peladeiros calçavam chuteiras, despachadas por parentes no continente, Marighella atuava de pés descalços. Seus chutes impressionavam pela potência. Batia de bico, e seu pé direito parecia moldado em ferro. Como dera uma palestra sobre siderurgia, apelidaram-no de Bicão Siderúrgico. Todos o queriam em seu time. Ele era beque, anglicismo para zagueiro. Exibia mais força que técnica, embora não fosse um perna de pau no trato com a pelota ou a canela dos adversários. Colega de prisão a partir de 1942, Noé Gertel o elogiaria como beque "impenetrável" e o melhor futebolista ilhéu. Marighella perfilou na equipe que derrotou a dos presos comuns, no único confronto entre elas. Para evitar arranca-rabos com os integralistas, os rivais ideológicos se desafiaram só uma vez, no vôlei. Os vermelhos bateram os verdes.

Em seguida, troçaram deles. Os integralistas inauguraram um tablado, designado pomposamente como "Teatro Tupã, a voz nacional". Para contrastar, os aliancistas improvisaram seu "Teatro de Brinquedo". O nome carecia de afetação, mas nele se encenavam peças de autores brasileiros e esquetes sobre a agenda política do momento, em especial a guerra na Europa. O capitão Agildo Barata adaptou Monteiro Lobato para fantoches. Apresentaram *Deus lhe pague*, de Joracy Camargo. Gastão Tojeiro, de *Onde canta o sabiá*, foi dos dramaturgos mais montados. Como o presídio era masculino, faltavam atrizes. Certa feita Marighella interpretou uma tia velha e Gregório Bezerra, uma empregada de avantajados glúteos postiços.

Se as nádegas do ator neófito exigiam enchimento, os músculos dos prisioneiros, bem alimentados, eram autênticos. Quando alguém adoecia, o ambulatório aliancista tinha enfermeiros de sobra e dois médicos, todos presos políticos, para cuidar dos pacientes. A primeira leva de condenados por crimes contra a segurança nacional saiu do Rio em 1938. A segunda, do Recife, no ano seguinte. Na Casa de Detenção da capital, eles resmungavam contra a higiene e a "boia sórdida", na expressão de Graciliano Ramos, livre desde 1937. A diferença em Fernando de Noronha ia além da inexistência de uniforme de presidiário: como exerciam uma espécie de autogestão, os militantes da ANL se impunham o padrão que antes pleiteavam. Do desjejum ao jantar, preparavam as próprias refeições, contribuindo para a saúde que os corpos robustos demonstravam. Enquanto os integralistas se contentavam com a gororoba servida pela administração, os rivais estabeleceram uma linha de produção que começava na horta e terminava no refeitório.

Marighella aprendeu a cultivar verduras e legumes. Seus companheiros haviam substituído a roça de quintal que encontraram por uma que os abastecia, bem como aos funcionários do presídio, aos presos comuns e aos moradores civis da ilha. Construíram uma caixa-d'água para a lavoura não sucumbir no período de seca, na virada do ano. Plantavam de alface, cenoura, pimentão e rabanete a uma infinidade de temperos, para os quais delimitaram um canteiro. As pragas ensaiaram estragos, e eles encomendaram no Rio sementes importadas do Senegal, imunes às doenças. Semeando, tudo dava no terreno de pouco mais de dois hectares, o equivalente a quase dois campos e meio do Maracanã, estádio que só existiria uma década mais tarde. A horta derrubou a incidência de escorbuto. Para complementar a ingestão de proteínas, empreenderam um aviário. De um ovo por mês, a ração passou a um por dia. Abateram as aves. Os aviários já eram três, e o galeto quinzenal virou semanal.

A pesca proveu mais proteínas. O músico Trompinha, da banda da Marinha, emergiu dos mergulhos com 24 lagostas. Com linha se fisgavam peixes maiores e, de tarrafa, cardumes inteiros. Presos comuns presentearam um tubarão delicioso de quase dois metros. As ondas das praias de mar bravio quebravam na areia branca e cuspiam centenas de sardinhas e guarajubas. Caranguejos eram apanhados nas pedras e cozidos nas panelas. Marighella não era somente um glutão ávido por peixes, mas pescador.

Depois da temporada na horta, ele se mudou para a cozinha. Gregório e um camarada cozinheiro de profissão ensinavam culinária e distribuíam as tarefas para Marighella e o tenente Benedito de Carvalho. Assavam os peixes na brasa ou os fritavam na gordura de coco. Com os demais alimentos, preferiam banha de porco. O prato básico era arroz, feijão, farinha e carne-seca, ingredientes fornecidos pelo presídio. Bebiam água de coco. Os cajueiros, bananeiras e mamoeiros enriqueciam as sobremesas. Habituaram-se à ausência de carne bovina crua — as raras cabeças de gado produziam leite para os filhos dos funcionários. Se o sal escasseava, enchiam latas de querosene com água do mar e as ferviam no fogo — obtinham duzentos gramas de sal por recipiente.

Das coisas práticas para a sobrevivência, Gregório sabia de tudo, desde cedo: tinha quatro anos quando a mãe lhe dissera que já era um homem, o pai lhe dera uma enxada velha, e o mandaram limpar o roçado. Por "insuflar operários contra os patrões", pegara cinco anos de prisão, de 1917 a 1922. Havia lutado sozinho nas ruas do Recife em 1935, e a polícia sangrara seu irmão até a morte. Poucos camaradas eram tão admirados e queridos como ele. Pois foi Gregório quem abriu uma crise um ano depois da chegada de Marighella.

Condenado a 27 anos e meio de prisão, Gregório planejou sua fuga à revelia do compromisso com Nestor Verissimo. Construiu por seis meses uma jangada com seu conterrâneo pernambucano conhecido como *Aço*. Na moita, eles cortaram e amarraram troncos de mulungu, árvore de sombras generosas. No fim de maio de 1941, desapareceram da vista dos companheiros junto com o sol que mergulhava no horizonte. Buscaram a pequena embarcação no esconderijo, atiraram-na ao mar e remaram rumo à liberdade. O sonho durou duzentos metros, até uma onda emborcar a jangada e frustrar a grande escapada. Tão amargo como o fiasco foi ouvir a bronca pronunciada em público pelo argentino Rodolfo Ghioldi e pelo dirigente mais destacado do coletivo, Agildo Barata.

Afora dois amigos que ajudaram na construção da jangada, não houve quem não recriminasse a dupla que descumpriu a promessa de não fugir. O trunfo dos presos de esquerda era o seu coletivo, o partido-sindicato que os congregava, representava e coordenava suas atividades na cadeia. Os integralistas negociavam individualmente com a administração; era a sua fraqueza. O coletivo falava pelo conjunto dos aliancistas; era o seu poder. Por concessões, apalavrara: ninguém haveria de escapulir. Se tivessem tido êxito, Gregório e *Aço* exporiam os companheiros à retaliação, por mais que o getulista, porém antifascista, Verissimo lhes fosse simpático — aparentemente, o coronel não soube da tentativa de fuga.

O acordo fora aprovado em assembleia. O direito de opinar era de todos, e as divergências se resolviam no voto. O Estado Novo abolira eleições para o Executivo e o Legislativo. Na ilha, pleitos bimestrais renovavam a direção do coletivo. O "gabinete" compunha-se de presidente, secretário, tesoureiro, "ministro" do trabalho (que ordenava a labuta das diversas equipes, da cozinha à "construção civil") e ministro de esporte e cultura. Criavam-se e se extinguiam cargos, mas a essência do organograma não se alterava.

Quando o *Almirante Alexandrino* ancorou, os militantes de origem militar eram proeminentes entre os detentos. Os oficiais dominavam a cúpula do coletivo. Expulsos das Forças Armadas em decorrência do movimento de 1935, eles refletiam o levante circunscrito aos quartéis, com a exceção da Comuna de Natal. A hierarquia da caserna influenciava as relações políticas. Por isso os líderes eram (ex-) capitães: Agildo Barata e Álvaro de Souza, comandantes da revolta no 3º Regimento de Infantaria, e Agliberto Azevedo e Sócrates Gonçalves, na Escola de Aviação. Marighella conhecia-os da sua primeira temporada na Casa de Detenção do Rio. Ele mal aportou na ilha e se pôs a trabalhar duro. Às cinco e meia da manhã, carregava água — do mar, de poços e de retenções da chuva. Amparava dois baldes nas extremidades de um cabo de vassoura e, por trás do pescoço, apoiava-o nos ombros, que ficariam com calosidades para sempre.

Logo teve sua melhor ideia em Fernando de Noronha: sistematizar aulas e palestras num projeto mais ambicioso. O coletivo aceitou sua proposta e instituiu uma "universidade popular". Uma biblioteca foi montada com livros que as famílias providenciavam. Nos cursos ensinavam das primeiras letras a camponeses analfabetos a física de nível superior. Um preso que não sabia dizer *"good morning"* acabaria professor de inglês, idioma cujas classes eram concorridas como as de francês. José Maria Crispim, sargento do Exército, dava aulas de história do Brasil. Marighella lecionava matemática e português, aplicando a didática que estudara no Ginásio da Bahia e o traquejo de professor particular. Desenhava em um quadro-negro as lições de geometria. Foi eleito para o coletivo, no qual desempenhou todas as funções, inclusive a presidência. Só um civil o superava em prestígio: Ghioldi, membro do Comitê Executivo da Internacional Comunista e um dos chefes de 1935.

Marighella ainda estava nos cárceres paulistas no dia em que o argentino teve que caprichar na lábia para justificar a última do Komintern: em 23 de agosto de 1939, com um sorriso enfeitando a face habitualmente soturna, Stálin comemorara o acordo de não agressão da União Soviética com a Alemanha. Assinaram-no o ministro de Negócios Estrangeiros do Terceiro Reich, Joachim von Ribbentrop, e seu correspondente soviético, Viatcheslav Mólotov, o comissário que daria nome a uma bomba incendiária artesanal, o coquetel molotov. Ghioldi sustentou que não se tratava de adesão, mas de expediente para a URSS ganhar tempo na preparação para um eventual ataque nazista. Ele ignorava os protocolos secretos em que os soviéticos partilharam a Polônia com os alemães, a quem as democracias europeias haviam cedido a Tchecoslováquia, a Áustria e, a seu modo, a Espanha. Uma semana mais tarde, os tanques Panzer de Hitler cruzaram a fronteira polonesa; Reino Unido e França declararam guerra à Alemanha; e os tanques do Exército Vermelho tomaram o Leste da Polônia. A União Soviética se manteve neutra no conflito — de longe, Brasil e Estados Unidos também.

Noites de insônia maltrataram os comunistas por todo o mundo. O Komintern qualificava de terrorista o regime nazista e patrocinava frentes populares contra o fascismo. De uma hora para outra, Mólotov apregoou que "uma Alemanha forte" era "condição indispensável para uma paz durável na Europa". Na Bahia, o estudante comunista João Falcão quis "meter a cara no travesseiro e não aparecer diante dos professores e colegas". Na França, Apolônio de Carvalho verificou um "sentimento de desamparo". Em Fernando de Noronha, testemunhou Gregório Bezerra, "muitos companheiros não compreenderam".

O Birô Político do PCB alardeou que "a União Soviética botou por terra todas as manobras dos provocadores de guerra". Conservou, contudo, a "união nacional contra o nazifascismo", enquanto o Komintern igualava os contendores do que classificava como guerra imperialista — ou criticava com mais ardor os britânicos. Nenhum comunista deu uma só pata de caranguejo para os integralistas comerem em Fernando de Noronha. Fora da ilha, houve quem se rendesse à Internacional: camaradas intelectuais colaboraram em 1940 com o *Meio-Dia*, jornal carioca que publicava textos racistas e era financiado pela embaixada alemã. O conchavo com Hitler permitiu à URSS respirar, mas fez mal aos partidos comunistas.

A reação de Marighella ao pacto germano-soviético se perdeu na memória. Ele se encontrava na Casa de Detenção no começo de 1940 quando os comunistas sofreram novo abalo: ao contrário do que afiançara o Birô Político, o partido era responsável pelo assassinato da jovem Elvira Cupello Colônio, mulher do secretário-geral *Miranda*. Também chamada de *Elza Fernandes* e *Garota*, era a pessoa errada, nos lugares errados e com as companhias erradas em 1935. Numa falha pueril de segurança, o centro da conspiração lhe permitira conviver com estrangeiros do Komintern e dirigentes do PCB. A polícia a tinha detido em janeiro de 1936 e a soltara duas semanas depois. A inocente Elvira havia procurado camaradas que deveriam ficar a salvo de eventual vigilância policial sobre ela. Contou que Arthur Ewert falara muito na prisão, o que não correspondia à verdade. O Secretariado Nacional tinha se convencido de que *Elza* se tornara colaboradora da repressão e resolvera eliminá-la. Não sem antes consultar Prestes, escondido no Méier. Por carta de 16 de fevereiro, ele ordenara o crime e o despiste:

"[...] Tudo precisa ser preparado com o mais meticuloso cuidado, bem como estudado com atenção todo um plano de ação que nos permita dar ao adversário a culpabilidade."

Dali a três dias, insistiu:

"Fui <u>dolorosamente</u> [sublinhado pelo missivista] surpreendido pela falta de resolução e vacilações de vocês. [...] Assim não se pode dirigir o partido do proletariado [...]. Por que modificar a decisão a respeito da *Garota*?"

Com o ultimato, foram tomadas as "medidas extremas", eufemismo empregado por Prestes em uma mensagem. Numa casa do subúrbio carioca de Deodoro, *Martins* comandou a execução. O carrasco Francisco Natividade Lira, o *Cabeção*, estrangulou Elvira com a corda do varal. Adelino Deícola dos Santos, o *Tampinha*, cavou a cova. Como o corpo não cabia em um saco, *Cabeção* dobrou-o em dois, quebrando os ossos como se partisse uma boneca. Elvira tinha 21 anos, era pobre e analfabeta. Jamais se comprovou a suspeição, infundada, de que trabalhasse para a polícia. A correspondência sobre ela foi arquivada por Prestes e apreendida pela polícia ao capturá-lo com Olga em 1936. Conforme o combinado, o Secretariado Nacional culpou o governo pelo sumiço da militante. Foi o que contaram na cadeia para *Miranda*, enfraquecido pelas sequelas da tortura. A essa altura, a direção do PCB suspeitava do seu "comportamento" — se o secretário-geral teria ou não colaborado com seus algozes após ser preso.

Com a queda do Birô Político, em março de 1940, os torturadores arrancaram informações que confirmaram o conteúdo das cartas descobertas com Prestes anos antes. O cadáver foi localizado, exumado e identificado. O TSN puniu cinco executores de Elvira com penas de vinte a trinta anos. Prestes (trinta anos) e *Bangu* (vinte) também foram condenados como assassinos. Tido pelos ex-camaradas como um provocador policial, *Miranda* estava marginalizado da fração partidária em Fernando de Noronha — Marighella menosprezava-o por "traição". Com a certeza de que o PCB matara sua mulher, o ex-secretário-geral abjurou o partido e foi transferido para o Rio. A despeito das maravilhas naturais do arquipélago e do coletivo que funcionava "certinho como beiço de bode", na verve de um militante, os desencontros políticos turvavam o ambiente, como Marighella não demorou a perceber.

O princípio do coletivo era cada um dar o que podia e retirar o que precisava, respeitando os limites do racionamento, como o de um ovo diário por cabeça. Quase cinquenta militantes se afastaram do trabalho porque se declararam doentes. Nem por isso deixaram de se beneficiar da produção dos companheiros e mantiveram o direito à sua ração. Mais ainda, gozavam de um suplemento para apressar a recuperação. Quando Nestor Verissimo propôs aos detentos atividade remunerada para construir um novo prédio, os espertalhões se restabeleceram de pronto. Saudáveis e viçosos, alistaram-se, mesmo procedimento dos integralistas.

A maioria do coletivo rejeitara a oferta: concordavam com a linha de união nacional contra o nazifascismo, mas eram presos de uma ditadura da qual reivindicavam anistia. Portanto, não colaborariam com o Estado Novo. Era o que Marighella pensava. No auge da querela, ele gramava na cozinha. Os cafés dominicais eram reforçados com papa de aveia, fubá ou milho. Em um domingo, Gregório Bezerra, cuja fuga malograda os camaradas já haviam perdoado, preparou o mungunzá que fazia Marighella salivar. Às seis horas, apareceu o pessoal da obra. Bateram nas mesas com pratos, canecos e colheres. Alfinetaram:

"Como é, Gregório, esta joça não sai hoje?"

O sargento se zangou e mandou-os tomar café no refeitório integralista, mas a turma do deixa-disso fez com que fossem servidos. Doze desistiram da empreitada da administração, e os restantes foram expulsos do coletivo, que voltou a crescer com o desembarque de novos detentos. No finzinho de 1941, um deles procurou Marighella. Davino Francisco dos Santos, ex-membro da Força Pública paulista, queixou-se do tratamento que os correligionários lhe dispensavam. Passaram uma tarde conversando, com Marighella a riscar o chão com uma varinha. Davino julgava injusta a falta de confiança nele. Segundo seu relato, Marighella ponderou:

"Você levanta aí algumas questões interessantes. Mas, você sabe, não se pode resolver certos problemas na cadeia. Na prisão surgem sempre estas coisas. Há os descontentes e uma porção de problemas que só são possíveis de solucionar lá fora."

Davino se enfureceu. Em seis meses, renegaria o PCB. Em menos de doze, seria cooptado pela polícia política paulista como informante, mantendo-a a par do cotidiano dos comunistas. Detestava Agildo Barata ("ultravaidoso") e Agliberto Azevedo ("Aglibofe"). Nas suas memórias, publicadas no fim da década de 1940, citaria o homem que não interviera nas desavenças entre os camaradas de São Paulo como "o negroide Marighella".

Fora do presídio, depois de uma altercação, bastava virar a cara e só rever alguém quando bem entendesse. Dentro, não tinha jeito: a proximidade se impunha. A convivência compulsória enervava os espíritos. O coletivo determinava que as remessas familiares, como guloseimas, fossem compartilhadas. Como havia quem as devorasse sozinho, o clima pesava ao se flagrar a "apropriação privada". Alguns se abespinhavam por menos: Davino via "descompostura, indecorosidade e imoralidade" nas conversas maliciosas e nos queixos caídos à passagem da morena Maria Cláudia. Filha de um preso comum, ela tinha vinte anos, cabelos castanhos e o caminhar de uma princesa, no olhar do próprio bedel dos costumes. Estranho seria um amontoado de homens, sem privar da intimidade feminina havia anos, flertar com as toninhas, como alguns chamavam os golfinhos. Criada pelos aliancistas, que fabricavam seus violinos, a jazz-band Diabos de Fernando lançou uma marchinha brincando com o temor das famílias noronhenses com a instalação do presídio político:

Nós somos os Diabos de Fernando
Menina, não tenha receio...

Os militantes sofriam com as notícias tristes. Um antigo dirigente do Comitê Regional do Nordeste, o gráfico Pascácio Fonseca, não conseguira superar o martírio da tortura. Despediu-se dos amigos em Fernando de Noronha e foi para o Rio, onde faleceu. Um camarada morreu afogado em uma das catorze praias da ilha. No Recife, o cabo Aristides, do 29º Batalhão de Caçadores, havia posto fim à existência com um corte na carótida. Para escapar dos suplícios, um operário ingeriu soda cáustica na delegacia carioca da rua da Relação e nunca mais acordou. A mulher de Sebastião Francisco, o dirigente que Marighella sucedera em São Paulo em 1938, enlouqueceu com as sevícias e tentou o suicídio duas vezes. Na terceira, conseguiu.

Marighella temia que a perseguição policial atingisse sua família. Trocava cartas com a rua Barão do Desterro, mas sem confidências, já que a administração submetia a correspondência à censura. Não mentia ao dizer que estava bem: caminhava livremente pela ilha, que tinha perímetro de sessenta quilômetros e morros de até 323 metros de altitude; nadava nas águas cristalinas das enseadas, longe dos tubarões; visitava as ruínas das velhas fortalezas; vestia-se como gostava, de calção e tamancos e sem camisa; jogava xadrez; era dos mais empolgados nas festas juninas, natalinas e carnavalescas; e lia tanto que a vista cansava — eram os sinais de miopia.

De tão doces, as lembranças de Fernando de Noronha seriam das páginas mais coloridas das histórias contadas por Marighella. Ele nunca esqueceria a noite de 22 de junho de 1941, quando Gregório Bezerra saiu desesperado pelos alojamentos anunciando a tragédia que acabara de escutar no rádio: fazendo picadinho do Pacto Mólotov-Ribbentrop, as tropas nazistas tinham invadido a União Soviética com o furor de quem se dispunha a cumprir o vaticínio de Hitler de em pouco tempo tomar o café da manhã em Moscou. Enquanto os aliancistas abriam o mapa da Europa e o iluminavam com energia elétrica gerada por motor, ouviam a algazarra a poucos metros: os integralistas celebravam o que acreditavam ser os dias contados do Estado socialista.

Ao amanhecer, os aliancistas pregaram o mapa na parede do clube. Uma escala de escutas fez com que não perdessem uma única transmissão em português da Rádio Moscou e da BBC de Londres. Os capitães ministraram um curso de história militar. Um speaker informava nos almoços os movimentos da guerra. A digestão era difícil: com o maior exército já reunido, a marcha nazista afigurava-se invencível. Iludido pelo acordo que assinara, Mólotov tinha negado a iminência do ataque até o último instante. Stálin ordenara que não se desse crédito às advertências, até mesmo à de que a Wehrmacht, as Forças Armadas alemãs, cortara o arame farpado na fronteira. Graças à Operação Barbarossa, como se intitulou a ação militar inicial contra a União Soviética, os comunistas promoveram uma virada política: o Komintern retomou as alianças de oposição ao nazifascismo.

Quando a Luftwaffe, a Força Aérea da Alemanha, penetrou no espaço aéreo soviético, o fundador do Exército Vermelho já não vivia. Liev Trótski fora morto no México, em 1940, com uma pequena picareta de alpinista. Empunhou-a o agente stalinista espanhol Ramon Mercader. Era difícil apostar no Exército Vermelho ante a voracidade nazista. A maioria dos seus comandantes fora passada em armas nos expurgos de Stálin. Os primeiros meses da ofensiva levavam a crer que se repetiria o passeio da tomada de Paris em 1940. Em setembro de 1941, Kiev foi ocupada e Leningrado, sitiada. Em outubro, a Wehrmacht acampou a cinquenta quilômetros de Moscou. Em janeiro de 1942, os nazistas bateram o martelo para a "solução final" da "questão judaica" — selava-se o holocausto de Olga Benario. Militantes choravam em Fernando de Noronha. Longe dali, os soviéticos não esqueciam as palavras de Mólotov ao meio-dia de 22 de junho, horas depois de se dar conta de que se fiara na lorota de Hitler: "Nossa causa é justa! O inimigo será esmagado! A vitória será nossa!".

A Segunda Guerra Mundial foi batizada na União Soviética como Grande Guerra Patriótica. A rendição dos soviéticos daria a Hitler sua maior conquista e lhe permitiria concentrar fogo no Oeste. O mundo olhava para Moscou com aflição e esperança. Em 1938, na iminência da *débâcle* dos republicanos espanhóis, o poeta Carlos Drummond de Andrade escrevera:

Depois que Barcelona cair restará Moscou.
Restará um mundo: o vosso mundo, trabalhadores.
Restarão livros, exemplos, sacrifícios, determinações.

O novo cenário uniu Moscou, Londres e Washington — os americanos entraram na guerra depois do ataque japonês a Pearl Harbour, em dezembro de 1941. Com o gesto dos Estados Unidos, estreitou-se a margem para Getúlio Vargas manobrar entre os flancos americanófilos e germanófilos do Estado Novo e entre as nações beligerantes. O peso da Alemanha crescera na economia nacional: em 1938, 25% das importações brasileiras vinham do Estado nazista (eram 12,7% em 1929) e 24% dos Estados Unidos (30,1% nove anos antes). Nos marcos do pan-americanismo, contudo, uma agressão a um Estado do continente era considerada agressão contra todos. Em 28 de janeiro de 1942, o ditador quis ou se viu obrigado a romper as relações do Brasil com o Eixo Roma-Berlim-Tóquio. Na aproximação com os Estados Unidos, ele barganhara o apoio à instalação de indústrias estratégicas. Washington requisitou áreas para instalar bases militares, e o Brasil cedeu-as a partir de 1941.

Como Fernando de Noronha abrigaria tropas da Marinha aliada, o governo decidiu transferir os presos políticos para a Ilha Grande, no litoral do estado do Rio de Janeiro. A Alemanha reagiu à ruptura torpedeando: em meados de fevereiro de 1942, os navios mercantes *Buarque* e *Olinda*, ambos de bandeira brasileira, foram afundados pelo submarino U-432 na costa norte-americana. Por aqueles dias, o vapor *Comandante Ripper* ancorou na baía de Santo Antônio. Aliancistas e integralistas embarcaram na terceira classe. No grupo de Marighella, alguém lembrou que eles se livrariam da mosquitama que os atazanava. A ruptura com o Eixo devolvera o ânimo que a avidez alemã abatera. A primeira escala foi em Natal, onde apanharam o sargento Quintino, secretário da Defesa da Comuna de 1935. Instrumentista, ele se juntou aos Diabos de Fernando. Depois atracaram no Recife.

Entre os tripulantes, Trompinha reviu um velho colega da banda da Marinha. Os detentos sabiam da demolição em curso da praça Onze, palco dos desfiles do Carnaval carioca, para dar lugar à avenida Presidente Vargas. Mas desconheciam o samba do compositor Herivelto Martins e do ator Grande Otelo: "Praça Onze" eletrizava a capital rivalizando com "Ai, que saudades da Amélia", de Ataulfo Alves e do comunista Mário Lago. O amigo de Trompinha ensinou-lhes o sucesso. Com os camisas-verdes calados no seu canto, por uma semana o *Comandante Ripper* singrou o litoral brasileiro com Marighella e seus camaradas a cantar:

Vão acabar com a praça Onze
Não vai haver mais escola de samba, não vai
Chora o tamborim
Chora o morro inteiro
Favela, Salgueiro
Mangueira, Estação Primeira
Guardai os vossos pandeiros, guardai
Porque a escola de samba não sai!

9. Por um lugar no front

A Ilha Grande e suas montanhas se descortinaram aos passageiros do *Comandante Ripper* em uma manhã ensolarada que lhes permitiu ver a imensidão que honra o nome: com 193 quilômetros quadrados, é onze vezes maior que Fernando de Noronha. O navio fundeou nas águas serenas diante da vila do Abraão, na face norte, voltada para os municípios de Angra dos Reis e Mangaratiba. Marighella e seus companheiros se amontoaram nas carrocerias de dois combalidos caminhões — o terceiro levou os integralistas — que subiram e desceram a serra rumo à Colônia Correcional de Dois Rios, pouco mais de sete quilômetros ao sul, numa planície escancarada para o oceano.

Os motoristas aceleraram tanto nas curvas dos despenhadeiros que alguns recém-chegados enjoaram. Construído em 1940, o novo presídio substituía o que recebera em 1932 o escritor Orígenes Lessa e outras vítimas da repressão ao movimento constitucionalista. Com o levante de 1935, foi a vez de Graciliano Ramos e centenas de prisioneiros. Na virada da década, não havia mais os presos políticos que agora reapareciam — os condenados por crimes comuns se mudaram para a penitenciária, um antigo leprosário do século XIX, nas cercanias do Abraão.

Tudo parecia exuberante como a mata atlântica que flanqueava a estrada de terra, mas ao pular do caminhão Marighella pressentiu que a doce vida terminara: as janelas dos três andares do presídio com capacidade para mil detentos eram gradeadas; em Fernando de Noronha, nunca o engaiolaram. Antes, proibiam passeios pelas demais ilhas e ilhotas do arquipélago, mas autorizavam a qualquer tempo o acesso às praias; na Ilha Grande, limitaram o banho de mar a duas horas matinais. Nem a pescaria escapou: cada passo rumo à arrebentação, para arremessar mais longe a linha com o anzol, afligia as sentinelas como sinal de fuga iminente. Na cozinha anterior, o único veto era a garfo e faca — comiam de colher; na nova prisão, a administração lhes restringiu o fornecimento de comida: eles começavam o desjejum no refeitório do coletivo no segundo piso e eram obrigados a complementá-lo com café, pão e manteiga do rancho oficial, no primeiro.

Marighella deixou o caminhão para trás e galgou as escadas até o segundo andar, onde os aliancistas se distribuíram. Na maior parte da sua temporada na Ilha Grande, ele compartilharia a cela com o capitão Agliberto Azevedo, o tecelão João Massena Melo e Clóvis de Oliveira Netto, antigo tesoureiro do Comitê Regional paulista. O quarteto dormia em dois beliches. Em uma cela próxima, acomodaram-se Agildo Barata e Gregório Bezerra, aos quais se uniria Noé Gertel, então nos cárceres da capital. Um dia após o desembarque, os aliancistas avistaram lanchas carregando foliões fantasiados para o Carnaval no continente. Na cadeia, os Diabos de Fernando animaram a folia.

No Rio de Janeiro, um carro alegórico da União Nacional dos Estudantes (UNE) homenageou personalidades anti-Eixo: o americano Franklin Roosevelt, o britânico Winston Churchill, Getúlio Vargas e, ousadia, Ióssif Stálin. A farra foi maior em 22 de agosto de 1942, com a decretação do estado de beligerância do Brasil contra o Eixo — era o aniversário de dez anos da primeira prisão de Marighella. Nove dias depois, quando o governo declarou guerra, os prisioneiros celebraram duplamente: pelo ato em si e pelo que pensaram ser a anistia que o ditador teria de conceder. Raciocinavam: como manter encarcerado quem perfilava na mesma trincheira antifascista?

Nada era cartesiano assim no Estado Novo. O Brasil somente rompeu com o Eixo após o ataque do Japão a Pearl Harbour. Na sequência do afundamento dos dois navios no Atlântico Norte, em fevereiro de 1942, os submarinos alemães torpedearam mais treze embarcações brasileiras até julho, matando em cinco meses 135 tripulantes e passageiros. Multiplicaram-se as manifestações pela ida à guerra, mesmo com a intimidação das autoridades contra aglomerações. Em

Salvador, a primeira concentração ocorreu em março, impulsionada por jovens comunistas da geração sucessora de Marighella. Os estudantes do Ginásio da Bahia "enterraram" Hitler em abril. Foi o próprio Reich que tornou insustentável a distância com que Getúlio se esquivava do conflito: de 15 a 17 de agosto, o submarino germânico U-507 pôs a pique cinco navios mercantes na costa da Bahia e de Sergipe. Os ataques ceifaram 587 vidas, e a população tomou as ruas para cobrar o troco. Só assim sobreveio a declaração de guerra.

Desde o início de 1942, a ira popular contra os agressores nazistas fermentou quebra-quebras contra instituições identificadas com os países do Eixo. Em muitos casos, atacou-se quem tinha tanto a ver com Hitler e Mussolini como um bebedor de cerveja bávara ou um comedor de queijo parmesão. Os estudantes do Rio invadiram o Clube Germânia (a UNE fez do prédio na praia do Flamengo a sua sede), e o Bar Adolph renasceu como Bar Luiz. Em Salvador, a loja de charutos Dannemann & Cia., de descendentes de alemães, foi apedrejada, e uma multidão empastelou o *Diário de Notícias*, cujas louvações ao Führer revoltavam o jovem Marighella. Os clubes esportivos denominados Palestra Itália trocaram de nome: em São Paulo, virou Palmeiras; em Belo Horizonte, Cruzeiro.

Alçou-se como obsessão nacional a "quinta-coluna", expressão de um oficial franquista ao se vangloriar dos partidários incógnitos no interior da Madri ainda republicana. Não havia quem não quisesse descobrir quem eram no Brasil os agentes nazistas. O governo deteve, como espiões, cidadãos germânicos que operavam equipamento radiotransmissor. Encampou as companhias aéreas Lati, italiana, e Condor, alemã. Alguns edifícios providenciaram abrigos antiaéreos que jamais teriam serventia. Os presos políticos não estavam ilhados: a Ilha Grande se assemelhava a uma extensão do campo de batalha. Mesmo antes de se informar sobre os cinco afundamentos, os aliancistas presos seguiram o morticínio pelo noticiário radiofônico. Em 21 de agosto de 1942, o coletivo se reuniu e aprovou um telegrama endereçado ao presidente. O texto foi lido na assembleia por Agildo Barata e teve oito signatários, entre os quais Marighella.

Eles pediram a "declaração formal de guerra" contra os "bandidos nipo--nazifascistas" e apontaram o "integralismo traidor" como "quinta-coluna". Escreveram quatro vezes o substantivo "democracia" e uma o adjetivo "democrática". A essência da mensagem era: se estavam na mesma barricada do governo, seu lugar não era nas celas, mas na guerra. Requisitaram "postos de combate" no front. Queriam ir à Europa lutar. A conclusão continha três citações da palavra "liberdade", cuja defesa justificara a ruptura do Estado Novo com o Eixo, mas não se aplicava ao cotidiano de aquém-fronteiras:

> Defesa democracia não pode ser organizada só com aparelho estatal por mais poderoso este seja. Em sua própria essência, para defender-se e subsistir, democracia necessita liberdade. Liberdade imprensa, palavra, pensamento organização nas suas múltiplas expressões populares. Momento está exigindo nosso governo que se norteia por uma coerente orientação pan-americanista defesa democracia, declaração formal guerra potência Eixo. Entretanto essa medida que contará nosso imediato apoio não será completada sem unidade nacional que urge concretizar chamando os que estão fora da pátria, mas querem defendê-la, abrindo grades prisões para todos os que querem bater-se pela liberdade. Por tudo isto, colocando-nos disposição poder público, reivindicamos postos combate nesta guerra sobrevivência nossa pátria.

Sem influência do telegrama, o governo anunciou no dia seguinte o estado de beligerância. Uma semana depois da declaração de guerra de 31 de agosto, os remetentes mostraram que sua disposição não era retórica. O diretor do presídio era Nestor Verissimo, transferido de Fernando de Noronha. Um tanto roliço, o coronel andara pela ilha em cima de uma mula, a preparar a cerimônia do Dia da Independência. Na manhã de 7 de setembro, os aliancistas desceram cedo para o hasteamento da bandeira no portão principal. Surpreenderam-se com a presença dos integralistas, em formação militar. Marighella e Agildo Barata deram meia-volta e se retiraram com seus camaradas. Todos concordaram com o ultimato: se tinham os galinhas-verdes como seguidores do Eixo, não se juntariam a eles na data cívica do país em guerra contra o nazifascismo. Verissimo não titubeou: dispensou os correligionários do então exilado Plínio Salgado, e os comunistas saborearam a vitória.

O gosto durou pouco. O mesmo ditador que no Dia da Independência propalara a unidade nacional não se acanhou em ordenar — ou aceitar — a prisão dos aliancistas que trocaram a segurança do exílio pelo risco de se candidatar ao esforço de guerra. Combatentes da Guerra Civil Espanhola assinaram no Uruguai um manifesto anti-Eixo com a saudação "Viva Getúlio!" e cruzaram a fronteira. Alguns acabaram na Ilha Grande, como David Capistrano. Capturado pelos alemães, ele passara oito meses em um campo de concentração, chegando a pesar 37 quilos.

O que mais angustiava os presos estava longe dali: no front soviético, batalhava-se até na faca contra os nazistas — na mesma semana da expulsão dos integralistas da cerimônia, o VI Exército alemão penetrou em Stalingrado, à margem do rio Volga. A cidade reduziu-se a ruínas e logo a Wehrmacht subjugou-a quase inteira. A cada amanhecer na Ilha Grande, temia-se ouvir pelas ondas curtas a nota fúnebre da queda de Stalingrado. Enquanto seus corações se amarguravam com o futuro da humanidade, que se decidia a mais de 11 mil quilômetros dali, os presos tentavam solucionar problemas urgentes, como a falta de dinheiro. Fora da cadeia, algumas famílias já não tinham o que comer.

As habilidades manuais de Marighella, que serviram à confecção dos "foguetões extremistas" em Salvador, engordaram as finanças do coletivo da Ilha Grande. Ele participou da montagem da oficina de artesanato e criou porta-joias de madeira com os colegas de cela Agliberto e Massena. Acompanhava-os o marceneiro Roberto Morena, detido ao reingressar da Espanha. Farta na ilha, a matéria-prima mais empregada era o coco, cujo brilho da casca lixada prescinde de verniz. Os cocos tomavam a forma de globos terrestres, brinquedos e bolsas femininas. A renda melhorou as refeições. Compravam remédios, cigarros e, para as cartas, envelopes e selos. As famílias pobres foram socorridas. Os parentes dos presos e os militantes em liberdade vendiam no continente o artesanato que buscavam na ilha. Essa foi uma mudança para melhor: liberaram as visitas.

De Fernando de Noronha, onde não podia receber ninguém, nem mesmo um advogado, Marighella remetia à família fotografias suas diante da sede do Grêmio Atlético Brasil. Não fosse o carimbo da censura no verso, um incauto o tomaria por um turista feliz. O único parente que teve a chance de encontrá-lo na Ilha Grande foi a irmã Anita, a segunda da escadinha dos oito, que se mudara para o Rio. Se ela reparou com atenção, percebeu no irmão as entradas na fronte ausentes em 1935, quando Carrinho partiu para a capital. Anita lhe deu notícias dos pais. Na Bahia, a perseguição aos italianos preservou Augusto, que faturava como nunca ao converter motores para gasogênio. Maria Rita despertava no meio da noite com pesadelos nos quais o filho distante era torturado. Pela proteção dele, renovava as promessas a Cosme e Damião. O irmão mais velho tranquilizou: não era amarga a vida na Ilha Grande.

De manhã, Marighella lagarteava ao sol e dava braçadas na praia de Dois Rios. Banhava-se numa cachoeira. Às onze horas, aprontava-se para o almoço, servido em seguida. Em um banquete inesquecível, papou uma arraia pescada por camaradas em um período de vigilância menos severa. Os prisioneiros apanhavam ostras e as comiam frescas. No futebol, natação, vôlei e corrida a pé, os comunistas enfim competiam contra os integralistas. A crer na lembrança dos primeiros, triunfavam sempre, mas a memória esportiva é passional e traiçoeira.

Mantiveram o clube, o teatro e o ambulatório do coletivo. Dinamizaram a "universidade popular" — aulas contaram a história da Ilha Grande, antigo território de índios tamoios, refúgio de piratas e fazendas de café semeado com mão de obra escrava. Erradicaram o analfabetismo no grupo, feito que o Brasil não conseguiria. Marighella continuou professor dos cursos que ocupavam as tardes junto com o trabalho, no seu caso o artesanato, e estudou inglês. Editava um jornal mural em que, ao lado das mensagens políticas, publicava em letra de forma poemas gracejando dos companheiros. Vez por outra sumia, e o encontravam solitário, sentado sobre uma grande pedra perto do mar. Estabeleceu-se o mito de que era um recolhimento para reflexão política. Possuía apenas duas camisetas, observou um vizinho de cela. Quando o inverno derrubava a temperatura para quinze graus, agasalhos doados no continente amenizavam o frio. Mas foi em dias quentes que Marighella e seu amigo Agildo Barata, em virtude do vestuário, flagraram-se pela primeira vez em campos opostos.

Ao contrário do que ocorria em Fernando de Noronha, na Ilha Grande não havia refeitórios exclusivos para as correntes ideológicas antagônicas. Elas conviviam, cada qual em um canto, no rancho do primeiro andar. Mesmo para estranhos, era barbada identificá-las: enquanto os aliancistas mal cobriam o corpo com o calção e mantinham gorros e bonés enfiados na cabeça, os integralistas não dispensavam calçados, calças e camisas. Retiravam solenemente os chapéus ao adentrar o recinto e, se tivessem gravatas, caprichariam no nó. Ainda irritado com a pronúncia de palavrões e colérico com o desenho de um homem se masturbando que um gaiato pregara no mural, Davino Francisco dos Santos achava que os militantes de esquerda se sentavam à mesa como "um bando de malfeitores".

Agildo Barata era bem-humorado, mas a diferença das vestimentas o incomodou, e o militar sugeriu em assembleia que seus camaradas se compusessem no estilo dos inimigos. Para Marighella, nada dos rivais merecia imitação, muito menos o que lhe parecia afetação de janotas. Ele fulminou a proposta de Agildo, e nenhuma voz a defendeu. Mesmo os oriundos da caserna se opuseram. O sargento José Maria Crispim caçoou:

"Agildo pensa que isto é uma companhia que deve apresentar-se toda bonitinha na frente do capitão."

A rejeição foi tamanha que, ao não submeterem a sugestão a voto, com a concordância de Agildo, pouparam-no de constrangimento maior. Na prisão, nunca mais ele e Marighella estariam separados. A rusga sobre com que roupa ir às refeições seria lembrada como um momento de calmaria do coletivo. A verdadeira tormenta se aproximava.

O ditado se inverteu, e a bonança precedeu a tempestade na Ilha Grande: nos estertores de 1942, os ventos na União Soviética passaram a soprar contra os nazistas. Em uma brilhante manobra em Stalingrado, o general soviético Gueorgi Júkov surpreendeu por trás as tropas do general Friedrich Paulus. Foram sufocadas as 22 divisões invasoras. No fim de janeiro de 1943, sob o frio dilacerante do inverno russo, Paulus assinou a rendição. A batalha em Stalingrado deixou mortos pelo menos 800 mil homens do Eixo e 1,1 milhão de militares e civis soviéticos. O contra-ataque prosseguiu, e em junho de 1943 os Panzers alemães perderam em Kursk o maior confronto de blindados da guerra. Em julho, Mussolini renunciou, e, em novembro, os soviéticos recuperaram Kiev. Marighella escreveu na Ilha Grande um poema, "Muralha", em louvor à União Soviética.

No Brasil, manifestações populares comemoravam as boas-novas do front, e a admiração pela URSS e por Stálin deixou de ser apenas "coisa de comunista". Numa praça de Fortaleza, denominou-se Stalingrado a pirâmide formada por objetos de alumínio doados pela população — eles serviriam de matéria-prima para a fabricação de produtos úteis ao esforço de guerra. Para um major do Exército, desgostoso, "parecia que estávamos em plena Rússia".

Não só não se estava na Rússia como nem Partido Comunista organizado havia. O último congresso do PCB, o terceiro, ocorrera na virada de 1928 para 1929; o Comitê Central, com mandato para dirigir a agremiação entre dois congressos, concluíra sua reunião plenária mais recente três dias antes do levante comunista de 1935 no Rio de Janeiro; e o Birô Político caíra em março de 1940. Desde então, o partido não tinha comando centralizado. No início de 1941, havia cem militantes orgânicos, na estimativa de João Falcão, um dos líderes do único Comitê Regional estruturado, o da Bahia. Dispersos em pequenos núcleos isolados, os comunistas mergulharam na campanha para que Getúlio despachasse tropas para a Europa. Era o que defendia a maior concentração de militantes do PCB no país, a da Ilha Grande, com no mínimo 150 deles.

Em janeiro de 1943, os presidentes dos Estados Unidos e do Brasil conferenciaram em Natal. A constituição da Força Expedicionária Brasileira (FEB) em agosto foi saudada com uma festança na ilha, mas o governo recusou o pedido de Marighella e seus companheiros para ir à guerra. Mesmo assim, os comunistas lutaram no front italiano, com seus poucos militantes de vida legal. Em Salvador, o general Demerval Peixoto desafiara os líderes dos atos pró-FEB a se alistar. Reunida na Sorveteria Cubana, a célula estudantil do partido decidiu inscrever o acadêmico de filosofia Mário Alves de Souza Vieira e seus colegas do direito Jacob Gorender e Ariston Andrade. O veto no exame médico desolou o magrinho Mário. O soldado Gorender incorporou-se a um pelotão de transmissões de infantaria. O soldado Ariston, ao 1º Grupo de Aviação de Caça, o mesmo em que serviu na função de correspondente o soldado Augusto Villas-Boas. Jornalista e estudante de direito, Villas-Boas se radicara no Rio, onde se apresentou como voluntário. Em 1936, aos dezesseis anos, ele frequentara na Bahia um curso de explosivos do PCB e ajudara a atacar um jornal integralista com uma bomba.

O artista plástico Carlos Scliar foi cabo de artilharia. Ele desenhou durante o conflito, paginou um jornal da FEB e, de "quase um cético", transmutou-se em "um lírico visceralmente otimista, com uma tremenda confiança na humanidade". Filiou-se ao PCB assim que voltou. Aos dezoito anos, o pintor Israel Pedrosa, um dos caçulas das tropas, era aluno de Cândido Portinari. Serviu na Companhia de Intendência. Antes da rendição alemã já aderira ao comunismo. O estudante de engenharia Salomão Malina se considerava comunista ao embarcar e se juntou ao partido no fim da guerra. O aspirante Malina comandou um pelotão caça-minas e recebeu a Cruz de Combate de Primeira Classe, a mais alta distinção do Exército. Na Itália, assistiu ao filme *O grande ditador*, de Charles Chaplin, cuja exibição o Estado Novo proibira. O major de infantaria Henrique Cordeiro Oest, em poucos anos, comporia a bancada federal de deputados do PCB. Capitão na FEB, Kardec Lemme seria punido vinte anos depois com a transferência para a reserva.

O partido montou na Itália uma base com uma dezena de oficiais e praças, conforme Gorender. Eram mais, revelou Kardec Lemme. Em abril de 1945, 284 oficiais da FEB assinaram um manifesto articulado pelos comunistas a favor do restabelecimento da democracia no Brasil. De acordo com Kardec, 26 eram militantes do PCB, inclusive ele. O país mandou à guerra 25 334 homens, dos quais 2722 foram feridos e 457 morreram. As tropas se integraram ao v Exército dos Estados Unidos. Na França, o guerrilheiro urbano Apolônio de Carvalho andava com uma pistola Beretta calibre 7.65, usava o nome de guerra "Alfred" e chefiava 2 mil partisans estrangeiros. Laura Brandão, a voz em português da Rádio Moscou, morreu em 1942, vitimada por uma doença contraída enquanto os nazistas cercavam a capital soviética.

Em Moscou, estourou em 1943 uma bomba que sacudiu até a Ilha Grande — a tormenta que sucedia a bonança. O *Pravda* publicou em maio a notícia da dissolução do Komintern. Stálin tomou a medida para consolidar os laços com as potências ocidentais. O marechal quis demonstrar que os partidos comunistas não estimulariam revoluções nacionais nos países unidos à União Soviética na guerra. Não foi apenas um gesto de propaganda: os soviéticos subordinavam a política das seções da Internacional, se necessário abafando suas vocações revolucionárias, aos interesses da URSS. Na sua infância, o Komintern se promovera como coveiro da sociedade burguesa. Em 24 anos de existência, não enterrou nenhum regime capitalista.

Caíam os símbolos de Outubro: em 1944, a União Soviética aposentou *A Internacional* como seu hino e adotou um novo, patriótico; em 1946, o Exército Vermelho foi renomeado Exército Soviético. Nos arquivos do Komintern, guardou-se a primeira referência a Marighella: num relatório de 1937, Eduardo Ribeiro Xavier, o *Abóbora*, assinalou como fato o que era especulação — que no ano anterior o camarada fora "preso por culpa de algum provocador" infiltrado. Acrescentou: "Carlos tem uma máquina de escrever e um pequeno mimeógrafo e um carimbo do partido".

Se até a Internacional sucumbiu, em nome das concessões para isolar o Terceiro Reich, por que os comunistas brasileiros deveriam se manter afastados de Getúlio Vargas? A pergunta abriu a maior cisão na cadeia. Desde o malfadado levante de 1935, os presos do coletivo se referiam a si como aliancistas, e não como comunistas, o que de fato nem todos eram. Continuaram a se dizer membros da Aliança Nacional Libertadora quando nem o PCB se dispunha a relançá-la. O partido substituíra a linha de frente popular para o assalto do poder, expressa na ANL, pela de união nacional. Organizava uma fração clandestina na Ilha Grande que controlava o coletivo e destituiu na prática a direção do PCB eleita em 1934. *Miranda* já não estava nem na ilha nem no partido.

Um ano após o telegrama para Getúlio, os estilhaços de outra bomba ricochetearam na Ilha Grande. Dessa vez, detonaram-na no sopé da serra da Mantiqueira. Os primeiros relatos foram imprecisos, mas convergiram em dois pontos: uma conferência de comunistas escolhera um novo Comitê Central para o PCB, e entre os eleitos estava Carlos Marighella.

10. Racha na ilha

Marighella mandou o recado pelos mensageiros que visitavam a cadeia: não reconhecia a tal II Conferência Nacional do Partido Comunista do Brasil, dita Conferência da Mantiqueira; não se submetia à direção ungida no encontro; e rejeitava a sua própria nomeação. Ele era a principal liderança civil entre os comunistas da Ilha Grande — o governo deportara Rodolfo Ghioldi. Agildo Barata e Agliberto Azevedo, os dois militares de maior ascendência, tomaram posição idêntica. A diferença era que os capitães não compunham o novo Comitê Central, ao contrário de Marighella. Ele fez pouco do cargo. Recusou-o por considerar inaceitável o estandarte dos que se proclamaram comando: união nacional com Getúlio Vargas na guerra e na paz. Não se tratava de aliança limitada ao combate ao Eixo (guerra), mas de adesão em qualquer cenário (paz). "Apoiavam o governo Vargas incondicionalmente", queixou-se. Marighella já sabia, entretanto, que os artífices da Mantiqueira não estavam isolados.

Com a pena cumprida, Severino Teodoro de Mello foi libertado em junho de 1942. Antes, Marighella e o Brigadeiro, apelido do capitão-aviador Agliberto, conversaram ao lado do campo de futebol com o antigo cabo do 29º Batalhão de Caçadores. Instruíram-no a sondar os companheiros livres sobre como encarar o Catete. Mello deveria redigir os relatórios com "tinta simpática" (invisível) nas bordas de páginas de revista. Ele cumpriu o combinado e avisou que os tenentes Leivas Otero e Ivan Ribeiro fechavam com a frente externa e interna com o presidente.

Os dois revolucionários de 1935 também não falavam sozinhos. Depois da declaração de guerra, a revista antifascista *Seiva* deu na capa uma fotografia de Getúlio e o título: "Tudo nos une, nada nos separa". Editada por João Falcão na Bahia desde 1938, *Seiva* foi durante anos a única publicação legal controlada pelos comunistas no país. O governo do qual nada a separava proibiu sua circulação em 1943, ano em que jovens comunistas carregaram um retrato gigante do ditador numa passeata em Salvador. Um deles era o futuro pracinha Jacob Gorender. A revista *Continental*, impressa no Rio pelo Comitê Central originário da Conferência da Mantiqueira, pregou a união nacional.

Foram muitos os labirintos que levaram à Mantiqueira. Em 1941, João Falcão procurou em Buenos Aires o Birô Sul-Americano do Komintern, que referendou a aliança com Getúlio. Numa segunda viagem à Argentina, acompanhou-se de um pernambucano que se radicara em Salvador depois da partida de Marighella, trabalhara como fiscal da Inspetoria Regional do Trabalho, graduara-se em agronomia, investira-se do leme do Comitê Regional, fora preso e torturado, refugiara-se na casa de uma mãe de santo e rumara para São Paulo em 1941 com a ambição de reerguer o partido: o bigodudo, assumidamente inspirado em Stálin, Diógenes Arruda Câmara.

Nascido no município sertanejo de Afogados em dezembro de 1914, três anos após Marighella, Arruda ganhara como primeiros presentes do pai um punhal e um revólver Smith & Wesson. Era a cultura da família, respeitada até por Lampião. Diógenes vinculou-se ao PCB aos vinte anos e aos 27 mudou-se para Campinas. Localizou no Rio a recém-criada Comissão Nacional de Organização Provisória do PCB, a CNOP. Seus líderes eram os paraenses Pedro Pomar, ex-estudante de medicina, e João Amazonas, operário de uma fábrica de chocolate e massas, que haviam fugido da prisão quando os guardas se distraíram com a irradiação de um jogo de futebol; o jornalista carioca Amarílio Vasconcelos; e um colega de Marighella no Ginásio da Bahia, o ex-militar Maurício Grabois.

Arruda e a CNOP empreenderam uma segunda conferência pecebista — a de 1934 fora a primeira. De 27 a 30 de agosto de 1943, cerca de 25 delegados de ao menos oito estados se reuniram em um modesto sítio nos arredores de Barra do Piraí, sul do estado do Rio de Janeiro, na base do maciço montanhoso da serra da Mantiqueira. A conferência consagrou o apoio incondicional a Getúlio, com a justificativa de não solapar em casa o empenho no front. Escolheu um Comitê Central com quinze titulares, nenhum deles integrante do órgão em outubro de 1935. Luiz Carlos Prestes, no cárcere desde 1936, foi eleito pela primeira vez secretário-geral do PCB, posto que ocuparia por 37 anos. Antes dele, contabilizados os interinos, no mínimo doze militantes desempenharam a função.

O controle do Secretariado Nacional ficou com Arruda (secretário de Organização, o segundo cargo mais importante), Grabois, Amazonas e Pomar. Os presos da Ilha Grande foram marginalizados por se oporem ao que acusavam de submissão à ditadura — Agildo Barata, o comunista brasileiro com maior projeção depois de Prestes, foi alijado. Segundo o delegado Armênio Guedes, suplente do CC eleito, os organizadores da conferência indicaram Marighella para a direção, ouviram resmungos em virtude de suas restrições a Getúlio, mas ninguém votou contra.

Nos cálculos de Arruda, o PCB reorganizado na serra da Mantiqueira somava 1800 militantes. Dinarco Reis, incluído no CC, contou mil. Os comunistas se alinharam em dois blocos. Refratário ao pacto com o ditador, além da turma majoritária na Ilha Grande havia o Comitê de Ação, para o qual o Estado Novo merecia ser liquidado. Entre seus adeptos, perfilavam o historiador Caio Prado Jr. e o físico Mário Schenberg. Pelo acordo "na guerra e na paz", aprumou-se também quem levou às últimas consequências a extinção do Komintern: para "não atrapalhar o esforço de guerra", propunham que o PCB congelasse no limbo. Não queriam saber de partido. O ex-secretário-geral Fernando de Lacerda chefiou a tendência.

Na ilha, o marceneiro Roberto Morena, o major Carlos da Costa Leite e o jornalista Pedro Motta Lima se ligaram a Fernando de Lacerda. Evitaram-se olhares, trocaram-se empurrões, e a cizânia irrompeu no dia em que, pela primeira vez, não se apresentou chapa única para o coletivo. Motta Lima lançou-se a presidente pelos que toparam a renovada proposta da administração para o trabalho remunerado, como o de corte de lenha. Marighella saiu candidato dos que insistiram em dizer não.

Motta Lima angariou suporte numeroso, como o do ex-estudante de engenharia Joaquim Câmara Ferreira. Na Ilha Grande desde 1942, ele militara na minoria do antigo Birô Político admitida no coletivo. As notícias sobre sua altivez em 1940, nos rituais de tortura similares àqueles com que a polícia castigara Marighella, renderam-lhe respeito entre os camaradas. Em um gesto de desespero, na rua da Relação, ele rasgara os pulsos num vidro de janela. Só assim a tortura tinha parado. Câmara sobrevivera, mas teria como sequela limitações discretas no movimento de dois dedos da mão esquerda.

A chapa encabeçada por Marighella e apadrinhada por Barata apontou as contradições entre os presos e o regime que os prendia. De modo inédito, a votação não foi aberta, com braços levantados, mas secreta, com cédula em urna. Do placar não restou lembrança, apenas da vitória de Marighella e da sua ira na noite do pleito. Ele passou de cela em cela indagando:

"Está com o coletivo ou está com a casa?"

Os que responderam "com a casa" deram a entender que trabalhariam de qualquer maneira. Aos gritos de "fora!", Marighella botou-os para correr do setor destinado aos aliancistas. O cabo José Corrêa de Sá, das Brigadas Internacionais, foi expulso da célula comunista por aceitar a oferta da administração. Noé Gertel, engajado com Marighella, lamentaria que velhos amigos deixassem de se cumprimentar. Ele alertara:

"Isso *pode* levar a uma cisão."

Sem parecer alarmado, Marighella retrucou:

"Isso *vai* levar a uma cisão."

Os camaradas nunca haviam visto Marighella tão furioso. Para ele, carcereiro era carcereiro, e encarcerado era encarcerado. Uma coisa era a promessa de não fugir, reafirmada em negociações na Ilha Grande. Outra era tratar como iguais quem ficava fora e dentro das grades. Certas versões retrospectivas sobre Marighella o enquadrariam nas fileiras de Fernando de Lacerda ou nas da Mantiqueira. Foi o contrário: ele as confrontou nas controvérsias sobre os limites da união nacional e a parceria com o presídio.

Não era um "liquidacionista", pelo menos com o conteúdo do tratamento conferido pelo novo Comitê Central aos que se opunham à reconstrução do PCB. Marighella era um dos líderes da fração comunista, a expressão do partido na ilha. No entanto, não queria conversa com o CC da Mantiqueira, como recapitularia: "Eu também me recusei a manter ligações com a organização do partido fora da cadeia. [...] Nós, e eu incluído, nos negávamos a reconhecer a organização externa do partido. Nessas condições, esta era também uma posição liquidacionista".

A polícia política paulista, bem informada pelos seus espiões, emitiu uma circular sigilosa em fevereiro de 1945. Confirmava que o grupo de Marighella na Ilha Grande era o mesmo de Agildo Barata, sabidamente defensor da reorganização partidária. O que Marighella e seus partidários fizeram foi hostilizar o novo CC. Parecia que só a palavra divina poderia juntar os cacos do partido fragmentado. Ela não veio do céu, mas da rua Frei Caneca, no Rio, onde era cada vez menos rígido o isolamento de Prestes. Em março de 1944, o capitão proclamou: "[...] Não sejamos sectários, não tenhamos vergonha de apoiar o governo, de estender a mão aos integralistas e pró-fascistas equivocados de ontem". Prestes não era Deus, nem sua palavra, sagrada. Mas os ateus comunistas pareciam não levar isso muito a sério. Os mandamentos do secretário-geral foram adotados na Ilha Grande como cartilha, na definição de Gregório Bezerra. Em 1944 e 1945, Marighella escreveu dois poemas idolatrando o Cavaleiro da Esperança.

Os anos de segregação no cárcere ampliaram a popularidade de Luiz Carlos Prestes entre muitos segmentos sociais, como os trabalhadores que retomavam greves e mobilizações. Exemplares da sua biografia escrita por Jorge Amado vinham secretamente da Argentina, onde o livro foi editado em 1942 — no Brasil, era proibido. O capitão não foi torturado na cadeia, porém policiais o agrediram a caminho do tribunal, e o seu rosto sangrou em público. Não podia conhecer a filha, nascida em 1936, e ignorava o paradeiro da mulher. Seus adversários fustigavam: a mão estendida ao presidente cujo governo presenteou Olga Benario à Gestapo era a síntese do oportunismo adesista e da ausência de escrúpulos dos comunistas. Para os admiradores, Prestes era o modelo de sacrifício do revolucionário que submete suas dores mais sentidas aos interesses populares — que reclamariam a união nacional. Era a mesma atitude dos que, torturados pelos esbirros de Getúlio Vargas, agora se aproximavam dele.

A distensão patrocinada por Prestes desanuviou a convivência na Ilha Grande, e as boas-novas da guerra, mais ainda. Em junho de 1944, americanos, ingleses e canadenses desembarcaram na costa da Normandia e abriram a segunda frente contra os alemães. Àquela altura, os soviéticos já haviam contido a Wehrmacht e a sobrepujavam nos combates que prosseguiam. O propósito do "Dia D", além de apressar a queda de Berlim, foi impedir que o Exército Vermelho ocupasse a Europa inteira.

No Brasil, os comunistas recolhiam agasalhos para aquecer os pracinhas. O Ministério da Guerra, comandado por Eurico Gaspar Dutra, tachou a campanha de propaganda subversiva, e os donativos foram incinerados. O general encarnava o anticomunismo mais duro do Estado Novo. Um dos contrapesos era o chefe de polícia do Distrito Federal, João Alberto Lins de Barros, oficial de Prestes na coluna.

A política de união nacional dos comunistas propiciou o afrouxamento da segurança na Ilha Grande, mesmo com a recusa da maioria em trabalhar para a casa. As famílias dos militantes passaram a gozar férias lá. Joaquim Câmara Ferreira conhecera Leonora Cardieri em São Paulo. Os dois trocaram cartas, apaixonaram-se nas visitas que ela fez à ilha e se casaram por procuração. A mulher de Noé Gertel, a ex-tecelã Rachel, era uma atração: não cansavam de lhe pedir para contar sobre o dia 7 de novembro de 1940, 23º aniversário da Revolução Russa, quando ela saudara Prestes com um "viva!" na sala de audiências de um tribunal e fora presa na hora.

Maria Barata também viajava de trem do Rio a Mangaratiba, de onde seguia para a vila do Abraão na barca com cheiro enjoativo de banana. A mulher de Agildo se projetara na campanha pela anistia. Como as esposas dos oficiais expulsos das Forças Armadas, era humilhada com uma perversão: recebia a pensão como "viúva". Se o "falecido" era valente — xingara de "tira vagabundo" e jogara um tinteiro na cara de Emílio Romano, torturador de Marighella —, ela não ficava atrás: foi em cana no mínimo nove vezes. Seu filho único, Agildinho, preocupou Marighella ao ser aprovado no concurso para o Colégio Militar da capital. O amigo do pai levou-o à praia e o orientou a evitar provocações e armadilhas de alunos mais velhos. Um professor raivoso não lhe permitia pronunciar o próprio nome. A — como Agildo Barata Ribeiro Filho diria — "estratégia de defesa" do garoto de doze anos na escola foi pensar em Marighella e seus conselhos. Na ilha, Agildinho brincava com Vera, filha de Rachel e Noé. A menina quase se chamou Anéli, como a mãe pretendia, para homenagear a ANL. Era tudo tão divertido que em 1945, ao tomar conhecimento da anistia, Agildinho não conteve a tirada que antecipava o futuro humorista Agildo Ribeiro:

"Ditador filho da puta! Acabou com as nossas férias na Ilha Grande."

Para esquentar as "férias", um casarão foi cedido para as mulheres dos presos. Algumas se hospedavam por meses. Terminara a privação afetiva, mas Marighella, dos poucos solteiros, não namorava ninguém. Sem ter pronunciado voto religioso nem manifestar vocação para o ascetismo, tudo indicava que guardava castidade desde a prisão em 1939. Por sorte, a liberdade era questão de tempo.

No ambiente político mais arejado, liberais divulgaram em 1943 uma carta pela redemocratização, o "Manifesto dos Mineiros". Com hegemonia de intelectuais comunistas opositores da ditadura, o Primeiro Congresso Brasileiro de Escritores pediu, em janeiro de 1945, "legalidade democrática" e "sufrágio universal, direto e secreto". O redator da declaração foi Astrojildo Pereira, o fundador que retornava ao partido catorze anos após a expulsão. Em fevereiro, o *Correio da Manhã* esgotou nas bancas com uma entrevista de José Américo de Almeida, candidato às abortadas eleições presidenciais de 1938. Ao repórter Carlos Lacerda, já afastado do PCB, o ex-getulista pregou a ida às urnas sem o direito de o ditador concorrer. A publicação da entrevista acabou virtualmente com a censura à imprensa.

Era insustentável para o governo manter os antifascistas encarcerados. Com a pena cumprida ou reduzida, muitos saíam da Ilha Grande. No seu último Natal na prisão, em 1944, os comunistas haviam feito a festa mais bela. Soltaram balões e lanternas que despejaram papéis com a palavra "paz" em vários idiomas. Arautos da liberdade de religião, mesmo sem abraçar alguma, Marighella e os camaradas esculpiram um presépio na oficina de artesanato. Naquele mês, ele completara 33 anos.

Cada alvorecer era de júbilo, com os relatos sobre a guerra transmitidos no café. No fim de janeiro de 1945, o Exército Vermelho libertou o campo de concentração de Auschwitz, na Polônia. No começo de abril, Prestes telegrafou a Getúlio, congratulou-o pelo estabelecimento de relações diplomáticas do Brasil com a União Soviética e reivindicou anistia, se necessário com a sua exclusão. No dia 16, um radiograma requisitou a transferência de Marighella para a Penitenciária Central do Distrito Federal, o novo nome do complexo da rua Frei Caneca.

Na manhã de 17 de abril, uma terça-feira, todos os bens de Marighella couberam numa pequena valise marrom. Ele vestiu um paletó branco puído, de listras finas verticais e escuras, pinçado do lote de roupas doadas. Dispensou gravata. Alguns companheiros, como Agildo Barata, haviam sido levados dias antes para o Rio. O capitão da praia Vermelha e Luiz Carlos Prestes, que nunca haviam estado juntos, se encontraram pela primeira vez. Nem todos os militantes enviados para Dois Rios saíram de lá vivos: dois morreram, de causas naturais. O diretor Nestor Verissimo também não sobreviveu para celebrar o malogro do nazifascismo.

Marighella teve a companhia de Antônio Tourinho. Eles foram sob escolta, mas sem algemas, para a vila do Abraão e ali pegaram uma traineira para Mangaratiba. A viagem pela ferrovia demorou mais de seis horas até a capital. O trem chegou às nove e meia da noite à gare Dom Pedro II. Assim que pôs os pés na plataforma, a dupla foi cercada pelos jornalistas. Um deles reparou nos cabelos brancos que despontavam em Marighella e os tomou como frutos de "longo sofrimento". O entrevistado discordou da interpretação da anistia como benesse do governo, mas evidenciou que se convertera à união nacional (em breve faria "autocrítica" sobre sua resistência à nova elite partidária):

"A notável mobilização do povo brasileiro conseguiu realizar essa grande campanha em favor da anistia. E ela aí está vitoriosa. Anistia significa fortalecimento da frente interna e desarmamento dos espíritos para a paz indispensável à nossa pátria."

Os policiais encaminharam os dois para um carro do Departamento Federal de Segurança Pública. Na rua da Relação, ao contrário do que ocorrera em 1936, Marighella não foi recepcionado com murros. O cordial anfitrião João Alberto confirmou que a anistia era iminente. Logo conduziram os — ainda — detentos para a rua Frei Caneca, onde eles dormiriam na antiga Casa de Correção. Foi nessa noite que Marighella conheceu o camarada, Prestes, que ele glorificava com devoção só comparável à que tinha pelo marechal Stálin. Às onze e meia da quarta-feira, Marighella sentou-se à mesa, em torno de Prestes, para o último almoço na prisão. Os outros comensais foram Agildo Barata, Antônio Tourinho, Gregório Bezerra e um convidado de fora, o diplomata Orlando Leite Ribeiro. Comeram arroz, feijão e peixe ensopado. De sobremesa, uvas, figos, peras e maçãs.

Naquele 18 de abril de 1945, o ditador assinou o decreto-lei que libertou por volta de seiscentos presos políticos. Milhares de pessoas se espremeram em frente à Penitenciária Central para saudar Prestes. Sem informações sobre sua saída, consultaram Trifino Corrêa. O camarada disse que à uma e meia da tarde o líder comunista e outros seis anistiados haviam se retirado escondidos. Era despiste: às sete horas da noite, Prestes partiu de carro, sem ser notado, por um portão lateral da Casa de Correção. A multidão ansiosa para ouvi-lo se dispersou, frustrada.

Minutos depois, Marighella caminhou até o portão principal. Fazia cinco anos, dez meses e 23 dias que ele estava preso. Dos doze anos de comunismo, passara mais de sete na cadeia. Na maior parte do resto do tempo, viveu nos subterrâneos. O Brasil mudava com o mundo. Do bandido pintado pelos diários nove anos antes, Marighella virou, de acordo com a hagiografia publicada em *O Jornal*, o "melhor aluno da Escola Politécnica da Bahia". Um militante ficaria para trás: no manicômio judiciário, ali mesmo na Frei Caneca, o alemão Arthur Ernst Ewert não tinha consciência de nada. Em 1946, ele embarcaria para a Alemanha, onde morreria como herói nacional da República Democrática Alemã sem resgatar a razão. O horizonte dos seus camaradas brasileiros se vislumbrava promissor, como demonstrara a massa disposta a ovacionar Prestes. Apesar da escuridão da noite, o líder estudantil Paulo Mercadante não teve dificuldade em identificar Marighella — os jornais estamparam suas fotografias da véspera, na estação ferroviária. Mercadante se apresentou como o companheiro escalado para buscá-lo e não ouviu nenhum comentário a respeito do partido ou da conjuntura política. Marighella rasgou um sorriso e quis saber do que lhe era urgente:

"Então, onde estão as garotas?"

PARTE II

11. A marcha dos archotes

Paulo Mercadante não estava acompanhado por nenhuma garota, para má sorte do camarada carente. Líder do centro acadêmico da Faculdade de Direito do Rio de Janeiro, ele levou quatro marmanjos, seus colegas, para buscar Marighella na rua Frei Caneca. Temeroso de provocações contra os comunistas, descartou acudir o recém-libertado com deleites de bordel. Prometeu-lhe que iriam a um lugar onde haveria "uma porção de mulheres bonitas". Tomaram o bonde até o largo da Carioca, pararam em um café na Galeria Cruzeiro e embarcaram noutra condução. Nas cercanias do largo do Machado, a faculdade se alvoroçou com a chegada de Marighella, um dos beneficiários mais notórios da campanha pela anistia animada pelo movimento estudantil. Um dos professores a quem Mercadante o apresentou foi José Pereira Lira — em pouco tempo, como chefe de polícia, o docente perseguiria os comunistas. O visitante notou a diferença: desde que partira da Bahia uma década antes não tivera a chance de pronunciar nome e sobrenome verdadeiros ao estender a mão e cumprimentar alguém, a não ser na cadeia. Nos dias seguintes, providenciaria documentos com a identidade autêntica. Naquela noite, embevecia-se com as universitárias à altura da beleza decantada por Mercadante.

As privações durariam um pouco mais: ele obedeceu à orientação do correligionário doze anos mais jovem para se hospedar em Laranjeiras, no apartamento de um funcionário da faculdade. Na manhã seguinte, um oculista com consultório na rua do Ouvidor diagnosticou que a miopia do ex-preso aumentara. Numa loja na esquina da avenida Rio Branco com a rua São José, Marighella experimentou dois ternos semiprontos, e o alfaiate aprumou as medidas. De roupa nova, oferta de Mercadante, passou a dar expediente na sede improvisada do PCB, no terceiro andar do prédio da UNE, número 132 da praia do Flamengo.

Foi lá que reencontrou os encantos que o cárcere lhe roubara. Não fez cerimônia: envolveu-se com uma moça de nome Marina; com a filha de um militante veterano; com uma intelectual do Norte afamada pelo ativismo e as prisões; e com a mulher de um camarada cujo cartaz no mundo literário, intenso em meados do século, definharia até o virtual anonimato na posteridade. A reputação de namorador vinha de longe: em Fernando de Noronha lembravam que, nos tempos de São Paulo, ele usufruíra da intimidade de uma viúva.

Seus affaires caíram na boca dos campanheiros e incomodaram o comando do partido, cuja abordagem dos costumes flertava mais com a pudicícia do seminário georgiano onde Stálin estudou do que com a revolução sexual preconizada pela bolchevique Alexandra Kollontai. O secretário de organização, Diógenes Arruda, escalou um assessor para exigir moderação ao colecionador de conquistas. Incapaz de uma grosseria, o sociólogo José Zacarias Sá Carvalho foi afável. Em uma segunda bronca, transmitida por outro emissário de Arruda, Marighella reagiu como um sonso:

"Não sou eu que as procuro; elas é que me procuram."

Sobre uma senhora fogosa, simplificou:

"Ela caiu nos meus braços, e eu sou humano."

Marighella deu de ombros quando um amigo advertiu-o acerca da indiscrição de uma dama casada — "Cuidado, que ela espalha". Como se soube depois, a esposa infiel tagarelou às amigas que fisgara novo amor. Ele não se restringiu aos rabos de saia do partido. Com Mercadante e outros acadêmicos, fez-se assíduo em boates de Copacabana e da Urca. Retornava de madrugada para o apartamento que o partido lhe destinara, no Catete. Logo cedo caminhava para o edifício que abrigou o Clube Germânia até 1942, quando os estudantes da UNE o invadiram e expulsaram os donos alemães.

Suas primeiras semanas em liberdade coincidiram com os estertores da guerra. A cada trincheira da Wehrmacht sobrepujada pelo Exército Vermelho, as escadas da sede da UNE se engarrafavam com os candidatos a ingressar no PCB. Dez dias depois da soltura de Marighella, os *partigiani* fuzilaram Mussolini e expuseram o cadáver em um posto de gasolina de Milão. Mais dois dias, e Hitler se suicidou no seu bunker berlinense. Pouco antes da rendição da Alemanha, um soldado russo desfraldou a bandeira soviética sobre o Reichstag, e o seu feito retratou para a eternidade a *débâcle* nazista. O prestígio da União Soviética, com seus perto de 27 milhões de mortos no conflito, 34 vezes americanos e britânicos somados, atravessou o oceano. Em Santo Amaro, terra de Maria Rita Marighella, José Veloso levaria uma bandeira da União Soviética ao Carnaval da Vitória — funcionário dos Correios e Telégrafos, ele era pai do menino Caetano Veloso. Em Salvador, homenagearam os soviéticos na festa da anistia em 18 de abril, feriado do bicentenário do desembarque da imagem do Senhor do Bonfim. O operário João Severiano Torres discursou saudando a libertação do conterrâneo Marighella.

Os comunistas se identificavam em público como tal e se reorganizavam à luz do dia, mas careciam de autorização oficial para funcionar. A polícia política os monitorava e, mesmo reduzidas, as prisões não se interromperam — o jornalista Joaquim Câmara Ferreira seria detido duas vezes em 1945. Não era à toa: o Estado Novo permanecia uma ditadura com presidente imposto, Congresso interditado e Constituição autoritária. O partido planejou consagrar a legalidade de fato com um comício-monstro, no mesmo estádio do Clube de Regatas Vasco da Gama que Getúlio Vargas lotava com suas concentrações. Se o ato em São Januário desse certo, não haveria repressão que freasse o PCB. Marighella foi destacado para receber na praia do Flamengo as centenas de cidadãos que diariamente buscavam informações sobre o comício. Nomearam-no tesoureiro da comissão preparatória do evento. Os militantes repararam que o companheiro possuía só dois ternos, e ele ganhou mais um da família do médico Manoel Venâncio Campos da Paz. Não passou despercebido ao acadêmico de ciências médicas Eros Martins Teixeira que Marighella amarrava com cordão as mangas da camisa. Como recolhia doações para os anistiados, separou um par de abotoaduras para o camarada.

O fervilhante prédio da UNE se agitava ainda mais nas aparições de Prestes, gozando pela primeira vez a popularidade consagrada com a coluna dispersa em 1927. Desde então, no Brasil, ele estivera clandestino ou encarcerado. A construção do PCB se daria ao redor do chefe carismático, maior que o partido — todo comunista era prestista, mas nem todo prestista era comunista. A imagem da agremiação se subordinou à do Cavaleiro da Esperança, com o lema "Um grande partido para um grande líder", e não o inverso. Enquanto Stálin era o "guia genial dos povos", o PCB venerava seu secretário-geral como o "mestre do proletariado".

À espera do ídolo, o estádio de São Januário, o maior do Distrito Federal, revelou-se acanhado para a massa que acorreu em 23 de maio. Quinhentas delegações provenientes de todo o país o coloriram com estandartes e bandeirolas. Faltou espaço nos bares cariocas para acompanhar o comício pelas rádios Globo, Mayrink Veiga e Cruzeiro do Sul. A Rádio Internacional transmitiu para o exterior. Emissoras locais, para os estados. O estádio lotou, e milhares de pessoas se espremeram do lado de fora. Marighella divulgou a estimativa de público de 100 mil; se exagerou, foi por pouco.

Às seis da tarde, os manifestantes tomavam o gramado sob um chuvisco irritante. Às oito, mesmo de pé, não cabia mais ninguém nas cadeiras e arquibancadas. Os alto-falantes tocaram os hinos do Reino Unido e dos Estados Unidos, e a jornalista e atriz Eugênia Álvaro Moreyra e o estivador Álvaro Ventura discursaram. O hino da União Soviética foi o último ouvido antes do anúncio da chegada de Prestes. Na caminhada decidida até o palanque, o jornalista João Falcão, vindo da Bahia, ouviu-o comentar: "Na coluna, andávamos nessa marcha". Eram nove horas e já estiara quando as luzes se apagaram. Como vaga-lumes, os presentes acenderam fósforos e iluminaram o estádio. Fogos de artifício clarearam o palanque. A multidão cantou o Hino Nacional antes de Prestes se aproximar do microfone sob uma ovação que jamais vivera. O homem que em 1935 capitaneara o assalto ao poder agora apregoava outra mensagem: em vez de derrubar o presidente, os comunistas deveriam defendê-lo com ardor. O novo lema do PCB era "Ordem e Tranquilidade".

Para quem se aventurara em uma revolução dez anos antes, era uma virada e tanto.

O discurso de Prestes assinalou que, se atendidas as reivindicações de melhores salários e condições laborais, os operários "saberão ajudar os patrões, por uma eficiência maior no trabalho, a reduzir os custos de produção". No Recife, diante de uma audiência tão numerosa quanto aquela, ele foi mais longe: "É preferível, companheiros, apertar a barriga, passar fome, do que fazer greve e criar agitações, porque agitações e desordens na etapa histórica que estamos atravessando só interessam ao fascismo". Marighella diria ao jornal baiano *O Momento*: "Não acho oportuno desencadear qualquer movimento grevista na hora atual".

Não era só da boca para fora. Em São Paulo, a imprensa comunista se orgulhava: operários da empresa Lindemberg, Assunção e Cia. "não foram à greve graças à intervenção do PCB". O partido justificava a prudência com o espectro de redutos anticomunistas do governo que poderiam apear Getúlio Vargas. Havia um motivo determinante: a União Soviética ansiava por tempo para se reerguer das ruínas e não poderia desperdiçar recursos em confrontos bélicos. Stálin repartiu o planeta em áreas de controle com os Estados Unidos e o Reino Unido. Deliberou que seus seguidores em todo o mundo se aliassem aos governos capitalistas da frente antifascista. Por isso, o dirigente comunista francês Maurice Thorez condenava as greves como "arma dos trustes". E o influente Partido Comunista Italiano freou a revolução em 1945, como recordaria o cineasta Bernardo Bertolucci no filme *1900*.

Na linha de sustentar o presidente, o PCB se uniu ao "queremismo", o movimento cuja divisa — "Queremos Getúlio" — era a eleição de uma Assembleia Constituinte sem o afastamento do ditador. A adesão não convencia comunistas como o historiador Caio Prado Jr., no entanto se moldava à imensa base social de Getúlio. Sua administração criara as empresas estatais Companhia Siderúrgica Nacional e Companhia Vale do Rio Doce. Introduzira o salário mínimo, as férias anuais remuneradas, a licença-maternidade e outros benefícios. Por seu turno, o PCB angariava apoio popular ao combater pelo aumento de 100% no piso salarial e imposto maior para os mais ricos. O partido pressionava, e o governo cedia: em fevereiro, a censura do Departamento de Imprensa e Propaganda (DIP) proibira a publicação de fotografias da União Soviética; dois meses depois, porém, o Brasil estabeleceu relações com os soviéticos e, em maio, o DIP foi extinto.

Marighella percorria o país como caixeiro-viajante. "Vendia" uma agremiação que, apesar de defender no momento um capitalismo saudável, prometia lutar pela sociedade sem classes. Logo se deu conta de que o Brasil jamais conhecera um partido de massas como o seu. Dos 6800 membros contabilizados no mês em que Marighella deixou a prisão, o PCB alcançaria de 180 mil a 220 mil em dois anos — sua secretaria não conseguiu classificar todas as fichas de filiação. Até maio de 1947, a polícia vigiaria ao menos oitocentos comícios do partido somente no estado de São Paulo, onde o estudante de antropologia Darcy Ribeiro orientava a célula dos motorneiros de bonde. A da Nitroquímica, maior do país, reunia mais de mil operários e fez de Marighella a atração de um ato público. Ele deu a largada na organização dos universitários paulistas do PCB — no Rio, o comunista Paulo Silveira presidia a UNE. Era o período da maré enchente, resumiria o camarada Octavio Brandão.

Nas andanças pela cidade onde o prenderam em 1939, Marighella prestigiava as atividades do Instituto Brasil-União Soviética, cuja diretoria incluía personalidades como a pintora Tarsila do Amaral e o escritor Monteiro Lobato. Convivia com seu conterrâneo Jorge Amado. Assim que o amigo e a mulher, Zélia Gattai, se mudassem para o Rio, seria um comensal assíduo na casa deles. Na capital, dividia a mesa também com outro camarada escritor, Graciliano Ramos. Com o autor de *Vidas secas*, almoçava no restaurante Furna da Onça, de comida nordestina. Como publicava artigos na *Tribuna Popular*, papeava na redação com Carlos Drummond de Andrade. O poeta aceitara ser um dos editores do diário comunista, na breve quadra da vida em que foi íntimo do PCB. No poema "Nosso tempo", impresso em livro em 1945, ele definiu a época:

Este é tempo de partido,
tempo de homens partidos.

O PCB passou a congregar uma seleção de artistas e intelectuais sem similar em nenhum agrupamento partidário. Necessitava de quadros para leiloar nas campanhas financeiras? Cândido Portinari doava. Como decorar o estádio do Pacaembu para o comício de julho? Di Cavalcanti cuidou da tarefa, e o cartaz do evento levou a assinatura de José Pancetti. Na música clássica, poderia escalar orquestras só de camaradas, entre os quais o maestro Francisco Mignone, o pianista Arnaldo Estrela e o compositor Cláudio Santoro. Jingle para as eleições? Dorival Caymmi compôs:

Ordem e tranquilidade
Progresso e democracia.
Para o povo igualdade
O partido é o nosso guia.

Marighella cantarolava "Cabo Laurindo", samba de Haroldo Lobo e Wilson Batista, gravado por Jorge Veiga. O personagem fictício do título, sambista da

Mangueira, lutava nas tropas da FEB, aderia ao PCB e virava o "camarada Laurindo". No cinema, Ruy Santos documentava as manifestações do partido, ao qual chegava o iniciante Nelson Pereira dos Santos. Na literatura, perfilavam do paraense Dalcídio Jurandir ao gaúcho Dionélio Machado. O físico Mário Schenberg, amigo de Albert Einstein, militava na academia. Em São Paulo, Marighella visitava a residência do arquiteto Vilanova Artigas. No Rio, encontrava-se amiúde com Oscar Niemeyer, outro amigo.

Niemeyer cedeu seu escritório de arquitetura, na rua Conde de Lages, para o PCB instalar o Comitê Metropolitano do Rio. Pertinho dali, na rua da Glória, o partido sediou numa casa de quatro andares o seu Comitê Nacional, o novo nome do Comitê Central. Em agosto, a direção anunciou sua constituição com vinte titulares, entre os quais Marighella, e sete suplentes. Vingou-se de Agildo Barata, que rejeitara a Conferência da Mantiqueira. Sua exclusão até da suplência provocou tamanho mal-estar que o cooptaram, contra a vontade, para o Comitê Nacional. Aliado de Barata na Ilha Grande, Marighella ficou fora da cúpula de nove membros da Comissão Executiva, como o Birô Político foi rebatizado, mas o designaram suplente. Nessa condição, ele foi enviado a São Paulo para ajudar o Movimento Unificador dos Trabalhadores, o MUT, associação montada pelo PCB à margem do sindicalismo tutelado pelo Ministério do Trabalho — a despeito da pregação por ordem e tranquilidade, a polícia paulista contou 491 greves no estado em 1945. Em Belo Horizonte, Marighella impressionou o futuro deputado Marco Antônio Coelho com a "exuberância oratória dos baianos". Um dos empacotadores do jornal pecebista em Minas era o paisagista Roberto Burle Marx.

O PCB espalhou publicações diárias pelas capitais. Para abastecê-las, criou uma agência de notícias, a Interpress. Só no Rio, 140 jornalistas trabalhavam na imprensa comunista. A Editorial Vitória e as Edições Horizonte imprimiam clássicos do marxismo e textos e discursos de dirigentes, muitos de Marighella. Para manter a máquina com centenas de funcionários, o partido apelava — com sucesso — aos militantes pela doação mensal de um dia de salário. Leôncio Basbaum, readmitido no PCB e agora na Comissão de Finanças, confirmaria que banqueiros e industriais regaram o caixa partidário. O Komintern desembolsara dinheiro na quartelada de 1935 e mais à frente a União Soviética patrocinaria com dólares os camaradas do Brasil. Se houve recursos do exterior em 1945, o "ouro de Moscou" foi ninharia, comparado à arrecadação autônoma do PCB. Nas praças esportivas abarrotadas com os comícios, eram raros os que não doavam ao partido.

Até quando o estádio se enchia para assistir ao futebol a renda podia ir para os comunistas: em outubro, o Palmeiras bateu o Corinthians por 3 a 1 no Pacaembu, em partida com a bilheteria revertida para o MUT — em São Paulo, Marighella era corintiano; no Rio, Flamengo.

Como uma torcida a receber seus campeões, multidões atulhavam as avenidas cariocas para aclamar os pracinhas que lutaram na Itália. Numa recepção de julho, desfraldaram a faixa "O Partido Comunista do Brasil saúda a gloriosa FEB". No mesmo mês, o poeta Pablo Neruda, recém-eleito senador pelo Partido Comunista do Chile, declamou um poema em louvor a Prestes no Pacaembu. Tão numerosa era a militância do PCB em Santos que a cidade portuária tornou-se conhecida como "Moscouzinha". Os pecebistas fundavam as primeiras Ligas Camponesas. Vibravam com os partidos comunistas estrangeiros nos governos, em coalizão com os liberais e outras forças antes alérgicas à esquerda — Charles Tillon era ministro na França e Palmiro Togliatti, na Itália. Um dia se confrontariam balanços sobre a relevância maior de 1968 ou 1989 no século XX. Para os comunistas brasileiros, nunca houve um ano tão radioso e de tantas esperanças como o de 1945. Para Marighella, foi também quando ele reencontrou a Bahia, dez anos depois de embarcar para o Rio fugindo da polícia.

Enquanto ele não voltou, mãe e irmãs choraram na Baixa dos Sapateiros. Em um ritual do candomblé, a vizinha dona Laura foi à praia do Rio Vermelho oferecer um "presente às águas", para que Carlinhos se "reconciliasse com Deus". Maria Rita renovou aos santos as súplicas pelo filho mais velho. Em 1938, ela descobriu uma traquinagem de Caetano. Com nove anos, o caçula pegou as imagens de Cosme e Damião e recolheu pelo bairro contribuições para uma alegada missa em favor do irmão em apuros. Em vez de se destinar à igreja de São Francisco, o dinheiro acabou no cinema, em pagamento dos ingressos do menino e seus amigos. Maria Rita soube, aplicou-lhe uma sova e temeu pela ineficácia de suas promessas. Uma missa celebrou, em 1945, a libertação do preso mais ilustre da Bahia. No fim de maio, Marighella entrou em casa e correu para os braços da mãe e do pai. Ao topar com um adolescente grandalhão, reconheceu Caetano, de quem era padrinho, e caçoou:

"Cadê o meu afilhado, que trocou a minha liberdade por uma matinê no Jandaia?"

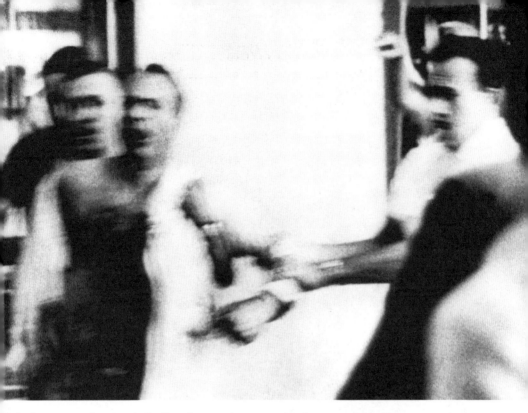

Baleado e sangrando, Marighella é levado por policiais na saída do cinema Eskye-Tijuca, em 1964.

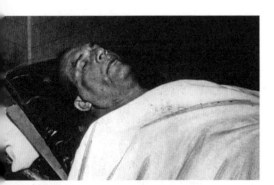

Marighella, com três perfurações de bala no corpo, no Hospital Souza Aguiar.

3. Cecil Borer, diretor do Dops carioca: "Cuidado, que o Marighella é valente".

5. Marighella em 1928, quando completou 17 anos.

4. Filha de escravos e mãe de Marighella, Maria Rita nasceu em maio de 1888, o mês da Abolição.

6. O italiano Augusto Marighella, pai do mulato Carlos, desembarcou na Bahia em 4 de novembro de 1907; dia e mês marcariam a história do filho.

Com a cabeça raspada, sorriso escancarado e quepe no coturno, Marighella posa com colegas do tiro de guerra. Seu futuro camarada Maurício Grabois é o primeiro da segunda fileira, da esq. para a dir., ao lado de Marighella.

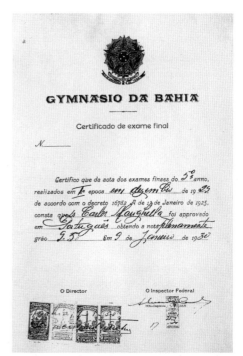

8.
No quinto ano no Ginásio da Bahia, em 1929, Marighella recebeu nota 9,3 em português.

Grão *Cinco (5)*

Escola Polytechnica da Bahia

Em 27 de Junho de 1931

Nome do alumno Carlos (...)

Questões: Theoria. Discorrer sobre as propriedades do hydrogenio-elemento. Sua preparação no laboratorio e na industria.

Pratica. Derivar a formula da substancia que deu, por analyse, 52,0 % C; 13,2 % H; 39,68 % O, sabendo que os pesos atomicos de C, H e O são 12,005; 1,008 e 16.

Que peso de oxygenio existe em:

a) 200 grammas de HgO
b) 200 " " BaO$_2$
c) 200 " " KClO$_3$,

sabendo que os pesos atomicos de Hg, Ba, K e Cl são 200,6; 137,37, 39,1 e 35,46?

10 litros de um gaz medidos a 20° e 750 mm. de pressão pesaram X grammas. Que peso desse gaz pode estar contido num vaso de 4 litros de capacidade, á pressão de 760 mm. e á temperatura 10°, sabendo que X = 31?

Theoria:

De leveza no peso são capazes
Diversos elementos, varios gazes;

O hydrogenio, porém, é um gaz que deve
Ter destaque, por ser o gaz mais leve.

Combina-se com varios metalloides,

---

9. Na Escola Politécnica da Bahia, em 1931, Marighella compôs versos para responder às questões de química; no Ginásio da Bahia, em 1929, ele versejara na prova de física.

10. O interventor Juracy Magalhães, alvo de poema e da militância do estudante Marighella na Bahia.

11. Ióssif Stálin, que para Marighella era "guia, mestre, educador e pai"; depois sobreveio o desencanto.

12. Em 1934, o universitário Marighella escreve pedindo direito à presença em reunião da congregação que o julgaria; acabou suspenso e deixou a faculdade.

A Liberdade

ANNO I — NUM. 1

ORGÃO OFFICIAL DO GOVERNO POPULAR REVOLUCIONARIO

Rio Grande do Norte -- Natal, Quarta-feira, 27 de Novembro de 1935

Emfim, pelo esforço invencivel dos opprimidos de hontem, pela collaboração decidida e unanime do povo, legitimamente representado por soldados, marinheiros, operarios e camponezes, inaugura-se no Brasil a era da Liberdade, sonhada por tantos martyres, centralizada e corporificada na figura legendaria — omnipresente no amor e na confiança divinatoria dos humildes — de LUIZ CARLOS PRESTES, o "Cavalleiro da Esperança"!

SOB A ALLELUIA NACIONAL DA LIBERDADE

Delenda fascismo!

Os que, com o coração trepidante de esperanças e jubilo, traçamos agora estas linhas, escreviamos nesta mesma columna, em 8 de outubro de 1930, ao ruir fragorosamente, sob o clamor popular, a apodrecida geringonça do regimen washingtoniano: — "Não ha de mais haver lugar para tergiversações nem esperanças absurdas. Nada se delibera mais, fóra do ambito nacional da Revolução, em cuja atmosphera a vibrante alma popular, ha tanto tempo ludibriada e oppressa, respira emfim o ozone vivificador da Liberdade. Em nome desta, e com insanavel ludibrio ao nome do paiz — não esquecamos —, vinham sendo descaroavelmente perpetrados processos tão inverosimeis de politica e administração, que não era possivel permanecessem os destinos do regimen á discrição tyrannica dos responsaveis pelo descalabro, chegado a tal ponto, que os mais passivos, os mais obscuros, os mais humildes elementos do povo, emergindo do silencio, do soffrimento e da revolta constantemente e impiedosamente açaimada, despedaçaram as cadeias e vieram confraternizar nas ruas, num transbordamento de festa e patriotismo, com as forças revolucionarias victoriosas".

E é optimo repetir que hoje se delibera mais, doravante, fóra do ambito de chammas da rebeldia nacional, gloriosamente iniciada no Rio Grande do Norte, a 23 do corrente, e victoriosa em todo o territorio brasileiro.

Porque era o mesmo, por assim dizer, apenas mais carregado de sombras e lavado de sangue, o panorama politico-social desta pobre grande patria, entregue á insaciavel camarilha que acabamos de varrer das posições cynicamente occupadas, explorada pelos seus patrões extrangeiros, que havemos de enxotar inexoravelmente, arrancando-lhes ás garras vulpinas o que arrebataram do sangue e do suor do povo.

Carcomidos, até á alma, pelo "virus" do interesse mais mesquinho, mais estomacal ; vendidos ás empresas dos paizes imperialistas papa-terra ; cavalgados pelos leões famelicos do latifundismo ; coniuidados, na sombra de leis sceleradas e exclusivistas, com os plinios salgados e seus asseclas de roupeta ; ajudados, nessa orgia tenebrosa, por muitos revolucionarios em absoluto esquecimento de si mesmos e ao desse nome, — os politicos profissionaes, cuja symbolo mais proprio e mais caricato é Getulio Vargas e sua farandula de bonecos, estavam a pique de entregar o Brasil, de pés e mãos atados, á temerosa cainçalha adventicia, representada pelos credores europeus e americanos e suas formidaveis empresas de exploração, espionagem e "boycott".

Nós temos o proposito de arrancar a venda aos olhos do Gigante algemado, não só temos visto por elle, nós que estavamos, estamos e estaremos alerta contra toda essa chusma de patriotas invertidos e estrangeiros gananciosos.

Vamos confiscar as duvidosas fortunas desses ladrões internacionaes, fazel-os trabalhar e produzir, ou arrepiar caminho para os desertos de onde vieram para aqui enriquecer e malsinar nossas coisas e nossa gente.

Vamos fazer produzirem nossos campos. Explorar as nossas minas, o nosso minerio de ferro, de ouro, de tudo que a Natureza nos deu da maneira mais privilegiada no mundo. Aproveitar nossas immensas quedas dagua, nossas florestas immensissimas. Dar credito ao agricultor, até agora miseravelmente tratado como servo de gleba. Desenvolver a pecuaria. Estimular a industria, creando as grandes usinas de metallurgia para fabricarmos, aqui dentro, as nossas machinas, os nossos aviões, a nossa munição para resistir a quem quer que se aventure a reduzir-nos a colonia. Reformar, pela base, a burocracia, que é um dos cancros mais ter-

Parahyba, firme!

Podemos assegurar a todos os camaradas deste Estado, que a Parahyba já se encontra sob o governo revolucionario do intrepido companheiro major João Costa.

riveis á libarga da Nação. Apparelhar o Exercito e a Marinha, dignificar-lhes a missão dentro do paiz e em sua funcção essencial de defesa e garantia permanente do nosso prestigio internacional.

Dividiremos as terras. Garantiremos o direito ao trabalho. Ninguem dispenderá um real para aprender a ler e completar sua cultura. Reformaremos os codigos, estabelecendo, sob o regimen da racionalização e da renovação do Direito, tudo que temos promettido para libertação do paiz, tonificação de suas fontes economicas, felicidade de seu povo martyrizado e capaz das maiores conquistas.

A victoria, conseguida agora, sabel-a-emos solidificar, para que fructifique o sonho dos que nos antecederam, tombando nas trincheiras deante dos quarteis do absolutismo annquilado para sempre.

Estamos fortes, estamos firmes, estamos vigilantes, porque nossos olhos são os milhões de olhos do povo desperto e desagravado pela nossa metralha.

Ninguem se engane. Ninguem desanime. Desmoralise-se uma vez o boato, cujos esposaveis punirmos sem appello.

Soou a hora esperada pela consciencia nacional.

Não ha mais lugar sem motivo para tergiversações, sim e sim !

Para os que nos quizerem auxiliar com sinceridade, aqui estamos. Para os que tentarem, por qualquer forma perceptivel, subverter a ordem ora implantada no Rio Grande do Norte, amparados na energia indomita do nosso ideal, nas armas do glorioso 21 B. C., no coração

O Brasil, que os politiqueiros a serviço do Cattete acocoraram ridicula e miseravelmente atraz dos paizes que bancam o papão na vida intercontinental, por terem dinheiro, exercitos e esquadras armadas até os dentes ; o Brasil, que ao tempo do Marechal de Ferro deu aquella resposta celebre de insolencia ingleza, não entrou no numero das nações livres e fortes que cerraram fileiras em torno das sancções commerciaes contra a Italia dos camisas-pretas, a Italia do papão-mór Mussolini.

Contra a Italia que, a pretexto de civilizar (!) a Abyssinia, atirou-se, como um italiano esfaimado a uma gamella de

do povo, — teremos o castigo que merecem todos os trahidores, todos os pusillanimes, todos os burguezes vendidos e de canalha internacional e de mãos dadas aos inimigos internos do Brasil.

Viva a Liberdade !
Viva Luiz Carlos Prestes !
Viva a Alliança Nacional Libertadora !

COMITÊ POPULAR REVOLUCIONARIO

E' a seguinte a composição do COMITÊ POPULAR REVOLUCIONARIO, acclamado ante-hontem pelo povo, ás 10 horas, e em pleno exercicio de sua funcção, com séde na "Villa CCincinato" :

Lauro Cortez Lago — Interior.
Sargento Quintino — Defesa.
João Baptista Galvão — Viação.
José Praxedes — Abastecimento.
José Macêdo — Finanças.

macarrão ou "polenta", ao grande e altivo imperio da Africa Oriental.

Porque não era tempo, ainda, de atirar-se ao Brasil, onde já de ha muito enkysteou o cancro da sua espionagem sangue-suga e amimada, através da famosa matarrazzos e catteva.

Os sinistros empreiteiros da desgraça e da desmoralização nacional precisavam, amordaçados pelo ouro dos plutocratas, hypnotizados pelas labias da gallegada, atrevida e impune, vender cada vez mais a nossa terra, o trabalho e as energias, a vergonha e os direitos do nosso povo, afim de se encherem ainda mais de milhões e de immoralissimo prestigio perante os donos do mundo.

Para tapearem a Nação, estarrecida de tanta desfaçatez e tanta sabugice, inventaram a celebre venda, á mesmissima Italia fascista e fascicizante, de não se sabe quantos milhões de toneladas de carnes congeladas ! Como se nós e o povo não soubessemos que esse mercadoria não representa dez por cento do esforço nacional. Si não soubessemos, nós e o povo, que foi mais um golpe contra a industria nacional de frigorificos, quasi toda nas unhas dos estrangeiros, que sonegam o pagamento dos impostos e fazem, sob a égide do governo, a mais deslavada competencia ao producto beneficiado nas fabricas brasileiras !

O povo todo, o Brasil todo, o Brasil livre e justo, o todo que se vende, o que não resa pela cartilha dos camisas-verdes ou

(Conclue na 2.ª pagina)

**NOTICIA de ultima hora, hontem, captada no radio, dá-nos a certeza de haver S. PAULO adherido ao movimento. S. PAULO em peso, com todo o seu elemento militar e popular, desenraizou nas ruas, ao retumbar da metralha, um dos mais temiveis bastiões do absolutismo capitalista, representado por Armando de Salles e sua comitiva.
Viva a Revolução Popular Brasileira!**

A primeira e única edição de A Liberdade, *jornal dos revolucionários da Comuna de Natal, em 1935.*

14. Revoltosos derrotados do 3º Regimento de Infantaria, em 1935; o capitão Agildo Barata, de quepe, é o terceiro da esq. para a dir.

15. A polícia política carioca fotografa Marighella com o supercílio esquerdo ferido na tortura, em 1936...

16. ... o *Diário Carioca* publica uma foto como a recebeu, com o machucado...

"Correio de S. Paulo"
26-5-

Granadas, revolvers, fuzis e pistolas
apprehendidos pela policia!
Cartuchos de metralhadoras, codigos secretos e gazes lacrimogeneos em poder dos communistas

No combate á propaganda extremista no paiz, a policia carioca tem-se revelado efficiente. A' prisão dos elementos mais em evidencia do Partido Communista, junta-se agora a do secretario substituto do Comité Central daquelle partido no Brasil, além da apprehensão de copioso arsenal de armas e munições.

quando se descobriu que na Ladeira do Castro, 71, havia um individuo que mantinha entendimentos suspeitos com outros que estavam sob as vistas das autoridades.

la, foi encontrado e apprehendido o seguinte:
Mais de dois mil tiros para pistola "Parabellum"; 8 granadas de mão, typo francez, muitos revolveres, pistolas, facas, navalhas,

dencia communista, interessante documentação do movimento communista no Brasil, folhas da thesouraria da legião communista do Brasil, recibos de acquisição de material typographico e machina de impressão pertencentes á typographia do partido, a qual está imprimindo a propaganda do mesmo P. C. B. e da A. N. L.

Milton Rodrigues da Silva, que expedia impressos de propaganda communista em caixas de fructas; o engenheiro Carlos Meringhella, que veiu da aBhia para continuar a obra de Adalberto Fernandes, na secretaria do partido communista, e Taciano José Fernandes, outro elemento de destaque do P. C., que se encontra preso com os demais.

Quando, no Rio, foi effectuada a prisão de Adalberto Fernandes, já para o seu logar, na secretaria do Comité, fôra nomeado um substituto. Este, vindo da Bahia, era desconhecido na capital do paiz. Faria-se mister descobril-o. As investigações feitas não demonstravam resultados satisfactorios, até

A Delegacia Especial de Segurança Politica e Social destacou uma turma de investigadores da Secção de Fiscalisação de Armas e Explosivos da D. E. S. P. S. para dar uma busca rigorosa na casa n.º 71 da Ladeira Castro. Realisada a diligencia, os policiaes encontraram grande quantidade de prospectos de propaganda communista além de armas e munições, tendo sido tudo transportado para a Policia Central.
Investigando sobre a propriedade desse material, a policia descobriu que elle pertencia a Taciano José Fernandes, activo elemento do Comité de Agitação e Propaganda Communista. Preso, foi conduzido á Delegacia Especial, porém no intuito de encontrar nova pista, a policia após ouvil-o, desinteressadamente, pol-o em liberdade.
Uma vez livre, Taciano, incontinenti, entrou em entendimentos com seus "camaradas", sem suspeitar que seus passos estavam sendo seguidos.
A PRISÃO DE UM ENGENHEIRO NA SECRETARIA DO P. C. B.
A policia descobriu então que Taciano José Fernandes tinha entendimentos suspeitos com o engenheiro Carlos Meringhella, brasileiro, formado na Bahia, e residente á rua Senador Alencar, 73. Preso, apurou-se que se tratava do novo secretario do Partido Communista. Aos demais moradores da casa, Meringhella déra os nomes de Armando Silveira Lopes e Francisco de Magalhães.
Meringhella confessou que era, na Bahia um dos mentores do P. Communista e que gosava de excellente posição no meio da sociedade bahiana. Informou mais que fôra obrigado a deixar, S. Salvador para fugir ás perseguições da policia bahiana, pois que era tambem accusado de fazer a propaganda vermelha entre os estudantes.
A busca effectuada pelos inspectores da D. E. S. P. S. na residencia do engenheiro Meringhel-

fuzis, innumeros cartuchos de metralhadora, grande quantidade de bombas de gaz lacrimejante, codigos secretos, de que se serviam para communicações cifradas com centros extremistas dos Estados do Norte, e do S8, documentos contendo relações de pontos e endereços, para recepção, nesta capital e nos Estados, de correspon-

SEIS CAIXOTES DE PROSPECTOS DE PROPAGANDA

A policia apprehendeu ainda em poder de Taciano José Fernandes seis caixotes, contendo prospectos de propaganda communista, os quaes deveriam ser despachados com o rotulo de uma avicultura situada á rua Clapp, 54.

17. ... mas o *Correio de S. Paulo* frauda a imagem, limpando o curativo.

18. O presidente Getúlio Vargas em 1936, ano em que policiais torturaram Marighella por três semanas.

19. De gravata-borboleta, em 1936, Filinto Müller, o chefe de polícia do Distrito Federal.

20.
Ao centro, Antonio Emílio Romano, chefe da delegacia de Segurança Política; Marighella apontou-o como um de seus torturadores.

1. Investigadores da polícia política paulista, na década de 1930; ao centro, assinalado, Luis Apollonio, perseguidor de Marighella.

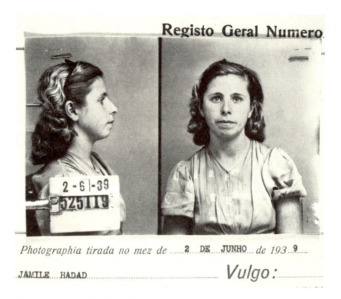

22. A tecelã Jamile Hadad, militante do PCB e, de acordo com carta que ele escreveu em 1939, noiva de Marighella.

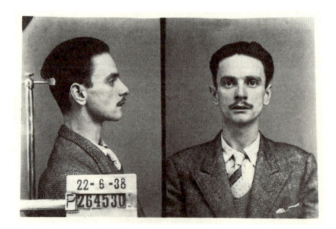

23. O revolucionário Hermínio Sacchetta, oponente de Marighella na disputa interna do PCB nos anos 1930.

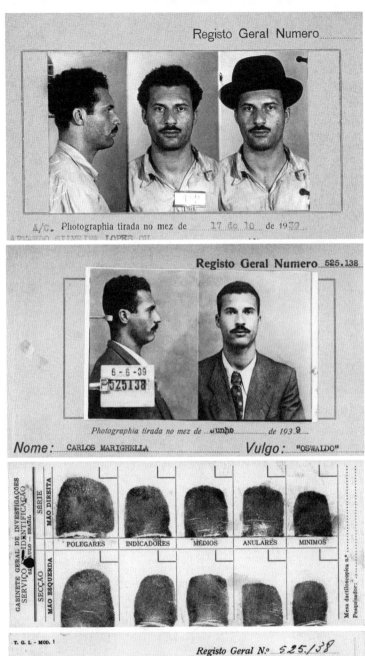

24. Preso em São Paulo em 1939, Marighella é fotografado, imprime as digitais e registra sua assinatura.

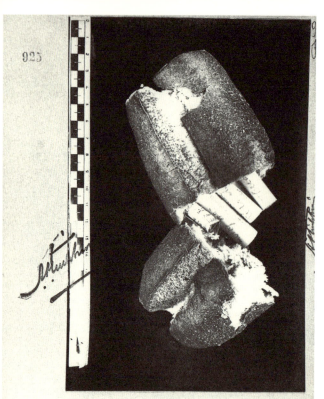

25.
O "pãozinho de Troia", com os bilhetes secretos que Marighella tentou enviar a um camarada na prisão, em 1939.

26. Material apreendido pela polícia em maio de 1939, no quarto que Marighella alugava no bairro paulistano da Bela Vista.

7. Presos políticos em Fernando de Noronha, em 1941; agachado, Marighella é o segundo da esq. para a dir.

28.
Marighella em Fernando de Noronha, ilha onde ficou preso de 1940 a 1942.

29. Presos políticos na Ilha Grande, por volta de 1942; na terceira fila, da frente para trás, assinalados com setas, Marighella é o primeiro à esq. e Joaquim Câmara Ferreira, o penúltimo à dir.

30. Em 1943, militantes comunistas carregam retrato do ditador Getúlio Vargas em manifestação na Bahia contra o nazifascismo; à dir., o futuro pracinha Jacob Gorender faz o sinal da vitória.

31. Em 17 de abril de 1945, Marighella carrega uma maleta na viagem da Ilha Grande para o Rio de Janeiro, onde seria libertado pela anistia, no dia seguinte.

As gargalhadas na rua Barão do Desterro reviveram os ares de outrora, embora as crianças tivessem crescido. Marighella apelou às irmãs para lhe corrigirem uma deficiência, ensinando-o a dançar. Aprendiz e mestras falharam, e o primogênito de cintura dura prosseguiu como uma ameaça aos pés das moças. Apenas Maria Rita sorria pouco. Ela sonhara com seu garoto na tortura. "Que nada", Carlinhos desconversava. A mãe não se convencia e, em busca de cicatrizes, espiava o corpo do filho enquanto ele dormia.

Marighella passava mais tempo na sede de *O Momento* do que em casa. Primeiro jornal do PCB em 1945, o periódico nasceu em abril como semanário em formato tabloide e logo passou a diário standard. Talvez fosse o único do partido que o Comitê Nacional não subsidiasse, pois seu faturamento permitia manter os balanços no azul. O diretor, João Falcão, desenvolvera um tino para os negócios que o faria multiplicar a herança de família e — já afastado do comunismo — alcançar a condição de um dos homens mais ricos da Bahia. Outro futuro empresário de talento e fortuna a trabalhar na publicação foi Boris Tabacof. Estudante comunista, no ano anterior ele perdera para Antonio Carlos Magalhães, ainda longe de se celebrizar como ACM, a eleição para a presidência do grêmio do Ginásio da Bahia. O redator-chefe no lançamento do jornal foi Mário Alves, em breve sucedido por Jacob Gorender. Quadros baianos galgariam postos na hierarquia central do PCB, como os dois jovens jornalistas. O partido também se fortalecera com camaradas de fora. Tantos se refugiaram na Bahia após o movimento de 1935 que um dos fugitivos, Carlos Lacerda, chamaria o estado de "valhacouto de comunistas".

Em 1945, os pecebistas não queriam mais se esconder, e sim aparecer. Os militantes recebiam um documento identificando-os — tornavam-se, de fato, comunistas de carteirinha. Marighella promovia sessões de filiação em Salvador. Ele abonou a ficha da poeta Ana Montenegro, e ela indagou:

"Afinal, quem é você?"

"Sou um mulato baiano", o amigo respondeu.

Ana contou que amava os pintores impressionistas:

"Parece que captaram toda a luz do universo para iluminar e colorir seus quadros."

"No entanto o universo continua iluminado e colorido", disse Marighella.

A cada desembarque, *O Momento* o entrevistava. Em junho, com um vistoso bigode, pareceu a um repórter "tão jovial como aquele jovem Marighella do Ginásio da Bahia e da Escola Politécnica que deixou seu nome gravado na história do movimento estudantil baiano". De bairro em bairro, ele estimulava a formação de "comitês democráticos populares", instrumentos para solucionar mazelas locais. No Engenho Velho, o comitê introduziu uma classe de alfabetização — na turma com trinta alunos, todos eram negros ou mulatos. Encarregado de missões partidárias alhures, Marighella nem sempre estava em Salvador. Isso foi o de menos na viagem de julho do roliço Pablo Neruda, que discursou em comício, visitou igreja e candomblé, saciou-se de pimenta e comeu como um padre. A ausência foi especialmente lamentada na noite de 23 de outubro, com o Cineteatro Jandaia repleto: Mário Alves anunciou a primeira chapa da sigla do PCB numa eleição. Carlos Marighella seria um dos 24 candidatos comunistas a deputado federal pela Bahia.

Em maio, fora definida a data de 2 de dezembro para a escolha dos representantes à Assembleia Constituinte. Depois da aprovação da nova Carta, os eleitos se separariam entre Senado e Câmara dos Deputados. Getúlio Vargas impulsionou duas novas agremiações: o Partido Social Democrático (PSD) reunia seus interventores estaduais e a elite alinhada ao Catete; e o Partido Trabalhista Brasileiro (PTB), idealizado para frear a influência do PCB, agrupava as bases sindicais vinculadas ao governo. A oposição liberal antigetulista fundou a União Democrática Nacional (UDN). Em 10 de novembro, o Tribunal Superior Eleitoral (TSE) concedeu o registro do Partido Comunista do Brasil.

Doze dias antes, a polícia invadiu sedes do PCB país afora e deteve a direção do MUT. Os generais que em 1937 patrocinaram a instauração do Estado Novo conduziam agora mais um golpe, depondo o ditador. Encabeçava-o o ministro da Guerra, Pedro Aurélio de Góis Monteiro, eminente na repressão aos comunistas após o levante de 1935. Getúlio não tentou resistir, e o presidente do STF, José Linhares, assumiu o Executivo. Sem amparo político, a perseguição ao PCB se atenuou, e o calendário eleitoral foi mantido. O PSD indicou à presidência o general Eurico Gaspar Dutra, comandante do cerco à Intentona Comunista no Rio e simpático às potências do Eixo antes da entrada do Brasil na guerra. A UDN apresentou outro oficial de prestígio, o brigadeiro Eduardo Gomes, que em 1935 combateu os rebelados na Escola de Aviação. Quando se esperava Luiz Carlos Prestes como o terceiro postulante de envergadura, o PCB surpreendeu com um civil semianônimo: Yedo Fiúza, ex-prefeito de Petrópolis, que nem membro do partido era.

Os comunistas edulcoraram a opção com o espírito da "união nacional", um candidato mais amplo que as suas fileiras. Havia propósito mais pragmático: se tentasse o Catete, Prestes seria bem votado, mas perderia. Ao concorrer a uma cadeira de senador ou deputado por vários estados, como a legislação permitia, assegurava a vaga na Constituinte e aumentava os sufrágios na legenda. O PCB tratou de projetar em duas semanas, desde o lançamento em 17 de novembro, o desconhecido que inventou como candidato. Para complicar, Carlos Lacerda acusou-o de corrupção e o batizou de Rato Fiúza. No dia 19, o partido arrebanhou 30 mil manifestantes numa concentração no centro de Salvador. Os panfletos de convocação descreveram Marighella como "autêntico herói, lutador dos dias negros de 1935", quando "suportou com insuperável dignidade as torturas do cárcere". Às sete e meia da noite, chegaram as células do Pelourinho, Barris, Mirante do Campo Santo e Conceição da Praia. Pouco depois das oito horas, o locutor anunciou o camarada que subia ao palanque:

"Viva Carlos Marighella!"

Do chão da praça da Sé, onde as pessoas se espremiam mesmo sobre os trilhos dos bondes, às janelas das casas coloniais, o público emendou:

"Viva!"

Marighella leu ao microfone um telegrama informando a presença de Prestes no comício seguinte. O telex foi leiloado pelo pregoeiro improvisado Jacob Gorender. Todos os lances, mesmo os menores, foram doados para a campanha. Antes de falar, o oitavo e último orador ouviu a multidão gritar seu nome: "Marighella! Marighella! Marighella!". Ao final, ele convocou uma caminhada à sede do Comitê Estadual, na ladeira de São Bento, onde discursou novamente. Parecia uma "metralhadora falante", na impressão do camarada Luiz Contreiras, estudante de engenharia. "É o homem sorriso", dizia outro aluno da Escola Politécnica, o futuro deputado Fernando Sant'Anna. "Nós o venerávamos", rememorou João Falcão. O jornalista Armênio Guedes, da chapa do PCB para a Câmara, compartilhava banquinhos em comícios de porta de fábrica. Ele identificaria semelhanças do estilo oratório do companheiro com o de um advogado cubano que ainda não entrara para a história, Fidel Castro Ruz: "Marighella falava pra chuchu".

Tantos eram os compromissos, que ele marcava dois para horários idênticos. Em 23 de novembro, *O Momento* alardeou: "Comício para Marighella" às oito da noite na Estrada da Liberdade. Para a mesma hora, preparavam outro no

Tororó. O candidato discursou no primeiro e correu para o segundo. Sua agenda ia da denúncia da mortalidade infantil (uma em cada quatro crianças morria em Salvador em 1945, antes de completar um ano) à defesa da construção do estádio de futebol na Fonte Nova, na rua onde ele nascera (seria inaugurado em 1951).

Seu passado rendeu uma ideia aos apoiadores: distribuir cópias da prova em versos no Ginásio da Bahia. Ela não fora esquecida, como sabia até o udenista Antonio Carlos Magalhães. Para publicá-la, o acadêmico de engenharia Virgildásio de Senna e três colegas contaram com socorro financeiro do engenheiro Helenauro Sampaio. Virgildásio se elegeria para a Prefeitura de Salvador em 1963, já rompido com o PCB. Helenauro seria prefeito nomeado em 1946 e 1947. Bem relacionado com o empresariado, foi dos muitos não comunistas que colaboraram com Marighella devido à admiração por ele. Nenhum foi tão generoso com o candidato como seu amigo de faculdade Carlos Costa Pinto de Pinho, o Lô. Ex-presidente do Esporte Clube Bahia e filho de um colecionador de arte, Lô era sócio da construtora que acabara de erguer o imponente Edifício Oceania em frente ao farol da Barra.

Não houve evento que mobilizasse Marighella como o comício com Prestes e Fiúza, no dia 24, na praça da Sé. A direção nacional do PCB já definira seus "candidatos preferenciais", aqueles em quem sua militância concentraria a votação. Na Bahia, a indicação era por Marighella, Juvenal Souto Junior e, acima deles no partido, o poderoso número dois, Diógenes Arruda, que vivera no estado. A marcha de encerramento da campanha partiu do Pelourinho na noite de 29 de novembro, evocando uma descoberta memorável de 1939: no subúrbio soteropolitano de Lobato, pela primeira vez jorrara petróleo no Brasil. Os manifestantes iluminaram o caminho carregando centenas de archotes que queimavam legítimo "ouro negro" baiano. Passaram pela Baixa dos Sapateiros e pararam na praça Castro Alves, onde Marighella empolgou:

"Fiúza já ganhou?"

"Já ganhou!", responderam.

Ovacionaram-no quando ele atacou "as calúnias dos fascistas da imprensa reacionária". No percurso do cortejo, quinze galinhas-verdes que colavam cartazes foram flagrados e fugiram. Os herdeiros do integralismo constituíam o menor obstáculo ao PCB. O direito ao sufrágio era restrito: a maioria dos camponeses nos comícios pecebistas do Nordeste não votava porque era iletrada, e a lei proibia eleitores analfabetos. Os votos válidos não atingiriam os 6 milhões, em uma população de 46 milhões. A engrenagem do anticomunismo se mantinha robusta, e o seu motor era a Igreja. Em Salvador, levaram a imagem do Senhor do Bonfim para uma concentração contra o partido. Uma publicação católica asseverara que os vermelhos se regozijavam currando freiras. No município pernambucano de Triunfo, o padre avistou uma caravana comunista e ordenou que os sinos da matriz dobrassem em finados. Em Catende, no mesmo estado, uma procissão com uma boiada à frente atravessou de propósito uma manifestação do PCB. O ex-sargento Gregório Bezerra berrou do palanque:

"Tenham calma, companheiros! Abram alas e deixem passar a Idade Média."

Abertas as urnas, descobriu-se que o general Dutra vencera com 55,4% dos votos, beneficiado pela recomendação de Getúlio em seu favor. Eduardo Gomes colheu 34,7%, seguido por Yedo Fiúza, com 568 523 sufrágios, o equivalente a 9,7%. Não pareciam números à altura das aglomerações comunistas, mas eram expressivos para quem estreava nas urnas e meses antes tinha na cadeia os militantes mais conhecidos. A Bahia escolheu 27 deputados e um senador para a Constituinte. Na sua bancada, reluziam figurões da UDN, como o futuro governador Otávio Mangabeira, o banqueiro Clemente Mariani e o ex-interventor Juracy Magalhães. Marighella faria companhia no parlamento ao seu implacável perseguidor da década de 1930: regressaria para o Rio, agora como deputado federal, o único eleito pelo PCB baiano.

12. Um comunista na Comissão de Polícia

Na memória do deputado Jorge Amado, passaram-se quatro horas e vinte minutos, ele teve a impressão de uma eternidade, e as palavras pronunciadas na tribuna soaram como pedras e raios. O colunista Carlos Lacerda, estrela da cobertura do *Correio da Manhã*, cronometrou uma hora e meia e teve a sensação de que o discurso, de tão monótono, convidou à catalepsia. Sob o vitral da cúpula do palácio Tiradentes, Claudino José da Silva avançava tropegamente pelas 46 laudas cuja leitura lhe parecia um desafio mais temerário que fugir da polícia, seu cotidiano desde 1928, quando o PCB o recrutou. Ele não era o autor daquele arrazoado, como se davam conta até as pastilhas que desenhavam no chão do prédio alguns dos mosaicos mais coloridos do Rio. Um dos quinze componentes da bancada comunista, Claudino recebera a ajuda dos dois redatores que socorriam os camaradas de intimidade escassa com as letras. Sentado num canto da mesa que dirige a sessão, um deles, Carlos Marighella, piscava para o outro, Jorge Amado, acomodado com os correligionários no flanco esquerdo do plenário. Celebravam duplo triunfo.

O primeiro era fazer do único negro retinto entre os 328 constituintes o orador da intervenção mais longa. Claudino era alto como um poste, magro feito um palito e de uma cor que, num período em que trajou terno e sapatos brancos, rendeu-lhe entre os camaradas o apelido de Lápis — sua cabeça sugeria a ponta do grafite. Os ghost-writers capricharam: cada um escreveu duas partes do texto, e Marighella amarrou-as com o que denominava pontes literárias. Não satisfeitos, retomaram o trabalho e dobraram o tamanho. Contra ou a favor, ninguém se lembraria de falação mais demorada. O outro propósito foi constranger os adversários: receosos de insinuações de racismo, eles não escapuliriam para a sala do café. Não funcionou com o general anticomunista Álcio Souto, chefe do Gabinete Militar da Presidência da República, que bateu em retirada antes do fim da homenagem à FEB. Porém obrigou senadores e deputados a ouvir as denúncias de Claudino sobre o abandono dos pracinhas.

Volta e meia, um parlamentar rival, conhecedor da autoria real do discurso, cochichava desaforos nos ouvidos de Marighella e seu amigo romancista, que respondiam com sorrisos. Poucos ali sabiam que Claudino, deputado do estado do Rio de Janeiro, ganhara a vida como ferroviário e marceneiro, amargara prisão e tortura e alcançara o Comitê Nacional do seu partido. A repórter Yvonne Rego de Miranda, fã do brigadeiro Eduardo Gomes, tinha-o como pintor de paredes. Era 13 de fevereiro de 1946, a Assembleia Constituinte recém se instalara, e muitos não acharam graça na peroração vermelha. Como o jornal *O Estado de S. Paulo* do dia seguinte:

> Um deputado comunista, o sr. Claudino José da Silva, que leu mal o discurso que, infelizmente, não foi escrito por ele. O orador ocupou a tribuna por um tempo excessivo e lia imperturbavelmente, atrapalhava-se na leitura, cometia silabadas a todo instante. Não perdoou à Assembleia nem uma vírgula, nem uma sílaba. Ao discurso enorme, com exceção do próprio orador, ninguém resistiu, nem mesmo a claque comunista das galerias, que no fim já dava evidentes sinais de cansaço. [...] O orador comunista, um autêntico popular e crioulo, cumpriu o seu dever partidário até o fim, apesar dos tropeços na leitura, cujo texto era rebarbativo, mesmo para letrados, tal o jargão em que estava escrito.

Não era apenas o "autêntico popular e crioulo" que incomodava bacharéis ao gaguejar. Alfabetizado aos 25 anos, Gregório Bezerra se embaraçou ao ler um discurso e alegou que a vista falhava. "Não sabia que analfabetismo agora se chama doença de vista", resmungou um udenista que ocupava a tribuna de imprensa da direita do plenário. Marighella correu, culpou a escuridão pelo deslize do companheiro de cadeia e pediu a colocação de uma lâmpada junto ao microfone. Mais à frente, o antigo sargento, vitorioso nas urnas em Pernambuco, improvisou. Foi a vez de o *Correio da Manhã* castigar: "[O deputado] pronunciou, na sua meia língua, um discurso que pode ser considerado notável. Não havia concordância de verbos com sujeitos e o regime de preposições chegava a ser anarquista, isto é, absolutamente sem governo".

O domínio precário do idioma não inquietara Gregório, e sim a falta de terno: não possuía nenhum. Os camaradas se cotizaram, e um alfaiate costurou-lhe três, igualando o guarda-roupa de Marighella. Claudino tinha um. O líder da bancada, Maurício Grabois, só arrumou o que vestir porque um irmão o presenteou. Menos mal que não vingara a ideia de exigência de casaca para a posse. Se o capricho cerimonial prosperasse, a despesa do PCB com o vestuário seria grande: o partido elegeu catorze deputados e um senador, Luiz Carlos Prestes. Concorrendo pela capital, o secretário-geral consagrou-se como o candidato ao Senado mais votado no país. Com quatro representantes à Câmara por São Paulo (incluindo Jorge Amado), três por Pernambuco, três pelo Distrito Federal (a cidade do Rio de Janeiro), dois pelo estado do Rio, um pelo Rio Grande do Sul e um pela Bahia, o PCB constituiu a quarta força.

A chapa de candidatos comunistas na Bahia somou 18 628 votos, o que valeu um deputado. Marighella liderou com 5 187. Frustrou-se o plano do comando pecebista de eleger Diógenes Arruda, que com 2 735 sufrágios limitou-se ao terceiro lugar. As aflições de ferroviários, cortadores de cana e aposentados baianos ocupariam Marighella, mas sua agenda iria muito além: o partido destacou-o para conduzir o que chamava de fração parlamentar comunista — tornou-se o secretário da bancada; para integrar a Comissão de Finanças da Constituinte; e para assumir uma vaga na mesa diretiva, mais conhecida como Comissão de Polícia. Se, na contramão do general Clausewitz, a política é o prolongamento da guerra por outros meios, acumulavam-se trincheiras para Marighella lutar.

Pouco antes das duas da tarde de 1º de fevereiro, aprumado para a primeira batalha, ele entrou no palácio inaugurado em 1926. O edifício substituíra o da Cadeia Pública, de onde o alferes Tiradentes saíra em 1792 para a forca. Um comunista já o frequentara: o estivador catarinense Álvaro Ventura participou da Constituinte de 1934, como deputado classista, um biônico indicado por sindicatos. Agora, seus camaradas não entravam pela janela. E assestavam o fogo contra quem julgavam estar no recinto errado. Assim que acabou de falar, o presidente do TSE, Valdemar Falcão, foi questionado por Maurício Grabois. O ministro presidia a sessão nos termos de decreto-lei do chefe interino do Executivo até a véspera, José Linhares, que sucedera sem voto popular o deposto Getúlio Vargas. Em nome da soberania da assembleia, o líder comunista propôs que o parlamentar mais idoso a comandasse até a escolha da Comissão de Polícia. Em seguida, Marighella estreou:

"Não reconheço na pessoa [...] que aqui se encontra poderes para dirigir os nossos trabalhos. Trata-se, realmente, de corpo estranho numa assembleia que o povo, em memorável pleito, exigiu fosse soberana e livre."

As galerias aplaudiram, mas a tese do PCB foi rejeitada. Marighella prosseguiu, evidenciando que o freio às greves ficara para trás: defendeu a paralisação em curso dos bancários e condenou a "intransigência dos banqueiros". Dali a três dias, o banqueiro Fernando de Melo Viana, senador do PSD mineiro, elegeu-se para a presidência da Constituinte. Prócer da República Velha, fora vice de Washington Luís, o presidente derrubado em 1930. Com maioria absoluta, seu partido derrotou a resolução apresentada por Marighella que enterrava o Estado Novo: "Fica revogada, a partir da presente data, a Constituição outorgada de 1937" — pela proposta, até a aprovação do novo texto constitucional, vigoraria o de 1934. Marighella atacou:

"Essa Carta é tão esdrúxula que no seu preâmbulo levanta o problema da infiltração comunista. [...] Acuso, da tribuna, todos quantos [ousaram] levantar suas mãos contra o povo, cometer assassinatos e outros crimes em nome desse imundo farrapo de papel."

As galerias o ovacionaram, e o monsenhor Alfredo de Arruda Câmara reagiu: "Desordeiros!"

Presidente do Partido Democrata Cristão, o sacerdote pernambucano não se amedrontou com as vaias:

"Infames! Assassinos! Traidores da pátria!"

Tio do secretário de organização do PCB, Diógenes Arruda, ele se notabilizara por ocultar sob a batina um revólver em cada perna. Ninguém teria tantos duelos — verbais — com Marighella como o padre que catequizava:

"O diabo é comunista!"

Os vermelhos podiam não merecer o inferno, mas pairavam dúvidas: "Os comunistas, já no primeiro dia da verificação de poderes, se salientaram como elementos perturbadores da marcha dos trabalhos", cutucou o *Estadão*. Carlos Lacerda apontou o responsável: Marighella, "de quem se diz ser o mais talentoso de sua bancada", tumultuava. Não havia só apupos: os jornais se iludiram com a desenvoltura do deputado baiano e o tomaram como "especialista em regimento". Pois até o constitucionalista João Barbalho, ministro do STF no fim do século XIX, Marighella citara. O que ninguém sabia é que ele estudara um único livro, tesouro da biblioteca do pai do camarada Paulo Mercadante: uma edição de 1902 de *Constituição Federal Brasileira: comentários*.

Mais complicado do que passar por catedrático em meandros regimentais, sem nunca ter assistido a uma aula de direito, foi disfarçar quando o cinto carcomido arrebentou e as calças ameaçaram cair. Marighella estava sem os suspensórios que às vezes usava. Ele resolveu o problema passando a amarrar uma cordinha à cintura. Ganhava 15 mil cruzeiros mensais, o equivalente a 39 salários mínimos, mas não tinha como comprar um cinto.

Diante de seiscentas pessoas em Santo André, no ABC paulista, ou debaixo de chuva em Barra do Piraí, no sul fluminense, Marighella incluía nas sabatinas e comícios informações sobre seus proventos. Não é que os recebesse e repassasse parte ao PCB. Nem via a cor do dinheiro. Os constituintes comunistas assinavam uma procuração à tesouraria do partido, que sacava os salários na boca do caixa e lhes entregava 1200 cruzeiros. "É o estritamente necessário para viver como qualquer proletário", conformou-se Marighella. Ele renunciava a 92% dos ditos subsídios de deputado. Na declaração à Divisão do Imposto de Renda do Ministério da Fazenda, registrou rendimentos de 168 900 cruzeiros em 1946. Deduziu 154 500, de contribuição partidária. Sobraram 14 400. Parecia maluquice, como brincou o Barão de Itararé ao se eleger vereador comunista em 1947 no Rio e se submeter a idêntica privação. Seu jornal, *A Manhã*, noticiou o "tresloucado gesto de Itararé". E anexou um "parecer psiquiátrico" jurando que o humorista não enlouquecera.

Uma das consequências do regime de cinto apertado — no seu caso, de ausência de cinto — é que, aos 34 anos, o deputado não tinha como bancar nem uma modesta moradia. Ele dividia um apartamento de quatro quartos na rua Silveira Martins, no Catete. Em dois cômodos, viviam o antigo tenente Dinarco Reis, sua mulher e dois filhos. Em outro, Almir Neves, coordenador do setor militar do PCB. Marighella caminhava de manhã até o prédio da esquina da avenida Rio Branco com rua Santa Luzia, na Cinelândia. Funcionava lá a fração parlamentar comunista, com novidade para a época: uma assessoria formada por técnicos em economia, educação, agropecuária e outras disciplinas auxiliava os constituintes. Coordenador da fração, Marighella ia a pé no começo da tarde para o palácio Tiradentes, na praça Quinze. No caminho, comia sanduíche de mortadela com guaraná. Ao ouvir restrições à dieta, ponderou:

"Tenho que ficar leve. Como vou discursar com a barriga cheia de feijão?"

Em dias de mais fome, gastava trinta cruzeiros em um restaurante na Glória: pedia salada, bife a cavalo, um copo de leite e pudim. Dava-se ao luxo apenas nos almoços com Graciliano Ramos. Para o jantar, as finanças não permitiam mais que uma sopa. Não reclamava dos tostões contados e do volume de trabalho. Na fotografia oficial da bancada, os únicos dentes aparentes, em contraste com os rostos circunspectos dos camaradas, foram os do sorridente Marighella. Ele discursava tão rápido que as estenógrafas não conseguiam anotar e lhe pediam esclarecimentos. Cruzava com muitas nulidades, mas convivia com constituintes que deixariam marcas no século, como o jornalista Barbosa Lima Sobrinho, do PSD, e o sociólogo Gilberto Freyre, da UDN. *O Momento* cobria suas atividades e titulava: "Como age um verdadeiro deputado do povo". Uma concentração com milhares de pessoas teve o nome de "Comício Fonte Nova a Carlos Marighella". Também em Salvador, a banda do Corpo de Bombeiros tocou em homenagem a ele no largo do Ouro. No bairro da Plataforma, dois times juvenis de futebol se desafiaram. Um designou-se "Jorge Amado". O oponente, "Carlos Marighella".

Em breve, David Nasser veicularia na revista *O Cruzeiro* a retumbante série de reportagens "Falta alguém em Nuremberg". O jornalista inventariou os crimes de Getúlio Vargas e Filinto Müller e narrou em pormenores a violência contra Marighella. Por mais que o programa dos comunistas os isolasse na Constituinte, seu representante na Comissão de Polícia colecionava simpatias insuspeitas. Ao ouvir uma reclamação cordial de Marighella, o presidente Melo Viana disse ao microfone:

"Se todos os comunistas fossem como vossa excelência, eu estaria em seu partido."

Mesuras à parte, ainda antes do embate sobre a vigência da Carta de 1937, Marighella confrontou-se com o correligionário de Melo Viana e líder da maioria, senador Nereu Ramos. Pela bancada do PCB, ele havia declarado:

"Votamos contra o regimento interno por ser prejudicial à boa ordem dos trabalhos, contrário à democracia, reacionário e contrário à soberania desta Assembleia Constituinte."

Nos anais, o adjetivo "reacionário" sumiu. A mesa determinara o corte, por considerar que a palavra "não era parlamentar" e continha "sentido desatencioso". Foi como se ressurgisse o fantasma censor do falecido DIP, cuja sede fora o palácio Tiradentes. Os olhos no plenário e nas galerias se arregalaram ao flagrar as armas que Marighella desembainhou para a controvérsia: tantos livros quanto seus braços conseguiram carregar até a tribuna. Ao abrir o dicionário *Cândido de Figueiredo*, pessedistas gritaram:

"Não precisa ler!"

Imperturbável, Marighella citou número da edição, cidade de impressão, página e o significado do verbete "reacionário".

"Está no vernáculo, bom português!", exclamou.

Até retornar à sua poltrona, um cortejo de palmas o acompanhou. Por 94 a 72, ele perdeu para o PSD de Nereu Ramos. Contudo, a censura cairia de madura, com o "reacionário" se impondo nos anais.

Lampejos de criatividade como esse eram então originais. Não havia "marketing político". Para os comunistas, tratava-se de agitação e propaganda, técnica e arte em que seu constituinte era um mestre. Na sessão em que o deputado potiguar Café Filho se queixava da falta de pão em Natal e Mossoró, Marighella abriu uma pasta. Como um mágico sacando o coelho da cartola, tirou dois pães de trinta centavos que eleitores paulistas lhe haviam enviado. Eram muito menores que o padrão, em prejuízo dos consumidores. Café gracejou:

"Peço ao nobre colega que não me leve a comer esse pão."

Marighella concluiu, evocando perseguições passadas ao representante do Partido Republicano Progressista:

"Vossa excelência já comeu o pão que o diabo amassou."

O capeta foi personagem assíduo nas altercações decorrentes do eixo da atuação parlamentar de Marighella, a defesa da separação entre Estado e Igreja. O deputado leu um telegrama sugerindo que os comunistas se aliassem até ao demônio, "se algum dia ele deixar de ser reacionário ou fascista". No auge de uma contenda com constituintes católicos, o filho da carola Maria Rita tratou dos rumores sobre punição pela hierarquia da Igreja. Encarou o monsenhor Arruda Câmara:

"Fique certo de que me sentiria muito honrado se sobre minha cabeça caísse uma excomunhão."

"A Igreja não lhe dará essa honra", ironizou o padre.

No cotejo com a bancada ligada ao clero, ele era Davi contra Golias, com a diferença de que não vencia. Numa emenda ao projeto de Constituição, escreveu: "Será leigo o ensino ministrado nos estabelecimentos públicos". Passou "ensino religioso". Assinou a declaração de voto contrária — e minoritária — à expressão "reunidos sob a proteção de Deus" no preâmbulo da Carta. Propôs o "livre exercício dos cultos religiosos", sem a restrição "salvo os que contrariem a ordem pública ou os bons costumes". A ressalva a que ele se opôs, sem êxito, facilitava a repressão a religiões espíritas e africanas. Em novo revés, tentou impedir que o casamento religioso equivalesse ao civil. Criticou o artigo que estabeleceu a família constituída pelo matrimônio de "vínculo indissolúvel":

"O casamento indissolúvel é uma balela."

A redação aprovada descartou o divórcio, inovação que Marighella advogava para a legislação ordinária.

No formalismo da Constituinte, o padre Arruda Câmara abria suas intervenções com o mote "em noite chuvosa e lúgubre". Marighella aparecia como um intruso ao abordar sem afetação temas ainda tabus. No país onde em 1947 se celebrariam 306 061 casamentos católicos, ele introduziu no palácio Tiradentes a figura proverbial do corno:

"A Igreja Católica nega o divórcio precisamente porque sabe que o adultério é tão inevitável quanto a morte e o que não se pode remediar remediado está. É bem verdade que o homem, por ter conseguido a propriedade privada, suprimindo o direito materno dos velhos tempos, obteve assim uma vitória sobre a mulher e, mais, subordinando-a à situação de escrava em que até hoje se encontra. Fora de dúvida, entretanto, é que as mulheres vencidas conseguiram, pelo menos, enfeitar as respeitáveis cabeças de seus maridos, única vingança que podem tirar, até que transformemos esta sociedade."

Na Bahia, ele conversava com as trabalhadoras sobre suas mazelas. Na fábrica São Braz, o limite para as tecelãs no banheiro era de cinco minutos. Na empresa Boa Viagem, Marighella lamentou a inexistência de mulheres na Constituinte e incentivou a adesão à União Democrática Feminina, organizada pelo PCB. Entretanto, qualificou o feminismo como "reacionário", um "movimento de mulheres contra homens".

No universo masculino do palácio Tiradentes, ele apresentava sozinho suas emendas ou encabeçando uma relação de camaradas. Batalhou pela extinção do Senado e do cargo de vice-presidente da República, por "inutilidade" — o presidente da Câmara substituiria o chefe do Executivo. Empenhou-se pela transformação dos serviços de tabelião e escrivão em cargos de carreira. Nenhuma proposição comunista emplacou: parlamentarismo, redução dos mandatos (deputados federais teriam dois anos em vez de quatro) e distribuição da terra no país em que dois de cada três habitantes viviam no campo.

A despeito do seu — como ele dizia — "caleidoscópio" de preocupações na Constituinte, Marighella mantinha os pés na rua: no Rio, subia o morro da Favela, onde sobreviventes de Canudos moravam em barracões de zinco; viajava a Santos, solidário aos portuários que se recusavam a descarregar os navios da Espanha franquista; e percorria as usinas de açúcar no Recôncavo baiano, observando "homens com pés apodrecidos de tantos talhos recebidos nos canaviais". A ditadura caíra, ele se beneficiava da autoridade de deputado, mas o ânimo da polícia não mudara: havia sempre um agente a vigiá-lo.

Não por acaso: ministro da Guerra por quase todo o Estado Novo, Eurico Dutra tomara posse como presidente em 31 de janeiro. Menos de um mês depois de Marighella sustentar na tribuna o direito irrestrito de greve, o general baixou um decreto-lei fulminando qualquer pretensão legal de interromper o trabalho. O Departamento Federal de Segurança Pública fechou o MUT, e o ministro da Justiça, Carlos Luz, apreendeu edições e suspendeu por semanas a circulação da *Tribuna Popular*. A polícia proibiu comícios, de início com despachos burocráticos. A seguir, com tiros. No fim da tarde de 23 de maio de 1946, milhares de pessoas se reuniram no largo da Carioca, a centenas de metros do palácio Tiradentes. Participavam de ato da campanha de arrecadação de fundos para a "imprensa popular" — os jornais do PCB. Policiais dissolveram a aglomeração a bala, matando a militante comunista Zélia Magalhães.

Se antes da guerra Dutra fora condecorado pelo Terceiro Reich, depois dela converteu-se em aliado incondicional do governo americano. Para o general, um antípoda de Apolo, a cara da União Soviética era mais feia do que a vista no espelho. Ele ficou satisfeito quando Winston Churchill desfez a ilusão de longevidade da frente antifascista que batera Hitler. Em Fulton, nos Estados Unidos, o ex-primeiro-ministro britânico descreveu a expansão dos soviéticos na Europa dividida: "De Stettin, no Báltico, a Trieste, no Adriático", uma "cortina de ferro" desceu sobre o continente. Foi a pedra fundamental da Guerra Fria.

Sinal dos muros dos novos tempos foi o gesto do vice-presidente da Constituinte, Otávio Mangabeira, na recepção ao general Dwight Eisenhower no palácio Tiradentes. Diante do comandante supremo das forças aliadas na Europa durante a guerra, o udenista baiano tomou-lhe a mão direita e servilmente a beijou. O jornalista iniciante Ibrahim Sued fotografou a sabujice, e os comunistas a recriminaram como subserviência aos Estados Unidos. O PCB poupava Dutra, porém fustigava "um grupelho fascista ainda enquistado no governo".

"Vossas excelências veem fascismo em tudo que não é comunismo", desdenhou o deputado pessedista Vitorino Freire.

O ex-camisa-verde Goffredo Telles afirmou:

"Os comunistas estão a serviço de potência estrangeira."

Marighella retrucou:

"Vossa excelência não pode falar, impedido como está pela conivência com o nazismo. Não tem, pois, autoridade alguma, pois também está comprometido com os integralistas que não trepidaram em contribuir para o afundamento de navios brasileiros durante a guerra. Guarde, portanto, o aparte e recolha-se à sua posição."

Mais tarde, Goffredo tomaria o rumo da esquerda.

Os debates esquentavam no plenário, e fora dele o governo tripudiava das imunidades parlamentares. A polícia interditou uma sede do PCB, Gregório Bezerra quis entrar, e insinuaram detê-lo. Marighella e seu companheiro de bancada João Amazonas foram à casa do senador Melo Viana, pediram garantias às prerrogativas de deputado, e Gregório escapou. No dia 31 de agosto, Marighella não teve como recorrer a ninguém: mal amanhecera, e os tiras já haviam invadido seu apartamento.

Desde a véspera, uma turba estudantil promovia de Copacabana à Tijuca um quebra-quebra em protesto contra varejistas que inflavam preços. O PCB convocara as manifestações, mas alegou que o vandalismo era incitado por policiais infiltrados. Não adiantou: a Justiça distribuiu um pacote de mandados de prisão, três deles com endereço na rua Silveira Martins. Lygia Reis preparava o café quando a campainha tocou. Ao abrir, meia dúzia de agentes armados empurrou a porta e anunciou que a levaria com o marido, Dinarco, e Almir Neves. Todos acordaram com a gritaria, e Marighella invocou a inviolabilidade do lar de constituinte. Aproximou-se da camarada e elevou a voz:

"Nesta mulher vocês não tocam!"

Apontou para o estudante Dinarquinho, de treze anos, e argumentou que o garoto e o irmão mais novo necessitavam dos cuidados maternos. Prenderam Dinarco e Almir — acabaram soltos no dia seguinte — e liberaram Lygia e Marighella, que saiu em disparada para o palácio Tiradentes. Lá, ele soube que dezenas de militantes já estavam em cana. Era sábado, mas haveria sessão. Na tribuna, Marighella acusou:

"Visam atingir o nosso partido, no entanto, desgraçadamente, estão atingindo a própria Assembleia, a democracia."

Na hora do almoço, Nereu Ramos procurou Dutra. Na volta, disse que o presidente havia assegurado as imunidades. A reunião da tarde teve presença rara, a de Getúlio Vargas. Eleito deputado por sete estados e senador por dois, o ditador que fechara o Congresso em 1937 optou pela vaga no Senado. Só apareceu na Constituinte três meses após a instalação, não apresentou emenda alguma e no dia da invasão da residência de Marighella provocou:

"Se alguém tiver contra mim motivos de ordem pessoal ou se julgar com direitos a desagravo, fora do recinto desta Assembleia estarei à sua disposição."

Menos de três semanas depois, os constituintes promulgaram a Carta. O PCB selecionou os discursos de encerramento de Marighella e Prestes para gravação em discos de cera, distribuídos Brasil afora para tocar em comícios. O partido reconheceu as derrotas em questões essenciais, mas justificou a assinatura da Constituição de 18 de setembro de 1946 pela conquista da democracia que ela expressava. Findava a Assembleia unicameral, a Câmara permanecia no palácio Tiradentes, e o Senado reencontrava a antiga sede, o palácio Monroe.

De fevereiro de 1946 a dezembro do ano seguinte, Marighella interveio 195 vezes no plenário. Foram 47 apartes, 39 discursos e dezessete requerimentos. Na Constituinte, das 175 emendas apresentadas pelos comunistas, respondeu por

21. Ignora-se quantos discursos e emendas produziu para outros companheiros. Como membro da Comissão de Finanças, alertou para a safra de arroz ameaçada no Sul e para verbas empregadas em "avenidas e construções suntuosas", e não em ferrovias.

Ele cedeu a vaga comunista na mesa diretiva para o médico baiano Milton Caires de Brito, eleito por São Paulo. Continuou a coordenar a bancada e se viu mergulhado em mais uma campanha: em janeiro de 1947, os estados escolheriam governadores e deputados. Apreensivo com ações judiciais e parlamentares pelo banimento do PCB, o partido patrocinou postulantes aos governos que se manifestaram pró-legalidade. Essa política resultou em apoios insólitos: da UDN, Otávio Mangabeira, na Bahia; do PSD, Walter Jobim, no Rio Grande do Sul; do Partido Social Progressista (PSP), Adhemar de Barros, em São Paulo. Todos se elegeram.

Marighella aproveitou as viagens à Bahia e pediu transferência de matrícula para a Faculdade Nacional de Engenharia, no Rio de Janeiro — não desistira de se formar. Fez comícios nas feiras livres de Santo Amaro e vendeu o jornal *O Momento* na rua Chile. O partido mobilizava novas multidões. Na capital, o compositor Mário Lago adaptou a letra de "Ai, que saudades da Amélia", para pedir votos — encerrava com "o voto do povo é dos comunistas". O violonista José Calazans, o Jararaca da dupla com Ratinho, fez a mesma coisa com "Mamãe eu quero" — "Olhe bem a lista, escolha os candidatos do Partido Comunista".

O jogador Heleno de Freitas, craque e galã do futebol, ia aos comícios cariocas, mesmo sem ser filiado ao partido — acompanhava João Saldanha, o militante amigo seu e de Marighella que um dia comandaria a Seleção brasileira. No Distrito Federal, o PCB fez a maior bancada na Câmara de Vereadores, dezoito em cinquenta. Na Bahia, dois deputados. No ato final da campanha, Marighella arrancou gargalhadas e aplausos ao zombar dos concorrentes:

"O que eles querem é rosetar!"

Era uma brincadeira com o recente sucesso "Eu quero é rosetar!". Jorge Veiga interpretava a marcha de Haroldo Lobo e Milton de Oliveira:

Por um carinho seu, minha cabrocha
Eu vou a pé a Irajá
Que me importa que a mula manque
Eu quero é rosetar! [...].

O verbo "rosetar" podia significar esporear — um animal — ou fornicar. A malícia da letra levou a polícia a proibir sua execução no rádio e a apreender os discos. Foi mais um motivo para Marighella, determinado a organizar um bloco carnavalesco dos comunistas no Rio, denominá-lo Mula Manca — o nome pegaria em todo o país. Chegou aos seus ouvidos que a ideia contrariara Prestes, mas ele a manteve, e a mula estilizada saiu à frente dos foliões. Em raro tirocínio editorial, a *Tribuna Popular* obteve licença da prefeitura para promover o Carnaval de 1947. Batizou-o Carnaval da Paz e organizou concursos como o de Cidadão e Embaixatriz do Samba — ganharam os candidatos da escola Paraíso das Morenas, do morro de São Carlos. Na posse dos vencedores, alardeadas 200 mil pessoas encheram o Campo de São Cristóvão. Sem gravata, mas de paletó, Marighella talvez tenha se lembrado do tempo em que se fantasiava de cigana e fingia ler as mãos das moças no reinado de momo em Salvador.

Os cantores Ataulfo Alves e Ciro Monteiro e os compositores Pixinguinha e Heitor dos Prazeres divulgaram o apoio ao Carnaval da Paz. Em um ensaio da Mangueira, Cartola associou-se a dois brindes: à *Tribuna Popular* e à Estação Primeira — daria Portela. A empolgação era tamanha que o governo articulou uma entidade pirata para sabotar a União Geral das Escolas de Samba, controlada pelo PCB. Com o intuito — malsucedido — de esvaziar os festejos, a polícia proibiu as batalhas de confetes, em nome da manutenção da ordem. Choveu do sábado à segunda-feira, mas centenas de blocos não deixaram de brincar. Muitos cantaram uma versão para o samba "O pagamento ainda não saiu", de Geraldo Pereira e Haroldo Lobo. Virou "O abono não saiu", referência à reivindicação pelo abono de Natal, que só vigoraria em 1962, identificado como 13º salário. Fascinado pelo Carnaval desde menino, Marighella virava personagem de música — ao lado de Prestes, o "Senador do Povo". Não foram poucos os foliões que, debaixo d'água, cantaram assim:

Ainda não fiz as compras
Que você me pediu
Porque o nosso abono ainda não saiu

Mas tenha calma, meu bem
O nosso abono sai para o mês que vem

Por isso lá na Câmara
Carlos Marighella fala
E o Senador do Povo
Fica na pista
Mas se o abono não sair
Cada vez mais é reforçado
O Partido Comunista.

13. Deputado acossado

Elza Sento Sé era uma morena encantadora que militava com centenas de trabalhadores na célula do PCB na Light & Power do Rio de Janeiro. Os funcionários da concessionária canadense de distribuição de energia cruzaram os braços em 1946 e assistiram ao debate na Constituinte. "É uma atitude criminosa", condenou Nereu Ramos. Em socorro aos grevistas, Marighella denunciou a truculência da polícia. Já no seu discurso inaugural tomara as dores dos bancários, cujo sindicato agora abria as dependências para os bailes no sábado, domingo e segunda-feira de Carnaval. Para Marighella, seriam obrigação e prazer. Dava na mesma, então: para ele, uma coisa se confundia com a outra.

Só um míope sem óculos não reconhecia de longe o grandalhão famoso, apesar dos foliões em torno dele e do lusco-fusco do salão. Elza era para ser vista de perto: tipo mignon com menos de um metro e meio de altura, sobre sua beleza havia unanimidade, ao contrário do que ocorria com a cor dos seus olhos. As luzes dos lustres davam a impressão de serem castanhos, e eram mesmo. Iluminados pelo sol, porém, teimavam em esverdear. Muitos anos depois, uma neta se convenceria de que a avó tinha um olho castanho e o outro verde. Eles se encontraram com os de Marighella em um dos três bailes promovidos de 15 a 17 de fevereiro de 1947.

Além de vestirem a camisa do mesmo partido, os camaradas tinham outra identidade: eram baianos. Da imensa família Sento Sé, Elza formava na banda de poucas posses. Embora os documentos classificassem como branca a moça de cabelos negros, ela estava mais para mulata, como a maioria das conterrâneas. Desembarcara no Rio em 1943 e se alistara como voluntária da Cruz Vermelha. No verso de uma fotografia do ano seguinte, escrevera à mãe: "Da tua infeliz filha". Os olhos tristonhos referendavam a dedicatória. Elza tinha 23 anos quando seus olhos descobriram Marighella no baile.

Tamanho foi o encanto de um pelo outro que, do flerte à decisão de morarem juntos, foi um pulo. O deputado trocou o quarto do Catete por um no Centro — o dinheiro não dava para mais. Em toda a sua vida, a única pessoa que Marighella registraria de modo protocolar como sua mulher seria Elza. Foi o que ele formalizou na administração da Câmara, onde passou a constar casado como estado civil, embora não tivesse celebrado a união em cartório e muito menos na Igreja. Com a mudança de casa, o palácio Tiradentes ficou mais perto. Enquanto o coração enamorado ia bem, a política andava de mal a pior.

Para Marighella, maio não trazia boas recordações na relação com a polícia. Das suas quatro prisões, três aconteceram naquele mês: em 1936, 1939 e 1964. Em maio de 1947, foi o PCB que só conheceu desgraça. O mau agouro sobrevoou abril, quando o presidente Dutra suspendeu a União da Juventude Comunista (UJC), cuja fundação não tinha nem três semanas. "Matou-se a criança antes de nascer", protestou Marighella. Prestes disse aos jornalistas: "É uma prova de fraqueza. O governo Dutra fecha a UJC porque não pode fechar o PCB". E acrescentou: "O imperialismo está com os dentes quebrados".

Com a virada do mês, o governo baniu a Confederação Geral dos Trabalhadores do Brasil, criada pelos comunistas em 1946. Pela estatística do operário de minas de carvão Manoel Jover Telles, deputado estadual do PCB gaúcho, quatrocentos sindicatos foram interditados. Em meados de maio, policiais invadiram a casa do ex-tenente Joaquim Silveira, combatente republicano na Espanha, e lacraram a mala que conteria "boletins extremistas". Marighella carregou-a para a Câmara, abriu-a diante dos deputados, demonstrou a fajutice da suspeita e vociferou contra os "beleguins":

"Cafajestes!"

Um caminhão do Exército estacionou na porta da redação de *O Momento*, em Salvador, trinta militares desceram e destruíram o que puderam. Fazia duas semanas que o jornal não noticiava outro assunto que não o fatídico 7 de maio: naquele dia, o partido foi posto na ilegalidade, condição da qual não escaparia mais enquanto Marighella vivesse. A novela da cassação do registro do PCB se estendeu por mais de um ano, e no começo os ingênuos pecebistas pensaram assistir a uma comédia ligeira, e não à tragédia que se descortinava para eles. No capítulo inicial, a 16 de março de 1946, a *Tribuna Popular* publicou a reportagem "Prestes em sabatina com funcionários da justiça". Indagaram o senador "sobre qual a posição dos comunistas se o Brasil acompanhasse qualquer nação imperialista que declarasse guerra à União Soviética". O secretário-geral não hesitou:

> Faríamos como o povo da Resistência francesa, o povo italiano, que se ergueram contra Pétain e Mussolini. Combateríamos uma guerra imperialista contra a União Soviética e empunharíamos armas para fazer a resistência em nossa pátria contra um governo desses, retrógrados, que quisesse a volta do fascismo. Mas acredito que nenhum governo tentará levar o povo brasileiro contra o povo soviético, que luta pelo progresso e bem-estar dos povos. Se algum governo cometesse este crime, nós comunistas lutaríamos pela transformação da guerra imperialista em guerra de libertação nacional.

O astuto petebista Segadas Viana leu o texto no plenário. Prestes não apenas confirmou a declaração como agradeceu em tom jocoso a "incorporação dessas palavras à ata da Assembleia Constituinte". Uma semana depois, o antigo promotor Himalaia Virgulino, o mesmo que atuara contra Marighella na corte de exceção em 1937, pleiteou no TSE o cancelamento da inscrição do PCB. Alegou que o partido representava os interesses da União Soviética. Juracy Magalhães retornou ao tema e atiçou Prestes, que reiterou a opinião. Em apoio ao camarada, Marighella recorreu ao teólogo dominicano São Tomás de Aquino:

"A guerra, para receber o qualificativo de justa, deve não só ser declarada pela autoridade competente em uma comunidade, mas ainda ter uma causa razoável e ser conduzida com reta intenção."

O PCB não mobilizou suas bases pela manutenção do registro. Limitou-se a acordos de cúpula pró-legalidade. Parecia que a ofensiva não passava de delírio de fanfarrões como Barreto Pinto, outro que pedira a interdição do partido —

em um vexame de 1946, o deputado do PTB posou de fraque e cuecas para o fotógrafo Jean Manzon, de *O Cruzeiro*. Até que, em fevereiro de 1947, o procurador Alceu Barbêdo emitiu um parecer pela proscrição do PCB. Marighella anestesiou a militância:

"O parecer Barbêdo está, de antemão, fadado à completa derrota."

Era também o prognóstico do ex-cabo Severino Teodoro de Mello, funcionário de confiança do Comitê Nacional, colegiado ao qual mais tarde se juntou como membro. Ele contaria ter ouvido de João Amazonas que um integrante do TSE oferecera seu voto por 200 mil cruzeiros — o salário de um deputado por treze meses. O PCB não teria aceito por motivos mais de pragmatismo, a confiança na vitória, do que de escrúpulos. O jornalista Osvaldo Peralva narraria história semelhante. Ele escreveu que Diógenes Arruda confidenciou que o pedido foi mesmo de 200 mil cruzeiros, "mas Prestes não aceitou a barganha porque não acreditava na ilegalização do partido". Como a ameaça não inquietava, em 7 de maio nenhum papel havia sido retirado, por precaução, da sede central na rua da Glória. O secretário de Agitação e Propaganda de Minas, Marco Antônio Coelho, foi ao cinema.

Se estivesse na sala de audiências do TSE, no Rio, não lhe faltariam emoções. Primeiro a votar, o juiz-relator Francisco Sá Filho se contrapôs ao promotor. A legislação previa fechar partido beneficiado por fundos do exterior, mas uma perícia nada constatou de errado. Sobre a orientação de potência estrangeira, rebateu: não poderia "impedir a coincidência, como influência recíproca de ideias", entre agremiações nacionais e de fora. Em contraponto à denúncia de que "o partido é comunista e é do Brasil; não é brasileiro", pronunciou serenamente o nome oficial do país: Estados Unidos *do Brasil*. Minimizou a acusação de existir um estatuto secreto. Anotou: se a própria Justiça aceitara o PCB em 1945, seu programa "se conciliou inteiro com os princípios democráticos". E fulminou: "O desaparecimento do Partido Comunista dos quadros legais coincide com o eclipse da democracia". O ministro Álvaro Ribeiro da Costa acompanhou o voto.

Contra eles, o desembargador José Antônio Nogueira horrorizou-se porque o emblema vermelho era a foice e o martelo, "em vez do nosso formosíssimo Cruzeiro do Sul". Mirou a tradição comunista de denominar o líder como secretário-geral, e não presidente: se era assim, o mandachuva dos brasileiros estava no exterior. O juiz Rocha Lagoa transcreveu como prova do caráter subversivo do PCB um trecho de artigo de Marighella: "O ensinamento que Lênin nos dá a respeito é o de que a luta na tribuna parlamentar é obrigatória para o partido do proletariado revolucionário". O ministro Cândido Mesquita da Cunha Lobo julgou que o PCB feria o parágrafo 13 do artigo 141 da Constituição: "É vedada a organização, o registro ou o funcionamento de qualquer partido político ou associação cujo programa ou ação contrarie o regime democrático, baseado na pluralidade dos partidos e na garantia dos direitos fundamentais do homem". Por ironia, essa norma merecera aprovação da bancada comunista. Por três a dois, o TSE empurrou o PCB para os subterrâneos.

Ingenuidade era eufemismo: talvez poucas vezes no Brasil um agrupamento político tenha feito papel de bobo como o PCB. O partido se fiara numa carta de Dutra tornada pública em abril de 1945. O general estabeleceu sua "posição [...] em face do comunismo": "Reconheço-lhe o pleno direito de existência legal. Que se organize, que viva como qualquer outro partido, disputando eleitoralmente a sua supremacia e procure, por meio dos seus representantes, influir na vida administrativa e política do país". Em maio de 1947, o presidente confraternizou com o procurador Alceu Barbêdo, congratulando-o "pelo desfecho do sensacional episódio judiciário". Os conchavos nas eleições de janeiro de 1947 não ajudaram o PCB, abandonado ao próprio infortúnio. Naquele mês, Otávio Mangabeira se comprometera: "Sou pelo livre funcionamento de todos os partidos, inclusive, já se vê, o comunista". Em pouco tempo, o governador baiano esqueceu o que escrevera, e Marighella o atacou: "Traidor!". Quando os deputados estaduais comunistas Armando Mazzo e Estocel de Moraes cobraram de Adhemar de Barros "os compromissos assinados com o partido", o governador paulista os enxotou:

"Ora, ora! O papel assinado com vocês serve para limpar a bunda!"

Às pressas, o PCB sumia com seus papéis antes que as patrulhas policiais estourassem suas sedes, mas às vezes era tarde. O partido empenhara todas as fichas na existência legal, concentrando a atividade no parlamento, para onde escalou os dirigentes mais graduados. Nem cogitara outro cenário. Zonzos, os militantes leram um telegrama de Prestes. O signatário não os encorajou a pôr o bloco na rua, e sim a se afastar dela: "Aconselhamos maior calma, sereno acatamento decisão justiça". Porém anunciou a reviravolta na política comunista: o PCB diagnosticou que o país vivia sob uma ditadura e pregou a renúncia de Dutra. Única voz comunista no Senado, o secretário-geral decidiu com a Comissão

Executiva que era hora não de prosseguir na tribuna, mas de desaparecer: temeroso de um atentado, ele entrou na clandestinidade, primeiro em Botafogo, a seguir em Ipanema. Nos aparelhos do partido, por três meses o comandante se entreteve com palavras cruzadas.

Enquanto Prestes fugia de conspiradores que talvez só existissem na sua imaginação, seus camaradas batalhavam no parlamento. Com a chegada de Diógenes Arruda e Pedro Pomar, já eram dezesseis deputados na Câmara. Em janeiro de 1947, os dois haviam concorrido com sucesso pela legenda do PSP, na coligação com o PCB paulista. O pleito também preencheu vagas suplementares no Congresso. Na mesma ocasião, além dos dezoito vereadores no Distrito Federal, o partido conquistara 46 cadeiras em quinze assembleias estaduais. O pintor Cândido Portinari perdeu por pouco para senador em São Paulo. Em novembro de 1947, os comunistas elegeriam 265 vereadores, todos por outras siglas. E fariam três prefeitos: nos municípios paulistas de Sorocaba e Santo André e no pernambucano de Jaboatão. A despeito dos triunfos, não houve avanço: o total de sufrágios não superou o de 1945.

Com a cassação do registro, os mandatos corriam risco. Senador catarinense dado a tirar cochilos no plenário, o pessedista Ivo D'Aquino apresentou um projeto de lei expurgando os comunistas do parlamento. Após alguns comícios, Prestes deu mostras de que nada aprendera com a derrota de maio: "Foi sob o fogo de nosso ataque que, depois de alguns passos no caminho da reação, volta o governo do sr. Dutra a vacilar e cede, sob a pressão da opinião pública, na questão dos mandatos". Não era preciso encarnar uma raposa política para entender que ocorria rigorosamente o contrário.

A Guerra Fria exaltava os ânimos no Brasil e longe dele. Em março de 1947, o presidente dos Estados Unidos, Harry Truman, implantou medidas destinadas a conter a expansão soviética. Essa política de confronto ganhou o nome de Doutrina Truman. Em julho, ele assinou um ato instituindo a Central Intelligence Agency, a CIA, que dali a duas décadas caçaria Marighella. O contra-ataque da União Soviética veio em setembro, quando nove agremiações se reuniram na Polônia e fundaram o Birô de Informações dos Partidos Comunistas e Operários, o Kominform. Sucessor do Komintern, dissolvido em 1943, o novo empreendimento stalinista coordenaria as ações dos partidários de Moscou. O secretário de organização do PCUS, Andrei Jdánov, dividiu o mundo em dois campos: um seria o "democrático e comunista"; o outro, "antidemocrático e imperialista". Ideólogo do Kremlin, Jdánov tinha textos publicados em *Problemas*, revista de artigos e ensaios do PCB lançada em agosto cujo diretor era Marighella. Naufragara a *détente* do pós-guerra, e não demoraria para o planeta se angustiar com o perigo de uma hecatombe nuclear.

No mês de criação do Kominform, Truman viajou ao Brasil. No Rio de Janeiro, admirou orquídeas e sentiu um calor que considerou californiano. Serviu de personagem à anedota segundo a qual cumprimentou Dutra com *"How do you do*, Dutra?" e surpreendeu-se com a retribuição apalermada *"How* tru *you* tru, Truman?". Em Petrópolis, discursou na Conferência Interamericana para a Manutenção da Paz e da Segurança no Continente. Àquela altura, significava enfrentar o comunismo. Um tratado de assistência recíproca foi acertado — Marighella acusaria o presidente americano de ter acelerado a cassação dos mandatos. Em outubro, em um gesto que nem Truman imitaria, Dutra fez do Brasil o primeiro país da América Latina a romper com a União Soviética.

O general brandiu dois pretextos: um artigo em um jornal russo, interpretado como ofensivo a ele, e o que teriam sido uns sopapos no diplomata brasileiro João Batista Soares de Pina. Os soviéticos disseram que Pina Gomalina, como o apelidaram no Itamaraty em virtude do Gumex no cabelo, embriagara-se no saguão do Hotel Nacional em Moscou, tivera um piti e atirara objetos até ser contido. Um banqueiro e senador do PSD viria a esclarecer o que ocorrera. Conforme Drault Ernanny, houvera um "porre em Moscou tomado pelo nosso diplomata Soares de Pina, um trapalhão". Mesmo sem a presepada, não faltariam desculpas para prosperar o furor anticomunista do governo Dutra. Dois anos e meio após o reatamento, uma nota endereçada ao chanceler Viatcheslav Mólotov sacramentou o fim das relações diplomáticas.

Se o mundo configurava uma arena para o choque entre comunistas e capitalistas, a Câmara era um Coliseu onde para cada gladiador vermelho revezavam-se dezenas de leões dispostos a devorá-lo. Com o mandato ainda preservado, Marighella reivindicava medidas contra a nuvem de gafanhotos que causava danos à safra de trigo, e Tristão da Cunha, deputado do Partido Republicano que um dia teria um neto de nome Aécio Neves, galhofou:

"Vossa excelência acha que a praga dos gafanhotos também foi enviada dos Estados Unidos?"

O petebista Abelardo Mata já resmungara:

"É uma verdadeira fobia pelo fascismo."

Numa discussão com Ataliba Nogueira, Marighella referiu-se ao grupo de nipônicos fanáticos que, por não admitir como fato a rendição do Japão, assassinava compatriotas em São Paulo:

"Vossa excelência [...] teve a oportunidade de defender os fascistas japoneses da Shindo Renmei."

"Vossa excelência não conhece a nossa língua, tão versado que está no idioma russo e, por isso, não nos entende", reagiu o pessedista, antes da tréplica:

"Não tive ensejo de aprender a língua russa, e talvez vossa excelência conheça bem o alemão ou o japonês."

No auge da intolerância, os comunistas haviam apoiado em bloco uma emenda apresentada por deputados do PSD e da UDN à Constituinte: proibir a imigração japonesa. A proposta de tintas racistas quase vingou. Com o empate na votação em plenário, o presidente da Assembleia, senador Fernando de Melo Viana, vetou-a com o voto de minerva.

Certas divergências podiam se desenrolar em modos polidos, mas degeneravam em confusão. Barreto Pinto sugeriu diminuir de onze para quatro os carros da Câmara, e Marighella criticou a redução como demagógica. Assinalou que a casa necessitava de automóveis e que se acumulavam veículos nos ministérios, onde rodavam abusivamente em serviços privados. Aconselhou mais "eficiência, controle e rigor" com a minúscula frota — em 1948, a mesa definiria a quantidade em nove. Em seguida, a liturgia civilizada ruiu. Tudo por conta de um carro da Câmara. O deputado Altamirando Requião embarcou com um deles em um navio para Salvador. A notícia espalhou-se, e uma multidão tomou o porto baiano para ver a Baronesa, como o luxuoso Packard era tratado. Simpático ao nazismo na década de 1930, o pessedista foi abordado pelos repórteres assim que pisou em terra. Pontificou:

"O governador Otávio Mangabeira mandou um representante saudar-me ainda a bordo. Sou obrigado a retribuir e agradecer a gentileza. Estaria bem se o fizesse de bonde ou de ônibus? Não tenho carro particular e acho feio para um cavalheiro andar de ônibus."

No retorno de Requião ao Rio, Marighella pediu um aparte.

"Eu aceito apenas apartes de cidadãos brasileiros. Não aceito aparte de cidadão russo", negou o conterrâneo.

Noutra sessão, Marighella insistiu, e o correligionário de Dutra se destemperou:

"Não permito que elementos de cor como vossa excelência se intrometam no meu discurso."

Marighella chamou-o de racista, mas poucos se incomodaram. Segadas Viana ponderou:

"Se um funcionário da Câmara levasse a Baronesa, estaria sendo processado."

Requião ignorou-o:

"Singrarei as águas do oceano."

Marighella não resistiu:

"De automóvel?"

O imbróglio da Baronesa não teve a repercussão da controvérsia sobre a política para o petróleo. A Guerra Fria retirou os comunistas brasileiros de certas trincheiras, num recuo que eles se esforçariam para eliminar da memória. Enquanto a União Soviética e os Estados Unidos cooperaram, o PCB foi favorável à exploração das jazidas minerais não apenas pelo Estado, mas pelo capital, inclusive do exterior. A emenda 3259 da Constituinte, apresentada por Prestes, Marighella, Grabois e outros quatro camaradas, estipulava direitos de exploração pelos estrangeiros iguais aos dos brasileiros, "independentemente de seu domicílio no território nacional". A Carta foi mais nacionalista: "As autorizações ou concessões serão conferidas exclusivamente a brasileiros ou a sociedades organizadas no país". Subsidiária da Standard Oil, a Esso se instalara no Brasil em 1912. A Royal Dutch Shell também mantinha uma subsidiária.

Em junho e julho de 1947, com os atritos crescentes entre americanos e soviéticos, o PCB radicalizou, mas nem tanto: encabeçando uma lista de deputados comunistas, Marighella apresentou três projetos sobre petróleo que se tornaram conhecidos por seu nome — todos terminaram arquivados. O principal projeto Marighella idealizava uma autarquia, o Instituto Nacional do Petróleo, que constituiria uma sociedade de economia mista para "exercer atividades relacionadas com o abastecimento nacional". O governo federal deteria ao menos 51% das ações, deixando o resto com a iniciativa privada brasileira. O partido excluía os capitalistas estrangeiros, identificados como "trustes", mas recusava o monopólio estatal do petróleo.

No giro à esquerda, Marighella intercedeu pela nacionalização dos frigoríficos — como o vereador Barão de Itararé brincava, "a carne é fraca, mas os frigoríficos são fortes". Pelejou pelo direito de seiscentas famílias permanecerem no terreno ocupado na localidade soteropolitana do Corta-Braço — o governo declarou a área de utilidade pública, indenizou o proprietário e manteve os moradores. Seu depoimento à Comissão Parlamentar de Inquérito sobre os Crimes do Estado Novo, relembrando a tortura, foi editado em brochura pela Editorial Vitória, assim como seu discurso a respeito do Orçamento da União para 1948. Inspirado no juiz Sá Filho, para quem o banimento do PCB equivalia ao eclipse da democracia, Marighella requereu créditos para o Observatório Nacional estudar um eclipse total do Sol.

Ele não perdia o humor, embora o clima não estivesse dos mais estimulantes na Câmara, onde se sucediam bate-bocas com Juracy Magalhães. Marighella lamentou a falta de água e luz na Bahia, e o antigo interventor se manifestou:

"Ao governador Otávio Mangabeira não poderá ser atribuída responsabilidade por uma situação que já vem de dezenas de anos."

Marighella: "Inclusive do governo de vossa excelência".

Juracy: "O orador não ignora que procurei em parte resolver o problema, pois no meu governo realizei a captação do rio do Cobre e do rio Ipiranga".

Marighella: "Sei de tudo que houve no governo de vossa excelência. Sei da captação de águas e também da decapitação de alguns democratas [...]".

Juracy: "Vossa excelência sabe perfeitamente que não mandei espancar ninguém. Repete por mera conveniência. Mas o que sabe é que meti vossa excelência na cadeia, atitude que repetiria se os fatos se reproduzissem".

Marighella: "É uma vocação de vossa excelência meter na cadeia. Eu também fui ameaçado por vossa excelência em 32 de ser espancado e de ficar com os ossos triturados".

O magnata das comunicações Assis Chateaubriand, dono dos Diários Associados, abençoou Juracy em sua coluna nos jornais e disparou flechas contra Marighella. No início de 1947, os dois deputados baianos haviam dividido o mesmo palanque, em comício de Mangabeira. Reencontro mais esdrúxulo só o de Prestes com Getúlio Vargas, trocando aperto de mãos em novembro no Anhangabaú, na campanha do pessedista Cirilo Junior a vice-governador paulista. Uma fotografia deu a impressão falsa de que o marido de Olga Benario segurou o microfone para o homem que entregara sua mulher à Gestapo.

No mês anterior, o projeto Ivo D'Aquino passara no Senado. E PSD e UDN se uniram na Câmara para aprovar moção de apreço às Forças Armadas. Era exigência do ministro da Guerra, general Canrobert Pereira da Costa, contrariado com um discurso furibundo de Marighella contra o projeto de Lei de Segurança Nacional e o chefe do Gabinete Militar da Presidência, general Álcio Souto. Não adiantava falar grosso: a perda dos mandatos era questão de tempo. O desenlace não implicaria mais sofrimento para Maria Rita Marighella. No fim de novembro, seu filho discursava na tribuna quando recebeu um telegrama e soube que a mãe morrera. Leu a mensagem, calou sobre ela, disfarçou a tristeza e retomou o fio da meada. Maria Rita fora vitimada por um derrame — um acidente vascular cerebral também levaria o viúvo, Augusto, anos depois. Ela começou a passar mal às seis horas da tarde e morreu às quatro da madrugada. No leito de morte, murmurou à filha Tereza:

"Fale com seu irmão..."

Tereza sabia que era com Carlinhos, mas a mãe não sobreviveu para completar o recado.

Em sua agonia na Câmara, Marighella argumentou:

"É um absurdo extinguir mandatos, já que a cassação do registro eleitoral de um partido político não pode significar o desaparecimento automático do eleitorado que sufragou os candidatos registrados sob sua legenda."

Era o mesmo conteúdo do parecer que o advogado Sobral Pinto elaborara. Outro católico de renome, o pensador Tristão de Athayde, escreveu: "Jogar fora da lei os adversários é uma política muito fácil. Mas nunca são os caminhos fáceis, ou quase nunca, pelo menos, que resolvem as coisas".

Com uma trilha difícil no horizonte, o PCB já se despedira das ilusões. Por isso, antes de o ano terminar retirou do Congresso Prestes, Arruda, Amazonas e Marighella, que havia sido cooptado para integrar temporariamente a Comissão Executiva. Eles tocariam o partido em caso de repressão generalizada. A 7 de janeiro de 1948, Marighella não testemunhou a bravata de Juracy Magalhães ao chegar para a votação:

"Hoje eu não vim aqui para trocar palavras; vim para trocar tiro."

Também votariam pela cassação um ex, Artur Bernardes, e um futuro presidente da República, Juscelino Kubitschek. Outro presidente na década seguinte, Café Filho, apoiou os mandatos populares. Com o palácio Tiradentes transformado em patíbulo, Maurício Grabois pronunciou seu derradeiro discurso pela bancada:

"Já não falo para um parlamento soberano, capaz de defender a democracia, capaz de defender sua dignidade."

Nelson Carneiro, da UDN, mencionou dois personagens bíblicos ao se pronunciar a favor dos comunistas. Preso com Marighella em 1932 na Bahia, ele comoveu muitos ateus:

"Um dia a posteridade gritará aos ouvidos e à consciência dos que votaram este projeto: 'Caim, que fizeste do teu irmão?'."

No meio da sessão, sobreveio um tumulto. O pessedista Francisco Pereira da Silva interferiu, e Gregório Bezerra gritou:

"Vendido!"

O deputado amazonense fez menção de puxar uma arma, e, no braço, o comunista pernambucano investiu contra ele. Foi a vez de Benedito Valadares, também do PSD, sacar o revólver. Não atirou. E Juracy berrou:

"Fora com os lacaios de Stálin!"

Eram quase dez horas da noite quando a mesa proclamou o resultado da votação: por 169 a 74, estavam cassados os mandatos. Os deputados do PCB subiram nas mesas e protestaram. Veterano da Coluna Prestes, Trifino Corrêa deu uma banana para os governistas. Foi o símbolo do adeus dos camaradas.

Escondido na zona norte carioca, Marighella recomeçava tudo de novo. Não se preocupava apenas consigo: longe dele, Elza era vigiada por policiais que o procuravam. Na barriga, ela carregava um bebê. Pensando bem, maio não era tão mau: se tudo corresse como esperado, naquele mês Marighella seria pai.

14. *Chapeuzinho foge de casa*

Às vésperas do Natal de 1948, a poeta Ana Montenegro pediu a Marighella uma sugestão de lembrança para o filho dele. Ouviu que Elza certamente saberia melhor. E o camarada, o que desejava? Nada:

"Eu não quero presente, meu presente é Carlinhos."

Desde pequeno Marighella se encantava com crianças: mais velho dos oito irmãos, dois dos quais seus afilhados de batismo, ajudou Maria Rita e Augusto a cuidar da prole. Em outro fim de ano, alguns verões depois do diálogo com Ana Montenegro, o portuário Geraldo Rodrigues dos Santos não podia realizar o sonho da filha pequena de ganhar uma boneca. Marighella assuntou, em um encontro de rua em São Paulo: o sindicalista que passara a trabalhar como militante profissional do PCB era pai de menina?

"Então você vai levar a boneca", anunciou, antes de separar também uma bola para o garoto de Geraldão.

Como um improvável Papai Noel, Marighella carregava um saco de brinquedos para que os companheiros menos abastados não desapontassem os rebentos na noite de 24 de dezembro. Ainda no Rio, ele aparece no apartamento de Diógenes Arruda no Leme e, em vez de se ocupar das incansáveis tertúlias sobre as agruras da conjuntura, brincava com o primogênito do anfitrião. Quando Marcucha foi acometido por uma pleurisia que quase o matou, Marighella era a única pessoa que lhe aplicava a injeção de estreptomicina, afora os parentes mais íntimos. Para evitar um tratamento traumático, desenhou histórias em quadrinhos com um tal de Doutor Fragoso, enfermeiro narigudo coberto pela bata até os pés, a cruz vermelha no peito e, na mão, a seringa do tamanho de uma perna. O personagem deixara o interior montado no jumento Mula Manca, o mesmo que inspirara o nome do bloco carnavalesco. O "paciente" ria, e Marighella aproximava a agulha:

"Segura aí, moleque!"

Já perto do final da vida, em São Paulo, Marighella jogava um aviãozinho para avisar que chegava à residência da família Grinspum. Lá, a menina Isa queria saber de onde o visitante viera, e a conversa ia longe: ele atravessara a África, imobilizara uma cobra venenosa, colocara-a numa caixa e a trouxera para o Instituto Butantan fabricar vacinas. Isa entregou seu primeiro caderninho de endereços para o tio Carlos escrever o dele, e não houve como. Já sob o rigor da clandestinidade, Marighella cantarolou os versos de Caymmi:

Eu não tenho onde morar
É por isso que eu moro na areia.

Em abril de 1948, ele continuava morando no Rio, mas distante da praia. Escolheu um aparelho para as bandas do subúrbio do Méier. Desde a cassação afastara-se de Elza: ambos tinham consciência da campana sobre ela, para capturar o pai do bebê em gestação. Com ou sem mandado judicial, os agentes da polícia ensaiavam reviver o Estado Novo. Nem os ex-deputados escapavam. Poucos dias após pronunciar seu último discurso na Câmara, Gregório Bezerra foi preso por uma acusação contaminada pelo filme em cartaz na capital: *Pinocchio, o boneco mentiroso*. A alegação — falsa, como a Justiça atestaria — era que ele havia incendiado um quartel do Exército em João Pessoa. Também integrante da bancada comunista, o sargento Gervásio Gomes de Azevedo, veterano da FEB, foi espancado pela polícia paulista. A mesma que trancafiou no Dops o deputado estadual cassado Armando Mazzo, cuja eleição para prefeito de Santo André foi anulada. O herói de guerra Salomão Malina penava na cadeia desde que os tiras assaltaram as instalações da *Imprensa Popular*, diário que sucedeu a *Tribuna Popular*, com granadas, bombas de gás e tiros de revólver e espingarda. A tropa da Polícia Especial, convocada para o reforço, escalou o seu fortão mais famoso, o juiz de futebol Mario Vianna.

Em 30 de abril, Marighella não foi agarrado pela repressão, mas seus inimigos lhe assestaram um golpe duro. O vespertino *A Noite* veiculou a costumeira reportagem de propaganda contra o PCB. Dessa vez, o "vilão" era ele, e a "vítima", Elza. A primeira página esbravejou: "Acusado de crime de sedução o ex-deputado Marighella". No alto da página 13, o título acusou: "Enriquece a lista de crimes abomináveis dos comunistas". O jornal apimentou: "Agora o caso é contra a honra de uma jovem". Associava o nome de Elza "Santos" Sé ao de *Elza Fernandes*, como era chamada Elvira Cupello Colônio, assassinada covardemente pelo partido em 1936. E sustentava que, cada uma ao seu modo, as duas haviam padecido nas garras dos vermelhos.

Quem acompanhava o mais anticomunista dos periódicos cariocas leu que "Marighella, usando de todo seu ardil, seduziu Elza". Não era de espantar, já que "os comunistas não titubearam em praticar os mais vis atos de imoralidade e desrespeito ao princípio fundamental da família, destruindo lares e infelicitando mocinhas humildes, mas honestas". De acordo com *A Noite*, Marighella recuara da promessa de casamento de papel passado, culpando o PCB, que não teria autorizado a união legal enquanto seu deputado estivesse no parlamento. A denúncia mais cabeluda era que, ao deparar com o "estado interessante" de Elza, ele teria decidido que iriam ao médico para um aborto que acabou não sendo feito. Como se não bastasse, rompera com sua companheira e se escafedera. No epílogo, a mãe de Elza, Etelvina, viajou da Bahia para o Distrito Federal, peitou o partido, ameaçou-o com um escândalo e arrancou o compromisso de amparo à filha abandonada.

Quarenta e um anos antes de o candidato presidencial Fernando Collor de Mello acusar o oponente Luiz Inácio Lula da Silva de ter tentado interromper a gravidez de uma namorada, Carlos Marighella foi alvo de idêntico expediente. *A Noite* não omitiu apenas a idade de Elza Sento Sé, 24 anos ao conhecer Marighella — portanto seria impossível configurar "crime" de sedução. Descreveu uma pessoa frágil que em nada se assemelhava à mulher determinada que era. E calou a respeito da sua inscrição partidária — seu filho se acostumaria com a mãe comunista cantando uma canção das jornadas de refrega com o chefe de polícia:

Pereira Lira, Pereira Lira
Pereira Lira é de amargar
Dá, dá nesse tira
Dá nesse tira até ver sangrar.

A Noite escondeu mais: a vigilância da polícia sobre Elza, da qual ela sempre se lembraria. As fontes de informação da matéria nunca ficaram evidentes. Marighella não se casaria em cartório, porque fazia pouco do que desprezava como uma formalidade burguesa. Mais à frente, na Bahia, Elza viria a contrair matrimônio com outro homem. Se o filho dela e de Marighella nascesse seis dias depois, faria aniversário com a mãe. Por coincidência, veio ao mundo em 22 de maio de 1948, sessenta anos cravados depois da avó Maria Rita.

Ana Montenegro visitava Elza e o recém-nascido no Méier, onde moravam, levando dinheiro para as despesas do pequeno Carlos Augusto Marighella — o menino recebeu os nomes do pai e do avô. Era o bairro do esconderijo do amigo, casualidade que Ana ignorava. Um dia, a camarada Zilda Xavier Pereira indagaria Marighella sobre sua maior felicidade.

"Foi quando conheci Carlinhos", ele disse.

Esse encontro demoraria a acontecer.

Enquanto a brigada anticomunista se entrincheirava em *A Noite* para disparar petardos na direção de Marighella, uma arrebatadora história de amor se desenrolava longe das páginas amarronzadas do jornal. Seria um prato cheio para as patrulhas moralistas de direita ou esquerda. E enredo cativante para um romance à *Romeu e Julieta*, mas sem lágrimas no final. Na tragédia de Verona, não era a ideia mais sensata um Montecchio e uma Capuleto se apaixonarem. Como os corações não vivem de sensatez, os jovens se enamoraram e só a morte impediu que fossem felizes para sempre. No Rio de Janeiro do pós-guerra, tudo começou no dia em que um mulato da Bahia de sobrenome italiano e uma moça judia criada em Alagoas esperavam o mesmo elevador no bairro da Glória.

A aeromoça Clara Charf era funcionária da Aerovias Brasil, a primeira empresa a voar com bandeira nacional para os Estados Unidos. Com seu uniforme azulado, de saia e casaquinho, fora apanhar documentos na sede do Comitê Nacional do PCB. Era um pombo-correio do partido numa época em que os serviços postais não tinham asas: aproveitava o emprego para levar e trazer correspondência de cidades longínquas. Clara e Marighella, o cidadão com quem ela entrava no elevador, não se deram nem bom-dia. Assim que topou com João Amazonas, ele perguntou quem era a camarada. E comentou com Jorge Amado sobre a "branquinha arrumadinha".

Clara foi eleita princesa de *A Classe Operária*, órgão do PCB. Ainda que o critério fosse a quantidade de rifas vendidas, os companheiros compravam das mais bonitas. Alzira, a mulher de Maurício Grabois, sentenciou: não havia no partido militante com a beleza de Clara. Ao contrário do padrão, era uma aeromoça que não se maquiava, o que a fazia mais interessante. Marighella não desgrudava da novata na fração parlamentar comunista, onde a camarada foi trabalhar. Quando se deram conta, Clara já cuidava da alimentação dele — a tia com quem ela vivia preparava um sanduíche com picadinho de carne e ovo para um anônimo colega da sobrinha.

Com vocação de cupido, Zélia Gattai provocou Marighella em um almoço. Disse que Clara o devorava com os olhos. E sugeriu:

"Pois olhe, os dois fariam um belo par: você, um morenão bonito, simpático; ela, loira de olhos azuis."

Marighella a corrigiu:

"Onde foi que você viu olhos azuis em Clara? Os olhos dela são castanhos."

"Caiu que nem um patinho, hein!", divertiu-se Zélia. "Até a cor dos olhos dela você reparou, seu danado."

Ele vacilou:

"Um homem como eu não tem direito de pensar em casamento. Onde vou encontrar mulher que se sujeite... Hoje estou livre; amanhã na cadeia. Hoje aqui, amanhã, quem sabe? Debaixo da terra? Um cara como eu não pode se dar ao luxo... de amar."

O charme de Marighella para Zélia e Jorge Amado não o privou de estar cada vez mais perto de Clara no escritório da bancada e fora dele. Como era um caminhante compulsivo, conversavam andando pela cidade. Ela não o achava um galã, embora visse no conjunto da obra um — em suas palavras — "tipão de homem" cuja "doçura no trato" a atraía. A história de Clara, contada passo a passo nas calçadas, cativava-o. Seus pais eram judeus russos que tinham fugido da intolerância antissemita no Leste Europeu. Nascida em 1925, Clara crescera em Maceió, onde a família se estabelecera, acrescida por um irmão e uma irmã menores. O pai, Gdal, vendia roupas e tecidos de porta em porta. Para um mascate, tinha uma fraqueza incontornável: comovia-se com as aflições dos fregueses. Se não podiam pagar à vista, ele fiava. Ao cobrar a prestação, caso lamuriassem que não tinham nem como comprar remédios para as crianças doentes, o vendedor não apenas abria mão da dívida como devolvia a parcela anterior. Assim ficava difícil prosperar.

Nada que impossibilitasse Clara de aprender inglês com as irmãs britânicas Clark e de frequentar aulas de piano que a fizeram concertista — sua mãe, Ester, tocara violino na Rússia dos sovietes. O pai extremoso obrigava-a a banhar-se no mar antes de o sol raiar, interessado nos benefícios do iodo. À procura de oportunidades melhores, ele reeditou o caminho da família de Clarice Lispector, com quem tinham parentesco distante: atemorizados pelos pogroms, os pais da escritora saíram da Rússia — sua mãe deu à luz na Ucrânia, em 1920 —, foram morar em Maceió em 1922 e se mudaram em 1925 para o Recife. Gdal, Ester, Clara e os irmãos, Abraão e Sara, se transferiram em 1942 para a capital pernambucana, onde a comunidade judaica era bem mais numerosa do que em Maceió. Foi no Recife que a mãe de Clarice morreu aos 42 anos, cinco após chegar. Ester não teve nem esse tempo: a tuberculose a abateu aos quarenta.

Gdal desesperou-se. Tentou trabalhar em tudo, nada deu certo. Restou-lhe a pensão mais miserável, e os recursos escassos não deram direito a mais de um quarto. De um lado dormiam as irmãs; do outro, o irmão com o pai. Como dominava o inglês e estudara datilografia, Clara obteve uma ocupação na base naval dos Estados Unidos, mas os Charf não superaram a pobreza. Em 1945, a filha mais velha se propôs a ir para o Rio de Janeiro, arranjar um bom emprego e depois buscar a família. Não seria a médica que aspirara ser. Na capital, hospedou-a tia Sara, mulher do seu tio materno Marcos.

Ao partir do Recife, Clara já era comunista, iniciada pelo camarada Jacob Wolfenson. Para que o pai não tivesse poderes legais sobre seu ato, só se filiou ao PCB em 1946, aos 21 anos. Depois das privações e perdas, enredou-se no furacão Marighella. Descobriu-se apaixonada e correspondida. Numa das caminhadas pelas cercanias da rua Santa Luzia, eles se beijaram pela primeira vez. Passaram a se tratar na intimidade como *Lobinho* e *Chapeuzinho*. Marighella estava com Elza. Gdal Charf ansiava por netos judeus. Para sorte do casal que se formava, o amor não tinha hora marcada nem era mesmo questão de sensatez.

As nuvens encobriram o namoro na tarde em que Clara vendia a *Tribuna Popular* em um bonde. Um homem a fotografou e, de regresso a Pernambuco, mostrou a foto ao amigo Gdal:

"Olha o que sua filha está fazendo no Rio de Janeiro."

Do flagrante na capital à inconfidência no Recife, sobreviera o expurgo legislativo, e a temporada de caça aos comunistas ressurgira triunfal. Possesso, o pai resolveu resgatar Clara. Ele se surpreendera com o ingresso da filha no PCB e desconhecia a relação com Marighella. Afirmou que só retornaria para casa com ela. Não era um reacionário intransigente, mas não admitiria que Clara se arriscasse por uma causa perigosa — a perda de Ester já lhe fora desgraça demasiada. Como a filha batia pé, Gdal endureceu: botaria a boca no mundo. Ela não abriu mão do seu amor: com o arrojo dos apaixonados, desapareceu da casa da tia e se abrigou em uma rua vizinha, no bairro do Flamengo, com a família do antigo deputado José Maria Crispim.

Lá ponderaram: seu pai poderia prestar queixa contra o partido por rapto. Ela resistiu, e decidiram consultar Marighella, que ignorava o rebuliço familiar. Ele falou coisas que Clara jamais esqueceria: estavam namorando de verdade, queria e iria ficar com ela, com todos os sobressaltos da vida de revolucionário. Como o pai poderia reclamar do roubo da filha, era melhor que por ora se submetesse à sua exigência. Com o coração destroçado, Clara se despediu. Mal sabiam quem ela era: o desenlace do romance de *Chapeuzinho* e *Lobinho* não seria como o de Julieta e Romeu.

De volta ao Recife, Clara constatou que não tinham casa e conformou-se com a pensão. Dava expediente em um banco até as cinco da tarde, ocultava do pai a atividade política e se atormentava com tanta saudade. Certa feita, Gdal contou-lhe não ser mais segredo que a filha teimava em seguir no partido e, mais grave, namorava Marighella. Não revelou quem fora seu informante. Em tom que não deixava dúvidas de que ditava uma imposição, ordenou:

"Não quero que você namore ele, não quero que você milite. Você vai ser presa, você vai ser morta."

Sem sucesso, Clara tentou argumentar que o pai estava enganado sobre Marighella. Aos prantos, repetia:

"Ele é uma pessoa tão boa."

Gdal não afrouxaria o zelo. Desde que Ester se fora, ele havia sido pai e mãe, sacrificara-se pela família. Irado, trocou o português pelo idioma em que era mais autêntico nos momentos de emoção. Em iídiche, explodiu:

"Você não pode namorar esse homem: ele é preto, vermelho e não judeu!"

Clara entendia muito bem o que significavam *schvartz*, *roiter* e *goy*. Seus planos frustravam tudo o que o pai imaginara. Os dois choraram. Temeroso de que ela se abalasse para o Rio, Gdal destruiu seus documentos. Logo enfrentou novo susto: Clara contraiu pneumonia. Com medo de que evoluísse para tuberculose, o mal que levou Ester, ele concordou que a filha se tratasse nas redondezas do Recife, onde o clima e o leite fresco das vacas seriam bons remédios. Não poderia adivinhar que, se a enfermidade era real, a ida para a chácara constituía etapa de um plano tramado em detalhes.

A deputada cassada Adalgisa Cavalcanti, primeira mulher a alcançar a Assembleia, era amiga fiel e confidente de Clara em Pernambuco. Com uma irmã de Diógenes Arruda, ela deu um jeito de alertar Marighella que sua amada fugiria. Havia um problema de Cinderela: Gdal rasgara todas as roupas da filha — além da falta de papéis de identidade, não havia o que vestir. Clara continuou sem documentos, mas ganhou um vestido que Adalgisa costurou especialmente para o dia da liberdade.

No Rio, como combinado, ela se alojou na casa de uma alemã comunista indicada por Marighella. No sábado 4 de dezembro de 1948, véspera do aniversário dele, o casal passou a morar junto no Méier. Impressionado com as restrições de Gdal, Marighella fascinou-se com a cultura judaica. Alinhavou um romance cuja protagonista seria a judia Judite, mas não concretizou o projeto. Uma década depois da fuga, todos se reuniriam em festa: Clara, Marighella, Gdal e sua nova mulher, uma viúva cristã.

15. São Paulo vai parar

No começo de 1949, uma mulher de sotaque nordestino comprou um mapa da cidade de São Paulo e rumou para o Ipiranga. Estava bem instruída sobre que tipo de imóvel alugar no bairro operário: casa com privacidade, sem exigência de fiador e em local que facilitasse a fuga se a polícia o descobrisse. Ela achou o que procurava numa rua tranquila, identificou-se como *Vera* e se preparou para receber o marido, que logo chegou do Rio. Não havia geladeira na residência, mas não faltava um mimeógrafo. Para que ninguém escutasse o barulho da máquina nem as vozes do casal, um rádio tocava música italiana nas alturas — como o pai, o morador apreciava canto lírico. Para tornar verossímil o personagem de dona de casa esmerada, a mulher cuidava do jardim com capricho. Do outro lado do portão, um menino puxava conversa, e ela lhe comprava balas no armazém. A mãe do garoto convidou-a para comer um bolo, *dona Vera* agradeceu e recusou: o marido viajante era tão ciumento que, se regressasse e não a encontrasse, daria escândalo.

Evitou que se obrigasse a retribuir a gentileza. Senão, teria de explicar a ausência de móveis. Pior, a vizinha poderia dar com a fisionomia famosa da Câmara dos Deputados. Para não ser visto, o homem saía às cinco e meia da manhã e retornava à noite, mas às vezes varava o dia trabalhando em casa. Nenhuma pessoa os visitava nem sabia onde viviam. No isolamento rigoroso, Clara Charf, o nome verdadeiro de *Vera*, encantava-se com um hábito masculino incomum de

Marighella: a divisão das tarefas domésticas. Ela varria, ele escovava o chão. Como não conseguia fritar os pastéis que o apeteciam, ele fazia a massa que ela levava à frigideira. Inepto para passar a roupa, ele a lavava — a louça também. Enquanto ela empunhava o ferro, ele lia para a mulher, em voz alta, das notícias de jornal aos catataus ideológicos mais áridos.

Coordenadora do PCB no movimento feminino paulista, Clara contou a Marighella que mulheres dos integrantes do Comitê Regional Piratininga se queixavam do comportamento dos maridos. Ele era o primeiro-secretário, topo da hierarquia do órgão que chefiava o partido na Baixada Santista, na capital e nos arredores, até Campinas. Clara promoveu uma reunião para a qual as esposas contrariadas foram transportadas de automóvel e de olhos vendados, o que as impedia de reconhecer o caminho até instalações secretas. Uma delas revelou que o brucutu com quem se casara tinha faniquitos se o jantar fosse o almoço requentado, e não comida fresca. Outra, experimentada comunista, reclamou do marido que dera para impedi-la de ler os relatórios partidários, julgando-a incapaz. Marighella encorajou-as a desafiar os instintos machistas no lar. Maldisse os confrades com tamanha convicção que Clara teve a impressão de que as companheiras "se sentiram livres". Numerosas militantes se embeveciam com ele e segredavam o fascínio a quem não supunham ser a confidente menos indicada: *Nice*, nome de guerra de Clara.

Certa manhã, ela ouviu de Marighella:

"Não podemos continuar aqui!"

Ele acabara de se deparar com a montagem de uma nova feira livre, na sua rua, no Ipiranga. Temeu que correligionários das cercanias, indo às compras antes de o sol raiar, flagrassem seu endereço. Na correria, *dona Vera* deixou a chave para a vizinha devolver ao proprietário. Mudaram-se para a rua Casa do Ator, na Vila Olímpia, ainda um reduto de chácaras e manguezais. Quando uma meningite desencadeou uma febre incandescente em Clara, Marighella carregou-a a uma avenida, onde camaradas a resgataram de carro e a levaram para um médico comunista atendê-la. Ela convalesceu por três meses, longe de casa. Nesse período, para que ninguém perguntasse pela saúde da moradora sumida, Marighella não acendeu as luzes, guiando-se pelo brilho de velas.

Os dirigentes comunistas reencontravam as sombras da conspiração clandestina, entretanto o Brasil já se despedira das trevas da ditadura. Para os camaradas, o problema era o presidente Dutra agir como quando encabeçara o Ministério da Guerra no Estado Novo: permanecia um perseguidor implacável, mesmo na pele de chefe do governo constitucional legitimado pelo voto popular. Depois de Salomão Malina e Gregório Bezerra, agora era o antigo capitão Agliberto Azevedo quem ia em cana. A justiça condenara Joaquim Câmara Ferreira, o diretor do diário paulistano *Hoje*. O jornalista enfrentara de arma na mão o assalto do jornal pela polícia e o Exército, em janeiro de 1948. Mais graves eram as mortes. As contas não fechavam sobre as cometidas nos quinze anos de Getúlio Vargas no poder, mas seguramente foram assassinados mais comunistas sob Dutra, de janeiro de 1946 a janeiro de 1951: 55, conforme o PCB, número igualmente superior aos 38 militantes do partido abatidos pela ditadura que vigoraria de 1964 a 1985.

No artigo "Chacina da Sé", Marighella denunciou a morte de um bancário baleado na praça soteropolitana em dezembro de 1947. Em fevereiro de 1948, um operário perdeu a vida no Rio de Janeiro, numa greve de ferroviários. A predileção da polícia gaúcha era matar por quartetos: quatro pecebistas em 1º de maio de 1950, na cidade portuária de Rio Grande; quatro, todos com nomes iniciados pela letra A, em setembro daquele ano no município fronteiriço de Sant'Ana do Livramento; e mais quatro em agosto de 1952, novamente em Rio Grande. As ordens de prisão se sucediam, e o PCB resolveu não esperar por elas, mantendo escondidos os quadros do comando. No fim de 1947, Prestes viajou de automóvel para São Paulo. Inaugurava um recolhimento que o afastaria do cotidiano do partido por dez anos. Primeiro, morou com Severino Teodoro de Mello. A seguir, Giocondo Dias tornou-se o responsável por sua segurança. Em 1948, Marighella convivia no Rio com os riscos de quem se expunha nas ruas à repressão. A polícia política o caçava, embora o mandado judicial de captura só viesse a ser emitido no início de 1954.

Obcecado com pontualidade, ele se irritou com um atraso do jornalista João Falcão, escalado para servi-lo como motorista. Marighella aguardava-o a céu aberto, em 1948, numa avenida da zona norte. Foi tão grosseiro que Falcão o repreendeu pelo tom de patrão com empregado, repudiando-o como inaceitável entre revolucionários. Em papéis invertidos, de um lado formava o neto de escravos e filho de mecânico. Do outro, o herdeiro de pai pecuarista, banqueiro e usineiro de açúcar. No Dodge 1942, um carro médio de propriedade do PCB, Marighella se desculpou. Os amigos baianos não se estranhariam mais.

Falcão observou que Marighella fazia brincadeiras espirituosas, espalhava as últimas piadas, no entanto era "rígido e duro" nas regras da clandestinidade. Não foi o que pareceu a Graciliano Ramos, ao avistar no restaurante Furna da Onça o deputado cassado com um disfarce nada efetivo. Acompanhado de Paulo Mercadante, o escritor acenou, mas sua expressão não dissimulou que reprovava a ousadia do camarada em pleno Centro do Rio. Em São Paulo, foi Diógenes Arruda quem se zangou. O secretário de Organização do PCB substituiu o militante que combinara um ponto noturno com Marighella. Surpreendeu-se ao topar com o novo dirigente da região trajando um elegante uniforme azul de tripulante da Panair, sem se esquecer do quepe branco. O vice de Prestes exasperou-se, como seu interlocutor relembraria às risadas:

"Então eu te mando para dirigir o partido aqui, e tu vives ainda com brincadeiras de estudante irresponsável!"

Marighella retomou o leme do PCB em São Paulo dez anos depois de ser preso na cidade. De 1937 a 1939, encarregara-se do estado inteiro, com o partido esfacelado. Em 1949, não havia mais Comitê Estadual único, e ele assumiu o Comitê Piratininga. No ano anterior, cuidara no Rio da Agitação e Propaganda, como secretário nacional da pasta. Na tradição comunista, agitar significava falar pouco para muitos: um panfleto ou um comício-relâmpago. Propagandear implicava falar muito para poucos: um texto político mais denso ou uma conferência de fôlego. No novo quartel de Marighella, não faltou nem uma coisa nem outra. Numa das ações de maior barulho, a costureira Elisa Branco Batista foi presa em 7 de setembro de 1950, ao abrir no vale do Anhangabaú a faixa que lhe custou treze meses de cadeia: "Os soldados, nossos filhos, não irão para a Coreia". As autoridades não perdoaram o gesto de arrojo na cerimônia do Dia da Independência, e Marighella contra-atacou com protestos ruidosos do PCB pela libertação da camarada.

A heroína que tomou as páginas do *Hoje* teve mais sorte do que o companheiro Vicente Maluoni, assassinado em julho de 1949 pela polícia paulista num comício pela paz. Um pouco antes, em abril, assim que centenas de delegados instauraram o Primeiro Congresso Brasileiro de Defesa da Paz na sede da UNE, Cecil Borer e seus agentes do Dops carioca invadiram o auditório, exibiram as armas e dispararam. João Saldanha pespegou uma cadeirada em um dos investigadores, e o alvejaram pelas costas com uma bala que se alojou no pulmão direito. O deputado estadual Paulo Cavalcanti foi espancado com um cassetete de aço até a sua roupa branca se empapar de sangue. Socorreram-no no apartamento do escritor Orígenes Lessa, e ao voltar a Pernambuco ele ingressou no PCB. O entrevero havia deixado um morto de cada lado.

O repúdio às armas nucleares, ao envio de tropas à Guerra da Coreia e ao pacto militar entre Brasil e Estados Unidos foi o eixo da mobilização pela paz impulsionada pelo PCB a partir de 1949. A denúncia do arsenal atômico reproduzia a campanha global orquestrada pela União Soviética. No Congresso Mundial dos Partidários da Paz, realizado em Paris e Praga, confraternizaram dos brasileiros Caio Prado Jr. e Mário Schenberg ao pintor espanhol Pablo Picasso e o poeta francês Louis Aragon. Em 1950, personalidades lançaram o Apelo de Estocolmo, pela eliminação da bomba atômica. Marighella divulgou-o em artigos na imprensa do partido, legal (os jornais diários que não se registravam como pecebistas) ou não (como o semanário *Voz Operária*). Foi o comitê liderado por ele que arrecadou mais assinaturas de adesão ao apelo, adotado pelo Movimento Nacional pela Proibição das Armas Nucleares, ligado ao PCB. Da meta de 4 milhões, São Paulo respondeu por 1,5 milhão. O resultado oficial foi de 4,2 milhões, entregues na sede da ONU com alegados 270 milhões de firmas de todo o planeta. Contribuiu para o êxito o programa da campanha, *Defendendo o Direito de Viver*, veiculado pela Rádio Difusora paulista.

Por mais generosas que fossem as bandeiras, elas se prestavam a um propósito pragmático da União Soviética: ganhar tempo não para esperar a utópica destruição dos depósitos dos Estados Unidos, origem dos artefatos que dizimaram Hiroshima e Nagasaki em 1945, mas para fabricar a sua própria bomba atômica. Stálin a obteve em 1949 e, em 1953, produziu a de hidrogênio, no rastro dos americanos. Aquecida pelo conflito na Coreia, a Guerra Fria gerava outros embates no Brasil. Repartida a península coreana, os canhonaços entre o Sul capitalista e o Norte comunista soaram em 1950. Soldados dos Estados Unidos combateram de um lado, a União Soviética deu cobertura ao outro. Em março de 1951, Washington pediu uma divisão de infantaria brasileira nas suas trincheiras na Ásia. Marighella advertiu na *Voz Operária*: "[O governo] já toma medidas para enviar à Coreia um primeiro contingente de 5 mil brasileiros". Nenhum pracinha embarcaria, porém malogrou a ofensiva do PCB contra o acordo militar Brasil-Estados Unidos, celebrado em 1952.

No front econômico, os pecebistas também fustigavam os norte-americanos, mais propriamente as multinacionais petrolíferas. Já alinhados com o estandarte do monopólio estatal, ao qual Dutra se opunha, empenharam-se na campanha O Petróleo é Nosso. Militante do Partido Socialista na década de 1940, o crítico literário Antonio Candido de Mello e Souza recordaria a virada do PCB: "Tomaram o pião na unha e realizaram uma campanha monumental, como nós seríamos incapazes de fazer".

O Centro de Estudos e Defesa do Petróleo conduziu o movimento. Um dos seus presidentes, general Felicíssimo Cardoso, integrou o Conselho Mundial da Paz, no qual Jorge Amado teve assento. O general Leônidas Cardoso, seu irmão, foi outro ardoroso defensor do monopólio que seria abolido no governo de seu filho Fernando Henrique Cardoso, quase meio século após a criação da Petrobras em 1953. Àquela época, o futuro presidente FHC era um jovem militante do PCB. Colaborava com a revista *Fundamentos*, do partido, e participava de reuniões de intelectuais comunistas.

Em meio às controvérsias que precederam a fundação da Petrobras, o PCB mantinha em 1953 um solitário representante na Câmara: o sindicalista Roberto Morena, inscrito pelo Partido Republicano Trabalhista. A democracia em vigor expulsara um senador e catorze deputados comunistas. O antigo carrasco deles, Filinto Müller, era senador, e os integralistas puderam se reorganizar, com outra sigla. Cinco anos depois do expurgo parlamentar, o PCB era um reflexo pálido da pujança do pós-guerra. Dos cerca de 200 mil filiados, reduzira-se a 20 mil militantes, na projeção de Moisés Vinhas, do Comitê Nacional — em memorando de dez páginas sobre o Brasil, em 1953, a CIA superestimou o efetivo comunista em 60 mil. Marighella era um retrato: de figura pública cujos discursos ecoavam para milhões de cidadãos, imergiu na clandestinidade e passou a se pronunciar somente por escrito ou pela boca de camaradas. Mas ele não perdia a oportunidade de vender suas ideias. As conversas sobre futebol podiam redundar em outras, por isso a primeira seção lida nos jornais, unindo gosto e dever, era a de esportes. Um dia não tivera tempo de folhear os matutinos, e um chofer de praça palpitou sobre o jogo da véspera. Marighella calou, pois nada sabia.

"Isso nunca mais vai me acontecer", disse a Clara. "Tenho que estar preparado, o povo adora futebol."

O povo tomava distância do PCB, que cumpria uma arraigada regra política: quanto maior o isolamento, maior o radicalismo. Em janeiro de 1948, uma declaração de Prestes mencionou a "ditadura terrorista de Dutra" e apontou "tendências oportunistas" e "direitistas" do PCB nos anos recentes. Em 1950, o secretário-geral lançou o Manifesto de Agosto, empurrando o partido ainda mais à esquerda: determinou a constituição de uma Frente Democrática de Libertação Nacional e a formação de um "exército popular". "Uma frente como a de 1935", esclareceu Marighella na *Imprensa Popular*. Jogavam-se à luta armada para derrubar o governo eleito por sufrágio universal.

A Revolução Chinesa de 1949, a partir da qual um terço da humanidade passou a viver sob regimes comunistas, enfeitiçou os camaradas brasileiros. Porém a China e seus camponeses eram outro mundo. Como um tigre cuja força não estava à altura do rugido, o PCB não implementou suas diretrizes, com uma ou outra exceção. Os cursos em que se ensinavam rudimentos do marxismo passaram a ministrar lições de "engenhos de autodefesa", com fabricação e manejo de explosivos. No anúncio do aumento das passagens no Rio de Janeiro, os pecebistas incendiaram os bondes. A retórica da *fedelenê*, como os militantes apelidaram tal frente, só resultou em tiro em duas áreas rurais.

Em Porecatu, no norte do Paraná, o partido organizou uma guerrilha de posseiros. Capitaneados pelo comunista Hilário Pinha, armavam-se com espingardas. O deputado Marighella abordara na Câmara a violência contra os camponeses locais. Em outubro de 1950, eles resistiram às tropas militares que tentavam despejá-los de uma fazenda. Morreram quatro posseiros, um jagunço e um garoto de catorze anos. Mais tarde, outros posseiros batalharam pela terra nas vilas de Trombas e Formoso, região da futura rodovia Belém-Brasília. Seu líder, José Porfírio de Souza, não descolava de uma carabina Mauser calibre 22. Muitos anos depois, Marighella se deslocaria até lá para nova luta armada.

No município paulista de Tupã, a polícia fuzilou três comunistas em setembro de 1949. As vítimas reinvindicavam carteira assinada no campo e outros direitos. A pintora naïf Maria Aparecida Rodrigues, que se tornaria conhecida como Aparecida Azedo, foi presa na ocasião. Marighella coordenou uma campanha a favor da companheira, que ficou encarcerada seis meses. Numa reunião com trabalhadores rurais, um camarada enumerou dificuldades: as pessoas preferiam pedir ajuda a Deus a lutar. Marighella disse que, no lugar dele, estaria com elas nas missas e nas procissões:

"Um dia, vão se convencer de que a chuva não depende de Deus."

Com o sectarismo do Manifesto de Agosto, o PCB pregava para convertidos. Dos 10% na eleição presidencial de 1945, decaiu para a irrelevância na de 1950, quando seus candidatos concorreram por outras legendas, legais. Propagou o voto em branco, mas seus seguidores de outrora e muitos militantes abraçaram o vitorioso Getúlio Vargas, do PTB — o velho ditador reaparecia com a bênção das urnas. Os intelectuais também se afastavam, e o partido acentuou a intolerância com os divergentes. Em março de 1949, a eleição para a Associação Brasileira de Escritores virou pancadaria. O jurista Homero Pires, um liberal, presidiu a chapa dos comunistas. Seu adversário foi o deputado udenista Afonso Arinos de Melo Franco. O PCB inscrevera na entidade alguns militantes escrevinhadores de, no máximo, cartas, e por isso venceu. O pecebista Dalcídio Jurandir e o ex-comunista Carlos Drummond de Andrade saíram no tapa pelo livro de atas. Com a paciência esgotada, Graciliano Ramos subiu numa cadeira e se esgoelou:

"Vão todos à puta que os pariu!"

Em 20 de março de 1953, Marighella sofreu com a morte do amigo que deixava para a posteridade a obra-prima *Memórias do cárcere*. Naquele mês sombrio para os comunistas, Stálin havia respirado pela última vez no dia 5. No dia 22, o candidato patrocinado por eles na eleição para prefeito de São Paulo, André Nunes Junior, não fez nem 17 mil votos. O vencedor, Jânio da Silva Quadros, amealhou 285 155. Em 1947, de tão inexpressivo, ficara na suplência da Câmara Municipal. Só tomou posse quando cassaram os vereadores do PCB. As coisas não andavam nada bem para Marighella. Só um otimista amalucado diria que, a contar de 22 de março, em três dias o vento enfim sopraria a favor.

Em fevereiro de 1952, o Dops de Niterói elaborou um relatório sobre Marighella: "Há fundadas razões para se acreditar ter sido expulso do PCB sob acusação de divergir da orientação política de Prestes". Acertou em parte: inexistia expulsão, mas ele queria mesmo mudar a atuação do partido nos sindicatos. O PCB se sobressaíra na bem-sucedida greve dos bancários de São Paulo, que se arrastou por 69 dias, em 1951. Em outras categorias, contudo, acumulava fracassos decorrentes da orientação radical de se retirar dos sindicatos oficiais e construir associações paralelas. A esmagadora maioria dos 763 687 empregados da indústria no estado participava das entidades legais, e não das piratas. Poucos davam ouvidos aos comunistas.

Por mais que eles tentassem arrancar greves, com uma plataforma tão à esquerda contra Getúlio como fora contra Dutra, não prosperavam. Pelos seus cálculos, 364 mil trabalhadores cruzaram os braços no país em 1951. Em julho de 1952, o Comitê Nacional aprovou uma resolução sobre a "unidade da classe operária". Como queriam Marighella e outros companheiros, ordenou-se a reinserção nos sindicatos que agrupavam de fato os assalariados. As diretivas não se limitaram ao papel, e naquele ano os grevistas pularam para 411 mil. Para o partido, a estatística ainda era discreta, mas estava na iminência de disparar. Na tarde de 18 de março de 1953, quarta-feira, milhares de operários desfilaram até o palácio dos Campos Elíseos, sede do governo paulista. Eles reivindicavam a intervenção do governador Lucas Nogueira Garcez por salários maiores, redução dos preços dos alimentos e o fim do racionamento da Light, que freava a produção e ampliava o desemprego. Gritavam:

"Abaixo a carestia, a marmita está vazia!"

Em 25 de março, 72 horas depois do revés eleitoral comunista, os trabalhadores têxteis se reuniram. No Salão Piratininga, na rua da Mooca, entraram em greve por 60% de aumento. No dia seguinte, os metalúrgicos se juntaram a eles, por oitocentos cruzeiros a mais por mês. Quando a noite caiu, sessenta empresas e 70 mil operários haviam parado. Piquetes de até mil peões atravessavam a cidade para barrar fura-greves. E se contavam às dezenas os espancamentos e as prisões de grevistas pela polícia.

Era só o começo: nas semanas vindouras, as detenções somariam mais de 2 mil. No dia 31, uniram-se na praça da Sé a cavalaria e os choques da PM, a Guarda Civil e carros-tanques do Corpo de Bombeiros. Dispersaram com murros e bombas de gás a Passeata da Panela Vazia convocada pelos grevistas, também surrados com cassetetes por agentes da polícia política. Um dos confrontos mais sangrentos ocorreu em 9 de abril. Por volta de 10 mil manifestantes saíram da assembleia, no desativado hipódromo da Mooca, em caminhada para o Palácio da Justiça. Sem sucesso, cavalarianos tentaram contê-los na esquina das ruas Taquari e Mooca. Mais adiante, abriram fogo contra o líder do protesto, Eugenio Chemp. O metalúrgico comunista escapou, mas uma tecelã foi atingida na perna e um professor teve um joelho fraturado por tiro. Em resposta, os grevistas cantaram o Hino Nacional.

Eles eram cada vez mais numerosos. Enquanto os tecelões, maior segmento na indústria, e os metalúrgicos se aproximavam dos 100% de adesão, paravam marceneiros, carpinteiros, vidreiros e sapateiros — logo seriam os gráficos. A parede, como também se denominava a greve, ampliou-se com funcionários da cervejaria Brahma, da oficina mecânica dos transportes urbanos, de pedreiras e fábricas de cigarros, papel e brinquedos — mais da metade do operariado da capital. Estimulados pelo exemplo, interromperam o trabalho colegas de municípios vizinhos e do interior. Em 13 de abril, o comando do movimento anunciou: os grevistas já eram 300 mil. Os analistas do Dops coincidiram no número.

Isoladas, as categorias teriam menos chances. Por isso, os trabalhadores se unificaram com uma pauta comum, por seiscentos cruzeiros de reajuste. Estabeleceram uma comissão central de greve com representantes das diversas profissões, para negociar em conjunto com os patrões. Nas fábricas, incentivavam comissões independentes dos sindicatos. As assembleias no antigo prado tomaram as decisões fundamentais. Diante da sugestão de acordos em separado, Eugenio Chemp reagiu:

"Só aceitaremos uma proposta geral para todos os grevistas, sem distinção de categoria."

A massa ovacionou-o, como fez com o tecelão comunista Antônio Chamorro quando ele se contrapôs ao presidente do sindicato dos vidreiros. José Chediak era favorável a que sua base não aguardasse os presos serem soltos. Chamorro destratou-o como "mais nojento que o escarro de um tuberculoso". A polêmica era essa, porque em matéria de dinheiro já se tinha o que festejar. Primeiro, os empresários propuseram de 10% a 15% de aumento, e o Tribunal Regional do Trabalho, 23%. Os têxteis expuseram os dados oficiais: o custo de vida subira 173% desde 1945 — faltavam 80% para zerar perdas. Com a recusa, a concessão alcançou 28%. A assembleia insistiu na negativa, e sobreveio a contraproposta de 32%, acolhida em votação em 17 de abril no hipódromo: 7337 a favor, 851 contra e 3 em branco. A solução rendeu o incremento mensal de seiscentos a setecentos cruzeiros para os metalúrgicos e de quatrocentos a quinhentos cruzeiros para as demais categorias.

Não acabou aí: por mais de uma semana, a comissão de greve resistiu, fixando como condição para voltar a bater cartão que os trabalhadores presos fossem liberados. Os têxteis firmaram o acordo no dia 23 de abril, com os companheiros já livres, e declararam vitória. Em seguida, precipitaram-se centenas de demissões.

Não havia monitoramento da poluição, mas os paulistanos não duvidavam: fazia tempo que não respiravam um ar tão puro como o dos 29 dias em que a cidade parou. Eles podiam ver as chaminés das fábricas sem as nuvens de fumaça, mas não imaginavam o que se passara nos bastidores do que a história batizou como Greve dos Trezentos Mil.

Sindicalistas do PCB dirigiram as ações, orientados a partir de um sobrado em Moema. Do aparelho no bairro de ruas com nomes de pássaros, Marighella pilotou o partido e a greve. Os trabalhadores não pararam a um simples estalo de dedos dos comunistas, e sim porque quiseram, no entanto a intervenção dos camaradas foi decisiva para o desenlace. De saída, Marighella acionou todas as células para o suporte político e logístico. O Comitê pela Paz e Contra a Carestia, criado pelos pecebistas, foi a primeira entidade a contribuir para o fundo de greve, que cobria despesas da mobilização. A Federação de Mulheres, controlada pelo PCB, cozinhou para os grevistas, e eles devoraram um churrasco de 25 bois. As operárias do partido improvisaram um concurso de rainha da greve. Nos bailes, arrancava suspiros o companheiro de sotaque gaúcho que se apresentava como *Souza*. Ignoravam que, no Rio, ele fora cartola do Botafogo. As trabalhadoras o comparavam a astros do cinema, e o bonitão magro e elegante se parecia mesmo com o galã Montgomery Clift. Para frustração das grevistas, ele não disfarçava que escolhera seu par, a tecelã comunista Maria Sallas. João Saldanha, o *Souza*, foi o pombo-correio que transmitiu as instruções de Marighella aos sindicalistas do PCB em 1953.

Ele lembraria: "Como dizia o Marighella, uma parte estava na frente, exposta. Esses éramos eu e outros companheiros, dirigentes sindicais. E havia a direção do partido, que estava na clandestinidade". "Marighella foi o comandante da greve", enfatizou o portuário Geraldo Rodrigues dos Santos, do comitê pecebista local. O secretário de Agitação e Propaganda, Jacob Gorender, diria: "Quem dirigiu a greve foi o PCB; por conseguinte, Marighella".

Não era segredo para a polícia política. Em 7 de abril, circulou um informe do Dops com "dados reservados" e letras maiúsculas em destaque: "CARLOS MARIGHELLA, juntamente com Roberto Morena e Agostinho Dias de Oliveira, está orientando o movimento grevista". Morena era deputado, e Agostinho fora constituinte em 1946. Na reta final, chegou do Rio um membro da Comissão Executiva, João Amazonas. Seus camaradas já haviam dado o golpe de mestre ao formar a comissão central de greve submetida à assembleia unificada e soberana dos trabalhadores. Assim, não foram os presidentes dos principais sindicatos, da esquerda não pecebista, que tiveram as deliberações nas mãos, mas os grevistas. O nome mais popular em março e abril foi o do jovem Antônio Chamorro, de 23 anos. Alguns líderes preferiam cancelar as passeatas para se precaver da truculência policial, o PCB divergiu e prevaleceu. A pressão sobre o governador deu certo: ele intermediou as negociações. Na derradeira reunião no hipódromo, os presentes aclamaram o *Notícias de Hoje* — o antigo *Hoje* —, saudando a publicação comunista como "o jornal da greve". Naqueles dias, a circulação quintuplicou de 5 mil para 25 mil exemplares.

Em 1953, contabilizou-se em torno de 800 mil grevistas no Brasil. Em São Paulo, desenhou-se o Pacto de Unidade Intersindical, embrião do Comando Geral dos Trabalhadores (CGT) que marcaria a crise de 1964. Virou letra morta a legislação antigreve que Dutra baixara em 1946. Getúlio trocou o ministro do Trabalho e empossou João Goulart em junho. Em dois anos, seria fundado um órgão autônomo dos trabalhadores para estudos econômicos, o Departamento Intersindical de Estatística e Estudos Socieconômicos (Dieese).

A greve terminara fazia pouco quando Marighella disse para Clara que precisava treinar o inglês com urgência. Avisou que viajaria e omitiu o destino. Por algumas semanas, ela sofreu: o marido estudara o idioma como autodidata e conhecia mais vocabulário que a mulher, mas o acento baiano transformava *hand* em *réndi* e *hat* em *réti*. Sem progresso algum, ele partiu e não contou a data em que voltaria. Ao regressar, o susto: Clara não estava em casa, mas na cadeia de Campinas, presa como uma enigmática "agente soviética".

"Olha aqui, sua comunistinha de merda, ou você fala ou eu arrebento você!"
A frase que Clara conservou na memória lhe foi dita aos berros pelo mais célebre agente da polícia política paulista, que ela vira em fotografia. O solerte Luis Apollonio não desconfiou de que estava diante da mulher do dirigente capturado por ele em 1939. Não sabia sequer o nome real da militante, a quem se referia como *Marta Santos*. A identidade fora inventada para a receita dos óculos de miopia, em posse dela ao ser detida. Sozinha com o tira, Clara não se intimidou e permaneceu calada. Apollonio não cumpriu a ameaça de agredi-la e trancou a cela antes de desaparecer no corredor. Sua missão em Campinas fora o último recurso para desmascarar a comunista que o acaso lhe presenteara na manhã de 12 de maio de 1954. Ao ser agarrada, Clara gritou: "Abaixo a ditadura

de Getúlio Vargas!'". Depois, anotou um relatório do Dops, manteve um "mutismo impressionante". Descreveram-na como "dama misteriosa", "perigosa agitadora" e "mulher inteligente, muito viva". Quiseram fotografá-la e colher as digitais, mas ela não permitiu. Com base em papéis na mala que carregava, concluíram corretamente que seu codinome era *Nice*. E mais nada.

Diógenes Arruda a escalara para montar uma escola de quadros do PCB em Campinas. O cronograma apreendido previa cursos por três meses, para noventa alunos. Na chegada à cidade, Clara pegou um táxi com o correligionário que a esperava, o rodoviário Hermes. Não demorou para serem cercados, e ele escapulir sozinho. O partido pensou que, em virtude de uma ordem de prisão, seu militante fora reconhecido. As circulares sigilosas do Dops continham outra versão. Os investigadores que pegaram Clara não se dedicavam a perseguir subversivos, mas delinquentes comuns. Eles suspeitaram do que seria um casal de larápios e se defrontaram com abundante literatura marxista. Como havia uma faixa de seda com mensagens políticas em ideogramas asiáticos, especularam que a portadora fosse uma "agente soviética" internacional. E disseminaram a mentira de que o fugitivo era seu amante. Tudo o que descobriram dele é que se tratava de *Mendes*, citado nos documentos. Ninguém foi preso, a não ser a mulher sem nome.

Clara levou empurrões, e um policial atirou-a no cárcere como um saco de batatas. Proibiram as outras detentas de falar com a "comunista".

"Comu... o quê?", indagaram homicidas, ladras e outras criminosas.

"Co-mu-nis-ta", ensinou a nova hóspede.

Ela explicou ser contrária à exploração, caiu nas graças das presas e organizou a ginástica coletiva. Com medo de uma rebelião, os carcereiros a retiraram. O PCB ativou uma rede solidária para a companheira que nunca havia sido fichada pela polícia. Uma caravana de artistas da Rádio Tupi visitou-a. A atriz Deocélia Vianna e, já em liberdade, Elisa Branco cochicharam a ordem do partido: assumir-se como Clara Charf, para facilitar a defesa. Ela seguiu muda, e o Dops se deu conta de que a professora de comunismo aplicava os ensinamentos de uma brochura apócrifa que circulava no PCB desde 1951, *Se fores preso, camarada...* O autor preconizava não fornecer informações úteis ao inimigo, mesmo sob tortura. Até Luis Apollonio desconhecia quem escrevera a cartilha. Clara sabia que fora Marighella.

Foi o desembarque dele no Brasil que a fez ceder. O advogado Altivo Ovando reafirmou a orientação para que ela se identificasse, agora com a chancela de um tal *Lobinho*. À Justiça, Clara se declarou comunista, "com muito orgulho", o que não era crime. Mas negou integrar o PCB, o que era. O primeiro pedido de habeas corpus foi negado. No começo de julho de 1954, o STF concedeu-o por unanimidade. Clara reencontrou o seu amor em São Paulo, e gargalharam juntos. Marighella estivera na maior parte do tempo na China.

"Você não falava que eu não sabia dizer *réti*?", perguntou? "Os chineses também não sabem..."

Não era para ter ficado um ano fora, mas uma pneumonia o castigara e o retivera na China. No leito do hospital, ele rascunhou um dicionário de bolso de mandarim. Mostrava um objeto, os enfermeiros desenhavam os caracteres e pronunciavam a palavra, e ele os passava para o papel. Em 1964, a polícia do Rio sumiria com o livrinho artesanal. Marighella andou de trem por todo o país asiático e esteve com a cúpula que conquistara o poder em 1949 — a fundação do PC chinês, em 1921, antecedera em apenas um ano a do PCB. Fez palestras sobre o Brasil e ouviu muito mais sobre a revolução que viera do campo. Esteve nos cenários de guerra e os estudou. Ao retornar deu aulas, abrindo e fechando mapas, sobre a saga que o encantava. De tão entusiasmado, só faltaram os olhinhos puxados, diria Zuleika Alambert, deputada estadual paulista cassada em 1948: "Ele ficou com aquilo martelando, com a cabeça torta para a esquerda".

Antes de voltar para casa, Marighella passou pela União Soviética, onde completou o tratamento da pneumonia. Em Moscou, escreveu em espanhol uma autobiografia. As sete páginas manuscritas seriam guardadas com zelo pelos arquivistas soviéticos. Mencionou a mãe, o pai, os irmãos e a mulher. Reconstituiu sua trajetória, obedecendo aos cânones de uma fase do PCB mais à esquerda. Afirmou que com *Bangu*, ao lado de quem combatera na década de 1930, o partido "seguia uma linha de capitulação à burguesia". Em meados dos anos 1940, os comunistas padeciam de "uma linha de colaboração de classes". Sua viagem à nação dos soviets e à China tinha como objetivo estudar "a experiência revolucionária de um e de outro país".

Era imensa sua admiração por Mao Tsé-tung, mas para ele o prestígio do chinês equivalia ao de um apóstolo. No seu altar de revolucionários, o centro da mesa consagrava o messias cujo corpo embalsamado descansava em Moscou, ao lado da múmia de Lênin. Quando o derrame matou Stálin, o jornalista Osvaldo Peralva pranteou na *Imprensa Popular*: "É a maior desgraça que já desabou sobre nossas vidas".

Entre os camaradas, não se ouviu ninguém discordar.

16. O mundo de Stálin

Ricardo Ramos testemunhou o pai, o escritor Graciliano Ramos, chorar duas vezes: uma no suicídio do filho Márcio, outra na morte de Stálin. Um soldado foi preso no Batalhão de Guardas, no Rio de Janeiro, porque não disfarçou as lágrimas ao ouvir a notícia em março de 1953. Os olhos do jornalista Osvaldo Peralva se inundaram com o boletim de rádio sobre o "estado desesperador" do camarada que ele considerava "o amigo mais querido". Seu colega Moacir Werneck de Castro escreveu no calor da hora: "Os povos choram a perda do maior dos homens". Não surpreendeu o sofrimento que dilacerou o coração dos comunistas. Estranho foi não terem respeitado um silêncio esperançoso para que no terceiro dia, como um Jesus de Nazaré, o georgiano Ióssif Stálin ressuscitasse e cumprisse o seu destino de salvador. Não parecia que ele era o "maior dos homens", mas que pulsava acima deles.

Havia fiéis do marechal, e não meros seguidores. O salmo bíblico ensinava: "O Senhor é meu pastor, nada me faltará". As palavras variavam, mas não o espírito de outro rebanho, o do ex-seminarista Stálin. No telegrama de pêsames, Luiz Carlos Prestes glorificou "nosso mestre e guia". Em 1951, Jorge Amado canonizara-o em vida no livro de propaganda *O mundo da paz*: "Mestre, guia e pai, o maior cientista do mundo de hoje, o maior estadista, o maior general, aquilo que de melhor a humanidade produziu".

Entrevistado, um comerciário comparou: "Sinto a morte de Stálin como a de meu pai, talvez mais ainda". Não era para menos: o ídolo não era somente "o maior gênio da humanidade", como o venerou o jornalista Mário Alves. Como se fosse Deus, ele a protegia. Na consagração de Jacob Gorender, também da direção nacional do PCB, era "o gigante todo bondade, todo paternal, todo sabedoria". Para Prestes, o "irmão" que "amamos como a um pai previdente, bom e justiceiro". Ou — na reverência de Peralva — o "pai amado" cujo adeus foi, conforme Jorge Amado na *Gazeta Literária* de Moscou, um "instante de dor desesperada, de dor da criança que perdeu o pai amantíssimo e se sente órfã e abandonada". Moacir Werneck de Castro assinou o epitáfio da comoção épica: "Na tua fronte de gênio depositamos o beijo filial da despedida".

Na celebração do herói, Marighella deixou suas marcas. Publicou na *Imprensa Popular* a elegia ao "nosso estremecido guia, mestre, educador e pai", "o maior benfeitor da humanidade", o "gênio imortal". No Comitê Nacional do PCB, leu o relatório das medidas adotadas para as homenagens. E anunciou o Recrutamento Stálin, para reforçar as fileiras do partido — o principal programa de formação de militantes do PCB já se denominava Curso Stálin. A lembrança do comandante soviético sobreviveria, prometeu Gorender: "O teu nome brilhará como radioso diamante enquanto memória tiver a espécie humana". Perpétuos seriam o constrangimento e a vergonha de Marighella, Gorender e milhões de contemporâneos por tamanha bajulação. O arrependimento, contudo, demoraria. Até então, eles identificavam no falecido a grandeza do russo Lênin e dos alemães Marx e Engels, aos quais Stálin se unira no panteão comunista. Eram os padroeiros da existência com sacrifícios, suportados em nome do sonho da sociedade justa e fraterna.

Marighella só conheceria o filho Carlinhos aos oito anos de idade. Ele não era o único a sofrer privações, na década de 1950. De prefeito eleito em Santo André, Armando Mazzo foi morar no Rio, e sua filha teve que trocar de nome. Assim como os filhos do ex-cabo Giocondo Dias e os do antigo tenente Apolônio de Carvalho, que de tão isolado só soube da morte da mãe meses depois. O ex-deputado Gregório Bezerra ficou sem ver a mulher por anos e encontrou os netos já crescidos. O vereador cassado Agildo Barata e o filho Agildinho não estiveram juntos por quatro anos. Por dois, o ex-capitão nem telefonou para casa. Um dia, o garoto indagaria:

"Papai, em 1935 eu tinha três anos, a mamãe tinha dezoito, dezenove. Desculpe a pergunta babaca, burguesa, mas na hora você não pensou na gente?"

"Foi exatamente pensando em vocês que eu fiz a revolução", respondeu Barata, a quem o filho amaria eternamente.

Os militantes do PCB se distanciavam das famílias para resguardá-las dos castigos endereçados a eles. Sentiam-se os eleitos de uma confraria generosa e os detentores do monopólio da virtude. O francês Maurice Thorez distinguiu uma de suas qualidades: "Nós, comunistas, somos como as corujas; enxergamos no escuro". Tudo o mais era secundário, como nos versos do dramaturgo alemão Bertolt Brecht, em sua peça didática *A decisão*:

Quem luta pelo comunismo
deve saber lutar e não lutar;
dizer a verdade e não dizer a verdade [...]

Quem luta pelo comunismo
só possui uma virtude:
lutar pelo comunismo.

Marighella recomendou em um artigo: "O comunista deve ser um coração de fogo e uma cabeça de gelo. Cada comunista deve ser um exemplo de dedicação integral ao partido". Idealizado por Lênin como o instrumento para liquidar a antiga ordem e erigir a nova, o partido revolucionário se transfigurava no totem que se adorava e na Igreja à qual se jurava obediência. "O indivíduo tem dois olhos, o partido tem mil olhos; [...] o indivíduo pode ser liquidado, mas o partido não pode ser liquidado", escreveu Brecht no poema "Elogio do partido". O jornalista Samuel Wainer espalhou que, ao ser expulso do PCB em 1939, o jovem Carlos Lacerda choramingara, embriagado: "Mataram minha mãe, sou um órfão". Já depois da expiação dos pecados stalinistas, Apolônio de Carvalho lamentaria o "sentimento quase religioso de integração e devotamento à entidade partidária".

Da boca para fora, os comunistas eram ateus. Um dos fundadores do PCB, o escritor Astrojildo Pereira aprendeu com os jesuítas, pensou em ser padre e perdeu a vocação porque os professores mentiam. O sentimento anticlerical do pai vacinou Marighella do fervor cristão materno. Seu conterrâneo João Falcão revoltou-se contra Deus quando a mãe morreu. Outro campanheiro baiano, Fernando Sant'Anna, ia sozinho ao cemitério à noite em busca da alma de uma prima. Como ela não compareceu, a crença ruiu. A fé mudava na forma, mas não se extinguia. Em um bonde carioca, uma passageira disse sobre Stálin: "Ele fez passar o mar entre duas montanhas". No mar vermelho dos comunistas, temiam-se as ondas da blasfêmia. "Eu tinha um medo doido de dizer qualquer coisa que parecesse trotskista", recordaria Elza Monnerat, militante do Rio que pichou o nome de Stálin no morro Dois Irmãos. Se os católicos se submetiam ao sacramento da confissão, a liturgia do partido obrigava os pecebistas a escrever autobiografias — a de Marighella, manuscrita em Moscou, caracterizou-se pela sobriedade. Quando a polícia colocava as mãos em algumas delas, como em Pernambuco, era um vexame. Um camarada confidenciou que se masturbava, outro que surrava a mulher: "Sou um cavalo".

O moralismo nos costumes destoava das intenções de mudar o mundo. Nos anos 1950, o PCB expulsou a mulher de um intelectual por "comportamento incompatível", eufemismo para infidelidade conjugal. O estatuto punia a "dissolução dos costumes", e a vida privada se prestava à luta política, mesmo com alegações falsas. Para barrar José Medina, secretário-geral interino indicado em 1943, pretextou-se "negócio de mulher". No pleito de janeiro de 1947, Zuleika Alambert alcançou a suplência com os votos dos portuários de Santos. Para promovê-la à Assembleia paulista, o PCB forçou um deputado a renunciar. A justificativa para a troca foi ciscar fora do casamento.

O PCB não era, contudo, uma fortaleza da castidade. Ao quadro com mais poder depois de Prestes atribuía-se uma manobra traiçoeira: com o intuito de ficar no Brasil com a esposa do camarada, Diógenes Arruda enviara um jornalista para estudar na União Soviética. Marighella se revelara na tribuna em 1946: "O adultério é tão inevitável quanto a morte". A convicção não o impediu de participar de um golpe baixo em 1952, na expulsão do ex-deputado José Maria Crispim. Em vez de se ater a controvérsias doutrinárias, o Comitê Nacional apelou: "Diversas de suas aventuras amorosas foram devidamente comprovadas e constituem faltas graves, inadmissíveis nas fileiras do partido".

Marighella aprovou a degola de Crispim, que atuava em sua circunscrição, a cidade de São Paulo. Lá, militara a escritora Patrícia Galvão, quando o PCB local também era chefiado por ele. A revolucionária Pagu cumprira ordens partidárias, de trabalhar como operária a ir para a cama com quem não queria, com o propósito de obter informações. Em 1939, o Comitê Regional divulgou sua expulsão, desqualificando-a como "muito conhecida pelas suas atitudes escandalosas de degenerada sexual". Como o partido era ultracentralizado, o texto com a recriminação moral teria sido redigido pelo dirigente máximo da região ou submetido a ele — Marighella foi o responsável, ou um dos responsáveis, pela resolução.

Como Stálin, que escolheu um marido da filha, o PCB casava e descasava os camaradas. Lélia Abramo e Noé Gertel tinham bodas marcadas. A futura atriz contaria que o futuro jornalista lhe dissera ter recebido um ultimato do partido: ou a noiva largava a organização trotskista na qual se inscrevera ou, se o noivo viesse a se casar, seria expulso. Lélia não se dobrou à chantagem, e Noé desistiu do matrimônio. Ele se despediu no pôr do sol de 4 de novembro de 1934, ela nunca o esqueceu. Marighella dirigia o PCB paulista no fim da década de 1940. Por isso, Zuleika Alambert, então secretária de Massas, e Armênio Guedes, o chefe da Propaganda, pediram sua autorização, concedida, para viverem juntos.

Em meio à Greve dos Trezentos Mil, o romance entre João Saldanha e Maria Sallas foi imposição do partido, empenhado em injetar cultura proletária no militante menosprezado como pequeno-burguês. Ele escondeu que tinha mulher e filhas. Convocada para a Escola Superior do PCUS, a tecelã se livrou do arranjo e se apaixonou por um colega de curso. Na União Soviética, as restrições foram tão obsessivas que renderiam uma chanchada bem brasileira, até porque partiram de um camarada do PCB, e não de um *tovarich* russo.

Um quarto de século antes, Heitor Ferreira Lima, dirigente do PCB, havia respirado ares diferentes em um curso na Rússia de 1928. Bebidas eram permitidas, assim como festinhas íntimas animadas por duas datilógrafas francesas da Internacional. Os quase cinquenta alunos brasileiros que tomaram lições de economia, política, filosofia e história, de 1953 a 1955, foram tratados como seminaristas e noviças — três deles para cada uma delas. O chefe do grupo, João Amazonas, proibiu álcool e sexo. Não admitiu que homens e mulheres dividissem quartos nem se fossem casados. Interditou a vitrola. A direção da escola autorizou, mas ele não quis a dança. Como houve permissão soviética, o camarada impediu pares mistos. Para zombar, o portuário Geraldo Rodrigues dos Santos, o Geraldão, rodopiou com o ex-cobrador de ônibus Hércules Corrêa dos Reis.

Mesmo com a queda do veto, Zuleika Alambert viu Amazonas medindo a distância entre ela e o parceiro de arrasta-pé.

A turma ludibriou o puritano Amazonas. Ao chegar, não podiam nem sequer dar bom-dia às moças que trabalhavam na casa de dois andares, a pouco mais de uma hora de Moscou. Antes de partir, os companheiros já haviam logrado êxito na corte a elas e às atraentes filhas de um funcionário veterano. Em um passeio, avistaram uma mulher de calcinha e sutiã, e Amazonas apressou-se em esclarecer: era estrangeira, e não russa. Ele não deixara Geraldão aceitar o implante de um dente de ouro, preocupado com as reservas minerais da União Soviética. O companheiro desobedeceu e se sentiu roubando o "ouro de Moscou". Os brasileiros pediram mais de três banhos quentes por semana, o líder da delegação repreendeu-os pela sabotagem aos estoques de carvão, mas o diretor da escola liberou. Também forneceu vodca, ao descobrir ser um logro o relato de que os visitantes eram abstêmios.

Em férias, eles assistiram a uma opereta em Leningrado, a antiga — e futura — São Petersburgo. Cochilando com o espetáculo, Armênio Guedes, Pedro Pomar e outros militantes foram embora após o primeiro ato. Levaram uma dura de Amazonas. O motivo fora uma imaginária ameaça à segurança, mas poderia ser o pouco-caso com a encenação: o partido ditava até o gosto estético.

O ideólogo soviético Andrei Jdánov receitou a política cultural do chamado realismo socialista, subordinando a arte à política. Se a música não favorecia os "interesses históricos da classe operária", o comissário a condenava, como fez com o jazz. Jorge Amado escreveu em 1951: "A vigilância revolucionária [...] arrancou a máscara de 'bons rapazes' aos escritores e artistas da 'arte pela arte'".

Os arrazoados de Jdánov sobre cultura apareceram em *Problemas*, em 1947. O diretor da revista era Marighella, que na pele do "mestiço de italiano e negra" *Carlos* foi um dos protagonistas do romance *Os subterrâneos da liberdade*, lançado por Jorge Amado em 1954. O mulato revolucionário tinha as costas feridas pela tortura e foi fácil reconhecê-lo. A trilogia pretendeu reconstruir a saga do PCB sob o Estado Novo. Como um documento político, acertou contas com ex-companheiros. Injustamente apresentou como delator policial o jornalista Hermínio Sacchetta, expulso em 1937. Batizou o personagem com a corruptela *Saquila*, deixando claro quem ele era. Sacchetta — um socialista irrevogável até morrer — lembrou os serviços do detrator ao jornal *Meio-Dia* na década de 1930 e o definiu como "típico *homo staliniensis*".

Os subterrâneos da liberdade foi dedicado a seis pessoas, entre elas Diógenes Arruda. Era dele a prerrogativa de censurar as artes no PCB, como Jdánov fazia no PCUS. Jorge Amado escrevera seu livro na Tchecoslováquia, onde Arruda pediu e levou os originais, contaria Zélia Gattai. De acordo com a mulher do autor, o secretário de organização do partido devolveu com anotações para cortes, mas o marido descartou as instruções. O deputado comunista Paulo Cavalcanti afirmou que Arruda "matava e ressuscitava personagens de Jorge Amado". Talvez não houvesse por quê. Depois de uma viagem à União Soviética, o amigo de Marighella assegurou — em *O mundo da paz* — que no Ano-Novo em Moscou havia "festas onde os operários (sim, senhores, os operários!) bebiam champanhe e comiam caviar".

A edição de outra obra, *Memórias do cárcere*, opôs Marighella a Arruda. Graciliano Ramos narrou sem fagulhas de panfleto sua prisão após o levante de 1935. Os comunistas de suas páginas eram de carne e osso, como Agildo Barata, cuja voz fina não lhe escapou. O advogado Paulo Mercadante, amigo dileto do escritor alagoano, disse que Arruda escalou seu secretário Osvaldo Peralva para inspecionar o texto. Em seguida, pronunciou-se pela supressão de trechos. Marighella apoiou a publicação na íntegra, com o argumento de que não se pode ferir a criação. Ricardo Ramos relembraria que o emissário inicial do partido para abordar seu pai fora Astrojildo Pereira. Depois, soube que o dirigente Maurício Grabois teria dito:

"Deixem para lá. Daqui a dez anos, ninguém vai saber quem foi Graciliano Ramos."

Impresso com Graça morto, *Memórias do cárcere* se tornou um clássico, sem emendas do partido.

O romance *Linha do parque* não entrou para nenhuma antologia literária, mas também trombou com o PCB. Infiltrado entre os trabalhadores de Rio Grande, Dalcídio Jurandir produziu um livro ambientado na cidade portuária gaúcha. Sujeitou-se ao escrutínio da cúpula pecebista, que se incomodou com alegadas concessões burguesas dos personagens e não concedeu o imprimátur. Mais uma vez, Marighella interveio, e o volume chegou às livrarias pela Editorial Vitória, em 1959. Enquanto advogava contra a censura partidária, Marighella perdia o viço de poeta. O proselitismo sufocou a picardia juvenil. Dois exemplos constaram da coletânea *Uma prova em versos (e outros versos)*, seu livro de estreia, que saiu em 1959 por um selo bancado por ele mesmo, as Edições Contemporâneas. No poema "Luiz Carlos Prestes", de 1944, o autor escreveu "tua têmpera de aço e teu brilho perene". Em "A Prestes", leu-se "filho exemplar do povo brasileiro". A segunda estrofe:

A glória do teu nome o mundo alcança
audaz libertador. És o primeiro
que ao nosso povo inspira confiança,
admiração, afeto verdadeiro.

Marighella compôs o soneto na Ilha Grande em 1945, no aniversário do homenageado. O PCB festejava o dia 3 de janeiro como um cristão o 25 de dezembro. Sua imprensa veiculava loas comparáveis às que abençoavam Stálin, como a do jornalista Aydano do Couto Ferraz: "Para um homem do gênio de Prestes, não há departamento do saber humano que ele não devasse, nem gênero artístico ou literário que não possa versar". Marighella aplaudia-o como "o mais agudo intérprete do marxismo criador" na América. O artigo de Aydano intitulava-se "Prestes, o orador", e sabidamente o secretário-geral não esbanjava talento de tribuno. E o "agudo intérprete" incensado por Marighella não elaborou uma só interpretação original sobre o Brasil, o marxismo ou qualquer objeto. Não era uma deficiência exclusiva sua: acomodado em mimetizar o congênere soviético, o PCB não contribuiu para o patrimônio teórico do chamado socialismo científico. E macaqueou a sabujice pelo líder.

Em um comício em Santo André, Armando Mazzo foi aclamado antes de Prestes discursar. Arruda deu-lhe uma bronca por querer ofuscar o chefe mítico. Em 1945, o secretário de organização reagiu a um militante que enfatizara a importância da formação de quadros:

"Para as nossas necessidades teóricas, o nosso camarada Prestes nos basta."

Afinal, como disse Moacir Werneck de Castro, havia o "gênio de Prestes" — o dono de "um saber sem dúvidas", nos termos de *Os subterrâneos da liberdade*. Se no mundo inteiro proliferavam meninos com o nome Stálin, no Brasil se multiplicavam os Luiz Carlos. Estátuas do "guia genial dos povos" dominavam os cenários na União Soviética, e o pcb fazia de Prestes a efígie onipresente de flâmulas e selos — Cândido Portinari pintou-o no mínimo quatro vezes. Na intimidade, ele era ainda mais taciturno. Nos dez meses em que morou na casa de Leôncio Basbaum, entre 1945 e 1946, seu anfitrião não o viu rir nem das piadas. Destacada para cuidar do aparelho de Prestes em São Paulo, Maria Ribeiro e o camarada viveram uma história de amor. Ela conheceu um homem amargurado que "ficava arrancando as peles da cutícula das unhas. Não era só de um dedo, era de vários, das mãos e dos pés. Tudo sangrava". Quando o chefe da dita revolução brasileira reapareceu, o moralismo no pcb deu margem a exclamações como as que o dramaturgo Dias Gomes flagrou de um dirigente:

"Ele tem uma mulher! E filhos!"

De dezembro de 1947 a 1957, Prestes não se afastou apenas dos holofotes. Ele não compareceu a nenhuma reunião do Comitê Central, como o Comitê Nacional voltou a se designar — a Comissão Executiva ressurgiu como Presidium. O pcb implementou um esquema de segurança mais severo que o do Partido Bolchevique para Lênin na Rússia do czar. Mesmo com ordem de prisão contra Prestes, não havia a compulsão policial de caçá-lo como em 1936. O secretário-geral, que já suportara uma década de clausura, redigia manifestos que o partido reproduzia. Comunicava-se com os companheiros por intermédio de Giocondo Dias. Se o caldo entornasse, teria uma boa desculpa: ignorava o que acontecia na agremiação da qual era o dirigente incontesto.

Prestes disse que só ordenou a quartelada de 1935, o maior favor do pcb ao anticomunismo, por desconhecer a anemia do pcb na caserna — a culpa fora de terceiros. Uma coisa era a aparente ausência de astúcia ao enjeitar o comando militar da Revolução de 30, que Getúlio Vargas lhe ofereceu. Ou pensar que daria em nada a declaração de não apoiar o Brasil num confronto com a União Soviética, repetindo a recusa bolchevique à guerra imperialista. Outra eram erros crassos como aderir ao ditador no fim do Estado Novo, o prognóstico de manutenção do registro do pcb, a inércia diante das cassações, e a retirada dos sindicatos oficiais. As novas políticas eram saudadas como fruto da maestria prestista. Quando fracassavam, o balanço se conjugava na primeira pessoa do plural.

O antigo Cavaleiro da Esperança foi o único dirigente a se manter no partido entre os que sujaram as mãos de sangue em 1936, no julgamento sumário ou na execução de Elvira Cupello Colônio. Em 1934, o PCB matara o estudante Tobias Warchavski, da Juventude Comunista, convencido de que era um traidor. Enganou os crédulos com a campanha acusando a polícia pelo crime. Passadas décadas, o policial Cecil Borer confirmaria que houvera um espião, mas que ele não era Warchavski. Na vigência do Manifesto de Agosto de 1950, Hércules Corrêa tomou parte no assassinato de um correligionário que teria levado a polícia à gráfica clandestina do PCB em Belo Horizonte. O algoz revelaria que, depois de morto, o militante teve o corpo derretido com ácido, mas não nomeou a vítima. O jornalista Joaquim Câmara Ferreira diria a Hermínio Sacchetta que o Birô Político mandou matá-lo na segunda metade dos anos 1930, no auge da luta intestina do partido. Câmara se encarregou da missão, porém não a consumou em respeito à velha camaradagem entre eles.

Não espantava a intenção do PCB de aparar divergências com a eliminação física. O genocida Stálin matou mais comunistas do que Hitler e Mussolini somados. Entre os estimados 20 milhões de mortos na União Soviética do partido único, da supressão das liberdades e do totalitarismo, estavam dois presidentes do Komintern: Grigori Zinóviev e Nikolai Bukhárin. Só mesmo devotos fanáticos para acreditar que a velha guarda bolchevique traíra a revolução. Os companheiros de Lênin foram exterminados no terror dos Processos de Moscou, a Inquisição de Stálin. Na Guerra Civil Espanhola, os stalinistas trucidavam até quem estava na trincheira antifranquista, como os anarquistas. Apolônio de Carvalho, oficial de artilharia republicano, diagnosticaria "taras congênitas e desagregadoras" do Partido Comunista local.

A cultura de intriga e desconfiança da União Soviética moldou o PCB. Em 1947, Marighella era o diretor de *Problemas*. Arruda lhe sacou o posto em 1949 e nunca explicou por quê. O envio de Marighella à China não fora sinal de prestígio, mas um passaporte para o exílio após o sucesso da greve de 1953. "Achavam que ele estava disputando a direção", disse Clara Charf. Antes dos anos 1950, caiu em desgraça um dos cinco membros do núcleo dirigente que ascendera em 1943 com Prestes, Arruda, Grabois e Amazonas: de condutor da imprensa do partido, Pedro Pomar acabou, à falta de uma Sibéria, em um comitê de bairro paulistano. Já rompido com o PCB, Osvaldo Peralva escreveu que Arruda apeou Pomar por medo de perder o cargo.

Em contraste com Arruda, Grabois era um gozador corrosivo. Costumava inventar uma frase grandiloquente e sem nexo. Perguntava:

"Quem conhece o autor?"

As respostas chutavam Stálin, Lênin, Prestes. Grabois arrematava:

"Essa frase é minha. Vão estudar, vocês não sabem nada!"

Em meio a discussões sobre um livro que especulava para onde ia o Brasil, ele não teve paciência para as elucubrações que se sucediam:

"O Brasil vai para a merda!"

A Marighella faltava a acidez de Grabois, mas ele também não perdia o humor. Ao ser cobrado por não ter ajudado numa tarefa, disse que estava ocupado com uma suruba. Encarou os camaradas, inclusive Prestes, e tripudiou:

"Sabem o que é suruba?"

De Diógenes Arruda Câmara a memória dos camaradas guardou os modos, a obstinação e a ira. Ele zelava por sua coleção de meia dúzia de chapéus elegantes, mas limpava as unhas com canivete. Exausto, segurava as pálpebras com palitos de fósforo para não parar de trabalhar. Tinha ojeriza a cebola. Em um aparelho carioca, a cozinheira acebolou a comida. O número dois do PCB quase virou a mesa, e a moça se desesperou. Uma militante que tivera filho e lá se hospedava reclamou da grosseria. Arruda se encolerizou:

"Vá cuidar da sua criança, vagabunda!"

Ele não sabia que a companheira era Maria Ribeiro, a mulher de Prestes. Seus gritos eram tão intensos que, a Octavio Brandão, Arruda parecia um capataz de fazenda de café. Para Gregório Bezerra, um senhor de escravos. Pai de um casal de crianças, Arruda disse a Clara Charf que ela não podia ser mãe para não atrapalhar a logística de Marighella. Como uma caricatura de Stálin, deleitava-se distribuindo ordens. Não estava sozinho. Em conversa sobre a concentração de poderes no stalinismo, o dirigente Orestes Timbaúba disse ao médico Valério Konder que "mandar é melhor do que foder". No universo de pretensos comissários do povo, sobrevinham tragédias. Na União Soviética, comunistas davam cabo à própria vida, como Nádia Stálina, mulher do ditador, e o poeta Vladímir Maiakóvski. No Brasil, o ferroviário Mário Scott se elegeu por São Paulo para a Constituinte de 1946. O PCB surrupiou sua vaga, entregou-a a um suplente, o operário caiu em prantos e mais tarde se suicidou. As humilhações não preservavam os intelectuais e os artistas, estrelas na propaganda do partido, mas alijados do comando. Para Astrojildo Pereira, Arruda berrou:

"Você não é escritor coisa nenhuma, você é um semianalfabeto!"

Em um ritual de autoflagelação, para purgar o pecado original de não ter nascido proletário, Fernando de Lacerda dormia no chão, apesar da cama vazia ao lado — na primeira metade da década de 1930, ele fora o secretário-geral do PCB. Sumário da intolerância, o estatuto proibia que se falasse com trotskistas. O futuro antropólogo Darcy Ribeiro desviou do escritor Mário de Andrade, com quem marcara um encontro, ao vê-lo com o crítico de cinema Paulo Emílio Sales Gomes, tido como partidário de Liev Trótski.

Nem intelectuais nem operários: a maior distorção na elite comunista era o excesso de egressos das Forças Armadas. No IV Congresso do PCB, em novembro de 1954, ex-oficiais e praças representaram 8% dos delegados, muito mais do que na base. Entre os componentes do Comitê Central, 27%. Um em cada quatro dirigentes havia sido militar, inclusive Prestes. No Exército, grassavam as ideias do positivismo, cuja influência resultou na inscrição "Ordem e Progresso" da bandeira nacional, similar à legenda "Ordem e Tranquilidade" do partido em 1945. Mesmo entre a maioria dos membros do CC com escolaridade superior, inexistia maior erudição. Aos contemporâneos, Mário Alves parecia o quadro de direção com cultura mais sólida.

Mário, Marighella e Arruda compartilhavam o sentimento de que um destino jubiloso como a terra prometida avalizava caminhos sinuosos. "Para conseguir seus objetivos, todos os meios são bons e justos, como afirmou recentemente Luiz Carlos Prestes", escreveu Jorge Amado. O PCB vendia apoio eleitoral, notoriamente para Adhemar de Barros. Empregava a maior parte dos fundos na deficitária imprensa comunista. O governador de São Paulo era o inspirador do mote "Rouba, mas faz". "Nesse bolso nunca entrou dinheiro público", jactou-se Adhemar no Teatro Municipal. Um gaiato emendou: "Tá de calça nova, é?".

Filho de Pedro Pomar, Wladimir Pomar contaria que, em 1949, um grampo policial interceptou conversa telefônica de seu pai com Aydano do Couto Ferraz tratando do pagamento adhemarista. Secretário de Propaganda do PCB paulista, Armênio Guedes disse que o governador fez agrados mensais de 50 mil cruzeiros ao PCB, de 1948 a 1950 — em março de 2012, a quantia equivalia a 49 mil reais. Armênio apanhava o dinheiro em espécie com membros da Comissão de Finanças comunista e o entregava ao principal dirigente estadual, Carlos Marighella, na casa do arquiteto Vilanova Artigas. De acordo com João Falcão, na corrida presidencial de 1955 a direção se inclinou por Adhemar, "levada por promessas de vantagens financeiras", mas a militância impôs Juscelino Kubitschek. Vigorava, escreveu Leôncio Basbaum, a "venda de votos a quem mais pagar, nas vésperas das eleições".

Marighella e os comunistas não poderiam se queixar de não terem sido avisados, tantas foram as denúncias da barbárie stalinista. Vinha de longe a anedota russa segundo a qual Stálin era o maior químico da Terra: transformava merda em militantes e militantes em merda. O mecânico de aviação Joaquim Alencar de Seixas foi expulso do PCB gaúcho depois de escrever um artigo no qual afirmou: "Na minha terra, quem chama outro homem de pai que não seja o seu pai tem um nome: filho da puta". Em março de 1953, Marighella e seus camaradas se consideravam filhos de Stálin. Pensavam que ele personificava a utopia igualitária. Não lhes passara pela cabeça que o seu guia pudesse não ser o messias, e sim um impostor.

17. Meu mundo caiu

Das sete horas da manhã às nove e meia da noite de 10 de dezembro de 1954, uma sexta-feira, Marighella se enfurnou numa reunião clandestina do Comitê Regional gaúcho do PCB. Advertiu:

"O golpe está à vista."

No sábado, voou para São Paulo pela Varig. Os dados constaram de um relatório classificado como secreto, emitido no Rio de Janeiro pelo tenente-coronel Adauto Esmeraldo, diretor da Divisão de Polícia Política e Social. No dia 15, o oficial encaminhou-o à 2ª Seção do Estado-Maior do Exército. Sua fonte era um dirigente comunista do Rio Grande do Sul que trabalhava em sigilo para a polícia. Marighella era réu, desde o início do ano, em um processo fundamentado na Lei de Segurança Nacional. Acusavam-no de tentar reorganizar agremiação proscrita, e uma ordem de prisão fora expedida contra ele. Há duas hipóteses para o foragido não ter sido preso em Porto Alegre: o agente não teria como avisar onde estava com Marighella; ou descartaram o flagrante para proteger de suspeitas o informante, não identificado no relatório. Um dos presentes ao encontro foi Jover Telles. Nos anos 1970, o ex-deputado seria recrutado pelo Exército, mas nada indicava que duas décadas atrás já fosse espião policial.

O infiltrado fornecera informações sobre o financiamento do partido. Antes de ser promovido ao posto, o então chefe de polícia contribuía com o PCB.

Um ex-delegado do Dops doava "esporadicamente". Outro colaborador, João Goulart, seria protagonista da história brasileira até 1964. Em 1951 e 1952, o trabalhista exercera o cargo de secretário de Estado de Interior e Justiça. O delator datilografou: "Jango Goulart [à época] não só costumava receber os comunistas em seu gabinete como também nós mesmos, em nome do partido, tivemos oportunidade de recolher contribuição sua de 10 mil cruzeiros" (7 mil reais corrigidos). Por coincidência, o estancieiro que afagara o PCB com o equivalente a 26 salários mínimos projetou-se na esteira de uma greve comandada por Marighella e seus camaradas, a dos 300 mil. Em junho de 1953, Goulart trocou a Câmara dos Deputados pelo Ministério do Trabalho. Com a nomeação, Getúlio Vargas pretendeu serenar o ânimo do movimento sindical — multiplicava-se o número de grevistas. No entanto, atiçou seus inimigos mais cruentos, que hostilizaram Jango até derrubá-lo.

Em janeiro de 1954, o ministro apresentou o plano de reajustar o salário mínimo em 100%. Patrões e imprensa reagiram furibundos. Oito dezenas de militares assinaram em fevereiro o Memorial dos Coronéis, entre eles dois futuros generais ilustres da ditadura militar, Golbery do Couto e Silva e Sylvio Frota. Condenaram a intenção de Jango como inflacionária e soaram o alarme contra "o comunismo solerte, sempre à esquerda".

Bem-sucedida a cruzada, João Goulart caiu.

Cinco meses depois, Marighella regressou da China e da União Soviética e reassumiu o PCB de São Paulo. No feriado de 1º de maio de 1954, o governo baixara o decreto do salário mínimo, com salto de 1200 para 2400 cruzeiros. Em 1952, Getúlio concedera o primeiro reajuste em oito anos: de 380 para 1200 cruzeiros. Enquanto os comunistas radicalizavam contra o presidente, o prestígio dele se consolidava entre os "trabalhadores do Brasil", o bordão com que abria seus discursos.

Getúlio era o alvo de fogos tão inflamados quanto distintos: um procedia da direita açulada por Carlos Lacerda, outro da esquerda comunista. Antes da sua eleição em outubro de 1950, com 48,7% dos votos contra 29,7% do brigadeiro udenista Eduardo Gomes, seu inimigo Lacerda publicou na *Tribuna da Imprensa* a mensagem mais golpista que o país conheceu. A ruptura das regras se adaptava a qualquer cenário: "O sr. Getúlio Vargas, senador, não deve ser candidato à presidência. Candidato, não deve ser eleito. Eleito, não deve tomar posse. Empossado, devemos recorrer à revolução para impedi-lo de governar".

Quando sua base proletária ainda festejava a conquista salarial, o PCB lançou uma declaração em julho de 1954. Começou com um ataque feroz: "O governo Vargas é um governo de traição nacional". Evoluiu com uma análise duvidosa: "Cresce a impopularidade de Vargas e de toda a sua camarilha". E concluiu com um delírio: "Durante o governo Vargas tudo piorou para o povo". O partido repetia o que Marighella propagara na tribuna do palácio Tiradentes: se Getúlio era o "pai dos pobres", era também a "mãe dos ricos".

Com tal virulência, comunistas eram escorraçados diante das fábricas ao detratar o caudilho que os operários prezavam como benfeitor. O PCB recuara do sectarismo que o distanciara dos sindicatos, contudo se manteve apegado ao Manifesto de Agosto de 1950, inspirador do voto em branco naquele ano. Com o horizonte bipolar da Guerra Fria, quem não disparava contra os Estados Unidos era antagonista. Por isso, o partido fazia pouco dos feitos do presidente aliado dos americanos.

Em seu único mandato abençoado pelo voto popular, Getúlio fundou a estatal de energia Eletrobras e o Banco Nacional de Desenvolvimento Econômico. Sancionou a criação da Petrobras, embora resistisse ao monopólio estatal do petróleo. E restringiu a remessa de lucros para o exterior. Estava longe de se deixar seduzir por ideias coletivistas, porém não era um general Dutra, o predecessor truculento que não acrescentou um centavo aos contracheques corroídos pela inflação. Como os assalariados sabiam disso, o PCB pregava no gueto. Mais do que igualar getulistas e lacerdistas, ecoava a oposição mais ruidosa. Wilson Leite Passos, o caçula dos fundadores da UDN, pediu à Câmara o impeachment do presidente. Atribuiu-lhe crimes de responsabilidade e traição à pátria. Pretextou tratativas com Argentina e Chile para constituir um bloco, na pré-história do Mercosul. O proponente se vangloriava de sua pistola Walther que pertencera a um oficial nazista:

"Deve ter matado muito russo, muito comunista."

Tão estapafúrdios foram os argumentos que até seus correligionários o abandonaram, e o afastamento de Getúlio Vargas foi rejeitado por 136 votos a 35. Único deputado pecebista, o marceneiro Roberto Morena se alinhou ao dono da arma alemã e à minoria enfezada.

* * *

O jogo virou na madrugada de 5 de agosto, quando Lacerda voltava ao prédio onde morava, na rua Tonelero, em Copacabana. Alvejaram-no na altura do tornozelo esquerdo, e um tiro matou um dos seus seguranças, o major-aviador Rubens Vaz. O atentado foi encomenda do chefe da guarda pessoal do presidente, Gregório Fortunato, mas Getúlio ignorava o desvario. Nada que inibisse a *Imprensa Popular* de estampar a certeza garrafal na primeira página do dia 10: "vargas responsável pelo covarde crime". Enquanto o matutino comunista carioca denunciava o "caráter sangrento do atual governo", a *Tribuna da Imprensa* lacerdista conclamava à deposição. Como o oficial da Aeronáutica morrera, a base aérea do Galeão sediou um inquérito policial-militar. No dia 22 de agosto, trinta generais se somaram ao coro pela renúncia, entre eles Humberto de Alencar Castello Branco, dez anos antes de ser ungido ditador.

Do seu aparelho em São Paulo, Luiz Carlos Prestes remeteu uma entrevista que os sete cotidianos do pcb nas capitais reproduziram. No Rio de Janeiro, a *Imprensa Popular* de 21 de agosto saiu com a manchete "prestes desmascara os golpistas". A tiragem esgotou, e o jornal a republicou três dias depois. Figura da República Velha, como Getúlio, o secretário-geral repeliu a aliança com seu conterrâneo sulista em 1930, enfrentou-o em 1935, poupou-o em 1945 e agora enchia sua pá de cal para enterrá-lo. Em vez de se contrapor à conspiração golpista real, Prestes nivelou o "sr. Vargas" e o "brigadeiro Gomes" como marionetes dos "patrões americanos" que estimulavam "um golpe de Estado". A despeito do léxico esquerdista, juntou-se às vivandeiras que incitavam à destituição do governante constitucional: "Os patriotas e democratas começam a compreender que o atual estado das coisas não pode continuar e que, como afirmam os comunistas, precisamos unir e organizar nossas forças para pôr abaixo o governo Vargas e substituí-lo por um governo democrático de libertação nacional".

Na terça-feira 24 de agosto, Marighella se reunia desde cedo com companheiros em São Paulo. A presidência distribuíra uma nota de Getúlio, na mais longa das madrugadas do Catete. Encurralado, decidira se licenciar — o golpe triunfava. Antes de o sol nascer, o exultante Carlos Lacerda celebrou na Rádio Globo "uma revolução branca que nesta noite teve sua noite de glória". Por volta das oito e meia da manhã, o locutor Heron Domingues informou pelo *Repórter Esso*, na Rádio Nacional, que Getúlio Dornelles Vargas acabara de se matar. Aos

72 anos, o homem que tinha governado o Brasil por quase duas décadas acertara o tiro a um dedo do mamilo esquerdo. Divulgaram o que seria sua Carta Testamento aos trabalhadores, com o arremate comovente: "Eu vos dei a minha vida. Agora vos ofereço a minha morte. Nada receio. Serenamente dou o primeiro passo no caminho da eternidade e saio da vida para entrar na história".

A notícia do suicídio se espalhou, e os comunistas que estavam com Marighella se dispersaram. Não se esqueceram de cortar a insígnia "Abaixo a ditadura de Getúlio" para "Abaixo a ditadura". Em um vexame antológico, os camaradas varreram o Rio de Janeiro com um arrastão para recolher e queimar os exemplares da *Imprensa Popular* que naquele dia reeditava a entrevista de Prestes com o apelo para "pôr abaixo o governo Vargas". Em Porto Alegre, tiveram menos sorte. A turba getulista não destruiu somente as instalações do *Diário de Notícias*, do conglomerado oposicionista dos Diários Associados, e apedrejou o consulado dos Estados Unidos. Encolerizada, empastelou a *Tribuna Gaúcha*, jornal do PCB, quebrando máquinas de escrever, mesas e cadeiras.

De ônibus, um militante ia do município paulista de Araraquara para Pompeia, onde o aguardavam atos da campanha contra Vargas. No caminho, estranhou cidadãos com fotos do presidente e ao chegar se misturou ao protesto aos brados de "Viva Getúlio!". Na sua reviravolta política mais repentina, o PCB estimulou piquetes e greves contra o novo chefe do Executivo, o ex-vice Café Filho. *O Globo* não exagerou no dia 25: "Comunistas dirigindo as manifestações populares". Prestes se calou sobre o passado embaraçoso e alardeou a mudança de orientação com o artigo "Comunistas e trabalhistas: ombro a ombro contra o inimigo comum".

Em 1935, o PCB se aventurara sem suporte popular no assalto ao poder. Até 24 de agosto de 1954, confrontou a massa. Nada que abatesse Marighella. Logo viria a desilusão, e haveria quem receasse para ele o mesmo destino de Getúlio.

Só podia ser provocação a notícia com que Marighella se deparou em *O Estado de S. Paulo*, na manhã de 7 de julho de 1956: no 12º e último dia do XX Congresso do Partido Comunista da União Soviética, Nikita Khruschóv pronunciara um discurso demolidor sobreIóssif Stálin, o líder que o antecedera. Em Moscou, revelara a 1500 delegados: os arquivos conservavam um "testamento de Lênin", no qual o ícone bolchevique morto em 1924 recomendava a destituição de Stálin;

os expurgos massivos haviam levado à execução de revolucionários inocentes; as confissões de traição eram falsas e extraídas por meio de tortura; o marechal quase pusera tudo a perder ao eliminar levas de brilhantes oficiais do Exército Vermelho às vésperas da invasão nazista de 1939; o que o Kremlin propalara sobre o "guia genial" constituía fraude vulgar destinada ao "culto à personalidade".

"É mentira", concordou o casal Clara e Marighella. Evidenciavam-se indícios de armação. A CIA difundia papéis forjados para ludibriar incautos. O informe oficial do novo mandatário soviético endereçado ao congresso do PCUS era conhecido, e o semanário *Voz Operária* o traduzira na edição de 10 de março. No dia 16 de fevereiro, o jornalista Joaquim Câmara Ferreira escrevera no *Notícias de Hoje* maravilhas sobre o conclave distante. Em 28 de março, foi Marighella o autor da exaltação na *Folha do Povo* recifense. Um mês antes, em 25 de fevereiro, Khruschóv de fato dissera as palavras que mais tarde ocuparam as páginas do *Estadão* e do *New York Times*. Na sessão de encerramento do encontro, ele pediu discrição sobre "nossas feridas". *O Globo* já avisara em 28 de março que o *Pravda* atribuíra a Stálin "monstruosos excessos". Marighella não se fiava na "imprensa burguesa". Até porque Diógenes Arruda chefiara a diminuta delegação do partido ao congresso — se um cataclisma tivesse ocorrido, ele retornaria ao Brasil. Ao contrário, esticava a viagem pela China.

A imagem de Stálin era tão imponente que, ao cruzar com o líder em 1927, na Casa dos Sindicatos da União Soviética, Heitor Ferreira Lima guardou o perfil que nem a sua ruptura posterior com o PCB e o stalinismo apagaria: "Alto, robusto". Dois biógrafos do ditador apuraram sua estatura: 1,68 metro, "figura atarracada e baixa", segundo o britânico Simon Sebag Montefiore; e 1,65, para o russo Dmitri Volkogonov. O historiador britânico Eric Hobsbawm cravou 1,58. Assim como Ferreira Lima não se convenceria de que o gigante não passava de um tampinha, Marighella não acreditava no que julgava serem infâmias fabricadas para desmoralizar o finado.

Embora estivesse no epicentro do terremoto do XX Congresso, em fevereiro de 1956, Arruda não sentiu a terra tremer. Como o relatório secreto de Khruschóv não fora traduzido, o dirigente monoglota ignorou o abalo. Soube dele na China, voltou para Moscou, assegurou-se da autenticidade e rumou em julho para o Brasil. O partido o esperava como um mensageiro das escrituras sagradas.

O mistério terminou no último sábado de agosto. Desfalcado de quase metade dos seus 25 membros, em estudos na União Soviética, o Comitê Central fez uma reunião ampliada com meia centena de pessoas. Elas se espremeram numa casa em São Paulo onde funcionava uma escola de quadros. Por segurança, foram transportadas de olhos fechados. Talvez preferissem ter os ouvidos tapados, antes de o secretário de organização do PCB anunciar o inominável: sim, era tudo verdade.

Marighella desmoronou. Para ele, o tormento não seria *apenas* a mutação de Stálin em tirano: tudo o que vivera desde os verdes anos na Bahia parecia não fazer sentido. Clara nunca o vira chorando. Redatora da ata, ela trabalhava como taquígrafa em uma mesinha e sofria por si e pelo marido. "Era como se tivesse desabado o prédio", comparou. Sob os escombros da decepção, as lágrimas inundaram o rosto de Marighella. Astrojildo Pereira, um dos nove fundadores do PCB, admitiu perplexo que era terrível o que sucedera, mas não deveriam desistir dos ideais. "Houve pouca racionalidade e muita emoção", testemunhou o jornalista Armênio Guedes. Uma vez mais, Prestes distinguiu-se pela ausência — com a crise iminente no partido, preservou-se. Marighella buscou forças, levantou-se da cadeira e caminhou até o lado da mesa que conduzia a sessão. O tribuno de talento tentou alinhavar uma frase à outra, engasgou, sucumbiu com os soluços e se desidratou de tanto chorar.

De novo em seu lugar, assistiu à catarse do acerto de contas. Como recordaria o ex-cabo Severino Teodoro de Mello, um ferroviário vociferou contra Marighella na reunião, por ele ter sugerido a explosão de dinamite para colocar trens fora de circulação durante uma greve. Em vez de reagir com a altivez costumeira, confirmando ou negando, Marighella chorou ainda mais. Algumas semanas depois, o veterano Leôncio Basbaum encontrou-o com "ar triste e lamentoso". Dava "a impressão de um menino cujo brinquedo se quebrara" e "pareceu completamente desorientado". Numa casa no subúrbio carioca, o jornalista Osvaldo Peralva observou-o "a um canto da sala, na penumbra, remexendo em seus papéis, e quase não o reconhecia. Estava solitário e lúgubre". Um militante comentou que era "depressão nervosa". E que Marighella passara "as últimas noites inconsolável, chorando como criança de peito". Para Jorge Amado, o amigo perdera "a graça e o riso".

Foi pior do que isso. Antes, Marighella adormecia à hora que desejasse, imune à insônia. Como se o dia 25 de agosto, o do pleno do Comitê Central, não tivesse fim, ele agora padecia nas noites feito um zumbi. Sofreu uma crise de choro no Rio, e os companheiros temeram um gesto de desespero. Hesitou, mas cedeu à insistência para se consultar com o psiquiatra Francisco Sá Pires, comunista convicto. No consultório nos arredores da Cinelândia, o médico mineiro espantou-se com o camarada desfigurado. Diagnosticou estresse, indicou repouso e receitou tranquilizante — prontamente recusado. Para uma nova conversa, pediu ajuda ao advogado Paulo Mercadante, que intercedeu:

"Carlos, você toma o remédio, você está mal de saúde. Quem é que não toma quando tem uma morte na família?"

Marighella prometeu que acataria o conselho, mas ninguém teve certeza de que cumpriu o combinado. Talvez para não preocupá-la, omitiu de Clara as visitas ao psiquiatra. E se sentiu mais zonzo ainda com a guerra fratricida que ameaçava reduzir o seu partido a pó.

Se dependesse da direção, as discussões permaneceriam restritas aos círculos superiores. Elas transbordaram graças à audácia de um sergipano ilustrado, o jornalista João Batista de Lima e Silva. Redator da *Voz Operária*, ele publicou opiniões inusuais no periódico comunista: em vez de bajular os mandachuvas, peitou-os. No dia 6 de outubro de 1956, saiu o artigo "Não se pode adiar uma discussão que já se iniciou em todas as cabeças". Uma geração de militantes recitaria de memória um trecho: "Não sei se há, entre nós, unanimidade sobre a conveniência de se travar um debate assim, amplo e público. O passado e a rotina são uma força poderosa de inércia". Pressionado pela ousadia, o Comitê Central moveu-se e aprovou em 20 de outubro uma resolução que contornou a palavra *crimes*. Na União Soviética, houvera "graves erros, sérias injustiças, violações da legalidade socialista". A respeito de Stálin, constatou: "O culto à personalidade é o contrário do marxismo-leninismo". A lição só vigorava além-mar: nada se leu sobre a idolatria institucional do PCB por Prestes.

Porém o CC reconheceu a "necessidade de democratizar a vida de nosso partido". Acumulavam-se descaminhos:

> [Houve] um excessivo centralismo, a arrogância e a autossuficiência dos dirigentes, um sistema de mandonismo de cima abaixo, uma disciplina algo militar em vez de disciplina consciente e voluntária, uma falsa e injusta política de quadros, críti-

cas violentas e intempestivas, que criaram um ambiente de intimidação [...]. Tal sistema e tais métodos tolhiam a democracia interna, a liberdade de opinião e de crítica e o desenvolvimento do pensamento criador em todo o partido.

Naqueles dias, vicejou no PCB a "liberdade de opinião e de crítica". Foi demais para Prestes, que em novembro despachou uma mensagem em forma de carta e conteúdo de decreto. Determinou, como um censor: "São inadmissíveis, portanto, em nossas fileiras e na imprensa feita com os recursos do povo quaisquer ataques à União Soviética e ao PCUS, ao baluarte do socialismo no mundo e ao partido que dirige a construção do socialismo". A correspondência mereceu o apelido de "carta-rolha". Na nova terminologia partidária, os entusiastas do debate se denominaram "abridistas", em contraste com os "fechadistas" que o sufocavam. Aqueles prevaleceram entre os jornalistas, contaram com a munição do antigo capitão Agildo Barata e se definiram também como "renovadores", em choque com os "conservadores" da cúpula. Por seu turno, parte da direção investia contra o "mandonismo", neologismo que alternavam com "arrudismo" — ensaiaram a comodidade do bode expiatório e fritaram Arruda.

De volta do estupor, Marighella considerou que o problema não estava na sua razão de viver desde a juventude, e sim nos que haviam usurpado a bandeira do comunismo. Pensou na hipótese de deixar o partido e se aproximou dos "renovadores". Em seguida, apostou na mudança por dentro. Transferiu-se para o que Osvaldo Peralva qualificou de "pântano" entre "renovadores" e "conservadores", centro político onde Prestes se resguardava. Esse grupo tachava os "renovadores" de "revisionistas" do marxismo e de "liquidacionistas".

Marighella empreendeu o "combate ao dogmatismo e ao sectarismo que têm sido constantes na vida do partido". Minimizou os erros: "Foram cometidos na busca honesta dos caminhos e meios para a conquista da libertação nacional e social do nosso povo". Emendou: "Nossa maior autocrítica deve ser por não termos ainda tornado vitoriosa a luta para levar ao poder o proletariado e as demais classes revolucionárias". Incentivou desiludidos a prosseguir. "Foi o Marighella quem me ajudou a superar o choque inicial e a pôr os pés na terra", disse Salomão Malina, futuro secretário-geral do PCB. "Com o auxílio dele, amadureci as minhas concepções, liquidei com certas representações idílicas e românticas acerca do partido." Marighella persuadiu o camarada Paulo Cavalcanti, secretário da prefeitura do Recife, a não ir embora. "Era um sedutor da militância", reverenciou Apolônio de Carvalho, do Comitê Central. Em São Paulo, Marighella participou de uma reunião com intelectuais, entre eles o sociólogo Fernando Henrique Cardoso, para analisar o Relatório Khruschóv.

Como em 1945, a autoridade histórica de Prestes galvanizou a maioria, e Marighella apoiou-o. O Cavaleiro da Esperança, contudo, já se dessacralizara perante muitos comandados. Em maio de 1957, Agildo Barata tornou pública em entrevista à revista *Manchete* a despedida após 22 anos no partido — o PCB engolia os seus heróis. Ainda na clandestinidade, ele disse ao jovem repórter Janio de Freitas: "Prestes é hoje um general que desconhece o terreno da luta e até suas próprias tropas".

O "general" emergiu das catacumbas na reunião do Comitê Central de agosto de 1957, quase dez anos depois de comparecer à última. Já fulminara os "renovadores". Com Barata, a única defecção no CC, partiu o solitário deputado federal comunista, Bruzzi Mendonça. Também se foram jornalistas como Moacir Werneck de Castro, Newton Rodrigues e Osvaldo Peralva. E intelectuais como Jorge Amado, que descobria "sangue e lama" no partido. Ao reaparecer, Prestes executou o segundo movimento da degola. Conspirou para excluir do Presidium os "conservadores" Diógenes Arruda, João Amazonas, Maurício Grabois e Sérgio Holmos. Como número dois, ascendeu o ex-cabo Giocondo Dias. Nas outras vagas, Mário Alves, Calil Chade e Marighella — aos 45 anos, ele ingressava na elite dirigente. Nas contas de Moisés Vinhas, membro do CC, o anêmico PCB decaíra para 9 mil militantes.

Com a nova guarda sobreveio a resolução que estabeleceu a derradeira virada do partido. O que o Manifesto de Agosto de 1950 significara de giro à esquerda, a Declaração de Março de 1958 implicou de guinada oposta. O tom baixou: "Os comunistas consideram que existe hoje em nosso país a possibilidade real de conduzir, por formas e meios pacíficos, a revolução anti-imperialista e antifeudal". O PCB aposentou a retórica incendiária e se agarrou à coexistência pacífica, como a União Soviética batizou a convivência tolerante entre comunismo e capitalismo. Nada tinha de original: desde 1922, os pecebistas se curvavam à mais recente encíclica soviética.

Os ecos da crise de 1956 e 1957 perduraram. Osvaldo Peralva lançou em 1960 um libelo devastador contra o PCB. No livro *O retrato*, esmiuçou o funcionamento do partido proibido por lei. Reservou afagos e tapas a Marighella, traindo o ressentimento por sua opção de ficar. Disse que o ex-camarada e Agildo Barata tinham sofrido "violenta campanha por parte do grupo encastelado na direção. Eram membros do Comitê Central, mas não do Presidium". E afirmou o que mais tarde contemporâneos diriam desconhecer: no ápice da luta interna, Marighella foi escalado para elaborar um dossiê sobre Arruda, sem desprezar futricas íntimas, porém o alvo contra-atacou com uma "devassa completa na vida particular" do camarada. Se foi mesmo planejada, a mesquinharia de mão dupla não foi discutida nas instâncias formais do PCB.

Mais de cinco anos após o xx Congresso, removeu-se um incômodo físico: em outubro de 1961, funcionários do Kremlin retiraram do mausoléu de Lênin o cadáver embalsamado de Stálin, ainda exposto à visitação. Enterraram-no junto ao muro do palácio, longe dos olhos dos curiosos.

18. Enfim, o verão

O ano luminoso de 1958 presenteou os brasileiros com a inédita Copa do Mundo de futebol, o parto da Bossa Nova e o crescimento de 10,8% na geração de riquezas. Marighella comporia os poemas "A alegria do povo", versejando sobre o campeão Mané Garrincha, e "A garota que não é de Ipanema" ("As curvas do teu corpo são todas na contramão..."). O presidente Juscelino Kubitschek de Oliveira sentenciava: "O maior inimigo da América Latina não é o comunismo, mas o subdesenvolvimento". Já que os comunistas não assustavam mais feito bicho-papão, em junho de 1958 decolou a maior turnê musical do país com destino à União Soviética. Estrelavam os cantores Jorge Goulart, Nora Ney e Dolores Duran, sob a condução de um moço de 25 anos, o maestro Paulo Moura. Poucos sabiam que fora Marighella quem concebera e organizara a trupe. Os jornais cobriram o embarque e lhe trouxeram outras boas-novas. Ele saboreou a manchete de *O Globo* sobre uma nave que nem decolara: "Assombra o mundo a notícia de um foguete pilotado soviético". As façanhas dos russos no espaço — como o satélite Sputnik — inspiraram em 1958 uma estreia no teatro de revista, *Sputnik no morro*, enquanto o cinema filmava a chanchada *O homem do Sputnik*.

Com alusões aos vermelhos nas páginas dos cotidianos, nos palcos e nas telas, militantes anticomunistas brandiam o recém-lançado opúsculo *O PCB: atividades no Brasil*, cujos capítulos prenunciaram a catástrofe: "Estamos às vésperas da revolução bolchevista, amigo". Marighella preferia que o país estivesse mesmo, porém não ignorava que o vaticínio apocalíptico era tão furado como o que decretara décadas antes o ocaso do jornalismo impresso, abatido pelas ondas novidadeiras do rádio — 22 títulos de diários ainda se espremiam nas bancas fornidas do Rio de Janeiro, a capital para onde ele e Clara haviam regressado. Com ou sem revolução, não daria para esquecer 1958.

As luzes do ano afortunado piscaram mais cedo para Marighella, na tarde de 20 de novembro de 1957. Quase uma década depois do seu derradeiro discurso na Câmara, ele se despediu da vida subterrânea e ressurgiu radiante para os fotógrafos na entrada da 9ª Vara Criminal do Distrito Federal. Como assinalou a *Folha da Noite* paulistana, "apresentou-se espontaneamente para depor". Era um dos 27 acusados de sedição por firmar um manifesto do PCB. Seu enquadramento judicial era incerto, e Marighella arriscava-se a ser detido. A *Folha da Manhã*, do Recife, sintetizou o desenlace da sessão: "Inteiramente livre ex-deputado comunista". Se a silhueta ganhara contornos mais rechonchudos, denunciando a gula por doces alimentada na longa temporada em São Paulo, a disposição permanecia idêntica. O juiz João Fontes Farias perguntou se Marighella conhecia duas testemunhas de acusação, os policiais Cecil Borer e José Vasconcelos. O interrogado disparou:

"Conheço-os como espancadores profissionais e assassinos."

Na entrevista no fórum, Marighella justificou os dez anos à sombra:

"Atuamos na ilegalidade porque a isso fomos compelidos."

Um repórter notou-o com "a cabeça meio raspada, óculos caídos no nariz, pele tostada do sol". No relato de *O Globo*, "mostrava-se acessível, risonho, mas enérgico em suas declarações". O jornalista do vespertino assuntou sobre o secretário-geral do PCB, contra quem vigorava ordem de prisão preventiva:

"Prestes esteve mesmo no Rio ultimamente?"

Na descrição da reportagem, Marighella "fez blague":

"Olhe, só por telepatia eu saberia... E eu não sou um telepata."

Não se exigiam dotes de adivinho para suspeitar que a polícia persistia em seus calcanhares, agora mais expostos — integrar organização banida não deixara de configurar crime. Antes da sua reaparição, um informe reservado dos espiões cariocas previu a apresentação à Justiça. Em agosto de 1958 — os anos ensolarados também têm dias nublados —, Marighella depôs em mais um inquérito para "apurar atividades ilegais do extinto PCB". O coronel Danilo Nunes, diretor da Divisão de Polícia Política e Social, bravateou em outubro que pediria sua prisão — a ameaça deu em nada. No último respiro de 1958, Marighella recebeu em dezembro uma carteira de identidade nova, com nome e sobrenome verdadeiros. Deixava para trás os documentos forjados com que se protegera. Tinha o que comemorar: não fora fácil chegar até o verão.

"O golpe está à vista", prognosticara Marighella em dezembro de 1954. Ele não era profeta, apenas observador: no cenário sombrio de então, os quartéis ouviam mais sussurros de conspirações do que toques de corneta com ordens aos pelotões. O golpe de Estado sob patrocínio fardado e paisano se consumara na madrugada de 24 de agosto daquele ano, no anúncio da "licença" imposta a Getúlio Vargas. Como o presidente ofereceu o cadáver em retribuição à humilhação, o vice João Café Filho assumiu. A ambição da caserna de entronizar um general no Catete ou impor um tutelado civil se frustrou. Preservou-se o rito constitucional: o suplente substituiu o titular morto.

Líder de uma greve de trabalhadores de Natal em 1923, Café Filho fora um bom amigo do PCB. Elegeu-se vice-presidente em 1950 pelo PSP, com a bênção de Getúlio e contra o voto em branco pregado pelos comunistas. No cargo do antecessor, converteu-se em antigetulista e nomeou ministros associados à deposição de agosto. Ainda não esquentara a cadeira quando o Comitê Central pecebista condenou seu governo com o carimbo que Marighella adotaria em seus artigos: "Ditadura americana de Café Filho". A fidelidade aos Estados Unidos era genuína, contudo a ditadura só existia aos olhos do PCB, embaçados pelo sectarismo que empurrara o partido a pedir o pescoço de Getúlio. Todavia, em novembro de 1955, onze meses após a previsão de Marighella sobre o golpe, Café revelou-se ao menos conivente com nova trama para subjugar o sufrágio universal: o alvo era o presidente eleito em 3 de outubro, o médico mineiro Juscelino Kubitschek. De bom, o apoio dos comunistas lhe granjeara votos. De ruim, argumentos para impedir sua posse.

Se dependesse do PCB, JK nem concorreria. Uma década depois de bancar candidato próprio, o partido proscrito se viu obrigado a adotar o postulante de outra legenda. De acordo com Jacob Gorender, membro do Comitê Central, a intenção original era lançar um ex-ministro da Guerra, Newton Estillac Leal. Prócer do setor nacionalista do Clube Militar, o general rivalizava com os oficiais que ele e os comunistas desqualificavam como "entreguistas" — por alegadamente querer entregar o patrimônio do país aos Estados Unidos. O plano esfumou-se com a morte de Estillac Leal, em maio de 1955. O partido defendeu que João Goulart encabeçasse a coligação PTB-PSD, segundo relato do comunista Marco Antônio Tavares Coelho. Defenestrado do Ministério do Trabalho em 1954, ao apadrinhar a duplicação do salário mínimo, o herdeiro político de Getúlio parecia pouco confiável aos endinheirados dispostos a referendar Juscelino.

Acordou-se a fórmula com o pessedista JK para presidente e o trabalhista Jango como vice. Enquanto o gaúcho mantivera tertúlias amistosas com o PCB desde Porto Alegre, o antigo deputado de Minas votara por guilhotinar os mandatos de Marighella, com quem convivera cordialmente na Câmara, e seus partidários em 1948. Os termos do pacto secreto que celebrou a adesão do partido a Juscelino nunca ficaram claros. Alguns dirigentes do PCB mencionaram uma promessa de legalização da sigla, que permaneceu interditada. Outros negaram que JK tivesse apalavrado aquele compromisso. O certo é que o candidato afirmou que toleraria os pecebistas e honrou o combinado. Assim que ele saiu do governo, a cúpula pecebista reconheceu "a situação de legalidade de fato em que nos encontramos".

Nem com o reforço comunista Juscelino atraiu muito mais de um terço dos votos: 36%. Para sua sorte, a regra estabelecia turno único. JK somou 466 956 eleitores a mais que Juarez Távora, da UDN, com 30%. Como o pleito não batia chapa contra chapa, era possível escolher para vice um antagonista do chefe do Executivo. Não foi o que ocorreu em 1955, quando Jango sobrepujou o udenista Milton Campos por 203 670 votos. As diferenças estreitas animaram nova ofensiva golpista. Carlos Lacerda já tentara adiar a eleição. O mais anticomunista dos ex-comunistas divulgou uma carta de um legislador argentino, Antonio Brandi, a João Goulart. Entre outros desvarios, prescrevia a formação de brigadas de choque operárias. A tal Carta Brandi não passava de falsificação, como julgaram os tribunais. A seguir, os golpistas buscaram impugnar os candidatos. Alegaram que JK e Jango incorriam em crime por ter ao lado uma agremiação proibida. A Justiça autorizou as inscrições, porém vetou o Movimento Nacional Popular Trabalhista, a fachada dos comunistas na campanha. Depois de 3 de outubro, os derrotados voltaram à carga, sustentando que o PCB determinara o resultado, que por isso seria ilegítimo.

Em 1945, com um colégio eleitoral menor, contaram-se 569 mil cédulas, ou 10%, para o partido. É provável que, em 1955, enfraquecido, o PCB não tenha decidido o embate presidencial, mas tenha sacramentado o triunfo de Goulart. Como a manobra não prosperou, os udenistas reivindicaram a anulação porque os vitoriosos não haviam obtido maioria absoluta, desempenho que a lei não requeria. Com outro insucesso, apelaram ao recurso empregado no Brasil desde a proclamação da República em 1889, o golpe militar.

No dia 1º de novembro, o coronel Jurandir de Bizarria Mamede discursou no enterro do general Canrobert Pereira da Costa. Sugeriu cancelar a posse de JK, marcada para janeiro de 1956. Café Filho sofreu uma crise cardíaca, e o presidente da Câmara, Carlos Luz, ocupou seu lugar. O ministro da Guerra, Henrique Teixeira Lott, quis punir Bizarria Mamede por indisciplina, porém o presidente em exercício não aceitou. A recusa implicava a queda do general Lott, passo final para bloquear Juscelino. Em 11 de novembro de 1955, o ministro colocou os blindados nas ruas do Rio, depôs Carlos Luz, e a Câmara aprovou a entrega provisória do governo ao vice-presidente do Senado, Nereu Ramos. Marighella se defrontara com o senador catarinense na Constituinte de 1946, mas em 1955 se aliaram pela submissão às urnas.

Lott comandou um golpe sui generis para os padrões nacionais, com conteúdo de contragolpe legalista para que prevalecesse a vontade dos eleitores. No artigo "A bancarrota da UDN", na *Imprensa Popular*, Marighella se referiu ao "movimento democrático de 11 de novembro". Oficiais da Aeronáutica desencadeariam, em 1956 e 1959, rebeliões marginais e malsucedidas contra Juscelino. Seus participantes arrancaram do presidente a anistia que os militares comunistas jamais conquistaram para se reintegrar às Forças Armadas após a expulsão em 1935. A despeito dos radicais mais afoitos, a Era JK, de 1956 a 1961, amansou espíritos e irradiou mensagens de distensão.

Com os novos ares, de tudo se fazia graça. Os habitantes de Osasco deram 100 mil votos a um rinoceronte no pleito de 1959. Protestavam contra a condição de bairro da cidade de São Paulo — aspiravam ser município autônomo. O bicho se chamava Cacareco e morava no zoológico. Marighella divertiu-se com o episódio e compôs um frevo para o "vereador eleito":

O Cacareco — pois é
Não tem rival — pois é
Dançando samba — pois é
No Carnaval. [...]

O Cacareco vai no meu cordão
Dando um passinho miúdo, especial
Foi vencedor de uma grande eleição
Depois virou Rei Momo do Carnaval.

O autor não publicou a letra. Como a melodia, as estrofes sobreviveram na memória de quem ele esperou oito anos para conhecer, até o dia em que teve certeza de que a perseguição contra si não alcançaria o menino: seu filho, Carlos Augusto Marighella.

O encontro tardio do homem de 44 anos, fascinado por crianças, com o filho de oito, a quem cobriria de amor, talvez inundasse os cinemas com as lágrimas dos mais insensíveis durões. Entretanto não foi nenhuma cena de melodrama que o coração de Carlos Augusto guardou do dia em que o pai sentou-o no colo, brincou com ele e começou a conversar. Não parecia um diálogo hesitante, adiado pelo receio de o inocente pagar pelas ousadias paternas. Quem desconhecesse os dois poderia achar que retomavam o bate-papo de antes do jantar. Não cairia noite, mesmo quando Carlinhos já fosse um galalau, em que Marighella não lhe desse um beijo antes de adormecer. O bebê partira para a Bahia com a mãe depois do nascimento, em 1948. Retornou ao Rio em 1956, sob os cuidados da avó materna, já com a combinação de ver o pai. Elza Sento Sé não educara o filho para se ressentir de Marighella como um ausente que o tivesse desamparado. Como a clandestinidade perdurou até novembro de 1957, Carlinhos esperou o ano seguinte para morar com o pai e Clara.

O italiano Augusto aplicava algumas palmadas no primogênito Carlos para punir a bagunça, porém seu filho nunca levantou a mão contra Carlinhos. Se na casa da Baixa dos Sapateiros os garotos eram preservados da labuta tida como feminina, Carlos Augusto aprendeu com o pai, no Rio, que tinha de lavar a louça que sujara e que ninguém arrumaria a cama por ele. Como pretendia criar passarinhos, ouviu de Marighella que tudo bem, desde que os alimentasse e limpasse as gaiolas — como a trabalheira seria muita, deixou para lá. Apaixonado por matemática, Marighella dava aulas ao filho e ensinou-o a jogar xadrez. Regalou-o com o romance *O homem que calculava*, no qual se encadeiam desafios matemáticos, de autoria do professor brasileiro que assinava como Malba Tahan. Incentivou a leitura das coleções de Júlio Verne e Jorge Amado de sua biblioteca doméstica. Cidadão do seu tempo, não se aprofundou em minúcias quando os hormônios do filho saudaram a puberdade. Mas o advertiu sobre doenças sexualmente transmissíveis. E providenciou *A nossa vida sexual*, do ginecologista alemão Fritz Kahn. O livro educativo, sem a lenda da cegonha, era execrado em círculos pudicos como obra de devasso.

Como a militância à luz do dia lhe ocupava ainda mais, Marighella procurou um internato para o filho adolescente. Selecionou um de pedagogia inovadora, o Colégio Nova Friburgo, mantido pela Fundação Getúlio Vargas na serra do estado do Rio. A escola permitia cigarro, desde que o responsável consentisse. Em contraste com os pais que vetavam por decisão própria, para Marighella, a escolha era prerrogativa de Carlinhos — o jovem não quis. Essa tolerância já se manifestara com o desprezo de Marighella pelo tradicional empenho paterno em convencer os filhos a abraçar o mesmo clube de futebol. Rubro-negro, não se importou com a opção do novo torcedor do Fluminense. O pai já não jogava as peladas que o entretinham na infância, mas aos domingos nadava nas águas límpidas da praia do Flamengo. Carlinhos notava sua obsessão por domar o peso. Seus pratos eram equilibrados, mas os doces continuavam a perdição. Dizia que o corpo deveria estar à altura do dia a dia extenuante. Exercitava-se em casa com um aparelho que simulava os movimentos de remador.

O advogado Aldo Lins e Silva foi um dos amigos que o surpreenderam suando no rema-rema. A presença de convidados no lar, que numa família comum seria uma banalidade, indicava uma reviravolta: por dez anos, ninguém frequentara a residência de Marighella e Clara. Não sabiam o endereço nem os parentes mais íntimos, com quem agora se reencontravam. Tereza Marighella superara uma mágoa do período de Carlos na Câmara. De Salvador, pedira que o deputado a recomendasse para um cargo público. Ele retrucou: não se formara professora? Que prestasse concurso como todos, ou quase todos, os mortais. Ela obedeceu e até o fim da vida acreditou que tinha sido reprovada por ser irmã de quem era. Compreenderia as razões do irmão, o que não a impediu de descartar o sobrenome inconveniente nas certidões dos filhos — não havia fila em que não a olhassem com espanto quando era chamada.

Mesmo afastado, Marighella não os abandonara. Em 1951, um emissário bateu à porta de Tereza com um presente: dinheiro do irmão para o vestido de noiva. Dali a anos, na casa dela no bairro carioca da Penha, ele foi à festa dos sobrinhos. O casal de filhos da irmã aniversariava junto, e o menino encrencou porque desejava um bolo só para si. O tio improvisou no guardanapo os versos que homenagearam o garoto, citando um sucesso do teatro de revista:

> *José Augusto Teixeira*
> *Chorava de fazer dó*
> *Encenando aquela peça*
> *Tem bububu no bobobó.*

Em casa, Marighella escrevia, interpretava e gravava suas próprias peças — ou melhor, radionovelas. Eram sátiras políticas para seu próprio divertimento. Ele trouxera um gravador de uma viagem à União Soviética — em abril de 1960, a polícia política monitorou seu embarque rumo à Europa, com vistos para Zurique e Praga. Com a máquina, registrava os enredos nos quais os paspalhões eram seu velho oponente Juracy Magalhães e o falecido Getúlio Vargas.

O apartamento na rua Corrêa Dutra acomodava o rema-rema, a poltrona-cama de Carlinhos na sala e livros nas estantes, porém media parcos 56 metros quadrados. O secretário de Finanças do PCB, função que Marighella herdou com a saída de Agildo Barata do partido, vivia em um quarto e sala de fundos no sétimo andar de um prédio sem luxos, nas cercanias do palácio do Catete. Era a primeira vez — e seria a última — que ele e a mulher alugavam um imóvel com suas identidades verdadeiras. Foi ali que, em 1961, Carlinhos flagrou o pai decorando a letra da marcha "O velho gagá", de um dos seus compositores prediletos, o paraibano Jackson do Pandeiro. Marighella esclareceu: não queria fazer feio no baile do Cordão da Bola Preta. O samba "A voz do morro", de Zé Kéti, e o samba-canção "Laura", de João de Barro e Alcyr Pires Vermelho, ele cantarolava havia anos. Admirava-os no vozeirão de tenor do Gogó de Ouro da Rádio Nacional, seu fiel camarada Jorge Goulart.

Duas semanas antes de embarcar para a temporada de um ano na União Soviética e na China, Jorge Goulart disse ao *Diário Carioca* que não era "político e muito menos comunista". O despiste tinha motivo pragmático. Na atmosfera da Guerra Fria, quem desfraldava convicções se sujeitava a sacrificar a carreira. Convidado para a viagem, o colega Nelson Gonçalves recusou com a desculpa de que seu público "não veria com bons olhos cantar num país comunista". Goulart tornara-se militante do PCB em meados da década de 1950. Também para ele, 1958, o ano da excursão, foi generoso. No primeiro semestre, nenhum cantor compareceu a mais programas, 140, da Rádio Nacional, campeoníssima de audiência. Os críticos elegeram, na Associação Brasileira de Imprensa (ABI), os melhores artistas entre todas as emissoras cariocas. Goulart triunfou na categoria masculina. Sua mulher, a cantora Nora Ney, levou a feminina.

Ambos já eram ídolos populares. Em 1952, quando ele foi aclamado Rei do Rádio, ela lançou seu mais estrondoso hit, a canção dor de cotovelo "Ninguém me ama", de Antônio Maria. Três anos depois, Nora estourou com a gravação em inglês de "Rock around the clock", composição seminal do rock 'n' roll, e nenhum camarada deu chilique antiamericano. Na mesma época, Goulart emplacou nas paradas "A voz do morro", o samba que embalaria o filme *Rio, 40 graus*, dirigido pelo comunista Nelson Pereira dos Santos. Em 1958, a coluna de revista "Mexericos da Candinha" fofocou sobre rumores de desquite do casal símbolo da Era de Ouro do rádio. Estava por fora: viveriam meio século juntos. Marighella conheceu Goulart na casa de um amigo comum, o dramaturgo Oduvaldo Vianna. Ainda clandestino, ganhou uma chave do apartamento dos cantores, no morro da Viúva, debruçado sobre a baía de Guanabara. Dormia lá duas vezes por mês, chegando tarde e partindo cedo, com a avenida Ruy Barbosa resguardada pela escuridão.

Talentosa também no fogão, a carioca Nora, militante do PCB como o marido, caprichava nos acarajés baianos que Marighella devorava antes de maldizer as calorias consumidas. Ele deixava dinheiro empacotado em papel de jornal para ser apanhado por uma mulher vestida de cigana, a serviço do partido. Com o desabrochar de 1958, os anfitriões promoveram jantares para até uma centena de artistas. O poeta Vinicius de Moraes foi um dos que passaram pelos convescotes, nos quais Marighella e outros quadros do PCB falavam sobre política e cultura aos comensais. Foi depois de um desses encontros que Marighella pediu ajuda a Goulart para enviar uma delegação musical ao exterior. Reiterou a opinião de que, se JK não tinha um só gene comunista, possuía o mérito de negociar com o PCB. O partido agia para aproximar Brasil e União Soviética, temperando o clima para restabelecer relações diplomáticas. Marighella cuidou das passagens aéreas ao convite formal do Ministério da Cultura soviético. Escalou o companheiro Alberto Carmo para viajar com o grupo. E Goulart convocou talentos com a promessa, cumprida, de cachês metade em rublos, para torrar na União Soviética, metade em dólares.

Uma canção criada e cantada por Dolores Duran, "Castigo" ("A gente briga, diz tanta coisa que não quer dizer..."), seria premiada como a mais bonita de 1958. Dolores foi a aquisição mais sonante de Goulart para o show. Entre as duas dezenas de artistas estavam Carmélia Alves e o Conjunto Farroupilha. Na orquestração e regência, Paulo Moura, que nem desconfiava da interferência de Marighella. Rodaram o país de Kiev à Sibéria e esticaram pela China. Malgrado o êxito, Goulart não escapou de sustos. Marighella o instruíra para se precaver contra escândalos, o que parecia difícil diante da contrariedade de Dolores com o aborrecido roteiro oficial. Numa visita à tumba de Lênin, programa sagrado para os soviéticos, ela praguejou contra a veneração a uma múmia. Depois de mais desencontros, Goulart recorreu a um contato na polícia política local, o aterrorizante KGB. Um agente despachou a artista no primeiro avião — ela cantaria em uma casa noturna parisiense. Durante a turnê, Dolores passara mal em um voo. Em poucos meses, morreria no Rio, antes dos trinta anos. Além de divulgar a música brasileira e executar a tarefa partidária, Goulart ainda conseguiu que sobrassem de 10% a 15% dos pagamentos recebidos pelos espetáculos. Ele remetia as somas para os cofres do PCB, via Marighella.

A expedição musical vingava alhures, e o Brasil assistia a uma novidade estética e política: com *Eles não usam black-tie*, o teatro descobriu a classe operária. Os protagonistas da história montada pelo Teatro de Arena eram operários mobilizados e divididos por uma greve. No elenco, perfilavam os jovens atores Oduvaldo Vianna Filho e Vera Gertel, rebentos de velhos amigos de Marighella. Um dos padrinhos de casamento de Vera e Vianninha seria o jornalista Joaquim Câmara Ferreira. O outro, autor da peça que estreou em 1958, Gianfrancesco Guarnieri. Com os noivos, Guarnieri organizara em 1954 o Teatro Paulista do Estudante como uma missão do PCB, do qual os três eram integrantes. O TPE desaguou no Teatro de Arena. Ao lado de outros camaradas, Vianninha fundou em 1961 o Centro Popular de Cultura, o célebre CPC, vinculado à UNE.

Em fins da década de 1950 e princípios da de 1960, o Comitê Central destacava Marighella para representar o partido em eventos relacionados à cultura. No dia 8 de fevereiro de 1962, os coveiros do cemitério São João Batista se preparavam para descer à sepultura o caixão com o corpo de Cândido Portinari. Matéria-prima do mais renomado pintor brasileiro, as tintas o haviam intoxicado até matá-lo. O enterro reunia inimigos como Carlos Lacerda, então governador da Guanabara, o já ex-presidente Juscelino Kubitschek e o ainda secretário-geral do PCB, Luiz Carlos Prestes. Os três e a multidão viram Marighella surgir do nada, erguer-se sobre o túmulo do correligionário e pronunciar o discurso de despedida em nome dos companheiros. Muitos deles tinham-no estimulado a publicar os exames em rimas prestados na Bahia — Marighella editou-os em livro em 1959. Não parava de poetar nem nas reuniões do partido, abordando os imbróglios políticos em versos, como um cordelista.

Em abril de 1958, um relatório da polícia política do Rio trouxe uma surpresa: "Quem está dirigindo o PCB é o comunista Carlos Marighella, enquanto Prestes faz apenas o trabalho psicológico de impressionar ostensivamente o povo e seus correligionários, por força da lenda que envolve sua pessoa". Os agentes estavam mal informados, pois o secretário mantinha o poder inabalado. Na raiz do erro dos arapongas estava a insistência de Prestes em renovar a condição de clandestino e a ação obstinada de Marighella desde que a deixara. Em março, porém, a Justiça revogara a prisão de Prestes, que reapareceu. Marighella e o antigo capitão passaram mais tempo escondidos, nas décadas de 1940 e 1950, do que presos, nas de 1930 e 1940.

Ao trocar São Paulo pelo Rio, em meados dos anos 1950, Marighella assumiu o comando do PCB na capital. Na Secretaria de Finanças, da qual o tinham encarregado depois da cisão de 1957, sua função consistia mais em solicitar doações a simpatizantes abonados. Era incumbência simples para quem na infância fazia o peditório para as missas de Cosme e Damião. Mais à frente, respondeu pela Secretaria de Trabalho de Massas, na qual uma de suas atribuições foi articular a atuação partidária no movimento de mulheres. Como homem do dinheiro, travou uma queda de braço com o proprietário do jornal *O Dia*, o deputado federal Antônio de Pádua Chagas Freitas. Muito antes de ser governador e inspirar a palavra "chaguismo", definidora de despudor no emprego eleitoral da máquina do Estado, o empresário jogava para cima o preço de uma rotativa que o PCB tentava comprar. Marighella estava com o gráfico Raimundo Alves, natural da cidade de Nova Iorque, no Maranhão. Raimundão recordaria a reação amarga de Chagas ao topar o negócio por cifras aquém das pretendidas: que o partido tomasse a diferença como uma contribuição.

No redemoinho das mudanças pós-1957, o PCB liquidou seus jornais diários. A influência deles definhara, mas não a voracidade para abocanhar recursos e eternizar prejuízos. Em fevereiro de 1959, foi impresso o primeiro número do semanário *Novos Rumos*, que chegaria a rodar 60 mil exemplares por edição. Periódico com circulação nacional, dirigido por Mário Alves na largada e na sequência por Orlando Bonfim Junior, seria a publicação mais lida do partido até 1964. Em seu primeiro artigo, Marighella defendeu a libertação do comunista português Álvaro Cunhal. *Novos Rumos* noticiou as incontáveis excursões, de iniciativa do PCB, a países comunistas. O que permaneceu em sigilo foi a estrutura que permitiu encaminhar — legalmente — milhares de pessoas ao exterior. Não havia maior sofisticação, apenas discrição: com seu camarada Maurício Caldeira Brant, funcionário do Banco do Brasil, Marighella montou uma agência de viagens e obteve com a Air France tarifas menos salgadas. Espiões da polícia deram duro esquadrinhando a composição das comitivas, sem nunca decifrar a logística.

Em 1962, 190 brasileiros viajaram ao Congresso pela Paz e o Desarmamento. Um deles foi o urbanista Lúcio Costa, autor do plano piloto de Brasília, a nova capital projetada com o comunista Oscar Niemeyer e inaugurada por JK em 1960. A maioria pagou do próprio bolso a passagem para Paris — o trecho até Moscou foi camaradagem soviética. Marighella assegurou da emissão do primeiro bilhete à recepção do último passageiro. O chefe do PCUS, Nikita Khruschóv, discursou no congresso. Desde a Revolução Chinesa, em 1949, 35% da humanidade povoava territórios vermelhos. No entanto, o feito supremo da propaganda comunista tingiu a história com outra cor, em 12 de abril de 1961, no voo de uma hora e 48 minutos da nave *Vostok*, à velocidade média de 27 mil quilômetros por hora, quando seu tripulante solitário se deparou com o inesperado que espantou o planeta: a Terra é azul.

Primeiro terráqueo no espaço, o major Yuri Alekseievich Gagárin navegou com a *Vostok* — Oriente, em russo — a 347 quilômetros do solo, elevando ao infinito o orgulho dos camaradas. "É um exemplo de valor, galhardia e heroísmo", proclamou Khruschóv. *Novos Rumos* estampou: "Vitória do socialismo: o homem já pode ver as estrelas de perto". Marighella interpretou a façanha como a comprovação da superioridade do comunismo sobre o capitalismo, portanto da União Soviética em relação aos Estados Unidos. O que as gerações vindouras considerariam tonteria era uma análise que não se fundamentava exclusivamente na corrida espacial, na qual os americanos só não comiam poeira porque a competição percorria estradas siderais.

Os soviéticos comparavam o crescimento da sua indústria ao ritmo anual de 10,1%, no período 1918-62, aos 3,4% dos EUA. Se mantivesse aquele passo, a produção per capita da URSS passaria à frente em 1970. A confiança era tamanha que a revista *Manchete* publicou a "última piada russa": "Cada vez que os nossos espiões nos EUA nos remetem altos segredos americanos, atrasamos dois anos". No esporte, mais e mais se executava o hino soviético para os seus atletas no alto dos pódios. Na Olimpíada de Roma, em 1960, eles colecionaram 43 medalhas de ouro, contra 34 dos EUA. Em 1959, o Brasil aplaudiu o filme russo *Quando voam as cegonhas* — para *Novos Rumos*, "epopeia do amor e da ternura". O Museu de Arte Moderna do Rio exibiu, em 1961, uma retrospectiva com cinquenta filmes da URSS e da Rússia czarista. Da desmoralização com as denúncias sobre as vilanias de Stálin à glória de Gagárin transcorreram meros cinco anos, mas pareciam eras diferentes. Se alguém tivesse que andar na Lua, era evidente que não seria americano...

Com eficiência de cosmonauta, como os astronautas eram denominados na URSS, o PCB trouxe Gagárin ao Brasil menos de quatro meses após o passeio no cosmos. Convidado do Itamaraty, ele foi condecorado pelo governo, esteve com bispo católico e falou no sindicato dos metalúrgicos no Rio. Seu anfitrião foi o deputado federal Drault Ernanny, dono de uma mansão cinematográfica, a Casa das Pedras, no bairro carioca do Alto da Boa Vista. Ele contaria que o hóspede de 27 anos acompanhou-se de um par de mulheres "muito bonitas": "Quase todas as manhãs, o impetuoso herói soviético não perdia tempo: acariciava, com mãos ávidas, os glúteos semisdesnudos das moçoilas".

O país que festejava Gagárin se mantinha rompido com a URSS. O afastamento contrastava com os EUA, que reiteravam seus laços diplomáticos com os soviéticos, apesar da Guerra Fria. O anticomunismo verde-amarelo conspirava a favor da distância. Em 1949, os americanos ajudaram a implantar no Brasil a Escola Superior de Guerra, quartel do pensamento conservador. O furor era tal que sobrou para o árbitro britânico de futebol Arthur Ellis. Condutor da partida da Copa de 1954 em que a Hungria, já uma nação na órbita da URSS, eliminou a Seleção brasileira por 4 a 2, ele foi demonizado como o culpado. O motivo? Só podia ser comunista! Uma nova Carta Brandi surgiu em 1958, com menos barulho: um documento falso, de julho daquele ano, previa que o PCB nomeasse a maioria dos funcionários das embaixadas do Brasil em países socialistas. Jango e Prestes o firmavam. Marighella era uma das testemunhas. Em 1962, o burlesco deu lugar a bombas: militares terroristas explodiram um artefato com dez bananas de dinamite na exposição soviética instalada no Rio. Nutriam-se de ideias similares às do coronel Darcy Ursmar Villocq Vianna. De acordo com um colega do Exército, o oficial ordenava à tropa: "Pisa firme! Pisa na cabeça do comunista! Pisa com força!".

Sentimentos como esse se intensificaram na América Latina a partir de janeiro de 1959. Se Gagárin quase tocou o céu, uma estrela solitária iluminara o continente com a chegada dos guerrilheiros ao poder em Cuba. Em abril, oito deles estiveram no Brasil, e o sindicato dos barbeiros traquinou, ofertando-lhes cortes gratuitos das barbas hirsutas — o convite foi desprezado. Em maio, foi a vez do comandante Fidel Castro, que comeu vatapá e fumou charutos com Juscelino. Marighella organizou eventos de solidariedade à Revolução Cubana e delegações político-culturais ao Caribe. Poucos anos depois, mandou para Carlinhos, em Salvador, uma revista editada em Havana. O periódico justificava a proibição das brigas de galo na ilha. O garoto passava uma quadra com a mãe na Bahia, e ela escrevera a Marighella sugerindo a suspensão da mesada do filho, como castigo pela teimosia em frequentar as rinhas.

Não se tratava mais de aversão idiossincrática aos combates de vida e morte entre as aves. Um presidente da República com jeito amalucado sucedera JK e acabara com lança-perfumes, páreos de turfe em dias úteis, desfiles de misses com maiôs cavados e contendas entre galos — os bichos enchiam panelas, servidos a presidiários. Seu nome era Jânio Quadros, e Marighella intuiu cedo que as urnas lhe sorririam.

Marighella caminhava pelo centro paulistano em 1960, ao lado do responsável pelo setor militar do PCB, Almir Neves. Deram com Jânio e o observaram em campanha. O ex-governador entrou num bar, virou a cachaça e apalpou os bolsos. Não encontrou um único tostão e, para gáudio dos pinguços no local, pediu socorro para pagar:

"É que o candidato de vocês está sem dinheiro."

Marighella reconheceu o talento na encenação e lamentou:

"O homem está eleito."

Ele assistira de perto à gestação do janismo. Em 1947, o ex-professor de geografia que falava o português com voz esganiçada e estilo rococó não lograra nem uma vaga de vereador. Suplente, assumiu após a cassação dos mandatos do PCB. Colaborou com os comunistas em suas campanhas, como a da paz, quando Marighella tocava o partido em São Paulo. Ali, Jânio ocupou o espaço da agremiação reprimida — no resto do país, o PTB se beneficiava.

Com os cabelos oleosos em desalinho e a caspa derramada sobre os ombros, o vereador avesso a gravata ascendeu como deputado, prefeito e governador. Apoiava as reivindicações dos trabalhadores e malhava a corrupção — seu símbolo era a vassoura com que varreria a roubalheira. Sentado à calçada com operários e se lambuzando ao mastigar a mortadela, parecia um cidadão comum, na impressão do dirigente sindical comunista Geraldo Rodrigues dos Santos. Bom de copo, Geraldão compartilhara a caninha com Jânio. "Bebe como gente grande", reparou. E disse ter escutado do companheiro Pedro Pomar que, de tão popular, "um dia este Jânio ainda vai ser dirigente do nosso partido". Era o começo da trajetória de Jânio Quadros, que não demorou a se distanciar dos comunistas. Em outubro de 1960, ele disputou a presidência pelo Partido Democrata Cristão, com o suporte da UDN. Já no ano anterior, *Novos Rumos* investira contra seu "programa entreguista de governo". "Comunistas apoiam Lott", vociferou o jornal em março de 1960.

O herói do contragolpe de 1955 era o candidato da situação, patrocinado por JK, em quem o PCB batia, embora também o adulasse. O Comitê Central diagnosticou em 1957 o "caráter reacionário e pró-imperialismo ianque do governo do sr. Kubitschek". Dois anos depois, Prestes acorreu aos jardins do palácio do Catete para o ato de congratulações pela ruptura da negociação com o Fundo Monetário Internacional (FMI). Ao findar seu governo, Juscelino não desfrutava da admiração superlativa que viria com a posteridade. De 1957 a 1961, a economia se expandiu 9,3% ao ano, mas o Brasil permaneceu o país em que a renda dos 10% mais ricos correspondia a 34 vezes à dos 10% mais pobres. No seu mandato, pela primeira vez, a indústria predominou sobre a agricultura, e a estreia do Volkswagen nacional ilustrou a arrancada — a esquerda censurou as bondades às montadoras estrangeiras. Foi-se para a frente ao embalo do slogan "Cinquenta anos em cinco", contudo JK deixou de herança a inflação galopante.

O PCB identificou no oficial do Exército mais qualidades do que em Juscelino, a considerar os critérios do partido, que concentrava fogo na "luta anti-imperialista" (contra os Estados Unidos) e o "monopólio da terra" (o latifúndio). "Em torno da candidatura do marechal Teixeira Lott é possível reforçar agora o movimento nacionalista", apostou Prestes. No entanto, Lott não queria saber de comunismo e se declarou contra a legalidade da legenda. Habilidoso, Jânio se diferenciou com acenos a uma política externa independente. Em Belém, perfilando à direita da Casa Branca, Lott afirmou que "com os atuais dirigentes da União Soviética não é possível manter relações" — meses antes, seu adversário viajara a Moscou. Enquanto o candidato militar espinafrava os barbudos cubanos, o candidato civil desembarcava sobranceiro em Havana.

Era demais para as bases operárias paulistas do PCB, que viraram a casaca para Jânio. Em Pernambuco, o ex-deputado pecebista Clodomir Santos de Morais rasgou seu título de eleitor no palanque, enojado com as diatribes anticomunistas bradadas por Lott ao microfone. Mário Alves, da Comissão Executiva, alinhavou explicações tortuosas: "Lott não é o candidato dos nossos sonhos. Mas é o candidato que a realidade nos indica". Mergulhado na campanha, Marighella conduziu em agosto de 1960 uma reunião do PCB com delegados dos estados para planejar os esforços finais a favor de Lott e Jango — o vice buscava a reeleição, que a lei vedava ao presidente. Em setembro, discursou na Cinelândia no comício do deputado trabalhista Sérgio Magalhães, postulante ao governo do novo estado da Guanabara. Carlos Lacerda venceu com 37% dos votos e não tocou na questão da exigência de maioria absoluta.

Coube a Marighella implementar o trunfo da campanha de Lott para tornar menos desequilibrada a influência dos meios de comunicação, mais inclinados por Jânio: um jornal diário elaborado no Rio, com distribuição nacional, batizado como *Hoje*. Almir Matos foi seu diretor; Luiz Mário Gazzaneo, o chefe de redação; e Armênio Guedes, o secretário de oficina. O tesoureiro, João Saldanha, convenceu o campeão mundial Didi, de quem se aproximara como técnico do Botafogo, a manter uma coluna esportiva. Milton Coelho da Graça foi o colunista social. O matutino editado pelos comunistas se instalou na avenida Rio Branco onde antes funcionava um escritório comercial da República Democrática Alemã, a parte socialista da Alemanha do pós-guerra. Habituado à pindaíba da imprensa partidária, Saldanha estranhou quando Marighella e Prestes aceitaram sem hesitar o pedido de quatro carros para as equipes de reportagem. Gazzaneo não se esqueceria do pé atrás do colega:

"Não tou gostando, tá tudo muito fácil. Isso vai dar merda."

Em contradição com a crença generalizada de que o PSD e o PTB da dobradinha Lott-Jango bancaram o periódico, um futuro membro do Comitê Central do PCB confidenciaria que a fonte fora outra: conforme o jornalista Renato Guimarães Cupertino, os recursos vieram do fazendeiro Afrânio Azevedo. Comunista, espírita e amigo de Prestes, Azevedo era um próspero empreendedor do município mineiro de Uberlândia.

Poucos meses depois do lançamento do *Hoje*, a história confirmou a clarividência escatológica de Saldanha. Com 48% do eleitorado, Jânio bateu Lott por quase 2 milhões de votos, e Marighella compareceu à redação para o anúncio fúnebre de fechamento do jornal, por falta de caixa. A repórter de economia Helga Hoffmann, de 22 anos, esculhambou-o sem se intimidar. Ela julgou uma traição contratar jornalistas sem esclarecer que a continuidade dependia do placar eleitoral. Meio século depois, Helga acharia que usou o adjetivo "irresponsável", na descompostura em Marighella, e o substantivo "aventureirismo", para o projeto político-jornalístico.

Jânio subiu a rampa do palácio do Planalto em 31 de janeiro de 1961 e governou à maneira com que volta e meia desfilava em público: com os pés trocados, aparentando não saber aonde ir. Agradava a direita cumprindo as recomendações do FMI. E concedia à esquerda ao prestigiar os líderes da Revolução Cubana. Em 19 de agosto, condecorou um dos mais proeminentes deles, o argentino Ernesto Guevara. Celebrizado como Che, o ministro da Economia de Cuba recebeu em Brasília a Grã-Cruz da Ordem Nacional do Cruzeiro do Sul.

Na tarde de 25 de agosto, passados 207 dias da posse, Jânio renunciou com um manifesto delirante: "Forças terríveis levantam-se contra mim e me intrigam ou infamam, até com a desculpa da colaboração". Na memória errática brasileira, as "forças terríveis" passariam a "forças ocultas". Não era oculta a pretensão malsucedida do presidente: retornar ao governo nos braços do povo e exacerbar seus poderes. Como o vice era João Goulart, hostilizado pela alta hierarquia das Forças Armadas, os três ministros militares avançaram para rematar o golpe, barrando o sucessor constitucional. O Brasil parou, diante do perigo da guerra civil, e a polícia do Rio reviveu os velhos tempos.

Pelas três horas da madrugada, batidas fortes despertaram Clara Charf no apartamento do Catete. Ela se levantou da cama, cobriu-se com o penhoar que descansava em um prego no quarto e espiou pela portinhola da sala. Deparou-se com tiras armados de metralhadora. Ordenaram-lhe que abrisse, ela não obedeceu e gritou para avisar da invasão iminente. Insistiram que arrombariam, e Clara correu à cozinha. O barulho das pancadas foi ensurdecedor, até derrubarem a porta. A roda da história girava, o calendário confirmava que era inverno, mas uma coisa não mudava: mais uma vez, os policiais surgiram ensandecidos para pôr Marighella atrás das grades.

19. O taquígrafo da história

Os agentes vasculharam os cômodos aos berros de "Marighella", não encontraram mais que vestígios dele, ameaçaram Clara de armas na mão e se retiraram pela porta arrombada. Só então ela parou de gritar — temia que, se não denunciasse a invasão, os tiras a matassem. Uma vizinha gorda com sotaque baiano apareceu e cometeu o humor involuntário:

"A senhora tem que chamar a polícia!"

"Mas foi a polícia que acabou de fazer isso!", reagiu Clara.

Nunca uma viagem a Salvador fora tão oportuna. A mais de 1600 quilômetros do Catete e ocupado com atividades do PCB, Marighella não soube do assalto dos policiais do Dops. Sua mulher desceu à calçada e de um telefone público — eles não possuíam aparelho em casa — tentou informar os dirigentes do partido. Não achou nenhum. Ela voltou e encaixou os pedaços da porta destruída, escorando-a com uma mesa. Deixou um bilhete em código, endereçado a *Lobinho*, indicando onde estaria. No dia seguinte, o domingo 27 de agosto, Marighella chegou da Bahia, entrou pela porta da cozinha e apressou-se a tomar banho sem reparar na sala. Só depois notou o estrago, leu a mensagem e reencontrou Clara. Não tardou a partir rumo a Pernambuco para capitanear as ações dos comunistas em favor da posse de João Goulart.

A sorte do vice-presidente se decidia muito longe de lá — no Rio Grande do Sul, o governador Leonel de Moura Brizola empunhou uma submetralhadora

INA, convocou a resistência e advertiu pela "Cadeia da Legalidade", a rede nacional de rádio que congregaria 104 emissoras:

"Não daremos o primeiro tiro, mas o segundo será nosso."

Seria massacrado, se prosperasse a ordem do ministro da Guerra, Odylio Denys, ao comandante do III Exército, José Machado Lopes: para esmagar Brizola, "empregue a Aeronáutica, realizando inclusive bombardeio". O chefe das tropas do Sul negou-se a disparar contra a Constituição e estacionou seus blindados diante do palácio Piratini, defendendo-o. Ao lado dos ministros da Marinha, Sylvio Heck, e da Aeronáutica, Gabriel Grün Moss, o marechal Denys invocava o espantalho vermelho para desfechar o golpe. Com Goulart no exterior, o trio manifestou a "absoluta inconveniência, na atual situação, do regresso ao país do sr. vice-presidente" — ele tomou conhecimento da renúncia em Cingapura, quando retornava de uma visita oficial à China. Com Jango no Planalto, alarmava a nota, "as próprias Forças Armadas, infiltradas e domesticadas, transformar-se-iam, como tem acontecido noutros países, em simples milícias comunistas".

Por outros motivos, Brizola também nutria aversão ao PCB. Até 1954, não engolira a cantilena contra o seu ídolo, Getúlio Vargas. Depois, incomodou-se com o que lhe parecia demasiado comedimento político. "Comunista só vai no pau", menosprezava. Em 1959, cuspiu no telegrama enviado por Prestes cumprimentando-o pela encampação de uma empresa norte-americana de energia. Enquanto Brizola arrebatava as barricadas legalistas, o mais graduado quadro do PCB gaúcho recebia, como um burocrata quase anônimo, as inscrições de cidadãos dispostos a pelear — mais de 100 mil se alistaram. O papel subalterno do partido em 1961 não foi culpa de João Amazonas, o dirigente que amargava o degredo no Sul por divergir das orientações do Comitê Central que ele condenava como nada combativas. O problema é que o PCB não se preparara para uma crise.

Com a renúncia, todos correram: a polícia a prender, os generais a conspirar e Brizola a encará-los. Letárgicos, os comunistas patinaram. Na sexta-feira 25 de agosto, com Marighella na Bahia, a direção ordenou à base reivindicar não a posse de Jango, mas a reassunção de Jânio, como se o renunciante não almejasse também o golpe — com essa bandeira, os ferroviários pararam os trens da Leopoldina. Em seguida, a diretriz foi corrigida, e a edição extra de *Novos Rumos* manchetou no sábado: "Prestes lança manifesto — Solução para a crise: Jango na presidência". Contudo, não houve meio de instruir as seções de numerosos estados, pois os golpistas cortaram as comunicações. Marighella contrariou-se ao constatar, no Recife, que parte da cúpula pecebista desaparecera na clandestinidade, em vez de estimular demonstrações e greves.

Certa noite, ele surgiu na casa do ex-deputado Paulo Cavalcanti, que não se escondera. Mostrou o bilhete aéreo, emitido em seu nome legal, como evidência da cautela excessiva dos camaradas sumidos. Com a ajuda de Cavalcanti, reconectou o Comitê Estadual e planejou iniciativas. Teve êxito entre os portuários, que declararam greve política. Ao menos três líderes comunistas foram presos em Pernambuco: David Capistrano, diretor do semanário *A Hora*; Osvaldo Pacheco, presidente da Federação Nacional dos Estivadores; e Hiram de Lima Pereira, secretário de Administração da capital.

Mais que prender, oficiais da FAB pretenderam matar João Goulart caso ele voasse de Porto Alegre, onde desembarcara proveniente de Montevidéu, a Brasília. A insanidade mereceu batismo: Operação Mosquito. Ainda no Rio Grande do Sul, Jango divulgou uma mensagem no dia 2 de setembro: "Que Deus me ilumine, que o povo me ajude e que as armas não falem". O povo ajudou-o, as armas não falaram, mas a iluminação divina acendeu a controvérsia. Mesmo com a indisciplina militar virtualmente dedetizada pelo movimento encabeçado por Brizola, Jango aceitou um pacto que lhe garantia a posse com poderes restringidos: a súbita passagem do regime presidencialista, consagrado na Constituinte de 1946, para um parlamentarismo de improviso. A lei lhe entregava a presidência plena; ele topou-a amputada. A concessão foi um "cambalacho", protestou o jornalista Joaquim Câmara Ferreira em *Novos Rumos*. No anúncio em Porto Alegre, a multidão revoltou-se contra Goulart:

"Covarde! Covarde! Covarde!"

Cunhado do novo presidente, Brizola desdenhou:

"O perigo é deixar um papel e um lápis sobre a mesa ao alcance dele, pois o Jango firma logo um acordo com o primeiro que passar."

Um Caravelle da Varig pousou em Brasília com Goulart são e salvo na noite de 5 de setembro. Dali a dois dias, ele assumiu e nomeou como primeiro-ministro um cacique do PSD, Tancredo Neves. O PCB pediria a demissão do político mineiro e a troca do seu gabinete "por outro efetivamente capaz de realizar reformas de base". Na crise de 1961, os militantes comunistas se empenharam para barrar o golpe: de Goiás, onde José Porfírio acionou uma brigada com seiscentos camponeses armados de enxadas e foices, ao porto paulista de Santos, com dezessete sindicalistas detidos. Foram atos oriundos mais da energia da militância do que consequência de decisões da desavorada liderança partidária. Para Marighella, estabeleceu-se o conflito com a maioria da Comissão Executiva. Ele recordaria numa carta de dezembro de 1966: "Nossas discordâncias não são de agora. Vêm de muito antes. Cresceram a partir dos acontecimentos subsequentes à renúncia de Jânio, quando o nosso despreparo político e ideológico ficou demonstrado". No fim de 1961, ele disse numa reunião:

"Nosso partido precisa se preparar para dirigir o movimento revolucionário. As massas formularam a necessidade de mudanças."

À mesma época, emendou:

"As classes dominantes já não podem governar como antes. [Devemos] estar preparados para o que der e vier."

Em breve, saberia se estavam ou não.

As afirmações de Marighella foram colhidas naqueles termos por uma espécie de estenógrafo de luxo: Luiz Carlos Prestes. De 1961 a 1963, o secretário-geral registrou em ao menos dezenove cadernetas as manifestações dos camaradas nos encontros do PCB. Secos e sóbrios, os apontamentos em letra redonda não faziam juízo sobre as intervenções e identificavam seus autores pelos nomes reais — inteiros, não pelas iniciais. A polícia os descobriria, em 1964, na casa da família Prestes em São Paulo. Como em 1935 e 1936, o reincidente depositara em sua residência um tesouro para os inimigos. Marighella foi o terceiro mais citado. Os resumos do taquígrafo acidental testemunharam o acirramento das divergências no PCB. Elas se acentuaram com a Declaração de Março de 1958, que referendou a retirada do partido do gueto e postergou transformações coletivistas, ao reconhecer duas "contradições fundamentais" no país: da nação com o "imperialismo norte-americano" e do progresso econômico com "as relações de produção semifeudais na agricultura".

O conflito entre proletariado e burguesia era deixado para o porvir — não requeria "uma solução radical na etapa atual". "O desenvolvimento capitalista corresponde aos interesses do proletariado e de todo o povo", sustentou a resolução. "A revolução no Brasil, por conseguinte, não é ainda socialista, mas anti-imperialista e antifeudal, nacional e democrática." O documento balizou a determinação de empurrar Jango à esquerda, mas sem ambicionar a reprodução do Outubro de 1917 na Rússia. Confrontavam-no formulações distintas, como a da Política Operária (Polop), organização à qual se uniria a estudante Dilma Rousseff, décadas antes de se eleger presidente. A Polop preconizava o dito caráter socialista — ou proletário — da revolução, sem a etapa sob o capitalismo receitada pelo PCB. A contenda teórica, decifrável somente aos iniciados nas bulas do marxismo, moldava o comportamento: a Polop, mais radical; o PCB, menos.

A Declaração de Março consolidou a lenda acerca de um grupo baiano no partido. Dos seus sete redatores, cinco haviam nascido ou atuado na Bahia. No entanto, logo se chocariam, com a dupla Mário Alves e Jacob Gorender em um flanco e Giocondo Dias e Armênio Guedes em outro. Marighella não integrou a comissão que elaborou a declaração, mas a sancionou. Se tal núcleo não passava de mito, pululavam mesmo conterrâneos de Marighella. Já afastado do PCB, Leôncio Basbaum chamou-os de "bando de pulgas": "Todo baiano que se tornava comunista a primeira coisa que fazia era viajar para o Rio de Janeiro e entrar no Comitê Nacional". Diretor da TV Tupi, Oduvaldo Vianna livrava o amigo: "Marighella é o baiano que redime tudo quanto é baiano safado".

Maurício Grabois, colega de Marighella no Ginásio da Bahia, e Diógenes Arruda Câmara, que militara em Salvador, foram degolados do CC em 1960, no V Congresso do PCB. Fechou-se o ciclo dos promotores da Conferência da Mantiqueira de 1943, caídos em desgraça após as denúncias contra Stálin. E descortinou-se um futuro promissor no encontro celebrado sem mistérios em um edifício na Cinelândia carioca, com a sessão pública de encerramento no auditório da ABI. Marighella apareceu de cabeça raspada, sentado no proscênio ao lado de Prestes. Ele próprio se postava diante do espelho e escorregava a lâmina na cabeça, depois de uma tentativa carinhosa, porém inepta, de Clara.

Ainda próximo de Prestes, Marighella concordou com inflexões estatutárias para facilitar mais um pedido de legalização. O nome mudou de Partido Comunista do Brasil, com o qual a Justiça embirrara na cassação do registro, para Partido Comunista Brasileiro, preservando a sigla PCB. Em 1962, Maurício Grabois, João Amazonas, Pedro Pomar e outros camaradas históricos acusaram a maioria do CC de renegar os princípios do socialismo. Rearticularam-se com a designação original, agora com a legenda PC do B, à qual Arruda viria a se somar. Contra eles, Joaquim Câmara Ferreira argumentara: "Ser revolucionário não é ser 'radical'. É, sim, saber fazer a revolução avançar". É o que o PCB não sabia, convenceu-se Marighella na crise da renúncia de Jânio Quadros. Suas inquietações aumentaram em dezembro de 1962, na IV Conferência Nacional, destinada a debater questões organizativas. Ele atacou a perpetuação da reverência a Prestes como um totem, a compulsão por sufocar opiniões contrárias e o que recriminava como conciliação com o presidente Jango. O diligente secretário-geral anotou:

> Marighella — Os elementos essenciais do culto à personalidade continuam [a] ser mantidos — Os métodos de direção que usamos são superados. Não são as divergências que dificultam a elaboração dos doc[umentos]. Mas a tendência a conseguir a unanimidade na C[omissão] Ex[ecutiva]. [...] Chegamos a um momento em que são necessários novos métodos na direção — Crítica a Prestes — Prestes tem muitas tarefas práticas a realizar — Os métodos de direção precisam mudar imediatamente.

O Comitê Central mantinha um órgão subordinado, com cinco membros, para tocar o dia a dia. Denominava-se Secretariado, e um dos seus quadros era Severino Teodoro de Mello. Homem de confiança de Prestes, o ex-cabo retrucou:

"A intervenção do Marighella prejudicou a discussão das questões de métodos de direção pela paixão com que colocou os problemas."

O militante Humberto Rocha, do estado do Rio de Janeiro, deu a entender que Prestes contra-atacou Marighella:

"Contra a forma da crítica do Marighella, mas também contra o aparte de Prestes, que coíbe a crítica."

Marighella se opôs a um projeto de deliberação que reeditava as coordenadas do v Congresso, que por sua vez se inspirara na Declaração de Março: "O projeto é frio. [...] — Frieza que traduz a tendência à conciliação — Contra a conciliação ideológica. Já vinha havia muito pensando sobre isto — Começar a luta ideológica. Vou lutar pelas emendas".

Jacob Gorender não desembainhou as convicções mais à esquerda que em pouco tempo esgrimiria. Afagou Marighella, mas seguiu Prestes:

"Marighella é um revolucionário. Discordo da maneira por [com] que coloca a aprovação deste doc. Será que quem aprova este doc. é partidário do culto à personalidade? [...] Votarei a favor do doc."

Mário Alves, que percorreria caminho idêntico ao de Gorender, isolou Marighella:

"Estou de acordo com o projeto de resolução — [...] Não se trata de conciliação ideológica."

"Começaram a dizer que o Marighella estava fazendo campanha contra Prestes, mas não era isso", diria Clara Charf. "Se você atacasse Prestes, politicamente era considerado traidor." A maioria da Executiva recriminou-o por conceder uma entrevista ao jornal *Binômio*, de Belo Horizonte, sem consultar o partido. Em julho de 1963, o Dops paulista enxergou labaredas na — por ora — fumaça: "A alta direção do PCB está atravessando um período de forte crise, havendo a possibilidade de uma nova cisão em suas fileiras. A luta no Comitê Central está sendo travada entre Luiz Carlos Prestes e Carlos Marighella".

Depois da conferência de dezembro de 1962, esvaziaram as atribuições de Marighella no CC e na Executiva. Ele não coordenou mais nenhuma da dúzia de comissões partidárias — conduzira pouco antes a de Finanças e a de Trabalho de Massas. Tornou-se um dirigente sem pasta e reduziu sua presença na sede informal do PCB, em um conjunto de salas na rua Alcindo Guanabara, uma travessa da Cinelândia. "Ouvia-se falar pouco dele", relembrou Luiz Mário Gazzaneo, redator-chefe de *Novos Rumos*. "Não estava numa atuação proeminente", disse Marco Antônio Coelho, então deputado federal comunista.

Fincava-se sete palmos sob a terra a raiz de outro desacordo que esgarçou a convivência de Marighella com o partido. Até 1955, faltavam aos lavradores do Engenho da Galileia, na zona canavieira pernambucana, recursos para comprar caixões. A cada novo adeus eles pediam na prefeitura o ataúde emprestado, do qual despejavam seus mortos em covas. Para sepultar a humilhação, criaram uma liga camponesa cujo modelo se reproduziu por mais treze estados. O líder do movimento foi um filho e neto de senhores de engenho de açúcar, magro feito vara de cana, baixo como canavieiro curvado na lavoura e incendiário igual às queimadas furiosas que antecipam o corte matinal dos canaviais: o advogado Francisco Julião Arruda de Paula. Seu lema era "reforma agrária na lei ou na marra". Sua estrela, a Revolução Cubana.

Na ebulição social do Brasil, nada borbulhava mais que o campo. Em 1956, o poeta João Cabral de Melo Neto publicou a obra-prima *Morte e vida severina*. Mais tarde, o dramaturgo Augusto Boal, que ainda se arriscaria para ajudar Marighella, encenou um espetáculo em que os artistas erguiam fuzis e bradavam: "Temos que dar nosso sangue para retomá-la [a terra] dos latifundiários!"

No Nordeste, um camponês chorou na plateia, pediu para lutar com o grupo, soube que era tudo de brinquedo, mas não esmoreceu: ele arranjaria armas de verdade para todos.

Marighella escreveu em 1958 o ensaio "Alguns aspectos da renda da terra no Brasil", no qual esmiuçou as entranhas da exploração nas plantações de cana-de--açúcar, algodão e café. Em 1963, em artigo de *Novos Rumos*, ele fixou uma obsessão esboçada desde sua viagem à China: "O calcanhar de aquiles da revolução brasileira continua sendo o atraso na incorporação maciça do camponês na frente única nacionalista e democrática". O semanário comunista noticiava a fervura rural, como em abril de 1963 na reportagem "Eles são os donos da terra", sobre uma ocupação de trabalhadores no estado do Rio de Janeiro — assinou-a o estreante *Elio Parmigiani*, de dezenove anos, a primeira identidade do jornalista Elio Gaspari na imprensa. Na aurora de Francisco Julião, *Novos Rumos* cortejava-o. À medida que sua retórica estridente cativou camponeses que davam de ombros ao que lhes parecia acanhamento do PCB, o partido investiu contra suas "teses errôneas e nocivas". Em meados de 1962, Marighella apelou à Executiva para "não fazer críticas ao aliado, como se fosse inimigo", de acordo com uma caderneta de Prestes. Ignoraram-no.

Marighella (à direita) e Julião (à esquerda) haviam se confrontado, em novembro de 1961, em um congresso de camponeses. Sob os holofotes, Julião chefiou os 140 ou 215 delegados das Ligas Camponesas (as estimativas diferem), muitos de pés descalços, minoritários entre os mais de 1600 participantes. Marighella coordenou na moita a "fração comunista", maior força numérica. A ideia do encontro de Belo Horizonte fora do pecebista Lyndolpho Silva, ex-alfaiate que presidia a União dos Lavradores e Trabalhadores Agrícolas do Brasil (Ultab). Controlada pelo PCB, a entidade recorreu a João Goulart por apoio financeiro. O plano era desfraldar a bandeira da distribuição gradual de terra no país com 39 milhões de habitantes no campo e 31 milhões na cidade. A concentração era tal que 3,4% das propriedades engoliam 62,3% das áreas ocupadas. Já seria um bom barulho, mas nada além. Tanto que o presidente estancieiro não apenas liberou a verba para o congresso, como prestigiou o seu encerramento.

Diante de Jango, leu-se uma contida mensagem de Prestes saudando a "reforma agrária". Foi um estalinho em meio à explosão na fábrica de fogos: atropelando o PCB, os congressistas aclamaram uma declaração pela "reforma agrária radical com destruição do latifúndio". As Ligas dominaram o congresso, aglutinando os católicos de esquerda, que no ano seguinte fundariam a Ação Popular (AP), os agricultores ligados a Leonel Brizola e o magote de militantes do PCB que se desgarraram do partido — e de Marighella. Um dos pleitos aprovados foi a desapropriação de estabelecimentos acima de quinhentos hectares, medida que fulminaria Jango, cujas fazendas se estendiam por 450 mil a 470 mil hectares, segundo inventário encomendado por Brizola.

Pouco mais de meio ano depois de o PCB ser jantado no conclave camponês, Marighella surgiu para o almoço na casa de Julião. O advogado morava com os filhos e a mulher, Alexina Crespo, uma ex-militante comunista que protegia o marido armada com uma Beretta. O partido despachara o visitante em missão diplomática, após *Novos Rumos* veicular uma entrevista de Lyndolpho Silva desancando a pretensão das Ligas de se estruturar em São Paulo. Marighella se contrapusera ao camarada, em defesa de ações comuns com Julião:

"Precisamos encontrar um modus vivendi. [...] Não devemos nos atacar publicamente."

Não era o que pensava o responsável pela intervenção rural, Dinarco Reis, para quem Julião, com "suas posições radicais esquerdistas", queria "dar rasteira, fazer manobra" contra o PCB. David Capistrano, do Comitê Central, queixava-se de que o dirigente das Ligas "ganhou [a] juventude" do partido. Principal formulador da Declaração de Março de 1958, Mário Alves já caminhava para a esquerda:

"De acordo com Marighella. Acho que a S[eção] Campo tem uma compreensão direitista."

Enquanto Marighella serenava os ânimos de Julião, em junho de 1962, Giocondo Dias, o sub de Prestes, revigorou na imprensa comunista a artilharia contra o anfitrião do almoço no Recife. Ao enviá-lo de bandeira branca, mas abrindo as canhoneiras às suas costas, a cúpula pecebista enganara Marighella. Àquela altura, ele não mantinha mais tanta distância das Ligas, embora guardasse divergências com Julião, a quem o PCB passara a execrar: não contente em arrastar as bases do partido, o cabra se convertera em sócio de Fidel Castro no plano de semear a guerra de guerrilhas no Brasil.

Uma delegação de Cuba esteve no Rio de Janeiro, em novembro de 1962, para uma reunião das Nações Unidas. No fim do mês, o Boeing 707 da Varig no qual regressava se espatifou contra as colinas dos arredores de Lima. As autoridades peruanas garimparam nos pertences das vítimas vasta correspondência de próceres das Ligas, tratando de "dispositivos militares" montados sob patrocínio do governo castrista. A lavagem de roupa suja nas cartas deixou claro o malogro da aventura, com rompimento entre facções, antes de um só combate. No balanço do ex-deputado Clodomir Santos de Morais, um dos artífices do braço militar das Ligas, batizado como Movimento Revolucionário Tiradentes, foram instaladas 26 unidades de guerrilha, incluindo centros de treinamento e esconderijos de armas. Nos oito núcleos rurais, os companheiros se aproximavam assobiando o hino de Cuba. O núcleo da serra da Saudade, em Mato Grosso, mobilizou três dezenas de militantes. Uma estação de rádio blindada navegou em um barco no rio Araguaia.

Em maio de 1961, levantara âncora a primeira operação brasileira do que passaria à história como o projeto cubano de "exportação da revolução": em visita a Havana, representantes das Ligas pediram para se submeter a um curso de capacitação militar. Clodomir Morais confidenciou ter testemunhado uma conversa entre Che Guevara e Fidel Castro. O argentino se opôs ao adestramento, por considerar Jânio e Jango um "governo amigo". "Vão ser derrubados todos", vaticinou o cubano. Quando Jânio renunciou, Fidel incitou os brasileiros a subirem as montanhas para resistir, idealizando um país encrostado de serras como as da ilha caribenha.

"Quantos homens são?", indagou Fidel a Clodomir em um jantar. Admirou-se ao saber que quase todos os treze selecionados já haviam manejado armas, no serviço militar, e um guiava tanques. Eles não se alojaram por muito mais de uma semana em um quartel de Managua, na vizinhança de Havana, para uma instrução-relâmpago. De útil, um argelino ensinou-os a confeccionar bombas plásticas para sabotagem. Nenhuma decepção superou a do espanto com a bagunça, ilustrada por um subordinado que, em vez de fazer continência, xingou o capitão que o chamava:

"Vai à merda, que eu estou jogando baralho!"

A luta armada no Brasil surpreendia, pois jogava contra um governo sufragado nas urnas e cortês com a Revolução Cubana. Sua oportunidade não separava apenas Fidel e Guevara. Depois das primeiras tratativas no Caribe, Julião se distanciou do esquema militar das Ligas, integrado por sua mulher, que atravessou o mundo em busca de armas. Alexina Crespo reivindicou-as ao camarada Kim Il Sung, na Coreia do Norte. Na China, Mao Tsé-tung serviu-lhe chá, e ela encomendou fuzis que nunca chegaram. A embaixada de Cuba "deu milhões" para Julião, informou David Capistrano a Marighella e os confrades do PCB. É possível que as cifras tenham sido menos frondosas, porém Havana adubou mesmo a aquisição de fazendas para o aparato guerrilheiro das Ligas. Certamente com muito mais que os 20 mil dólares (equivalentes a 150 mil dólares em 2012) que Clodomir Morais reconheceu terem sido doados por uma associação de agricultores cubanos.

Único front em que Marighella manteve projeção pública após dezembro de 1962, as manifestações pela soberania da nação a noventa milhas da Flórida lhe tomaram boa parte do tempo. Ele fora destacado pelo PCB para a preparação do Congresso Continental de Solidariedade a Cuba. Impôs-se como o principal organizador do encontro de março de 1963. Um dos signatários da convocatória foi o filósofo britânico Bertrand Russell. Um dos presidentes de honra, o poeta Vinicius de Moraes. Em cima da hora, o governador Carlos Lacerda proibiu o evento no Rio. "Quis transformar o estado da Guanabara numa aldeia nazista", fuzilou *Novos Rumos*. Quarenta deputados federais o peitaram, entre eles o comunista baiano Fernando Sant'Anna e o maranhense José Sarney, membro da Bossa Nova da UDN, a ala mais ao centro e menos encardida da legenda — em sua administração, 23 anos depois, o Brasil reataria com Cuba as relações interrompidas pela ditadura militar. Com a pendenga sobre o local, ecoou mais ainda o congresso, enfim abrigado em Niterói, onde Marighella discursou. Ele escreveu ao irmão e afilhado Betinho: "Foi um espetáculo. Uma luta política que levou Lacerda à derrota".

Iniciativas bem-sucedidas como essa estreitaram seus laços com funcionários cubanos radicados no Brasil. Quando Celia de la Serna, a mãe de Che Guevara, viajava ao Rio, Marighella a hospedava no apartamento de Jorge Goulart e Nora Ney, de quem a argentina era fã. Ou na casa de Antonieta Hampshire Campos da Paz, diretora da Liga Feminina da Guanabara, entidade que ele mantinha sob sua influência. Clara Charf, também da Liga Feminina, compareceu a uma conferência de mulheres em Havana, em outubro de 1962. Deu com uma tormenta mais furibunda que os devastadores ciclones da região: a iminência da conflagração atômica. Os Estados Unidos haviam fotografado foguetes nucleares da União Soviética em Cuba; o presidente John Fitzgerald Kennedy anunciou que retaliaria; cubanos e soviéticos alegaram o caráter defensivo do arsenal secreto, inexistente antes da invasão de mercenários urdida pela CIA em 1961; sem consultar Fidel Castro, as duas potências conchavaram, com os comunistas retirando seus mísseis dali, e os capitalistas, da Turquia. Sentindo-se atraiçoados, os cubanos espinafraram JFK e Khruschóv nas ruas:

"*Nikita, mariquita, lo que se da no se quita!*"

Clara presenciou no Hotel Riviera as declarações de Che Guevara depois dos treze dias em que o mundo temeu terminar. Ao aterrissar de volta, foi recebida pelos jornalistas como a "primeira brasileira a furar o bloqueio". Em Santiago de Cuba, no Sudeste da ilha, o arquiteto goiano Farid Helou e seu filho Luiz Carlos, de sete anos, cavaram trincheiras para conter um eventual desembarque ianque. O pai amanheceu com um olho nocauteado — dormira sobre uma urtiga. Os cubanos, que perdem o amigo, mas não a piada, apontavam-no e riam:

"Eis nossa única baixa na crise."

Muito antes de se associar a Marighella na luta armada, o comunista Farid mudou-se para Cuba com o intuito de contribuir com a revolução carente de mão de obra especializada. Para os socialistas da América Latina, Havana se transformara na capital de todos os encantos, a versão tropical da Moscou do pós-1917. Muitos cultivaram uma interpretação tão sedutora quanto falsa da façanha dos barbudos de boinas estreladas: com 81 companheiros, Fidel zarpou do México em dezembro de 1956 no iate *Granma*; menos de vinte sobreviveram à recepção a bala; embrenharam-se com sete fuzis na Sierra Maestra; 760 dias depois da manhã em que atracaram, derrubaram o ditador Fulgencio Batista.

O épico foi assim mesmo, mas a história era mais complexa: os vitoriosos se prevaleceram da ruína das instituições, da insatisfação popular nos centros urbanos e da cegueira dos Estados Unidos, que em plena Guerra Fria não perceberam o perigo escaldante. Entretanto, o mito da guerrilha vitoriosa desenvolvida quase do nada era como a miragem de uma fonte para quem cruzava pacientemente o deserto por um gole d'água. Desse jeito, a revolução parecia mais fácil.

20. Cutucando Jango

"Fidel Castro é um aventureiro pequeno-burguês", afirmou Luiz Carlos Prestes em entrevista pouco depois da vitória dos guerrilheiros em janeiro de 1959. Antes, nos limites do círculo partidário, insultara-o como "agente da CIA". Nada original: o Partido Socialista Popular, nome do PC cubano, de início menosprezara o Movimento 26 de Julho, a organização castrista, como um bando de radicaloides vocacionados para o infortúnio. Como o tirocínio de Prestes contra seus camaradas caribenhos falhou, o PCB se viu obrigado a mandar um emissário a Havana, já que progredia a joint venture das Ligas Camponesas com Fidel. O barbudo sempre desconfiara de inapetência dos partidos alinhados ao Kremlin para abocanhar o poder. Os comunistas pró-soviéticos insistiam que era tempo de coexistência pacífica entre socialismo e capitalismo, enquanto os cubanos fecundavam "missões internacionalistas", o envio de combatentes para espalhar a revolução na América Latina e na África.

O ex-deputado gaúcho Jover Telles pisou no chão de Havana em 30 de abril e partiu em 23 de maio de 1961. Redigiu um relatório de quatro páginas à Comissão Executiva do PCB. Ele compartilhara com o chefe das Ligas, ainda motivado com os "dispositivos militares", uma negociação com os cubanos: "Julião começou a falar em pedido de armas etc. [...] Dei opinião contrária, por dois motivos: a) poderia ser o pretexto para uma grande provocação e para o rompimento de

Jânio com Cuba; b) o assunto não estava em boas mãos. Que discutissem o assunto com Prestes, quando lá fosse".

Outro diálogo foi reservado: "Curso político-militar: levantei a questão. Estão dispostos a fazer. Mandar nomes, biografia e aguardar a ordem de embarque". Na aparência estranho ao partido que enfatizava sua ojeriza à guerrilha no Brasil, o pedido atendia à demanda do PCB de manter um pequeno grupo adestrado para tarefas pontuais de segurança — organizado por Salomão Malina, denominava-se "trabalho especial". É possível que tenha sido também uma concessão simpática aos cubanos, que selecionavam os charutos mais perfumados para quem se embicava pelo caminho das armas.

Seis meses depois, foi Prestes quem escrevinhou: "Conversa com K. ajudar nosso P. encontro com secretariado. Curso Mil. 10 alunos". Como esclareciam outras passagens, "K" era o secretário-geral do PCUS, Nikita Khruschóv; "P", o PCB; "secretariado", o órgão do partido estrangeiro; "Curso Mil", treinamento militar. Em vez de importar experts em revolução, como em 1935, o PCB escalaria seus próprios quadros para se qualificar no exterior. O gráfico amazonense Lúcio Marreiro (mais tarde fotógrafo) revelaria ao menos a três pessoas — uma delas em janeiro de 1965, no frio tenebroso de Moscou — que tinha frequentado aulas no antigo Exército Vermelho. A inteligência do Exército Brasileiro detectaria que, em meados de 1966, dez pecebistas embarcaram para se submeter à instrução militar na União Soviética.

Prestes chefiou a delegação do partido ao XXII Congresso do PCUS, em outubro de 1961. Além de carregar — e preencher — a indefectível caderneta espiral, elaborou um documento pormenorizando a estadia em Moscou. No dia 18 de novembro, ele esteve com os dois homens mais influentes da superpotência: Khruschóv e Mikhail Súslov, ideólogo soviético. Por mais nonsense que viesse a parecer diante do pálido desempenho posterior do PCB, eles debateram o assalto ao poder — no final das contas, a revolução com o dedo no gatilho. Segundo Prestes, Súslov ponderou, doze semanas após a queda de Jânio Quadros:

"A situação no Brasil modificou-se seriamente. [...] É necessário saber utilizar todas as possibilidades de ações de massas. E, ao mesmo tempo, saber preparar-se para a luta armada. Uma cousa completa a outra." Mais adiante:

"O potencial revolucionário é enorme. [...] V. V. orientam-se no sentido justo de desenvolver as ações de massas, levando-as, assim, até a insurreição. [...] É claro que com o correr do tempo a importância da preparação militar aumentará. [...] No Brasil o potencial revolucionário é muito grande. Se pega fogo nessa fogueira, ninguém poderá apagá-la. E junto ao Brasil estão outros focos revolucionários — Argentina, Venezuela etc."

Khruschóv declarou "estar de inteiro acordo" com o compatriota e arrematou: "Quando falamos em luta armada, falamos de luta de grandes massas e não de ações sectárias de alguns comunistas. Porque isto seria uma aventura. A luta armada só de comunistas é sempre uma aventura. Realizar o trabalho de massas é a melhor forma de preparar a insurreição. Não se chega à luta armada sem se passar pelas lutas de massas."

Na reunião de Prestes com o Secretariado do PCUS, "combinaram sobre nossa atividade" — como o curso militar para o PCB. Fogueira, na metáfora de Súslov, o Brasil era um território cobiçado na incandescente geografia bipolar. "A Ásia e a América Latina são agora os mais importantes centros da luta revolucionária contra o imperialismo", pontificara Khruschóv em 1960. Analista mais certeiro que as especulações sobre a hipótese de o país se tornar uma "nova Cuba", então com menos de 7 milhões de habitantes, o embaixador norte-americano Lincoln Gordon elucidou no Rio de Janeiro as dimensões do — no ângulo do diplomata — "grande desastre" a prevenir: uma revolução "poderia transformar o Brasil na China da década de 1960".

A política de coexistência pacífica deslanchada por Khruschóv se fiava na crença de que a União Soviética prevaleceria sobre os Estados Unidos pelo vigor da economia. Cuba caiu-lhe no colo, e o Brasil poderia trilhar o mesmo rumo, talvez imaginassem os soviéticos que confabularam com Prestes. Em 1935, ele se despedira de Moscou para tentar a revolução — perdeu, mas tentou. A discussão de 1961 deixaria a impressão de que não era para valer, pelo menos para o secretário do PCB. Ele persistiu no empenho para frear Fidel Castro. Em março de 1963, um telegrama secreto da embaixada do Brasil em Havana relatou que, em audiência com o líder cubano, Prestes frisara que seria "criminoso" lançar-se à revolução naquele momento. A CIA diagnosticou, em junho, o temor do velho capitão de que Fidel "perturbasse suas próprias estratégias".

Enquanto Prestes se atritava, Marighella se dedicou às campanhas pró--Cuba, até 1964. No alvorecer daquele ano, *Novos Rumos* imprimiu seu artigo "A vitória da Revolução Cubana". No dia 10 de janeiro, ele discursou na ABI, numa "assembleia pública de solidariedade ao povo cubano". Jamais cultivou ilusões sobre as peripécias guerrilheiras das Ligas Camponesas contra os governos de

Jânio e Jango, porém se recusou a maldizer o ímpeto dos caribenhos de contaminar a América Latina com o vírus revolucionário. Sua paciência com o servilismo ao PCUS se esgotava. Quando a delegação do PCB regressou de Moscou, em dezembro de 1961, a cúpula do partido elucubrou sobre a aplicação no Brasil das deliberações dos soviéticos. Marighella repreendeu-a:

"Não tomar as resoluções do XXII Congresso [do PCUS] como diretivas. [...] Um erro pretender encaixar na exposição de cada tese do XXII Congresso a aprovação ou modificação de uma linha [do PCB]."

Prestes afligiu-se com o desejo dos pecebistas que cursavam a escola de quadros na União Soviética de visitar a China, cujos mandachuvas haviam rompido com Khruschóv, imputando-lhe "desvios direitistas":

"Isto pode contrariar os camaradas soviéticos."

Marighella fez pouco do que para outros era drama, oriundo da perplexidade de quem se acostumara com um único "farol do socialismo": se os dois gigantes comunistas se digladiavam, que seus partidários brasileiros se adaptassem ao novo cenário. E repetiu sua tirada recorrente:

"Quando a água chega aos fundilhos todo mundo aprende a nadar."

Os chineses aproveitavam a fachada de suas comitivas de negócios para conspirar sobre outro empreendimento, a revolução no Brasil. Prestes assinalou, mencionando dois dirigentes que receberam os asiáticos: "Delegação comercial chinesa Ho-Tum = quer saber se o PCB está com Khruschóv [...] — Leivas [Otero] e Mário [Alves] estiveram com os chineses".

Os enviados de Pequim souberam que o PCB fechava com os soviéticos, cuja missão comercial no Rio encobria contabilidade alheia à importação e exportação de produtos. Encravado na rua Alice, uma ladeira no bairro de Laranjeiras afamada por um bordel do balacobaco, o escritório mantinha até programação social: em 7 de novembro de 1961, promoveu um rega-bofe pelos 44 anos da Revolução Russa — no mesmo mês, o Brasil restabeleceu relações com a União Soviética. Entre os dez funcionários, escondia-se um agente de nome — possivelmente falso — Oleg, que se encontrava longe dali com Severino Teodoro de Mello, do Secretariado do PCB. O dito Oleg entregava pacotes com notas usadas de dólares americanos e de valores diferentes. Por ano, não eram menos de

100 mil dólares e talvez tenham alcançado 150 mil — 752 mil a 1,130 milhão de dólares em 2012. Nunca se falaram por telefone: riscavam postes de rua com giz, agendando em códigos o contato seguinte. O grosso do "ouro de Moscou", ao menos dessa veia, irrigava as edições partidárias, sempre no vermelho. Circulavam dez periódicos soviéticos traduzidos no Brasil, entre os quais a revista *Problemas da Paz e do Socialismo*. Um suplemento sobre a Iugoslávia encartado em *Novos Rumos* foi bancado pela embaixada do país do marechal Josip Broz Tito.

Marighella não tinha mais as chaves dos cofres do partido, contudo já bebera na fonte da União Soviética. Em 1955, ele contou 10 mil dólares amassados em um bule velho — 84 mil dólares, atualizados. Foi como o jornalista Armênio Guedes ocultou o numerário que buscara em Buenos Aires. Mais uma vez, o PCB torrou a bolada com papel e tinta, como uma série de romances russos — à época Marighella geria as editoras.

O PCB financiava parte de suas operações com doações soviéticas, e Jango se beneficiava da caixinha de empresários da construção civil que venciam concorrências públicas. Proprietário da *Última Hora*, Samuel Wainer contou que apanhava o dinheiro em espécie e o depositava nas mãos do presidente. O Banco Nacional de Minas Gerais se distinguia: como um apostador que arrisca palpites variados para escapar de surpresas, socorria a direita e a esquerda. O dono da casa bancária era o governador de Minas, Magalhães Pinto, udenista com ambições na eleição para o Planalto, prevista para 1965. Representava-o um sobrinho, José Luiz de Magalhães Lins, diretor executivo do Nacional. Mal chegado aos trinta anos, ele era celebrado como mecenas das artes. Se o editor e militante comunista Ênio Silveira se apoquentava por falta de patrocínio para uma coleção de clássicos da literatura, o empresário acudia-o, e as contracapas dos livros da Civilização Brasileira o incensavam como "um banqueiro a serviço do Brasil e dos interesses nacionais". Seu nome corria as telas nos agradecimentos de filmes como *Os fuzis*, de Ruy Guerra — sem o seu amparo, o Cinema Novo não teria sido o que foi.

O Banco Nacional emprestou à UNE, presidida por José Serra, um jovem de olhos tristonhos que parecia ter uma idade que só anos depois atingiria. O acadêmico de engenharia integrava a AP, agrupamento socialista de berço católico, à esquerda do PCB. "Era a política da boa vizinhança", recordou Magalhães Lins, acerca do mecanismo de prevenção que o porvir designaria como blindagem política. Quando sobreveio o golpe de Estado, para o qual o banqueiro conspirou, a entidade estudantil não pagou, e a dívida dissipou-se na rubrica de lucros e prejuízos.

O cantor Jorge Goulart suspeitava que Marighella intermediasse contribuições do banco para o PCB, o que não ocorreu, de acordo com seu diretor. Mas o partido não ficou sem o seu auxílio. Com o plebiscito para decidir a forma de governo definido para 6 de janeiro de 1963, Jango convidou Magalhães Lins para coordenar a campanha do presidencialismo. A volta ao antigo regime favorecia Goulart, de olho na restauração dos poderes, e os postulantes à sucessão, como Magalhães Pinto e Juscelino Kubitschek. Jango lamentou com Magalhães Lins a escassez de pichações, mas já descobrira a solução: como o PCB dava as cartas entre os sindicalistas dos Correios, seus militantes cobririam as paredes com slogans até nos mais remotos logradouros. Só faltava dinheiro. O ex-deputado comunista Roberto Morena entrou sorridente e de chapéu no QG da campanha, em um hotel. Saiu com o bolso forrado para a compra de 5 mil baldes, brochas, cal e outras despesas.

Deu certo: em todo o Brasil, os muros se coloriram com o *não*, a alternativa dos presidencialistas na cédula.

O CGT, esboço de central sindical controlado pelo PCB, deflagrou em setembro de 1962 uma greve geral para antecipar o plebiscito marcado para 1965 — no mesmo dia, o Congresso referendou a mudança. Era a chance de remover o ardil do parlamentarismo, porém Marighella incomodou-se com a descaracterização do partido na frente heterogênea:

> Reformular isto aí [resolução sobre o plebiscito]. Episódio apenas. Não é batalha final. Aprovado o presidencialismo, não vão cessar as contradições. Ao contrário, vão aguçá-las. De tudo isso precisa ficar claro o votar não — [...] Nosso P. deve apresentar um programa imediato — não podemos aparecer a reboque. [...] Organizar autodefesa de massas.

Com raras exceções, os comunistas não implementaram a autodefesa, o recurso à força para se proteger da violência. Em abril de 1962, pistoleiros assassinaram João Pedro Teixeira, líder da Liga Camponesa do município paraibano de Sapé e pai de onze filhos. A despeito do conflito do partido com Francisco Julião, João Pedro militava no PCB, era pai de um menino batizado como Lênin e viria a ter sua história narrada no documentário *Cabra marcado para morrer*, de Eduardo Coutinho. No dia 7 de janeiro de 1963, cinco agricultores desarmados cobraram o salário não pago na Usina Estreliana, na zona da mata de Pernambuco. Nenhum sobreviveu à recepção com balas de metralhadora.

Na véspera do massacre, o presidencialismo venceu com quatro votos e meio a favor para cada um contra. O PCB participou da campanha com o mote "plebiscito com reformas". Três primeiros-ministros haviam se sucedido: o mineiro Tancredo Neves, o gaúcho Francisco de Paula Brochado da Rocha e o baiano Hermes Lima, constituinte de 1946 com Marighella. Mesmo com trajetórias sinuosas, os gabinetes se deslocaram paulatinamente à esquerda. O PCB detratou todos, por ordem, como "reacionário e entreguista", "conciliador com o imperialismo e o latifúndio" (em artigo de Marighella) e "conciliador com o imperialismo e as forças reacionárias".

Não se restringia a espinhos, contudo, o relacionamento com Jango. Duas greves gerais políticas convocadas pela brigada comunista nos sindicatos bafejaram pretensões de Goulart: em julho de 1962, para derrotar um senador que almejava presidir o Conselho de Ministros e, dois meses mais tarde, pelo adiantamento do plebiscito. Contra Jango, o PCB fulminou em janeiro de 1963 o Plano Trienal de Desenvolvimento Econômico e Social, denunciando-o como lesivo aos trabalhadores. Lançado com a bênção do FMI, uma de suas metas era debelar a inflação — JK herdara-a em 12% (índice de 1955), anabolizara-a para 30% (1960), e Goulart desgastaria sua administração com o voo para 80% (1963). Noutro choque, o partido reagiu, em outubro de 1963, ao pedido do Executivo ao Congresso para autorizar o estado de sítio. Malsucedida, a manobra foi interpretada como o prenúncio de um golpe de Estado do presidente filiado ao PTB, minoritário na Câmara e no Senado com hegemonia conservadora de PSD e UDN.

Ao menos entre 1961 e 1963 — as cadernetas não se estendem pelos meses que antecederam abril de 1964 — Marighella alertou para a hipótese do golpe capitaneado por Goulart, eventualmente em consórcio com o cunhado:

"Brizola atua em combinação com a burguesia que está no poder. Seu trabalho é muito útil. Reduzir o parlamento a nada — prepara-se o golpe do Jango — [...] Plano golpista de Brizola [...] continua em desenvolvimento."

Em outra data:

"Preparar a classe operária para a luta por um governo nacionalista e democrático e em defesa das liberdades democráticas — [...] Resistir aos golpes que nos queiram dar."

Quando movimentos contestatórios de praças das Forças Armadas desataram a ira da oficialidade, ele reiterou:

"Situação dos sargentos — procuravam o Julião e também a nós. Estar vigilantes contra qualquer golpe."

A rejeição a viradas de mesa institucionais não era, entretanto, incondicional. Marighella as admitia, se fosse para produzir transformações como a distribuição de terras, que o Congresso interditava:

"Contra qualquer golpe? Que é golpe? Seremos os defensores desse parlamento? Sua dissolução não virá agravar as contradições, apressar o desmascaramento do caráter conciliador do atual governo?"

Não era opinião isolada, demonstrou Jacob Gorender no Comitê Central:

"Legalidade constitucional — palavra de ordem que devemos retirar rigorosamente agora. Quem pode dar o golpe agora é o Jango. Legalidade é o parlamento que é profundamente reacionário."

Como Gorender, Marighella se queixava de subordinação do partido ao presidente. Mesmo assim, mantinha conexões azeitadas com a cozinha do Planalto, por intermédio de dois ex-camaradas. Se subalternos das Forças Armadas desejavam falar com Jango, recorriam a Marighella, que os encaminhava ao chefe da Casa Civil, seu amigo Darcy Ribeiro. Mais intimidade ele tinha com Raul Ryff, o secretário de Imprensa da presidência. Ex-redator do jornal pecebista *Tribuna Gaúcha*, Ryff foi apontado pela CIA como "comunista confesso", em memorando secreto de dezembro de 1961.

Nem na posteridade os comunistas convergiriam: para alguns, Ryff ainda era membro do PCB; para outros, não. Porém compartiam uma certeza: se suas relações com o partido permaneceram calorosas, sua fidelidade era a Goulart. Darcy Ribeiro, por sua vez, não merecia a simpatia de Prestes, que se sentia — a expressão é sua — "chocado" com o que julgava radicalismo do ministro. Marighella e Mário Alves se identificavam mais com o antropólogo à frente da Casa Civil. Contrariavam-se com as promessas presidenciais de reformas de base que só vicejavam nos palanques. Cansaram do que pensavam ser comedimento do

PCB e chamaram Prestes de janguista. Com Jover Telles, formavam o trio mais radical na Comissão Executiva do Comitê Central, dominada pela corrente do secretário-geral e do secretário de organização, Giocondo Dias.

É provável que os três nunca tenham tomado conhecimento do episódio em que Prestes apelou a Jango para tornar mais palatável a reforma agrária, e não para apimentá-la. No começo de 1964, a Superintendência de Política Agrária (Supra) preparava medidas para declarar de "interesse social com fins de desapropriação" terras em torno de rodovias e ferrovias federais. Seu decreto alcançaria propriedades a partir de cem hectares e áreas no raio de vinte quilômetros em cada lado das estradas. Numa noite, o telefone tocou na residência de João Pinheiro Neto, o presidente da autarquia. Do outro lado da linha, Prestes argumentou que a extensão planejada castigaria latifundiários, mas também pequenos produtores rurais. Tinha razão. Sugeriu no máximo dez quilômetros distantes dos eixos das vias e a preservação de estabelecimentos de até quinhentos hectares. Ao receber o recado, Jango mandou responder ao "senador", como tratava o comunista, que acatava a proposta.

Se Marighella e Mário Alves pespegavam a pecha de janguista em Prestes, o líder comunista se zangava com os dirigentes sindicais do PCB, que se embeveciam com o presidente a cada incursão palaciana. Esses é que eram janguistas, advertiu o secretário-geral.

"Há quanto tempo não lavas essa mão que o Jango apertou?", brincava Paulo Schilling, assessor de Leonel Brizola, com o amigo comunista Roberto Morena.

Antigo carpinteiro que entalhou móveis do palácio Tiradentes e depois se debruçou como deputado nas mesas que esculpira para o plenário, Morena era um quadro histórico do PCB. O que seu chapa brizolista insinuava era a mesma desconfiança de Prestes: em vez de ser manipulado pelos pecebistas dos sindicatos, como acusavam seus inimigos, Jango os persuadia.

"Vocês querem que eu faça a revolução por vocês?", indagava o presidente aos seus convidados do CGT. Se eles teimavam com as reivindicações, Goulart viajava no tempo, como recordou Luiz Tenório de Lima, diretor da Confederação Nacional dos Trabalhadores na Indústria:

"Não sou comunista. Pertenço a uma classe diferente e não serei o Kerenski de vocês."

Era uma menção a Alexander Kerensky, o russo que assumiu o governo meses depois da queda do czarismo em fevereiro de 1917 e não durou muito no palácio de Inverno, deposto pelos bolcheviques em outubro. O udenista Carlos Lacerda não se cansava de dizer que Goulart era o Kerenski nacional. Jango aqueceria a poltrona para um comunista sentar.

"Prestes me considerava um serviçal do Jango dentro do partido", disse o ex-tecelão Hércules Corrêa dos Reis, deputado estadual na Guanabara. Ele presenciara uma apresentação do presidente a sindicalistas:

"Sou um reformador do capitalismo. Quero um capitalismo com justiça social e democracia. Por isso tenho por base política os trabalhadores."

Mesmo em contextos desfavoráveis, Jango caía nas graças do interlocutor. Numa conversa com Tenório e Osvaldo Pacheco, secretário-geral do CGT e ex--colega de Marighella na bancada pecebista na Câmara, o presidente foi alertado: para impor o arrocho do Plano Trienal, teria de sufocar as greves.

"Prefiro largar esta merda a reprimir os trabalhadores", explodiu Goulart, que honraria escrupulosamente o compromisso.

Jango não era um sedutor apenas para as senhoras que cativava. Crescera ao redor do fogo de chão, mateando tanto com os fazendeiros vizinhos quanto com os peões da sua estância. Para o banqueiro Magalhães Lins, ele era um homem doce. Para o aguerrido ferroviário Raphael Martinelli, "era um cara de coração; se era correto, dava". Goulart conquistava com uma baforada. No palácio Laranjeiras, a residência oficial do presidente no Rio, seus cigarros acabaram. O antigo portuário Geraldo Rodrigues dos Santos, o Geraldão, receou oferecer um dos seus, da marca Elmo, que de tão fortes espantavam nuvens de pernilongos com mais eficácia que inseticidas. Pois Jango esticou o braço, acendeu o Elmo e fumou como se tragasse um Gauloises.

Geraldão, Pacheco, Tenório e Hércules não eram estafetas do PCB, mas sua elite: todos pertenciam ao Comitê Central, os dois primeiros à Executiva — o secretário sindical era Geraldão, que deixou Santos no fim dos anos 1940 para se juntar a Marighella em São Paulo. Com outros sindicalistas, eles se entendiam com Jango pelo CGT. Quem negociava com o presidente em nome do partido eram Prestes e o deputado Marco Antônio Coelho. Àquela altura, eles falavam por mais camaradas que no passado recente.

* * *

Em 1957, no fundo do poço, o PCB congregava 9 mil militantes. Dali a três anos, no v Congresso, bateu em 15 mil. Em outubro de 1962, ultrapassou a barreira dos 30 mil. Um censo da Secretaria de Organização constatou que o efetivo, em março de 1964, tangenciava os 55 mil. Estavam longe dos 180 mil a 220 mil filiados, de 1945 a 1947. Tinham perdido a supremacia no movimento estudantil para a AP, que controlava a UNE. No campo, as Ligas se mantinham protagonistas — em 1963, irromperam 48 greves rurais em Pernambuco. A bancada do PCB, dos quinze constituintes de 1946, desbotava-se com três deputados na Câmara, todos por legendas emprestadas.

A comparação da representação parlamentar enganava, todavia: o declínio na audiência do partido não era tanto. Só em São Paulo, dois pecebistas se sagraram deputados federais em 1962, além dos quatro eleitos para a Assembleia. A Justiça proibiu a posse dos seis, em virtude do vínculo com agremiação proscrita. O PCB apostava no resgate do registro para reviver as votações de outrora. Em 1961, inaugurou a campanha por 50 mil assinaturas para dar entrada no TSE. Marighella discursou em eventos de coleta de adesões, do subúrbio carioca ao Teatro Parque recifense. Protocolaram 58 714 firmas, e se fosse preciso não suariam demais para dobrar o número. O partido navegava a favor da maré vigorosa — os grevistas duplicaram de 1,5 milhão, em 1960, para 3 milhões em 1963. Tonificara sua capacidade de mobilização entre os operários, ainda que Marighella reclamasse de "fraqueza nas empresas". Ele depreciava os manifestos rebuscados, incompreensíveis para os assalariados de instrução débil:

"[Determinado documento] peca pelo excessivo tamanho. É dispersivo. Nossos documentos são longos em análise e não dá tempo para dizer aos comunistas o que devem fazer. [...] Não fazer materiais longos. [...] Precisamos de um grande partido de massas — legal, de ação."

O PCB fora um partido de massas na legalidade de 1945 a 1947. Aquela quadra e a de 1961 a 1964 foram as mais pujantes de sua história. A democracia vitaminava os comunistas, que talvez não tivessem muita noção disso. Depois do plebiscito, eles recrudesceram a pressão sobre Jango. O presidente se equilibrava entre o PSD, avesso à repartição de terras, e a coalizão que ia do PTB à esquerda socialista, ávida por reformas sociais. Necessitava-os juntos para sobrepujar a oposição udenista. Em julho de 1963, *Novos Rumos* mirou-o: "A política de conciliação com os imperialistas e os latifundiários, posta em prática pelo sr. João Goulart, é contrária aos interesses nacionais".

Passados dois meses, cerca de 650 subalternos da Marinha e da Aeronáutica se rebelaram em Brasília. Na madrugada de 12 de setembro, tomaram a sede da Armada, a base aérea e outros prédios, antes da rendição. Protestavam contra a cassação do sargento Aimoré Cavalheiro, deputado estadual no Rio Grande do Sul. O STF decidira que praças das Forças Armadas eram inelegíveis. Militares brizolistas conduziram a insurreição, que afrontou os oficiais, até partidários de Jango. O semanário do PCB saudou a "manifestação heroica", e Marco Antônio Coelho proclamou na Câmara que a "causa dos sargentos é causa do povo". A reação foi dura. O *Jornal do Brasil* cravou um editorial com título em letras maiúsculas, "BASTA", incitando os generais: "[...] Antes que cheguemos à Revolução, digamos um BASTA. Digamos enquanto existem organizadas, coesas e disciplinadas Forças Armadas brasileiras e democráticas, para sustentar pela presença de suas armas o próprio BASTA".

Em um comício pela memória de Getúlio, em agosto, Goulart discursava quando a multidão na Cinelândia também pediu um basta e abafou sua voz: "De-fi-ni-ção!"

Encurralado pelo conflito entre seus aliados, que ameaçavam deixá-lo só, o presidente definiu-se por ampliar sua sustentação popular. No fim de 1963, decretou o monopólio estatal da importação de petróleo. Em janeiro de 1964, foi regulamentada a Lei de Remessa de Lucros, restringindo a transferência de divisas para o exterior. Em fevereiro, o governo diagramou o Decreto da Supra, mais ameno que na primeira versão, contudo assombroso para os proprietários de terra que temiam o estopim de uma reforma agrária como a que os europeus haviam executado séculos antes. O salário mínimo aumentou 100%, como em 1954. Com o giro de Jango, Prestes aderiu. Na noite de 3 de janeiro de 1964, seu 66º aniversário, ele teve ao seu dispor duas horas e meia no programa de entrevistas *Pinga-Fogo*, da TV Tupi paulista. Cobraram-lhe uma frase que teria pronunciado no Recife: "Já somos governo; falta-nos, porém, o poder".

"Foi deturpada", respondeu Prestes. "Eu não disse isso nem poderia fazê-lo." Porém bravateou: "Estamos influindo cada vez mais no poder, isso estamos".

A reeleição era ilegal, por isso Jango não governaria após 1965, a não ser por golpe ou mudança da Carta, assunto do qual ele se esquivava. Não Prestes:

"O próprio presidente Goulart pode pretender ser candidato. Talvez mesmo o candidato do presidente Goulart à presidência da República seja ele mesmo. Não sei como pretende chegar lá. Será através de uma reforma constitucional? Pode ser, não? Reformar a Constituição para permitir a reeleição. [...] E entre os candidatos das forças patrióticas, entre os que estão aí, talvez o presidente Goulart ainda seja mesmo o melhor, se a Constituição permitir."

Como faltava ao governo maioria parlamentar para mexer na regra, ficou no ar a insinuação de golpe. Prestes não discutira antes no partido as declarações no *Pinga-Fogo*, e novas intervenções pró-Goulart vieram. No começo de 1964, o presidente articulou uma Frente Ampla. Quase todas as organizações de esquerda julgaram falsa a alegação de que o pacto com o PSD apressaria as reformas — suspeitaram do contrário. O PCB, contudo, escudou Jango. O presidente submeteu ao partido a plataforma política da frente, e a Executiva aprovou-a, mesmo sem contemplar a legalização da legenda. Marighella e Mário Alves a tacharam de moderada, como fizera Brizola. Dos grandes contendores de 1964, o ex-governador gaúcho e então deputado federal pela Guanabara era o mais radical da esquerda, síndico de um condomínio que se intitulava nacionalista-revolucionário.

Marighella e Mário apareceram em março de 1964 na redação do jornal brizolista *O Panfleto*, no Rio. Conforme Paulo Schilling, a dupla contestou a "virtual tutela que Jango exerce sobre o partido" e disse que estava "totalmente de acordo com a pregação e a ação revolucionárias de Brizola".

Às vésperas de abril, o PCB rachava entre os que caminhavam com Goulart, como Prestes, e os que respaldavam Brizola, como Marighella.

Enquanto o PCB se entretinha com as idas e vindas do inquilino do Planalto, quem aspirava despejá-lo perseverava. Os militares que malograram em 1954, 1955 e 1961 ensaiavam novo *coup de main*. Em março de 1963, o general Olímpio Mourão Filho, arraigado integralista, já traçara no papel um roteiro de golpe. Em setembro e outubro daquele ano, foram descobertos ao menos três arsenais de opositores, um deles com dez metralhadoras Thompson, munição para 12 mil tiros e cinquenta granadas. Também se movimentavam conspiradores mais graúdos. No dia 30 de julho de 1962, dois homens haviam conversado no salão oval da Casa Branca sobre o destino do Brasil. O presidente John Kennedy e seu embaixador no Rio de Janeiro, Lincoln Gordon, trataram do financiamento oculto de 8 milhões de dólares a candidatos que em outubro enfrentariam nas urnas os correligionários de Jango. A dinheirama, ao lado da qual o ouro de Moscou configurava ninharia, cooperou para manter Goulart minoritário — seu PTB saltou de 66 para 104 deputados federais, mas UDN e PSD amealharam 54% das cadeiras. Philip Agee, agente da CIA, estimou que o agrado a candidatos pode ter alcançado 20 milhões de dólares — 149 milhões em 2012, muito mais que todos os gastos oficiais da campanha vitoriosa à presidência em 2010.

A CIA estimulava duas entidades que costuravam o respaldo civil à deposição de Goulart: o Instituto Brasileiro de Ação Democrática (Ibad) e o Instituto de Pesquisas e Estudos Sociais (Ipes). Ambas disseminavam propaganda contra o comunismo, associando as iniciativas do governo às intenções do PCB. No rol de dirigentes do Ipes figurava o escritor iniciante e ex-comissário de polícia Rubem Fonseca. Em um dossiê de sua sociedade, delatando a "infiltração comunista", lia-se o nome Carlos Marighella. Prestes fazia pouco das maquinações contra Jango. Nikita Khruschóv voltou a lhe abrir os portões do Kremlin, em 7 de fevereiro de 1964. Não se conheceriam cadernetas e relatórios do secretário-geral sobre o colóquio, mas sua mulher, Maria Ribeiro, confidenciou: "Khruschóv se entusiasmou quando o Velho [Prestes] declarou que era impossível qualquer retrocesso e vibrou também ao saber das insistências do presidente brasileiro em procurar a cúpula do PCB para elaborar um projeto comum de ação política".

Prestes palestrou no Departamento de Relações Internacionais do PCUS. Assuntaram-lhe "sobre o perigo de a direita levantar a cabeça". Antes dos aplausos de pé, ele respondeu como se estivesse na antevéspera da revolução:

"Se a reação arrastar o Brasil para um confronto de classes sociais, [...] estará levando nosso povo para a batalha que culminará com a implantação de um governo socialista. Em outras palavras, se a reação levantar a cabeça, nós a cortaremos de imediato. Os reacionários poderão cometer loucuras, mas mesmo as loucuras deles têm limites."

Coisa de maluco pareciam as "Teses para o VI Congresso do PCB", adotadas pelo Comitê Central em fevereiro de 1964. Divulgadas por *Novos Rumos* no fim de março, especulavam sobre um futuro idílico, com o êxito nacionalista nas eleições de 1965. Como uma toupeira, o mamífero que cava túneis e não enxerga uma pata à frente do focinho, a resolução não despendeu uma só sílaba sobre o espectro de golpe de Estado.

Ainda em fevereiro, Goulart recepcionou sindicalistas do CGT com uísque e dúvidas sobre como lançar o programa de reforma agrária. Um dos presentes foi Hércules Corrêa, comunista que ganhou o nome ao nascer com 6,2 quilos. Partiu dele a ideia de o presidente mostrar força assinando o Decreto da Supra em praça pública. O presidente concordou, e marcaram o comício para a segunda sexta-feira de março. A proposta atemorizou um cidadão magro, careca e de bigodinho, semelhante ao Amigo da Onça, personagem do falecido cartunista Péricles. Era o trabalhista Clodesmidt Riani, presidente da Confederação Nacional dos Trabalhadores na Indústria. Como um amigo fiel, Riani preveniu:

"Doutor Jango, espera aí, mas sexta-feira é 13!"

O presidente sorriu e esnobou a crendice:

"Não faz mal."

21. Soldados vermelhos

Logo depois de sair da clandestinidade, em 1957, Marighella viajou ao Recife para um conclave sobre os rumos do Nordeste. Clara o acompanhou por conta de outro compromisso, afetivo: reencontrar o pai, uma década após seu namoro com o homem "preto, vermelho e não judeu" desatar a cólera de Gdal Charf. O sogro encantou-se com o genro, e a família se reconciliou. O amor fisgara Gdal e semeara a tolerância: ele se uniu a uma viúva católica cuja filha, Maria Iara Portela, afeiçoou-se pelo casal outrora maldito. Meses antes de abril de 1964, Iara havia se deparado com Marighella transpirando no rema-rema do quarto e sala do Catete. Quis saber para que tanto esforço.

"Estou me preparando para os duros tempos", respondeu o atleta doméstico.

Como conhecia de política apenas as lições que os padres lhe ensinaram, ela insistiu e ouviu:

"Sempre vêm os duros tempos."

Eles se aproximavam, pressentiu Marighella, que no começo de 1964 matriculou o filho no Colégio Batista. Ao inscrevê-lo no internato tijucano — Carlinhos passaria os fins de semana com o pai —, dispensou as faturas mensais e saldou a anuidade com um só desembolso. Se as convulsões que a conjuntura pressagiava se confirmassem, o aluno da quarta série ginasial seria preservado. Na virada de janeiro para fevereiro, Marighella providenciou um esconderijo para a eventualidade do golpe de Estado. Na moita, combinou se refugiar na casa de um correligionário no subúrbio do Méier.

Mais urgente que se safar de apuros seria confrontar os golpistas. No início de março, Marighella promoveu a segunda e última reunião com o major-brigadeiro Francisco Teixeira, comandante da 3ª Zona Aérea, e dois diretores da Associação dos Marinheiros e Fuzileiros Navais do Brasil, Marco Antônio da Silva Lima e Antônio Geraldo da Costa. Não eram quaisquer militares. Teixeira detinha o principal comando das tropas da Aeronáutica no Rio e, com três estrelas em quatro possíveis, era o mais poderoso oficial da base secreta do PCB nas Forças Armadas. Os dois subalternos da Marinha de Guerra influenciavam mais a entidade dos marujos que o presidente, José Anselmo dos Santos. O cabo Geraldo militava na Polop, e o marinheiro de primeira classe Marco Antônio se identificava com a peroração combativa de Leonel Brizola. O conselheiro de ambos era Marighella, o dirigente com sintaxe à esquerda da cúpula do partido.

Nos dois encontros com Marighella em um escritório na Esplanada do Castelo, no Centro do Rio, os participantes esboçaram um plano. No caso de sublevação contra o governo constitucional de João Goulart, os praças e suboficiais das guarnições dos cruzadores *Barroso* e *Tamandaré* tomariam o controle dos navios e bombardeariam o palácio Guanabara, onde despachava o governador Carlos Lacerda. Confiavam no domínio da tecnologia para não errar o alvo longínquo e destroçar por engano os prédios vizinhos.

No dia 1º de março, os relógios haviam sido atrasados por sessenta minutos, com o término do horário de verão. Foi uma traquinagem do destino: enquanto os ponteiros andavam para trás, a história acelerava com sofreguidão.

A experiência de Marighella nas Forças Armadas não excedera a instrução como recruta do tiro-de-guerra, mas seus contatos com militares se tornavam cada vez mais frequentes. Um dos seus interlocutores era o general da reserva Nelson Werneck Sodré, do Instituto Superior de Estudos Brasileiros, o Iseb, quatro letras que difundiam ideias de desenvolvimento nacional. Na campanha pró--Cuba, Marighella se encarregou das tratativas com "oficiais da reserva", como Prestes assinalou numa caderneta — o marechal Felicíssimo Cardoso foi um deles.

Porém suas conversas com o pessoal do serviço ativo, como o brigadeiro Francisco Teixeira, transcorriam à margem do PCB. O organograma do partido na caserna equivalia a uma caixa-preta conhecida somente pelo antigo capitão Luiz Carlos Prestes, o ex-cabo Giocondo Dias e o coordenador do setor militar comunista, que não era nenhum coronel, e sim um farmacêutico discreto como a sombra de uma ampola — ele existia, mas poucos o notavam: Almir de Oliveira Neves, um capixaba que pegara anos de cadeia na Ilha Grande ao lado de Marighella, com quem morava em 1947 ao ser preso na invasão do apartamento do então deputado pela polícia política.

Seu trabalho invisível prosperava. Antes de assistir ao balé *O lago dos cisnes* no camarote presidencial do Teatro Bolshoi, em 7 de fevereiro de 1964, Prestes privou no Kremlin da companhia de Nikita Khruschóv. A mulher do secretário-geral do PCB recordou que "o dirigente soviético ficou admirado quando soube do avanço dos comunistas no seio das Forças Armadas. [...] Prestes deu o nome de dois generais do alto comando que já faziam parte da organização". Mesmo oficiais superiores, do posto de major para cima, vinculados ao partido jamais suspeitaram da adesão dos alegados generais quatro estrelas, o topo da carreira até a passagem à reserva. Ainda assim, o PCB não se restringia aos capitães e tenentes de 1935.

O progresso gerou um paradoxo: embora reiterasse a Khruschóv a "necessidade de lutar pela manutenção da via pacífica" na revolução, era em seus camaradas fardados que Prestes parecia apostar novamente, como na dita Intentona Comunista. Como ressaltou na entrevista do *Pinga-Fogo* em janeiro, ele acreditava no "caráter democrático, a tradição democrática das Forças Armadas, particularmente no Exército". Interpretação temerária, a considerar os golpes bem ou malsucedidos com protagonistas ou coadjuvantes militares em 1889, 1922, 1924, 1930, 1932, 1935, 1937, 1945, 1954, 1955 e 1961 — em coincidência assombrosa, todos perpetrados no segundo semestre.

Denominado setor militar nos anos 1960, o núcleo do PCB nas Forças Armadas fora criado em 1929 e batizado com um despropósito. Chamou-se Comitê Antimilitar, o Antimil, apesar de voltado à conspiração nos quartéis. Em 1964, congregava cerca de cem oficiais da ativa, na projeção de dois oficiais comunistas da FAB feita ao jornalista Elio Gaspari. Um deles, o à época tenente-coronel Hélio Anísio, pilotava um avião que transportava o presidente João Goulart — o outro foi o major Sergio Cavallari. Para alcançar a centena, haveria de adicionar quem "falava parecido" com o partido, no cálculo de Kardec Lemme, tenente-coronel do Exército. De "carteirinha", seriam trinta.

Filho de pai espírita, Kardec nasceu no mês encarnado de outubro de 1917 e lutou com a FEB na Itália. Ingressara no PCB na primeira metade da década de 1930, como aluno do Colégio Militar do Rio de Janeiro, onde o corneteiro tocava a célula partidária. Encontrava-se durante o governo Jango com uma dezena de oficiais comunistas, alguns deles na residência do general Nelson Werneck Sodré, veterano membro do partido. Outro correligionário era o tenente-coronel Joaquim Ignácio Cardoso, filho do marechal nacionalista Felicíssimo.

Os comunistas também se organizavam na Marinha, corporação em que perduravam redutos com mofo monarquista. Quando os companheiros do capitão-de-fragata Thales Fleury de Godoy surgiam para as reuniões no apartamento do largo do Machado, sua mulher se trancava no quarto, para não reconhecê-los. Josina Maria de Godoy contaria mais de cinco oficiais do PCB na Armada. Seu marido fora recrutado pelo partido na Escola Naval, onde se formou em 1946. Seu camarada de maior graduação foi o capitão-de-mar-e-guerra Paulo Silveira Werneck. Godoy e Marighella só seriam apresentados em 1967, no Hotel Habana Libre, quando navegavam outros mares.

Boa parte dos oficiais pecebistas morreria sem assumir em público a condição de quadro do partido. Eles viveram o ápice da Guerra Fria, com anticomunismo castrense exacerbado. Para estigmatizar os antagonistas, os militares alinhados à Alemanha, antes, e aos Estados Unidos, depois, queimavam-nos como "melancias" — verdes por fora, vermelhos por dentro. Nacionalistas convictos como o vice-almirante Cândido Aragão e o tenente-coronel-aviador Maurício Seidl foram denunciados igualmente como exemplos da "infiltração comunista" — o comandante do Corpo de Fuzileiros Navais não integrava o PCB, ao contrário do único piloto que anestesiou a fobia de voar do arquiteto Oscar Niemeyer.

Condecorado na Itália como herói de guerra, o ex-oficial Salomão Malina cuidava, em 1964, de outra operação subterrânea do PCB, o trabalho especial. O diminuto destacamento armado se destinava à segurança de eventos partidários. Treinava tiros em Maricá, no litoral do estado do Rio de Janeiro. Um de seus componentes, o civil Manoel Baptista Sampaio Netto, armazenava em casa mais de dez revólveres calibre 38. Outros fabricavam granadas, para a contingência de encarar um putsch de direita.

A depender da credulidade de Prestes, a ação dos camaradas seria dispensável, já que o aliado João Goulart teria como se garantir sozinho. Em julho de 1962, o secretário-geral assinou um artigo enaltecendo o "dispositivo militar com que agora conta" o governo. O tal dispositivo pressupunha a supremacia das tropas fiéis ao presidente sobre as que pretendiam derrubá-lo — os oficiais nacionalistas eram aclamados como "generais do povo". Liderava-o o general Argemiro de Assis Brasil, desde sua posse na chefia do Gabinete Militar de Jango, em outubro de 1963. Em certo imaginário, ele reencarnava as virtudes do irmão Hermenegildo de Assis Brasil, morto na França após combater pela República na Guerra Civil Espanhola. Quem ouviu não esqueceu as proclamações de menosprezo de Argemiro ao poderio golpista, feito um marechal-de-campo diante do inimigo debilitado:

"Nosso esquema é invencível!"

"Não se preocupem, eles estão desavorados, está tudo sob controle!"

"Não há perigo, pois comigo é na ponta da faca!"

O problema para Goulart, conforme testemunhos, era a intimidade maior do boquirroto com copos e pedras de gelo do que com as artimanhas da política. João Pinheiro Neto, o executivo da reforma agrária, percebeu que a "pele avermelhada" do general ficava "mais corada" após "algumas doses do uísque escocês que tanto apreciava". O tenente-coronel Octávio Pereira da Costa, de oposição a Jango, tinha-o como "brilhante, mas bebia demasiadamente, vivia no mundo da Lua". Em um jantar no palácio da Alvorada, sua "ruidosa embriaguez" impressionou o embaixador dos Estados Unidos, Lincoln Gordon. Um informante do PCB avisou que o flagrara mais para lá que para cá. Era esse o responsável pelo alardeado dispositivo militar de Jango, e o partido não tinha como ignorar. Werneck Sodré e Kardec Lemme haviam indicado um companheiro, o capitão Eduardo Chuahy, para ajudante-de-ordens de Assis Brasil. O capitão constatou que o superior "não tinha trânsito nem no centro, nem na direita e nem na esquerda". Contrariado com a inépcia do Gabinete Militar, desabafou a Kardec, em frente à Biblioteca Nacional:

"Eu não volto para aquela merda."

O tenente-coronel, a quem o capitão queria como a um irmão, retrucou:

"Se com você está uma merda, imagine se não estiver lá."

Chuahy permaneceu na repartição de Assis Brasil. Em seguida, alertou para os movimentos dos conspiradores: os militares de esquerda estavam sendo removidos para longe dos batalhões. Bem o sabia Kardec, pois o haviam exilado no Departamento Geral do Pessoal, onde guiava carimbos, e não soldados. O capitão Carlos Alberto Brilhante Ustra, no futuro um devotado servidor da ditadura, confirmaria que no segundo semestre de 1963 iniciaram "a transferência de oficiais de confiança e contrários ao comunismo para a tropa". Em fevereiro de 1964, empossaram-no no comando da 4ª Bateria de Canhões.

Quatro semanas depois da investidura de Ustra, Marighella e a esquerda convergiram para a praça carioca Cristiano Ottoni, fincada entre o quartel-general do Ministério da Guerra e a estação ferroviária Dom Pedro II, a Central do Brasil. Era lá o palco do comício da sexta-feira 13 de março.

Na madrugada da sexta-feira fracassou uma tentativa de incendiar o palanque. Pouco depois das quatro da tarde, uma bomba explodiu perto dele, e seus estilhaços atingiram sete presentes. A noite descera quando funcionários da Petrobras, carregando tochas iluminadas com óleo refinado, queimaram sem querer cartazes seus e de outros manifestantes. A correria desencadeada pelo fogo feriu 182 pessoas, como a francesa Renée de Carvalho, mulher de Apolônio de Carvalho, do CC do PCB. O cardiologista Euryclides de Jesus Zerbini não poderia prever as labaredas, mas desestimulou o comparecimento de João Goulart à Central. Seu paciente fora castigado por crises do coração em 1961, na China, e no ano seguinte, no México. Em agosto de 1963, o embaixador Lincoln Gordon, comprometido com as maquinações golpistas, augurou numa mensagem secreta: "Se Deus é realmente brasileiro, o problema cardíaco que acometeu Goulart em 1962 não tardará a se tornar agudo".

Com Deus gringo ou tupiniquim, o presidente se precavia. Em janeiro de 1964, ele estivera com Prestes, que assegurou se empenhar "ao máximo para que o movimento comunista internacional não forçasse os acontecimentos no Brasil". Na véspera do comício, voltou a receber o líder do PCB, visto na saída por Samuel Wainer. De acordo com o dono da *Última Hora*, Jango disse ter arrancado a promessa de o partido controlar a massa, "evitando palavras de ordem extremistas". A tabelinha de Goulart com Prestes se refletiu no panfleto convocatório do ato. Dos 21 signatários, quase todos sindicalistas, no mínimo oito pertenciam ao partido, hegemônico na comissão organizadora. As reivindicações eram medidas que o presidente já decidira tomar. No atacado, pediam "reformas de base, entre as quais a agrária, a bancária, a administrativa, a universitária e a eleitoral". No varejo, "elegibilidade para todos os eleitores", o que permitiria a Jango e Brizola postularem a presidência em 1965 — as regras em vigor impediam a reeleição de Goulart, cujo parentesco de cunhado interditava o deputado, já que parente do chefe do Executivo não podia concorrer.

Ainda no palácio Laranjeiras, o presidente sem direito a renovar o mandato assinou dois decretos na tarde do dia 13: o da Supra, inaugurando a reforma agrária, e o da encampação das refinarias particulares de petróleo, como Ipiranga e Manguinhos. Partiu então para o Centro, onde o aguardavam de "dezenas de milhares" a "pelo menos 200 mil", a depender do chute, a despeito do feriado com que o governador Lacerda tentara esvaziar o comício. Dos quinze oradores que precederam Jango, os dois mais estridentes foram o presidente da UNE, José Serra, e Brizola. Ambos condenaram a "política de conciliação" de Goulart. O ex-governador gaúcho perguntou quem queria um "governo nacionalista e popular", e a multidão ovacionou-o de braços erguidos.

Em contraste com a dupla, Lyndolpho Silva, único comunista a falar, foi dos mais moderados — ou sóbrios. Presidente da Confederação Nacional dos Trabalhadores na Agricultura, ele aplaudiu o Decreto da Supra. Dois correligionários haviam redigido seu discurso, os dirigentes Roberto Morena e Miguel Batista. Como se estendia demais, a plateia apupou-o. Ao sentir que seu camarada Osvaldo Pacheco o cutucava, encerrou sem ler tudo. Membro da Comissão Executiva do PCB, o grandalhão Pacheco foi a face mais visível do CGT no palanque. No momento em que a palavra passou de Lyndolpho para Jango, Pacheco se postou à esquerda do presidente e segurou o microfone. À direita ficou Maria Thereza, a primeira-dama mais bonita que Jacqueline Kennedy. Eram "a bela e a fera", gracejou um jornal.

Enquanto Jango discursou, o chefe da Casa Civil, Darcy Ribeiro, soprou-lhe sugestões sobre o que dizer. O presidente anunciou um decreto para conter o "preço extorsivo" dos aluguéis. E cortejou os comunistas ao advogar "que nos pleitos eleitorais sejam representadas todas as correntes políticas, sem discriminações ideológicas" — faixas como "PCB, teus direitos são sagrados", ali desfraldadas, enfeitavam as praças fazia anos. Antes de regressar para casa, Goulart determinou a desapropriação de duas fazendas suas. E advertiu a audiência: a "reforma agrária autêntica" só vingaria com a superação da Carta de 1946, que requeria indenização prévia em dinheiro. Propôs "emendar a Constituição", remunerando seus confrades latifundiários com títulos públicos. Brizola reclamara reordenamento mais amplo, com uma Constituinte antecedida por plebiscito sobre sua convocação. Ele e Jango não bradaram por reforma fundiária na marra ou pelo método clássico da revolução. Mesmo assim, o porvir demonizaria o Comício da Central — ou Comício das Reformas — como desvario esquerdista. O tenente-coronel Alacyr Frederico Werner monitorou-o de uma janela do Ministério da Guerra. Já como general, descreveria um discurso de Prestes. Enganou-se: o secretário-geral não esteve lá, para evitar constrangimentos — o PCB continuava na ilegalidade.

Das iniciativas divulgadas no comício — contidas nos decretos e em mensagem de Goulart ao Congresso —, muitas seriam incorporadas mais tarde à democracia: registro das siglas comunistas, mercado de aluguéis regulamentado, voto dos analfabetos, reeleição presidencial e Assembleia Constituinte. Ao contrariar interesses dos proprietários, Jango referendou seu curso à esquerda, em busca do colchão social dos trabalhadores, no qual se apoiava. Passaram por seu palanque dois futuros candidatos à presidência, Brizola e Serra. Misturado ao público, manifestou-se Fernando Henrique Cardoso, que chegaria ao Planalto. O professor viajou de trem desde São Paulo com um amigo que disputaria sem sucesso o cargo, Plínio de Arruda Sampaio.

A euforia de alguns deles e da direção do PCB com o comício não contagiou Marighella. Já de volta ao escritório do partido na Cinelândia, ele conversou com jovens paulistas. O grupo incluía o caixa bancário José Luiz Del Roio, que festejara 22 anos na véspera, quatro décadas antes de conquistar uma cadeira no Senado italiano. Marighella abordou a "gravidade extrema" do cenário político, abriu um mapa do Brasil, analisou estado por estado e aconselhou os camaradas a redobrar os cuidados com a segurança.

Os archotes dos petroleiros ainda ardiam na Central do Brasil quando velas brilharam em janelas de edifícios chiques da zona sul. Suas chamas também se descortinaram, menos numerosas, em moradias modestas no Centro. Elas irradiavam o protesto contra Jango, alvo da reação que se alastrava. Seis dias depois, outra multidão caminhou, agora em São Paulo, até a praça da Sé. A Marcha da Família com Deus pela Liberdade arrastou por baixo 500 mil opositores, na estimativa de seus líderes. Sem levantamento científico de concentrações, não se soube qual das duas, a carioca ou a paulistana, mobilizou mais gente — a simpatia por uma ou outra causa contaminou os palpites. Os fiéis rezaram o Pai-Nosso e a Ave-Maria. Gritaram por "respeito à Constituição", julgando-a na mira das reformas governistas. Assistiram ao deputado Plínio Salgado arengar, no diapasão dos idos do integralismo, que o país se sujeitava aos "títeres de Moscou". Propagaram o slogan "Um, dois, três, Jango no xadrez!". E concederam a tirada de bom humor "Vermelho bom, só batom". Estandartes com a inscrição "32 + 32 = 64" sinalizaram: como em 1932, contra Getúlio Vargas, muitos paulistas aspiravam a falar pelas armas.

No dia seguinte à marcha dos rosários, pronunciou-se um guardião das chaves dos arsenais. O general Humberto de Alencar Castello Branco, chefe do Estado-Maior do Exército, emitiu uma circular reservada e alarmante: "São evidentes duas ameaças: o advento de uma Constituinte como caminho para a consecução das reformas de base e o desencadeamento em maior escala de agitações generalizadas do ilegal poder do CGT". Ao aludir a "quem deseje que as Forças Armadas fiquem omissas ou caudatárias no comando da subversão", deu a entender que, avessos à omissão, os militares interviriam.

Ainda que seus camaradas não tivessem acesso ao memorando na caserna, o PCB o descobriria nos jornais. Na Escola Militar, o instrutor Castello fora apelidado de Quasímodo pelo futuro capitão Agildo Barata. O corpo mal encaixado não impedira o corcunda de ir à guerra, onde conviveu com o major norte-americano Vernon Walters, que ascenderia ao vice-comando da CIA, em 1972. Dez anos antes, o oficial tinha desembarcado no Brasil sob a roupagem de attaché do Departamento de Defesa. Sua missão passaria pelo velho amigo. Em telegrama classificado como *top secret* de 27 de março de 1964, o embaixador Lincoln Gordon mencionou o "movimento de Castello Branco" — em torno do general se articulava a alta hierarquia do Exército refratária a Goulart. Na mesma mensagem, a embaixada dos Estados Unidos atemorizou: "Há no Brasil um perigo real e presente à democracia e à liberdade, que poderia levar essa enorme nação para o campo comunista".

Se tivesse contra si "apenas" o Departamento de Estado e a barulhenta coalizão interna, Jango ainda contaria com a legião que o sufragara em 1960. Todavia a deterioração econômica prometia corroer seus alicerces. O crescimento minguara de 8,6% em 1961 para 0,6% em 1963. E a inflação ostentava ganas de ultrapassar os 100% em 1964.

O descontrole dos preços vitaminava demonstrações como a da praça da Sé, mas a popularidade do presidente não era anêmica. Foi o que constatou pesquisa de opinião em oito capitais, de 9 a 26 de março de 1964. Seis em cada dez entrevistados pelo Ibope concordaram com a desapropriação de terras às margens das rodovias, contra a reprovação de 1,9. Porém 76% rejeitaram a legalização do PCB — o anticomunismo não pelejara em vão. À indagação sobre se votariam em Jango se ele concorresse, a maioria respondeu positivo em Fortaleza, Recife, Salvador, Rio de Janeiro e Porto Alegre. O sim perdeu, mas oscilou de 39% a 41%, em Belo Horizonte, São Paulo e Curitiba. Contribuíram para o desempenho viçoso novidades como o 13º salário, instituído em 1962, coroando a campanha na qual o deputado Marighella se batera. Sem reeleição, entre sete opções, Juscelino Kubitschek venceu em quatro capitais e nas outras foi segundo. Só no Rio Carlos Lacerda passou dos 20%. O governador mineiro, Magalhães Pinto, mal beirou os 6% em Belo Horizonte.

O padre Pedro Maciel Vidigal não esperou pelos sufrágios. Deputado do PSD, ele copidescou o Evangelho e exclamou ao seu rebanho anti-Jango: "Armai-vos uns aos outros!"

Os conspiradores disseminavam o sermão belicoso, no entanto o PCB se entretinha censurando o Grupo dos Onze, criado por Brizola para ordenar a militância do chamado nacionalismo revolucionário. Recém-paridos, já arregimentavam 58 344 adeptos. Os comunistas temiam que o aguerrimento dos "times" brizolistas servisse de pretexto para UDN e PSD malharem o governo. Para "aplacar a oposição" pecebista, o deputado maranhense Neiva Moreira pediu socorro a Marighella, que lhe disse:

"É incorreto o que se está fazendo aí contra o Grupo dos Onze. Eu não sou o Partido Comunista, não tenho o domínio do Partido Comunista, mas vou defender dentro dele uma tese de compreensão a esse trabalho [...]."

Como o PCB sobrestimava suas fileiras e subestimava as dos golpistas, Prestes adotou como mantra sua bravata de fevereiro no inverno moscovita:

"Se a reação levantar a cabeça, nós a cortaremos de imediato."

O aspirante a decapitador não se abespinhou unicamente com o Grupo dos Onze. Prestes se contrapôs à bandeira de Constituinte agitada por Brizola — preferia reformas pontuais na Carta — e à sua ambição de ocupar o Ministério da Fazenda. Nas três controvérsias, alinhou-se a Jango e carregou consigo o PCB. Na cerimônia pelo quinto aniversário de *Novos Rumos*, em 17 de março na ABI, o secretário-geral associou a sorte do partido a Goulart. Em janeiro, ele especulara na TV sobre o "chefe da revolução brasileira", categoria com embocadura mais tenentista que bolchevique. Declarou que, se Jango se livrasse "de certos interesses que parece ainda tolhem a sua ação, poderia ser esse chefe". Passados quatro dias do Comício das Reformas, o flerte evoluiu para compromisso:

"O presidente João Goulart, com os atos que assinou e as palavras que enunciou, disse ao povo brasileiro que quer assumir a liderança do processo democrático em desenvolvimento em nosso país."

Prestes não desconhecia intenções golpistas de Jango. Sobrinho de Miguel Arraes, governador de Pernambuco, Humberto de Alencar escreveu ao tio em 22 de fevereiro, narrando diálogo com Giocondo Dias: "[Os comunistas] acham que JG [João Goulart] continua com o plano do golpe e que isso deve, de agora por diante, entrar nas nossas análises". Na noite de 13 de março, Arraes se despediu do jornalista Janio de Freitas com um prognóstico:

"Ou vem um golpe da direita ou um do Jango."

O dirigente pecebista Jacob Gorender criticaria Prestes, em 1966: "O elemento golpista [no partido] se manifestou através do apoio aos planos continuístas do presidente". No Comício da Central, Brizola permitiu-se um recado ao cunhado Goulart, repelindo a virada de mesa, "venha de onde vier". Se o presidente cultivava veleidades de golpista, as semanas vindouras evidenciariam sua inaptidão para atacar ou defender. Não era o que pensava Prestes, cuja crença no "dispositivo militar" era tamanha que seu discurso de 17 de março emudeceu acerca da quartelada em gestação contra Jango. Nas páginas de *Novos Rumos* o fantasma do golpe se insinuava por vias institucionais, com a máscara do impeachment, e não por bala e pólvora. Procurador da Supra em São Paulo, o advogado comunista Cícero Vianna viajou ao Rio para informar dois coronéis do partido sobre a conspiração.

"Ficaram no ora-veja", queixou-se ao amigo Marighella, que comentou: "A coisa está ruim".

Poderia ficar pior, dada a precariedade do PCB. Como os golpistas haviam sabotado as comunicações em 1961, a Executiva deliberara montar uma cadeia de radioamadores — a rede não estava pronta em 1964. Inexistia um local para se reunir à sombra, em caso de sufoco — órgãos do partido funcionavam sem disfarces em sete endereços circunscritos a um raio de quinhentos metros no Centro do Rio. E só em meados do ano o semanário *Novos Rumos* passaria a diário.

Não foi a sede da publicação comunista que Marighella e Mário procuraram no fim de março, e sim a do *Panfleto*, jornal brizolista. Seu diretor, Paulo Schilling, relembrou que os visitantes disseram que "somente seguiam no partido porque tinham ainda esperanças de conseguir modificar [su]a posição". Embora na corrente minoritária da cúpula, Mário preservara uma trincheira no aparelho, encabeçando a Comissão de Educação. Já Marighella amargava a segregação. Não dirigia segmento algum, muito menos na valiosa fração militar. Contudo seu proselitismo de formiguinha, por conta própria, granjeou-lhe prestígio entre praças da Marinha. No princípio de 1964, centenas deles se embeveceram com um filme exibido em sessões especiais: *O encouraçado Potemkin*, obra-prima de Serguei Eisenstein que reconstitui a revolta dos marinheiros russos em 1905.

Na noite de 25 de março, uma quarta-feira, foram os marujos brasileiros que se rebelaram. No Rio, como um dia na Rússia, a revolução parecia à vista.

22. O ghost-writer

Poucas horas antes, Marighella acolheu dois jovens aflitos em um escritório do partido na rua México, imediações da Cinelândia. José Anselmo dos Santos e Marco Antônio da Silva Lima fugiam desde a véspera de uma ordem de prisão disciplinar. O primeiro presidia, e o segundo era o seu vice na Associação dos Marinheiros e Fuzileiros Navais do Brasil, a AMFNB, sigla impronunciável que abalara a calmaria da Armada. Dos doze diretores punidos pelo ministro da Marinha, Sylvio Motta, sete já estavam encarcerados — a alegação para sancioná-los fora a presença em um ato pelas reformas de base. Os foragidos tentavam prolongar a liberdade a tempo de à noite conduzirem a cerimônia pelo segundo aniversário da associação.

Pediram ajuda a Marighella para elaborar o discurso que leriam perante o ilustre convidado João Goulart. Ele redigiu o manuscrito, os militares inseriram pormenores sobre seus desmazelos, e o presidente da entidade datilografou as 1083 palavras. A função de ghost-writer não era inédita a quem parecia "superenvolvente" a Anselmo e seria tido como guru político de Marco Antônio: Marighella a exercera na bancada comunista da Câmara. Sem querer, ele imprimiu vestígios de paisano no papel, tratando Exército e Aeronáutica como *Armas* quando soldados aprendem que são *Forças* (Armadas).

Marighella tomou distância da comemoração no sindicato dos metalúrgicos para resguardar os praças de mais encrencas. Não costumavam ser vistos juntos, embora ele tenha surgido ao lado do almirante brizolista Cândido Aragão numa festa da marujada. Antônio Duarte, presidente do Conselho Deliberativo da organização dos marinheiros, admirava-o por "não ficar dando uma de sabe-tudo". Apresentado ao cabo Antônio Geraldo da Costa, Marighella assuntou sobre o cotidiano nos navios e quartéis. Conhecia um pouco da história e soube mais: a AMFNB fora fundada em 25 de março de 1962, quarenta anos redondos após o PCB. Pleiteava do direito de seus sócios não envergarem uniforme fora do serviço à extinção da exigência de dez anos na Marinha para se casar — antes do prazo, não imposto aos oficiais, eles escapavam do concubinato forçado contraindo matrimônio em sigilo e ocultando a prole. Marighella explicou sua discordância com a via pacífica preconizada pelo partido para buscar o poder e enalteceu os fuzis de chineses e cubanos. O alagoano Geraldo não precisava navegar tão longe para se deixar cativar: ele era criança quando surpreendeu capangas de proprietários de terra trucidando as cabras de sua família a cujo leite ele creditaria seus dentes ainda alvos e intactos na velhice. Não se esqueceu da lição da mãe lavradora: "Os fazendeiros só entendem a linguagem do bacamarte".

A linguagem do sinaleiro Geraldo no cruzador *Barroso* era a das luzes que ele piscava com mensagens para outras embarcações. Como sumia nas temporadas ao mar, Marighella se tornou mais íntimo de Marco Antônio da Silva Lima — polo de "magnetismo incrível", para o cabo Pedro Viegas, e "líder inconteste" do movimento, opinião de Antônio Duarte. Como três favoritos para encabeçar a diretoria no segundo mandato não puderam ou quiseram, sobreveio a opção Anselmo. Era um marinheiro de primeira classe que, como Marighella, lia Castro Alves, jogava xadrez e falava fácil. A imprensa celebrizou-o como cabo. Ele se considerou militante do PCB por um período, mas se afastou. Um dos três diretores do partido na entidade, o marinheiro José Duarte recordaria de vinte células comunistas entre praças da Armada, incorporando de sessenta a oitenta militantes. Motivados pela retórica dos ventos ciclônicos, até eles resmungavam contra a cúpula pecebista, depreciada como prudente demais.

No começo da noite da quarta-feira 25 de março, no palácio dos Metalúrgicos, os marujos eram de seiscentos (para as autoridades navais) a 3647 (contagem da associação) — os diários publicaram 3 mil. Um dia antes, João Cândido Felisberto afirmara ao *Jornal do Brasil* que o almirantado não tinha mudado desde que ele liderara a Revolta da Chibata, em 1910. O estopim fora a pena de 250 golpes a um subalterno, expediente saudosista da escravidão — a corporação sem homens de cor entre os oficiais não abdicara dos castigos corporais. Aos 84 anos, o legendário marinheiro negro exaltou as reformas do governo e vaticinou:

"Sei bem que a revolução está nas ruas e que ninguém poderá evitá-la."

O sindicato trepidou quando João Cândido apareceu nos braços de quatro marinheiros. Jango faltou e enviou um representante, contudo Anselmo manteve a introdução do discurso que Marighella preparara à tarde:

"Aceite, senhor presidente, a saudação dos marinheiros e fuzileiros navais do Brasil, que são filhos e irmãos dos operários, dos camponeses, dos estudantes, das donas de casa, dos intelectuais e dos oficiais progressistas das nossas Forças Armadas."

Desafiou o comando da Força, que se negava a reconhecer a associação:

"Quem, neste país, tenta subverter a ordem são os aliados das forças ocultas, que levaram um presidente ao suicídio, outro à renúncia e tentaram impedir a posse de Jango e agora impedem a realização das reformas de base."

Louvou as mudanças deslanchadas na Central:

"Ainda esperamos que o Congresso Nacional não fique alheio aos anseios populares. E com urgência reforme a Constituição de 1946, ultrapassada no tempo [...]. O bem-estar social não pode estar condicionado aos interesses do clube dos contemplados."

Evocou as jornadas do ano anterior ao nascimento de Marighella:

"Em nossos corações de jovens marujos, palpita o mesmo sangue que corre nas veias do bravo marinheiro João Cândido, o grande Almirante Negro, e seus companheiros de luta que extinguiram a chibata na Marinha. Nós extinguiremos a chibata moral, que é a negação do nosso direito de voto e de nossos direitos democráticos."

E arrematou: "Iniciamos esta luta sem ilusões. Sabemos que muitos tombarão para que cada camponês tenha direito ao seu pedaço de terra, para que se construam escolas onde os nossos filhos possam aprender com orgulho a história de uma pátria nova que começamos a construir, para que se construam fábricas e estradas por onde possam transitar nossas riquezas. Para que o nosso povo encontre trabalho digno, tendo fim a horda de famintos que morrem dia a dia sem ter onde trabalhar nem o que comer. E, sobretudo, para que a nossa bandeira verde e amarela possa cobrir uma terra livre onde impere a paz, a igualdade e a justiça social".

Com o encerramento da solenidade, a festa principiou. Logo os alcançou a notícia de que o ministro da Marinha determinara mais quarenta prisões, de promotores do evento. Um marinheiro sem filiação a agremiação política, Otacílio dos Anjos Santos, o Tatá, içou a bandeira de guerra ao propor uma vigília até a libertação dos companheiros detidos. Comoveu seus pares, que toparam a ousadia, e a diretoria da associação perdeu o controle. Seu colega Cláudio Ribeiro emendou: que permanecessem ali até o reconhecimento da AMFNB. Meio século antes, João Cândido sublevara o encouraçado *Minas Gerais*. Chegara a vez de os seus herdeiros se entrincheirarem em terra firme.

A Quinta-Feira Santa clareou com o *Correio da Manhã* reportando o "violento discurso" de Anselmo. Dominada por militantes ligadas a Marighella, a Liga Feminina da Guanabara abasteceu o sindicato às sete horas com pão, queijo e mortadela. Centenas de marujos desembarcaram dos navios, tentando se juntar aos revoltosos. Um milhar de portuários marchou para apoiá-los. Antes deles, por volta das dez e meia, uma tropa de elite com uma centena de fuzileiros navais cercou o prédio na região central do Rio. Deram com os amigos de unidade encorajando-os a aderir. Em vez de atacar, confraternizaram. Um soldado pousou o fuzil no chão. Seguiu-o o fuzileiro Paulo de Novais Coutinho, militante do PCB que portava uma metralhadora. Trinta homens deixaram para trás armas, capacetes, divisas e cintos de munições. E ouviram os rebeldes cantarem o Hino Nacional.

Adentraram em fila indiana e perceberam a Polícia do Exército (PE) se aproximar com bombas de gás. Tanques do Regimento de Reconhecimento Mecanizado miraram as janelas do edifício. Na mais grave tormenta militar desde 1961, Sylvio Motta destituiu Aragão do comando do Corpo de Fuzileiros Navais. Em seguida se demitiu, para regozijo dos amotinados. O sol já se pusera quando o telefone tocou em Copacabana, no apartamento do tenente-coronel Kardec Lemme. Do outro lado da linha, Marighella convocou-o, no diálogo telegráfico que quatro décadas mais tarde seria lembrado assim:

"Coronel, o senhor não deveria estar aí. No sindicato dos metalúrgicos está se decidindo o futuro do nosso país."

O camarada não deu pelota:

"Se você não fosse o que é, eu iria dizer por que não estou lá. Como você é o que é, vou descer e tomar uma Coca-Cola."

Jango descansava nos pampas, bem como o chefe do denominado dispositivo militar, general Assis Brasil, que o acompanhara para a Páscoa. O Ministério da Guerra emperrava-se, acéfalo, pois o general Jair Dantas Ribeiro fora internado para uma cirurgia. A leniência com a crise aparentou findar quando o presidente cruzou o portão do palácio Laranjeiras na madrugada da Sexta-Feira da Paixão. Nas horas seguintes, ele aceitou a saída de Sylvio Motta, reconduziu Cândido Aragão e aprovou um novo ministro para a Armada: o almirante da reserva Paulo Mário da Cunha Rodrigues, nomeado após inusitada consulta aos marinheiros.

Depois de participarem da escolha do comandante, os comandados acertaram o fim da ocupação, mas a maré virou: de manhã, uma saraivada de tiros alvejou, nas cercanias do Ministério da Marinha, a passeata de subalternos que serviam em belonaves. Um marujo foi morto, e a ira dos revoltosos explodiu no sindicato com gritos e pranto de dor. Eles enfim confirmaram o acordo com o governo, e viaturas do Exército os transportaram para o Batalhão de Guardas. Soltos quase à noite, acercavam-se da igreja da Candelária quando avistaram o almirante Aragão. Ergueram-no nos ombros e desfilaram radiantes. Paulo Mário concedeu-lhes anistia, e no Sábado de Aleluia o Clube Naval abriu fogo com um manifesto contra o ministro — os oficiais também zombavam da disciplina.

Na antevéspera, ao ver a fotografia de um fuzileiro depondo a arma, Giocondo Dias caçoou na redação de *Novos Rumos*:

"Dessa vez ou nós vamos para o poder ou para a cadeia."

A manchete na sexta-feira estampou letras maiúsculas: "A NAÇÃO INTEIRA AO LADO DOS MARINHEIROS E FUZILEIROS NAVAIS". O jornal comunista abençoou a revolta e chancelou Anselmo como "bravo marujo". No sindicato, os pecebistas Osvaldo Pacheco e Hércules Corrêa ameaçaram greve geral solidária em nome do CGT. Restrições públicas do PCB aos rebeldes, no calor da refrega, só vicejariam em plantações ficcionais do futuro.

Em 1917, a guarnição do cruzador russo *Aurora* disparou seus canhões, anunciando a carga dos bolcheviques contra o palácio de Inverno, protegida à retaguarda por um aparato revolucionário pronto para assaltar os céus. Os fuzileiros que se uniram aos seus no Rio careciam de respaldo social e político à altura da audácia. E se desarmaram ao largar os fuzis. As névoas do outono talvez tenham confundido as bússolas na saideira de março. O atilado colunista Carlos Castello Branco se desorientou no *Jornal do Brasil* do dia 28: "A menos que surjam fatos novos, o presidente João Goulart saiu fortalecido da crise naval". Não foi o sentimento dos oficiais que se horrorizaram com a anarquia e caíram no colo dos golpistas.

Atento ao humor da caserna, o capitão Eduardo Chuahy sugerira a Darcy Ribeiro "tirar os marinheiros a bala do sindicato e depois ir ao Clube Naval e tirar os oficiais a bala". "Tinha que mostrar disciplina", diria o ajudante-de-ordens do general Assis Brasil. Kardec Lemme recusara o chamado de Marighella por diagnosticar no protesto "alto conteúdo de provocação".

Marighella não sobreviveria para testemunhar todos os estragos que o Cabo Anselmo produziria em organizações revolucionárias como agente secreto da ditadura militar. Recrutado ou não pelo Centro de Informações da Marinha (Cenimar) *antes* de abril de 1964, nenhuma ação sua foi determinante nas batalhas de março. Seu discurso foi redigido por um comunista juramentado, Marighella. Não foi ele quem açulou a massa para não se arredar do sindicato. E nas tratativas com o governo para desocupá-lo, Marco Antônio e Antônio Duarte se mantiveram no timão — o cabo Geraldo estava preso.

Com o desfecho da rebelião, o pcb ancorou em novas posições. O almirante Paulo Mário, um devoto de Getúlio Vargas, escalou como chefe de gabinete o capitão-de-mar-e-guerra Paulo Silveira Werneck, comunista como o capitão-de-fragata Thales Fleury de Godoy, também transferido para o coração do ministério.

Poucos se deram conta, mas a borrasca na Marinha prenunciara o naufrágio.

23. Os aviões ficaram no chão

Eram no mínimo dez os sargentos, na maioria do Exército, a quem Marighella fez a derradeira recomendação no entardecer de 30 de março de 1964: ali mesmo, na residência onde a janela da sala contemplava o Morro Azul, que ninguém deixasse de vestir a farda para a manifestação noturna. Quanto mais uniformes militares colorissem os salões do Automóvel Club do Brasil, mais escancarado seria o respaldo às decisões recentes do governo. Não era a primeira vez que ele se encontrava com praças das Forças Armadas no apartamento de fundos na Marquês de Abrantes, rua do bairro do Flamengo celebrizada como corredor de pensões no século XIX. Os inquilinos eram seus correligionários João Batista Xavier Pereira e a mulher, Zilda Paula. Marighella também se reunia com sargentos no subúrbio. Chefe da seção armada do PCB, Salomão Malina observara que em 1961 o camarada "começou a depositar [...] uma esperança [...] exagerada em certos movimentos da área militar". Conversou com ele, que não lhe deu ouvidos.

Na batalha pela posse de Jango, a guarnição do contratorpedeiro Ajuricaba aprisionara os oficiais. Marighella confiava em tal combatividade não apenas para referendar a agenda de Goulart, mas para ultrapassá-la. Em 1962, Prestes anotara: "Marighella — Em vez de colocar como questão central as reformas de estrutura, colocar o problema de luta por um novo poder". Se dois anos mais tarde o PCB aparentava se diluir na frente reformista do presidente, Marighella preservara a ruptura revolucionária no horizonte.

Enquanto ele se despedia dos sargentos, Goulart titubeava em comparecer ao ato pelos quarenta anos da Associação dos Subtenentes e Sargentos da Polícia Militar. O deputado Tancredo Neves desestimulou-o, pois o desgaste com a oficialidade já fora demasiado com a anistia aos marinheiros. No Gabinete Militar o capitão Eduardo Chuahy, receoso de nova afronta à hierarquia, labutou pelo forfait. O presidente deu de ombros aos rumores de provocações, desceu na rua do Passeio e adentrou o prédio em cujo interior rodaram a chanchada *O homem do Sputnik*. Não teria por que rir da noite do último discurso em seu país.

A exaltação dos mais de mil militares e policiais era tamanha que eles achincalharam com vaias um sargento que enumerou reivindicações, mas descartou opinar sobre política para não ferir os regulamentos corporativos. Os apelos de Jango — "respeitem a hierarquia legal", sejam "cada vez mais disciplinados" — contrastaram com o abraço espalhafatoso entre o almirante Aragão e o Cabo Anselmo. No entanto, seu raciocínio fazia sentido:

"Na crise de 1961, os mesmos fariseus que hoje exibem o falso zelo pela Constituição queriam rasgá-la e enterrá-la sob a campa fria da ditadura fascista."

Como em uma carta-testamento que jamais escreveria, Goulart evocou o religioso católico dom Hélder Câmara e seu sermão:

"Os ricos da América Latina falam muito de reformas de base, mas chamam de comunistas aqueles que se decidem a levá-las à prática."

A estrela da festa no Automóvel Club cuspiu fogo e bafejou mistérios. Ao colunista Paulo Francis, do vespertino *Última Hora*, Jango se afigurou "pálido, assustado, semicoerente". Um acompanhante de Goulart, a caminho da solenidade, confidenciou ao jornalista Janio de Freitas que o presidente aceitara por duas vezes "bolinhas" — estimulantes — do patrão de Francis, Samuel Wainer. Nem no texto preparado por assessores, nem nos improvisos apimentados o orador atordoado mobilizou, para barrar eventual golpe de Estado, os milhões de cidadãos que o escutavam no rádio.

Antes de Jango concluir seu discurso, o general Olímpio Mourão Filho recolheu-se aos seus aposentos em Juiz de Fora, na zona da mata mineira. O comandante da 4ª Região Militar e da 4ª Divisão de Infantaria engatilhara o plano: entre as quatro e as cinco horas da manhã da terça-feira, 31, suas tropas marchariam com destino ao Rio de Janeiro para depor o presidente. O putsch deveria eclodir dias depois, mas o general à testa da Infantaria Divisionária em Belo Horizonte, Carlos Luís Guedes, preferiu antecipá-lo para prevenir dissabores astrais: ao lançar a sorte no terreno de operações, o oficial costumava fugir da Lua minguante, temida por ele como a Lua cheia pelos lobisomens.

"Os generais Guedes e Mourão Filho são dois velhinhos gagás, não são de nada!", fanfarreou o general Assis Brasil diante de Jango, na atmosfera farsesca do palácio Laranjeiras. Pelo meio-dia, com os soldados sob as ordens dos golpistas a caminho do Rio, Goulart insistiu que havia "muito boato".

Embora não fosse o alvo da ofensiva, o general Castello Branco talvez tenha se espantado mais que o presidente. A conspiração dominante gravitava na órbita do chefe do Estado-Maior do Exército. Em seus cenários para a derrubada de Jango, o pior seria jogar-se ao assalto do poder, concedendo ao antagonista a bandeira da legalidade. "Fomos surpreendidos pela ação de Mourão", reconheceu o general Ernesto Geisel, então encostado em cargo irrelevante. "Castello achou que o movimento era prematuro, que o Mourão tinha agido afoitamente."

O cearense Castello era general-de-exército (quatro estrelas), acima do general-de-divisão Mourão (três) e do general-de-brigada Guedes (duas). Nada que constrangesse os mineiros: a dupla havia maquinado uma empreitada autônoma, em consórcio com o governador Magalhães Pinto e empresários. Nem Mourão, aos 63 anos, nem Guedes, aos 58, prestavam-se ao papel de anciãos senis do vitupério do guia do "dispositivo militar" janguista. O camisa-verde Mourão Filho criara, em 1937, o diabólico Plano Cohen, falsidade atribuída aos comunistas que serviu de pretexto para a ascensão do Estado Novo. Agora não era um protagonista nas trevas: golpeava à luz do sol — e da Lua cheia que iluminou a virada para abril. Guedes já comparava sua ofensiva sem sustos "às *blitzen* da Alemanha contra a Polônia, com a diferença de que, até o momento, não foi disparado um só tiro".

O chumbo viria, profetizou a estação da CIA no Brasil em um cabograma de 30 de março. A agência tratou, como os golpistas, a quartelada iminente como "revolução": "A revolução não será resolvida rapidamente e será sangrenta. Os combates no Norte podem continuar por um longo período". No dia 27, o embaixador Lincoln Gordon remetera às autoridades de segurança nacional americanas um telex *top secret* encomendando "o mais rápido possível" armas para os aliados de

Castello Branco em São Paulo. Justificou a pressa: "Existe o perigo real de irrupção da guerra civil a qualquer momento". Com o bloco dos generais na estrada, os Estados Unidos se moveram rápido. Não faltava tarimba a quem apeara um governo no Irã, em 1953, outro na Guatemala, no ano seguinte, e se engalfinhava com guerrilheiros no Vietnã.

Como considerava o Brasil território em disputa no duelo da Guerra Fria, a Casa Branca desencadeou as ações inventariadas no dia 31 pelo secretário de Estado, Dean Rusk, ao embaixador Gordon. Logo após o meio-dia, horário de Brasília, Rusk telegrafou pormenorizando o suporte inicial aos pelotões anti-Goulart: quatro contratorpedeiros, dois contratorpedeiros de escolta, um porta-aviões e quatro petroleiros. Uma reunião com Gordon dez dias antes, em Washington, previra também um contingente de fuzileiros. Para efeitos diplomáticos, a força-tarefa naval desenvolveria manobras inofensivas em águas adjacentes ao litoral brasileiro. Precisariam de 24 a 36 horas para dez aviões cargueiros, protegidos por seis caças, decolarem com 110 toneladas de munição. A operação foi batizada como Brother Sam.

A causa do Tio Sam era a mesma de espaçosa coalizão nacional, da extrema direita belicosa a confrarias liberais de tradição. Além do colega mineiro, os governadores da Guanabara, Carlos Lacerda, e de São Paulo, Adhemar de Barros, mancomunaram-se com o levante. A Igreja reproduziu no interior paulista a Marcha da Família com Deus pela Liberdade, e nova multidão era aguardada quinta-feira, no Rio. Se dependesse do tenente Reynaldo de Biasi Silva Rocha, não seria mais uma jornada de protesto, e sim a celebração da queda de Jango. Às sete horas da terça-feira, 31 de março, ele ministrou uma instrução de combate à baioneta em Juiz de Fora.

"Quem quer passar fogo nos comunistas levante o fuzil!", exclamou.

A tropa ergueu as armas e partiu para o Rio de Janeiro.

Poucas horas depois, aqueles que despertavam a ira do tenente ensaiaram superar a letargia. Sem a presença de Marighella — ele não soube, não pôde ou não se importou em ir —, membros do Comitê Central do PCB se reuniram de manhã em um escritório do partido na Cinelândia. Luiz Carlos Prestes, Giocondo Dias e Apolônio de Carvalho foram três dos participantes. O secretário-geral interpretou as notícias de Minas como mera reedição, a sufocar sem sobressaltos, do golpe malogrado de 1961. Incumbiram-no de procurar o presidente. No essencial, lembrou Apolônio, resolveram esperar. O otimismo do velho Cavaleiro da Esperança se escudava na convicção de que Goulart resistiria e na efetividade do badalado dispositivo militar. Sem falar do trunfo de um camarada à frente da FAB no Rio, o brigadeiro Francisco Teixeira — bombas despejadas do céu espanariam a coluna do Exército da rodovia e devastariam as barricadas de Lacerda no palácio Guanabara.

Inexistia surpresa com o arroubo de Mourão e Guedes, ao menos para Prestes e Dias. Em 28 de março, os generais haviam conchavado no aeroporto de Juiz de Fora com Magalhães Pinto e outros conspiradores. Conforme Severino Teodoro de Mello, do CC, um piloto comunista ouviu o comentário de alguns deles sobre o ataque que se avizinhava e informou o setor militar do partido. Contudo, nem a Comissão Executiva, nem o Comitê Central, nem os quadros intermediários foram alertados — Marighella não representou exceção. O duo que conduzia o partido menosprezou o conluio mineiro, mas a circular de Castello Branco de 20 de março já declarara disposição para o confronto. Somente na noite em que o presidente se aventurava no Automóvel Club, o PCB tomou a primeira providência para a crise, escolhendo o esconderijo de Prestes — por coincidência, a centenas de metros da casa de Ipanema de onde ele dirigira a insurreição de 1935. A liderança partidária não providenciou um único local seguro para encontros clandestinos.

Se no seu discurso final Jango se calou sobre o movimento armado que amadurecia, o PCB igualmente se perdeu. Em 27 de março, a Executiva ignorou a conspiração evidente e pressionou Goulart: exigiu em nota que ele pusesse "termo à política de conciliação". A defesa da Carta aconselhava alianças incondicionais, mas os comunistas repeliram o centro. Nenhum dirigente, incluindo Marighella, divergiu da resolução. Não foi miopia, pois os fatos se desenrolavam diante do nariz. O partido hipermetrope não viu o que estava na cara e derrapou em mais um zigue-zague. Com viés "direitista", havia confiado a Goulart quase o monopólio da resistência e se iludiu com o palavreado palaciano que subestimava o perigo. O "esquerdismo" impediu-o de, hipnotizado com os vaivéns de Jango, descarregar as baterias em quem denominava *gorilas*, os oficiais da linha dura anticomunista. No futuro, Prestes condenaria o passado por radical, e Marighella, por cauteloso ou covarde — a orientação do PCB em 1964 ficaria órfã. No dia 31 de março, a redação editou um número extra de *Novos Rumos*. Na manchete, os comunistas enfim conclamaram: "Esmagar o golpe reacionário, defender as liberdades e depor os governadores golpistas".

Era o que Marighella tentava desde que se inteirara das novidades matinais. Para torpedear o palácio Guanabara, ele se fiava no acertado com os marinheiros: os cruzadores *Tamandaré* e *Barroso* cuidariam disso, assim como o brigadeiro Teixeira se ocuparia da infantaria proveniente de Minas. Marighella previu uma guerra de posição entre guarnições militares que se inclinassem por uma ou outra trincheira. Se Castello Branco afiançasse os generais rebeldes, o contra-ataque adequado seria a tomada do quartel-general do Exército, pregou aos camaradas por toda a cidade, arregimentando combatentes. Não tinha militantes sob seu comando orgânico no partido, porém influenciava muitos deles. No meio da tarde, marcou um encontro com sargentos para a noite. Não estava por perto quando as hostilidades principiaram.

Quinze minutos depois das quatro horas, doze viaturas policiais estacionaram defronte a um prédio da avenida Marechal Câmara onde funcionava a Federação Nacional dos Estivadores. Lá estava meia centena de delegados sindicais. Em outra sala, o presidente da entidade, o comunista Osvaldo Pacheco, confabulava com oito dirigentes do CGT — eram aqueles nove que o Dops buscava, sem ordem da Justiça. Os tiras subiram ao sétimo andar e lhes deram três minutos para se entregar. Piloto da Varig e líder prestigiado do CGT, Paulo de Mello Bastos discou para o brigadeiro Francisco Teixeira — a 3ª Zona Aérea era próxima. Falava com o amigo quando um agente esmigalhou o telefone com o cano da metralhadora. Os sindicalistas se entrincheiraram na tesouraria e escoraram a porta com cofres. Da calçada, um policial arremessou uma bomba de gás que atravessou a janela. Estivadores choraram, e o ferroviário pecebista Raphael Martinelli lhes ensinou a conter as lágrimas:

"Mija no lenço e bota nos olhos que passa!"

Dito e feito. Ficou melhor depois que Mello Bastos e o deputado comunista Hércules Corrêa escapuliram e pediram socorro na 3ª Zona Aérea. Um choque da Aeronáutica chegou quase com outro, de fuzileiros navais. Cronometraram o ultimato de cinco minutos para a turma do Dops dar o fora — no quarto, ela sumiu. O CGT convocou greve geral em todo o país em defesa da democracia e da Constituição. Jango não gostou e ligou para o deputado do PTB e dirigente sindical Clodesmidt Riani instando-o a desistir da paralisação. Tarde demais. Às nove horas da noite, a UNE decretou greve estudantil.

No mesmo instante, Marighella e pelo menos quarenta sargentos do Exército se amontoavam no bairro de Cascadura. Eles improvisaram uma assembleia no meio da rua, nas imediações da avenida Suburbana. Constataram um "quadro caótico", nas palavras do terceiro-sargento Jacques D'Ornellas. O gaúcho ingressara no PCB em 1961 e servia no Parque Central de Motomecanização. O arsenal do seu grupo se limitava a meia dúzia de metralhadoras armazenadas numa Kombi. Os sargentos se espalhavam por várias unidades, e Marighella encorajou-os a conquistar uma grande, para compensar o progresso golpista:

"Eles tomam a banda de lá, nós tomamos a banda de cá."

Já sem Marighella, eles alinhavaram um plano na casa do segundo-sargento Manuel Alves de Oliveira, que em um mês morreria no Hospital Central do Exército em circunstâncias obscuras. No dia seguinte, os praças se juntariam a companheiros por toda a Vila Militar e se deslocariam para o Centro, a área do QG. Sairiam do Grupo de Canhões 90 mm Antiaéreos, a unidade de Manuel. Não lhes ocorreu que em breve muitos estariam atrás das grades.

Os sargentos ainda discutiam na zona norte o que fazer quando Marighella surgiu na zona sul, no bairro do Jardim Botânico. Ele bateu na porta do apartamento térreo de um prédio da rua Maria Angélica, ao sopé do morro, vizinhança onde o ruído de uma cascata embalava o sono dos moradores. O clima bucólico do lado de fora não foi convidado a entrar — lá dentro a elite do PCB, sem o ausente Prestes, debatia-se para rechaçar o golpe. Alguns dos homens mais caçados pelo Dops despachavam na residência de um camarada manjado pela polícia, o jornalista Renato Guimarães Cupertino. O anfitrião recebera o apelido de *Sorbonne* por ter cursado filosofia naquela universidade parisiense. Além dos membros da Executiva, ele hospedava a atriz Glauce Rocha, sua namorada, que cedera seu apartamento para abrigar a família de Giocondo Dias. Naquela semana, Guimarães seria detido em casa. Na terça-feira, era o secretário de organização do PCB quem ali berrava ao telefone:

"Bombardeia essa merda!"

O ex-cabo Dias mandava, Francisco Teixeira ouvia do outro lado, e "essa merda" equivalia ao palácio Guanabara, onde Carlos Lacerda se aquartelara e canhoneava diatribes contra Jango e os comunistas. O brigadeiro "dizia que não tinha condições", recordou um dos presentes, o jornalista Armênio Guedes. Em

1935, Giocondo Dias rendera um superior, sargento, no prólogo da Comuna de Natal. Agora, um subordinado no partido não o obedecia. Enquanto suas ordens para o setor militar ecoavam sem consequência, Mário Alves e Orlando Bonfim Junior, diretor de *Novos Rumos*, escreveram um manifesto do PCB.

Marighella já se retirara, sedento por ações decisivas. Se ele sintonizou a Rádio Nacional, escutou às 2h19 de 1º de abril um locutor incentivando o povo a ir às ruas. Seria complicado: a greve geral ainda começava a interromper as atividades em portos e refinarias país afora, porém no transporte carioca se alastrara. Trens, bondes, ônibus, barcas — quase tudo parou. O CGT respondera aos golpistas com veemência, mas privar a população de meios de chegar aos atos públicos foi um engano.

Não fora esse o motivo da rejeição de Jango à greve, que ao fim fracassaria — ele a considerou medida desproporcional para uma situação sob controle. Ainda não era meia-noite de 31 de março quando conversou por telefone com um general que julgava acima de suspeitas, seu conterrâneo Amaury Kruel. Sua memória era seletiva com o comandante do II Exército, com sede em São Paulo: Goulart alardeava uma amizade tão sincera que lhe atribuíam um compadrio com o oficial que chefiara seu Gabinete Militar e fora seu ministro da Guerra. Parecia esquecer o "Memorial dos Coronéis", que em 1954 pedira e levara sua cabeça do Ministério do Trabalho: o primeiro signatário fora Kruel. Todavia, não foi o presidente quem o apadrinhou para o posto poderoso, mas Assis Brasil, como confirmaria o bambambã do "dispositivo militar". Golpistas e golpeados descreveram diálogo com conteúdo idêntico: Kruel jactou-se de que para onde suas divisões enveredassem a conflagração penderia — ou nem ocorreria. Condicionou o apoio à dissolução do CGT e à prisão de seus dirigentes. Jango honrou suas promessas e retrucou: não perseguiria aqueles a quem se vinculara — preferia ser destituído a reprimir. Em seguida, o "amigo" divulgou uma proclamação para "salvar a pátria em perigo, liberando-a do jugo vermelho". E seus soldados embicaram no rumo do Rio de Janeiro.

Ao reaparecer no centro, pelas cinco horas da manhã, Marighella já tomara conhecimento da profissão de fé do general Kruel. Ainda na escuridão, militantes lhe indagaram onde se apresentar para o combate, e ele os encaminhou para o Departamento de Correios e Telégrafos, na praça Quinze. Lá, o diretor da repartição, tenente-coronel Dagoberto Rodrigues, compartilhava notícias cada vez menos alvissareiras.

Em busca de boa-nova, Marighella peregrinou, determinado a se apossar de alguma "banda de cá". Sabia que Lacerda encarnava como ninguém o front civil dos revoltosos, com sua mise-en-scène de metralhadora a tiracolo e incitação tonitruante à ilegalidade — ou subversão, à qual os comunistas se habituaram a estar associados. O xilindró para o governador que rasgara a Constituição, mais que infortúnio dos golpistas, denotaria vitalidade do governo. Como os cruzadores demoravam a abater o palácio, caberia aos fuzileiros invadi-lo. É o que Marighella propôs a Cândido Aragão.

Francisco Teixeira fizera na véspera a mesma sugestão ao ministro da Justiça, Abelardo Jurema. Como opção, mencionou a Polícia do Exército:

"Se [o governo] tomar uma decisão, como uma ação militar de porte aqui no Rio, ele ganha essa parada, porque está todo mundo indeciso [nas Forças Armadas]."

"Ah, uma boa ideia!", aplaudiu o ministro, segundo o brigadeiro.

Ficou nisso. Em seu quartel na ilha das Cobras, Aragão disse a Marighella que topava investir contra Carlos Lacerda, mas necessitava da autorização de Jango. É possível que diante da insistência tenha advertido o visitante como fez com o comunista José Duarte, diretor da associação dos marinheiros:

"Não adianta pressionar. Estou aguardando ordens."

Elas não chegavam, e Marighella se foi. Não era apenas ele que recorria ao comandante do Corpo de Fuzileiros Navais. Uma romaria de organizações foi ao seu encontro para se armar, sem êxito. Aragão se comprometera a abastecer ferroviários com seu paiol. Cobraram-lhe:

"E as armas da resistência?"

"Não tenho mais condições de fornecê-las", lamentou.

Então sacou uma pistola Colt calibre 45 da ordenança e a entregou ao presidente do sindicato dos aeronautas, Paulo de Mello Bastos.

A frustração de quem queria encarar os golpistas se espalhou. Na Faculdade Nacional de Direito, à vista do QG do Exército, os alunos aguardavam munição dos fuzileiros. Seguiriam esperando, como centenas de pessoas em Brasília, muitas delas operários da construção civil. Avisaram ao petroquímico Dinarco Reis Filho que no sindicato dos marítimos, em Niterói, distribuíam armas. O comunista Dinarquinho foi para lá e flagrou a polícia surrando os trabalhadores. No Recife, o líder rural Gregório Bezerra perambulou à procura de revólveres, e nada. Ansiavam por eles oitenta delegados sindicais em Palmares, duzentos camponeses em Ribeirão e outro tanto em Cortês. Sargento em 1935, Gregório lastimou a trapaça da sorte: três décadas antes, tomara sozinho um quartel e acumulara fuzis, mas não houvera quem os empunhasse. Em 1964, sobravam candidatos a atirar, mas escasseavam armas.

Nas horas de aflição, elas se transformaram em fetiche, mas a maioria dos que as desejavam mal sabia puxar o gatilho, como os 120 militantes do PCB na Faculdade Nacional de Filosofia, 98 na Refinaria Duque de Caxias e 62 na fábrica de borracha sintética ao lado. Os amadores não definiriam a contenda.

Desarmado, Marighella perseverou. Correu à 3ª Zona Aérea, o quartel-general da FAB no Rio, grudada ao aeroporto Santos Dumont. Encabeçava-a o único comunista com poder de fogo para desequilibrar, Francisco Teixeira. Marighella reiterou-lhe: o insucesso de Lacerda e dos mineiros desacreditaria o putsch. Deparou-se com a recusa do brigadeiro, sob alegação de que Jango proibira bombardeios.

Mais angustiante era a certeza de que, com os batalhões dos generais Mourão e Guedes, não havia como falhar. Na véspera, o coronel Rui Moreira Lima sobrevoara-os com o jatinho *Paris*, aeronave de turismo da FAB. Ele decolou da Base Aérea de Santa Cruz, da qual era o comandante, passou para o topo das nuvens a 5500 metros e avistou as tropas em Areal, na região serrana do estado. Quando se aproximou, os soldados se desesperaram e se escafederam às margens da estrada. Sob um temporal colérico, o coronel retomou a altitude e desceu em espiral. O copiloto tremeu:

"Nessa segunda tentativa vamos morrer!"

"A gente só morre uma vez", tranquilizou-o Rui.

Nove vezes a artilharia antiaérea alemã atingira seu avião na Itália, e ele por pouco não regressou para casa embrulhado no caixão. Sobrevivera a 94 missões contra os nazistas, de novembro de 1944 a maio de 1945. Aclamado herói da aviação de caça, esclareceu a um oficial do Conselho de Segurança Nacional:

"Atacar uma coluna de blindados é fácil. Sou doutor em coluna, só fiz isso na guerra. Se eu quiser parar a coluna, sem morrer ninguém, basta atirar no carro da testa e no último. Com esse procedimento, o pessoal foge."

Submisso à cadeia de comando, o coronel exigia uma ordem para agir. Após aterrissar o *Paris*, acompanhou o brigadeiro Teixeira à casa do ministro da Aeronáutica, Anísio Botelho, que não liberou as bombas porque o presidente não consentira. Vinte anos depois Teixeira ratificou: "Não queriam reagir. [...] Eu não ia assumir a responsabilidade do comando de uma missão que não era minha". Outros relatos deram a entender que ele não se empenhou em persuadir Goulart. Prestes disse que, na noite de 31 de março, telefonou para Teixeira, que entregou os pontos:

"Meus tenentes estão todos já do outro lado."

Pronunciando ou não a sentença fúnebre, a realidade a desmentia. "Pus uma esquadrilha em alerta no solo, armada, para cumprir qualquer missão", segredaria Rui Moreira Lima. João Pinheiro Neto, executor da reforma agrária, narrou ter presenciado Jango ao telefone com o comandante da 3ª Zona Aérea:

"Acionou o nosso dispositivo?", teria questionado o presidente.

Goulart teria informado a Teixeira que uma tropa do I Exército galgava a serra na direção de Minas — o que era verdade — e sublinhado:

"O apoio da Aeronáutica, conforme ficou combinado, é da maior importância."

Ao escutar o interlocutor, Jango teria encoberto o bocal do aparelho com a mão e sussurrado:

"O brigadeiro Teixeira está me dizendo que o tempo não está bom para decolagem dos aviões."

Não estava mesmo, porém não impediria os caças de alçarem voo.

A maioria dos contemporâneos sustentou a versão de Teixeira. E outros eventos acentuaram sua verossimilhança: Goulart bloqueou quem queria resistir. Na manhã de 1º de abril, três dezenas de sargentos conversaram na Vila Militar com o comandante da 1ª Região, Oromar Osório. Um dos expoentes da campanha da legalidade em 1961, o general desapontou-os:

"O Jango não quer mais nada. Não tem luta."

Na Marinha, o ministro Paulo Mário e seu estafe de oficiais do PCB interditaram o prédio do Ministério aos golpistas e passaram os timões dos navios para comandantes legalistas. Contrário à capitulação, o almirante ligou para Goulart, que disse não querer "derramamento de sangue" — a CIA não se importava com a "revolução sangrenta".

Ao meio-dia, resmungando que violência se enfrenta com violência, Marighella já deixara a 3ª Zona Aérea para trás. Horas antes, a frota da Operação Brother Sam zarpara dos Estados Unidos e Castello Branco firmara um manifesto pelo fora Jango, o comandante constitucional das Forças Armadas. Esculhambou-o pelo "ostensivo conluio com notórios elementos comunistas". Às nove horas da manhã da véspera, Castello telefonara ao general Carlos Luís Guedes para devolver as tropas aos quartéis:

"Vocês estão sendo precipitados; vão prejudicar tudo."

Insistiu às onze e meia:

"A solução é vocês voltarem, porque senão vão ser massacrados."

O movimento que nascera dividido e bagunçado agora galvanizava os golpistas.

Marighella persistiu. Tentou que a Polop se unisse ao grupo que atacaria o QG do Exército. Mesmo se a Polop concordasse, a ação arriscada não prosperaria: o que restava de direção articulada do PCB vetou-a, como Prestes assinalou. Longe do furacão, o secretário-geral dava suas ordens.

Desde o dia anterior ele se refugiava numa cobertura de Ipanema, na rua Farme de Amoedo. Lá morava o advogado comunista Letelba Rodrigues de Brito, que em épocas menos convulsas recepcionara o poeta Pablo Neruda e o romancista Graciliano Ramos. Prestes monitorou as rádios Nacional e Mayrink Veiga, âncoras da ressuscitada, porém pálida, "cadeia da legalidade", reduzida a raras emissoras. E não desgrudou do telefone, instruindo o PCB à distância.

No fim da manhã da quarta-feira, encarregou Severino Teodoro de Mello de conferir ali pertinho se o forte de Copacabana permanecia em mãos legalistas. No Centro, deveria recolher recados do brigadeiro Teixeira no sindicato dos aeronautas. Integrante do Secretariado do Comitê Central, Mello zelava pelo líder em Ipanema. Ele pegou o ônibus e não trouxe notícias do sindicato — do forte, elas eram funestas: o comandante aderira ao golpe de madrugada. Menos mal que a unidade contígua, o quartel-general da Artilharia de Costa, não se bandeara. Por pouco tempo. Pelas onze e meia da manhã, o coronel César Montagna de Souza desembarcou com vinte oficiais do Exército de quatro automóveis, penetrou no QG pela rua Francisco Otaviano, arrancou a metralhadora de um cabo, a pistola de um capitão e anunciou pela estação de rádio VHF que dominava o quartel. Um sargento que atirou nos invasores foi baleado, um guarda feriu a baioneta um golpista, e nada mais. De tão fácil, a lenda fantasiou que Montagna se impôs a tapa. Ainda ressoava a voz taciturna de Prestes: "Se a reação levantar a cabeça, nós a cortaremos de imediato".

O secretário-geral foi um dos mais inspirados, mas esteve longe de ser o único falastrão em 1964. Concorreu com o general Assis "comigo-é-na-ponta-da-faca" Brasil; o deputado Francisco Julião, que se vangloriou de "dispor de 500 mil camponeses para responder aos *gorilas*"; e Leonel Brizola, com seu temido Grupo dos Onze: batizado com o número de componentes dos times de futebol, em abril perdeu por W. O. João Goulart se consagrou como hors-concours: gabou-se de seu pujante "esquema de sustentação" e fraquejou no vamos ver. Na edição de 1º de abril da *Última Hora*, Paulo Francis renovou as ilusões: "O presidente compreendeu plenamente a missão histórica que desempenha: seu mandato já não é seu, mas uma bandeira de aspirações nacionais. O político populista de ontem tornou-se o agente histórico de hoje".

À uma da tarde da quarta-feira, o "agente histórico de hoje" já abandonara o palácio Laranjeiras e embarcava para Brasília. Apanhados pela avalanche golpista, os oficiais das tropas enviadas do Rio para peitar as de Minas hesitavam, jogavam a toalha ou viravam a casaca. Com seu governo moribundo, Jango tentaria resgatar fidelidades na capital.

Marighella não desistiu, como as centenas de manifestantes que também voltejavam a Cinelândia no início da tarde. Plantado em um caixote, ele vociferou em comícios-relâmpago, como não esqueceu a universitária Flora Abreu, da AP. Passava das três horas quando um punhado de generais e outros sócios saíram do Clube Militar, defronte à praça, e panfletaram boletins contra o "nefando governo" Goulart. Participantes do protesto reagiram, e os oficiais chisparam em marcha a ré. A sede da agremiação foi apedrejada, e das janelas do edifício revidaram com armas de fogo.

Em meio à aglomeração, um homem provocou com um viva a Lacerda e se precipitou pela porta de vidro do clube, protegido pela PM. A massa respondeu com o coro "Um, dois, três, Lacerda no xadrez!", Marighella inflamou-a para invadir o prédio, mas sobrevieram rajadas de metralhadora — corpos tombaram, e o sangue banhou o chão. O comunista Nelson Alves reparou quando Marighella se livrou do paletó, trepou numa árvore e discursou. Preparava-se para escalar uma estátua, e companheiros o contiveram — os projéteis zuniam sobre eles. Até que urros de júbilo saudaram os tanques que despontaram na avenida Rio Branco: enfim os esquadrões da legalidade entravam em cena.

Quem dera. Os carros de combate do Regimento de Reconhecimento Mecanizado e os soldados da PE vinham em socorro do Clube Militar. Do Teatro

Municipal ao palácio Monroe, a tropa interditou a via e afastou os opositores do golpe com fuzis de baionetas caladas. O regozijo popular deu lugar a vaias e ao arremesso de pedras, arrancadas avidamente dos calçamentos, nos blindados. Os militares lançaram bombas de gás e salvaram o agente do Dops ao volante de uma Kombi que a turba tentou virar.

A multidão gritou "Jango!", desfraldou a bandeira do Brasil e cantou o Hino Nacional, antes de o 1º Batalhão de Guardas reforçar os golpistas. O piquete do Exército se perfilava para expulsá-la quando Marighella anteviu o massacre e bradou pela retirada. Um rapaz morrera e cinco feridos graves foram para o hospital, onde uma sexagenária perderia a vida — todos baleados.

Não foi somente a batalha da Cinelândia que colecionou óbitos. Na mesma quarta-feira, os alunos se fortificaram na Faculdade Nacional de Direito, e um deles disparou sem querer contra o próprio estômago; ativistas da reforma agrária, pai e filho foram assassinados no município mineiro de Governador Valadares, numa vendeta de fazendeiros e policiais; no Recife, um oficial do Exército executou um secundarista de dezessete anos e um acadêmico de engenharia, na passeata em que cocos verdes constituíram a munição mais letal dos jovens. No dia 4, um tenente-coronel cumpridor da Constituição foi abatido na base aérea de Canoas, nas cercanias de Porto Alegre. De 8 a 13 de abril, as novas autoridades estrearam com três "suicídios" no Rio: um estivador comunista, um sargento brizolista e um ferroviário cujo corpo caiu — ou foi jogado — no pátio do Dops. Em Pernambuco, houve dois episódios com tortura, mas sem morte: Gregório Bezerra foi laçado por três cordas e exposto nas ruas como um animal, e o camponês João Severino circulou por um engenho amarrado pelos testículos.

Como não tinha o intuito de expandir com seu nome o rol das vítimas, Marighella desapareceu da Cinelândia — mas se ocultou nas redondezas. Subiu ao escritório de Letelba Rodrigues de Brito, o camarada que guardava Prestes, e fez um apanhado sucinto da agonia do governo. Clara foi para casa, no Catete, e ele acompanhou Zilda Paula Xavier Pereira, dirigente da Liga Feminina da Guanabara, a Copacabana. Viu papel picado voando das janelas, lenços brancos tremulando e a classe média festejando o putsch. Os golpistas silenciaram a Rádio Nacional e a Mayrink Veiga, incendiaram a sede da UNE e a redação da *Última Hora*, depuseram Miguel Arraes, prenderam o almirante Aragão e desviaram para a defesa do Guanabara os blindados que guarneciam o Laranjeiras. Zilda chorou, e um porteiro conhecido a confortou:

"Companheira, não chore, não. Pode estar certa de que eles não vão durar."

Era noite, e ninguém imaginava como demoraria o alvorecer. Marighella correu para o Catete, reencontrou Clara, sobraçou a malinha com a muda de roupa e fechou a porta do apartamento. Enquanto desciam pela escada, os agentes do Dops no encalço dele pegaram o elevador. O casal rumou para o Méier de táxi, caminhou até a casa onde se esconderia, e Marighella logo partiu. Sua mensagem de desalento alcançou Apolônio de Carvalho:

"É preciso acreditar: no momento, tudo está perdido."

O homem que deceparia cabeças por pouco não teve nem um travesseiro para repousar a sua. Prestes foi retirado do apartamento de Ipanema, alvo presumível da polícia, ao anoitecer de 1º de abril. Sob o aguaceiro que castigou a cidade, Mello conduziu-o de jipe até uma casa modesta para os lados do Engenho de Dentro, no subúrbio. O primeiro andar era habitado por uma militante comunista de confiança de Giocondo Dias, e em cima vivia um casal de surdos-mudos. Os fugitivos deram com a cara na porta: a camarada não estava. Mello perguntou por algum endereço alternativo, e o chefe indicou o de um general reformado no bairro do Grajaú. O motorista bateu na campainha, descreveu a enrascada e suplicou abrigo a Prestes por 24 horas. O ancião, cuja identidade quedaria em sigilo, concedeu o favor.

Consumava-se a humilhação suprema de Prestes e do PCB. Em 1924, o capitão tinha 26 anos, havia troteado sua coluna e estabelecera sua legenda; em 1935, aos 37, comandara uma tentativa de revolução; aos 66, em 1964, implorava para resistirem. No levante comunista, o partido "vanguarda da classe operária" fora esmagado, mas pelejara — agora, nem isso; em 1961, a crise encontrou-o perplexo, contudo o desvario janista surpreendera; três anos depois, a gestação do *coup de force* saltou à vista, e mesmo assim o PCB se prostrou.

Houve quem provasse mais apuros que Prestes. Integrante do Comitê Central, a ex-deputada Zuleika Alambert se entocou numa sauna de Copacabana. Também do CC, Hércules Corrêa perambulou cinco dias pelo Rio sem um teto para dormir. Não faltou colchão a outro condômino da direção nacional, Luiz Tenório de Lima, mas o sindicalista se desesperou na tarde de 1º de abril em São Paulo. Consternado com a ausência de resposta ao golpe, ele parou o Fusca na praça Clóvis, cobriu o rosto com as mãos e chorou. Talvez fosse o caso de abrir o berreiro, mas outros camaradas apenas se espantaram com a rendição. Para acudir contundidos em eventual refrega com a direita, a atriz Vera Gertel montara uma enfermaria no prédio da UNE, onde artistas do CPC estocavam coquetéis molotov. Um dirigente comunista apareceu e informou que a palavra de ordem era "recuo organizado", e Vera e seus correligionários partiram. Idêntica determinação foi transmitida na Tijuca por um homem fardado, em veículo do Exército. Recebeu-a Manoel Baptista Sampaio Netto, do setor paramilitar do PCB, o trabalho especial. Uma vizinha solidária dos Sampaio sumiu com duas sacolas encobertas com couve, alface e salsa, verduras que camuflaram revólveres.

Entre as ladainhas dos derrotados em 1964, o "recuo organizado" esteve para o PCB como o "evitar derramamento de sangue" para Goulart. O setor militar comunista não disparou nem tiro de festim. O partido se submetera a Jango, e seus militantes na caserna se subordinaram ao "dispositivo militar". Se consultasse Francisco Teixeira, a direção saberia que o general Assis Brasil jamais conversou com o brigadeiro sobre o que fazer em caso de golpe. O "dispositivo" era um blefe, espantalho para atemorizar ou sossegar incautos. Quando se propôs a combater, o PCB dependeu de Goulart — ele tinha os comunistas à mão, não o contrário. Como o presidente refugou, nem Teixeira bancou bombardeios, mantendo-se legalista ao seu modo, mais soldado que camarada: obedeceu aos superiores funcionais, não ao partido. Os pecebistas mais notórios seriam expulsos das Forças Armadas. E Prestes os culparia:

"Tínhamos uma fração forte no Exército, mas aqueles elementos não estavam preparados para se defender, para organizar a resistência."

Muito menos Jango. Nos estertores da quarta-feira, o presidente já se conformara com a queda. Com seu governo desenganado, ele viajou de Brasília para Porto Alegre, onde o Avro da FAB pousou pelas três e meia da madrugada de 2 de abril. Disposto a reeditar 1961, Brizola reivindicou sua nomeação para o Ministério da Justiça e a do general Ladário Teles, removido na véspera para o comando do III Exército, para a pasta da Guerra — em vez de envergar o uniforme de campanha, o ministro Jair Dantas Ribeiro, internado no Rio, não tirava o pijama de enfermo. Goulart não atendeu ao cunhado. E foi abordado pelo general Ladário, que um dia antes se mostrara desesperançoso aos sargentos na Vila Militar carioca. Ajudante-de-ordens do presidente, o capitão Ernani Corrêa de Azambuja testemunhou o diálogo dramático:

"Se nós iniciarmos a reação, isso se alastra, e o Rio Grande do Sul se torna uma nova legalidade", vaticinou Ladário.

Jango se precaveu: "Uma pergunta só: vai correr sangue?".

"Ah, vai!", disse o general com sinceridade.

"Então eu não concordo", encerrou Goulart.

A Câmara acabara de encenar uma pantomima, declarando vaga a presidência e empossando no cargo o deputado Ranieri Mazzilli. Eram golpistas e motivos demais: militares contrariados com a indisciplina nos quartéis; latifundiários com a reforma agrária; empresários com a contestação dos assalariados e o espectro de uma "república sindicalista"; o capital estrangeiro com as restrições à remessa de lucros para o exterior; e os Estados Unidos com a ameaça de uma nova China. O comunismo configurava uma obsessão, porém o putsch focou no presidente e seu PTB.

A despeito do ódio de certos oligarcas, Goulart seria renegado na posteridade também por segmentos da esquerda. Brizola diria que, em 1964, seu comportamento foi o de quem renunciou. Marighella escreveu: "Estávamos confiados em que o governo resistiria. Nem ao menos denunciamos insistentemente o golpe de direita". Mário Alves comentou: "Como já ocorrera em 1954 e 1961, o setor nacionalista da burguesia não se dispôs a enfrentar a eventualidade de uma guerra civil, temendo que ela se convertesse em uma revolução popular". A leitura marxista podia ter fundamento, mas o coração de Jango influiu: ele não admitia irmão sangrando irmão.

Ainda em 2 de abril, João Belchior Marques Goulart se enfurnou em estâncias de São Borja. Dali a dois dias, embarcou em um Cessna para o Uruguai. Iniciava o exílio aos 45 anos, sonharia com a volta e nunca mais regressaria.

Marighella obstinou-se. Seu recado a Apolônio dera tudo por perdido "no momento", e o momento foi breve. Em contraste com o embaixador Lincoln Gordon, que teve a "melhor noite de sono em meses", ele não sossegou na madrugada de 1º para 2 de abril, varando-a na rua. Produziu um panfleto e à noitinha o distribuiu a militantes no posto 6, em Copacabana, na casa de uma funcionária pública. Com o PCB em colapso, não poderia submeter o texto ao endosso de instâncias partidárias. Assinou-o em nome de um comando fictício. Desabafou aos companheiros contra a inação do partido em face do movimento que prevaleceu em 48 horas, um passeio tão tranquilo que no dia 2 o governo Lyndon Johnson cancelou a Brother Sam. Soube que os marinheiros não torpedearam o Guanabara porque a ordem não chegou aos cruzadores. Assistiu à multidão bíblica que marchou com Deus no Rio, comemorando a "revolução redentora". E leu a respeito dos "mais de mil comunistas" em cana em São Paulo, na soma do governador Adhemar de Barros — a diplomacia britânica estimou em 3500, e a revista americana *Time* em 10 mil as pessoas que os golpistas mantinham detidas no país.

A autoestima dos comunistas definhara, no entanto Marighella acreditou que a desgraça não era irreversível. Como conservara contatos com sargentos na Vila Militar, organizou para 8 de abril uma ofensiva de esquadrões de blindados contra o QG do Exército — uma semana depois o Congresso expurgado empossaria Castello Branco na presidência. Em Niterói, esmiuçou a ideia a Apolônio de Carvalho: os tanques avançariam para o Centro, soldados se agregariam ao comboio em Deodoro e São Cristóvão, e comunistas e remanescentes do Grupo dos Onze convocariam os civis a apoiar o bombardeio.

"Os golpistas ainda estão no ar", avaliou Marighella. "Ainda não têm pleno domínio da situação. [...] É preciso, pois, agir depressa."

A quimera ruiu, com a descoberta da conspiração e a punição de militares. Marighella não cansou. Já em abril, introduziu a perspectiva da luta armada contra o regime nascente, inclusive em encontro com os camaradas Almir Neves e Dinarco Reis, que se opuseram com vigor. Lembrou que o haviam encarcerado por seis dos oito anos da ditadura mais recente. E decidiu que, se Jango e o PCB haviam sucumbido pacificamente, ele não se deixaria prender.

O fim de Carlos Marighella se insinuou no dia 9 de maio, quando o revolucionário de 52 anos resistiu aos tiras do Dops em um cinema e uma bala lhe abriu três buracos no corpo. Na tarde fria de 2 de julho, ele seguiu viagem para São Paulo. A camionete da polícia chacoalhou, as feridas doeram, e Marighella sonhou acordado que era o cosmonauta Yuri Gagárin.

PARTE III

24. A CPI da Linguiça

"Vamos montar um terreiro e ganhar um dinheirinho", sugeriu marotamente Marighella.
"Rapaz, o negócio é esse mesmo", topou Geraldo Rodrigues dos Santos. "Vamos faturar."
Marighella descreveu as funções essenciais, sem manifestar predileção por nenhuma delas. Um encarnaria o babalaô, o outro se ocuparia da propaganda. Tudo por uma vida mais promissora:
"Isso aqui não vai dar certo", prognosticou sobre o PCB.
O partido poderia mesmo afundar, mas só com a proteção de um santo muito forte o terreiro da brincadeira prosperaria ali onde os camaradas pilheriavam, na Penha Circular, subúrbio carioca. A área estava dominada — o vizinho a paredes-meias era um centro de umbanda, com fiéis que entoavam o cântico:
"*Pedra rolou, pai Xangô, lá na pedreira...*"
Os novos moradores — o casal de comunistas Manoel Baptista Sampaio Netto e Maria de Lourdes Marques Sampaio, com a filha Angela, de doze anos — passaram a ouvi-lo em setembro de 1964, ao se mudarem para o número 127 da avenida Camões. Em seguida apontou, sob o disfarce de inquilina, Júlia Arcoverde, madrasta de Maria Ribeiro, a mulher de Prestes. Quadro do setor paramilitar

do PCB, Sampaio fora destacado para estabelecer o aparelho. O local sediaria reuniões da Comissão Executiva do Comitê Central.

Ao lado de Salomão Malina, Sampaio resistira ao assalto policial que empastelou a *Imprensa Popular* em janeiro de 1948. Agora, Malina indicava-o para a missão de risco, transmitida por Antônio Ribeiro Granja, do CC. Sampaio garimpou o imóvel em classificados de jornal e o arrematou por 10 milhões de cruzeiros, preço equivalente ao de um apartamento de dois quartos na Tijuca, com adiantamento em espécie da metade do valor. A residência era talhada para o seu propósito: em um terreno de 560 metros quadrados, repartia-se em uma casa de frente com três quartos e outra de fundos com dois. Separavam-nas um muro alto e um quarto que também funcionava como escritório. Transportados em uma Kombi e um Fusca, os militantes entravam de olhos fechados, por uma garagem a salvo da curiosidade de quem caminhava pela ladeira de terra batida e iluminação macambúzia — nem a cúpula partidária podia identificar o endereço. Ordens de prisão se multiplicavam contra seus componentes, e uma ausência era forçada: em junho, um mês antes de Marighella deixar a cadeia, foi a vez de a ditadura pôr as mãos em Mário Alves.

Sampaio buscava Marighella em calçadas do bairro do Engenho de Dentro. Eles eram chapas desde as noitadas de solteirice, quando disputaram uma donzela, e o segundo apelidou o primeiro de *Boca de Fogo*. Marighella chegou uma quinzena antes da maioria dos companheiros e cumpriu a prescrição médica: banhar-se de sol para revigorar a saúde abalada pelo tiro de maio no cinema. É o que fazia de bermuda e sem camisa, refestelado sobre uma cama dobrável Drago-Flex, tipo maca. Aplicado, encomendava peças de metal a Sampaio e improvisava halteres que levantava em sessões de ginástica.

A energia farta para os exercícios faltava para os bate-bocas partidários. O fiasco no golpe abatera suas esperanças de o PCB ter serventia à revolução. O partido privilegiava o discurso e relegava a ação, julgava Marighella:

"Para fazer a política convencional, distribuir material e se reunir às escondidas, prefiro vender gravatas."

Enquanto as altercações políticas magnetizavam a Executiva, Marighella se entretinha compondo versos satíricos — rimou *Lacerda* com escatologia de idênticas quatro letras finais. Indagaram-lhe o motivo para abandonar os correligionários antes do fim da pauta, e ele esclareceu o desconforto:

"Não tenho mais paciência para isso."

Preferia ajudar Angela nos deveres escolares de matemática e francês. *Tio Manga*, como ela o chamava, presenteou-a com livros de Júlio Verne e um da alemã Mira Lobe, *Anita e o cinema*, as aventuras de uma menina. Na casa da frente, ele assistia a lutas de boxe, com interesse particular pelas do campeão Éder Jofre, detentor do cinturão mundial dos pesos-galo e sobrinho do seu camarada Waldemar Zumbano — a TV da casa de trás, onde os dirigentes se trancavam, era ligada apenas na hora do noticiário. Empolgação igual só com o seriado americano *O Fugitivo*, no qual o personagem Richard Kimble ensaboava as canelas para escapar do corredor da morte, ao qual fora condenado por um crime que não cometera. Marighella se deliciava com o enredo em que o herói não era um detetive, mas o alvo da perseguição injusta. Foi por conta de uma atração televisiva — as reminiscências oscilam entre combate de Éder Jofre e episódio especial de *O Fugitivo* — que a atmosfera, já carregada pelas divergências, turvou-se ainda mais.

Chefe do aparelho, Antônio Granja embirrara com Sampaio por servir em copos apropriados uma rara garrafa de uísque. Talvez entusiasta de recipientes de geleia de mocotó, Granja censurou-o pelo capricho "pequeno-burguês". Engrossou novamente ao saber que meia dúzia de camaradas, ao acompanharem o aguardado programa de TV, haviam bebericado cerveja e devorado linguiça frita em cachaça — Marighella se limitara ao petisco. Acusou-os de expor a segurança ao perigo, sobretudo a de Prestes, que se mantivera nos fundos, onde os membros da Executiva e seus convidados costumavam dormir. Alguns argumentaram contra o destempero: não tinham promovido algazarra, e janelas e portas permaneceram fechadas. Marighella contentou-se em tripudiar: batizou o chilique como *CPI da Linguiça*, e o nome pegou.

Meses antes, em 3 de julho de 1964, a aurora ainda se espreguiçava quando o *tintureiro* da polícia da Guanabara atravessou o portão do edifício de fachada avermelhada do Dops paulista. O prisioneiro Carlos Marighella foi escoltado até a carceragem, tremeliceu de frio e quis mais um cobertor. Fotografaram-no de frente e de perfil e, como se não tivessem arquivado sua ficha criminal de 1939, imprimiram as cinco digitais da mão direita. À tarde, o delegado Paulo Bonchristiano e o inspetor Luis Apollonio, o mesmo que o campanara e detivera havia um quarto de século, apresentaram-no aos repórteres. Assim que os flashes o miraram, Marighella se despiu das três camisas, exibiu os ferimentos, denunciou o sofrimento na viagem e zombou dos tiras:

"Eu não poderia perder a oportunidade de fazer uma propagandazinha do partido."

As gargalhadas ainda ecoavam, e Apollonio arriscou:

"Qual é a sua impressão da polícia de São Paulo?"

"Péssima", Marighella retrucou. "Polícia é polícia em qualquer parte."

Apollonio, o agente que xingara a presa Clara Charf em 1953, desistiu:

"O Marighella faz propaganda do comunismo até dentro da polícia."

Nos dias seguintes, isolaram-no, e ele perdeu o público para suas prédicas. O Dops quis sua contribuição no processo instaurado com a apreensão das cadernetas de Prestes em maio e, como de hábito, não mereceu boa vontade. No feriado de 9 de julho, o jornalista Noé Gertel, veterano da Ilha Grande, dirigiu-se com a cara e a coragem ao edifício na praça General Osório para entregar ao amigo um pacote de roupas. Em um bilhete, Marighella lhe pediu pasta de dente e sabonete, produtos que recebeu. Por coincidência, a atriz Vera Gertel, filha de Noé, enviara um kit de higiene pessoal ao camarada no Dops do Rio de Janeiro.

Foi para lá que Marighella regressou de ônibus no dia 10. Paranoicas com o temor de uma operação de resgate, as autoridades divulgaram que iriam de trem. Mesmo sem o acusarem de crime, Marighella prosseguiu no cárcere. *O Globo* noticiou que ele fora mantido "sob vigilância, porque tentou repetidas vezes promover agitações". Em julho, o marechal Estevão Taurino de Rezende, presidente da Comissão Geral de Investigação, esteve no xadrez da rua da Relação. A comissão coordenava os inquéritos policiais-militares contra "subversivos", ou seja, os derrotados de abril. Junto com o diretor do Dops, Cecil Borer, o oficial da reserva percorreu as celas, e Marighella lhe mostrou o peito nu e as cicatrizes. Taurino prometeu aos jornalistas vigiar os "abusos nas prisões".

A esperança de Marighella se concentrava em um advogado franzino de setenta anos, cujo coração generoso se inspirava no ensinamento tolerante de santo Agostinho: odiar o pecado e amar o pecador. O católico Heráclito Fontoura Sobral Pinto deplorava o bolchevismo, porém conciliava: "O comunismo nega Deus, afronta Deus. Mas eu compreendo que um comunista faça isso por ser pecador". Tanto que defendera caciques do PCB no Estado Novo. É provável que Marighella ignorasse que o *Correio da Manhã* já publicara, ocultando a fonte da informação, que Sobral patrocinaria sua causa. Semanas depois, o Dops autorizou que Carlinhos o visitasse, e o pai o instruiu para contratar o legendário causídico.

O menino que ele conhecera aos oito anos espichara e, aos dezesseis, parecia demais com o adolescente que Marighella fora um dia. O garoto chegou ao prédio do Dops com uma tia materna, Antônia Sento Sé, mãe de santo com terreiro de candomblé na Ilha do Governador. Não permitiram que ela conversasse com o ex-cunhado, somente Carlinhos, cuja memória guardou a lembrança de uma cela se abrindo e a figura inédita do pai debilitado. Marighella assuntou sobre a escola, disse que não havia pressa, pois saldara a anuidade, mas que a prudência recomendava a volta do filho para a Bahia. Despediram-se sem desconfiar de que nunca mais haveria despedidas. E se abraçaram pela última vez.

Carlinhos e sua tia Antônia procuraram Sobral Pinto no escritório da rua Debret, no Centro. Encontraram-no vestido de preto do pescoço aos pés, como fazia em luto eterno desde a morte de uma filha. O advogado aceitou o desafio e calou sobre honorários — no futuro, Marighella lhe escreveria perguntando quanto devia, e não consta que seu defensor tenha cobrado. Carlinhos retornou para o internato na Tijuca e logo sentiu na pele o espírito dos novos tempos. Um militar já fora do serviço ativo, executivo do Colégio Batista, convocou-o à sua sala e proclamou com solenidade as palavras que ressoariam para sempre nos tímpanos do aluno:

"Não posso ter na minha escola um filho de comunista!"

O rebento de Marighella fora educado para suportar as adversidades decorrentes do sobrenome, mas se chocou com a crueldade. Com o pai encarcerado, a mãe em Salvador, e a madrasta, Clara, foragida, ele arrumou seus poucos pertences. Como fazia frio, um colega mineiro se apiedou e lhe emprestou um paletó quadriculado marrom e roxo. Carlinhos tomou o ônibus para a casa da tia e em breve seguiu para a Bahia.

Seu pai não mofou no Dops. Em 28 de julho, Sobral Pinto protocolou na 22ª Vara Criminal o pedido de habeas corpus, alegando que nenhum delito era imputado ao seu cliente. Àquela altura, Valdelice Santana, a zeladora também presa no cinema Eskye-Tijuca, já gozava a liberdade. O juiz Hélio Trindade atendeu a solicitação da defesa, e na madrugada de 31 de julho de 1964 Marighella deixou para trás o prédio no qual entrara pela primeira vez em 1936, sob sopapos. Completara 83 dias preso, somando 2691 jornadas de reclusão desde a de 1932 — perto de sete anos e meio. Saiu com o cabelo esbranquiçado nas têmporas e mais famoso do que já fora. Um cordel se espalhou:

Um comunista atrevido
Que resistiu à prisão
E mesmo a bala ferido
Se defendeu sem ter medo
Brigando como um leão.

Nunca se soube quantos quilos Marighella perdeu na cadeia. Clara Charf cravou catorze, o *Correio da Manhã*, dezesseis, e *A Notícia*, dezenove. O homem magro irrompeu nos dois matutinos e na *Última Hora* no mesmo dia em que o libertaram. Assim que se foi do Dops, passou em seu antigo lar no Catete, na rua Corrêa Dutra. Estava enrolado com a toalha de banho na cintura ao abrir a porta cedinho para uma camarada de peruca, óculos escuros e lenço amarrado no pescoço que lhe forneceu dinheiro para as despesas urgentes. Pouco depois, ele foi embora do apartamento ao qual não voltaria e peregrinou pelos jornais.

Em todos, como o *Jornal do Brasil*, investiu contra o governo, tirou a camisa e afirmou que no cinema a polícia disparara para matar. No *Correio da Manhã*, salientou que seus direitos políticos não haviam sido cassados e ele podia "votar e ser votado, como qualquer cidadão". Ao fustigar os expoentes da administração Castello Branco, lembrou à redação de *A Notícia* que fora constituinte com o ministro da Justiça, Milton Campos. Na *Última Hora*, discursou aos jornalistas, e um deles, Moacir Werneck de Castro, cochichou que ali havia delatores. O ex-correligionário apelou pelo fim da agitação, Marighella sorriu e desapareceu.

Como carecia dos cuidados que não recebera na prisão, os companheiros o internaram na Casa de Saúde Santa Maria, a poucos passos do largo do Machado. Um dos sócios da clínica era o pernambucano Mauro Lins e Silva, cujo pai, também médico, atendera o cangaceiro Lampião. O filho amargava prejuízos ao socorrer camaradas que tratava de graça. Uma das raras pessoas que estiveram com Marighella foi o editor Ênio Silveira, dono da Civilização Brasileira e militante do PCB. Em poucas semanas, Marighella surgiu no apartamento do dramaturgo Oduvaldo Vianna no Jardim de Alah. Ostentava seu troféu de guerra, a camisa ensanguentada, e a anfitriã Deocélia Vianna lhe implorou para guardá-la, em virtude da "impressão tão desagradável". Com os aclamados quitutes domésticos, o glutão recuperava os quilos e agradecia à amiga:

"Em sua casa eu como pelas semanas em que passo fome. Como é, tem picadinho com quiabo? Doce? Quero tudo em prato fundo!"

Clara também se refugiou lá, após mais um susto. No primeiro, o tiro no marido, ela trocara o abrigo da família proletária no Méier pelo de um amigo seu e de Marighella que vivia no requintado Parque Guinle, debruçado sobre o palácio Laranjeiras: o crítico literário Álvaro Lins, titular da Academia Brasileira de Letras. Se havia um fantasma que o escritor não temia, era o das ditaduras. Embaixador em Lisboa cinco anos antes, concedera asilo a um oposicionista ilustre, desafiando a pressão feroz do regime salazarista. Quando o Exército invadiu o apartamento dos Lins, Clara vestiu-se às pressas com uma roupa em tons de branco e fingiu ser a enfermeira que amparava um filho do dono da casa, de molho devido a uma fratura. Escapou, mas avaliou que o perigo aconselhava pouso mais seguro. Deocélia e Oduvaldo a acolheram.

Marighella não se demorou no prédio do casal, fincado na fronteira do Leblon com Ipanema, onde descartava borboletear pela praia, receoso da polícia. Passou a torrar ao sol no terraço de um sobrado da rua Viveiros de Castro, na zona norte paulistana. Lá morava a irmã de Clara, Sara Grinspum, com o marido e os três filhos. O fugitivo decorou os nomes dos colegas de quem a sobrinha Isa falava e a surpreendeu citando-os numa paródia de canção de Roberto Carlos. A menina estranhava o cabelo do tio devastado nas laterais, e Marighella brincou:

"O barbeiro pegou metade de um coco, pôs na minha cabeça e disse que iria ficar bonito. Eu deixei, e ele raspou em volta."

Como Clara insistia em atualizar o diagnóstico médico de Marighella, e o paciente considerava dispensável a consulta, ela executou o plano do clínico José Barros Magaldi, da Universidade de São Paulo (USP). Magaldi mandou avisar ao amigo que tinha uma lista de generais a abordar para uma aliança. Deu certo: Marighella apareceu, o doutor revelou que a lista fictícia fora uma artimanha, orientou-o sobre a saúde e o incentivou a escrever acerca da bulha no cinema.

Marighella saía da morada da família Grinspum antes do alvorecer e só regressava à noitinha. Se nas primeiras semanas distante do Dops carioca ele temeu as caçadas humanas à margem da lei, em 13 de outubro de 1964 a 2ª Auditoria da 2ª Região Militar ordenou sua prisão preventiva, bem como a de Clara. O processo se alimentava das cadernetas recolhidas na casa de Prestes na capital paulista. Eram da marca De Luxe, modelo nº 15, com 95 folhas pautadas. O auto de apreensão constatou vinte delas, do inquérito só constaram dezenove, e Marighella foi mencionado em dezoito. Prestes culparia um ferroviário por não ter retirado as anotações. E sustentou que elas "não comprometiam ninguém".

Pois o inventário do cotidiano da agremiação banida propiciou o indiciamento de 74 camaradas e a suspensão dos direitos políticos de 59, pelo período de dez anos. Os de Marighella foram alvejados por um decreto do ditador Castello Branco em 23 de maio de 1966. No mês seguinte, no mesmo processo das cadernetas e com base na Lei de Segurança Nacional, a Justiça Militar condenou-o à revelia a sete anos de reclusão. A sessão ocorreu na data maldita como do capeta pelos supersticiosos: 6/6/66. Não ficou por aí a ira do tinhoso: em novembro de 1965, o coronel Ferdinando de Carvalho, encarregado do Inquérito Policial-Militar (IPM) 709, determinara a "prisão incomunicável" de Marighella. O IPM que esquadrinhava a estrutura do PCB acumulou quase mil suspeitos. O Código de Justiça Militar autorizava o oficial do Exército a encarcerar investigados antes da sentença.

Telegramas incitando a captura de Marighella engarrafaram as mesas de delegacias e quartéis, mas fugir de quem persistia em seu encalço estava longe de ser o que lhe queimava mais calorias. O partido atribuiu-lhe a coordenação de um aparato de suporte aos militantes em apuros. Batizaram como Comissão de Solidariedade o que outrora vicejara como Socorro Vermelho. Ajudaram de foragidos, com guarida, a processados, com assistência jurídica. Marighella afiançou a disposição dos advogados Vivaldo Vasconcelos e Modesto da Silveira para defender todos os perseguidos, e não apenas os do PCB.

Eles eram cada vez mais. O primeiro ato institucional, de 9 de abril de 1964, declarou que "a Revolução vitoriosa" "se legitima por si mesma". Um dia depois, o Comando Supremo da Revolução, triunvirato de general, almirante e brigadeiro, garroteou o mandato de quarenta deputados federais — a ditadura cassaria 150 membros da Câmara. No planalto o ar asfixiava, e na planície o vento feria de morte. Em julho, a imprensa deu conta da descoberta em Pernambuco do cadáver do líder camponês Albertino José da Silva, em "estado de putrefação e estragado pelos urubus". A polícia política gaúcha assassinou na tortura o sargento Manoel Raimundo Soares, cujo corpo boiou no rio Jacuí com as mãos amarradas, em agosto de 1966.

O Serviço Nacional de Informações (SNI) estreou em junho de 1964, para vigiar os oposicionistas e bisbilhotar a vida alheia. Armazenaria milhares de páginas sobre Marighella. A obsessão com o espectro subversivo estimulou um burocrata de Brasília a interditar o consumo de vodca (o Leste Europeu destilava as supimpas) e o Dops carioca a interrogar sobre o grego Sófocles, tomando-o como um dramaturgo vivo, e não falecido quatro séculos antes de Cristo. Como Dutra procedera em 1947 com Moscou, os militares de 1964 romperam relações com Havana. Em 1965, renovaram o compromisso com Washington ao embarcar tropas para a República Dominicana, onde o presidente reformista fora derrubado com o apoio dos Estados Unidos — Marighella redigiu um panfleto contra o envio dos soldados.

Para gáudio da Casa Branca, Castello amenizou as restrições à remessa de lucros ao exterior e anulou a encampação das refinarias particulares de petróleo, cancelando medidas de Jango. Com reajustes salariais que esqueciam a inflação, o governo desenvolveu o que os seus economistas difundiam como austeridade e a oposição criticava como arrocho. A *Voz Operária*, órgão clandestino do PCB, calculou: com o salário mínimo de março de 1964, trabalhavam-se sete horas para comprar um quilo de manteiga; em setembro de 1965, onze horas. Nem por isso pululavam greves: com a intervenção oficial em 433 entidades, o movimento sindical hibernava.

Como fez com o CGT, a ditadura extinguiu as uniões estudantis. Porém, em 1965, a UNE se reorganizou num congresso secreto. Em setembro de 1966, milhares de alunos se mobilizaram para não pagar anuidade nas universidades públicas. Fora das faculdades, havia gestos isolados de rebeldia. Oito intelectuais, nenhum deles do PCB, manifestaram-se contra o governo diante do Hotel Glória e acabaram presos no Rio. Na parada paulistana do Sete de Setembro, a militante comunista Rachel Gertel foi detida ao erguer o cartaz "Abaixo a ditadura assassina. Viva o Brasil".

Poucos meses depois do habeas corpus, Marighella passou uma temporada no apartamento de Rachel e seu marido, Noé, na avenida Angélica. O horizonte que se descortinava do décimo andar rendeu o poema "Visão da cidade de São Paulo amanhecendo sobre o cemitério da Consolação". O poeta o escrevinhou em um caderno espiral no qual registrou outros versos, alguns deles inscritos num concurso do jornal *O Globo*, sem lograr prêmio. Em 1966, editou-os no livro *Os lírios já não crescem em nossos campos*, impresso na pequena gráfica carioca de seu cunhado Armando Teixeira, marido de Tereza Marighella. O título foi referência ao romance *Olhai os lírios do campo*, de Erico Verissimo. Marighella acrescentou o subtítulo *Sonata em três tempos — Quarteto de inúbia, atabaque, berimbau e piano*. Tratou de futebol, Salvador, capoeira, candomblé, samba e Fernando de Noronha. Impregnou as páginas com uma libido de ardor juvenil. Em "A rainha do mar", maliciou:

Cozinheiro, melhore o tempero,
sapeque a pimenta,
prepare ragu, vatapá, camarão,
moqueca de peixe,
ostras frescas, vinagre, limão. [...]

Quem manda hoje a bordo é a rainha do mar.

Também quem mandou o comissário levar
a mulher para bordo...

Desprezou sutilezas em "A uma índia":

Bugrinha que foi trazida
do mato a dente de cão.
Acabou enfeitiçada
pelo amor de um cavalão.

Atacou de primeira pessoa em "Seios":

E eles ali estavam em minha frente
com os bicos apontados para mim
como duas lanças a furar-me os olhos...

Não nomeou a musa de "A saudade":

Onde mora o pecado
mora sempre a saudade
do amor proibido
que não continuou.

Essas paixões clandestinas como sua militância não se restringiam à literatura. Jorge Amado disse que "Marighella poderia ter tido todas as mulheres do mundo, se quisesse. Mas não tinha sequer tempo para isso. Apesar de tudo, teve as suas mulheres, e creio que todas elas o quiseram intensamente". O irmão caçula, Caetano Marighella, não tergiversou: "Muitas damas da nossa sociedade tiveram romances célebres com Carlos". Caetano recordou que nas disputas inférteis do PCB em 1966 "surgiram queimações de que ele era o machão do partido". No ambiente adubado pelo moralismo, germinavam relatos a respeito de um suposto filho na União Soviética, embora alegada cria jamais tenha dado o ar da graça. Clara não ganhou uma ruga com tais rumores: "Ele deve ter tido muitas namoradas, não quero nem saber. Ele atraía".

O poeta erótico também deu recado militante, em "O país de uma nota só". Inspirou-se no "Samba de uma nota só", clássico da Bossa Nova que João Gilberto gravou em 1960:

A passagem subiu,
o leite acabou,
a criança morreu,
a carne sumiu,
o IPM prendeu,
o Dops torturou,
o deputado cedeu,
a linha dura vetou,
a censura proibiu,
o governo entregou,
o desemprego cresceu,
a carestia aumentou,
o Nordeste encolheu,
o país resvalou.

Tudo dó,
tudo dó,
tudo dó...
E em todo o país
repercute o tom
de uma nota só...
de uma nota só...

25. Adeus, Prestes

Em "Rondó da liberdade", poema político publicado em 1966, Marighella conclamou:

*É preciso não ter medo,
é preciso ter a coragem de dizer.*

*Há os que têm vocação para escravo,
mas há os escravos que se revoltam contra a escravidão.*

Foi o formato em versos para sua prosa inflamável de *Por que resisti à prisão*, livro de 1965: "Os brasileiros estão diante de uma alternativa. Ou resistem à situação criada com o golpe de 1º de abril ou se conformam com ela. O conformismo é a morte". Marighella reconstituiu a refrega no cinema e definiu o regime como "ditadura militar fascista". Analisou: *"O que se pode considerar como questão central é o problema das liberdades democráticas* [grifo de Marighella]. O sistema político brasileiro atual deve deixar de ser uma ditadura para ser uma democracia [...]". Pela primeira vez, ele se pronunciou a uma audiência irrestrita ao polemizar com a cúpula do PCB, sem se deter nos círculos partidários. Malhou a "conciliação com a burguesia", escreveu a palavra mágica *guerrilhas* e vaticinou:

"A ditadura surgiu da violência empregada pelos golpistas contra a nação, e não pode esperar menos do que a violência por parte do povo".

Parte da Executiva se enfureceu porque o texto não lhe foi submetido para o imprimátur. Não houve "permissão", enfatizou Zuleika Alambert, em conversa de março de 1966 com Vladímir N. Kazimirov, funcionário da embaixada soviética no Rio de Janeiro. Marighella associou os companheiros ao método passadista da censura prévia e rechaçou o veto à divergência pública: "A tese é stalinista". Em meados de 1965, ele recolheu com o cunhado os exemplares de 144 páginas cada um, financiados por comunistas indispostos com a caciquia. O médico José Barros Magaldi sugerira o volume, o autor redigiu-o à mão e montou uma rede de distribuição. Jacob Gorender, do Comitê Central, como Zuleika, assinalou: "A publicação [...], nas condições de clandestinidade, já era uma façanha".

Por que resisti à prisão inaugurou uma fase de literatura política copiosa. Na virada para 1966, Marighella lançou a brochura *Frente a frente com a polícia e os IPMs*, roteiro utópico de comportamento heroico diante dos torturadores, moldado na mesma forma de *Se fores preso, camarada...*, obra sua da década de 1950. Recomendou estudar as "atitudes dos revolucionários" Tiradentes, morto na forca, e Frei Caneca, arcabuzado. Em 1966, saiu *A crise brasileira: ensaios políticos*, sessenta páginas propugnando a "preparação da insurreição armada popular. Trata-se do caminho não pacífico, violento — até mesmo da guerra civil. Sem o recurso à violência por parte das massas, a ditadura será institucionalizada por um período de maior ou menor duração". Marighella evocou lições de grupos armados contra as invasões holandesas no século XVII. Em contraposição à fama do porvir como arauto da guerrilha urbana, alertou: "A luta de guerrilhas não é inerente às cidades, não é uma forma de luta apropriada às áreas urbanas".

Àquela altura, o PCB, que já chegara dividido ao golpe, constituía uma confederação de frações. Em maio de 1964, a Executiva esboçou um balanço no "Esquema para discussão", alinhavado por Mário Alves. Reprovou o "reboquismo", que seria a subserviência a segmentos empresariais vinculados a João Goulart. Essa interpretação foi desautorizada em maio de 1965, na primeira reunião do Comitê Central sob a ditadura, quando a maioria renegou o que desqualificou como esquerdismo do PCB danoso a Jango. E esconjurou vocações para a guerrilha, cujos apoiadores, Marighella e outros seis membros, formavam um quinto do CC. O embaixador britânico Leslie Fry informou Londres: "'Moderados' como Prestes e Giocondo Dias parecem ter reconquistado o controle sobre o partido".

A dupla mandava mesmo, porém militantes aderiam aos magotes às tendências radicais cujo megafone com mais decibéis era o de Marighella. Como Castello Branco abolira o sufrágio popular para a presidência, os candidatos Carlos Lacerda e Juscelino Kubitschek, que haviam respaldado o marechal, bandearam para a oposição. Lideraram a Frente Ampla com Jango, exilado no Uruguai. Lá o ex-presidente regalara 5 mil dólares ao PCB, cuja cúpula apostava numa coalizão democrática e incensava o trio. Marighella chiou: "Nosso aparecimento ao lado de candidatos comprometidos com o golpe nos desmoraliza".

Suas ideias se disseminavam, entretanto Marighella penava na solidão da Executiva, na qual era a única voz pela luta armada, após os expurgos de praxe. Em 1965, assumira por um breve período o trabalho com camponeses, mas logo lhe retiraram a atribuição. Até que, em junho de 1966, a conferência do PCB paulista elegeu-o primeiro-secretário, e ele ganhou uma tropa. Seus aliados avançaram com voracidade: em 1965, conquistaram o comitê distrital do bairro do Bosque da Saúde, a seguir o comando municipal paulistano e o estadual, em cujo encontro Marighella se deparou com delegados jogando buraco. O novo dirigente avisou que os tempos não eram mais de entretenimento e proibiu o carteado — ficavam para trás os episódios de *O Fugitivo* e as pelejas de boxe.

Houve mais mudança: nos embates dos anos 1930 e 1950, ele encabeçara o PCB de São Paulo com as bênçãos do Comitê Central, e agora o enfrentava. Outra distinção marcou a seção local: como em todo o país, os defensores da guerrilha dominaram a base universitária, ali coordenada pelo estudante José Luiz Del Roio; porém, na contramão da maioria dos estados, eles prevaleceram também nos segmentos operários, com Raphael Martinelli nos ferroviários, Oswaldo Lourenço nos portuários e Rolando Frati no ABC. O jornalista João Adolfo Castro da Costa Pinto dirigia a Rádio Marconi, frequentada na moita por Marighella na praça da Sé. O advogado Cícero Silveira Vianna converteu-se no lugar-tenente de Joaquim Câmara Ferreira, do CC, o artífice da tomada do Comitê Estadual e de sua entrega a Marighella, em cuja gestão um comunista obteve uma vaga de deputado federal (Gastone Righi) e outro, uma de estadual (Fernando Perrone). Elegeram-nos apesar de Marighella ter comentado com o camarada Alberto Goldman, a mais de quatro décadas de se tornar governador de São Paulo:

"A luta parlamentar não nos interessa."

As rusgas partidárias não o comoviam. Para a *Tribuna de Debate* do PCB que circulou em dezessete edições, de agosto de 1966 a maio de 1967, Marighella preparou meros dois artigos, "Luta interna e dialética" e "Ecletismo e marxismo". Contestou as "Teses" aprovadas pelo CC com vistas ao VI Congresso do partido. Assinou como C. *Menezes*, reverência a Conceição Menezes, seu querido professor de história no Ginásio da Bahia. Em dezesseis edições — a número 1 se perdeu —, a esquerda do PCB emplacou 92 textos, e o Comitê Central e seu entorno, setenta, além de 24 em cima do muro. O editor do suplemento foi Joaquim Câmara Ferreira, signatário de cinco artigos na pele de *J. A. Toledo*. Um segredo que atravessaria os tempos foi o recurso às opiniões de um jornalista amigo seu e de Marighella, mas estranho às fileiras do PCB: Janio de Freitas, ex-editor do *Jornal do Brasil*. Com sua prosa classuda e contundente, o redator anônimo *J. Diniz* depreciou a "crença religiosa no mito da 'burguesia nacional', este contingente amorfo que só se sabe com quem está quando já está do outro lado".

A *Tribuna de Debate* ainda era editada quando Marighella deu adeus à Comissão Executiva, em carta de 10 de dezembro de 1966. Depois de 32 anos, sua vida no PCB agonizava:

> Escrevo-lhes para pedir demissão da atual Executiva. O contraste de nossas posições políticas e ideológicas é demasiado grande e existe entre nós uma situação insustentável. Na vida de um combatente, é preferível renunciar a um convívio formal a ter de ficar em choque com a própria consciência. Nada tenho a opor aos camaradas pessoalmente. [...] Desejo tornar público que minha disposição é lutar revolucionariamente junto com as massas e jamais ficar à espera das regras do jogo político burocrático e convencional que impera na liderança.

Seu último evento partidário relevante foi a conferência paulista de abril de 1967, num sítio nos arredores de Campinas onde as árvores se coloriam de laranjas e tangerinas. Marighella terçou argumentos com Prestes, um dos maiores ídolos que cultivou — o outro foi Stálin. Se a desilusão póstuma com o "guia genial dos povos" lhe arrancara lágrimas e desatara o desespero, ele manteve a cordialidade de sempre no mano a mano com o camarada que um dia encarnara a esperança. *Antônio Almeida*, ou Prestes, batalhou pelas "Teses" do Comitê Central, caracterizando o projeto de luta armada como uma aventura sem chances de êxito. *Menezes*, ou Marighella, rebateu-as com um substitutivo consagrado por 33 votos a quatro.

"Uma lavada", exultou o portuário Oswaldo Lourenço, que dividiu a guarda com Marighella numa noite na qual o parceiro se acompanhou de uma pistola calibre 7,65 milímetros. Marighella se cansara de Prestes, a quem se referia como "profeta do que já passou", mestre sobre o decorrido e errático com o vindouro. Ironizava os chefes do PCB desenhando-os como anciãos apoiados em bengalas e sentados em cadeiras de rodas no futuro, ainda dedicados às reuniões que ele menosprezava como estéreis — antes a ditadura trucidaria muitos deles. Aos 55 anos, Marighella estava longe de ser um velhinho, mas já era avô desde 1965, quando o jovem Carlinhos se tornou pai na Bahia e lhe escreveu contando a chegada da netinha Rita.

O vovô foi reconduzido ao comando em São Paulo e amealhou sete dos oito delegados ao VI Congresso. Nada que a cúpula nacional não liquidasse à maneira atávica, destituindo-o e nomeando uma junta interventora. Liderou-a Hércules Corrêa dos Reis, para quem "comunista brasileiro é igual a represa que se rompe: quando racha, ninguém mais segura". Com expulsões e intimidações, o Comitê Central assegurou a maioria, mas o partido desidratou ao menos pela metade. Como Jacob Gorender observou, o PCB perdera a hegemonia que não recuperaria no "universo das esquerdas". Marighella aplicou-se em transformar a cartilha das armas em ação. Geraldo Rodrigues dos Santos, seu sócio no terreiro de candomblé imaginário, fincou pé contra a guerrilha, e os dois choraram ao se despedir.

Um integrante do comitê liderado por Marighella apresentou Fernando Perrone, postulante à Assembleia, a um professor secundário na campanha eleitoral de 1966.

"Desde 1964 estou esperando uma metralhadora, e você me traz um candidato a deputado!", frustrou-se o educador.

Era o sentimento que arrebatava vastidões de socialistas, embora a luta armada estivesse longe de configurar um caminho revolucionário exclusivo. Do moderado PCB à diminuta extrema esquerda trotskista, numerosos agrupamentos a rejeitaram. Apegaram-se à receita marxista clássica de emancipação dos proletários por eles mesmos e maldisseram a guerrilha como veleidade de pequenos-burgueses afoitos. Enquanto a desinteligência se alastrava, os muros amanheciam com a pichação "Só o povo *armado* derruba a ditadura", em detrimento de "O povo *organizado* derruba a ditadura". Pressionado pela pecha de pacifista que lhe sangrava as fileiras, o Comitê Central agendou cursos classificados como de autodefesa. Cícero Vianna, do comando paulista, infiltrou um aliado num deles e soube que os participantes ouviram muito mais proselitismo do que tiros. "Era demagogia", concluiu. Exemplo da rebelião na base, Pedro Lobo de Oliveira, ex-sargento da Força Pública destacado para a segurança de Prestes em São Paulo, armazenava material bélico para a guerrilha na mesma chácara onde hospedava o dirigente alheio à montagem do arsenal.

A direção estadual marighellista, neologismo recém-lançado, promoveu uma instrução militar. De acordo com um aluno, o jornalista Paulo Cannabrava Filho, ministrou-a Eddie Carlos Castor da Nóbrega, major reformado em 1964. Os camaradas aprenderam a fabricar bombas caseiras e a parar tanques introduzindo paralelepípedos na engrenagem das esteiras. No entanto, a maioria dos oficiais do PCB contestava o emprego de fuzis. Marighella conversou em Copacabana com Kardec Lemme e Joaquim Ignácio Cardoso, tenentes-coronéis afastados do Exército. Divergiram, e ele endureceu:

"Covardia é um troço que se apresenta em facetas mais cretinas."

Os companheiros, notoriamente imunes à pusilanimidade, reagiram:

"Aventureiro!"

A Dinarco Reis, o "Tenente Vermelho" da Escola de Aviação em 1935, Marighella advertiu:

"O chão está quente, e vocês vão ficar pulando."

"Você está procurando a morte", retrucou o amigo.

Não eram histórias sepulcrais, mas triunfos épicos, que narravam textos dos vietnamitas Ho Chi Minh e Vo Nguyen Giap, então na resistência à invasão dos Estados Unidos, e de Ernesto Che Guevara. Joaquim Câmara Ferreira encomendava a impressão das apostilas ao comunista italiano Dario Canale, radicado em São Paulo. Cannabrava Filho traduziu a sensação recente da literatura guerrilheira, *Revolução na revolução*, de Régis Debray. Para o filósofo francês caído nas graças de Fidel Castro, a luta armada era a panaceia para todo e qualquer mal dos revolucionários latino-americanos.

No Brasil, a guerrilha começou a sair do papel antes do golpe, no projeto das Ligas Camponesas falido em 1962. Uma delegação do PC do B embarcou para a China em 29 de março de 1964, a menos de 48 horas da sublevação em Minas, a fim de se submeter a um curso de capacitação militar. As armas da esquerda entraram em cena às vésperas do primeiro aniversário da queda de Jango: na madrugada de 26 de março de 1965, 23 homens tomaram a cidadezinha de Três

Passos, no noroeste gaúcho. Comandados pelo coronel nacionalista Jefferson Cardim de Alencar Osório, já transferido para a reserva do Exército, haviam conspirado no Uruguai. Acabaram presos no Paraná, onde mataram um sargento em tiroteio com tropas da Força terrestre.

A Guerrilha de Três Passos, como os periódicos a etiquetaram, foi sucedida nas páginas pelo estouro de uma bomba no aeroporto dos Guararapes, no Recife. Trezentas pessoas lá esperavam o marechal Arthur da Costa e Silva, dez minutos antes das nove horas da manhã de 25 de julho de 1966. Além de abolir as eleições diretas para presidente, a ditadura exterminara os partidos do ciclo democrático 1945-64 e instaurara duas siglas: a governista Arena, Aliança Renovadora Nacional, e o MDB, Movimento Democrático Brasileiro, de oposição contida e consentida. Ministro da Guerra, Costa e Silva foi ungido como o arenista sucessor de Castello. A viagem do "candidato" de João Pessoa à capital pernambucana deveria ocorrer numa aeronave que sofreu pane, e o trajeto foi percorrido de carro, mudança anunciada pelos alto-falantes do aeroporto. Logo um guarda-civil apanhou uma maleta abandonada, e o artefato nela oculto explodiu. Morreram um almirante diretor de empresa estatal e um jornalista secretário estadual no pós-golpe. Entre a quase vintena de feridos, um tenente-coronel do Exército perdeu os dedos da mão esquerda. Foi uma demonstração da "guerra revolucionária", declarou o general Antônio Carlos Murici, comandante da 7ª Região Militar.

A investigação do atentado terrorista apontou dois inocentes como culpados. Um deles era o engenheiro Ricardo Zarattini Filho, do Partido Comunista Revolucionário, grupo do qual sairia para se unir a Marighella. O PCB vislumbrou uma "provocação grosseira" de "organizações da direita", para desencadear "nova onda de histeria anticomunista". Era a convicção de Marighella, reiterada por escrito. No limiar da década de 1980, um líder histórico da AP, Jair Ferreira de Sá, revelaria que os autores foram dois militantes da sua agremiação, à revelia do comando. Não os identificou.

Nascida na esquerda católica, a AP mandara uma equipe se adestrar na China e um dirigente negociar treinamento em Cuba — o sociólogo Herbert de Souza, o Betinho, por vezes também emissário de Leonel Brizola a Havana. Depois do golpe, Fidel Castro cacifou o ex-governador gaúcho como sua representação no Brasil. No exílio uruguaio, Brizola fundou o Movimento Nacionalista Revolucionário, que se estabeleceu na serra de Caparaó, serpenteando a confluência de

Minas Gerais com o Espírito Santo. O embrião de foco guerrilheiro foi encerrado em abril de 1967, antes do primeiro tiro, com a prisão de catorze militantes. Na pele de criadores de cabra, eles haviam chegado ao alto da serra em agosto de 1966. Ignoravam que suas ações deveriam se combinar com as planejadas pelos cubanos para a vizinha Bolívia, onde não tardaria a se instalar o comandante do destacamento, ninguém menos que Che Guevara.

As cadernetas de Prestes testemunham que Marighella não nutria simpatia por Brizola, embora seus movimentos tenham se confundido em 1964. Com o outono de sua trajetória no PCB, Marighella se empenhou em se associar aos paladinos da luta armada, da qual o deputado cassado era o "eixo político", na definição do jornalista Flávio Tavares, seu então seguidor. Em março de 1965, o SNI ouviu que Marighella despachara correligionários ao Uruguai "para articulações". O militante gaúcho Índio Vargas encontrou-o em Montevidéu no mesmo ano: "Disse que não estivera com Brizola, mas falara com 'pessoas muito ligadas a ele'". O deputado Fernando Perrone viajou em 1967, portando uma carta de Marighella a Jango e um bilhete a Brizola. Recordou: "Conversei com Brizola, ele não queria saber de alianças. Sempre muito autônomo, mandou dizer ao Marighella que cada um atacasse do seu lado. Quando alguém obtivesse sucesso, os outros o acompanhariam".

O fracasso em Caparaó selou o afastamento de Fidel e Brizola, pois o político que esnobara Marighella "sumiu do mapa e desertou por completo", no relato do à época brizolista Paulo Schilling. Ex-tenente do Exército e vereador petebista cassado, José Wilson da Silva afirmou que os cubanos doaram 1 milhão de dólares em duas parcelas iguais para Brizola e adjacências. Com a segunda remessa, "foi montada toda a Operação Caparaó". Conforme José Wilson, Fidel prometera 4 mil toneladas de açúcar, que caberia aos brasileiros vender para arrecadar 4 milhões de dólares, mas o negócio gorou. Betinho soube de dinheiro a Brizola para encaminhar partidários aos cursos de guerrilha, na maioria praças expulsos das Forças Armadas — para a viagem de uma turma da AP, Havana deu cerca de 20 mil dólares, devolvidos nota por nota porque a organização aderiu aos chineses e desistiu dos caribenhos.

Os dólares renderiam a maldade propagada sem provas por detratores de Brizola: encolerizado pela — suposta — apropriação privada de recursos cubanos, Fidel teria apelidado o antigo companheiro de *El Ratón*. Sem dúvida houve auxílio, entretanto a soma de 1 milhão de dólares, equivalente a 6,5 milhões atualizados, merece reservas. A CIA calculou que Cuba desembolsou menos de 500 mil dólares no estratégico foco de Guevara na Bolívia, que certamente saiu mais caro do que a parceria com Brizola.

Quando os cubanos passaram pelo Brasil a caminho de La Paz, Brizola ainda era sócio deles. O futuro general Harry Villegas Tamayo, o *Pombo*, alcançou seu destino em julho de 1966. Semanas mais tarde, redigiu uma carta cifrada a Guevara, ainda em Cuba, e anotou em seu diário que no Uruguai "membros do grupo Brizola" pediram fundos para a viagem de dois militares a Havana. Em setembro, *Pombo* ouviu do secretário-geral do Partido Comunista da Bolívia, Mario Monje Molina, que um dos seus compromissos com Fidel era "coordenar com Brizola o assunto do Brasil".

Enviado à América do Sul para praticar as teses de *Revolução na revolução*, Régis Debray confirmaria que até "finais de 1966" inexistia contato com Marighella. Na Bolívia, em cuja capital aportou na primeira semana de novembro, Guevara encomendou notícias a Debray, como assinalou o francês:

> O Che, informado na última hora dos preparativos de Marighella, que não eram mais que intenções, teve a preocupação de incluir a situação existente no seio do Comitê Regional do PCB de São Paulo na série de informes que pediu para lhe reportar [...] ao meu regresso à guerrilha, após um périplo pelo estrangeiro, que acabou antes de começar, com a minha detenção [em abril de 1967, na Bolívia].

Os itinerários dos cubanos foram vários, quase sempre via Brasil. *Pombo* partiu de Praga, na Tchecoslováquia, em 14 de julho de 1966 e pisou na cidade boliviana de Santa Cruz de la Sierra dali a onze dias. Passou por Frankfurt, Zurique, Dacar, Rio de Janeiro, São Paulo, onde se hospedou no Hotel Broadway, Campo Grande e Corumbá. *Rolando*, o capitão Eliseo Reyes Rodríguez, saiu de Praga em 16 de novembro e no dia 18 chegou a La Paz, depois de deixar o Rio e a capital paulista para trás. O capitão Dariel Alarcón Ramírez, o *Benigno*, desceu no aeroporto carioca do Galeão e voou para Buenos Aires, de onde prosseguiu.

Os revolucionários circulavam despercebidos às autoridades brasileiras, que vasculhavam o país à procura de Guevara. O agente americano Philip Agee contaria que a CIA encomendou a um artista a imagem do alvo sem barba, para distribuí-la. A caça sumira após o insucesso de sua "missão internacionalista" africana, no Congo. Em julho de 1966, a 4ª Zona Aérea emitiu um informe secreto com o alerta de que o Che "estaria para entrar no Brasil e que foi visto em países limítrofes na faixa entre Uruguai e Paraguai". Ordenou a captura e anexou quatro fotos, ao menos uma manipulada, com o rosto imberbe. Guevara ingressou no Brasil sem barba, de óculos e com uma careca lustrosa obtida ao arrancar fio por fio de cabelo. Portava um passaporte uruguaio em nome de Adolfo Mena Gonzáles, personagem a serviço da Organização dos Estados Americanos. O passageiro disfarçado calou sobre a rota no seu diário de campanha. De acordo com Debray, Che embarcou em Madri num voo até São Paulo. Um dos dois passaportes do argentino apreendidos em 1967 exibia carimbo do posto de imigração paulista de 1º de novembro de 1966 e a saída dois dias mais tarde.

A Bolívia não era seu ponto de chegada, mas o território de onde irradiaria o movimento rebelde. "Depois de nos estabelecermos ali, a luta se estenderia a Argentina, Brasil, Peru, Uruguai...", rememorou *Benigno*, um dos três cubanos que sobreviveram à incursão boliviana. Guevara aparentava ter se convertido à doutrina trotskista da revolução permanente, segundo a qual a fortuna dos revolucionários no poder depende da vitória dos partidários além-fronteiras.

Havana referendou sua condição de polo revolucionário do então chamado Terceiro Mundo ao celebrar em janeiro de 1966 um encontro com 512 delegados de 82 nações, na maioria da América Latina, Ásia e África. Dos sete representantes brasileiros, dois eram do PCB, ofuscado pelos brizolistas. Ao fim da Conferência Tricontinental, o senador chileno Salvador Allende propôs às comitivas de sua região a fundação da Organização Latino-Americana de Solidariedade. Sua sigla, Olas, significa ondas em castelhano. Em abril de 1967, a revista *Tricontinental* publicou a "Mensagem aos povos do mundo", na qual Guevara clamou pela criação de "dois, três, muitos Vietnãs".

A pregação pró-guerrilha incendiava as emissões da Rádio Havana, captadas no Brasil das oito às nove da noite. Com Leonid Bréjnev no cargo de Nikita Khruschóv, após um golpe palaciano, os soviéticos ainda impunham aos partidos-satélites a dita coexistência pacífica. Por isso retaliaram Fidel: convocaram o embaixador em Havana em abril de 1967 e somente em maio de 1968 nomearam o substituto. Mario Monje, o chefe do PC boliviano, sabotou os esforços do Che. Em março de 1967, o Comitê Central do PCB atacou a Olas por se manifestar "como se a luta armada fosse a única forma de luta revolucionária". E decidiu boicotar a conferência da nova entidade, a partir de 31 de julho.

A cúpula pecebista não supôs que os cubanos tivessem endereçado um convite pessoal a Marighella. Ele providenciou um passaporte falso, com a ajuda de um despachante paulista simpatizante do pcb. No Rio de Janeiro, a agência de turismo Riviera, propriedade de dois irmãos da família Miranda Pacheco, seus amigos, emitiu a passagem. Na véspera do embarque, Marighella encontrou tempo para um passeio romântico na ilha de Paquetá, na baía de Guanabara. No dia seguinte, no princípio de julho de 1967, não saiu do carro até que os passageiros do seu voo para Roma fossem chamados no Galeão.

De algum modo, iniciava uma viagem sem volta.

26. Conexão Havana: um filho de Oxóssi na ilha da santeria

A voz de Marighella viajou pelas ondas curtas de 19, 23, 31 e 49 metros. Dos estúdios da Rádio Havana, ele leu para os ouvintes brasileiros a crônica que escrevera sobre o cotidiano dos cubanos. Descobrira as lojas de santeria, versão local do candomblé, ou da "macumba do Rio", como comparou. Contou que vendiam "a mesma imagem dos pretos velhos pitando cachimbo e os demais apetrechos". Não houve notícia de que tenha visitado algum terreiro. Não precisava, para ter por perto uma sacerdotisa da religião que navegou o oceano com os africanos escravizados na América. Marighella desembarcou em Cuba acompanhado de uma legítima ialorixá baiana.

Antônia Couto Nunes Sento Sé, a Mãe Antônia, liderava o terreiro Axé Ilê Iansã, bordeado pela mata atlântica no bairro carioca da Ilha do Governador. Aos 39 anos, só deixara de arrancar suspiros de desejo ao entrar nos ônibus porque trocara os coletivos por um reluzente Opala vermelho no qual conduzia Marighella. Não se aproximara dele por meio dos orixás, pois o amigo não guardava intimidade com as divindades cultuadas no candomblé. Nem se enredou pela política, cujo encanto para ela equivalia ao de um túnel, como os que os vietnamitas cavavam a fim de surpreender as tropas americanas, para um claustrofóbico. "Eu queria apenas ajudar as pessoas", recordaria.

Nascida em Salvador, era a irmã caçula de Elza, primeira mulher de Marighella e mãe de Carlinhos. A tia carregara o menino para conhecer o pai em 1956. Dois anos mais tarde, passou a auxiliar o ex-cunhado como uma espécie de secretária. Levou o sobrinho ao Dops para conversar com o preso Marighella em 26 de julho de 1964, justo o dia de Nossa Senhora Santana, quando os seguidores da mãe de santo acorriam à Ilha, ansiosos por suas bênçãos. Foi lá, onde ela vivia com as filhas numa casa de dois andares, na mesma propriedade onde funcionava o centro religioso, que Marighella habituou-se a se abrigar depois do golpe de Estado. Ele crescera em um lar avesso aos ritos de matriz africana, demonizados pela mãe carola. Em contraste com outros camaradas baianos, como o etnógrafo Edison Carneiro, não conciliara o marxismo ateu com a reverência aos deuses do candomblé. O que não o impediu de se bater na Constituinte contra a perseguição ao chamado povo de santo. E de celebrar no poema "A alma do samba", publicado em 1966:

O Brasil é um vasto terreiro
Das filhas de santo
Oguns, orixás...
terreiro da festa
do Carnaval.

Alguns companheiros suspeitavam do seu paradeiro — "Parece que na Ilha do Governador havia um candomblé onde às vezes ele se escondia", disse o cantor Jorge Goulart. Talvez nenhum deles tenha devassado o segredo cultivado com zelo e que Antônia confidenciaria no futuro: ao romper a década de 1960, Marighella achegou-se aos orixás e foi consagrado filho de Oxóssi, divindade da caça e das florestas, guerreiro de mira tão certeira que lhe basta uma flecha para abater qualquer bicho. No sincretismo da Bahia, ressurge no são Jorge dos católicos. Antônia contou ter elegido para a iniciação de Marighella o terreiro da Casa Branca do Engenho Velho, o mais antigo de Salvador, com raízes fincadas nos séculos da escravidão. A mão que repousou sobre a cabeça dele na cerimônia foi a de Caetana América Sowzer, imortalizada como Mãe Caetana, a Mãe dos Olhos d'Água, herdeira de uma dinastia legendária do candomblé. Fundadora do Ilê Axé Lajuomin, ela colaborava na Casa Branca com outra aclamada ialorixá, a centenária Tia Massi, negra vinda ao mundo antes da Lei Áurea. Os búzios jogados por

Mãe Caetana reconheceram em Marighella um filho de Oxóssi, o mesmo pai espiritual do escritor Jorge Amado e do pintor Carybé. O banho de amaci, a água temperada com ervas sagradas, purificou-o, e ele obedeceu à liturgia encomendando o sacrifício de um bode e uma cabra como oferenda ao orixá caçador. Nos anos seguintes, cumpriu obrigações rituais, como contribuir com dinheiro para uma roça de candomblé, outra denominação dos terreiros, como casa de santo.

Se o batismo no culto africano esteve longe de constituir novidade na seção baiana do PCB, o antigo deputado do partido se diferenciou pela conversão tardia, às vésperas dos cinquenta anos de vida, e o silêncio sobre ela — uma das raras pessoas que souberam foi Regina, filha de Antônia Sento Sé e sobrinha por afinidade de Marighella. Mãe de santo então novata, Antônia insistiu até convencê-lo, porque "via o perigo de traição, mentiras e mortes" rondando-o. Supôs que ele "quisesse proteção". É provável que Marighella tenha incursionado pelo universo sedutor dos orixás sem abdicar do ateísmo. Para além do fascínio da mitologia do candomblé e da fé autêntica de numerosos comunistas, a convivência deles com pais, mães e filhos de santo lhes era conveniente. Buscavam conquistar os corações das massas, e elas engarrafavam os caminhos que desembocavam nos terreiros, onde desde os anos 1930 revolucionários se enfurnavam ao fugir da polícia. Ao propor a montagem de uma casa de santo ao camarada Geraldo Rodrigues dos Santos, em 1964, Marighella brincava com um assunto do qual entendia bem.

Em 1967, ele observava as lojas fornidas com artigos de santeria em Havana. Assim que tivesse mensagens urgentes para os correligionários que semeavam a luta armada no Brasil, Antônia seria seu pombo-correio — por isso a convocara. Quando Marighella chegou ao aeroporto José Martí, companheiros seus já estavam em Cuba à espera de subir as montanhas e se submeter ao adestramento militar, para no regresso deslanchar a guerrilha contra a ditadura.

Em 26 de dezembro de 1966, Marighella dera um passo decisivo no plano de treinamento dos seus partidários no exterior. Ele datilografou no Rio uma carta de oitenta linhas, em cuja conclusão se manifestou "confiante nos promissores resultados do processo de intercâmbio que ora iniciamos". Omitindo os nomes do remetente e do destinatário, endereçou-a a Fidel Castro, tratado como "prezado companheiro" e "chefe da Revolução Cubana". Escalou como portador o arquiteto Farid Helou, um dos dirigentes da esquerda do PCB paulista, a dita Ala Marighella. O mensageiro rumou com seus óculos fundo de garrafa para Havana, onde havia morado e estabelecido laços no alvorecer da revolução. Ao ser preso em 1969, ele desconversou, alegando que dois anos antes vagara um mês por Paris à cata de emprego. Conforme o advogado Cícero Vianna, prócer marighellista, Farid transportou 25 mil dólares doados pelos cubanos para o envio de militantes. Oito partiram até julho de 1967.

A seleção dos aprendizes de guerrilheiro, todos comunistas de São Paulo, principiara na virada do ano, com os membros do Comitê Estadual do PCB indicando-os. O CC não foi informado porque, se fosse, vetaria. Os alunos que marcariam a organização de Marighella foram o operário Virgílio Gomes da Silva, de 33 anos, Aton Fon Filho, de dezenove, recém-egresso do Centro de Preparação de Oficiais da Reserva do Exército, e o torneiro mecânico Otávio Ângelo, 32. Único poliglota, o suíço Hans Rudolf Jacob Manz, 39, coordenou a viagem para Havana. Sua família possuía uma vastidão de terras de cacau no sul da Bahia, onde ele se vinculou a movimentos de trabalhadores rurais. Além de Otávio Ângelo, outros dois metalúrgicos seguiram para Cuba. Marighella apelidou um deles, José Nonato Mendes, de Pelo de Rato, em virtude de falhas no couro cabeludo — no porvir politicamente correto, a molecagem renderia repreensões. O sétimo e o oitavo escolhidos eram filiados ao PCB no bairro da Penha e tinham origem camponesa.

O roteiro de Marighella foi cumprido à risca. Em Roma, o suíço bateu à porta da embaixada de Cuba, à procura de Carlos Candia. Apresentou-lhe uma carta de Marighella e a senha, um canhoto de ticket. O agente de inteligência sacou a parte que armazenava e confirmou que combinava. Recolheu os passaportes e, em papel anexo, obteve os vistos de entrada na Tchecoslováquia. Em Praga, os brasileiros foram procurados no hotel por outro funcionário caribenho, que lhes tomou os passaportes originais e os trocou por cubanos, com nomes falsos. Antes de pousar em Havana o avião fez escala em Gander, no Canadá. Marighella repetia Praga como baldeação — assim o PCB operava na década de 1950 com quem cursava a escola de quadros na União Soviética. Contudo descartou o modelo de 1935, quando o Komintern despachou seus especialistas para o Brasil: ele mandou os brasileiros se qualificarem fora, em vez de importar estrangeiros. Referia-se a Cuba como "centro de aperfeiçoamento guerrilheiro".

No sobrado onde a turma se alojou, nas cercanias de Havana, um militante puxou conversa com a cozinheira que lhes servia. Ignorava que uma das acep-

ções de "pinga" em espanhol é o órgão sexual masculino, sem o significado compulsório de aguardente de cana-de-açúcar. Assuntou:
"En Cuba la pinga es buena?"
A companheira, veterana da campanha da Sierra Maestra, estrilou. Cabra abusado, ela imaginou, mal chegara e já apimentava a abordagem.
Noutro canto da ilha, na cidade de Santiago de Cuba, tudo era alegria. Festejava-se o Carnaval, e no meio da multidão Marighella se sentiu em casa.

Em suas palavras, achou "muito parecido com o Carnaval brasileiro", só que em julho. No dia 26 daquele mês, Marighella assistiu em Santiago à comemoração do 14º aniversário do ataque de Fidel Castro ao quartel de Moncada. Na província de Pinar del Río, conheceu cooperativas de plantadores de fumo. Em Havana, admirou-se com a gratuidade de "telefones públicos, espetáculos esportivos, abastecimento de água, escolas, livros didáticos, assistência médica e creches". Interessou-se pelas cadernetas para compras em armazéns, as *libretas* que viriam a simbolizar a escassez nacional. Narrou pelo rádio o que viu e aclamou: "Cuba é realmente território livre da América".

Quem planejou a excursão foi o principal interlocutor de Marighella no país, o poderoso chefe da espionagem, Manuel Piñeiro Losada. Ex-estudante da Columbia University, em Nova York, o cubano Piñeiro lutou contra o regime de Fulgencio Batista, ascendeu ao grau de comandante do Exército Rebelde e após a vitória estruturou a Dirección General de Inteligencia (DGI), aparato estatal de inteligência (o trabalho de se informar sobre os outros) e contrainteligência (impedir que os outros se informem). Chamavam-no *Barba Roja*, por causa da barba ruiva. Como Marighella, mantinha o humor afiado. Ao contrário dele, não tirava o cigarro da boca.

Se o negócio de Cuba, no léxico dos seus adversários, era exportar a revolução, Piñeiro era o principal vendedor. Chefe da DGI e vice-ministro do Interior, preparou as missões de Che Guevara no Congo, um fiasco, e na Bolívia, onde não engrenava. A CIA estimou em 1968 que ele tivesse à disposição sessenta agentes para apoiar movimentos armados na América Latina. *Barba Roja* tratara de suporte à guerrilha no Brasil antes de 1964, com Francisco Julião, das Ligas Camponesas, e depois, com o brizolista Neiva Moreira e com Herbert de Souza, o Betinho, da AP. Bem mais tarde, recepcionaria em casa o líder sindical Luiz Inácio Lula da Silva.

De acordo com o advogado Washington Mastrocinque Martins, cuja capacitação militar em Cuba começaria em 1969, Piñeiro considerava que "o Brasil tinha uma função de liderança na América Latina. Uma frente de luta que se expandisse no Brasil seria fundamental". Na essência, era o que diria Richard Nixon na presidência dos Estados Unidos: "Para onde o Brasil for, para lá irá o resto do continente latino-americano". Idêntica opinião exprimia Fidel Castro, outro filho de imigrante galego, como Piñeiro. Marighella se encontrou algumas vezes com o primeiro-ministro e lhe deixou a imagem de "um revolucionário de muita lucidez", relembrou *Barba Roja*. Em maio de 1969, o SNI elaborou um sumário do relatório que um desertor da DGI baseado em Paris escrevinhou à CIA. O SNI destacou: "Marighella é atualmente o único líder revolucionário brasileiro recebendo reconhecimento e apoio de Cuba, tendo Fidel Castro dito que 'põe toda sua esperança em Marighella'".

Fidel apostava em Marighella, e por todo o planeta revolucionários se inspiravam na Revolução Cubana, que arejava o socialismo. Seu comandante não encarnava um octogenário fatigado pelo tempo e o poder, mas o barbudo que acampou na serra aos 29 anos, aos 31 derrubou o ditador e antes dos quarenta era o anfitrião da Primeira Conferência da Organização Latino-Americana de Solidariedade. Um informe da CIA descreveu-o como "'revolucionário compulsivo', um homem que se vê como outro Simon Bolívar, destinado a trazer uma nova 'liberdade e unidade' para a América Latina".

Com o fundo do palco decorado por um enorme painel com a efígie de Bolívar, a Olas abriu sua conferência em 31 de julho, sob a presidência de honra do ausente Che Guevara, cujo paradeiro prosseguia um mistério para a maioria dos setecentos participantes. Delegados de 22 países reviveram a excitação do congresso de fundação da Internacional Comunista em 1919. Se os bolcheviques haviam feito a Revolução Russa à revelia da social-democracia europeia, os cubanos em 1959 e os argelinos em 1962 chegaram lá à margem dos partidos comunistas subordinados ao Kremlin. A impressão é de que pariam uma Internacional Guerrilheira.

Como ainda não existia, o PCB escapara do frio de Moscou em 1919. Não foi à calorenta Havana, em 1967, por rejeitar conspirações com cheiro de pólvora. Marighella compareceu com o status de convidado, e não de representante do partido. O Brasil teve quatro delegados: pela AP, o deputado cassado Paulo Stuart Wright e Vinícius Caldeira Brant, ex-presidente da UNE; do Movimento Nacionalista Revolucionário, o antigo líder bancário Aluísio Palhano e o marinheiro expulso Cabo Anselmo. Outros brasileiros passaram pelas sessões da conferência no Hotel Habana Libre, como fora rebatizado o suntuoso Habana Hilton, e onde Marighella se hospedou. Entre eles a intérprete Josina Godoy, radicada em Cuba com o marido, Thales Fleury de Godoy, comandante da Marinha punido em 1964.

Marighella redigiu o discurso da delegação brasileira, mas se recusou a pronunciá-lo, por não ser seu membro oficial. Laudas de sua lavra voltaram a ser lidas por Anselmo, como na célebre assembleia dos marujos. Enquanto os oradores das ex-colônias espanholas se proclamavam continuadores de Bolívar e outros libertadores da América, o texto de Marighella reivindicou a luta quilombola de Palmares, dos combatentes da "guerra de guerrilhas" contra os holandeses no Nordeste, do "corajoso campesinato" de Canudos e de "lutas armadas anti-imperialistas", como a Guerra do Contestado.

Dos sócios fundadores da organização, o chileno Salvador Allende conquistaria a presidência pelo voto e a perderia pelas armas, e a Frente Sandinista de Libertação Nacional triunfaria com seus fuzis na Nicarágua e se despediria batida nas urnas. Marighella disseminaria os slogans da declaração da conferência: "Nossa tarefa é criar dois, três, muitos Vietnãs", lançado originalmente por Che Guevara, e "O dever de todo revolucionário é fazer a revolução", por Fidel Castro. De tanto repetir variações do prognóstico "a vanguarda se fará na luta", Marighella seria tomado como seu autor, todavia foi o cubano Armando Hart quem o enunciou na Olas.

O "imperialismo ianque" foi o alvo da conferência, mas reservaram dardos contra as facções satélites dos soviéticos. Uma resolução censurou os partidos comunistas por frear as guerrilhas, e Fidel atacou-os no discurso de encerramento em 10 de agosto, quando a figura de Guevara substituiu a de Bolívar no painel. De ouvido no rádio, Che anotou em seu diário da Bolívia, onde o PC local o sabotava: "Largo discurso de Fidel em que arremete contra os partidos tradicionais [...]; parece que a bronca nos bastidores foi grande".

E fora deles também: na imprensa de todo o mundo, Marighella fustigava a ditadura, terçava diatribes com o PCB e se transformava em personalidade internacional.

Marighella não deu um pio no plenário da conferência, mas talvez só o prolixo Fidel tenha falado mais do que ele por aqueles dias. O propósito real da viagem não fora assistir ao evento, mas acertar o treinamento de novas levas de militantes. No entanto, a propaganda cubana não dispensou a oportunidade de propalar que, a despeito do boicote pecebista, a simpatia pela luta armada prosperava entre os comunistas brasileiros, e Marighella ganhou as páginas. O diário *Granma* de 4 de agosto trouxe uma entrevista sua bendizendo o recurso às armas. No dia seguinte, o vespertino *Juventud Rebelde* saiu com declarações como "a guerrilha no Brasil não é uma simples forma de luta. É a própria estratégia da revolução". Na revista *Pensamiento Crítico*, ele falou em "guerra justa e necessária" contra os Estados Unidos. Logo divulgou uma carta ao Comitê Central do PCB, renunciando ao organismo e desprezando-o como "uma espécie de academia de letras, cuja única função consiste em reunir". O Comitê Central telegrafara aos cubanos desautorizando-o, e Marighella retrucou: "[...] Não tenho que pedir licença para praticar atos revolucionários", como dar as caras na Olas.

Sobreveio uma mensagem a Fidel, com o anúncio de rompimento com a cúpula do PCB, "imbecilizada pelo medo da revolução". Marighella foi cruel com sua própria trajetória: "O que se passa no PCB é que, depois da insurreição armada de 1935, as várias direções que se têm sucedido abandonaram o caminho revolucionário, entregando-se às mãos da burguesia e subordinando-se à sua liderança política e ideológica". A correspondência pública com o CC e Fidel integrou um pacote carimbado como "Cartas de Havana", que incluiu um manifesto fraterno ao almirante Cândido Aragão, então no Uruguai.

A quase centena de jornalistas estrangeiros mobilizada pela Olas monitorava o noticiário em Cuba e o retransmitia por telex. *O Globo* titulou "Marighella prega violência contra o governo do Brasil", variante do *JB*, com "Marighella diz que guerrilha é o único caminho no Brasil". Sem saber quando regressaria, ele passou a alardear seus escritos nas emissões em português da Rádio Havana. Concedeu no ar duas entrevistas, leu as três cartas e cinco mensagens temáticas. Em uma delas, encorajou:

"Cada patriota deve saber manejar sua arma de fogo. Sem isso, qualquer ação combativa no Brasil atual está destinada ao fracasso."

Revelou uma mudança, para quem sustentara em 1965 que a "questão central é o problema das liberdades democráticas". Em março de 1967, assumira a presidência o marechal linha-dura Arthur da Costa e Silva, mais à direita que o antecessor, Castello Branco. Marighella assinalou, no contexto da ditadura:

Todos sabem que a "redemocratização" ou o chamado retorno à democracia com eleições e pacifismo só serve aos interesses dos políticos burgueses, pois não conduz à modificação da estrutura econômica [...]. O que há no Brasil é um círculo vicioso. Os políticos burgueses pregam a "redemocratização" e as eleições e assim vão ao governo, prometendo reformas e liberdades. Em seguida, vem novamente o golpe militar, sob o pretexto do "perigo comunista". E a comédia continua a repetir-se sob a forma de tragédia, como aconteceu com a deposição de Goulart.

A saída? Caberia "conquistar o poder pela violência e destruir o aparelho burocrático militar do Estado, substituindo-o pelo povo armado".

Entre uma e outra alocução, certo dia Marighella desceu de um carro na calle Santa Ana, uma rua aladeirada no bairro Nuevo Vedado, e indagou:

"Aqui mora a família de Julião?"

Ao se inteirar pela agência Prensa Latina das andanças de Marighella por Cuba, Francisco Julião lhe remetera em 28 de julho uma carta desde o México, onde se exilara. Opunha-se à guerrilha, mas queria voltar ao Brasil e instava Marighella a norteá-lo: "Diga com a franqueza e a lealdade que tenho o direito de esperar de seu passado e de sua dignidade como provado e comprovado militante revolucionário: em que posso ser útil, qual a contribuição que me toca, por onde devo recomeçar a marcha interrompida e em que momento devo fazê-lo". Marighella respondeu que, para garantir a segurança do ex-líder camponês, teria de erguer uma estrutura confiável no campo.

Marighella entrou na casa e se sentou em uma cadeira de ferro enfeixada com cordas plásticas. Não procurava Julião, mas sua ex-mulher, Alexina Crespo, um dos artífices do extinto projeto armado das Ligas. Ao esmiuçar as intenções de guerrilha rural à companheira que vivia em Cuba, dois filhos dela se candidataram a se incorporar. O problema é que Anatólio treinara nas milícias cubanas e se provara bom de tiro, porém mal completara os dezessete anos. Anacleto, quinze, nem isso. Alexina concordou e procurou Fidel e Piñeiro, que elogiaram Marighella como "revolucionário engajado, de caráter". Julgaram os garotos "muito jovens", mas aceitaram sua partida, desde que Julião assinasse uma autorização. O pai proibiu, e seus filhos ficaram em Havana.

Os oito militantes que haviam deixado o Brasil antes de Marighella também foram visitados por ele. O curso de guerrilha não iniciava, e o Ministério do Interior os abastecia, inclusive com porções generosas de lagostas, preparadas pela cozinheira — os hóspedes se incumbiam de limpar a residência. Um conflito dividia-os: Hans Rudolf Manz e Otávio Ângelo invocaram o comando e impediram escapadelas de casa, pretextando riscos ao sigilo sobre eles. Marighella esclareceu que não havia chefes na turma. Incentivou-os a sentir a revolução nas ruas e a passear na praia, mas recomendou discrição.

Não tiveram muito tempo para mergulhos, nem reviram Marighella em Cuba — o treinamento se prolongou de setembro de 1967 a julho de 1968: deslocaram-se de ônibus para a serra do Escambray, na região central da ilha. Já eram nove, com o reforço do gráfico Adilson Ferreira da Silva. Calçaram coturnos e marcharam na montanha, suportaram mochilas com até trinta quilos, dormiram em redes amarradas nas árvores, aprenderam camuflagem, ensaiaram sabotagens, atiraram com fuzis e simularam emboscadas. Com 49 quilos distribuídos por 168 centímetros do cocuruto ao chão, o franzino Fon sofreu com bolhas e feridas nos pés e nas costas, mas perseverou. O baixinho Virgílio se beneficiou da pujança física que o empurrara ao título de uma insana maratona de dança. Com uma hemorroida rompida, Hans não aguentou nem duas semanas. No hospital, conviveu com um metalúrgico, outra baixa, com uma falange de pé quebrada.

Rumaram até as cordilheiras da província de Pinar del Río, extremo ocidental do país, para a segunda fase do curso. Dormiram em cabanas de madeira nas proximidades de um quartel e tomaram lições de topografia, orientação na selva e comunicação. Montaram e desmontaram armas belgas, alemãs, tchecas, americanas, russas e, subtraídas às tropas acontonadas na República Dominicana, brasileiras. Dispararam com fuzis Mauser e AK-47, submetralhadoras UZI e M3 e metralhadoras calibre 50. Estudaram o bê-á-bá da teoria dos explosivos e calcularam a carga para derrubar pontes. Na terceira etapa, nos arredores de Havana, introduziram-lhes na prática da confecção artesanal de minas, granadas e petardos variados. Os instrutores brincavam, mas era sério: naquele ofício, só se erra uma vez, sem chance de autocrítica.

Hans frequentou as aulas de bombas, após a internação e arranca-rabos com os cubanos, que encasquetaram que ele fazia corpo mole. No retorno ao Brasil, no segundo semestre de 1968, o suíço transportou no fundo falso da mala um esquema para manipulação de explosivos e o entregou a Marighella. Na década de 1950, rumores no PCB davam conta de que o futuro líder guerrilheiro fora aluno da academia militar chinesa, o que Marighella não confirmava. Em Cuba, ele não seguiu o curso regular, mas se exercitou em sessões de tiro.

A preparação militar mereceria restrições de brasileiros para os quais não passava de simulacro das privações da floresta. Numerosos quadros não compartilharam da opinião. "Muito boa", qualificou Otávio Ângelo, filho de um velho cangaceiro do bando de Lampião. O estudante José Dirceu de Oliveira e Silva treinaria anos mais tarde: "Foi muito bem-feita". Um infiltrado do Centro de Informações do Exército (CIE) analisou o programa do qual participou: "A instrução de guerrilha rural é muito boa, mas, em compensação, a de guerrilha urbana é muito deficiente".

O currículo foi mesmo moldado para o combate no campo, e não na cidade. Era o *know-how* dos cubanos e o que Marighella queria. O CIE relacionou 205 brasileiros nos cursos, somando suspeitos — ao menos sete se tornariam deputados, um seria senador e três chegariam a ministro, José Dirceu, Franklin Martins e Carlos Minc. Desconsiderou os membros das Ligas no pré-1964 e tabulou o período de 1965 a 1971. Identificou 85 do agrupamento de Marighella, denominado Ação Libertadora Nacional (ALN) a partir de 1969. Em um chiste com as frações da Força terrestre no Brasil, a ALN apelidou seus quatro contingentes em Cuba como *1º, 2º, 3º e 4º Exércitos*. A CIA estimou em "no mínimo 150 e provavelmente bem mais de duzentos" os brasileiros instruídos na ilha — o número certeiro, nas décadas de 1960 e 1970, não se distancia dos 250.

Che Guevara topou com dois deles, vinculados ao brizolismo. O gaúcho Diógenes Carvalho de Oliveira jogava xadrez em um quartel quando seu oponente e conterrâneo cutucou-o. Concentrado, não reparara na aproximação do argentino. Guevara parou, passou os olhos nas peças e não perdeu a piada:

"Se os brasileiros fizerem a guerra como jogam xadrez, nós estamos fodidos."

No tabuleiro das relações de Marighella com Fidel Castro, o foco guevarista irradiaria a guerrilha na América do Sul. Em Cuba, o capitão conhecido como *Fermín* exibiu levantamentos minuciosos da fronteira boliviana com o Brasil. Na época da parceria dos cubanos com Brizola, doze militantes ligados ao ex-governador se instalaram em Paranatinga, Mato Grosso, para incubar a luta armada. Não desconfiaram de que serviriam de base logística à futura coluna do Che. Desistiram após um deles, o professor de física e matemática Elio Ferreira Rego, constatar a irrelevância da região:

"Podemos até ocupar Cuiabá, e a ditadura se dar ao luxo de nem noticiar."

O território brasileiro se prestaria em 1968 a rota de retirada dos cubanos que malograram na expedição à Venezuela. Se Fidel sugeriu a Marighella mandar seus homens para o Brasil, esbarrou no nacionalismo forjado pelo cansaço com a subserviência do PCB a Moscou. No espírito do "internacionalismo proletário", Marighella se associou aos caribenhos, como na capacitação militar. A revolução, contudo, seria obra de brasileiros.

O que não impediu os cubanos de sonhar com missões como a de Guevara. Antes de 1964, Francisco Julião especulou perante mais de uma testemunha a respeito do desembarque de milhares de compatriotas de Fidel Castro na costa pernambucana. "Queriam combater em qualquer lugar", observou Washington Mastrocinque Martins, da ALN: "Não era só quem adestrava o pessoal, a população queria, era a tônica do momento". Um informante do CIE denunciou que membros da milícia cubana manifestavam "desejo de vir lutar no Brasil". Ao jornalista Paulo Cannabrava, indicado por Marighella para trabalhar na Rádio Havana, disseram que, "por diferentes praias de nosso imenso litoral, poderiam fazer entrar até tanques, em apoio à nossa revolução". Na década de 1970, o comandante Arnaldo Ochoa, veterano da Sierra Maestra, proporia ao marighellista Carlos Eugênio da Paz singrar os rios da Amazônia brasileira com um barco tripulado por cem cubanos, para lutar na selva.

A autonomia prescrita por Marighella atingia o bolso. Pelo PCB, ele recebera dólares da União Soviética e cruzeiros de Adhemar de Barros. Com o mote "Dinheiro nós levantamos no Brasil", reagiu aos incentivos para morder mais uns trocados dos cubanos. A CIA registrou em 1971: "É possível que Havana também tenha prestado algum apoio financeiro [a Marighella], mas não há nenhuma prova sólida disso". Enquanto Marighella viveu, seus partidários mais íntimos souberam dos 25 mil dólares — valeriam 161 mil em quatro décadas — para a viagem do 1º *Exército* e de mil dólares a cada guerrilheiro para o retorno.

Marighella ainda estava em Havana quando o projeto cubano de espraiar a revolução sofreu seu revés mais sentido. Capturado na tarde de 8 de outubro de 1967, Guevara foi fuzilado no dia seguinte no povoado boliviano de La Higuera. Ignorado pelos camponeses e destroçado pela asma, o Che maltrapilho combateu ferido, até um disparo destruir o cano da sua carabina. Com o dorso nu, a barba comprida e os olhos abertos, ele pareceu sorrir, mesmo morto.

Os correligionários de Marighella no Brasil choraram o fim do "Guerrilheiro Heroico" e se inquietaram com a demora de seu companheiro. Haviam perdido seu rastro, desde as aparições na Rádio Havana. A boataria espalhou de adesão à AP a loucura repentina. Vai ver Marighella estava era com hepatite.

Não estava, mas a versão emplacou. O jornalista Joaquim Câmara Ferreira se azucrinou com tantas perguntas sobre o sumiço de Marighella, e Cícero Vianna lhe deu a ideia: diga que ele voltou, mas pegou hepatite, e o médico ordenou repouso. Como consequência, a geladeira de Câmara se encheu de queijos brancos, oferta dos camaradas para revigorar o suposto doente.

O Kremlin também se preocupava com Marighella, à sua maneira. De Cuba e do Brasil, a agência noticiosa Tass entupia os aparelhos de telex do Leste Europeu com despachos sobre seus manifestos e ações. Um correspondente do jornal *Izvestia* no Rio de Janeiro confabulava com militantes do PCB sobre o apologista da guerrilha e repassava as novidades à embaixada soviética. Funcionários com carteira do corpo diplomático da URSS e cacoete de espião se encontravam com comunistas brasileiros contrários à luta armada e os questionavam sobre o dissidente. Seus relatórios atravessavam o oceano até os escritórios do Ministério das Relações Exteriores e do KGB, o Comitê de Segurança do Estado, serviço secreto e repressivo.

Desde a década de 1930 os soviéticos bisbilhotavam Marighella. Uma parte dos registros alcançou 121 páginas numa pasta. No começo, era um aliado. Notaram sua presença no Comitê Central, em 1945, e na administração das finanças, em 1957. Depois do golpe, encararam-no como ameaça. Foram a campo para monitorá-lo, às vezes inscrevendo o nome dos interlocutores e informantes nos documentos encaminhados para Moscou. O KGB guardou em seus arquivos informes sobre uma reunião do CC do PCB de março de 1967 (tacharam Marighella de indisciplinado) e a fundação do Partido Comunista Brasileiro Revolucionário (PCBR), em 1968 (confundiram-se, pensando que ele aderira).

Vladímir N. Kasimirov, futuro embaixador cuja carreira sobreviveria ao esfacelamento da União Soviética, conversou em outubro de 1964 com o jornalista João Mesplé. O brasileiro condenou como "aventuresca" a crítica de Marighella a Prestes. Doze meses mais tarde, o burocrata soviético esteve com outro jornalista, Moacir Longo, então primeiro-secretário do PCB paulista. Longo segredou rearranjos na cúpula partidária, com Marighella à testa da seção campo e a transferência de Dinarco Reis para o setor militar. No dia 6 de fevereiro de 1966, Orestes Timbaúba, do Comitê Central, disse a Kasimirov que confiava na permanência de seu amigo Marighella: "[Ele] nunca deixa o partido". A dirigente Zuleika Alambert comentou com o funcionário da embaixada, em março de 1966, sobre uma plenária do CC e a atitude Marighella: "Não estava nem um pouco interessado em um bom resultado dos trabalhos".

Se Moscou seguia seus passos, mais ainda a ditadura de Brasília. Em 4 de agosto de 1967, o presidente Costa e Silva se encontrou com o embaixador dos Estados Unidos, John Wills Tuthill. O diplomata relatou ao Departamento de Estado: "Ele afirmou que espera totalmente a intensificação da atividade terrorista como resultado da conferência da Olas".

A luta armada não dera a largada no Brasil, mas seu barulho mundo afora ecoava no país. Marighella estava em Cuba quando Caetano Veloso defendeu a canção "Alegria, alegria" no festival da TV Record, com o verso "O sol se reparte em crimes, espaçonaves, guerrilhas".

Longe dos palcos, consumou-se a separação litigiosa no PCB. Marighella esgotara a paciência, como evidenciou ao lhe contarem que uma integrante do CC resmungara contra os tamancos com que ele passara a ir às reuniões:

"Não estão gostando? Pois na próxima eu vou com o pinto de fora."

A rejeição era recíproca. Diante de um apelo para votar contra a expulsão de Marighella, Luiz Tenório de Lima, seu confrade do CC, deu de ombros:

"Se o câncer atacar meu dedo, eu corto o dedo para salvar a mão."

A mão era o PCB e o tumor, Marighella. Ao ouvir no rádio a fuzilaria do companheiro contra a cúpula, Luiz Carlos Prestes não fez por menos: pediu sua cabeça. Em agosto, a Comissão Executiva suspendeu Marighella, por se situar "fora e acima do partido". O Comitê Central expulsou-o em setembro, deplorando o "individualismo pequeno-burguês". O VI Congresso ratificou em dezembro o expurgo de Marighella mais seis do CC: Câmara Ferreira, Mário Alves, Apolônio de Carvalho, Jacob Gorender, Jover Telles e Miguel Batista.

Editada pelo partido, a *Voz Operária* publicou seus nomes civis, o anúncio implícito de que aderiam à luta armada. Marighella provou do próprio veneno: ele cometera igual desatino em 1938, na expulsão de Hermínio Sacchetta e outros opositores incondicionais do Estado Novo. Aos 26 anos, no leme do PCB paulista, Marighella pelejara contra a esquerda comunista, e agora empunhava a bandeira radical. Quase trinta anos depois, não subvertia apenas a ordem, mas o jovem de antanho. Lia Renato Guimarães Cupertino, 22 anos mais novo, desancar a guerrilha no jornal: "Não cederemos à aventura, não levaremos nosso movimento aos alçapões que lhe arma o inimigo".

Guimarães foi eleito para o Comitê Central no VI Congresso do PCB, reunido em um sítio perto da represa Billings, em São Paulo. Só foram avisados os delegados fechados com a direção, que se livraram de Marighella depois de 33 anos no partido. Ao ir para Cuba, ele tomara a iniciativa do rompimento. Lá comentou a hipótese de expulsão, repetindo a tirada de Fidel: "A história me absolverá". A dispersão dos comunistas gerou uma miríade de grupos, e o PCB, no DNA de todos, foi alcunhado pejorativamente de Partidão.

Na véspera do congresso, Salomão Malina manipulava um lote de granadas confeccionadas numa oficina de automóveis de propriedade do PCB. Seriam arremessadas em eventual invasão dos órgãos de segurança. Uma delas explodiu a um metro do ex-comandante de pelotão caça-minas da FEB e lhe arrancou os dedos da mão direita. O sangue jorrou, e sua vida pareceu escorrer com a hemorragia. Dinarco Reis, veterano da Guerra Civil Espanhola, vociferou contra o socorro a Malina fora dali, por temer que o sítio fosse descoberto. "Meu pai defendeu que não tinha que levá-lo, que ele tinha que morrer para deixar de ser babaca", disse Dinarco Reis Filho. Malina foi salvo pelos camaradas que se insurgiram contra a sordidez e o carregaram a um hospital. Na limpeza do sítio depois do conclave, esvaziaram um lago para se certificar de que ninguém despejara papéis confidenciais. Deram com cardumes de traíras e tilápias. Dinarquinho separou uma traíra de dois quilos e a saboreou assada.

Era mais verossímil um peixe carnívoro como a traíra esnobar a isca de carne vermelha do que uma agremiação comunista do Leste Europeu respaldar a agenda de Marighella, mas ele tentou. O deputado Fernando Perrone foi mensageiro de uma carta para um expoente do PCUS. A atriz Vera Gertel, de duas, a brasileiros em Praga e Berlim. O cantor Jorge Goulart entregou mensagens em Budapeste e Moscou, além da Alemanha Oriental. Nem os exilados, conectados aos mandachuvas do PCB, nem os partidos locais deram a mínima a Marighella. Com pena do amigo, Goulart inundou os olhos d'água.

O regresso de Marighella ficou mais perigoso com a certeza da ditadura de que os embarcados em Cuba passavam por Praga. Em 17 de outubro de 1967, o Itamaraty protestou na embaixada da Tchecoslováquia no Rio de Janeiro. Descreveu pormenores do apoio das autoridades comunistas, disse que sua fonte eram os interrogatórios de presos em Caparaó, e os europeus negaram a acusação. Mentiram: Praga instituiu em 1962 a Operação Manuel, protocolo de ajuda à viagem de quem se destinava a Havana para o curso militar. Fora um pedido do governo de Fidel Castro, aceito após consulta à União Soviética, que viria a se encarregar da falsificação de passaportes. Os soviéticos se opunham à luta armada, e os tchecoslovacos não os contrariavam. Mas as duas partes recearam que, recusando o pacto, os cubanos não modificassem o itinerário, agindo em Praga sem a segurança proporcionada pela ação conjunta.

Até 11 de janeiro de 1967, a Operação Manuel guiou 913 viajantes. Em outubro os brasileiros já eram 41, desde o primeiro, em 1963 — muitos transitavam por outros esquemas. O leva e traz era alvo da vigilância dos espiões ocidentais, alertou um relatório do ministro do Interior, Josef Kudrna. O coronel Josef Houska, chefe da inteligência, emendou: em 1964, o cubano *Victor*, que gerenciava o treinamento de centro-americanos, desertou, com informações sobre a conexão em Praga. Orlando Castro Hidalgo sabia mais, e em breve trocaria pela CIA o seu posto de agente da DGI em Paris.

Se em 1966 os serviços secretos alinhados aos Estados Unidos haviam desconfiado de que Guevara perambulava pela América do Sul, agora era Marighella quem os alvoroçava. No Paraguai, o Comando en Jefe de las Fuerzas Armadas distribuiu seis fotos suas, avisando que "provavelmente escolherá um país limítrofe com o Brasil para permanecer uns dias e logo passar clandestinamente a seu país para começar as atividades guerrilheiras". O Ministério do Exército brasileiro convocou as polícias políticas à captura e apostou no Uruguai como porta de entrada. O Dops da Guanabara mirou as "rotas do Pacífico (Santiago do Chile)".

Marighella estava em Havana desde julho, a Olas encerrara a conferência em agosto, mas na segunda quinzena de setembro não haviam liberado sua partida. Angustiado, ele mandou Antônia Sento Sé de volta com recados e escreveu a Fidel cobrando solução. Talvez o mantivessem alheio ao diversionismo em curso, com a contrainteligência cubana plantando na Europa pistas sobre o iminente ingresso pelo Sul do Brasil. A tomar como autêntica a duvidosa data fixada em seu texto "Algumas questões sobre as guerrilhas no Brasil", em 10 de outubro Marighella permanecia em Cuba.

Até que tiveram fim as caminhadas à beira-mar em Havana, e ele voou para Praga. Lá o flagraram em 26 de setembro, rumo a Paris ou Zurique — o dia consta do pedido de buscas que o Exército difundiu, sem revelar a origem da informação. Enquanto o esperavam no Cone Sul, Marighella desembarcou na Guiana, onde a Olas era representada pelo grupo do ex-primeiro-ministro Cheddi Jagan. Em outubro ou novembro, atravessou de barco um dos rios que serpenteiam os 1606 quilômetros da fronteira guianense com a região Norte do Brasil. Deu com a floresta imensa, cenário da guerrilha dos seus sonhos e lar sagrado de Oxóssi.

27. A Quadrilha da Metralhadora ou *Ciro Monteiro* rouba o banco

Os companheiros de Marighella não esperaram seu retorno de Cuba para puxar o gatilho. Em 24 de setembro de 1967, o militante comunista Edmur Péricles Camargo descarregou seu revólver calibre 38 no fazendeiro José Conceição Gonçalves, o Zé Dico. Edmur tinha 52 anos, ingressara no PCB em 1944, gerenciara o jornal porto-alegrense do partido e por isso, embora nascido em São Paulo, atendia pelo apelido de Gaúcho. Depois do golpe de 1964, treinou guerrilha com os Tupamaros, no Uruguai, e respaldou Marighella na luta interna. Não se arriscava em missões perigosas sem consultar antes o horóscopo. Naquele domingo, a *Folha de S.Paulo* aconselhou aos escorpianos, como Gaúcho: "Dependa de seus recursos interiores para ajudar a resolver os problemas deste dia". Ele os resolveu antes de o sol primaveril despontar.

Marighella se inteirara em junho das mortes do lavrador Paulo Kuraki e seu filho de dezessete anos, em Presidente Epitácio, extremo oeste paulista. Era convicção na cidade que o pistoleiro que os eliminara, baleando também a mulher e o filho de catorze anos do camponês, executara o serviço a mando de Zé Dico. O fazendeiro teria comprado menos de quinhentos alqueires e se declarado dono de mais de 5 mil. A *Folha de S.Paulo* denunciou que ele cobrava dos posseiros pelo arrendamento da terra grilada e, se alguém resistia a pagar, seus capangas queimavam a roça, surrupiavam os porcos, expulsavam as famílias e ameaçavam dar cabo de suas vidas. Policiais contaram 120 jagunços de Zé Dico, e um padre deplorou o "terror".

Depois de apelar sem sucesso às autoridades do estado por proteção, agricultores recorreram ao advogado comunista Cícero Vianna, procurador da repartição pró-reforma agrária na era Jango: queriam acabar com Zé Dico. Cícero disse que aprovou o pedido com os camaradas Joaquim Câmara Ferreira, Rolando Frati e João Adolfo Costa Pinto. Escalaram Gaúcho, que ao encontrar os trabalhadores soube que eles haviam se arrependido da ideia, com medo de retaliação. Respondeu que cumpriria a ordem recebida, e os convocou para o ataque. Com duas dezenas deles, penetrou na Fazenda Bandeirante de madrugada, sangrou o grileiro com cinco tiros e feriu seu filho de dezessete anos. A *Folha* sintetizou: "Zé Dico, que mandou matar, também morreu".

Os astros não faltaram a Gaúcho, na primeira morte de autoria da organização que viria a se chamar Ação Libertadora Nacional. Parte de seus dirigentes ainda compunha o Comitê Estadual do PCB paulista, porém Marighella já fora expulso pelo Comitê Central, e o grupo operava com autonomia. Em abril de 1968, o jornal *O Guerrilheiro* aplaudiu o fim de Zé Dico: "É um direito das vítimas das injustiças fazer justiça com as próprias mãos". Foi o número inaugural da publicação editada pelo Agrupamento Comunista de São Paulo, identidade que a Ala Marighella adotou ao se despedir do partido. Marighella antecipara em Cuba que não queria outro partido comunista: "O importante não é organizar cúpulas [...]. Já temos organizações demais". Na iminência de fundação do PCBR, convidaram-no a se incorporar, e Marighella troçou:

"Não saí de um Partidão para entrar num partidinho."

Foi a orientação do "Pronunciamento" do Agrupamento Comunista, redigido por Cícero Vianna em fevereiro de 1968. Dez mil militantes deixaram o PCB, estimou Moisés Vinhas, do Comitê Central. Seriam 6 mil alinhados com Marighella em todo o país, nos cálculos dos seus partidários, conforme o guerrilheiro Reinaldo Guarany. Era impossível cravar, porque Marighella descartou estatuto, tido como idiossincrasia burocrática, e não estabeleceu critérios de recrutamento. Ninguém precisava se assumir militante ou simpatizante — bastava cooperar.

O Agrupamento divulgou seus princípios: "São três: o primeiro é que o dever de todo revolucionário é fazer a revolução; o segundo é que não pedimos licença para praticar atos revolucionários; e o terceiro é que só temos compromisso com a revolução". Simplificou: "O conceito teórico pelo qual nos guiamos é o de que a ação faz a vanguarda". E encerrou a conversa: "A mesa das discussões hoje em dia já não une os revolucionários. O que une os revolucionários brasileiros é desencadear a ação, e a ação é a guerrilha".

O guerrilheiro Iuri Xavier Pereira reconheceria em 1971 que três anos antes predominava a "alergia a documentos e teoria". A ação quase como fetiche era formulação do cubano Armando Hart: "Nosso mundo avança sob o signo da ação, carregado do dinamismo da ação e mais ação, como motivação básica dos homens". Marighella rompeu com dogmas. Ao eleger o campo como cenário decisivo da revolução, contrariou o status de protagonista da classe operária, noção elementar de Marx. Desprezou a formação de um partido, dando as costas a Lênin. "A ortodoxia é coisa de religião, e da velha religião", repetia. Ainda assim, até o último piscar de olhos se proclamou comunista.

Seu recente cacoete anti-intelectual ofuscou o projeto que ele propagandeara na Rádio Havana. Deveriam deflagrar a guerrilha na área rural, pois "a área urbana é a área reservada à luta complementar, ao apoio logístico, à ação de retardamento de mobilização das forças reacionárias". Implantariam colunas guerrilheiras no coração do Brasil, para "evitar o confronto com a esmagadora superioridade do inimigo na faixa atlântica". Marighella condenou "bases fixas, ocupar ou defender territórios", o que seria "cair na defensiva", e "a defensiva é a morte". Recomendou "permanente deslocamento".

Se a primazia do campo o acercava dos cubanos, a "guerra de movimento" revelava a influência asiática. Marighella expôs "as fases fundamentais da luta": "A primeira é a do planejamento e preparação da guerrilha. A segunda é a do lançamento e sobrevivência da guerrilha. A terceira é a do crescimento da guerrilha e sua transformação em guerra de manobras". Adaptava os três estágios dos manuais do chinês Mao Tsé-tung e do gênio militar vietnamita Vo Nguyen Giap. Marighella lera um texto de Giap e anotara a caneta: "1- defensiva estratégica; 2- equilíbrio estratégico; 3- ofensiva estratégica".

Ele quantificou o tamanho do seu desafio: encarar 300 mil soldados no país cuja população beirava os 90 milhões. Por isso se convencionara classificar a guerrilha como guerra assimétrica, o conflito de forças irregulares diminutas com exércitos regulares potentes. Marighella ambicionou oponente mais parrudo: "Devemos lutar para atrair as forças-militares norte-americanas a combater desvantajosamente em vários lugares do mundo ao mesmo tempo". Trocando em miúdos, aspirava a que o Brasil fosse um novo Vietnã.

Uma das controvérsias que mais mobilizaram a esquerda tratou do "foco" revolucionário promovido por Che Guevara e Régis Debray. "O foco seria lançar um grupo de homens armados [...] e esperar que, em consequência disso, surgissem outros focos", escreveu o Agrupamento Comunista, para reprovar: "Se assim fizéssemos, estaríamos adotando uma posição tipicamente espontaneísta, e o erro seria fatal". O plano de Marighella era deslanchar a luta rural simultaneamente em muitos lugares. Para os críticos, seriam vários focos.

Outra polêmica abordou o dito "caráter da revolução". O PCB prescrevia duas etapas: a revolução burguesa, com "libertação nacional" e expansão capitalista, e a seguir a socialista. Para tendências mais radicais, caberia aos revolucionários no poder implementar medidas de ordem socialista. A Olas contornou a desinteligência com uma sacada intermediária, subscrita por Marighella: "O caráter da revolução é o da luta pela independência nacional, a emancipação das oligarquias e o caminho socialista para seu pleno desenvolvimento econômico e social". As minudências não faziam sentido ao grosso da militância, mas a opção de Marighella abriu a ALN, fundada por comunistas, para quem não advogava uma ditadura do proletariado. O estudante Carlos Eduardo Fayal de Lyra se considerava "nacionalista e socialista". O psiquiatra Benedicto Sampaio, "socialista e anarquista". Uniram-se a Marighella na profissão de fé da ação como coveira do ramerrame verborrágico.

Com esse espírito, Marighella saiu de um apartamento nos arredores do vale do Anhangabaú, em São Paulo, pelas cinco horas da manhã de 15 de abril de 1968. Queria germinar a guerrilha no campo. Para isso, necessitava de recursos. "Dinheiro nós levantamos no Brasil", reiterava. Já era tempo de ir atrás dele.

Quatro anos e duas semanas depois de os golpistas derrubarem o governo enfrentando pouco mais do que a resistência do ar, uma Kombi com três bancários desarmados percorreu a avenida Santo Amaro até a rua João Lourenço. Estacionou bem na esquina, defronte à agência do Banco Francês e Italiano, no bairro paulistano da Vila Nova Conceição. O motorista buzinou duas vezes, e um caixa saiu para pegar o dinheiro. Antes de ele tocar nos sacos de couro com lacre de aço, três homens o surpreenderam. O que empunhava a metralhadora gritou que era um assalto e apontou para o para-brisa. Armados com revólveres 38, os outros apanharam três malotes no veículo. Uma rajada de metralhadora perfurou os pneus dianteiros, e cápsulas calibre 45 quicaram no chão — a Kombi não prestaria para perseguições. Uma bala ricocheteou e acertou de raspão o joelho do motorista, Expedito Tomaz. Os ladrões fugiram no Fusca de cor pérola em que um companheiro os aguardava ao volante. Para os funcionários do banco, tudo não durou mais de sessenta segundos.

Eram nove e dez da manhã, e a organização de Marighella roubava pela primeira vez uma instituição financeira. Levaram 35 mil cruzeiros novos, o correspondente a 202 mil reais corrigidos. À noite, Marighella recolheu o butim em uma casa no bairro do Jabaquara. A polícia se assombrou: pela primeira vez no estado, investiam de metralhadora contra um carro pagador. As vítimas folhearam o álbum com as fotografias de marginais e não reconheceram nem um fio de cabelo suspeito.

Se os tiras mostrassem os prontuários da polícia política, os bancários identificariam o portador da metralhadora, Mocide Bucheroni. Perto de completar 34 anos, o gráfico agira sem disfarce. Ex-militante do PCB no bairro do Tatuapé, fora procurado em janeiro por um emissário de Marighella. O líder do Agrupamento Comunista se empolgara com uma bomba incendiária arremessada por Bucheroni contra uma fábrica de pneus da Goodyear, alvejada como símbolo dos Estados Unidos. Marighella se reuniu com ele e lhe forneceu armas, o levantamento da rotina da Kombi do banco, o planejamento do assalto e o Fusca, furtado um mês antes. Logo o gráfico se afastaria de Marighella e manteria um grupo próprio.

Os guerrilheiros qualificariam episódios dessa natureza como "ação expropriatória para levantamento de fundos" — dinheiro arrancado da burguesia para combater a ditadura. Marighella empregaria tanto o termo "expropriação" como o menos pomposo "assalto". Obedecendo ao combinado, ninguém se apresentara diante do banco como militante político, e sim com pinta de criminoso comum. Marighella ganhou tempo para multiplicar os roubos sem ter pela frente um aparato de segurança mais robusto, "antissubversivo". Não estava satisfeito: queria participar durante as ações, e não somente do pré e do pós. No final do ano, cantaria o refrão lançado na voz de uma jovem baiana, Gal Costa: "É preciso estar atento e forte, não temos tempo de temer a morte". Antes disso teria sua chance de anunciar um assalto.

Gal defendeu "Divino maravilhoso" em um festival da TV Record. Os autores, Caetano Veloso e Gilberto Gil, foram em cana às vésperas do Réveillon e saíram após o Carnaval de 1969. Antes do exílio, Caetano gravou um long-play com a última faixa, "Alfômega", composta por Gil. Com um minuto e 32 segundos de execução, Gil pronunciou ao fundo sete sílabas que nove entre dez militantes ouviram assim: "Iê-ma-ma-Ma-ri-ghel-la!". Por mais que a posteridade renovasse a impressão, a mesma de Marighella, o artista esclareceu: "Gritei uma onomatopeia qualquer", e não o nome do conterrâneo. Não que fossem avessos a Marighella. Embora cético em relação à guerrilha, Gil tinha "simpatia pessoal" por ele. Caetano nutria pelos combatentes armados "uma identificação à distância, de caráter romântico". Não sabia no que daria uma revolução, mas concedia: "O heroísmo dos guerrilheiros como única resposta radical à perpetuação da ditadura merecia meu respeito assombrado". Sua simpatia por Marighella era "íntima e mesmo secreta".

Caetano fora colega de faculdade de Maria de Lourdes Rego Melo, com quem fez um "esboço de combinação" de "dar apoio logístico" à luta armada. Lurdinha se tornou quadro da ALN, e ele a chamaria carinhosamente de "Maria Quitéria da guerrilha urbana", evocando a heroína baiana. Também espécime do balaio de talentos da Bahia, Tom Zé era um dos ícones do tropicalismo, o movimento estético com mais cara do ano incandescente de 1968, e com o qual boa parte da esquerda encrencava, por associá-lo ao rock "imperialista". Ex-candidato a vereador apoiado pelo PCB, o compositor entrevia a luta armada como "consenso nas esquerdas". Não era, mas muita gente entoava "Viola enluarada", dos irmãos Paulo Sérgio e Marcos Valle, pensando nela: "A mão que toca um violão se preciso faz a guerra".

Geraldo Vandré só tocava dois acordes em "Para não dizer que não falei de flores", que o governo proibiu. Imortalizada como "Caminhando", conclamava: "Quem sabe faz a hora, não espera acontecer". O público do Maracanãzinho sobrepôs a política à arte em 1968 e vaiou a obra-prima "Sabiá", de Chico Buarque e Tom Jobim, por derrotar a canção de Vandré no 3º Festival Internacional da Canção. Chico desconfiava de que a guerrilha não iria longe, mas sentia "estima e admiração" por ela. Dele, Marighella preferia "A banda".

Enquanto Marighella colhia simpatias na música, o cinema lhe ofereceu uma rede solidária efetiva. Glauber Rocha endereçou em 1967 uma carta a Alfredo Guevara, chefe do instituto cinematográfico cubano. Pretendia dirigir "uma fita radical violenta, divulgando abertamente (e justificando) a criação de diferentes Vietnãs". A ideia na cabeça não prosperou, mas foi adaptada em *Terra em transe*.

Além de fustigar com alegorias e metáforas o PCB e sua política, o filme foi generoso, ao seu modo, com a luta armada. No desfecho, o personagem Paulo Martins, um poeta, morre de fuzil na mão. Logo faleceria um dos atores, Modesto de Souza, e a residência de sua viúva no Rio seria a "casa de passagem" dos militantes da ALN indo e vindo de Cuba.

Glauber escreveu a Alfredo em agosto de 1969: "O Brasil desperta com Marighella". Tinha recém conquistado a Palma de Ouro de melhor diretor em Cannes, com *O dragão da maldade contra o santo guerreiro*. Por intermédio do colega italiano Gianni Amico, conheceu em Roma o advogado Itoby Alves Corrêa Junior, da ALN. Com Amico, transformou-se em colaborador da organização. Jean-Luc Godard filmava *O vento do leste*, Glauber falou com ele, e o francês destinou verbas da produção para a ALN.

Em 1968, a Censura Federal vetou e depois liberou *A chinesa*, ficção de Godard em torno de uma célula parisiense de maoistas. Interditaram *A batalha de Argel*, de Gillo Pontecorvo, e sobrou para Marighella. O censor Wilson de Queiroz Garcia opinou que a exibição da saga da independência da ex-colônia francesa "seria o estopim que falta ser aceso para a luta terrorista": "A título de ilustração para o que dizemos, leia-se 'Algumas questões sobre a guerrilha no Brasil', do comunista Carlos Marighella, publicada no *Jornal do Brasil* de ontem, domingo, dia 15 de setembro de 1968". Era texto do ano anterior.

Glauber idealizaria um longa-metragem com a atriz Norma Bengell segurando fotos de Marighella e pelada na cordilheira dos Andes. Não seria mera representação, caso o projeto não tivesse sido abortado. A musa do Cinema Novo apoiava a ALN, da qual se considerava simpatizante, e escondia militantes. Por conta de declarações contra a ditadura, sequestraram-na e a levaram para a PE. Na década de 1970, o brincalhão Glauber aludiria a Marighella como "o namorado de Norma". Acontece que os dois jamais estiveram juntos, como ela contaria e Itoby confirmaria.

Se Norma não encontrou Marighella, o dramaturgo e encenador Augusto Boal foi amigo dele e do outro dirigente da ALN, Joaquim Câmara Ferreira. Para Boal, Marighella abriu o mapa do Brasil e explanou sobre a guerrilha no campo. O diretor emprestou sua casa para reuniões de Câmara. Em junho de 1968, a censura exigiu 71 cortes na Feira Paulista de Opinião, empreendimento do Teatro de Arena concebido por Boal, e a estreia foi adiada. Na imprensa, o crítico teatral Frei Betto fez campanha pela liberação, obtida por liminar do juiz federal

Américo Lourenço Lacombe. Boal, Betto e Lacombe colaboravam com o aparato clandestino da ALN, com graus diferentes de engajamento.

Frei Betto trabalhou como assistente de direção de *O rei da vela*, no grupo Oficina, cuja montagem de *Galileu Galilei* teve na função a futura guerrilheira Betty Chachamovitz. Companheiro dela na ALN, o advogado João Leonardo da Silva Rocha estava na plateia do Teatro Galpão em julho de 1968 quando membros do Comando de Caça aos Comunistas (CCC) despiram e espancaram os artistas de *Roda-viva*. Em cartaz em São Paulo, o espetáculo de Chico Buarque era dirigido por José Celso Martinez Corrêa e estrelado por Marília Pêra. João Leonardo deu as mãos a outros espectadores em um cordão, para resistir ao CCC, mas sucumbiu diante dos golpes de cassetetes e socos-ingleses. Se portava arma, evitou o tiroteio temerário.

Os teatros cariocas propiciaram disfarces. A atriz Vera Gertel ensinou a um guerrilheiro os mistérios dos bigodes falsos. Sua amiga Isolda Cresta desviou bigodes do elenco de *O avarento*. Próxima a Marighella desde criança, quando visitava o pai preso na Ilha Grande, Vera brilhava em 1968 com "um pequeno milagre interpretativo", na peça *O jardim das cerejeiras*, na aclamação do crítico Yan Michalski. Fora do palco, ajudava a ALN. A seu pedido, Isolda Cresta ocultou armas e refugiou militantes. Detida por ler um manifesto contra o envio de tropas à República Dominicana, conheceu o policial Mário Borges, que caiu de amores por ela. Depois a atriz saberia dos horrores do agente do Dops como torturador, mas por um tempo obteve com o inspetor informações sobre presos, levou recados a eles e conseguiu que alguns foragidos fossem esquecidos. Tão proveitoso era o contato que Marighella barrou uma proposta de desmoralizar o Dops com uma sova em Mário Borges no meio da rua.

Já na infância da ditadura o teatro sofria. Em 1965, o elenco de *O berço do herói*, peça de Dias Gomes censurada, recorreu a Carlos Lacerda. O governador da Guanabara deu-lhes uma corrida:

"Se quiserem fazer a revolução, peguem em armas!"

Foi o que fez o poeta Thiago de Mello. Ligado a Leonel Brizola, ele aprendeu guerrilha em Cuba, mas não aplicou as lições no Brasil, onde esteve com Marighella. O escritor Antonio Callado transportou de carro armas para o poeta. Callado lançou em 1967 o romance *Quarup*, cujo protagonista, padre Nando, adere à guerrilha rural. Em *Pessach: a travessia*, romance de Carlos Heitor Cony, o personagem intelectual Paulo Simões desencava uma metralhadora para enfrentar a ditadura. De carne e osso, o legendário editor Giangiacomo Feltrinelli imprimiu a versão italiana da revista cubana *Tricontinental*, cuja contracapa enaltecia uma espingarda Winchester: "Na cidade é muito eficiente em atentados e execuções sumárias".

Quem começou a publicar textos de Marighella na Europa foi o filósofo francês Jean-Paul Sartre, em 1969, na revista *Les Temps Modernes*. Por lá, o pintor catalão Joan Miró doou para a ALN esboços que renderam mais de 3 mil dólares. No Brasil, a italiana Lina Bo Bardi, autora do projeto arquitetônico do Museu de Arte de São Paulo, foi anfitriã de Marighella em sua Casa de Vidro paulistana, com paredes de visão livre para a mata. Sentado numa cadeira de couro preta desenhada por Lina, ele confabulou mais de uma vez com o capitão Carlos Lamarca, ainda no Exército.

A luta armada teria desenlace trágico para muitos artistas. A professora de teatro Heleny Telles Guariba foi morta e sumiram com seu corpo. A atriz Bete Mendes, da telenovela *Beto Rockfeller*, padeceu na tortura. No segundo semestre de 1968, um grupo pró-ditadura atacou a bomba quatro teatros do Rio de Janeiro. Meses antes, em 28 de março, Marighella assistia ao *Show do Crioulo Doido* no Teatro Toneleros quando interromperam o espetáculo. O cronista Sérgio Porto, consagrado como Stanislaw Ponte Preta, avisou que o musical no qual atuava não chegaria ao fim. Mal disfarçado com uma peruca, Marighella acompanhava Zilda Xavier Pereira, coordenadora da organização na cidade. Ela quisera arejar a cabeça do companheiro, e ambos não julgaram imprudência o programa. Aos quase mil presentes, Sérgio informou que a polícia acabara de matar um estudante e os convocou para o velório na Assembleia Legislativa. Zilda rumou para lá, na Cinelândia, e Marighella desapareceu pela noite.

As peças teatrais foram suspensas em protesto, e a vigília ao redor do corpo do paraense Edson Luís de Lima Souto comoveu o Rio de Janeiro. O estudante de dezoito anos, pobre e com rosto de Garrincha quando jovem, foi baleado no coração. Um policial militar disparou, durante a invasão do restaurante público do Calabouço por uma tropa de choque. A PM tentara conter uma passeata, fora rechaçada com pedras e revidara a tiros. Um mantra embalou o pranto: "Podia ser seu filho". "Olho por olho, dente por dente", clamou um panfleto distribuído por marighellistas. O episódio incendiou o movimento estudantil no país, e greves, prisões e novas mortes se sucederam. Três delas em 21 de junho, na "sexta-feira sangrenta" carioca. Cinco dias depois, a Passeata dos Cem Mil sacudiu a cidade.

Os ventos pareciam encanar à esquerda. O guerrilheiro Aton Fon Filho marchara com a "família" em 1964 e logo rejeitara a ditadura, ao se deparar com as imagens do comunista Gregório Bezerra humilhado em um quartel. O secundarista Alfredo Sirkis desistira do lacerdismo em favor da luta armada. O aluno de química Jean Marc von der Weid, que se alistara para defender o palácio Guanabara e o golpe, batalhava agora na AP.

Principal figura das concentrações de massa, o estudante Vladimir Palmeira militava na Dissidência Comunista da Guanabara, grupo que rompeu com o PCB e não se aliou a Marighella. Na Passeata dos Cem Mil, também discursou o vice-presidente da UNE, José Roberto Arantes de Almeida. Incensado por contemporâneos como um dos talentos políticos mais brilhantes de sua geração, Arantes pertencia a outra Dissidência, a paulista, que capitaneava o movimento universitário no estado. Marighella se encontrou com ele e outro dissidente, José Dirceu, a quem impressionou pelo carisma. Arantes entraria para a ALN.

No Rio, os correligionários de Marighella no máximo engrossaram a segurança dos atos públicos. Ele não queria mais. Ao secundarista Carlos Eugênio da Paz, aconselhou "não se queimar no movimento estudantil". Valorizava as mobilizações, mas pensava que, sem poder de fogo, elas fracassariam. Assinalou em janeiro de 1969: "Nosso princípio estratégico em face do movimento de massas urbano é dele participar com o objetivo de criar uma infraestrutura da luta armada no meio dos operários, dos estudantes [...], desencadeando as operações e táticas guerrilheiras com grupos de massa armados". O viés militar não impediu que mineiros vinculados a Marighella compartilhassem o comando da primeira grande greve proletária pós-1964.

Em 16 de abril de 1968, 1200 trabalhadores da siderúrgica Belgo-Mineira cruzaram os braços em Contagem, pertinho de Belo Horizonte. A greve arrastou 16 mil metalúrgicos, que conquistaram abono salarial de 10%. Mesmo levando menos do que reivindicavam, feriram o rígido arrocho governamental. Diretora do sindicato da categoria, Imaculada Conceição de Oliveira tinha 21 anos e integrava a Corrente Revolucionária de Minas Gerais. No início do ano, a organização pró-luta armada se associara a Marighella, e em breve seria parte da ALN. "Nossa participação foi decisiva" em Contagem, escreveu Hélcio Pereira Fortes, estudante deslocado de Ouro Preto para o setor operário da Corrente.

Em meados de 1968, Marighella conversou sobre sua empreitada guerrilheira com o presidente do Sindicato dos Metalúrgicos de Osasco, José Ibrahim. Três meses após Contagem, o município paulista parou, e outra sigla da luta armada conduziu a greve: a Vanguarda Popular Revolucionária (VPR), de Ibrahim. A ditadura sufocou o movimento com tropas militares que ocuparam a cidade e prenderam mais de quinhentos grevistas. O desenhista mecânico Marcos Antonio Braz de Carvalho, o Marquito, fora funcionário da Brown Boveri, empresa paralisada em Osasco. Ele trocara régua e compasso por instrumentos de outro calibre. Duas semanas antes da greve, testemunhou o grito de Marighella:

"Isto é um assalto!"

O primeiro roubo da guerrilha a banco foi obra da VPR, agremiação que uniu ex-praças das Forças Armadas egressos do brizolismo e socialistas oriundos da Polop. Em 7 de março de 1968, eles levaram 2150 cruzeiros novos de uma agência no bairro paulistano da Lapa. Com o acúmulo de "expropriações", deu-se um impasse inusitado: guerrilheiros da ALN, de tocaia para dar o bote num carro pagador, avistaram um grupo à espreita no outro lado do largo Ana Rosa. Supuseram ser militantes de outra organização, com igual propósito. Para sorte de todos, o veículo não apareceu, e não houve confusão.

O pessoal da ALN portava então uma metralhadora que havia disparado por acidente nas mãos de Marighella. Ele verificava os mecanismos da arma, que tinha a má fama de engasgar. Mirava para o teto, onde a bala ricocheteou antes de se alojar sob um travesseiro, no apartamento de um advogado na avenida Nove de Julho. Os dois quase morreram de susto, embora o barulho externo abafasse o ruído do tiro. Marighella não era nenhum fenômeno de pontaria, confidenciou o deputado Fernando Perrone, que se exercitou com ele em um tiro ao alvo numa fazenda e reparou que o camarada "não atirava muito bem". Nada que o alijasse do front, o que seria ausência imperdoável, de acordo com os critérios de seu artigo "Questões de organização", de dezembro de 1968: "Para merecerem confiança, [os líderes] devem destacar-se pelo seu desprendimento e pela participação nas ações mais arriscadas e responsáveis". Nas palavras de Paulo de Tarso Venceslau, coordenador da logística da ALN paulista em 1969, quem ficasse de fora era desqualificado como "bunda-mole".

Os glúteos de Marighella já estavam bem durinhos. A sugestão viera do seu motorista mais frequente em São Paulo, Antônio Flávio Médici de Camargo, bem-sucedido sócio de uma corretora de valores: colada à academia onde ele treinava judô, havia uma agência do Banco Leme Ferreira. Os funcionários eram poucos, e o faixa marrom conhecia os horários de entrega do dinheiro. O endereço, avenida Angélica com alameda Barros, uma esquina do bairro de Higienópolis, favorecia a fuga sem sobressaltos. Marighella e Marquito, o desenhista de ferramentaria pesada que trabalhara em Osasco, passaram a observar o banco de binóculo, de uma janela de um prédio em frente, onde morava o advogado Guilherme Cunha. Décadas antes de representar o Alto Comissariado das Nações Unidas para Refugiados, Guilherme cronometrou a movimentação na agência. Marighella chamou o professor Elio Ferreira Rego, o Elinho, ex-marinheiro e antigo estudante de astronomia na Faculdade Nacional de Filosofia. Em um carro estacionado na alameda Barros, ficaria um advogado bigodudo, recém-formado na tradicional Faculdade de Direito da USP, no largo São Francisco.

Pouco depois do meio-dia de 1º de julho de 1968, três homens circulavam pela rampa do conjunto comercial onde se situava o Leme Ferreira. Marighella vestia terno azul-marinho e carregava um revólver 38, como o de Elinho, que se disfarçava com óculos escuros e boné. De japona escura, Marquito segurava um saco xadrez recheado com uma metralhadora. Antônio Flávio se certificou dentro do banco de que o numerário chegara, saiu, informou a Marighella e se foi a pé. Feito um bandido sinistro, Marighella entrou ao lado de Elinho, ergueu o braço com a arma e engrossou a voz, bem no instante em que Marquito desembrulhou a metralhadora e se juntou à dupla:

"Isto é um assalto! Todos de mãos para cima!"

Os quatro presentes se apavoraram quando Marighella ameaçou:

"Quem sair leva bala!"

Elinho ordenou que as pessoas fossem para o banheiro, evitando que do lado de fora flagrassem o que ocorria. Obrigou o caixa Ernesto a pôr as mãos atrás do pescoço e amarrou seus pulsos com uma corda fina. A cliente Elaine chorou, e Elinho a acalmou:

"Não está acontecendo nada."

Marighella e Marquito limparam os caixas, nos quais arrecadaram 23 mil cruzeiros novos, ou 124 mil reais atualizados. Sem disparar um tiro, os três fugiram com o motorista que os esperava no automóvel de motor ligado. Mais à frente, passaram o dinheiro para o universitário José Luiz Del Roio. Logo encostaram no banco os carros da 3ª Delegacia, da Radiopatrulha e de uma equipe de elite alcunhada Esquadrão da Morte, dedicada a caçar os delinquentes mais temidos. O delegado Ernesto Milton Dias, do Setor de Assaltos, duvidou de ação política:

"São ladrões comuns, experimentados."

Tanto que a polícia culpou um larápio de 33 anos, no desvio desde os dezessete. O professor de judô de Antônio Flávio vislumbrara Marighella e denunciou: um assaltante é a cara de Ciro Monteiro, o cantor famoso que vinha de apresentar um novo samba de Cartola, "Tive, sim". Eram mesmo parecidos, porém os investigadores não encaixaram uma fisionomia na outra. Eles notaram a coincidência da metralhadora nos assaltos ao carro pagador na avenida Santo Amaro (autoria da ALN) e a alguns bancos (da VPR) e imaginaram se tratar do mesmo bando, que batizaram como Quadrilha da Metralhadora. Para proteger as 901 agências da capital, prometeram criar a Polícia Bancária.

Em 1969, Marighella inventariou a "inovação feita pelos guerrilheiros urbanos do Brasil, ao introduzir a metralhadora nos assaltos a bancos", "atirar nos pneus das viaturas para impedir a perseguição" e "fechar as pessoas no banheiro". Ele queria mais, após o 1º de julho de 1968, e se chateou com a insistência dos companheiros em afastá-lo das ações. Argumentavam que era benefício de menos para custo de mais em eventual prisão dele, que não perdeu o humor, provocando Elinho, antes de elogiar sua tranquilidade:

"Quer dizer que estamos em uma ação revolucionária da maior importância, de armas na mão, e você diz à mulher que 'não está acontecendo nada'..."

Marighella contava 56 anos, seis meses e 27 dias de vida ao comandar o roubo. Contemporâneos seus já empregavam a expressão "no meu tempo", típica de nostálgicos. Muitos guerrilheiros tinham pais mais jovens do que ele, bagunçando a tese do conflito de gerações. Prestes formara sua Coluna Invicta aos 26 anos, Guevara subira a Sierra Maestra aos 28, e Mao dera a largada na Longa Marcha aos quarenta. O livro *Revolução na revolução*, escrito por Régis Debray aos 26, pontificou que "os velhos não podem incorporar-se diretamente na luta armada". Como um relógio biológico ao contrário, Marighella parecia mais vigoroso à medida que os ponteiros giravam. Isso no tempo em que os muros da Paris conflagrada pela rebelião estudantil estampavam a frase cuja origem era um sucesso do cinema em 1968, *O planeta dos macacos*. Quase no fim do filme, o personagem interpretado por Charlton Heston alerta um jovem chimpanzé:

"Nunca confie em alguém com mais de trinta anos."

28. O filatelista invocado

Marcos Antonio Braz de Carvalho, o Marquito, tinha 29 anos quando Marighella o escolheu para comandar o primeiro grupo de fogo da organização em São Paulo. Ao enviar um militante para encontrar o líder em uma rua do Rio de Janeiro, Marquito descreveu suas feições e cascateou:

"Vai ser muito fácil reconhecê-lo, porque ele vai estar com um cachorrinho nos braços."

O companheiro topou com quem pensou ser Marighella, mas não o abordou, porque faltava o tal bicho no colo. Com os minutos passando, Marighella perguntou ao indivíduo que o rondava se ele era quem imaginava, tomou conhecimento da galhofa de Marquito e se exasperou:

"Baixinho só serve mesmo para levar recado a puta."

Além da estatura uns dois dedos aquém de 1,70 metro, Marquito tinha de sobra nas bochechas o que lhe faltava em pescoço, conformando um típico gorducho atarracado. Suas façanhas granjeariam fama à luta armada, mas nem seus parceiros de ALN souberam muito a respeito dele. "Era um homem que sempre trabalhou em postos do Partidão", assinalou Itoby Junior, contestado por Washington Mastrocinque: "Não ficaria meia hora dentro de qualquer partido". "Ele contou que tinha sido ligado ao PCB e preso no golpe", disse José Luiz Del Roio. De acordo com o amigo Pedro Lobo, da VPR, em 1964 policiais cariocas o "torturaram muito, chegaram a botar uma vela acesa no seu ânus. Ele, então, prometeu a desforra. Quando saiu da cadeia, foi atrás dos caras, matou o delegado e feriu gravemente dois dos investigadores".

Ocorre que até meados de 1968 nada constava sobre Marquito nos copiosos arquivos da polícia política da Guanabara, conforme correspondência destinada ao serviço congênere paulista, no qual o delegado Alcides Cintra Bueno Filho dataria a descoberta: "[Marquito] surgiu oficialmente na subversão em 1/5/1968, quando dirigiu a baderna na praça da Sé".

Foi uma senhora estreia. Sindicalistas do PCB articularam o ato do Dia do Trabalhador com a presença do governador Roberto de Abreu Sodré, filiado ao partido governista e indicado pela Assembleia Legislativa após o cancelamento das eleições diretas. Por seu lado, os sindicatos mais combativos e os grupos armados queriam uma manifestação contra a ditadura e combinaram expulsar o indesejável prócer da Arena. Marquito e Mastrocinque se embrenharam em uma madrugada pela praça, onde averiguaram as instalações elétricas.

No ensolarado 1º de maio, milhares de trabalhadores e estudantes vaiaram Abreu Sodré. No instante em que ele levou o microfone à boca, Marquito se aproveitou do cochilo da segurança, cortou os fios, e os alto-falantes emudeceram. A multidão atirou bolinhas de papel no governador, logo vieram ovos e pedras, e ao menos uma delas o feriu na testa. Policiais o carregaram para dentro da catedral, e oposicionistas discursaram em seu lugar, tocaram fogo no palanque e ziguezaguearam pelas ruas do Centro em passeata. Décadas mais tarde, Abreu Sodré relembraria ter sentido mais que uma pedrada: "Fui atingido por uma batata eriçada de pregos lançada por um certo Marquito".

Na época o governador ignorava o nome do arremessador, bem como o Dops, que o fotografou em meio à turba que apedrejava as autoridades. Enquanto os tiras queriam identificar o agitador com pinta de secundarista, na ALN prosperava a curiosidade sobre a origem de Marquito. O universitário Vinícius Caldevilla anotou: "Falavam que ele teria resgatado Marighella, que estava sendo preso". "Quem o recrutou fui eu", esclareceu José Luiz Del Roio, a quem Marquito foi apresentado por estudantes. Encaminhado a Marighella, o novato conduziu as ações mais retumbantes até a virada do ano.

Ele as preparava com o capricho do técnico que projeta ferramentas na fábrica e a obsessão dos colecionadores de selos. Era desenhista mecânico desde que se formara em nível médio no Rio, antes de se mudar para São Paulo em

1967. Cultivava com tamanho prazer o hobby da filatelia que expusera seu acervo em um museu carioca. Sua virtude mais apreciada na ALN era o planejamento meticuloso. "As ações que ele organizou foram limpas", moldadas "para não ter confronto", observou o guerrilheiro Aton Fon Filho, que o apontaria como o melhor quadro militar da organização. No entanto, o combatente "mais genial", no elogio do companheiro Manoel Cyrillo de Oliveira Neto, às vezes parecia outra pessoa, incapaz de distinguir a fronteira entre audácia e temeridade. "Se na hora não desse certo, ele insistia e queria improvisar", lembrou o professor Elio Ferreira Rego. Depois do insucesso de uma tentativa de roubo a carro que desandou em tiros, Marquito teimou em arrumar outro, com a polícia no seu encalço, e Elinho gritou "chega!".

Um assalto a loja na avenida Paulista mobilizaria quatro guerrilheiros, mais um motorista, porém dois não puderam ir. Mesmo assim, Marquito manteve o plano: limpou o caixa com o universitário Renato Leonardo Martinelli, a quem dera um revólver, ainda que ele não soubesse atirar. O impulso vulcânico que o fizera se revelar à polícia na praça da Sé, quando já integrava o núcleo militar secreto de Marighella, não foi nada perto do desvario no Réveillon de 1969, passado numa delegacia, onde não o reconheceram. Tudo porque, segundo Itoby, saíra no braço com um chofer de ônibus. Marquito minimizou:

"Não tem nada a ver com revolução. Foi uma briga. Eu estava numa festa, enchi a cara..."

"Deixa o Marighella saber disso", retrucou o frade católico Oswaldo Rezende, da ALN. "Você colocando em risco a segurança dos companheiros."

Houve entrevero mais cabeludo. A organização precisava de um automóvel, e Marquito invadiu um prédio. Como não pesquisara o local, surpreendeu-se com o vigia no estacionamento e o baleou. De novo, Marighella relevou:

"A história se encarregará de julgá-lo."

Na sentença dos companheiros, Marquito era tanto "brilhante" como "muito doido", adjetivos de Mastrocinque, que o queria como um "irmão camarada". Para Elinho, era "valente" e "disposto demais", porém "dava até preocupação". Em meio a discussões políticas, dizia que era "invocado".

Em um nível tal que, ao tomar um susto de um cão que latiu para ele, em vez de seguir em frente, parou e despejou impropérios contra o animal. É possível que Marighella o tenha feito comandante por enxergar nele o espírito daquele tempo, ao menos o tempo da ampulheta de Marighella. "Não entendo de política, eu executo", jactava-se Marquito. Quando militantes encomendaram um curso de luta, Marighella fez pouco do pedido:

"Bobagem. Luta é o seguinte: põe o dedo no olho e o pé no saco. Dois dedos nos olhos em forma de V, paz e amor, e pé no saco."

Aos ouvidos de Marquito, o guerrilheiro pletórico, soava como poesia. Ele sentia o "prazer do combate natural", "era um samurai", definiu o universitário Caio Venâncio Martins, faixa preta de judô e, como Marighella, capoeirista. Sua coragem era física e de opinião. Sacralizavam o treinamento cubano, e Marquito o profanava. "Ele achava que os caras eram uns bostas, que já sabia tudo", testemunhou Mastrocinque. Marquito disse a Renato Martinelli, quando Marighella ignorou sua objeção à viagem do estudante:

"Vá para Cuba, procure aprender o máximo, mas nunca se esqueça dos trabalhadores brasileiros."

Movido pelo coração, Marquito segurou no Brasil uma atriz que iria para Havana. No segundo semestre de 1968, Marighella despachou para a ilha os militantes do *2º Exército* da ALN. Carmem Monteiro Jacomini deveria partir com o namorado, e Marighella pensou que ela tivesse embarcado. Enquanto a supunha longe, a bela Carmem compartilhava perigos e cafunés em São Paulo com uma nova paixão, Marquito, e aparecia nas telas dos cinemas com o filme *As libertinas*. O mesmo guerrilheiro que enganava o líder por amor narra um episódio que o comovera — um menino viu a água correndo na rua, com um filete de óleo em cima, e se assombrou:

"Mãe, olha um arco-íris morto."

"Ele tinha uma tristeza dentro dele", notava Eliane Toscano Zamikhowsky, da rede de apoio da ALN. Mas era raro transparecer. Embora recebesse algum dinheiro da organização, Marquito tonificava o orçamento acordando de madrugada para carregar caixas de frutas e hortaliças nos armazéns do Ceasa, o Centro Estadual de Abastecimento. Quando sua pistola calibre 9 milímetros disparou por acidente, ele se mudou às pressas para outro apartamento, na rua Maria Antônia, onde viviam os irmãos Ayrton e Vinícius Caldevilla. Levava peixes do Ceasa, e o guerrilheiro João Leonardo da Silva Rocha os preparava. As peixadas nunca caíram mal em Marquito. Uma feijoada seria sua desgraça.

Se nomeou um carregador de caixotes do Ceasa para encabeçar o grupo de fogo, Marighella selecionou combatentes numa trincheira tradicional da elite intelectual e política paulista, a Faculdade de Direito da USP. As arcadas do largo São Francisco forneceram ao menos onze militantes para a ALN. Entre eles, o presidente do Centro Acadêmico XI de Agosto, Aloysio Nunes Ferreira Filho, que deu duro como motorista de Marighella e dali a três décadas seria ministro da Justiça. Washington Mastrocinque, o Chitão, ganhou notoriedade advogando em um tribunal simulado de Che Guevara na TV. Marquito disse a Caio Venâncio Martins que ele só teria "bilhete de ida", e os dois jovens destemidos se consideraram da "mesma galáxia". O grandalhão Arno Preis, com o jeito do camponês que fora na infância, traduzia alemão e japonês. Ao conhecer Itoby Junior, Marighella citou um estadista britânico:

"Não estou enganando ninguém. Vou parodiar [Winston] Churchill: prometo sangue, suor, lágrimas... e prisão, tortura e morte."

Aloysio, Chitão, Caio, Arno e Itoby participaram de ações armadas em 1968, mas o subcomandante de Marquito foi um amigo deles: João Leonardo da Silva Rocha, o cozinheiro das peixadas. O ex-seminarista baiano cursava direito na USP e lecionava português na rede pública. Desde 1967 vivia com a colega Manoelina de Barros, a Manon, para quem ele era "apenas" o "bonitão" por quem se apaixonara, "muito extrovertido e irônico, meio Gregório de Matos, meio Boca do Inferno". Todo santo dia João Leonardo a buscava no trabalho e à noite dava aulas. Mantinha vida legal, com documentos autênticos.

Quando Manon puxava conversa sobre a Guerra do Vietnã, Leonardo contornava o assunto. Ela o questionou sobre o tal Marighella das manchetes, e ele o afagou como "baiano arretado". Leonardo escrevera o conto "James, o Bom ou O auto da Guerra Fria", que guardava com cinco alvos em cartolina branca para a prática de tiros. Manon coloria o lar com cravos vermelhos, a flor predileta dele. Parecia incrível, mas ela não fazia ideia de que morava com um superguerrilheiro, que ocultava essa condição com o intuito de protegê-la. "Dizem que, apaixonada, a gente fica emburrecida", diria Manon, que depois de Leonardo nunca mais se casaria. Se um dia a casa caísse, seria difícil a repressão acreditar na inocência dela e nessa grande história de amor.

Outro casal, esse composto só por militantes da ALN, animava um cursinho pré-vestibular que foi o segundo pé do grupo armado de Marighella: Ísis Dias de Oliveira e José Luiz Del Roio. O PRE-USP era uma espécie de cooperativa de estudantes da Universidade de São Paulo. Davam aulas Del Roio, Ísis, Wilson do Nascimento Barbosa, Antonio Benetazzo e João Antônio Abi-Eçab, todos da organização. Se alguém quisesse encontrar Marquito, era só passar no cursinho da rua Major Diogo. Um dos alunos que se incorporaram à ALN foi Maurice Politi, que Marquito levou com a linda Ísis e outros quatro vestibulandos a uma marcha de mais de dez quilômetros e exercícios com um revólver velho. Só a pontaria dela mereceu aplausos, e os demais foram deslocados para o aparato logístico.

O funcionário do mimeógrafo do cursinho mediria 1,58 metro de altura na velhice: Elio Ferreira Rego, o guerrilheiro que assaltou o banco com Marighella e Marquito. Aos doze anos ele cuidava de uma roça de algodão em Alagoas, aos treze viu o mar, aos dezoito jurou bandeira na Marinha, aos 25 trocou os navios pela faculdade de astronomia e o ensino em cursinhos e aos 32 se uniu a Marighella. Seu sangue indígena o assemelhava a um nipônico, o que zonzeava a polícia com tantas descrições de um misterioso "ladrão japonês". Com Elinho, aderiram à ALN outros ex-marinheiros, como Antônio Geraldo da Costa, o mesmo que acertara com Marighella o bombardeio do palácio Guanabara em 1964.

A equipe de fogo foi batizada Grupo Tático Armado (GTA), como Marighella escreveu em 1968. Era *tático* porque o Grupo de Trabalho *Estratégico* (GTE), mais relevante, lutaria no campo. A sigla veio antes do nome: após ficar patente que os assaltos a bancos tinham propósitos políticos, Marighella pediu em São Paulo que pichassem "GTA: guerrilheiro, terrorista e assaltante". No Rio, quis "guerrilha, terrorismo e assalto", e o secundarista Aldo de Sá Brito o desafiou:

"Isso é uma maluquice!"

"A ditadura nos chamava de terroristas, e a gente achava que era enfiar a carapuça. Éramos guerrilheiros", ratificou o primeiro chefe militar da ALN carioca, Domingos Fernandes. Pintaram apenas o enigmático "GTA".

O CIE contabilizaria 28 militantes nas ações armadas da ALN paulista em 1968. O erro refletiu o ainda débil funcionamento dos órgãos de segurança: o número correto se aproximou de meia centena, e só o roubo de uma pedreira reuniu trinta guerrilheiros.

Não era para a organização se limitar ao grupo de fogo. Marighella ordenou-a em "frente guerrilheira, frente de massas e rede de sustentação". A primeira equivalia ao GTA urbano e à futura coluna rural, a segunda aos movimentos de estudantes e trabalhadores e a terceira ao esquema logístico ou rede de apoio. O equilíbrio de cabeça, tronco e membros foi logo substituído pela atrofia da frente de massas, em contraste com o agigantamento da frente guerrilheira, que passou a receber a atenção quase exclusiva da rede de sustentação.

A ALN se beneficiou das antigas bases operárias do PCB não somente com refúgios para foragidos: metalúrgicos montariam uma oficina de armas, e ferroviários idealizariam um assalto cinematográfico. Mas a estrutura de apoio se concentrou na classe média, por vezes escalando mais degraus. O publicitário Carlos Knapp transportou Marighella do Rio para São Paulo em seu suntuoso Mercedes-Benz cinza-chumbo. Publicitário aclamado, ele era "o Washington Olivetto da época", na comparação de outro militante da logística da ALN, o jornalista Juca Kfouri. Um guerrilheiro ferido se abrigaria na casa de Knapp, e outro na do juiz federal Américo Lourenço Lacombe. Outro juiz, do Trabalho, ajudava a ALN e a VPR: Carlos Figueiredo de Sá. O badalado psiquiatra Benedicto Sampaio, que recepcionara o filósofo Jean-Paul Sartre no Brasil, agora ciceroneava militantes treinados em Cuba. Era o advogado Itoby Junior quem costurava os fios da rede de sustentação do GTA de Marquito.

Marquito era mais conhecido como *Pedrinho*, seu nome de guerra. O gozador Marighella adotaria os codinomes *Maluf* e *Turco* a partir de 1969, com a posse do novo prefeito de São Paulo, Paulo Salim Maluf, indicado pela ditadura. Em 1968, ele ainda era *Menezes*, herança dos tempos de PCB, e *Preto*, tratamento que traía a identidade do dono que deveria proteger. Além dos codinomes, os guerrilheiros desenvolveram um glossário próprio, em muitos casos mantendo a terminologia da esquerda clandestina de gerações passadas. Suas casas e esconderijos secretos eram "aparelhos". "Ponto" designava encontro. Os militantes promoviam "ações" — "operação" era coisa dos órgãos de segurança. O companheiro que falasse à repressão, ainda que mediante tortura, "abria" informações. Quem já fosse manjado pela polícia estava "queimado". No cotidiano, o mais comum não era dizer "expropriar" ou "assaltar", e sim "fazer" um banco. A pesquisa sobre os alvos era um "levantamento". "Queda" e "cair" significavam prisão.

Marighella não caiu por pouco em junho de 1968, quando o Dops deu o bote em quatro militantes da ALN, líderes estudantis na Universidade Mackenzie. Costumava encontrá-los no apartamento de um deles, Márcio Leite de Toledo. No começo da manhã do dia 29, um sábado, a reunião foi móvel. Rodaram no Fusca do estudante Agostinho Fioderlísio, piloto amador que competira no autódromo de Interlagos e aplicava em ações armadas sua destreza ao volante. Marighella lhes transmitia as instruções para o treinamento em Cuba, antes do embarque à noite. Jun Nakabayashi comparecera, mas não Renato Martinelli, o que os afligiu. Márcio contou que na véspera lhe emprestara a casa para uma despedida amorosa. Foram para lá, onde os tiras lhes deram voz de prisão.

Por mera sorte, Marighella não os acompanhou ao prédio no bairro da Bela Vista. Renato fora preso na noite da sexta-feira, depois de a polícia recolher pistas que a levaram a Márcio. O Dops apreendeu passagens para a Europa e anunciou as conexões dos presos com Marighella. A organização entrou em polvorosa, com rumores de que ele também estivesse em cana. Evidenciou-se que eram boatos, e Marquito cogitou um ataque à sede da polícia política para resgatar os companheiros, ousadia descartada. Na reportagem em que tratou da militância revolucionária dos mackenzistas, o *Jornal da Tarde* publicou as suspeitas policiais de que Marighella estivesse em "uma fazenda de Mato Grosso" ou "perto de Presidente Epitácio". E relatos de que se encondesse nas cidades paranaenses de Curitiba ou Maringá. Um delegado rendeu-se:

"É bem possível que Marighella esteja num prédio de apartamentos aqui mesmo em São Paulo. Mas sua localização é praticamente impossível."

Na cidade, eram três seus aparelhos constantes: um apartamento que a irmã de uma militante alugara por temporada, nas cercanias do Anhangabaú; outro emprestado pelo companheiro Antônio Flávio Médici de Camargo, no bairro de Santa Cecília; e a residência do casal Carlos Knapp e Eliane Toscano Zamikhowsky, no chique Jardim Europa.

No Rio de Janeiro, Marighella iniciou 1968 em um apartamento em Copacabana, mudou-se para outro no subúrbio do Lins de Vasconcelos e no fim do ano já se instalara em Todos os Santos, na zona norte, numa casinha modesta que seria seu pouso mais frequente. Foi lá que escreveu em dezembro o artigo "Questões de organização", cujo balanço dos meses anteriores afirmou que a "frente guerrilheira caracterizou-se", entre outros feitos, "pelos atos terroristas revolucionários". Não eram proezas salivares. Ele sabia o que fizera.

Em fevereiro de 1968, o "Pronunciamento do Agrupamento Comunista de São Paulo", primeira identidade da ALN, não pudera ser mais explícito: "O trabalho de massas antiamericano deve prosseguir, com o castigo dos americanos agindo no Brasil". Não demorou, e a *Folha de S.Paulo* saiu no dia 3 de março com a reportagem "Do Vietnã à sociologia política", apresentando um capitão do Exército dos Estados Unidos residente na capital paulista. Charles Rodney Chandler havia combatido os guerrilheiros vietnamitas, na campanha que agora, aos trinta anos, propagandeava em palestras. O historiador americano Ronald H. Chilcote registraria que Chandler era "agregado à missão militar dos Estados Unidos no Brasil". A revista *Veja* o qualificaria como "especialista em guerrilhas". Ao menos no papel, era um bolsista que estudava o idioma e os costumes nacionais, na Escola de Sociologia e Política. É possível que tenha cruzado com o presidente do centro acadêmico, Márcio Leite de Toledo, da ALN, que cursava também direito no Mackenzie.

Algum tempo depois da matéria da *Folha*, Marighella mostrou a fotografia do capitão a José Luiz Del Roio. Descreveu-o como "grande repressor, torturador que ajudou a matar" no Sudeste Asiático. Em setembro, o principal dirigente da VPR, Onofre Pinto, "trouxe a questão" Chandler a uma reunião, como recordaria outro líder da organização, João Carlos Quartim de Moraes, que disse ter reagido assim:

"Precisa matar é torturador."

ALN e VPR não concorriam para ver quem executaria Chandler, porque haviam se associado na empreitada. Ex-sargento do Exército, Onofre se tornara unha e carne com Marquito. Desde 1967 a VPR estourava bombas contra alvos diversos, e a ALN seguiria a trilha. Num dos eventos mais desgastantes para a esquerda armada, uma bomba explodiu no consulado americano em São Paulo, em 19 de março de 1968. Foi a tragédia do estudante Orlando Lovecchio Filho, que andava na calçada e perdeu parte de uma perna. Passados quarenta anos, o arquiteto Sergio Ferro confirmaria ter participado do atentado e diria que "foi iniciativa da ALN, e não da VPR". Marighella, que vetava danos a pessoas sem vínculo com a ditadura, jamais reivindicou a autoria da ação. Contudo estimulava a autonomia de quem não tinha que pedir autorização para empreender "atos revolucionários". O grupo de arquitetos a que Ferro pertencia gravitava entre a VPR e a ALN, da qual Marquito foi instrutor de explosivos.

Para Marighella, o capitão Chandler não era um inocente, mas um vilão presumivelmente a soldo da CIA no Brasil, embora inexistisse prova de ligação com a agência. A ação deveria marcar um ano da morte de Che Guevara. Para vingar o argentino, três militantes dos Comandos de Libertação Nacional, o Colina, haviam cometido uma trapalhada fatal em julho. Eles mataram no Rio de Janeiro um major alemão, pensando ser o oficial boliviano captor do Che. Ao se darem conta do engano, omitiram-no até da organização. Na logística do Colina, atuava em Minas a jovem Dilma Rousseff.

Em São Paulo, com o levantamento rigoroso dos hábitos de Chandler, não haveriam de errar. Marighella cedeu Marquito, e a VPR entrou com dois combatentes tarimbados: Diógenes Carvalho de Oliveira, graduado em Cuba, e Pedro Lobo, ex-sargento da Força Pública. Em 11 de outubro, um Fusca bege estacionou a dezenas de metros da casa do oficial americano, na rua Petrópolis, bairro do Sumaré. Pedro dirigia o carro roubado, e os outros se sentavam atrás. Esperaram por duas horas, o capitão não saiu, e eles foram embora. No caminho, cruzaram com dois moços de camisa branca e gravata, aparentemente missionários mórmons. Marquito mandou Pedro parar, abriu o zíper da sacola, pegou a metralhadora INA, que levava desmontada, e enroscou seu cano. Explicou: na falta do gringo militar, matariam os gringos religiosos. Pedro se assustou e acelerou, sem dar chance ao gesto infame.

Retornaram na manhã seguinte às oito horas. Quinze minutos depois, Chandler abriu a porta da cozinha, entrou no seu Impala guardado na garagem, deu marcha a ré para ganhar a rua e, ao chegar à calçada, o Fusca fechou-o. Os dois ocupantes do banco traseiro saíram, e Diógenes descarregou as seis balas do revólver Taurus calibre 38. Em seguida, Marquito apontou a metralhadora para a cabeça do veterano do Vietnã, apertou o gatilho, e o corpo ensanguentado desabou sobre o banco da perua. Depois de catorze projéteis, a INA emperrou, Pedro jogou panfletos para o alto, e os três partiram. Os policiais recolheram os boletins, nos quais leram: "Criar um, dois, três Vietnãs, eis a palavra de ordem do comandante Che Guevara, que foi cruelmente assassinado na Bolívia por agentes imperialistas do nível deste Chandler, notório criminoso de guerra no Vietnã, e hoje punido e executado pela Justiça Revolucionária". As autoridades divulgaram que um filho de Chandler assistira ao assassinato, e Pedro Lobo negaria ter visto a criança.

Por três meses, um conselheiro de segurança dos Estados Unidos investigou o caso com a polícia paulista. Na Justiça Militar, João Leonardo da Silva Rocha, o sub de Marquito, foi apontado como redator do texto — apócrifo — deixado no local. Embora não se tenha sabido se a ideia original foi da VPR ou da ALN, a promotoria denunciou Marighella como autor intelectual e mandante do crime. Ele lançou um manifesto enaltecendo o "justiçamento do capitão norte-americano Charles Chandler, que veio do Vietnã para fazer espionagem da CIA no Brasil".

Em um sábado de dezembro de 1968, Marquito recebeu Pedro e Diógenes para almoçar no apartamento de João Leonardo e Manon, que estavam viajando. Dividiram a mesa com a produtora cultural Dulce Maia, guerrilheira da VPR. No episódio da morte de Chandler, ela estivera por perto num carro, para acudir os companheiros, se necessário. Os quatro devoraram uma feijoada.

29. Assalto ao trem pagador

"Por que você não traz uma trena?", perguntou Francisco Gomes, sem merecer nem um resmungo de resposta.

Marighella prosseguiu contando em silêncio seus passos quase marciais rente aos trilhos da Estrada de Ferro Santos-Jundiaí. Em breve, receitaria numa carta o ritmo de obtenção de dinheiro nas cidades, para bancar a guerrilha no campo: "Cada dia uma pequena ação e de vez em quando as grandes". Ele preparava uma ambiciosa, desde que a ideia brotara na conversa de dois antigos dirigentes sindicais ferroviários, Raphael Martinelli e Francisco Gomes, o Beduíno. "A gente queria repercussão", recordaria Martinelli, ainda que viessem a sonegar a autoria. Marighella se tomou de um entusiasmo juvenil quando Beduíno vaticinou:

"Vai ser moleza."

O plano era roubar o vagão postal com a dinheirama para o pagamento de 1800 funcionários da ferrovia centenária. Eles recebiam os salários no fim do caminho, o município paulista de Jundiaí, a 139 quilômetros de Santos. O mais indicado parecia atacar logo depois da estação da Lapa, na capital.

Nenhuma incursão de ladrões de trens no país causara furor igual à de 1960, numa linha da Central do Brasil, reconstituída dois anos mais tarde no filme *Assalto ao trem pagador*. Em 1963, uma gangue tinha limpado um trem rumo a

32. "Comunista de carteirinha", no documento emitido pelo PCB no período de legalidade, 1945 a 1947.

Comício do PCB no estádio de São Januário, em 1945.

34. Pleno do Comitê Nacional do PCB durante a legalidade: Maurício Grabois (número 2), Diógenes Arruda Câmara (3), Luiz Carlos Prestes (4), Marighella, Armênio Guedes (6) e Pedro Pomar (7).

35.
Marighella em 1945,
quando se elegeu deputado
federal constituinte.

No aeroporto de Salvador, em 1945, Estevam Macedo, Giocondo Dias, Luiz Carlos Prestes, Marighella e João Falcão (da esq. para a dir.).

Bancada comunista na Constituinte de 1946; à esq., Claudino José da Silva é o primeiro no alto e Jorge Amado, o primeiro abaixo; Marighella é o único sorridente, com os dentes à mostra.

38. O deputado Marighella se reúne com ferroviários em 1946, no Rio.

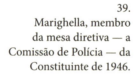

39. Marighella, membro da mesa diretiva — a Comissão de Polícia — da Constituinte de 1946.

40. O presidente Eurico Gaspar Dutra em 1947; candidato, ele prometera legalidade ao PCB; eleito, perseguiu o partido.

41.
Elza Sento Sé, pouco antes de conhecer Marighella em um baile de Carnaval e tornar-se sua primeira mulher e a mãe de seu filho.

42.
Carlos Augusto, o Carlinhos, filho de Elza e Marighella, que só pôde conhecê-lo com oito anos.

43. Revista *Problemas*, editada pelo PCB, quando Marighella era seu diretor.

44. Vinheta com o rosto de Marighella, acompanhando seu editorial na revista *Problemas*.

45.
Clara Charf, a "branquinha arrumadinha" por quem Marighella se apaixonou e que enfrentou a resistência do pai para viver seu grande amor.

Joaquim Câmara Ferreira é preso em 1948, depois de resistir de arma na mão à invasão ao jornal comunista *Hoje*.

47. Passeata em Niterói contra o envio de tropas à Guerra da Coreia; em São Paulo, Marighella comandava o PCB, que animava a campanha pela paz.

48. *Voz Operária*, jornal do PCB, noticia em 1953 a Greve dos Trezentos Mil, em São Paulo.

49. Manifestante (ao lado) é preso na Greve dos Trezentos Mil, na qual João Saldanha (acima) foi o pombo-correio entre Marighella e os sindicalistas do PCB à frente do movimento.

50. Na *Imprensa Popular*, três dias antes do suicídio de Getúlio, Prestes defende "pôr abaixo o governo Vargas"; o jornal comunista republicou a entrevista em 24 de agosto de 1954, data da morte do presiden

51. O presidente Juscelino Kubitschek, em cujo governo o PCB conquistou a "legalidade de fato".

52. Mao Tsé-tung, líder da revolução na China, país que Marighella visitou em 1953-54.

53. Nikita Khruschóv, cujas denúncias sobre os crimes de Stálin abalaram Marighella.

54. Ao repórter Janio de Freitas, Agildo Barata, de óculos escuros, à dir., diz em 1957: "Prestes é hoje um general que desconhece o terreno".

55. Quase dez anos depois de entrar na clandestinidade, Marighella, de cabelo raspado e com muitos quilos a mais, reaparece em novembro de 1957 para depor à Justiça.

Vitória do Socialismo: o Homem já Pode Ver as Estrêlas de Perto

Astronauta Russo Foi e Voltou: os Séculos Relembrarão o Feito

NOVOS RUMOS

Rio de Janeiro, semana de 14 a 20 de abril de 1961 — Nº 110

GAGÁRIN, AO TOCAR EM TERRA:
«Informem ao Partido, ao Govêrno, e particularmente ao camarada Kruschiov, que a aterragem foi normal e estou em ótimas condições»

Cientista Soviético Revela Tudo Sôbre a Viagem do Homem ao Cosmos

Mensagem de Kruschiov ao Astronauta

Mensagem dos comunistas brasileiros a Kruschiov

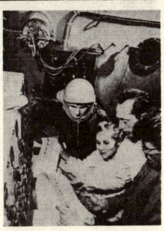

O PIONEIRO

Combate ao oportunismo e à estreiteza sectária

Os preços mínimos de Jânio: intermediários vão ganhar mais

A VIDA EM OUTROS PLANÊTAS
Artigo do cientista soviético Prof. IU. RALL

Caminho Luminoso
ORLANDO BOMFIM JR.

Trabalhadores Reagem à Política de Fome de Jânio e Exigem Revisão Salarial

Os feitos da União Soviética entusiasmaram camaradas em todo o mundo: eles acharam que os Estados Unidos ficariam para trás.

57. Jânio Quadros condecora Che Guevara; dali a seis dias, o presidente renunciaria e a polícia invadiria o apartamento de Marighella.

58. Fidel Castro, que guardou de Marighella a imagem de "um revolucionário de muita lucide

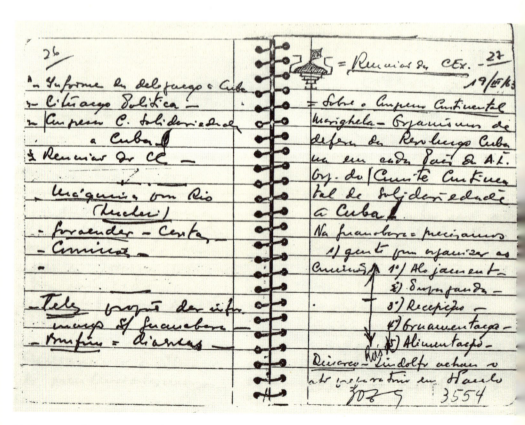

59. Em uma caderneta, Luiz Carlos Prestes anotou o que Marighella disse sobre a campanha de solidariedade à Revolução Cubana.

Marighella discursa em 1963, no Congresso Continental de Solidariedade a Cuba, em Niterói.

61.
No Comício
da Central,
faixas pedem
(também)
legalidade
para o PCB.

62.
No Comício da Central, o presidente João Goulart divide o palanque com a "bela", Maria Thereza, e a "fera", o comunista Osvaldo Pacheco (à dir.).

63.
Na revolta dos marinheiros, às vésperas do golpe de 1964, amotinados estampam o semanário comunista *Novos Rumos*, apoiando a rebelião.

64.
Aglomeração no centro do Rio, em 1º de abril de 1964, depois do golpe que derrubou Jango.

Londres, num dos "roubos do século" — após fugir da prisão, o participante Ronald Biggs adotara o Rio de Janeiro como lar. Ao contrário dos meliantes britânicos, os guerrilheiros teriam de se arriscar à luz do sol, e não protegidos pelas sombras da madrugada. Na Central do Brasil, os bandidos haviam matado um homem e ferido três, num assalto sangrento que Marighella não desejava. Por isso, ele se debruçava numa equação: quantos metros a locomotiva deslizaria após puxarem o freio de emergência, cujas alavancas de ferro caíam do teto dos vagões? Com base na estimativa, os motoristas definiriam onde esperar os companheiros para a retirada de carro. Beduíno consultou maquinistas e explicou a Marighella que o trem avançaria de 0,3 a 0,5 quilômetro. Os dois palmilharam o local onde a composição deveria parar, depois da estação da Lapa e do pontilhão sobre o rio Tietê. Beduíno se queixou:

"Estou em jejum, preciso tomar um café."

"De jeito nenhum!", censurou-o Marighella. "Que bar nada. Nós estamos numa tarefa. Para que entrar em bar? Se está em jejum, vai ficar em jejum!"

Beduíno diria: "Quando Marighella dava uma bronca, era para arrebentar mesmo. Era um cara muito carinhoso, tratava muito bem, mas explodia". A pressa de nada adiantou, porque o pontilhão foi alvo em 7 de julho de uma bomba confeccionada por um grupo de extrema direita. Encabeçava-o Sábado Dinotos, codinome de Aladino Félix, um abilolado que jurava ter privado da intimidade de extraterrestres. Marighella decidiu agir mais adiante, após a estação de Pirituba, onde o trem não parava. Ele refez o levantamento, com suas passadas largas medindo as distâncias nos trilhos e num barranco.

Noutra frente, Renato Martinelli experimentou o trajeto e se inquietou com um possível surto histérico dos passageiros, hipótese que soou inverossímil a Marquito, para quem as armas "imporiam respeito" — escalado para treinar em Cuba, Renato foi afastado da ação. Dedicado a cada pormenor do planejamento, Marighella se frustrou ao ser barrado pelos companheiros, que insistiram ser um perigo muito alto sua exposição. A presença dos idealizadores já estava descartada: líderes históricos da categoria, Raphael Martinelli — sem parentesco com o universitário Renato — e Beduíno eram conhecidos demais. Ambos foram demitidos dos empregos em 1964, abandonaram o PCB com Marighella e constituíram a rede de apoio da ALN na ferrovia. Em 10 de agosto de 1968, Beduíno foi cedinho para um bar próximo à sua casa, em Osasco. Sobrariam testemunhas de que estava longe da confusão.

* * *

Passavam cinquenta minutos das seis horas do sábado quando as portas do trem prefixo P-3 se fecharam na estação paulistana da Luz, onde a viagem começou em meio às brumas do amanhecer. A locomotiva capitaneava nove vagões, nesta ordem: o postal, sete de passageiros e um restaurante. Como não ignoravam os militantes da ALN, na face do vagão postal enganchada num de passageiros, a porta ficava aberta. Logo a composição parou na estação da Lapa, primeira e última escala até Jundiaí, aonde chegaria dali a uma hora. Ao deixar a Lapa, às sete em ponto, levava cinco guerrilheiros.

Sozinho em um dos vagões dianteiros, Elio Ferreira Rego sentou-se à esquerda, virado para a frente, porque de costas enjoava. Ao seu lado, grudado à janela, um passageiro puxou conversa, e Elinho fingiu que cochilava, com os olhos resguardados pelos óculos escuros. "Se eu errar, na próxima parada estamos presos", pensou. Sua função era acionar o freio, já que se jogar do trem em movimento equivalia a suicídio e em Jundiaí se concentravam policiais — a bulha na estação seria feroz, pois um comando armado da ALN estava lá para o eventual resgate dos companheiros. Se as coisas corriam como combinado, o vagão postal já fora invadido. Então Elinho se levantou, trancou-se no banheiro, calçou as luvas e empunhou o revólver calibre 38. Ao sair, deu de cara com seu vizinho de banco circulando e o fulminou:

"Aonde é que você vai, caboclo?"

O homem tremeu, voltou ao seu assento e não teve dúvidas de que as veias de quem gritara com ele se inundavam de sangue nipônico. Elinho se postou diante do freio e da placa de alerta: "Em caso de perigo, puxar a alavanca". Foi o que ele fez com força, pouco antes de Pirituba, equilibrando-se para evitar o tombo decorrente da desaceleração brusca. Por um motivo incerto, não funcionou, e o trem não ficou sequer um quilômetro por hora mais lento. "Puta que pariu!", desesperou-se Elinho. "Agora acabou tudo."

Ao embarcar, João Leonardo da Silva Rocha observara as janelas cerradas, para amenizar o frio do inverno, e os vidros embaçados pela respiração das pessoas. Na semana anterior, ele viajara com Marquito e se familiarizara com o ambiente. Um minuto depois da partida da estação da Lapa, Marquito, o comandante da ação, acercou-se do vagão postal acompanhado de três egressos da Faculdade de Direito da USP. Vestia a indefectível japona que ocultava a pistola, e os óculos ray-ban faziam as vezes de máscara. Abriu a sacola de lona e couro que carregava a tiracolo, sacou a metralhadora e entrou com João Leonardo e Arno Preis — o outro companheiro ficou vigiando a porta. Deparou-se com quatro funcionários e anunciou:

"Isto é um assalto, e não queremos matar ninguém! Fiquem quietos."

O guarda ferroviário José Luís Carvalho envergava uniforme verde e exibia na cintura um revólver Smith & Wesson 38, cano curto. Foi desarmado e obrigado a se abaixar de cócoras com os colegas. Em meio às encomendas, empilhavam-se três malas de couro cru, abarrotadas de notas separadas em envelopes para saldar o salário de julho. Os guerrilheiros as apanharam e esperaram os arredores da estação de Pirituba para Elinho frear o trem. Como demorava, Marquito se afligiu e disparou em busca dele. Ao avistá-lo com a cabeça enfiada em um boné, ouviu de Elinho, que atravessara vagões à procura dos companheiros, o que já sabia:

"Esta merda não parou!"

Marquito reagiu puxando o primeiro freio que alcançou, no momento em que a máquina acelerava a setenta quilômetros por hora. Dessa feita, as sapatas se agarraram às rodas, o vapor fez o barulho do sopro de um gigante de desenho animado, a fumaça rascunhou uma nuvem densa, o trem chacoalhou e enfim não se moveu. Os cinco pularam no quilômetro 91 da ferrovia, caminharam com as malas nos ombros no sentido contrário ao percorrido, embicaram à esquerda centenas de metros depois, subiram por uma picada íngreme na mata que encobria o barranco... e alguns sentiram o fôlego por um fio.

Dividiram-se entre os dois Fuscas que os aguardavam à beira da estrada do Jaraguá, sem contar um terceiro carro, de cobertura, com o estudante Takao Amano e um motorista. Ao volante de um estava Aloysio Nunes Ferreira Filho. Do outro, João Antônio Abi-Eçab, quartanista de filosofia na USP. Cada um com uma carabina Winchester no colo. Aloysio virara a noite insone, arrebatado pela tensão. Enquanto os companheiros não apareciam, tingia-o um sentimento de pavor, ele fumava e matutava: "E se der uma cagada, o que eu vou fazer aqui?".

Além de parte dos fugitivos, Abi-Eçab conduziu todas as armas. Aloysio, o dinheiro, que escondeu na residência do casal Heleny, artista de teatro, e Ulisses Guariba, professor de história. Eram filiados à VPR, mas colaboravam com a ALN. Pouco depois da desova do butim, Beduíno se inteirou da notícia pelo rádio. No boteco em Osasco, ele virou um copo de pinga para a celebração íntima e exclamou para si mesmo:

"É a nossa desapropriação, é a nossa desapropriação!"

O assalto ao trem pagador da Estrada de Ferro Santos-Jundiaí rendeu 108 mil cruzeiros novos (576 mil reais corrigidos), entregues a Marighella. Foi tão rápido que, da voz de assalto à saída, não se consumiram nem dez minutos. Era obra da Quadrilha da Metralhadora, declarou a polícia. Delegados especularam que o "tratamento delicado" configurava indício de autoria de terroristas. Conforme a *Última Hora*, chefiados "pelo ex-deputado Carlos Marighella". Mas o Dops se enrolou e apontou como ladrões membros do PC do B, que tinham tanto a ver com a ação quanto Marighella com a iminente expedição do homem à Lua. Como os tiras torturavam para obter confissões, o cartunista Chico Caruso, um calouro de dezoito anos da *Folha da Tarde*, desenhou uma charge em que um fortão apresenta um sujeito trucidado e relata ao superior:

"Seu delegado, ele confessou tudo e ainda o assassinato do Kennedy."

Com colaboradores da ALN na cúpula da redação, a *Folha da Tarde* tripudiou dos desencontros dos investigadores. Testemunhas descreveram o índio alagoano Elinho como um descendente de japonês, e o vespertino publicou que os detetives falavam brincando em sair no encalço dos delinquentes *Sataro Banko, Ficaro Kotutu* e *Hinganaro Otira*. Quatro dias depois do roubo, o salário foi pago em Jundiaí. Entre os ferroviários estavam três da ALN, aposentados. Surpreendido pelo assalto, um deles pressentiu no sábado quem o realizara e misturou a frustração dos bolsos vazios com a satisfação pelo feito:

"Filhos da puta. Fomos nós!"

Em correspondência com militantes que contestaram a multiplicação dos assaltos, Marighella respondeu em dezembro de 1968 que "o dinheiro só vem da ação". "Há uma ordem de preferência na aplicação", escreveu. "As viagens às áreas estratégicas", como designava a zona rural, "têm preferência". Ele não informou, mas já comprava terras para instalar os pioneiros da luta no campo. A guerrilha urbana encarnava um paradoxo — levantava fundos, porém os devorava vorazmente, como Marighella assinalou, repetindo palavras de Fidel Castro: "A cidade é um cemitério de homens e recursos. Quanto mais recurso se lança na cidade, mais é preciso empregar".

O CIE estimou que cada militante clandestino marighellista gastasse o equivalente a quinhentos dólares por mês em São Paulo. Como eles seriam uma centena, a conta bateria em 50 mil dólares em trinta dias. Eram chutes para cima. Mesmo no GTA, a maioria mantinha empregos legais em 1968. Na rede de apoio, os quadros se sustentavam com seu trabalho — banido da ferrovia, Beduíno ocupava-se com bicos em serralherias. Assim como não havia cem clandestinos, o desembolso unitário com eles estava distante do meio milhar de dólares, montante que representava catorze salários mínimos do Brasil em outubro daquele ano. As cifras reais oscilavam em torno de um quinto do cálculo militar. No ano seguinte, aí, sim, o custo cresceria, com numerosos guerrilheiros sem outra fonte de renda que não as ações da ALN.

A confiar na contabilidade do CIE, o GTA paulista arrecadou 530 mil cruzeiros novos em mais de trinta roubos em 1968, o que somava 138 mil dólares pelo câmbio do último dia do ano — atualizados, seriam 865 mil dólares. O resultado ainda era confiável, pois a partir de 1969 a guerrilha constataria que às vezes embolsava menos do que o divulgado pelos bancos, que garfavam mais das seguradoras, estabelecendo a fórmula original: mesmo assaltados, lucravam.

Um balanço do governo concluiria que até setembro de 1970 o conjunto da esquerda armada promoveu 370 assaltos contra instituições financeiras em doze estados, levando quase 2,5 milhões de dólares, pela conversão naquele mês — ou 14 milhões, quarenta anos depois. Eram 100 mil dólares a menos do conteúdo de um cofre particular confiscado no Rio de Janeiro pela Vanguarda Armada Revolucionária (VAR)-Palmares em 1969. A bolada pertencia ao falecido ex-governador Adhemar de Barros, que no passado contribuíra com o PCB, e a deixara sob guarda da secretária e amante. Mais fácil, só se Marighella aceitasse a generosa oferta de 1 milhão de dólares, que um bancário condicionava a um encontro com ele. O tipo estranho se tornaria célebre como Bom Burguês. Apesar de bem-humorada, a alcunha era imprópria, pois Jorge Medeiros Valle era assalariado, e não patrão. Subgerente de uma agência carioca do Banco do Brasil, ele subtraía recursos para cooperar com a guerrilha. Irrigara as finanças de duas organizações, e agora queria adubar a coluna rural de Marighella.

"Ele desviou 3 milhões de dólares", disse Itoby Junior, que se reuniu com Valle em Paris. Não ficava muito longe dos números veiculados pelo jornal *O Globo* em julho de 1969, depois de um repórter conversar com o Bom Burguês, já na cadeia. Contatado por um emissário, Marighella rejeitara meses antes a proposta de encontro como "provocação primária", "uma isca" para capturá-lo. O bancário que "pretendera se unir" a Marighella, como frisou *O Globo*, na França disse a Itoby ter se magoado com a recusa. É provável que as suspeitas de Marighella não procedessem: o PCBR foi aquinhoado por fundos do Bom Burguês, e Apolônio de Carvalho, um dos líderes do partido, sempre lhe manifestou gratidão.

Marighella dispensou a doação milionária do Bom Burguês e não cultivou ilusões nos burgueses de verdade. Contudo se dirigiu a vários deles em março de 1969, por meio de cartas exigindo um tal "ICR", "Imposto Compulsório da Revolução". Era o "contrário do ICM, ou seja, Imposto de Circulação de Mercadorias, que vem sendo cobrado pela ditadura". Anotou: "A guerra revolucionária já está iniciada no país, e os gastos e implicações dessa guerra serão inevitavelmente tributados por nós às classes dominantes". Falou em cotizações e só faltou fornecer os dados para depósito. Sabia que não amealharia um tostão — a missiva era mera propaganda. No mês seguinte, os revolucionários da ALN passaram a distribuir nos assaltos uma "Carta circular ao bancário brasileiro", denunciando a ditadura e os ganhos dos bancos.

Na luxuosa região paulistana do Jardim Europa, um homem de negócios não era hostil à luta armada. Na casa dele, Marighella e frei Betto se desfizeram das fitas de papel que amarravam cédulas de cruzeiros novos, certamente roubadas. O religioso localizaria o imóvel "perto do Clube Pinheiros", mas não identificaria o apoiador da ALN. À época frade, João Antônio Caldas Valença confidenciaria que o morador da travessa Ouro Preto, a poucos passos do Esporte Clube Pinheiros, era seu amigo Antônio Ribeiro Pena, filho de um ex-presidente do Banco Mineiro da Produção, estatal. Marighella dormia no casarão do rico empresário, que seria preso pela ditadura. Ao jogar fora o invólucro do dinheiro, ele entupiu um vaso sanitário. Achou que a solução fosse queimar o papelório, riscou um palito de fósforo, botou fogo, e o calor rachou a latrina. Talvez a cena caísse bem no cinema pastelão.

Foi um filme que inspirou o assalto ao carro pagador da fábrica de tratores Massey Ferguson. Embora sem veleidades de intelectual, Marquito não era um tosco. Saboreava literatura, sobretudo Guimarães Rosa, e sessões de cinema, nas quais assistiu a *Os assassinos*. A produção americana de 1964 ficaria marcada como o último lançamento com Ronald Reagan antes de o ator enviesar pela carreira política que o empurraria à Casa Branca. Há uma sequência em que o vilão interpretado por Reagan e um ex-piloto de automóveis, vivido por John Cassavetes, desviam para uma estradinha a camionete dos correios atulhada de dinheiro.

O ardil da dupla foi se vestir com farda de policiais, ocupar a rodovia principal com placa de trânsito interrompido e obrigar o veículo a tomar a via secundária, onde foi pilhado.

Marquito se lembrou da fita quando um ex-funcionário da Massey, vinculado ao PCB, cantou a dica para o roubo. A ação ocorreria em setembro de 1968, mas o homem morreu de causas naturais, e ficou para dois meses depois do trem. Seria o batismo de fogo de dois guerrilheiros treinados em Cuba, Aton Fon Filho e Virgílio Gomes da Silva. Quando eles retornavam, vislumbraram Praga sem viva alma nas ruas e desconfiaram de feriado. Não era: em 20 de agosto, tropas do Pacto de Varsóvia, controlado pela União Soviética, haviam invadido a Tchecoslováquia para sufocar os arroubos democráticos do Partido Comunista local. Os soviéticos receberam o apoio de Fidel Castro e da direção do PCB. Marighella calou sobre a agressão e manteve Praga na rota de seus companheiros.

Um deles, Arno Preis, assumiu posição na avenida Nazaré Paulista, no bairro de Pinheiros, por volta das nove e meia da manhã de 10 de outubro. O advogado loiro trajava uniforme azul-marinho de guarda-civil e quepe branco. Naquele dia, obstáculos foram espalhados no caminho do DKW-Vemag Fissore da Massey Ferguson. Em ruas nas quais o motorista dobrava para variar o itinerário e confundir ladrões, cavaletes furtados por Itoby Junior e Aloysio Nunes Ferreira Filho impediram a passagem. Outro grupo fincou uma placa de trânsito interditado, amarela com listras pretas, com o mesmo propósito: afunilar o roteiro até a arapuca no fim.

Conseguiram: ao enxergar o automóvel, Arno soprou o apito, e o motorista Mauro Bonassa parou. Ele transportava mais dois empregados e o numerário para pagamentos da firma. O "guarda" lhe pediu os documentos, e antes de mostrá-los o motorista escutou que era um assalto. Viu-se cercado por revolucionários saídos do mato contíguo à faixa, com revólveres, fuzil e metralhadora. O que apontava a metralhadora INA era — esse, sim, autêntico — um nissei alto que faria fama no grupo de fogo: Takao Amano. Os funcionários desceram, e quatro assaltantes partiram no Fissore branco. Os 73 mil cruzeiros novos roubados (378 mil reais quatro décadas mais tarde) foram passados às mãos de Marighella por Itoby, que à distância dera cobertura armada à ação da qual ao menos onze militantes participaram. A revista *Veja* citou um diretor da Massey, para quem "os meios usados para interceptar o carro, convenhamos, foram geniais". Poderia ter dito que tinham sido cinematográficos.

30. A revolução vem do campo

Marighella assistia à missa na capela do Colégio Rainha da Paz, escola das irmãs dominicanas em São Paulo, quando frei Maurício indagou se ele gostaria de comungar. O convidado recusou e comentou, a respeito da hóstia consagrada na eucaristia como o corpo do Salvador:

"É um alimento como outro qualquer."

Não os unia o Evangelho, mas a fé na luta armada. De acordo com frei Maurício, Marighella comparecera ao educandário para falar com frei Edson Braga, prior do convento Santo Alberto Magno, localizado no bairro paulistano de Perdizes. Os frades militantes da ALN queriam que o superior do templo dominicano, mesmo sem ser um marighellista, conhecesse o líder da organização. Frei Maurício, nome religioso do cidadão João Antônio Caldas Valença, era um dos nove membros da ordem que haviam engrossado o setor logístico da sigla guerrilheira. Com formação de esquerda, quase todos haviam batalhado na Juventude Estudantil Católica, e a AP se descortinava como o seu desaguadouro previsível. Porém navegaram por outras águas: enquanto Marighella não exigia conversões profanas ao ateísmo, a AP trocara "o culto de Jesus Cristo pelo de Mao Tsé-tung", na crítica do frei Oswaldo Augusto Rezende Junior. Em sua opinião, a agremiação "transferiu para a luta revolucionária todo o misticismo cristão".

Oswaldo fora pioneiro ao cursar filosofia na USP, e não em classes da Igreja. Em meados de 1967, abordaram-no com a proposta de um encontro, para o qual convocou Carlos Alberto Libânio Christo, o frei Betto. Conforme Betto, o convite a Oswaldo foi feito pelo colega de faculdade João Antônio Abi-Eçab, a conversa com Marighella ocorreu no parlatório do convento, e ele e o confrade, ambos com 22 anos, ignoravam a identidade do homem apresentado como *Professor Menezes*. Segundo Oswaldo, quem o procurou foi o estudante José Luiz Del Roio (que confirmaria suas informações), era evidente que sabia diante de quem estava, e a reunião transcorreu em um quartinho a léguas do convento, onde os dois frades haviam sido apanhados por Del Roio, Marighella e, ao volante do carro, Abi-Eçab. O conflito de versões, à primeira vista uma coleção de minúcias caprichosas, ganharia relevância no inventário futuro dos riscos de Marighella com sua proteção. "Enquanto eu estive no Brasil, ele nunca foi ao convento", afirmou Oswaldo, que partiu em 1969.

As inovações dos dominicanos não se limitavam à matrícula em estabelecimentos laicos de ensino. Eles formaram uma pequena comunidade de frades que moravam em um apartamento no centro de São Paulo e passaram a buscar o próprio sustento: Betto revelou-se um jornalista prodígio, alcançando a chefia de reportagem da *Folha da Tarde*, e frei Fernando de Brito deu duro na Editora Livraria Duas Cidades, propriedade da ordem. Os tradicionais hábitos brancos se restringiram aos atos litúrgicos, a não ser nas manifestações públicas de protesto — da porta para fora do convento, eles costumavam trajar roupas modestas, adequadas a quem proferira o voto de pobreza, além dos de obediência e castidade. Numa ousadia capaz de arrepiar a hierarquia eclesiástica, que a desconhecia, alguns daqueles jovens tementes a Deus faziam psicanálise. Não era à toa que muitos os chamavam de "padres bossa nova".

Parecia incrível que fossem alvo do preconceito anticlerical de opositores da ditadura. No opúsculo *A crise brasileira*, de 1966, Marighella estimulou "a aliança com os católicos". Ele acompanhara a pregação do frei Carlos Josaphat, editor do jornal *Brasil Urgente*. Em 1963, o dominicano escrevera no periódico que "a concentração das riquezas [...], lei inexorável do capitalismo, [...] é abominável e diabólica". Agora, Marighella aprendia que a encíclica *Populorum progressio*, emitida pelo papa Paulo VI em março de 1967, admitia a "insurreição revolucionária", "em caso de tirania evidente e prolongada, que ofendesse gravemente os direitos fundamentais da pessoa". São Tomás de Aquino, teólogo dominicano do século XIII, legitimara o direito de resistir ao governante injusto. Os sacerdotes já tinham um mártir: o padre Camilo Torres, que aderiu à guerrilha socialista na Colômbia em nome do amor ao próximo e morreu combatendo em 1966. "Marighella ficou encantado", recordou frei Oswaldo, coordenador da rede dominicana da ALN.

Pouco importava a Marighella que os frades não referendassem as súmulas do socialismo científico. "Nós levávamos muito mais a sério Marx que muita gente do Partido Comunista, porque pelo menos nos dávamos ao trabalho de ler", cutucou Oswaldo. "Descobria-se que não era necessário ser marxista. Poderia ser um bom católico e estar a favor da revolução social." Que virada em relação à Inquisição medieval, encabeçada por dominicanos, os "cães do Senhor" em latim, entre os quais o inquisidor-geral, Tomás Torquemada. Marighella pensava na Igreja contemporânea, não nas fogueiras do passado. Frei Fernando mencionou os jesuítas como "muito militares", e ele gracejou:

"Quero conhecer esse povo aí, quero gente assim."

Não era só Marighella que valorizava o papel dos padres nas barricadas antiditadura. Em fevereiro de 1969, a CIA avaliou a Igreja como "única instituição que pode mobilizar uma resistência séria contra o governo" do Brasil. Os dominicanos, que mal somavam uma centena, faziam barulho desproporcional. Frei Francisco de Araújo foi preso em 1967 por respaldar um conclave estudantil, e seus irmãos de batina reagiram com uma vigília em frente ao Dops. Quem cantou no convento paulista da rua Caiubi numa Semana Santa foi Geraldo Vandré. Havia outro tipo de habitué: o policial Raul Nogueira Lima, o temido Raul Careca, foi desmascarado espionando uma cerimônia. Em Belo Horizonte, o convento no bairro da Serra abrigou reuniões da nata militar da Corrente, organização que já se associava a Marighella. Da turma mineira de doze noviços de 1965, cinco se incorporaram à ALN. Um deles, Luiz Felipe Ratton Mascarenhas, inspirara o cartunista Henfil na criação do personagem Baixim, da série *Fradinhos*.

Os confrades de *Baixim* assumiram tarefas perigosas. Betto embarcou para Minas com uma mala fornida de dinheiro. Oswaldo frequentava guichê de banco para trocar cruzeiros novos por dólares, para as despesas com viagens a Cuba. Participara de um treinamento de tiro, e Marquito mimoseou-o com uma pistola Beretta. Já depois de Oswaldo deixar o país, Fernando presenciou uma reunião da ALN que tratou de um atentado a bomba no Aeroporto de Congonhas, ideia descartada porque poderia ferir pessoas. Ainda em 1968, Marighella se avistou em um apartamento em São Paulo com a maior autoridade dominicana no Brasil, o provincial Bernardo Catão. O frade contaria que ele pediu permissão para o convento da ordem em Conceição do Araguaia, no Pará, funcionar no suporte à guerrilha rural. Catão, que levou frei Benevenuto Santa Cruz como testemunha, negou a autorização. Anos mais tarde, reconheceu: "Sem eu saber, o uso do convento já tinha começado".

Na mesma residência onde esteve com Catão, a do companheiro Antônio Flávio Médici de Camargo, Marighella abriu um mapa para Oswaldo. Apontou serra por serra e rio por rio da região que o atraía. Encomendou aos dominicanos a primeira missão no campo: produzir no Brasil Central um levantamento sobre geografia, economia, aparato de segurança e bases de apoio aos guerrilheiros. Marighella lhe entregou dinheiro, e disso a ditadura saberia. O que permaneceria em segredo é que parte do orçamento da viagem foi coberta com recursos do consórcio de automóveis da ordem, o Aprovei, como confidenciou Oswaldo. A conta fechou com uma doação de frei Maurício, oriunda do trabalho numa empresa de sua família. Seguiram cinco frades e dois leigos, na expedição que consumiu três semanas de julho de 1968.

Como orientou Marighella, eles vasculharam o território em torno da Belém-Brasília, rodovia inacabada de 2 mil quilômetros de extensão. À esquerda de quem mira para o norte, corre em paralelo o rio Araguaia, e à direita, o rio Tocantins. A área cobiçada por Marighella se esparramava pelo sudeste do Pará, o oeste do Maranhão e a metade setentrional de Goiás, que viria a formar o estado do Tocantins. A visita mais próxima à linha do Equador foi ao município paraense de Marabá. A mais distante, à cidade goiana de Gurupi. Na companhia de um professor de ioga e um estudante, frei Fernando passou por Carolina e Imperatriz, no Maranhão, escalas de um roteiro cansativo. A condição de religioso abriu portas, ele fez uma novena e celebrou, como membro da Ordem dos Pregadores, denominação oficial dominicana.

Enquanto Fernando margeava o rio Tocantins, frei Tito de Alencar Lima colhia dados em Conceição do Araguaia — na incursão dos frades da ALN, que lá se hospedaram, o convento da ordem se prestou à logística de Marighella. No outro lado da Belém-Brasília, Oswaldo e Yves do Amaral Lesbaupin, o frei Ivo, andaram a cavalo e de jipe e dormiram numa aldeia indígena craô. Oswaldo regalou um relógio ao cacique, e Ivo se comoveu com uma cena de genuíno espírito fraternal: a caçada dos índios foi malsucedida, só abateu uma paca para a refeição de 150 pessoas, a tribo dividiu o animal irmanamente, e cada comensal foi servido, como Ivo jamais esqueceria, com quatro pedacinhos contados. Noutra feita, a noite caía à beira do rio, e Oswaldo deu dois tiros com sua Beretta. Assim, o pessoal de uma fazenda os achou e os acolheu. Não foram picados por cobra. Se fossem, sobreviveriam, pois o médico Antônio Carlos Madeira, da ALN, abastecera-os com soro antiofídico.

Bem mais arriscado que atravessar trilhas apinhadas de bichos peçonhentos seria a guerrilha irromper ali. Foi o que Oswaldo disse a Marighella ao lhe expor um decepcionante relatório verbal: implicaria suicídio. Se a floresta amazônica se fincava em boa parte do terreno percorrido, já eram muitos os descampados, sem a cobertura das árvores imponentes das áreas desabitadas, para não falar das zonas de caatinga e cerrado. Oswaldo advertiu: em voos de avião ou helicóptero, as Forças Armadas não demorariam a bombardeá-los. Os especialistas corcordariam: "O uso de helicópteros fez as atividades de guerrilha no campo aberto de fato muito arriscadas", assinalou em 1976 o historiador americano Walter Laqueur no livro *Guerrilha: um estudo histórico e crítico*, em tradução literal do inglês. Em 1970, o futuro general quatro estrelas Lélio Gonçalves Rodrigues da Silva elaborou um artigo de 41 páginas na Escola de Comando e Estado-Maior do Exército, "O helicóptero na antiguerrilha". Também na Eceme, um oficial escrevera em 1965 o *paper* "A luta de guerrilhas na campanha de Canudos". Como seus adversários, Marighella extraía lições das batalhas de antanho. Sobre o massacre do fim do século XIX no sertão baiano, ele recomendou ao guerrilheiro Gilney Viana:

"Estuda isso. É o ensinamento de guerra que nós temos no Brasil."

Joaquim Câmara Ferreira, o coordenador da ALN paulista, aconselhou numa carta a leitura de *Os sertões*, épico de Euclides da Cunha sobre Canudos: "Tem muita coisa boa". Outro livro indicado por Câmara foi *As táticas de guerra dos cangaceiros*, de Christina Matta Machado. Ele notava o gosto de Marighella por "recordar o exemplo de Virgulino Ferreira (Lampião), o chefe cangaceiro que durante décadas lutou em seis estados do Nordeste". Não eram as atrocidades do bandoleiro que fascinavam Marighella, mas a fabulosa longevidade de suas colunas móveis na primeira metade do século, até que o decapitassem. "Temos que ser como Lampião", repetia. Outras influências eram a Longa Marcha de Mao

Tsé-tung, nos anos 1930, e a Coluna Prestes, nos 1920. Não que pensasse numa Coluna Marighella, a ser pulverizada via aérea se reeditasse percurso idêntico ao de quatro décadas antes.

Seu projeto era constituir destacamentos que atacariam forças do Estado em suas cidadelas e recuariam para rincões inóspitos às tropas da ditadura. Sempre em movimento, conformariam colunas guerrilheiras que ao crescer seriam unificadas em uma grande coluna, com eixo no entorno da Belém-Brasília. Marighella pretendia se mudar para o campo, porém as massas rumavam para as cidades: em 1960, 49% da população vivia em concentrações urbanas; em 1970, o índice ascenderia aos 58%. O companheiro Elio Ferreira Rego defendeu deslanchar a guerrilha na serra do Mar, costeando trechos do litoral e na vizinhança de uma metrópole como São Paulo. Elinho argumentou que lá havia povo, em contraste com o coração do país. Marighella respondeu que assim "já começaria cercado" pelas guarnições militares mais poderosas.

Pelo seu raciocínio, os dominicanos proporcionariam uma retaguarda segura não somente em Conceição do Araguaia, mas em paragens como Goiás Velho, onde também possuíam instalações. Empenhado em ampliar o apoio católico, Marighella enviou em agosto de 1969 uma carta secreta ao arcebispo de Olinda e Recife, dom Hélder Câmara. Reverenciou-o como um dos "legítimos representantes da Igreja revolucionária" e anunciou: "Dentro em pouco, [...] estarei à frente da coluna guerrilheira em marcha pelos sertões, e desejo contar com a compreensão e apoio logístico dos verdadeiros patriotas". Marighella despachou outra correspondência, pedindo assistência a dom Antônio Fragoso, bispo de Crateús, no Ceará. Em 1968, o religioso fora ameaçado de prisão, por ter dito a jornalistas, em referência a Marighella: "Sei apenas que é um homem como eu e que tem o direito de ser tratado como homem na sua dignidade".

Eventuais respostas se perderam no tempo. Só Marighella conhecia toda sua rede rural. "A única pessoa que sabia como localizar esses militantes era ele", observou o guerrilheiro Reinaldo Guarany, do Rio. Washington Mastrocinque, de São Paulo, endossou: "Marighella compartimentava muito e corretamente". Norma sagrada do trabalho conspirativo, a compartimentação significa estabelecer segmentos estanques na organização, com raros vasos comunicantes. Ninguém deveria saber mais que o indispensável à sua atividade. Como Marighella escreveu, entre o GTA, urbano, e o GTE, rural, existia "apenas um elo". Não disse qual era, nem precisava: era ele mesmo.

* * *

Na última sexta-feira de outubro de 1968, um negro parrudo subiu num automóvel na praça central de Formosa, cidade goiana 75 quilômetros a nordeste de Brasília, e foi embora de carona. Chamavam-no ali de *Henrique Vilaça* ou *Augusto*. Os que sabiam quem ele era o tratavam por Gaúcho. Assassino do grileiro Zé Dico no ano anterior, Edmur Péricles Camargo se dedicava a pavimentar os caminhos de uma coluna guerrilheira. Ao estacionarem numa estradinha nas redondezas, Marighella repassou-lhe uma pasta com dinheiro, sugeriu que comprasse um cavalo para se locomover como um camponês e lhe deu uma envelhecida pistola alemã Luger, a célebre Parabellum. Meses antes, havia lhe fornecido mapas de Minas, Bahia e Goiás. No ponto mais ao norte, Edmur esteve em São Domingos, localidade goiana cujo nome homenageia o criador da Ordem dos Pregadores. Ao sul, esmiuçou Unaí, município mineiro que desatou a discórdia entre ele e a ALN brasiliense.

O militante obcecado por horóscopo tencionava invadir a cidade para demonstrar a força da guerrilha nascente, porém os companheiros da capital se opunham, pois atrairiam a atenção sobre eles, que nem haviam estreado em ações de envergadura — Marighella vetou. Edmur focava seus esforços em Goiás, num triângulo cujos vértices eram Formosa, Niquelândia e Brasília. Para detalhar os planos, Marighella viajou de carro com Rolando Frati, um dos líderes da ALN, e o condutor, o italiano Alessandro Malavasi. Ex-guerrilheiro ligado aos Aliados na Segunda Guerra, Malavasi se mudara para o Brasil, fora dono de restaurante e se vinculara à organização havia poucas semanas. Surpreendera-se com Marighella, que lhe pareceu bem mais jovem do que era. O dirigente brindou-o com um revólver e, no retorno para São Paulo, pediu para entrarem na cidadezinha paulista de Itobi, que ele pretendia ocupar com uma coluna.

Meio ano mais tarde, a ALN implementou outra base em Goiás, dessa vez a sudoeste de Brasília. Jeová Assis Gomes arrendou uma propriedade junto à rodovia que liga Goiânia a Nerópolis, e a ele se uniram militantes do Distrito Federal. A despeito do nome pretensioso, a Fazenda Embira não passava de uma chácara na qual se sobressaía apenas uma horta de tomates. Ex-aluno de física na USP, o fortão Jeová tinha um jipe, uma Luger, uma metralhadora e dois fuzis automáticos leves. Em 1969, estiveram com ele Virgílio Gomes da Silva e Celso Horta, do GTA paulista, preparando a luta no campo. Celso lembraria que no trajeto pararam em meia dúzia de lugares onde viviam camponeses rompidos com o PCB. Virgílio avisou que a coluna atacaria por lá, as delegacias policiais seriam tomadas, e os prefeitos, presos. E combinou como funcionaria a rede de apoio. Enquanto esperava a hora H, Marighella ordenou que o núcleo da ALN no perímetro urbano de Goiânia se conservasse na moita, sem atiçar a curiosidade da repressão.

Idêntica determinação ele transmitira no Rio de Janeiro, em junho de 1968, a dois paraenses: hibernar até que deflagrassem a guerrilha rural. Não ficariam à míngua, já que os assaltos no Sudeste bancavam as ditas áreas estratégicas. O estudante de economia João Alberto Capiberibe tinha 21 anos e fumava desbragadamente perante o companheiro hostil ao tabaco. Tremendo de tão nervoso, encostou nele a ponta acesa, e Marighella estrilou:

"Chega, rapaz! Acabou esse negócio de cigarro! Não pode mais fumar!"

Nascido na ilha de Marajó, Capiberibe vendeu frutas na infância para ajudar no sustento da família. Com a pele morena de caboclo amazônico, parecia ainda mais comprido do que era, tamanha a magreza. O tempo pouco afetaria sua silhueta, mesmo quando viesse a se sentar na cadeira de governador do Amapá. Capi viajara com o advogado Carlos Augusto Sampaio, o chefe da ALN no Pará. Juntos, voltariam em 1969 ao Rio de Janeiro, onde conheceram os dominicanos Fernando e Ivo. Cumprindo as instruções de Marighella, Capi adquiriu a preço de banana uma posse de cem hectares às margens do rio Tocantins, a duas horas de barco de Imperatriz, cidade cortada pela rodovia Belém-Brasília. Assumiu o disfarce de empalhador de passarinhos, caçados com rede de filó, e levava beija-flores, sanhaços e japins para vender em Imperatriz.

No paupérrimo barraco de argila, sem janela ou energia, ele morava com a vestibulanda Janete, revolucionária de dezenove anos, com quem recém se casara. Haviam se exercitado em tiros no rio Capim, mas só contavam com um fuzil da Primeira Guerra, que mais se assemelhava a uma peça de colecionador, e um revólver. Para resistir às moléstias da floresta, consumiam remédios ofertados em Belém por um cardiologista simpático à guerrilha, Almir Gabriel, futuro governador do Pará. Com larvas de coco babaçu como isca e linha de mão, pescavam os surubins e mandis que enriqueciam suas refeições. Arregimentaram quinze ribeirinhos miseráveis, a quem explicavam as causas da pobreza e prometiam uma revolta libertadora. Marighella esclarecera que as colunas só marchariam com a chegada de "instrutores" de Cuba — os brasileiros da segunda turma de treinamento. Alguns membros da organização semeavam bases em outras bordas do Tocantins e do Araguaia, mas os Capiberibe ficaram ali, na região do norte goiano cujos contornos delineiam um bico de papagaio.

Se aquelas paragens eram férteis para a guerra irregular, o diagnóstico não constituía novidade a ninguém, a começar pela ditadura. Em outubro de 1964, o escritório carioca do SNI cantara a bola: "O estado de Goiás tem condições próprias e possibilidades de manutenção de um sistema de preparação de guerrilheiros". Um foco das Ligas Camponesas aportara ali antes do golpe, e em 1966 foi a vez dos brizolistas. "A esquerda toda estava lá", constatou Capiberibe, que se deparou com um casal "muito diferente", de sotaque paulista. Supôs serem da AP, mas talvez pertencessem ao PC do B, que implantara em 1966 os primeiros quadros da guerrilha do Araguaia, muitos com curso na academia militar chinesa de Nanquim.

O partido dos velhos camaradas de Marighella se concentrou numa região, enquanto ele dispersou seus efetivos, embora com a espinha na Belém-Brasília. Na sua concepção, uma só frente facilitaria a ofensiva das Forças Armadas. "Era uma coisa mais espalhada", sublinhou o psiquiatra Benedicto Sampaio, íntimo de Marighella. Ao contrário do PC do B, a ALN se expunha nas cidades. Buscava os recursos que os comunistas já tinham, se calhar oriundos do governo de Pequim. Outro desafio de Marighella era equilibrar seu desejo de não se isolar nos confins da selva, fazendo proselitismo para macacos e onças, porém mantendo distância das grandes aglomerações humanas, onde a ditadura acantonava suas brigadas. Para Capiberibe, ele identificou no mapa os três locais onde mais investiria: além da confluência Goiás-Pará-Maranhão, o sertão baiano e Picos, no Piauí.

Picos delimitava outro triângulo de ação de um grupo móvel armado. As demais pontas eram Crateús, no Ceará, e Salgueiro, em Pernambuco. Os dois primeiros municípios sediavam batalhões do Exército; o terceiro, da PM. Numa conversa com o cearense Silvio Mota, professor de inglês, Marighella o incumbiu de esquadrinhar aquelas "áreas de concentração do inimigo". Uma rede da ALN foi organizada a quase mil metros de altitude, em São Benedito, na serra da Ibiapaba, divisa de Ceará com Piauí. Mota propôs atacar a base aérea de Fortaleza, e Marighella mandou-o sossegar o facho.

Para a Bahia, outro objetivo revelado a Capiberibe, Marighella encaminhou para estadas curtas o subcomandante do GTA, João Leonardo da Silva Rocha. Uma casa para refúgio foi montada em Vitória da Conquista, e enviaram um ex--fuzileiro naval para o sertão. Aos companheiros da Corrente, o embrião da ALN mineira, Marighella disse que se interessava pelo entorno do rio São Francisco e da rodovia Rio-Bahia. Uma carta de Hélcio Pereira Fortes, da Corrente, afirmou que em novembro de 1968 a organização destacara trinta militantes do estado para o campo — treze já haviam se deslocado, alguns para a Rio-Bahia. Numa viagem ao Nordeste, onde promoveu reuniões na Paraíba e em Pernambuco, frei Oswaldo Rezende parou na Bahia para tratativas — tudo a pedido de Marighella. Quem dirigiu o Fusca foi João Batista Xavier Pereira, veterano egresso do PCB do Rio de Janeiro e o mais assíduo emissário de Marighella aos ninhos onde chocavam a guerrilha rural.

Marighella espetava alfinetes imaginários no mapa que desenhara à mão, marcando as terras onde cultivava suas sementes. Uma delas era o Espigão Mestre, chapadão que separa as bacias dos rios Tocantins e São Francisco. Mais a oeste, articulava-se em Mato Grosso com comunistas que saíram do PCB. Da mesma origem, havia outros em Trombas e Formoso, cenários da guerrilha de Goiás nos anos 1950, e para lá seguiram militantes da ALN. Na localidade paulista de Águas Virtuosas, Virgílio Gomes da Silva arrumou um sítio onde camponeses se adestraram com armas e explosivos. Do alto, em teco-tecos que alugava, Marighella vistoriou fazendas, quartéis e veredas que a coluna palmilharia na Belém-Brasília. No Rio de Janeiro, ele proibiu o estudante de educação física Rômulo Noronha de Albuquerque de se somar às ações armadas, a fim de se preservar. Impressionara a Marighella o afogamento fatal de dois companheiros de Che Guevara na Bolívia. Caberia a Rômulo, professor de natação iniciante, aperfeiçoar as braçadas dos guerrilheiros da ALN. As correntezas agitariam seu destino, Rômulo teria imenso êxito à beira das piscinas do Clube de Regatas do Flamengo e chegaria à comissão técnica da natação olímpica do Brasil.

As notas de "Miserere nobis", composição tropicalista de Gilberto Gil e Capinam, ecoaram na igreja do convento dos dominicanos em São Paulo, celebrando o casamento de Rose Nogueira e Luiz Roberto Clauset. O vigário leu a pregação escrita por frei Betto, amigo e colega dos noivos na *Folha da Tarde*. Findava março de 1969, e dali a meses Marighella surgiria no apartamento do casal, no bairro de Pinheiros, para se reunir com os frades. Pernoitou lá algumas vezes, a dona da casa reparou que o hóspede devorava bananas e tratou de deixar a fruteira abastecida. Marighella presenteou-a com um livro sobre parto sem dor, pois o bebê não tardaria, e praticou com ela exercícios respiratórios para gestante. Deu um conselho para toda a vida:

"Responda sempre com poesia."

Crias do celeiro de feras da *Folha da Tarde*, os jornalistas de 23 anos integravam a rede de apoio da ALN costurada por Betto no vespertino. Ambos da seção Variedades, Clauset era o editor, e Rose, repórter, uma década antes de ela conduzir na Rede Globo o programa-sensação *TV Mulher*. O editor de arte, Carlos Guilherme Penafiel, recebeu Marighella em casa no segundo semestre de 1969. O visitante se apresentou com a alcunha de Maluco, e o anfitrião tirou fotos dele para passaporte. Foi uma tremenda regressão estética: Penafiel tinha sido o fotógrafo de cena de *Todas as mulheres do mundo*, em 1966, e *Fome de amor*, em 1968, filmes com a deslumbrante atriz Leila Diniz. "Não me lembro de quem não tenha colaborado", disse Ricardo Gontijo, de início copidesque (redator) e ao fim secretário de redação, posto da cúpula do jornal. Pediam seu carro e ele o cedia, consciente de que seria usado pela ALN.

O diretor da *Folha da Tarde*, Jorge Miranda Jordão, levava Marighella ao Rio de Janeiro em seu Karmann Ghia, invejável modelo esportivo. Conforme o jornalista Flávio Tavares, amigo de Miranda, um policial rodoviário parou a dupla na estrada quando o motorista voava. Não reconheceu Marighella, e Miranda trocou a multa por excesso de velocidade por um agrado com cigarros ingleses. Quando precisou de um automóvel mais discreto para circular com Marighella, Miranda tomou emprestado o Fusca do colega Moacir Werneck de Castro, diretor da *Última Hora*. Moacir saberia que o motor pifou e, enquanto empurrava, Marighella praguejou contra ele, seu camarada no PCB de outrora.

Sem ser de esquerda, na opinião de Flávio, Miranda era um "nacionalista, mas com aparência de aristocrata liberal". Quem se deliciou com sua adega foi Joaquim Câmara Ferreira, parceiro de Marighella no leme da ALN, que não era a única vertente representada na redação — o copidesque Luiz Eduardo Merlino, do Partido Operário Comunista (POC), seria morto na tortura. Além da teia solidária tecida por Betto, o chefe de reportagem, a ALN se beneficiou da cobertura vigorosa sobre as ações armadas, asfixiada em outros diários, e de informações de bastidores apuradas no Dops. A organização também estruturou um núcleo na Editora Abril e recrutou jornalistas de outras publicações.

A redação se alvoroçou na tarde de 3 de outubro de 1968, com a notícia de que um estudante acabara de ser baleado na rua Maria Antônia. Depois confirmaram que o secundarista José Guimarães, de vinte anos, fora alvejado na cabeça com um tiro disparado por um militante de direita entrincheirado na Universidade Mackenzie. O atirador não identificado mirava os ativistas de esquerda, aliados de José, que se encastelavam no prédio da calçada em frente, a Faculdade de Filosofia, Ciências e Letras da USP. As escaramuças haviam principiado na véspera, com os partidários do governo jogando ovos, mas vinham de longe. Um ano antes, o fotógrafo Gil Passarelli eternizara o sururu em que Agostinho Fioderlísio, da base do PCB mackenzista, enfrentou com barra de ferro os direitistas — em breve, ele formaria no GTA. Universitários da ALN pelejaram na batalha da Maria Antônia de 1968, mas dispensaram seu arsenal. Às armas de fogo da direita, revidaram com paus, pedras, rojões e coquetéis molotov. Uma passeata com milhares de manifestantes denunciou a morte do secundarista, encarou as bombas de gás da polícia e renovou o grito: "O povo armado derruba a ditadura!".

Nove dias depois, os jornais se depararam com um dilema sobre que manchete estampar no alto da primeira página, a escolher entre dois episódios daquele sábado, 12 de outubro: a execução do capitão Charles Chandler ou a prisão de quase mil delegados do congresso clandestino da UNE. Garoava num sítio a menos de cem quilômetros de São Paulo, em Ibiúna, quando a Força Pública e o Dops passaram seu arrastão. A AP e as dissidências radicais do PCB se engalfinhavam pelo comando da entidade, com existência ilegal desde que a ditadura a prescrevera. A AP, na situação, lançou Jean Marc von der Weid, ligeiro favorito na disputa acirrada com José Dirceu de Oliveira e Silva, o candidato dos rachas pecebistas. A equipe de segurança, controlada pela Dissidência paulista, avisou de manhãzinha que centenas de policiais os cercavam. O pessoal da AP desconfiou de manobra de perdedor, resolveu ficar, e foram todos para o xilindró. O Dops produziu um álbum fotográfico dos detidos que lhe seria valioso na perseguição à guerrilha. Entre os no mínimo 25 que já eram ou seriam da ALN, distinguiam-se frei Tito e frei Ratton.

Os dominicanos mergulharam no congresso. Oswaldo e Tito conseguiram o local, por meio de um casal de opositores da ditadura, Therezinha e Euryale Zerbini — o general fora afastado do Exército após o golpe. Ivo e Oswaldo levaram as lideranças estudantis, numa camionete Rural Willys, e se safaram da queda porque regressaram à capital. De acordo com Paulo de Tarso Venceslau, coordenador operacional do evento, "a função de Tito era dar um tiro de carabina num posto de entrada, quando chegasse a polícia". A presença em Ibiúna rendeu a Oswaldo uma reprimenda de Marighella, que o acusou de "liberalismo", isto é, leniência com as medidas de segurança da ALN. Como se relacionava com o aparato mais secreto da organização, deveria se distanciar de movimentos de massa, ainda mais de um encontro bandeiroso.

Com o sectarismo fratricida na contenda pela UNE, até fantasma assombrou o congresso: um estudante do PCB julgou ter visto Marighella, denunciou a ousadia a delegados, e a versão persistiu como fato em algumas memórias. Longe de Ibiúna, de onde não passou nem perto, Marighella soube do revés pelo rádio, quando viajava da Baixada Santista para São Paulo. Vaticinou a Aloysio Nunes Ferreira Filho, o motorista, que muitos presos enveredariam pela luta armada — quase todos foram logo libertados. Paulo de Tarso Venceslau foi um exemplo do acerto do prognóstico: de militante da Dissidência Universitária de São Paulo e organizador incansável do movimento estudantil, em menos de meio ano virou o chefe da logística da ALN paulista. Vindo do Rio de Janeiro para atuar na segurança, o vestibulando Carlos Eduardo Fayal de Lyra carregou nos braços o secundarista baleado na rua Maria Antônia, caiu no congresso e não tardou a combater no grupo de fogo carioca. De posse de poucos revólveres, pistolas e carabinas, ele e os companheiros se renderam em Ibiúna. Meia dúzia de bombas, confeccionadas na fábrica de um próspero industrial, deveriam derrubar uma ponte para barrar o avanço das tropas. Os estudantes desistiram da explosão inútil e enterraram os artefatos. Em 1969, eles foram desencavados pela ALN, pois a história não terminara.

Cego diante dos indícios sobre o congresso, o Dops paulista só descobriu o local em cima da hora, depois que um bêbado apareceu para cobrar uma dívida do dono do sítio, amigo do casal Zerbini, foi destratado pelos estudantes e deu com a língua nos dentes. Ibiúna foi o canto de cisne da agitação juvenil, cuja curva de mobilização despencava desde a metade de 1968. Os alunos do ensino superior correspondiam a menos de 2% da população brasileira entre dezenove e 25 anos, muito aquém dos 16% da França. Seus megafones foram amplificados em virtude do sufoco repressivo a movimentos como o sindical. Para Marighella, o retraimento universitário consolidava sua convicção de que, contra as armas da ditadura, só as armas da guerrilha.

Para má sorte dele, a polícia encaixou as primeiras peças de um quebra-cabeça mortal. Com o propósito de capturá-lo, o Dops montara um discreto posto de vigilância defronte ao convento dos dominicanos. Ninguém ignorava as inclinações dos religiosos, tanto que o muro da igreja vizinha já amanhecera com a pichação intimidadora "Fora, padres comunistas". Problema maior foi a dica de um espião da polícia política, infiltrado na ALN da cidade paulista de Marília. Sua informação originou a campana realizada em data incerta de 1968 e registrada, em 16 de janeiro de 1969, em um comunicado do Serviço Secreto do Dops:

> As primeiras investigações deste Serviço levaram à pessoa do médico Antônio Carlos Madeira, elemento de ligação entre a direção estadual da Ala Marighella e os líderes do interior. Nessa ocasião, soubemos que uma reunião de cúpula, da qual participaria o próprio Carlos Marighella, teria lugar nesta capital. O primeiro informe nos dava conta de que a mesma se realizaria, possivelmente, no convento dos dominicanos, na rua Caiubi, em virtude da estreita ligação entre Madeira e os dirigentes daquele convento. Nestas circunstâncias, o Dops montou um serviço de observação das atividades do médico, bem como no local, mas na data prevista o conclave não se realizou naquele convento.

Marighella escapara, por enquanto.

31. A ditadura dá o alarme: o inimigo público número um

O casal se disse mineiro, embora o sotaque dele fosse baiano e o dela, pernambucano. O do motorista, mais arretado, era potiguar. Se os três nordestinos tivessem jurado que acabavam de sair do Alasca pela primeira vez, é possível que um atendente comentasse sobre flocos de neve derretendo em seus ombros de esquimós. Ninguém se atreveria a contrariar clientela tão generosa: sem pechinchar por um centavo sequer, o marido com modos de senhor abastado pagou em espécie por um Fusca de cor pérola, que seu chofer retiraria um dia depois, com a licença GB 30030 inscrita num papel colado no para-brisa. O endinheirado apresentou a identidade em nome de Mário Reis Barros, e a fotografia era de fato sua, mais magro, enquanto o endereço fornecido equivalia a um muro ermo da Estrada de Ferro Central do Brasil. A mulher de madeixas aloiradas pouco abriu a boca. E o funcionário que apanharia o carro exibiu um documento original. Chamava-se Virgílio Gomes da Silva e solicitara a carteira antes de embarcar para Cuba.

Dali a alguns dias o vendedor, o caixa e o chefe de vendas da concessionária Wilson King não duvidariam de que Mário Reis Barros era o foragido Carlos Marighella, cuja foto de arquivo os comissários do Dops lhes mostravam. Ele adquiriu o automóvel na loja a um quarteirão do prédio onde vivera até 1964, no bairro carioca do Catete. Virgílio era Virgílio, o motorista descrito como baixo e forte, confirmariam as testemunhas. Os tiras nunca elucidaram o mistério da falsa loira, disfarçada com peruca, às vésperas dos seus 43 anos: tratava-se da coordenadora local da ALN, Zilda Paula Xavier Pereira, mãe de três militantes e, para todos os efeitos, ainda casada com um dos responsáveis pelos projetos da organização no campo, João Batista Xavier Pereira.

Em 6 de novembro de 1968, Marighella comprou pessoalmente o veículo a empregar 48 horas depois na ação de estreia da ALN no Rio de Janeiro. Virgílio, cuja adesão à luta armada a polícia política ignorava, arriscou-se ao declarar seu nome verdadeiro. Transpiravam confiança: ao menos outros dois Fuscas utilizados no assalto, um azul e outro verde, também eram legais, e não furtados. O plano consistia em roubar o carro pagador do Instituto de Previdência do Estado da Guanabara (Ipeg). Uma amiga de Marighella trabalhava no órgão e o alertou sobre o dinheiro para empréstimos a funcionários estaduais. Por quatro meses, Domingos Fernandes, Sérgio Granja e dois companheiros se empenharam no levantamento. Anotaram tudo, da saída da camionete Ford na avenida Presidente Vargas à parada no posto do Ipeg no subúrbio de Bento Ribeiro. Futuro comandante militar da ALN carioca, Domingos escolhera o nome de guerra *Jorge*, fã que era do compositor Jorge Mautner. O estudante de economia Sérgio era filho de Alírio Granja, herói da FEB e major alijado do Exército em 1964, quando tentou barrar o comboio golpista de Minas. Do Rio, participariam da ação os dois, mais Gilson Ribeiro da Silva, o *Poeta*, colega de Domingos na Escola Técnica Nacional.

Para aumentar as chances de sucesso, Marighella convocou sete guerrilheiros de São Paulo, quase todos curtidos na roda-viva do GTA. A começar por Marquito, João Leonardo da Silva Rocha e Virgílio Gomes da Silva. Uma das funções do casal João Antônio e Catarina Helena Abi-Eçab seria transportar as armas de volta pela via Dutra. João Baptista Salles Vanni e João Carlos Cavalcanti Reis pertenciam a uma turma que, a partir de discussões políticas numa padaria do bairro de Perdizes, ingressou na ALN. Salles Vanni adotou o codinome *Eusébio*, homenagem ao craque de futebol português. Corintiano como Marighella, João Carlos se intitulou *Tales*, jogador de meio-campo do time, o mesmo de seu sobrinho Manoel Cyrillo de Oliveira Neto, militante que se batizou como *Benê*, atacante alvinegro. Os cariocas pesquisaram a rotina do Ipeg, e aos "paulistas" — Marquito nascera em Angra dos Reis, no estado do Rio — coube planejar e conduzir a ação. Como sempre, não assumiriam a autoria. Marighella se frustrou com a nova negativa ao seu desejo de agir na cena do crime, mas toparam que ele se incumbisse do transbordo do dinheiro.

Marighella cronometrou, no último acerto de ponteiros, o trajeto a cumprir na manhã seguinte. Pediu que Paulo César Monteiro Bezerra, o aluno de cursinho que guiava um Fusca azul, fosse com ele até a esquina das ruas Pereira Frazão e Trairi, na praça Seca, zona oeste. Ali os dois receberiam o butim e rumariam para uma casa de veraneio alugada a 43 quilômetros de distância, em Pedra de Guaratiba. Não gastariam menos de 48 minutos nem mais de 58 até o esconderijo. Aos vinte anos, Paulo César tocava no conjunto The Beethovens e já levara Marighella a São Paulo. Não haveria de falhar naquela sexta-feira, 8 de novembro, em que o Rio de Janeiro se alvoroçava para recepcionar a rainha da Inglaterra. Elizabeth II aterrissaria à tarde, e a cidade só falava nisso.

Eram dez e vinte quando o carro pagador deixou a sede do Ipeg no centro, a caminho do subúrbio. Com o motorista, dois tesoureiros e um soldado da PM armado com um revólver 45, seguiam 121 mil cruzeiros novos, ou 613 mil reais em valores de quatro décadas depois. Às 10h57, o chofer manobrou defronte à agência de Bento Ribeiro, na rua Papari, para embicar a viatura em direção à próxima parada. Quinze minutos antes, o Fusca azul estacionara no mesmo lugar da véspera, na praça Seca. Marighella mandou Paulo César levantar o capô dianteiro e a tampa traseira do motor, fingindo que o ajustava com ferramentas. O vestibulando encenou a pane, e seu acompanhante cobriu a placa de trás com um jornal e a da frente com uma flanela amarela e um pano branco. De sua casa, o sargento reformado da PM Ivan Alves Fernandes observou-os com atenção, ainda que viesse a denunciar Marighella como um homem de "trinta e poucos anos", com a pele tostada na praia. O sargento perguntou se o carro enguiçara, e Paulo César respondeu que já consertara um entupimento.

Àquela altura, os guerrilheiros se distribuíam na movimentada rua da agência, para onde Marquito e Domingos Fernandes foram levados pelo casal Abi-Eçab em um Fusca verde. Se os anos preservaram a dinâmica do assalto, o desempenho preciso de cada um se desvaneceu, até porque a maioria não teve tempo para contar a história. É certo que o motorista Manoel Francisco dos Reis manobrava quando encostaram um revólver calibre 32 na sua fronte, abriram a porta e o puxaram para fora. Escondido atrás dos inseparáveis óculos escuros, Marquito ordenou:

"Sai logo, rapaz! Senão, morre!"

O "rapaz" era cinquentão, e o PM ao seu lado, de trinta anos, teve sorte pior. Ao ouvir de Marquito "Isto é um assalto!", o soldado Walter Nogueira de Moura olhou para a esquerda e escorregou a mão até o coldre. Sentiu uma coronhada na cabeça, foi retirado e se estatelou na calçada sem sentidos. "Paralisado de pavor", na impressão de Sérgio Granja, que o golpeou com o revólver 38 atrás da orelha esquerda, Hélio de Mendonça Moscoso foi arrancado do banco de trás com o outro tesoureiro, Jorge Teixeira Casqueiro. As duas malas de couro com o dinheiro estavam na parte traseira da viatura, trancada com um cadeado cuja chave ficava com a da ignição, como sabiam os assaltantes. Eram oito, que na fuga se dividiram entre o carro do instituto e dois Fuscas: um vermelho e o de cor pérola comprado na antevéspera, desfilando ostensivamente com a licença cujos quatro números finais, 0030, uma testemunha avistou no para-brisa. Na retirada, um PM saiu de dentro da agência e disparou contra eles, que deram o troco. João Baptista Salles Vanni não pôde atirar com a metralhadora, pois a porta da camionete feriu um dedo seu ao fechar. Com um nervo machucado e a dor dilacerante, ele desmaiou no aeroporto, antes de regressar de avião para São Paulo.

A ação durou três minutos, ao fim dos quais o guerrilheiro ao volante da camionete esticou a primeira marcha, na largada do trecho de quatro quilômetros até onde Marighella os esperava. Pouco antes do destino, o automóvel pifou, o cadeado foi aberto, e as malas transferidas para o Fusca pérola. Um companheiro que dava cobertura na esquina assobiou para Marighella, anunciando a turma, e ele disse para Paulo César recolher as ferramentas e ligar o motor. Os volumes foram depositados no Fusca azul, no qual seguiu "um senhor idoso, careca e bem trajado" — Marighella, nas palavras de um professor que assistiu a tudo. Mais à frente, ele pediu que Paulo César parasse e descobrisse as placas. Na casa em Guaratiba, Marighella repartiu o dinheiro em pacotes e, no quintal, ateou fogo às malas. As sirenes da polícia ensurdeciam o Rio de Janeiro, à cata dos ladrões. Mais uma vez não deixavam rastros, orgulhou-se Marighella.

Pelas seis e meia da tarde, ele saiu com Paulo César sem levar nenhum tostão do Ipeg. Na estrada do Portela, em Madureira, desceu para falar ao telefone público e disse para o jovem dar uma volta e pegá-lo em dez minutos. Estava a meros quatro quilômetros do lugar onde aguardara os militantes de manhã. O estudante pouco andou: o tanque estava vazio, e ele foi ao posto de gasolina. O sargento reformado que o indagara sobre o enguiço no carro escutara no rádio sobre o assalto e compreendera que flagrara a "desova" do dinheiro. Por coincidência, ele também foi abastecer. Surpreendeu-se com o mesmo Fusca azul, deu voz de prisão a Paulo César e chamou os policiais da 30ª Delegacia Distrital. Sem saber de nada, Marighella ligou para Zilda Xavier Pereira, disse que tudo correra bem e combinaram de se encontrar no aparelho do subúrbio do Lins de Vasconcelos, um apartamento na rua Maranhão. Mal acabou de falar e vislumbrou o rebuliço no posto Esso. Aproximou-se, assuntou, chispou até a cabine telefônica e mudou o roteiro de Zilda para Guaratiba. Ele foi de táxi, desceu perto da casa, resgatou a dinheirama com a companheira e se escafedeu.

Antes de a *Última Hora* circular com a manchete garrafal "ROUBO RECORDE DA JOVEM GANG", o Fusca pérola amanheceu queimado na rua Senhor dos Passos, no centro, a mil metros da sede do Dops. Os guerrilheiros o transformaram em sucata porque fora identificado, mas facilitaram a investigação. Os policiais acharam uma placa da Wilson King, onde levantaram os nomes de Marighella e Virgílio. O de Marighella já viera à tona, desde que submeteram Paulo César ao suplício de choques elétricos e outras crueldades da tortura. Caducavam as derradeiras incertezas sobre o caráter político dos roubos.

Foi outro o episódio que baqueou a organização. Maio é o mês das noivas, e Catarina Helena fora uma delas meio ano antes, no maio de 1968, ao se casar com um colega do curso de filosofia na USP. João Antônio Abi-Eçab tinha 24 anos e ela, 21 ao se hospedarem em 4 de novembro no Hotel Canadá, em Copacabana. Fizeram o *check-out* de manhãzinha no dia 8, antes do assalto. À noite, suas vidas breves tiveram fim. A polícia relatou que o Fusca verde no qual eles viajavam para a capital paulista colidiu contra a traseira de um caminhão parado no quilômetro 69 da BR-116, à altura do município de Vassouras. Descobriram armas no carro, e o Dops vinculou-os à guerrilha. O *Jornal da Tarde* titulou: "Nesse desastre, pista da revolução de Marighella". Seus companheiros derramaram as primeiras lágrimas por mortos da ALN, sem contestar a versão de fatalidade.

Não teriam como, até surgirem na imprensa testemunhos de que, quando João Antônio bateu, os jovens fugiam em alta velocidade de uma camionete policial preta e branca. Ele perdeu o controle, mas não por correr, revelou um caminhoneiro às autoridades fluminenses, conforme a edição de 20 de novembro da *Última Hora*. A reportagem "Polícia fuzilou o casal" informou que o motorista, com nome mantido em sigilo, afirmara ter presenciado "o fuzilamento, por agentes policiais, do casal de estudantes". Na perseguição, um tiro teria ferido João, e por isso o Fusca se chocou. Ele e Catarina sobreviveram ao impacto, mas foram executados sem dó pelos tiras, disse o caminhoneiro. Seu depoimento não constou de nenhum inquérito.

Bastou uma checagem nas licenças de trânsito para os beleguins se inteirarem de que a dona do Fusca azul era Maria Magalhães Monteiro, a mãe do estudante Paulo César. Ex-funcionária do escritório comercial da Alemanha comunista, ela era viúva de um motorista de Luiz Carlos Prestes — o Dops comeu mosca e não apurou a segunda informação. A polícia carimbou-a como "amante de Marighella", maledicência que o jornalismo reverberou, e soube que uma certa *Silvia* passara uma temporada em seu apartamento na Tijuca. *Silvia* seria outro bibelô do harém do galante guerrilheiro, ela mesma perigosíssima. "Quando dos assaltos em São Paulo, *Silvia* sempre conduzia uma metralhadora calibre 45 e demonstrava alguma ascendência moral sobre os demais", devaneou o *Jornal do Brasil*. *Silvia* era Clara Charf, mulher de Marighella e atuante na logística da ALN, não em ações armadas. Em dezembro, os detetives juntaram um nome ao outro e partiram no seu encalço.

Assim como a ficha demorou a cair em relação a Clara, a polícia se iludiu presumindo que o assalto fora uma parceria de Marighella com o grupo do ex-sargento João Lucas Alves, preso no dia da ação. Não fora. O militar saiu vivo das sevícias no Rio de Janeiro, mas em março de 1969 o trucidaram até a morte nas masmorras de Belo Horizonte. Agentes americanos enviados ao Brasil e o Dops paulista sustentaram que a metralhadora encontrada no automóvel do casal Abi-Eçab era a arma usada na execução do capitão Chandler, no entanto a perícia não referendou a tese. Logo que o general Luís de França Oliveira, secretário de Segurança da Guanabara, alardeou a "caçada a Marighella", seu alvo assombrou o país. E o exterior: divulgaram andanças suas pelo Paraguai e pela Bolívia — no Brasil, procuraram-no em Patos de Minas. "Marighella armado enfrenta a polícia", garantiu o *Correio da Manhã*. Descoberto em um bar de Aparecida (SP), ele sacou o revólver contra um tira, disparou, e no revide foi ferido no ombro — tudo cascata. Noticiaram sua vitalidade numa ação contra um banco onde nunca entrou, ao menos para roubá-lo. Um avião paulistinha decolou do Aeroclube de São Paulo, e imaginaram que o foragido fosse passageiro. Na cidade mineira de Carangola, um cartório lavrara o falecimento do cidadão Carlos Marighella, seis meses antes. Portanto, o assaltante do carro do Ipeg não passava de um fantasma.

A onipresença de Marighella levou Ricardo Gontijo, colaborador da ALN na *Folha da Tarde*, a editar uma ironia como fato: o vilão oficial era tão mau que incendiara uma carrocinha de pipoca. E um biruta, a julgá-lo pelo perfil do *Jornal da Tarde*. O diário fantasiou que ele lutara num tresloucado "Grupo dos Pistoleiros, 'comando suicida' do Partido Comunista, formado por seus membros mais audazes, especializados em missões impossíveis". Seriam "kamikazes" a soldo de Lênin. Marighella teria sido preso por atentado ao pudor, ao urinar numa rua adjacente ao Teatro Municipal do Rio de Janeiro — a polícia, que dificilmente perderia a oportunidade de humilhar o alegado mijão, não documentou tal molecagem. A seu favor, seria "esplêndido atirador", o que não correspondia à realidade, "lutador de judô", tampouco, e "moreno de olhos verdes". A mesma cor seria citada pelo vespertino francês *Le Monde*, que o idealizou como "mulato hercúleo", e a revista americana *Time*, embora o castanho colorisse suas íris. Marighella ganhou uma reportagem do *Diário de S. Paulo*, com o título "Um homem inteligente", e a capa da *Veja*. A *Última Hora* constatou, na espirituosa nota "Na moda, na poesia": "E como a moda é Marighella, vai aí seu poema 'Liberdade', sem o pagamento de direitos autorais, que o poeta não foi encontrado para tanto". Os versos compostos na cadeia, em 1939, foram publicados na íntegra.

O auge da repercussão veio em 20 de novembro de 1968, quando o ministro da Justiça discursou em São Paulo. No quartel-general do II Exército, Luís Antônio da Gama e Silva declarou Marighella "inimigo público número um". O ministro afirmou que o ex-deputado, "indubitavelmente, é o chefe do grupo de terror que vem agindo em todo o país". Questionado pelos repórteres sobre uma ordem para prendê-lo por bem ou por mal, respondeu que o governo o considerava de "alta periculosidade". O jornalista Moacir Werneck de Castro ponderou em um artigo: "É o próprio governo federal, através do ministro da Justiça, quem se encarrega de criar o mito Carlos Marighella". Prosseguiu: sua imagem poderia ser a de "um Robin Hood vermelho, talvez, para muitos: aquele que se tornou assaltante não por amor ao crime, mas, certo ou errado, por uma causa". *Punto Final*, revista chilena de esquerda, veiculou o texto "Marighella, o profeta armado do Brasil" e festejou: depois da bravata de Gama e Silva, o prestígio do revolucionário "cresceu bruscamente".

O "novo Cavaleiro da Esperança", como já o incensavam, troçou, em vez de se debruçar no balanço dos erros e negligências na limpa do carro do Ipeg: a ação não rendera somente os 121 mil cruzeiros novos arrecadados, e sim 5 milhões e

120 mil — 26 milhões de reais atualizados. Era quanto "os técnicos em publicidade estimaram o preço que custaria tanta publicidade nos veículos de difusão capitalista", explicou Joaquim Câmara Ferreira. Em dezembro de 1968, Marighella lançou uma "Mensagem aos brasileiros", aceitando o "honroso título de inimigo número um". Desafiou:

> [a ditadura] cai no ridículo, ao apresentar um patriota como super-homem, atribuindo-lhe o dom da ubiquidade e autoria de quantos assaltos e atos terroristas se perpetram no país. Ante a enxurrada escandalosa de mentiras e acusações injuriosas contra mim assacadas, não terei outra atitude a tomar a não ser responder a bala ao governo e suas nojentas forças policiais empenhadas em minha captura vivo ou morto.

A CIA colocou água na fogueira, com uma avaliação lúcida em fevereiro de 1969: "Nós duvidamos de que, ao menos por algum tempo, o Brasil tenha um grande problema com a insurgência". O Ministério das Relações Exteriores da União Soviética previra em agosto do ano anterior: os grupos de combate de Marighella estavam "inevitavelmente fadados à total derrota". A ditadura não queria nem saber: o presidente Costa e Silva concedeu carta branca ao secretário de Segurança da Guanabara na cruzada contra Marighella em todo o território nacional. Brasília pediu, e a Interpol acossou-o mundo afora. O Dops paulista admitiu ser "impossível manter uma vigilância permanente" sobre ele, devido à sua "impressionante capacidade de locomoção". O *Diário de Notícias*, bajulador dos generais, teve um chilique: Marighella continuava "zombando das autoridades". E esbravejou, para dirimir dúvidas: "A ordem é prendê-lo vivo ou morto, custe o que custar".

Ele estava mais perto do que supunham, enclausurado no subúrbio. De 1964 a 1969, Marighella passou a maior parte do tempo no Rio de Janeiro. Em Copacabana, morou em quatro prédios. Nessa época, comoveu-se ao ver uma mulher apontar a fotografia dele numa banca de jornal e dizer "eu esconderia esse cara". Mudou-se para a zona norte quando a polícia se deu conta de que o pessoal da luta armada alugava apartamentos por temporada na zona sul. De acordo com Antônia Sento Sé, a mãe de santo que o acoitava na Ilha do Governador, ele também manteve aparelhos no centro, em Bangu (zona oeste) e Caxias (Baixada Fluminense). Era a "capacidade de locomoção" de que falava o Dops. Com o roubo do carro do Ipeg, Marighella fez a transição do apartamento no Lins de Vasconcelos para a casinha em Todos os Santos, bairro grudado ao Méier e o Engenho de Dentro, perto de onde ergueriam o estádio Engenhão. Nascido na baía de Todos os Santos, pelo menos no nome do bairro se reencontrava com sua terra.

O imóvel de quarto, sala, cozinha e banheiro viria a ser derrubado, e décadas mais tarde quem o frequentou não o localizaria. Ao contrário do que vinha ocorrendo, o agora inimigo público número um se encasulou por semanas, sem sair. Não é à toa que sua produção de literatura política foi intensa no ocaso de 1968. Além dele e de quatro mulheres de uma mesma família, só outra pessoa esteve lá: a cabeleireira Isabel, amiga de Zilda, que fez o molde de três perucas para o fugitivo. Os companheiros zombavam da cabeleira postiça como "descarada", "horrorosa", "assustadora", "ridícula" e "vagabunda". Para um militante, ele se assemelhava ao comediante Zacarias, do grupo Os Trapalhões. O disfarce jamais causou problema.

À distância, Marighella se afligia com o filho, Carlos Augusto, então em Salvador com a mãe. Aos vinte anos, o estudante era monitorado pelo SNI, e as autoridades o impediram de se matricular nas escolas públicas. Ao reprimir uma manifestação, a polícia baleou-o na canela esquerda. Do mesmo modo como não pressionara Carlinhos para trocar a torcida do Fluminense pela do Flamengo, Marighella não o assediou, ainda que por carta, a cambiar de sigla: o jovem militava no PCB desde o fim de 1965. À sua maneira: para roubar o mimeógrafo de um banco, ele e os companheiros tirotearam com um vigia. Quando estavam prestes a assaltar outra agência, um chefe do partido antiluta armada, informado do plano, irrompeu e o abortou. Na opinião de Carlos Augusto, seu pai não o estimulou a aderir à guerrilha para não desgostar Elza, a ex-mulher que encarava o mundo para o rebento não correr perigo, e porque o risco do jovem seria demasiado, por ser filho de quem era. Em atos de rua, Carlinhos não seria ferido novamente: antes de 1968 se despedir, os protestos pertenceriam somente ao passado.

No livro *Por que resisti à prisão*, de 1965, Marighella prognosticou que "as possibilidades de um golpe dentro do golpe — como saída eventual para as dificuldades da ditadura — não podem ser descartadas". Pouco a pouco, o governo estreitou o garrote contra as liberdades. Em 1967, baixou uma Lei de Segurança Nacional mais dura, que obrigou a causa contra Marighella no affaire Ipeg a tramitar na Justiça Militar, e não na comum. Em abril de 1968, suspendeu a Frente Ampla de Jango, Lacerda e JK. Calou os sindicatos após as greves em Contagem e Osasco, e nem assim granjeou mais simpatia. O instituto Gallup promoveu uma pesquisa confidencial em setembro e outubro: apenas 20% dos entrevistados apoiavam Costa e Silva. A CIA analisou no começo de 1969: a queda da inflação, de 90% em 1964 para em torno de 25% três anos mais tarde, e o crescimento econômico anual acima dos 4% não "geraram grande popularidade" ao presidente. Quando o deputado Márcio Moreira Alves se pronunciou pelo boicote ao desfile do Sete de Setembro e apelou às moças para repelirem oficiais enamorados, a ditadura tentou processá-lo. A Câmara negou a licença, e os militares agarraram esse pretexto para radicalizar.

Ao entardecer da sexta-feira 13 de dezembro, 248 semanas depois da sexta-feira 13 de março de 1964, a do comício da Central, 25 membros do Conselho de Segurança Nacional se sentaram ao redor de uma mesa do palácio Laranjeiras. À cabeceira, o gaúcho Arthur da Costa e Silva propôs o Ato Institucional nº 5, e só o seu vice, o civil Pedro Aleixo, dissentiu. O ministro do Trabalho, coronel Jarbas Passarinho, mencionou o francês Régis Debray, arauto dos focos guerrilheiros, e rasgou a fantasia democrática:

"Às favas, senhor presidente, neste momento, todos os escrúpulos de consciência."

O conselho atendeu a Passarinho e afiançou o decreto que Costa e Silva firmou com os ministros. O marechal incorporou poderes para arbitrar o recesso de casas legislativas — principiou fechando o Congresso —, intervir em estados e municípios, suspender direitos políticos e cassar mandatos, no que foi voraz. Foi suspensa a garantia do habeas corpus, instrumento que permitira a saída de Marighella do cárcere em 1964. Dez dias após o AI-5, o advogado Sobral Pinto denunciou a prisão do colega Celso Sampaio Nascimento Filho, defensor de Marighella no processo do Ipeg. Marighella classificou o novo golpe como "um conjunto de medidas de caráter fascista, dirigidas contra nossa ação".

A luta armada foi inaugurada antes do Ato 5, mas o estrangulamento dos meios tradicionais de participação política empurrou mais gente para a guerrilha, sobretudo universitários. Na contramão deles, alguns precursores da organização contestaram Marighella, condenando o excesso de assaltos. Rolando Frati, de 56 anos, João Adolfo Costa Pinto, 45, e Agonalto Pacheco, 41, interpelaram-no sobre os rumos do Agrupamento Comunista de São Paulo. A carta sumiria com o tempo, mas permaneceu na memória de Cícero Vianna, outro pioneiro, a quem os signatários abordaram: queriam mais trabalho de massas (escreveram antes do AI-5) e um partido comunista clássico. "Era a minha posição", disse José Luiz Del Roio. "Assalto a banco para comunista proletário é um horror, é roubar. Eles não roubam. Preferem se matar em frente a uma fábrica fazendo greve." Os três missivistas foram ríspidos: "Reclamaram de que o Mariga era um caudilho, que estava autoritário demais", relembrou Cícero.

Embora a correspondência fosse reservada, a resposta de Marighella em dezembro de 1968 circulou amplamente, de propósito. Ele a intitulou com dois versos de "Quem samba fica", partido-alto de Jamelão e Tião Motorista: "Quem samba fica, quem não samba vai embora". O subtítulo: "Carta dirigida aos revolucionários de São Paulo". Contra a apreciação de que os roubos desvirtuavam seus propósitos, argumentou que os recursos só vinham deles. Reiterou:

> A tarefa de vocês é logística. [...] Vocês têm carta branca na frente guerrilheira para desencadear a ação. Só não têm carta branca para coisas burocráticas, isto é, para impedir ações planejadas pelos grupos, sejam eles quais forem. Nem podem fazer discussões formais. É preciso ação e mais ação. Distribuir manifestos, pichar muros, sabotar, fazer política de terra arrasada, tudo isto com o trabuco na cintura. [...] Tomem a iniciativa, assumam responsabilidades, façam. É melhor cometer erros fazendo, ainda que disto resulte a morte. Os mortos são os únicos que não fazem autocrítica.

Uma passagem insinuou conflito geracional, profanou um dogma bolchevique e acentuou o tom de ultimato do "vai embora":

> O que acontece é que a juventude está vindo para a organização, porque vê nela a decisão de fazer, executar, atuar sem burocracia e sem respeitar os velhos e gastos padrões de centralismo democrático, tão desprestigiados e desmoralizados. Nossa democracia é revolucionária. É a democracia da ação, o que é útil à revolução, e não a meia dúzia de burocratas e faladores.

O centralismo democrático é o sistema consagrado por Lênin que propõe liberdade de discussão e impõe unidade na ação — em tese, a minoria se submete à maioria. Para Marighella, uma balela para chefes paralisarem subalternos. A autonomia dos grupos de fogo da ALN representava o avesso dos PCS.

Em janeiro de 1969, ele anotou: "A direção estratégica e tática global de nossa organização, ou seja, a direção política e militar unificada, não surge de uma só vez e desde o primeiro momento". Havia "centros regionais" de comando — não um nacional — sem subordinação a algum comitê central. Como Marighella era o protagonista e inexistia um colegiado dirigente, na prática era ele quem mandava, daí o recriminarem como caudilho.

Curiosa foi a reação que Cícero Vianna contou ter tido quando lhe sugeriram assinar a carta, o que ele recusou: "O Brasil precisa de um caudilho". Em meio à turbulência, Câmara Ferreira foi ao Rio de Janeiro e pediu para Marighella viajar, a fim de conversar com os insatisfeitos — os três viriam a se manter na organização. Em rara saída de Todos os Santos, Marighella se deslocou ao Méier para ter com Câmara numa casa. Indagou a Zilda Xavier Pereira o que ela pensava e ouviu que deveria se trancar no aparelho carioca. "Eu falei que seria ridículo ser preso andando por São Paulo, de tanto que era procurado", recordou Zilda. "Iria até pegar mal." Ele acatou o conselho, e Câmara irritou-se. Só não voltou de mãos abanando porque carregou parte do dinheiro do Ipeg.

Eles batalhavam em um grupo pagão. No texto "Questões de organização", Marighella assinalou em dezembro de 1968: "Um fato notório consiste em que até agora nossa organização não tem uma sigla. É que para nós uma organização revolucionária se afirma pela ação que desenvolve, e não pela sigla que adota". Um mês depois, no arrazoado "Sobre problemas e princípios estratégicos", um capítulo se chamou "estratégia da ação libertadora nacional", em letras minúsculas, sem se referir a um nome próprio. Alguns veteranos pretenderam evocar 1935, com ANL, Aliança Nacional Libertadora. Marighella resguardou o conceito-chave e decidiu por Ação Libertadora Nacional, ALN, novidade mencionada em maio de 1969 no documento "O papel da ação revolucionária na organização". Com o batismo, desapareceu o Agrupamento Comunista, identidade já em desuso.

Neil Armstrong ainda não caminhara na Lua, Pelé não marcara o milésimo gol, e Jimi Hendrix não tocara em Woodstock. Ficou tudo para o ano-novo, mas 1968 não terminara. Já que o negócio era trabuco na cintura, na madrugada de 17 de dezembro um estrondo na praça paulistana 14 Bis atingiu o avião North American ali instalado. Os autores do atentado deixaram boletins com a "Mensagem aos brasileiros", do inimigo público número um, e o *Jornal da Tarde* estampou: "A primeira bomba assinada por Marighella". O general Silvio Correia de Andrade, chefe da Polícia Federal no estado, minimizou: "Querem fazer propaganda de uma força que não têm". Como sem matéria-prima não haveria mais explosões, o GTA partiu em busca de dinamite.

Na tarde do dia 28, um cortejo com Fuscas, Gordinis, Simcas e Aero-Willys saiu da praça Charles Miller, em frente ao estádio do Pacaembu. Os mais de dez automóveis se enfileiraram atrás de um Mercedes-Benz dirigido por seu dono, o publicitário Carlos Knapp, com Marquito de carona. O guerrilheiro Ayrton Medeiros Caldevilla guiava o carro da mãe. João Carlos Cavalcanti Reis, o seu próprio. Todos com as placas adulteradas com fita isolante. Passava das seis horas do sábado quando pararam em frente à indústria de explosivos Rochester, em um distrito de Mogi das Cruzes, na região metropolitana de São Paulo. Arrebentaram com uma pedra o cadeado da porteira, imponente como as de fazenda. A caravana penetrou, esbarrou em dois funcionários, e Marquito deu uma carteirada de policial do Dops. Pareceu mesmo um deles, rude e de óculos escuros, tratando por cabo, sargento e tenente os colegas armados.

O comandante da ALN arrancou a faca de um dos vigilantes, disse que a firma operava irregularmente e que eles, os agentes da lei, portavam um mandado de apreensão. Encheram os porta-malas com 575 quilos de dinamite granulada, dividida em 23 caixas de madeira, e duzentos quilos de clorato de potássio. Antes de ir embora, Marquito entregou um envelope fechado com uma carta à Rochester. Mais tarde, ao abri-lo, a direção da empresa leu a intimação judicial para uma audiência. Quase caiu para trás com o "oficial de Justiça" que assinava a caçoada: Carlos Marighella. O QG do II Exército calculou em "aproximadamente quarenta" os assaltantes. É possível que tenham sido três dezenas. Ainda assim, foi a maior ação da guerrilha brasileira, na cidade ou no campo, em número de combatentes. Apesar de exultante, Marighella inquietou-se com a exposição de Knapp, cujo papel na logística da ALN era um segredo, diante de tantos companheiros. A casa dele e Eliane Toscano foi um dos depósitos da dinamite, bem como o aparelho de Marquito.

Como ninguém é de ferro, outro setor da organização marcara uma festa de Réveillon no edifício Copan. Eram estudantes da Dissidência Universitária de São Paulo que consumaram a entrada na ALN depois do AI-5. Não dispensavam diversão, mas o furdunço no apartamento de Antonio Benetazzo, militante nascido na cidade italiana de Verona, seria aproveitado para dar cobertura à primeira ação do grupo. Os cucos já haviam cantado a virada de ano quando Maria Augusta Thomaz, Lauriberto José Reyes, Aylton Adalberto Mortati e Márcio Beck Machado embarcaram na moita em um Itamaraty, carro de luxo conduzido por Paulo de Tarso Venceslau. Haviam trocado suas roupas esporte por black-tie e, a garota, por um vestido de noite. Contavam de 21 a 25 anos de idade, e Maria Augusta, moça bonita de olhos gigantes, era a caçula. Defronte à casa de um colecionador de armas, certificaram-se de que não havia ninguém, entraram com a cópia da chave obtida com um parente dele e apanharam meia dúzia de revólveres e pistolas. Voltaram ao Copan como se nada tivesse acontecido e comemoraram até o amanhecer. Se as coisas corressem sempre assim, 1969 tinha tudo para ser um ano dos sonhos.

32. Kubrick dá ideia

Dada a largada do sétimo páreo do programa, o favorito Red Lightning dispara e, na curva da reta oposta às tribunas, é alvejado pelo rifle de um franco-atirador sentado em seu automóvel conversível. Enquanto o público do hipódromo divide os olhos entre o animal abatido e o atropelo dos cavalos na pista de areia, um halterofilista forja uma briga no bar e atrai a atenção dos vigilantes, inclusive dos que abandonam seu posto na escolta dos 2 milhões de dólares arrecadados com as apostas. Armado com uma metralhadora, um mascarado aproveita o vacilo dos guardas, invade a sala da tesouraria, rende os funcionários e joga pela janela um saco entulhado de notas verdes. Um policial corrupto apanha o dinheiro e o despeja no porta-malas da viatura, antes de serenamente deixar o prado para trás. Além dele e de um ex-presidiário com pinta de galã, autor do plano brilhante, três outros homens compõem a gangue: um apostador, um caixa e um garçom do jóquei-clube. As ações diversionistas do tiro no puro-sangue e da bulha que distraiu a segurança foram obra de dois freelancers contratados por empreitada. Pouco importa que depois as coisas tenham degringolado, oito pessoas morrido e a fortuna se perdido para sempre — cinema é cinema, e não custa condimentar o roteiro.

A trama arrebatou Marighella, que a ouviu de Zilda Xavier Pereira, na casa onde se trancafiou no subúrbio ao ser declarado inimigo público número um.

Entre uma atividade e outra, a companheira assistira a *O grande golpe*, em reprise no Rio de Janeiro. Era um dos filmes seminais do diretor americano Stanley Kubrick, que o lançara em 1956. À medida que Zilda narrava a desenvoltura dos ladrões, os neurônios de Marighella faiscavam, e ele cobrava mais dados. Foram tantos que a líder da ALN carioca teve de rever quatro vezes a fita à procura de minúcias apenas insinuadas nos diálogos ou desfocadas em imagens de fundo — Marighella não podia se afastar do esconderijo, e até videocassete era tecnologia de ficção científica. Se o general Costa e Silva fazia religiosamente sua fezinha em patas de cavalos, Marighella buscaria a dinheirama movimentada por elas. O assalto ao carro pagador da Massey Ferguson já se inspirara em um filme. Em matéria de audácia, o que vinha pela frente era uma superprodução.

"Havia tanto dinheiro que Marighella falou que o pessoal poderia sair de circulação", contou o guerrilheiro Otávio Ângelo. A organização arrumou fardas autênticas da Força Pública, para a incursão no hipódromo paulistano de Cidade Jardim. O jornalista Carlos Penafiel iniciou o levantamento em companhia de um colega aficionado por turfe, e eles descobriram que somente dois guardas transportavam a féria em um carro. "Seria muito fácil", opinou o editor de arte da *Folha da Tarde*. Souberam mais do que Antônio Flávio Médici de Camargo, a quem Marighella incumbiu de visitar o Jockey. "Não dá para ver nada, você precisa de informação lá de dentro", ele resumiu. Marquito teve em mãos um estudo completo das instalações, observou o companheiro Vinícius Caldevilla. Marighella sugeriu ao comandante militar da organização no Rio de Janeiro, Domingos Fernandes, agir num domingo, embolsando para a revolução toda a receita do fim de semana. Duas jovens foram às corridas na Gávea e nada de relevante conseguiram apurar. O *film noir* de Kubrick deu ideias de como fazer, mas o lampejo já ocorrera, como evidenciou um relatório de agosto de 1968 do Serviço Secreto, a seção de espionagem do Dops paulista: numa "reunião da Ala Marighella", "aventou-se a possibilidade de assaltar a 'perua' do Jockey Club".

Não foi apenas a bilheteria dos grandes prêmios turfísticos que enfeitiçou Marighella, mas também a do maior estádio de futebol da época. Domingos Fernandes investigou o Maracanã, e a impressão os desestimulou: os ingressos eram comprados com notas pequenas, o que implicava carregar fardos pesados. Desistiram, ao contrário do cinema: em 1969, estreou nas telas *Máscara da traição*, do cineasta baiano Roberto Pires. Estrelada por Glória Menezes, Tarcísio Meira e Cláudio Marzo, a história conta o roubo bem-sucedido da renda de um clássico de futebol no Maracanã, quatro vezes o valor que a ALN obtivera com o carro do Ipeg. O risco excessivo dos assaltos nos hipódromos fez Marighella adiá-los, assim como descartou sabotagens que ameaçavam ferir inocentes e preferiu esperar por certas ações de envergadura, adequadas a uma fase de guerrilha mais parruda.

"No essencial, devemos nosso avanço aos atos terroristas revolucionários e às operações e táticas guerrilheiras", escreveu Marighella em dezembro de 1968. Enfatizou: "Pela primeira vez no Brasil os atos terroristas passaram a desempenhar um papel na luta política". Mesmo que os mais ousados ficassem para depois, outros foram esboçados. Frei Oswaldo Rezende participou de uma conversa na qual se cogitou dinamitar um viaduto na estrada entre São Paulo e Santos. "Acharam que era apressado", disse. "Marighella queria explodi-lo e me mandou dar uma olhada na via Anchieta", ratificou Antônio Flávio. O dirigente da ALN recebeu um croqui com as medidas de uma ponte de concreto armado na rodovia Raposo Tavares. O desenho trazia o parecer: "Ponte média — Excelente para trabalhar". Pretendiam "trabalhar" mais alvos. Marighella preservou a planta de uma refinaria da Shell. "Fiz o levantamento de Utinga", confidenciou o ferroviário Raphael Martinelli, acerca de um oleoduto. Joaquim Câmara Ferreira encomendou, e arquitetos da organização providenciaram o mapa da rede elétrica. Marighella sabatinou um aviador que conheceu por meio do frei Fernando de Brito, tentando aprender sobre navegação de aeronaves. O frade concluiria: já projetavam sequestros aéreos. "A gente sonhava alto", comentou Otávio Ângelo.

Tudo o que Marighella vivera não passava de café com leite comparado ao coquetel explosivo que a VPR lhe propôs: tomar o aeroporto Campo de Marte *manu militari* para endoidar o controle aéreo de São Paulo, estourar estações da Light e torpedear o quartel-general do II Exército e o palácio dos Bandeirantes, sede do governo estadual. "Queríamos criar um clima de guerra civil", rememorou Pedro Lobo, do grupo de fogo da VPR. Marighella considerou um passo maior do que as pernas da guerrilha e recusou. A organização dos ex-sargentos já mirara o QG. Em 22 de junho de 1968, atacara o Hospital Geral do Exército na capital paulista e surrupiara nove fuzis. O comandante do II Exército, Manuel de Carvalho Lisboa, reagiu: "Desafio os subversivos a roubar armas dos meus quartéis, e não de hospitais". À bravata o general não adicionou medidas de segurança, e quatro dias depois a VPR arremeteu contra sua guarnição uma camionete com dinamite. O Chevrolet se chocou no muro, o soldado Mário Kozel Filho, de sentinela, aproximou-se para olhar, e a detonação matou-o aos dezoito anos.

É pouco verossímil que a VPR tenha esclarecido a Marighella que os atentados múltiplos se destinavam a confundir as autoridades e dar cobertura à retirada do capitão Carlos Lamarca do quartel do 4º Regimento de Infantaria — se lhe escancarassem o propósito, mais restrições ele teria. Filho de pai sapateiro e criado num morro carioca, Lamarca formou na tropa influenciada pelo PCB, tanto que apoiou a invasão da Tchecoslováquia. Já se distanciara do partido, desde que enveredara pela luta armada e intensificara as tratativas com ALN e VPR. Marighella prevenira em Havana: "No seio do inimigo há muitos militares que individualmente apoiam o povo. Esses militares, no momento oportuno, devem desertar com suas armas e apetrechos e ingressar na guerrilha". O tal momento era tema de colóquios de Marighella com Lamarca.

Maria de Lourdes Rego Melo, espécie de lugar-tenente de Joaquim Câmara Ferreira, transmitiu a Lamarca um recado de Marighella reiterando a orientação de permanecer no quartel de Quitaúna, na região metropolitana de São Paulo. Câmara e o companheiro Ricardo Zarattini Filho tinham estado com o oficial e lhe exposto argumentos semelhantes. No limiar de 1969, frei Oswaldo alertou Marighella no Rio de Janeiro: Lamarca estava na bica de largar o Exército. Marighella se exasperou com a notícia, "em uma das poucas vezes que o vi perder a paciência", relembrou o religioso.

"Conversei com Lamarca e falei que ele deveria ficar onde está!", esbravejou Marighella. "Não é o momento de sair da posição. Precisamos dele lá. Toda revolução tem a sua linha burra!"

Era um xingamento cruel, emprestado do futebol. Seu amigo João Saldanha o adotara para designar os zagueiros que se posicionam geometricamente lado a lado, permitindo a infiltração adversária. É possível que a discordância da ALN com o abandono da caserna tenha empurrado Lamarca para a VPR, à qual se incorporou em 1968. Por algum tempo, o capitão teve Marighella em boa conta, como demonstra uma carta de maio de 1969 endereçada à mulher, Maria Pavan: enalteceu-o como "extraordinário revolucionário, a quem admiro muito". Em breve, estaria na iminência de apontar as armas contra ele.

Diógenes Carvalho de Oliveira, militante da VPR e sócio de Marquito na execução do capitão Chandler, também se reunia com Marighella. Na primeira vez, aos 25 anos, sentiu-se como "um guri encantado com o ídolo". Espantou-se ao dar, na residência da arquiteta Lina Bo Bardi, com o veterano "fantasiado de Elvis Presley", com jaqueta e tudo. ALN e VPR foram as maiores das 28 siglas da guerrilha urbana, na soma de um dos seus repressores mais ferozes, o então major Carlos Alberto Brilhante Ustra. Marighella sustentava que o tempo abrandaria a fragmentação. Assinalou em 1968: "Há ainda um longo caminho a percorrer antes que a revolução brasileira venha a ter um comando único, em face da dispersão das organizações em luta e da disparidade de seus objetivos".

A agenda da VPR prescrevia a revolução socialista, ao passo que a ALN pregava a expulsão do "imperialismo americano", antes de expropriar a burguesia. Como anotou o estudante Carlos Eugênio Coelho da Paz, marighellista do Rio de Janeiro, "queria que me explicassem que diferença faz, na hora de assaltar um banco, se a etapa da revolução é de libertação nacional ou socialista". O principal dirigente da VPR, Onofre Pinto, declarou ao diário cubano *Granma* em outubro de 1969: "Taticamente, existe uma identidade muito grande nas ações dos grupos de Lamarca e Marighella".

Mais ou menos. A ALN julgava que a VPR se arriscava demais, por cobiçar a condição de protagonista da esquerda armada, e era legítimo que o outro lado retribuísse a apreciação. Em 1969, o agrupamento de Marighella criticou o de Onofre e Lamarca, sem mencioná-lo: "Na luta pela liderança, uma tese tornou-se corrente: aquela que disparar antes arrasta as outras. Esta tese leva atualmente certas organizações a empreender ações ou que ultrapassam suas forças ou são inadequadas para o momento". O mesmo texto advogou uma "frente" como "necessidade vital". Com esse intuito, Marighella e Câmara se encontraram em 1º de março de 1969 com Onofre e, já foragido, Lamarca.

Era curioso que o ex-praça tivesse ascendência sobre o oficial, subvertendo a cultura castrense: nos presídios de Fernando de Noronha e da Ilha Grande, os camaradas de maior posto lideravam os militares pecebistas. A dupla da ALN aspirava a um manifesto assinado pelos quatro, indicando unidade política. Marighella reclamou do veto de Onofre, que pretextou filigranas mesmo depois do aceite de Lamarca. Ao motorista que o conduziu à cúpula guerrilheira, Antônio Flávio Médici de Camargo, caçoou:

"Nunca vi capitão obedecer a sargento."

Esses desentendimentos eram birras de namorados, em contraste com a fúria passional da AP convertida ao maoísmo. De acordo com um dos seus dirigentes, o sociólogo Herbert de Souza, alguns correligionários desprezavam Marighella como "um sujeito com desvios de direita" e "inimigo da revolução". Betinho provocou: "Se eu encontrá-lo na rua, devo matá-lo?". Responderam solenemente que sim. "Talvez por levantar questões como a defesa de Marighella, também eu acabei sendo considerado portador de desvios, precisava me reeducar ideologicamente", ironizou Betinho, que rompeu com o fanatismo, não cruzou com Marighella e após a ditadura salvou vidas animando uma memorável campanha contra a fome.

Sem trânsito com os fiéis do comunismo chinês, Marighella perseguia outras alianças. Itoby Junior e frei Oswaldo receberam a missão de abordar na Europa o ex-governador Miguel Arraes, exilado, advertindo que "o comando está no Brasil". A ressalva se prestava ao nacionalismo cada vez mais encardido de Marighella e o favorecia, por ter ficado no país. Ele insistia que não desejava engolir outras siglas, e muitos testemunhos abonam seu discurso, mas não convenceu a todos: "Marighella e Câmara não estavam interessados em união, mas em hegemonia", avaliou o jornalista e guerrilheiro Flávio Tavares, do Movimento de Ação Revolucionária (MAR).

Ao contrário de partidos cuja estrutura vertical estabelece níveis hierárquicos rígidos, a ALN se organizava horizontalmente, quase sem direções intermediárias, com Marighella encorajando a autonomia da militância. Se o sistema estimulava a ação, facilitava que volta e meia batessem cabeça. Marighella se abespinhava no Rio de Janeiro com a decisão de Lamarca de desertar, enquanto Marquito se mobilizava em São Paulo para um festival de explosões nas horas da fuga — não seria uma guerra civil, mas fariam barulho. Lamarca deveria sair do 4º Regimento de Infantaria no domingo 26 de janeiro de 1969, aniversário de Onofre, com quatrocentos fuzis da companhia comandada por ele. Na quinta-feira, um imprevisto atrapalhou o cronograma: após darem um corridão num menino que os flagrou, militantes da VPR foram presos em um sítio de Itapecerica da Serra (SP) pintando um caminhão de verde-oliva.

Era no veículo da cor do Exército que Lamarca deveria partir. A operação foi antecipada para a sexta-feira, quando o capitão, um sargento, um cabo e um soldado, a base da VPR na unidade, desapareceram numa Kombi com 63 fuzis automáticos leves, os FAL de fabricação belga, três metralhadoras INA calibre 45 e dois projéteis de morteiro de 60 milímetros, capazes de aniquilar um helicóptero. Mesmo com a mudança de data, o GTA da ALN arremessou no domingo à noite bombas contra subestações de energia. Para evitar retaliação das Forças Armadas, Câmara Ferreira enviara para Cuba as famílias de Lamarca e do sargento Darcy Rodrigues, também do 4º RI. O coordenador da ALN paulista socorreu o capitão obtendo-lhe refúgios — a atriz Lílian Lemmertz foi uma das pessoas que o hospedaram. A guarda dos fuzis padeceu de idêntico improviso, e Câmara aceitou cuidar deles. Aos 31 anos, Lamarca se transformava em legenda da luta armada. Embora não viesse a ter a projeção do xará Marighella, sobretudo no exterior, nenhum guerrilheiro mereceria ódio igual dos militares, que não descansariam até liquidá-lo.

Em seguida ao sumiço de Lamarca, sobreveio a indigestão tardia da feijoada oferecida por Marquito aos três militantes da VPR — Dulce de Souza Maia, Pedro Lobo e Diógenes Oliveira — em dezembro de 1968. O chefe militar da ALN rasgara os protocolos de segurança da clandestinidade, recebendo os convidados no apartamento do subcomandante do GTA, João Leonardo da Silva Rocha, e sua mulher, que estavam viajando. Marquito omitiu que a quitinete era moradia legal de um companheiro, e falou que ficaria somente alguns dias. Dulce não decorou o endereço, no bairro de Santa Cecília, mas saberia chegar lá.

Na virada do sábado para o domingo, 26 de janeiro, a produtora cultural foi presa, na esteira das quedas em Itapecerica. Ensandecidos com o drible de Lamarca, os captores de Dulce a esmurraram e chutaram em um corredor polonês. Queimaram-na com velas e a perfuraram com agulhas. Pendurada nua de cabeça para baixo, ela teve a sensação de se afogar quando pingaram gotas d'água nas suas narinas. Aplicaram-lhe choques elétricos nos lábios, na língua, nos seios e nos dedos das mãos e dos pés. Encharcaram o corpo inteiro, para os choques doerem mais. Com um arame em sua vagina, um torturador gordo se alucinou, "você vai parir eletricidade!", e a violentou. Chamavam-na de "puta" e "ordinária" e diziam que era "muito macho" por suportar o castigo.

Foi uma injustiça com as mulheres em geral e Dulce em particular: ela resistiu à tortura mais do que a maioria dos homens. No passado recente, produzira *Roda-viva*, entre outros espetáculos do Teatro Oficina, e lustrara o currículo de guerrilheira nas ações mais retumbantes da VPR. Os algozes exigiam que informasse nomes de militantes, onde e quando os encontraria. Em meio ao sofrimento, Dulce inventou um compromisso inexistente, ganhando tempo. Para escapar de novo suplício, lembrou-se do local da feijoada. "Nunca poderia imaginar que estivesse ocupado", recordaria. Com uma turma do Dops armada até os dentes às suas costas, mais de 48 horas após ter sido presa ela bateu no apartamento 201 do edifício de número 291 da rua Fortunato, e João Leonardo abriu a porta.

Naquela terça-feira, 28 de janeiro, ele pulara cedo da cama para levar Manoelina de Barros ao trabalho. Não era com questões da escola em férias que a professora Manon se preocupava, e sim com a singela cerimônia a celebrar no cartório dois dias depois: junto desde 1967, o casal contrairia matrimônio de papel passado. O coração de Manon não pulsaria mais forte pelo marido, pois já vivia em taquicardia por ele. Mas, para sua família, faria enorme diferença. A data do casório era a do aniversário dela — "seria o meu presente", exultava a noiva, que comprara duas alianças para fazer surpresa. Leonardo regressara havia pouco da Bahia, e por isso faltou a um ponto com Marquito. Nada grave: por precaução, eles haviam combinado um ponto alternativo. Leonardo esperaria em casa pela hora de sair e rever o companheiro.

Como Dulce Maia, cuja prisão o Dops mantinha em sigilo, Marcos Antonio Braz de Carvalho acabara de completar três décadas de vida. Nenhum militante da ALN havia sido morto ou ferido em São Paulo, nem sequer detido durante ação armada. Contudo Marquito andava inquieto com a perda de contato com seu segundo no GTA, que de manhã não comparecera ao ponto alternativo. No apartamento de Vinícius Caldevilla, na rua Maria Antônia, ele cozinhou o almoço e o serviu para si, a namorada e o anfitrião. Resolveu ir "à casa do baiano", como tratava João Leonardo. "Deve estar dormindo o desgraçado", resmungou. Carmem Jacomini pediu que o parceiro sossegasse. O filatelista invocado deu de ombros ao apelo e partiu pelas quatro e meia da tarde. Esteve com Virgílio Gomes da Silva e Itoby Junior, de quem ele e Virgílio se separaram. Eliane Toscano, da rede de apoio, acomodou Marquito e Virgílio em seu Fusca, verde como seus olhos. Em Santa Cecília, dobrou na rua Jaguaribe e estacionou perto da esquina com a rua Fortunato. Marquito desembarcou sozinho e entrou no prédio. Mais ou menos nesse instante, uma persiana despencou na residência de Caldevilla, como um sinal de mau agouro.

Horas antes, ao se deparar com Dulce, João Leonardo fulminou-a com o olhar. Na diligência que o prendeu e o impediu de cobrir o ponto com Marquito, sobressaíam o delegado José Paulo Bonchristiano e o investigador Raul Nogueira Lima, ambos da polícia política. O chefe capitaneara o bote contra o congresso estudantil de Ibiúna, e o agente, afamado como Raul Careca, era um valentão do CCC. Ao capturar o professor, os tiras acharam que haviam arpoado a presa maior. Tanto que o delegado foi embora, após ordenar aos subordinados a montagem de uma emboscada para Manon e eventuais desavisados. Entre as cinco e as seis horas da tarde, Marquito chegou, e o fuzilaram com balas no peito e no pescoço. Eliane Toscano não teve certeza se ele já estava morto ao avistar seu corpo em pé na calçada, envolto em um cobertor e amparado como um doente por dois policiais. Ela e Virgílio correram para alertar a organização. Logo os muros da cidade amanheceram com a pichação "Marquinho será vingado". Se tivesse sido, como a ALN especulou, Raul Careca não participaria nove meses depois de outra tocaia, mais rumorosa, na alameda Casa Branca.

Com a eliminação do comandante Marquito, fechou-se o ciclo de trinta prisões em janeiro de 1969. A última foi a de Manon, cujo cabelo embranqueceu no mês e meio de cárcere. O inquérito registrou a apreensão, na casa de João Leonardo, de anotações de um suposto plano para assassinar o ditador Costa e Silva. Raul Careca viria a se vangloriar de ter baleado Marquito numa perna, sem o atingir pelas costas. A necropsia o desmentiu: não houve ferimento nos membros inferiores, e alguns projéteis penetraram pelo dorso e saíram pela região do tórax. Trocando em miúdos, atiraram para matar. Marighella pareceu "abatidíssimo" a Antônio Flávio.

Mais tarde, "enfureceu-se", conforme Itoby, com os esqueletos no armário. O estilo intrépido de Marquito era de conhecimento dele, que segredou a Itoby: em 1968, ficara "bravíssimo" porque deu na veneta do companheiro jogar uma bomba na embaixada da União Soviética no Rio de Janeiro — a imprensa noticiou o atentado de 7 de novembro, aniversário da Revolução Russa e véspera da ação contra o Ipeg. Depois da queda, Marighella percebeu que Carmem Jacomini não estava em Cuba, como supunha. A atriz queria fazer um escarcéu denunciando a morte do namorado, e Marighella temeu que a polícia a constrangesse a compartilhar o que sabia das entranhas da ALN — despachou-a para um convento de freiras, e ela aderiu à VPR.

A descoberta que mais aborreceu Marighella foi a promiscuidade da convivência com os sargentos. Em sua opinião, o engano que encaminhara Marquito ao cadafalso, enredado no arrastão contra os aliados. Se não deviam frequentar os aparelhos dos outros militantes da ALN, muito menos poderiam convocar os companheiros dos demais grupos para dentro deles. "O pessoal facilita", zangava-se. Na contramão da apregoada autonomia, ele proibiu contatos da sua base com a VPR. Reverenciou o revolucionário morto, a quem dedicaria o *Minimanual do guerrilheiro urbano*. A despeito de tudo, queria-o tão bem que turvou a visão: como se a VPR fosse culpada pela leniência de Marquito com a própria segurança, teimou em não devolver os fuzis a Lamarca.

A rusga foi tamanha que a VPR emitiu aos militantes um "informe sobre as relações" com a ALN. A rigor, o documento já tinha a rubrica da VAR-Palmares. Na nova organização, formada em julho de 1969, pela fusão da VPR com o grupo mineiro Colina, militava uma estudante de 21 anos, Dilma Rousseff. O relatório contabilizou a desinteligência: com os 63 fuzis do regimento de Quitaúna somados aos nove do Hospital Geral do Exército, a antiga VPR acumulara 72; os órgãos de segurança recuperaram dezoito, sobrando 54, dos quais 53 foram entregues a Joaquim Câmara Ferreira. Caberia à ALN zelar por eles, no período em que a VPR convalescesse dos estragos causados pela repressão.

Dos primeiros a armazenar um lote, o cearense Genésio Homem de Oliveira era zelador de um condomínio em São Paulo, expoente do setor logístico da ALN e primo de frei Tito. Atendia por Rabote, corruptela de *Rabótnik*, palavra russa que significa operário. Os FAL guardados pelo psiquiatra Benedicto Sampaio submergiram no rio Pinheiros, onde os mergulharam com receio da polícia. A organização usou um fuzil em assalto a banco, apesar de inapropriado, e enterrou alguns. Quando a VPR cobrou-os, Marighella decidiu que permaneceriam com quem tinha mais braços para empunhá-los. Revidaria por Marquito.

Os rumores de que a ALN os desqualificava como "um bando de porras-loucas", nos termos do "informe sobre as relações", perturbaram a direção da VAR. Câmara Ferreira, o negociador, assegurou ser fofoca. Ponderou que os FAL estavam no campo e não teria como buscá-los já. Lamarca mandou avisar Marighella que reuniria seu parco arsenal para arrancá-los à força — o mercado de armas ilegais não era acessível como seria décadas mais tarde. "Ficamos muito bravos, xingamos Marighella", disse José Roberto Rezende, da VAR. Revolucionário com aura de diplomata, Câmara barganhou, evocando um trato de repartição meio a meio que teria sacramentado com Onofre Pinto antes da prisão do ex-sargento. A VAR enxovalhou Marighella por citar em um manifesto ações de outras organizações, colhendo "frutos e dividendos" ilegítimos, numa atitude "personalista e oportunista".

A cólera de Lamarca era a mesma que Marighella teria no seu lugar. Se a lenda rezava que otários não se criavam na Baixa dos Sapateiros, onde Marighella cresceu, muito menos no morro de São Carlos, berço de Lamarca — mas era o papel de ingênuo que cabia ao capitão no enredo costurado à sua revelia. Ele não poupou Marighella, numa carta escrita à mulher em julho de 1969: "Aí [em Cuba] pensam que ele é o líder e comandante da revolução aqui no Brasil. É engano, primeiro porque não tem qualidade pra isso, é egoísta, personalista e desleal, e segundo porque a organização dele é mal estruturada — muitos militantes da organização dele estão passando para a nossa". No caminho de mão dupla, outros mudavam para a ALN. Ao final do imbroglio, Marighella restituiu um número incerto de fuzis, e a tensão amainou.

Na mais genuína tradição da esquerda, a VAR-Palmares rachou um trimestre após vir à luz. Deixou como feito notável o roubo do cofre com 2,6 milhões de dólares, em poder de uma ex-amante de Adhemar de Barros. O destino do dinheiro foi tão ou mais rocambolesco que o dos fuzis. Diminuída a bronca com Marighella, doaram 2 mil dólares para Câmara Ferreira investir numa oficina de armas. Flávio Augusto Neves Leão de Salles, da ALN, revelou o paradeiro de uma quantia estimada em 100 mil dólares: José Raimundo da Costa, do grupo que retomara a sigla VPR, pediu sua ajuda no princípio dos anos 1970. O ex-marinheiro, de codinome *Moisés*, e Flávio encheram com notas graúdas de dólar um garrafão de cachaça de mais de cinco litros. Cavaram um buraco à beira de uma estrada, na região do ABC paulista, malocaram o tesouro e o cobriram com terra. "Deve ter ficado lá para sempre", disse Flávio, alegando ignorar o ponto exato do fim do arco-íris. Tudo indica que *Moisés* não tenha tido tempo de resgatar as verdinhas: agente a serviço da ditadura, o Cabo Anselmo levou-o à morte. Que Marighella se cuidasse: muito antes da virada da década, os espiões o rondavam.

33. O infiltrado: um espião dá carona

A ALN mal nascera e já ameaçava castigar os arapongas da ditadura que se aventurassem por suas fileiras. Em fevereiro de 1968, anunciou vigilância "severa" contra eles. Marighella foi mais incisivo em dezembro: "Devem ser punidos exemplarmente". Para não restar dúvidas, no mesmo mês ele instou os companheiros a "punir com a morte os delatores, espiões e dedos-duros". Enquanto Marighella caprichava na dicção intimidadora, seus pares do município paulista de Marília se exercitavam com tiros e bombas. Logo que o primeiro treinamento terminou, um relatório minucioso aterrissou numa mesa do Dops. Sem se amedrontar, um informante agia acima de qualquer suspeita.

Para a organização crescer, seus militantes abordavam pessoas que podiam ter sido plantadas pela polícia ou as Forças Armadas, sem que houvesse vacina segura para neutralizar o perigo. Dois professores secundários tomaram a dianteira na região de Marília, convidando para as lições armadas veteranos do PCB e estudantes de oposição. Em outubro de 1968, três quadros viajaram da capital para um programa de dois dias: Joaquim Câmara Ferreira, Norberto Nehring, ambos da coordenação estadual, e Otávio Ângelo, especialista em explosivos diplomado em Cuba. Otávio ensinou sobre artefatos variados, e uma cópia do esquema de confecção de bombas empregado por ele foi desviada para o Dops. Nove aprendizes estouraram alguns petardos e dispararam com revólveres e espingardas num sítio. O alcaguete dedurou os participantes locais. Sabia que *Toledo* era Câmara. Memorizou a placa do Fusca de Norberto, e a polícia identificou o economista e professor da USP.

O Dops demoraria a dar o bote, dedicando-se a mapear a organização, mas seu espião foi convocado pela ALN a São Paulo, onde conversou com um tal de *Acreano*. Tratava-se de Viriato Xavier de Melo, enviado assíduo às áreas de incubação da guerrilha rural. Viriato falou em tomar uma cidade no Norte do país, e a intenção alarmou os tiras, que se precipitaram: foi moleza encarcerar os bagrinhos de Marília, contudo lhes faltaram paciência e ambição para esperar por nova chance de fisgar o peixe grande Câmara Ferreira. A prisão mais festejada por eles foi a de Norberto Nehring, que atinou: fora o professor de física José Tarcísio Cecílio quem os ludibriara. Parecia não fazer sentido, pois o mestre assediara seus alunos mais combativos para a luta armada.

Norberto acertara, e o comportamento de Cecílio não constituía novidade: no princípio do século, o operário russo Roman Malinovski não fora um figurante do Partido Bolchevique, e sim membro do seu Comitê Central e deputado à Duma Imperial, o parlamento do regime czarista. Sob a camisa com a foice e o martelo, ele vestia a da Okhrana, a polícia política, à qual denunciava os camaradas. O líder revolucionário Vladímir Ilitch Lênin relativizaria o estrago, pois para ascender ao seu alto posto o infiltrado construíra a organização com empenho — a ponderação não o poupou do pelotão de fuzilamento soviético. Um joão-ninguém comparado ao legendário Malinovski, o professor de Marília teve a trajetória desvendada em processo judicial. Gil Antônio Ferreira, delegado adjunto do Serviço de Informações do Dops, escreveu que Cecílio era informante desde antes de 1964 e recebia trezentos cruzeiros novos mensais.

No seu depoimento no inquérito, o agente reconheceu: atuara a partir de 1962, instalou-se em Marília cinco anos mais tarde, seus chefes ordenaram que ingressasse no PCB, e ele fingiu aderir à facção marighellista. Na primeira semana de janeiro de 1969, o Dops colheu o que semeara, com detenções no interior e na capital. O delegado Ferreira enalteceu a contribuição mais valiosa do colaborador: "Não podemos esquecer que um dos primeiros indícios sobre as ligações entre Marighella e os freis dominicanos nos foi por ele [Cecílio] fornecido quando nos informou do contato havido entre o médico Antônio Carlos Madeira e os dominicanos da rua Caiubi". A ALN não se vingou de Cecílio, de 31 anos — muitos anos depois, ele reconheceria ter treinado com explosivos, mas negaria ter sido militante da ALN, colaborado com o Dops, delatado alguém ou feito tal afirmação em inquérito policial. Norberto Nehring foi solto e passou à clandestinidade. Tinha 29 anos em 1970, quando a ditadura o prendeu, assassinou e simulou seu suicídio.

Se Cecílio penetrou na ALN sem tangenciar Marighella, o Cabo Anselmo nem pertencia à organização, mas privou da companhia do líder. Somente em 1973 o conjunto da esquerda armada se rendeu às evidências de que o ex-marinheiro José Anselmo dos Santos a traíra. Em janeiro daquele ano, ele montou para o Dops paulista uma arapuca que exterminou seis guerrilheiros da VPR, sigla à qual se associara. Entre os mortos a sangue-frio estava sua mulher, a paraguaia Soledad Barret Viedma. Tempos depois da chacina nos arredores do Recife, Anselmo insistiria que sua conversão ocorrera em 1971, ao adotar na polícia o codinome *Dr. Kimble*, herói do seriado *O Fugitivo*, do qual Marighella era fã. Portanto, seria um legítimo revolucionário nas vezes em que o futuro chefe da ALN socorreu-o como ghost-writer: na assembleia da marujada, na antevéspera do golpe, e na conferência da Olas, em 1967.

Na longeva controvérsia sobre o momento em que Anselmo bandeou, contestou-o o diretor da polícia política carioca em 1964. A ditadura ficara para trás quando Cecil Borer declarou que já na administração João Goulart o marinheiro operava para escritórios de espionagem: "Ele trabalhava para a Marinha, ele trabalhava para mim, trabalhava para americano". Ou seja, para o Cenimar, o Dops e a CIA. Não teria sido infiltrado na origem, mas recrutado pelo Cenimar na época de ativista da associação dos marujos. Seus informes mereciam a classificação mais confiável, com letra A. Prenderam-no em maio de 1964, mês em que uma equipe de Borer baleou Marighella no cinema, porque o local onde se escondia no Rio de Janeiro vazou pelos corredores do Dops. O endereço fora transmitido por um araponga introduzido na comunidade de exilados brasileiros no Uruguai. Se o deixassem livre, desnudariam seu segredo. "Então, o Anselmo veio, tá preso, você não vai soltar, que não vai queimar", afirmou o delegado.

De acordo com ele, a fuga de dependências policiais em 1966 foi uma farsa com o propósito de integrar Anselmo à guerrilha — ele se adestrou em Cuba com a turma pioneira da ALN. Se Borer foi sincero, ao menos um orador na Olas se vinculava à CIA. "Foi um vacilo total", constatou José Dirceu de Oliveira e Silva, que treinaria na ilha: "A VPR deveria tê-lo passado pelas armas". A crer no ex-marinheiro Avelino Capitani, o antigo colega engambelou os caribenhos mais do que se supôs: "Tudo indicava que Anselmo passara a trabalhar para o serviço secreto cubano". Na sopa de letrinhas da história, depois de servir ao Cenimar, à CIA e ao Dops do Rio de Janeiro, Anselmo teria sido incorporado em 1971 à folha de pagamento do Dops de São Paulo, não sem antes ter sido contratado pelos cubanos. Não seria agente duplo, mas sêxtuplo, um fenômeno, incluindo seu papel de guerrilheiro. Jamais veio à luz uma contabilidade precisa dos danos que ele provocou à luta armada.

A versão de Borer foi repelida pelo diretor do Cenimar em 1964, o então capitão-de-mar-e-guerra Roberto Ferreira Teixeira de Freitas. Guerrilheiros observaram que, se Anselmo tivesse se submetido precocemente à ditadura, teriam sucumbido protagonistas com os quais ele conviveu, como Carlos Lamarca e Onofre Pinto. A interpretação é verossímil, mas capturar de imediato o alvo ao qual o informante obtém acesso não configura regra imperativa nas empreitadas dessa natureza. Caso contrário, Marighella seria apanhado em 1968, ao viajar com um infiltrado dos serviços secretos americanos a tiracolo. A ALN advertiu: "Nunca aceitaremos em nossa organização um militante sem saber todo o seu passado e suas origens revolucionárias. É uma medida para evitar infiltrações policiais". Se a ALN cumpriu a norma, aceitou conscientemente um bandido. Pior, aproximou-o de Marighella.

O percurso acidentado de Alessandro Malavasi recomendava prudência. O italiano combatera na Segunda Guerra, de início na Marinha do seu país e a seguir como *partigiano* na resistência aos nazistas. Graduou-se em direito e atravessou o Atlântico em 1947, para se estabelecer em São Paulo como assalariado do conglomerado Matarazzo. Numa noite de Lua cheia de junho de 1951, sequestrou o jovem herdeiro Eduardo Andrea Maria Matarazzo, filho do patrão miliardário, o conde Chiquinho, e neto do patriarca falecido, o empreendedor Francesco Matarazzo. Com o cúmplice e conterrâneo Mario Comelli, exigiu 10 milhões de cruzeiros de resgate, ou 7 milhões de reais dali a seis décadas. A vítima escapuliu do cativeiro, e os raptores desastrados acabaram na cadeia, onde Malavasi mofou por sete anos, embora se queixasse de que o crime havia sido uma armação encomendada pelo mancebo burguês.

Na década de 1960, não havia quem ignorasse na Praia Grande, na Baixada Santista, que um sócio do restaurante Kom-Tiki era o meliante do sequestro rumoroso, o primeiro da América Latina, conforme a revista *O Cruzeiro*. Conversa vai, conversa vem, um freguês, o médico Antônio Carlos Madeira, apareceu em sua casa com um colega de profissão, David Hunovitch, e um tenente. Os três militantes da ALN falaram de política e indagaram se ele gostaria de conhecer Marighella. É provável que o anfitrião lhes tenha dado corda, porque algumas noites depois o ciceronearam a um casarão do bairro paulistano de Santo Amaro, onde o aguardava o mulato de sobrenome italiano como ele. Marighella abriu o mapa do Brasil, fez a habitual exposição sobre o campo e praguejou contra o governo dos Estados Unidos.

Malavasi contaria ter se assustado e procurado um cidadão norte-americano, da agência McCann Erickson, seu amigo desde uma temporada em que criara cães pastores. O publicitário o aconselhou a recorrer à diplomacia dos Estados Unidos, o que ele fez prontamente, sendo recebido pelo cônsul-geral em São Paulo. Ao ouvi-lo, Robert Corrigan apresentou-o, na definição do denunciante, a "três altos funcionários consulares". Um deles chamou-o à sua residência e o estimulou a continuar se encontrando com Marighella. Descreveu como "atividade de informações" o que ele faria e perguntou como poderia "demonstrar sua gratidão". Submeteram-no a um detector de mentiras, nome fantasia do polígrafo, e o batizaram como *Rafael*. Todo dia 15, depositavam 1225 cruzeiros novos na sua conta bancária. A "ajuda de custo" equivalia a 330 dólares, 2070 dólares em valores atualizados, o quádruplo do que o Dops pagava ao professor Cecílio. Para completar, assumiram as prestações do seu automóvel.

Ao partir com Malavasi e Rolando Frati para o Brasil Central, em outubro de 1968, Marighella embarcou em um carro financiado pelos americanos — que certamente eram da CIA. Seu itinerário foi detalhado a quem remunerava o italiano, das tratativas sobre a coluna rural com Edmur Péricles Camargo, em Formosa (GO), à visita a um médico da ALN, em Anápolis (GO). Seria assim com todos os seus passos percorridos ou agendados. Malavasi transportou Câmara Ferreira a um ponto com Marighella no subúrbio do Rio e os dois juntos no retorno para a capital paulista. O motorista anotou o nome da rua transversal onde Câmara desaparecia no bucólico bairro carioca do Jardim Botânico, enquanto ele o esperava na via principal — é possível que o dirigente fosse ao apartamento da atriz Vera Gertel, da rede de apoio.

Uma festa de firma na região de Santos foi transferida de lugar porque no terreno baldio vizinho os guerrilheiros explodiriam uma "bomba de efeito moral" para intimidar os "gringos" presentes, como alertara o informante. Não havia "perigo de provocar vítimas", ele assinalou, e o petardo detonou sem ser notado. Malavasi se relacionou com numerosos militantes da ALN, até em missão no Paraná, e eles não caíam porque a CIA não os entregava à ditadura. Inclusive Marighella, com quem o italiano pernoitou em um hotel na cidade paulista de Barretos. Alto, olhos azuis, entradas na testa, sorriso empolgante e fala fácil, o cinquentão Malavasi conquistou a simpatia de Marighella, que o presenteou com um revólver. Papo não faltaria, a começar pela coincidência de o imigrante ter vindo ao mundo em Modena, a menos de sessenta quilômetros da terra natal de Augusto Marighella.

Quando o affair Malavasi se tornou conhecido no Dops paulista, policiais especularam que a CIA preservara Marighella porque guerrilha e terrorismo lhe interessavam em pequena escala, para justificar a intervenção ostensiva da Casa Branca na vida brasileira. Hipótese mais plausível era que, antes de guilhotinar a cabeça da organização, pretenderam esquadrinhá-la. Os americanos logo deram por concluída a infiltração. Na manhã de 7 de maio de 1969, Malavasi avisou ao consulado que à noite veria Rolando Frati, ainda na ALN, a despeito de se opor à escalada de assaltos. Em seguida ao encontro, numa esquina da Vila Mariana, avistaria Marighella e Câmara. O consulado comunicou a sucursal santista do Dops sobre o ponto, e os beleguins se alvoroçaram com a façanha iminente, nada menos que agarrar o inimigo público número um.

Onze policiais portando armas semiautomáticas se deslocaram de Santos em três veículos particulares. Às cinco e meia da tarde, já em São Paulo, um delegado e um investigador da sede do departamento se uniram ao time. Os treze permaneceram à espreita, flagraram Malavasi e Frati, mas por um golpe de sorte a dupla de líderes desistira do compromisso. Sobrou para os dois que receberam voz de prisão, dez minutos antes das nove horas. Até aquela altura, Malavasi tivera um só senhor. Assim que o Dops se inteirou de quem era na verdade o suposto subversivo, impôs uma condição para libertá-lo: que os americanos passassem a compartilhar suas descobertas com a polícia política.

Acordo fechado, os tiras cometeram um erro pueril: passadas três semanas, despacharam Malavasi de volta às ruas, mas retiveram Frati, distinção que enevoou de suspeitas o italiano. Ele se reconectou com a organização, Câmara Ferreira pretextou que o recém-liberado corria o risco de estar sob vigilância e rechaçou seu pedido para uma conversa. No entanto, o informante se reuniu com desprevenidos, até ser detido novamente em setembro, numa encenação destinada a restabelecer a confiança dos companheiros. Ao Exército, reconstituiu sua história, traçou um organograma da ALN e avaliou: "Com um pouco de paciência poderiam ter o *Toledo* [Câmara], porém o Marighella já se torna mais difícil". Nunca mais viu os dois.

Marighella dissera em 1968 que um governo revolucionário levaria "ao paredão os agentes da CIA encontrados no país". Não contemporizou com o dedo-duro: é que jamais soube ao certo quais eram suas ligações. Militantes da ALN viriam a elaborar no cárcere um inventário pormenorizado das prisões e mortes, o *Quedograma*. Sobre Malavasi, escreveram que, "a partir de sua queda, estranhos fatos se sucederam, dando margem a que levantemos fortes suspeitas de que o mesmo se tenha tornado colaborador da polícia". Deram a derradeira notícia sobre seu paradeiro: por volta de 1970, flanava pela Itália.

Em fevereiro de 1969, a CIA caracterizou o governo de Brasília como "incapaz de prender os terroristas". Pelo menos em relação ao mais notório deles, Marighella, a análise exalou farisaísmo, pois a agência o tinha à mão, e só em maio o ofereceria à ditadura. Os americanos não restringiram seus radares à oposição armada. Em entrevista ao *Jornal do Brasil*, o jornalista Adauto Alves dos Santos disparou em 1972 vitupérios contra o PCB, no qual militara por duas décadas. Ele auxiliara o Comitê Central, na seção de relações exteriores, subordinado diretamente a Luiz Carlos Prestes. Uma tese acadêmica "cheia de ataques ao Brasil", escrevinhada na Tchecoslováquia, teria-o desiludido e motivado a ruptura. Conversa fiada, confidenciou Cecil Borer: muitos anos antes o delegado o cooptara na seção mineira do partido e o mantivera atrelado ao Dops quando ele se mudou para o Rio de Janeiro. Às vésperas de Borer se aposentar, Adauto pediu para ser liberado, por não confiar nos militares que o substituiriam. Na segunda metade dos anos 1960, "procurou contato com a inteligência americana", a CIA. Ao ver na imprensa seu velho espião, Borer lastimou: "Estragaram um agente de primeiríssima grandeza".

Adauto frequentara com Marighella as mesmas sedes comunistas. Ao *Jornal do Brasil*, afirmou que "o PCB se infiltrou em diversas organizações", também a ALN. Caso tivesse sido o único ponta de lança da CIA no partido, não seria por falta de convite: um alegado funcionário americano assediou sem sucesso o jornalista Armênio Guedes, com a proposta de que ele se tornasse informante. Com Severino Teodoro de Mello, confrade de Armênio no Comitê Central, a sondagem foi do SNI, em 1966. Se este o achou na porta do seu prédio, em Copacabana, talvez o tivesse seguido até o aparelho de Prestes, pelo qual era o responsável. Mello intuiu que sabiam onde o secretário-geral vivia. Por que não engaiolaram Prestes? "Porque não interessava."

Com uma brasileira, os americanos teriam sido mais bem-sucedidos do que com Armênio. A cubana Juanita Castro, irmã de Fidel e Raúl, rachou com o governo e virou *Donna*, colaboradora da CIA. Ela revelaria em suas memórias: fora Virgínia Leitão da Cunha, já envolvida com a "companhia", quem a encaminhara para o serviço. Virgínia era mulher de Vasco Leitão da Cunha, embaixador do Brasil em Havana no alvorecer da revolução.

A espionagem preocupava os alunos dos cursos de guerrilha em Cuba e rendia causos: orientaram o pessoal da ALN a se passar por portugueses. Um português que treinava lá se enfureceu: "Esses cubanos são uns filhos da puta. A CIA já deve saber que há dezenas de portugueses aqui e um só brasileiro". A ALN cortou um dobrado para remontar rotas e senhas das viagens quando o agente cubano Orlando Castro Hidalgo, baseado em Paris, desertou para a CIA em 1969. Com receio de escutas, frei Oswaldo e seu interlocutor na embaixada cubana em Roma não falavam, só escreviam. Um infiltrado do Exército na ALN em Havana devassou a estrutura da organização dentro e fora do Brasil. Seu relatório apócrifo não perdoou nem os amores na delegação do Movimento Revolucionário 8 de Outubro: na ilha, "trepar era com a turma do MR-8".

O tom frívolo escapou a alguns papéis da CIA tornados públicos nas décadas seguintes. Em março de 1968, a agência distinguiu: "Marighella é mais jovem e mais dinâmico que Prestes". Porém considerou "difícil julgar" se progredia. O Departamento de Estado se debruçou no cenário pós-AI-5: o encarregado de negócios no Brasil, William Belton, previu o crescimento da luta armada. Uma apostila do CIE de 1971 se fundamentou em "documentação sigilosa de país amigo", com vestígios de que eram os Estados Unidos. Instruiu a tortura de presos, a serem tratados "de forma a não apresentar evidências de ter sofrido coação em suas confissões". Doutrinou: "Todo interrogatório é um confronto entre seres humanos, desencadeado fora das regras que, usualmente, dirigem as relações humanas. A resistência do indivíduo tem que ser quebrada e o interrogador precisa dominá-lo".

No fundo, não diferia muito da ideologia da animação exportada pela Disney. Em *O porquinho Prático*, de 1938, o detector de mentiras era um aparelho de tortura, nos moldes da cadeira do dragão da ditadura. Na vida real, o trono atormentava o torturado com choques elétricos. Na ficção, o Lobo Mau sentou e foi amarrado pelos pulsos e o pescoço, apanhando até "abrir" seus segredos. A tabelinha Brasil-Estados Unidos não se confinava às mensagens subliminares dos desenhos infantis nem à adaptação de manuais violentos. De 1965 a 1969, Washington treinou 1645 militares brasileiros. Policiais foram 641, de 1959 a 1971. No ano em que Marighella escolheu o nome da ALN, 1969, 1104 funcionários dos Estados Unidos batiam ponto no país. Só em São Paulo, 22 na seção de informações. Dan Mitrione, policial americano que deu aulas de tortura em Belo Horizonte, foi executado no Uruguai por guerrilheiros tupamaros.

Em Montevidéu, o espião brasileiro *Altair* monitorava os exilados para o Centro de Informações do Exterior, o longo braço de arapongagem do Itamaraty. Marighella tencionava explodir o porta-aviões *Minas Gerais,* ele preveniu, numa versão condizente com o plano da ALN de recrutar homens-rãs sabotadores. O misterioso *Altair* não era um borra-botas qualquer. Em viagem à Argélia, protegido pelo disfarce de opositor da ditadura, obteve cópia de uma carta de Miguel Arraes endereçada a Marighella em janeiro de 1967. O governador cassado incentivara: "Espero que você consiga convencer todos os companheiros da necessidade de unificar todas as forças populares". Outro agente secreto, vinculado ao adido militar da embaixada brasileira no Uruguai, descobriu recados de Marighella transmitidos por José Mendes de Sá Roriz, ex-pracinha condecorado na guerra. Uma das atribuições do mensageiro seria estudar a fronteira com o Peru, possível corredor de entrada de um lote de armas proveniente de Cuba.

No sentido oposto, a caminho de Havana, os guerrilheiros sul-americanos usufruíam em Praga das facilidades proporcionadas pela espionagem tchecoslovaca. No imenso tabuleiro da Guerra Fria, seus hierarcas moveram peças no Brasil. Em 1965, desembarcou o "007" comunista Ladislav Bittman, tarimbado em catorze anos de serviço secreto. Findava a Operação Thomas Mann, consagrada a divulgar uma pretensa virada da política externa americana após a morte do presidente Kennedy, em 1963. O artífice da mudança seria o secretário-assistente de Estado, cujo nome designou a manobra. Os tchecos haviam falsificado em fevereiro de 1964 um press-release da United States Information Agency, contendo os eixos da "nova orientação". Remetido a jornalistas e políticos do Rio, acabou noticiado na publicação nacionalista *O Semanário* e criticado por um deputado petebista. Sem amostras de papéis timbrados da CIA, os espiões forjaram em julho de 1964 uma carta do diretor do Federal Bureau of Investigation (FBI). John Edgar Hoover elogiou ao destinatário, Thomas Brady, policial do FBI, o desempenho dos agentes implicados na (inexistente) Operação Overhaul, de apoio à derrubada de Jango. O fac-símile da correspondência foi reproduzido no panfleto antiamericano "Quem deu o golpe no Brasil". Pouco antes da invasão do seu país, em 1968, Bittman desertou e contou toda a trama à CIA.

A ação de espiões ou traidores é mais antiga que o apóstolo Judas Iscariotes, que se vendeu por trinta moedas de prata, conforme a tradição cristã. Entre as ideias atribuídas ao estrategista militar chinês Sun Tzu, que teria vivido séculos antes de Jesus, uma discorre sobre o "emprego de espiões", na tradução de Alberto Mendes Cardoso, futuro general-de-exército: "Ninguém deve ser recompensado com mais generosidade. Em nenhuma atividade deve-se preservar maior sigilo". No *Manual de polícia política e social*, de 1958, o inspetor Luis Apollonio ensinou o mister do Serviço Secreto (ou Serviço de Informações) do Dops paulista: "Seu dever é infiltrar-se nos meios conspirativos, colher informações, acompanhar o desenvolvimento da ação revolucionária [...]". A apostila do CIE que deu dicas de tortura enumerou opções para o interrogado: "Poderá ser: liberado, preso, ou recrutado para o serviço, como um agente, uma fonte de informes ou um auxiliar de interrogatório".

Marighella não veria algumas aplicações do método, como o teatro da fuga de um militante que se reinseriu na organização, já convertido em delator; o massacre de um grupo formado por ex-integrantes da ALN, o Movimento de Libertação Popular, destruído com a ajuda de infiltrados; e a transformação de revolucionários em fâmulos da ditadura, exercendo a função que os militares denominaram "cachorro". Marighella sofreu, todavia, o revés da prisão do núcleo brasiliense da ALN no começo de 1969, abalando o projeto de guerrilha rural em Goiás. O *Quedograma* apontou o responsável, Vanderli Pinheiro dos Santos, "que passou a colaborar com a repressão". Mais de quarenta anos depois, o arquivo da Marinha esclareceria: o "companheiro" era um agente do SNI.

Lenta ou inepta para diagnosticar infiltrações, a esquerda perdeu tempo com conjecturas infundadas. Num disparate, certo dirigente do PCB disse ao camarada Cícero Vianna que não entendia como o operário Virgílio Gomes da Silva conseguira montar um bar em São Paulo — talvez recebesse uns tostões da polícia. Depois do golpe, Cícero passara um tempo em Montevidéu, aonde chegou Virgílio, fugindo da repressão. Para sobreviver, o peão bem-disposto gramou como retratista de rua e com uma barraca de feira. Indignado com a leviandade do cacique partidário, Cícero calou-o:

"Você não conhece o Virgílio!"

34. O boxeur da ALN criava passarinhos

No Nordeste de 1930, de cada mil bebês nascidos, 193 não chegavam a um ano. As paisagens dos rincões mais miseráveis se ensombreciam com os cortejos para sepultar os "anjinhos", corpos sem vida acomodados em pequenos caixões de madeira ou papelão — ali a mortalidade infantil batia nas centenas por milhar. Virgílio Gomes da Silva veio ao mundo em 1933, num desses sítios desgraçados, no agreste do Rio Grande do Norte. Quis o destino que driblasse a estatística fúnebre e se somasse à dos sobreviventes: das dez crianças a que sua mãe deu à luz, ele foi uma das quatro que cresceram. Não muito, na verdade: já adulto, declarou 1,62 metro de estatura ao requerer um documento. Estava no lucro, na família em que a menina Creuza, sua irmã, desmaiava de fome. Camponês retirante, em 1951 se despediu da terra infértil para tentar a sorte em São Paulo. Não lamentou sua fortuna: deu duro como camelô, contínuo e metalúrgico. Tornou-se parrudo e enveredou pelo boxe, em torneios amadores. Corria do distante bairro proletário de São Miguel Paulista, onde vivia, à praça da Sé, para queimar calorias e permanecer na categoria peso galo.

Se no pugilismo não prosperou como seu ídolo Éder Jofre, apesar da pegada forte, consolou-se com o hábito de pular corda. O garoto que escapara da desnutrição converteu-se em um homem incansável, a ponto de ambicionar o título do badalado Concurso de Resistência Carnavalesca. Promovida pela TV Record, a maratona de dança no estilo mundo cão desafiava casais no período momesco. O migrante potiguar e sua parceira triunfaram ao fim de 78 horas ininterruptas de arrasta-pé. O filme americano *A noite dos desesperados*, que contaria história semelhante, foi interpretado como uma metáfora corrosiva do capitalismo, sistema com que Virgílio trocara de mal em 1957, ao ingressar no PCB. No mesmo ano, o boxeur se enamorou da operária Ilda, e logo se casaram. Para a moça, o cabra não era um anônimo, mas o maluco de fama fugaz cuja façanha ela acompanhara pelo rádio. O marido cultivou orquídeas e construiu viveiro e gaiolas para os passarinhos que criava, como canários. Dos quatro filhos, dois ganharam nomes de revolucionários célebres: Vlademir, homenagem a Lênin, e Gregório, ao líder rural de sobrenome Bezerra.

Ilda Martins da Silva trabalhava na Nitroquímica, a fábrica da supercélula comunista do pós-guerra. Virgílio bateu cartão por um mês e meio na empresa, que continuou a frequentar como funcionário do sindicato dos empregados da indústria química. Em 1963, ele organizava uma greve noutro lugar, atiraram contra os operários, e uma bala o pegou de raspão — a sorte não o abandonara. Seguia nessa toada quando a ditadura o alcançou e prendeu em outubro de 1964. Assim que o libertaram, Virgílio aportou em Montevidéu. Além dos demais ganha-pães, lá vendeu peixes de aquário, apregoando nas ruas os "pescaditos de colores". Na volta, abriu um boteco perto de São Miguel, no qual servia salgadinhos e ovos cor-de-rosa. O Galo de Ouro, reverência a Éder Jofre, era chamado mais de Bar do Bigode, pois o dono exibia um bigodão de mexicano mal-encarado de cinema. Fechou na época em que Virgílio treinava em Cuba.

O nordestino que cursara a escola até o quarto ano primário foi escolhido por Marighella para encabeçar o GTA, composto na maioria por estudantes do ensino superior. Virgílio, que flagrara os policiais amparando o corpo inerte de Marquito, agora o substituía. Num tempo em que a autoria das ações armadas não era mais segredo, ele martelava nos bancos o mote "aqui não tem bandido, aqui não tem ladrão, aqui é tudo revolucionário". "Marighella tinha fascinação pelo Virgílio", disse Zilda Xavier Pereira, a coordenadora da ALN carioca. Ao saber que o comandante seria pai mais uma vez, o dirigente encomendou à companheira fraldas e roupas para presenteá-lo.

A sucessão se definiu em um encontro no qual Marighella diagnosticou que a organização "estava se desfazendo", tal a bagunça no GTA, de acordo com Itoby Junior. O núcleo guerrilheiro só não fora aniquilado porque o sub de Marquito,

João Leonardo da Silva Rocha, suportou 48 horas de suplício: cadeira do dragão, com choques elétricos na cabeça, nos rins e nos testículos; golpes nos ouvidos, denominados "telefone"; e pau de arara, legado da escravidão em que penduram o torturado de cabeça para baixo, com os joelhos flexionados sobre uma barra de madeira. Nenhum militante caiu por informação arrancada dele, num comportamento que talvez tenha iludido Marighella, supondo-o comum. De arma na mão, Virgílio ajudaria a livrar João Leonardo da cadeia. O novo chefe do GTA participaria ao todo de dezessete ações, conforme o inventário dos processos judiciais, e moldaria a maior equipe de fogo da guerrilha urbana, mas a engrenagem demorou a azeitar.

Com Aton Fon Filho, ele reconectou pacientemente os guerrilheiros que gravitavam em torno de Marquito e João Leonardo — a identidade legal de muitos era uma incógnita, e outros moravam em locais ignorados. O parco arsenal ficou ainda mais raquítico sem a última metralhadora, perdida nas quedas de janeiro de 1969 — a primeira se fora na morte do casal Abi-Eçab. O dinheiro escasseava, advertiu Joaquim Câmara Ferreira, que cobrou a retomada das "expropriações" e lhes entregou um FAL. O fuzil do lote de Lamarca mal cabia em Fuscas, porém intimidava. Três meses após a ação mais recente, o GTA reestreou com um revés. Em um horário inusual da tarde de 25 de abril — bancos eram "feitos" de manhã —, o roubo ao Itaú no bairro da Barra Funda foi interrompido pelo disparo acidental do revólver de um segurança que estava sendo desarmado. Virgílio, já com o codinome *Jonas*, deu a ordem de retirada com o código combinado: "Borderô! Borderô!"

Saíram de bolsos vazios e, dali a doze dias, não progrediram muito: uma caixa-forte do Unibanco armazenava 80 mil cruzeiros novos, mas só levaram a mixaria de 5 mil. Por pouco não pereceram em Suzano, na região metropolitana de São Paulo, onde Virgílio e três companheiros invadiram a agência às nove e meia da manhã. Reeditando o script consagrado por Marquito, anunciaram o assalto e trancaram bancários e clientes no banheiro. Enquanto obrigavam o gerente a guiá-los à caixa-forte, do lado de fora Manoel Cyrillo de Oliveira Neto se mantinha ao volante do único automóvel da ação, furtado e com placa fria — enfraquecidos pela penúria, arriscaram-se sem o costumeiro carro de cobertura. Um comerciante notou o movimento suspeito no banco, alertou o soldado que dirigia uma viatura com presos, e este parou um veículo da Polícia Civil que passava. O delegado e o investigador desceram, sacaram as armas e atravessaram a rua para surpreender os ladrões. "Tenho que fazer alguma coisa", pensou Cyrillo, que acelerou e derrubou um. O que ficou de pé atirou, Cyrillo revidou e conseguiu o que queria: avisar que estavam cercados.

Ao ouvir a fuzilaria, os guerrilheiros desistiram da caixa-forte e apanharam a bagatela disponível nos caixas do balcão. Aton Fon Filho vislumbrou o investigador José de Carvalho se aproximando, de paletó azul-marinho, e apertou o gatilho. O projétil estilhaçou a janela de vidro da porta do banco, atingiu o homem de 47 anos na face esquerda, e ele se estatelou ao chão. Em meio à azáfama, era difícil certificar-se de quem acertara quem, mas o míope Fon, que nunca se sobressaíra pela pontaria, teve a impressão de ter dado o tiro que levaria o agente à morte depois do pôr do sol. Um funcionário do banco e um pedestre foram alvejados (não se soube por qual das trincheiras), os fugitivos avançaram em meio ao zunido das balas e partiram com Cyrillo. Disparos da polícia quebraram o vidro traseiro do Fusca vermelho, mas foi outro o que provocou maior dano, furando o cárter e fundindo o motor alguns quilômetros depois, numa estrada rural. Os militantes abordaram um agricultor e se apossaram de sua Kombi, na qual sumiram. O Volkswagen foi encontrado com manchas de sangue do guerrilheiro Takao Amano, ferido no joelho esquerdo. No ônibus que pegou depois da Kombi, Fon se angustiou por não sentir culpa pelo policial baleado.

O GTA se ressentiu da falta de metralhadora no entrevero e foi atrás de uma. Na madrugada de 27 de maio, um Fusca costeou o quartel do 15º Batalhão da Força Pública, onde dois soldados faziam a guarda, um deles com a arma cobiçada. Tudo deveria transcorrer sem percalços, afinal "tirar arma era quase uma iniciação", recordaria a advogada Maria Aparecida Costa, um dos cinco guerrilheiros no carro. Ao menos Virgílio e Carlos Eduardo Pires Fleury desceram e atacaram as sentinelas. Um soldado testemunhou o colega Naul José Mantovani tentando pegar o revólver, sem êxito: morreu com dois tiros. Sob uma saraivada de balas, o automóvel carregando a metralhadora sumiu em alta velocidade, protegido na retaguarda por um Karmann Ghia.

Em três episódios, o GTA de Virgílio se beneficiou da surpresa, mas tomou sustos. Não seria justo compará-lo ao de Marquito e suas ações com precisão cirúrgica: passado um ano do assalto inaugural da ALN, tanto a ditadura como o sistema bancário, sabendo com quem lidavam, haviam se preparado para o confronto. As investidas sem tropeços dos pioneiros reapareceram na Majô Relógios, onde eram atendidos Manoel Cyrillo, de paletó escuro, e Maria Aparecida dos

Santos, sobre saltos altíssimos, aparentemente mais vocacionados para um baile de debutantes do que a um roubo. De braços dados, pediram para ver um relógio masculino exposto na vitrine, e assim que o gerente estendeu o mostruário Cyrillo lhe apontou a arma. Cida retirou seu 38 da bolsa, e três companheiros irromperam na loja, Virgílio à frente, com um chapéu ocultando a calvície insinuante. Encheram um saco com 305 peças, no valor de 130 mil cruzeiros novos, ou 607 mil reais em cifrões atualizados. Saíram pelas nove horas da manhã de 2 de junho e deram com o rebuliço da alameda Jaú, quase esquina com rua Augusta. Marighella e Câmara Ferreira espalharam um lote de Tissot, Omega e Lanco entre os simpatizantes, para fazer finanças, e reservaram parte para as almejadas colunas rurais.

Como a maré virava, o GTA não falhou no atentado contra a Câmara Americana de Comércio, respondendo ao apelo de Marighella para mirar alvos vinculados aos Estados Unidos. Na madrugada de 16 de junho, uma bomba-relógio estourou no elevador do prédio nos arredores do viaduto do Chá. Aton Fon Filho a confeccionara com dinamite da Rochester. Protestavam contra a missão do governador de Nova York, Nelson Rockefeller, enviado do presidente norte-americano, Richard Nixon. Por toda a América Latina, multidões o apupavam. Manifestações estavam proibidas no Brasil, e a ALN esbravejou com um estrondo, sem machucar ninguém. Em meio aos escombros, esparramavam-se panfletos assinados por Marighella. Semanas mais tarde, na véspera do Dia do Soldado, detonaram um petardo na sede da Light, que aprontava uma exposição enaltecendo o regime. O governo demonizava Marighella, que retrucou: "A pecha de assaltante ou terrorista é uma condição que enobrece qualquer homem honrado, pois significa exatamente a atitude digna do revolucionário que luta à mão armada contra a vergonha e a monstruosidade da atual ditadura militar".

Em nova ousadia, o GTA deduziu que o bloqueio das vias de acesso aos bancos seria a maneira mais efetiva de complicar o cerco da polícia. Já que fechavam a rua, nada os impedia de esvaziar o cofre de mais de uma agência. Foi o que passaram a fazer, exatamente um ano após o assalto com Marighella na avenida Angélica. Em 1º de julho de 1969, dez militantes atravessaram uma Kombi na avenida Guapira, bairro do Jaçanã, interditaram o trânsito e roubaram simultaneamente os vizinhos Unibanco e Caixa Econômica Estadual. No primeiro, Virgílio tirou o capacete de um policial, colocou-o na cabeça e discursou afirmando que empregariam o dinheiro para o bem da nação. Mais uma semana, e um guerrilheiro proclamou, num posto do Banco do Brasil:

"Nós não somos marginais, somos revolucionários e lutamos pela democracia."

Ao se retirar, saudou:

"Viva a democracia!"

Numa unidade do Banco do Comércio e Indústria de São Paulo, jogaram para o alto volantes com escritos do líder da organização e picharam "Marighella Guerrilha" e "Marighella Revolução". Se "assalto a banco" representava o "vestibular do guerrilheiro urbano na aprendizagem da técnica da guerra revolucionária", na receita de Marighella, o GTA criou um teste complementar mais arrojado: em 15 de julho, embolsara 16 mil cruzeiros novos do Bradesco da rua Major Diogo, no bairro da Bela Vista; como se achassem pouco, voltaram dali a dois meses e surrupiaram o dobro. Manoel Cyrillo não se esqueceria da funcionária incrédula, exclamando ao reconhecê-los:

"Vocês aqui de novo!"

"Virgílio era extremamente impetuoso", disse seu companheiro Carlos Lichtsztejn. "Muito seguro, não criava dúvidas", emendou a guerrilheira Guiomar Silva Lopes, para quem sobejavam no comandante "gentileza, delicadeza e afetividade" — alguns egressos da Dissidência Universitária de São Paulo resmungavam que se tratava de um "grosso", como outros haviam se queixado de Marquito. Marighella se divertia quando ele revelava *boutades* como sua instrução antes de um assalto: "Hoje vamos nos dividir entre os covardes e os corajosos". Revigorada pelos jovens incorporados no pós-AI-5, a tropa de Virgílio se repartiu em dois times chefiados por estudantes, Takao Amano e Carlos Eduardo Pires Fleury. O processo-mãe que esmiuçou a ALN paulistana de outubro de 1968 a setembro de 1969 contabilizou 48 combatentes mais dois não identificados. A Justiça não computou nomes como Elio Ferreira Rego, Aylton Adalberto Mortati, Márcio Beck Machado, Ishiro Nagami e Francisco José de Oliveira. Havia outros, elevando para a margem de setenta a oitenta os militantes da organização que pelejaram em ações armadas naquele período no município, efetivo equivalente ao de uma companhia diminuta do Exército ou ao que o PC do B arregimentaria na selva do Araguaia.

Em meados de 1969, os dois subgrupos do GTA mobilizavam mais de trinta membros — havia outro comando da ALN, apelidado de GTB, que alinhava pelo menos doze. No documento "Características de nossa atual estrutura", Marighella deu a entender que cabia a ele cuidar da implantação da guerrilha rural em todo o país e gerenciar as remessas de calouros para o adestramento em Cuba. Na condição de coordenador regional, Câmara se incumbia do controle do GTA e da rede de apoio paulistas. Na prática, Virgílio prestava contas a ambos — em setembro, a dupla ascendência pregaria uma peça em Marighella. Quando tudo terminasse, o inquérito da polícia política mencionaria três comandantes do GTA: além de Marquito e Virgílio, um companheiro nove e catorze anos mais jovem do que eles: Aton Fon Filho, 21 verões no fim de 1968.

Não foi um erro do Dops: o reerguimento após a morte de Marquito foi obra conjunta de Virgílio e Fon. Marighella se referia ao conterrâneo baiano, filho de um imigrante do país de Mao Tsé-tung, como *Chinezinho*. O acadêmico de física Ottoni Fernandes Júnior, da ALN, notou que a combinação de traços orientais com barba rala assemelhava-o ao revolucionário vietnamita Ho Chi Minh. Em rodízio com Otávio Ângelo e Hans Rudolf Manz, Fon ministrava aulas de explosivos. Por orientação de Marighella, transferiu-se para o Rio de Janeiro, robustecendo o grupo de fogo local. Se os técnicos em bombas formavam um trio, os ases do volante compunham um quarteto de pilotos do GTA: Manoel Cyrillo e Carlos Lichtsztejn, ambos com 22 anos na virada para 1969, o caçula Celso Horta, vinte, e a "veterana" Guiomar Silva Lopes, 24.

Enquanto Virgílio rompera o ano com três décadas e meia de vida e o quarto rebento a caminho, seus imediatos despontavam para a vida adulta: Takao, 21 anos, e Fleury, 23. O mais novo fora desenhista da General Motors e cursava ciências sociais na USP. Encarnava um enigmático personagem do noticiário, o "japonês da metralhadora". Uma característica incomum, ser um nipônico muito alto, ameaçava o mistério sobre seu nome. "A tranquilidade dele era fantástica", rememorou o então estudante Carlos Alberto Lobão da Silveira Cunha, que no dia do seu aniversário de 22 anos teve a companhia de Takao ao subtrair o revólver de um soldado da Força Pública. Para Lobão, a ALN adotava "uma visão pedagógica perfeita: você não vai receber sua arma, e sim conquistá-la; o 38 que você vai usar é aquele que vai buscar".

Uma charada baratinava a repressão, que nunca logrou encaixar na reconstituição das ações o papel desempenhado pelos guerrilheiros *Teixeira* e *Humberto*. O codinome duplo era uma artimanha de Carlos Eduardo Pires Fleury, fã de Humberto Teixeira, coautor de "Asa branca" — Marighella tinha devoção pelo outro compositor daquele baião, Luiz Gonzaga. Aluno de direito na Pontifícia Universidade Católica (PUC), o franzino Fleuryzinho aparentava ser o favorito do GTA. "Falava muito baixo", segundo Otávio Ângelo, "era calmo e meigo", para Cida dos Santos. Aos olhos de Guiomar, "suave" e "tranquilo", ao pronunciar as palavras abre-alas nos bancos: "Isto é uma ação revolucionária". "Vestia-se como um nobre, de casaco", ela lembraria. Na universidade, José Dirceu era o agitador e Fleury, o organizador, observou o puquiano Carlos Lichtsztejn. Para encobrir sua entrada na ALN, inventaram que "dera uma desbundada" e "estava namorando um rapaz", contou Dirceu: "Era tudo mentira".

Nos grupos dos subcomandantes Fleury e Takao, perfilavam mulheres. Duas eram Maria Aparecida. Filha de trabalhadores rurais, a estudante Cida dos Santos, a *Vilma*, treinara com armas em Ribeirão Preto e deixara a cidade do interior quando a admitiram no GTA da capital. Nas ações, prendia o cabelo, usava óculos e, além do revólver, levava na bolsa outra blusa, para trocar. Com 21 anos e 1,56 metro de cima abaixo, pesava 42 quilos, três a menos que a xará de um centímetro a mais de altura. Cida Costa, de 23 anos, ia à luta com lenço na cabeça e lentes de contato. Depois dos assaltos, dirigia-se para o serviço — a menina de pai telegrafista ferroviário se graduara em direito no largo São Francisco. Ela era a *Cristina* dos relatórios do infiltrado Alessandro Malavasi aos americanos e ao Dops. Se algum machista imaginava que mulher no volante é perigo constante, Guiomar Silva Lopes, a *Maria*, triturava o preconceito. Virgílio era um barbeiro irrecuperável, mas ela, uma prima de Penélope Charmosa na guerrilha. Estava no quarto ano da Faculdade de Medicina da Santa Casa quando Câmara lhe desaconselhou a vida clandestina, "Você precisa ser médica!", porém não houve como demovê-la.

O front armado na cidade, cujo comando Marighella um dia entregaria a Guiomar, ficara ainda mais relevante em relação aos outros setores da ALN após o AI-5. A organização girava em torno dele, em tese um suporte "tático" às vindouras colunas "estratégicas" do campo. As proezas do GTA forjaram a legenda do lutador destemido, um super-homem cujos talentos Marighella promoveu no *Minimanual do guerrilheiro urbano*. Estabeleceu-se uma convicção não escrita: quem roubava dinamite valeria mais do que quem se expunha ao escondê-la. Isto é, o membro do GTA prevalecia sobre o da rede de apoio. "Muitas vezes fomos discriminatórios", reconheceu Aton Fon Filho. Quadros da logística se contrariavam com o GTA pelo que seria seu "espírito militarista". Paulo de Tarso Venceslau situou como marco das divergências a ação no 15º Batalhão da Força Pública: "Deram um tiro no guarda, levaram uma metralhadora, e o cara morreu. Evidente que isso foi objeto de críticas".

Assim como Virgílio herdara o posto de Marquito, em maio de 1969 o universitário Venceslau sucedeu o advogado Itoby Alves Corrêa Junior à frente da rede de apoio em São Paulo. O antecessor foi enviado por Marighella para se juntar a Aloysio Nunes Ferreira Filho na Europa, onde se encarregaram de divulgar as ações da luta armada brasileira e amealhar ajuda. O aparato estruturado por Itoby foi útil quando balearam Takao em Suzano: o médico Boanerges de Souza Massa, da ALN, socorreu-o na casa do juiz federal Américo Lourenço Masset Lacombe, onde Marighella já estivera. O magistrado de 32 anos provinha de tradicional família carioca — o pai fora integralista, como o de Venceslau. Antes do golpe, pertencera à UDN, o AI-5 foi sua "grande decepção", e ele se achegou à ALN por intermédio do publicitário Carlos Knapp. Sentia "simpatia pelo movimento", sem se julgar militante.

Com o contratempo de Takao, Marighella estimulou a construção de um pronto-socorro clandestino, uma das atribuições de Venceslau. Como a ação se inscrevia até no nome da ALN, o coordenador do esquema de sustentação também se arriscava na linha de frente. No dia 1º de maio de 1969, ele, Antonio Benetazzo e Lauriberto José Reyes arremessaram uma bomba contra uma associação patronal na Vila Buarque — um ano antes, milhares de manifestantes haviam acorrido à praça da Sé. Usaram o carro da companheira Malu Alves Ferreira, depois de desencavar o petardo no sítio de Ibiúna onde malograra o congresso da UNE. Era um dos explosivos produzidos secretamente na indústria do mesmo empresário abonado que cedera um automóvel de luxo para o roubo de armas no Réveillon de 1969. Ele viera da França e se chamava Jacques Émile Frédéric Breyton. Diante de suas histórias, o queixo de Marighella caía.

Marighella encontrava-o na mansão da rua Souza Ramos, na Vila Mariana. Nove anos mais moço do que o visitante, o anfitrião desembarcara no país em 1957, com receio de nova conflagração na Europa. Prosperou na era JK ao assumir a empresa de material elétrico Telem, naturalizou-se brasileiro no governo Jango e expandiu os negócios ao fundar a Quanta, futura líder do mercado de iluminação para cinema. Tinha uma centena e meia de funcionários em 1969, quando os olhos de Marighella faiscaram com as evocações de um quarto de século atrás. Em plena ocupação da França pelos nazistas, Breyton combatera-os nas Tropas Especiais Insurrecionais, grupo clandestino dedicado à sabotagem, guerrilha e terrorismo contra a Gestapo. O estudante de engenharia elétrica comandou-as em Lyon, o coração da Resistência. A princípio, fora mensageiro e distribuidor de publicações conspirativas. Em seguida, trocou papéis por pólvora.

Breyton recapitulava, e Marighella rogava por detalhes da guerra. Com explosivos potentes, os *saboteurs* destruíam de oito a dez transformadores de parques industriais por mês, sangrando a economia. De Londres, informaram-nos sobre uma fábrica de tecidos, matéria-prima de paraquedas alemães, e eles a derrubaram. *Marin*, codinome de Breyton, e sua turma cortaram linhas elétricas, incendiaram um depósito de nafta e lançaram granadas contra quartéis. Marighella pediu que explicasse tintim por tintim o treinamento militar de operários com vida legal. À espera do levante decisivo, eles manufaturavam artefatos bélicos para a luta armada. O francês ensinou como criavam peças de metralhadoras, e o brasileiro se encantou com os lápis retardadores, tubos cheios de ácido que atrasam detonações. Com tamanha intrepidez, Breyton acabou na prisão de Montluc, onde dava plantão o nazista Klaus Barbie, o Açougueiro de Lyon. Ao contrário de tantos, emergiu vivo do inferno em 1944, ano em que Marighella cumpria pena na Ilha Grande.

Passados vinte anos, descobriu-se sob outra tirania. "Eu considerava o meu novo país invadido pelos militares, como os alemães tinham invadido a França", comparou. Jamais se teve como comunista: "Eu era legalista". Como apostava numa frente guerrilheira ecumênica, contribuía para o orçamento do PC do B, cujo dirigente Pedro Pomar ele tratava por *Monsieur Pierre*. Até que Breyton surgiu nos fóruns estudantis de 1968 junto com a mulher, Nair Benedicto, aluna da USP. De cabelos brancos, o coroa de 47 anos despertou a suspeita de que fosse tira. Tudo esclarecido, firmou amizade com Paulo de Tarso Venceslau, e foi a vez de Câmara Ferreira lhe solicitar uns caramingúas. Embora tenha aberto a carteira, não lhe agradava "ser um burguês que pagava". Desejava mais, e sua residência virou um bunker da ALN.

Militantes se reuniam no porão, designado pelo bem-humorado dono da casa como "território livre", onde instalaram uma impressora. Estacionavam na garagem carros roubados, para a troca de placas que prenunciava as ações. Deixaram uma mala com dinheiro, que Virgílio foi buscar. Outra valise, abarrotada de moedas levadas de um banco, saiu dali para mergulhar com todo o conteúdo no rio Tamanduateí, numa vaga repressiva que assustou a ALN. Noutra temporada de temores, o guerrilheiro Arno Preis se hospedou lá, local de passagem de frades dominicanos. Da Telem saíram bombas feitas pela organização numa manhã de domingo, com a permissão do proprietário. Por maior que fosse seu fascínio pela trajetória do *partisan*, Marighella não era um diletante. Por isso o inquiria e transmitia as lições a Otávio Ângelo, o administrador de um projeto caro a Marighella, a fábrica de armas.

Ao torneiro mecânico formado na classe precursora da ALN em Cuba, Marighella determinou que a estrutura fosse planejada para a área rural. Enquanto não se mudassem para lá, ensaiariam com uma oficina na cidade. Com recursos recebidos de Câmara Ferreira, Otávio adquiriu torno, furadeira e máquina de solda. Ajeitou o equipamento nos fundos da casa do metalúrgico Francisco Bispo de Carvalho Filho, no bairro de Artur Alvim. Marighella forneceu o desenho de uma metralhadora em papel vegetal, e o armeiro fez quinze unidades. Todas engasgaram, para desespero de Virgílio, que empunhou uma delas num assalto. Mais potentes eram os morteiros que Otávio manejara no Caribe. Ele começou a fabricá-los artesanalmente, bem como as granadas da arma. Se tudo corresse de acordo com o cronograma de Marighella, em breve haveria uma linha de produção no campo.

35. Quem não se comunica se trumbica

Os paulistanos que passaram pelas imediações do viaduto do Chá na manhã de 16 de junho de 1969 testemunharam o engarrafamento de viaturas policiais diante do prédio da Câmara Americana de Comércio. Vidros estilhaçados denunciavam a bomba-relógio que o GTA explodira de madrugada, em protesto contra a missão encabeçada pelo governador de Nova York, Nelson Rockefeller. Os curiosos podiam vasculhar cada centímetro quadrado dos periódicos, grudar os ouvidos nos rádios e vidrar os olhos nas TVs: não saberiam o que ocorrera, muito menos que os autores do atentado haviam esparramado volantes assinados por Marighella. A recepção ao magnata americano agendada para o local teve de ser transferida, mas nem esse "imprevisto" noticiaram. A ação da ALN foi ignorada país afora, pois romper o bloqueio dos meios de comunicação era mais complicado que empacotar um punhado de dinamite e detoná-lo em pleno centro de São Paulo.

A ordem nº 716 do Departamento de Polícia Federal, com vigência a partir de 10 de junho, baixara a censura: "Quanto à missão Rockefeller: não publicar ou divulgar, por qualquer forma, notícias sobre atos hostis ao ilustre visitante". Se a proibição impediu certos órgãos jornalísticos de cumprir o dever de informar, muitos nem chiaram, e outros, mesmo sem o veto, omitiriam o episódio por iniciativa própria, tal seu fervor bajulatório pela ditadura. No dia 1º de maio, a

Ala Vermelha, uma cisão do PC do B, tomara *manu militari* uma rádio de São Bernardo do Campo. A mídia calou sobre a ação e o discurso que os oposicionistas emitiram. Desde o AI-5, os raros espaços arejados da mídia se asfixiavam: tornara-se impensável veicular um documento da lavra de Marighella, como o *Jornal do Brasil* se atrevera em setembro de 1968. A ALN podia fazer e acontecer, mas às vezes não saía bulhufas nas páginas. Seus panfletos não atingiam círculos muito mais amplos que os da esquerda armada, pois o jornalismo calava sobre eles. A organização contara com um núcleo na redação da *Folha da Tarde*, agora convertida em estridente porta-voz da repressão antiguerrilha. Se até uma bomba reduziam ao silêncio, o que fazer?

O relatório do inquérito policial-militar 709, que devassou o PCB em 1964 e no qual Marighella foi condenado à revelia, sintetizara a interpretação da elite da caserna: "A guerra revolucionária é sobretudo a guerra da propaganda e da informação". Marighella não divergia. Mal o golpe se assentara, "a grande preocupação dele era como se comunicar", disse Clara Charf. Enclausurado em aparelhos, seu marido se deleitava com a *Discoteca do Chacrinha*, programa do apresentador Abelardo Barbosa na TV Globo. O compositor Gilberto Gil eternizava-o em 1969 como "Velho Palhaço" e "Velho Guerreiro", no sucesso "Aquele abraço". Parecia que só os censores do governo depreciavam o estilo espalhafatoso e anárquico do comunicador mais genial da televisão: tachavam-no de ofensivo aos valores da família, um abominável pornógrafo, e ameaçavam puni-lo. Uma de suas máximas era "quem não se comunica se trumbica". "Marighella achava o Chacrinha uma inteligência", recordou Clara.

Do jeito que as coisas evoluíam, Marighella acabaria se trumbicando. Até o momento em que ele encarnou o facínora nos artigos de imprensa laudatórios aos militares, a desinteligência se confinou à opinião. O cenário complicou-se quando explosões misteriosas pipocaram, e até carta com seu nome como signatário reivindicou um ato que a ALN não cometera. Em 5 de agosto de 1969, um estrondo despertou a residência do cardeal dom Agnelo Rossi. O artefato estourou na caixa receptora do palácio Episcopal, e ao lado pousou a correspondência endereçada ao arcebispo de São Paulo. Em meio a frases manjadas de escritos de Marighella, leram-se palavras torturadas, estranhas à prosa do alegado remetente: "O povo não mais aceita o ópio que sob o manto do amor lhe impregna as entranhas", "anacrônicos sacripantas como o senhor", "sua deteriorada e pútrida presença". Ao pé da verborragia indigente, firmava-a Marighella, com a mesma assinatura arquivada pelo Dops paulista em 1964.

Três semanas antes, em um intervalo de 72 horas, as chamas haviam consumido instalações das TVs Globo, Record e Bandeirantes na capital paulista. Ninguém assumiu os crimes, e as autoridades os atribuíram aos culpados de sempre, os "subversivos", em especial Marighella — José Bonifácio de Oliveira Sobrinho, o Boni, revelaria quatro décadas mais tarde a convicção de que os incêndios em sua época de executivo global foram obra de militares, empenhados em incitar as emissoras mais ainda contra a luta armada.

Marighella considerou que o propósito do ataque ao cardeal fora indispor o clero católico com a ALN. Emitiu uma nota, deixada nos bancos assaltados: "Não somos responsáveis pelos incêndios nas televisões nem pelo atentado à casa de dom Agnelo Rossi". Falava a verdade, e Câmara redigiu outro esclarecimento: "Já disse nosso dirigente Carlos Marighella — queremos informar à população de São Paulo que nada temos a ver com os incêndios". A negativa não ecoou, e sim o oposto: "A carta é mesmo de Marighella", sentenciou *O Estado de S. Paulo*.

Sentindo-se um pregador no deserto, Marighella se encantou com o oásis oferecido pelo companheiro José Wilson Lessa Sabbag. O estudante propôs o fim dos intermediários: que falassem diretamente às pessoas, na estação de rádio mais ouvida e no horário campeão de audiência.

Quintanista de direito da PUC-SP preso no congresso de Ibiúna, o bancário Sabbag tinha 25 anos. Perfilava no derradeiro contingente da Dissidência Universitária a desembocar na guerrilha, em abril e maio de 1969. Enveredou pela trilha da ALN, com Jeová Assis Gomes e outros colegas. Como recapitulou Gilberto Luciano Belloque, aluno da Escola Politécnica da USP, eles criticavam o dito vezo "militarista" do GTA: "Nós queríamos uma alternativa mais política, para sensibilizar a massa", e por isso panfletavam em portas de fábrica. Nada que os impedisse de ingressar na ALN, funcionando com um comando independente, nos moldes preconizados por Marighella. "[A desavença] não chegou a se radicalizar", disse Belloque, porque com autonomia "um não enche o saco do outro, e pronto". Incomodado com as restrições, o GTA alfinetou, como lembrou Manoel Cyrillo: "Brincando, com um certo tom de ironia, nós apelidamos o pessoal de GTB, para dar uma ideia de escala. Eles eram o segundo escalão". Aton Fon Filho confirmou: "A gente começa a brincar e, de sacanagem, a chamar de GTB". Feito uma torcida de futebol que adota como mascote o símbolo na origem pejorativo, assacado pelos rivais, os militantes do — o batismo pegou — GTB não rejeitaram a alcunha.

A ALN acolheu uma rede operária da Dissidência, coordenada pelo professor de música José Alprin Filho, o *Mister X*. Jeová carregou para o sítio em Goiás um jipe, do espólio da organização extinta. Na partilha de bens, o Fusca ficou com Fernando Borges de Paula Ferreira, o Fernando Ruivo, que aderira à VAR-Palmares. Esse carro estava registrado no nome de Belloque. Ele submergiu na clandestinidade quando Ruivo foi morto pela repressão em julho de 1969. O GTB se exercitara com assaltos a um supermercado, à União Cultural Brasil-Estados Unidos e a um salão de beleza, onde recolheu perucas para disfarces. Seu grande plano, o casamento da política de massas com a das armas, Sabbag e Belloque pormenorizaram a Marighella e Câmara Ferreira no atelier do pintor Gontran Guanaes Netto.

O atelier ficava na alameda Santos, onde Sabbag confidenciou o alvo: a Rádio Nacional, que não era pública como a xará carioca, mas pertencente às Organizações Globo. O sinal da emissora alcançaria o raio de seiscentos quilômetros no período em que os guerrilheiros estivessem no ar. Em parte do interior do estado, seu público descomunal tateava os 80% dos aparelhos sintonizados. Assim que as crônicas policiais do programa matinal cedessem lugar ao recado da ALN, as forças de segurança previsivelmente acossariam os estúdios, no bairro paulistano de Santa Cecília. Eis o pulo do gato: eles não estariam lá, mas a 27 quilômetros, dominando os transmissores de Piraporinha, em Diadema. Militares e policiais demorariam a chegar à localidade isolada na região metropolitana de São Paulo, estimou Sabbag. Como seria temerário permanecer lá, deixariam rodando a fita de um gravador de rolo. E não desperdiçariam a chance rara com uma locução mambembe.

Sabbag providenciou um estúdio profissional de gravação de jingles publicitários, na rua Barão de Itapetininga, propriedade de um técnico de som simpatizante da ALN. A produção ficou a cargo de Belloque, universitário de 24 anos que tivera o primeiro emprego aos catorze, como operador de uma rádio da cidade paulista de Monte Aprazível. Ao abandonar o ofício, dali a cinco anos, ascendera a locutor. No atelier de pintura, bateram o martelo: veiculariam um manifesto de Marighella lançado em junho, "Ao povo brasileiro". Cogitaram levá-lo ao estúdio para gravar, porém julgaram imprudente que ele andasse pelo centro. Hino Nacional ao fundo, Belloque empostou a voz e preencheu a fita com três leituras do texto. Incomodava-os uma limitação: outros grupos haviam ocupado três emissoras, e a repercussão se encerrara ali, sem as mensagens reproduzidas nos jornais. Os veteranos resolveriam o problema.

A época sombria em que o stalinismo o escorraçara não abatera a têmpera revolucionária do jornalista Hermínio Sacchetta, o ex-dirigente do PCB que Marighella confrontara em São Paulo na década de 1930. No ápice do conflito com o camarada que contestava o giro à direita do partido, Câmara Ferreira fora escalado pela cúpula pecebista para matá-lo, como confessaria no futuro ao próprio Sacchetta. A decência e a velha amizade prevaleceram, e o candidato a verdugo abortou a missão. Marighella combinou que Câmara procuraria o militante trotskista com uma proposta suicida: publicar no *Diário da Noite* o documento a irradiar.

Recém-entrado na casa dos sessenta, Sacchetta dirigia a redação do vespertino. Em sigilo, editava *Bandeira Vermelha*, órgão do minúsculo Movimento Comunista Internacionalista. Um obstáculo à abordagem era sua rejeição à luta armada, que interpretava como antileninista. Além disso, reiterava: "Cem deles [agentes da ditadura] não valem um dos nossos". Mas Câmara não precisou enunciar mais que algumas frases para Sacchetta topar, mesmo sabendo que, na melhor das hipóteses, sobraria ao menos para ele. Em 15 de agosto de 1969, o chefe orientou a radioescuta, repórter que monitora as estações, a se fixar na Nacional.

Pouco antes das oito e meia da manhã, um Aero-Willys e um Fusca repletos de guerrilheiros estacionaram em Piraporinha e não desligaram os motores. A maioria integrava o GTB, mas o comando era de Virgílio Gomes da Silva, já que o GTA fora convocado para fornecer "respaldo militar", como contou Manoel Cyrillo, também na ação. Às vésperas de trocar a equipe B pela A, Guiomar Silva Lopes pilotava o automóvel menor, armada com seu revólver calibre 38 que antecedeu a pistola 9 milímetros que herdaria de Marighella. Cerca de seis militantes se mantiveram do lado de fora do prédio, e outra meia dúzia entrou, incluindo o técnico dono do estúdio de gravação. Arrancaram o Taurus .32 do vigilante e cortaram o som emitido na sede da rádio em Santa Cecília. Enquadraram os dois operadores em serviço, conectaram o gravador ao transmissor que enviou o áudio para a antena e trancaram os três funcionários no almoxarifado. Às 8h33, um número incalculável de ouvintes se espantou com uma voz encorpada e de sotaque paulista ressoando nos bares, escritórios, padarias, carros e lares. Em virtude dos fogaréus recentes, uma advertência fora introduzida na abertura:

Atenção, muita atenção! Senhoras e senhores: tomamos esta emissora para transmitir a todo o povo uma mensagem de Carlos Marighella. Brasileiros, queremos esclarecer a opinião pública que os últimos atentados contra as emissoras de TV são da responsabilidade do governo. O governo faz isto na tentativa de jogar o povo contra os revolucionários. Deixamos bem claro que nossos atos de sabotagem e terrorismo são voltados contra a ditadura militar e o imperialismo americano. Agora, atenção para o texto da referida mensagem.

"Nossos objetivos são os seguintes", sintetizou o manifesto:

1) derrubar a ditadura militar, anular todos os seus atos desde 1964, formar um governo revolucionário do povo; 2) expulsar do país os norte-americanos, expropriar firmas, bens e propriedades deles e dos que com eles colaboram; 3) expropriar os latifundiários, acabar com o latifúndio, transformar e melhorar as condições de vida dos operários, dos camponeses e das classes médias, extinguindo ao mesmo tempo e definitivamente a política de aumento de impostos, dos preços e aluguéis; 4) acabar com a censura, instituir a liberdade de imprensa, de crítica e de organização; 5) retirar o Brasil da condição de satélite da política externa dos Estados Unidos e colocá-lo, no plano mundial, como uma nação independente, reatando ao mesmo tempo laços diplomáticos com Cuba e todos os demais países socialistas.

Marighella enumerou assassinatos como o de Marquito e "suplícios que deixariam os nazistas envergonhados". Prometeu: "Responderemos olho por olho, dente por dente". Estimulou a militância a "prosseguir com a guerrilha urbana, assaltando bancos, atacando quartéis, intensificando o terrorismo de esquerda, justiçando, sequestrando, para ajudar o desenvolvimento da luta no campo". Afinal, "nosso próximo passo deve ser a guerrilha no campo", porque "este será o ano da guerrilha rural".

Quando Belloque concluiu as 138 linhas, de acordo com a transcrição do serviço secreto do Exército, recomeçou tudo de novo. Os invasores já haviam partido, com Guiomar acelerando rápido sobre uma lombada. Ao seu lado, com uma metralhadora INA, Virgílio pediu à intrépida motorista:

"Calma, *Maria*."

Foi o que faltou às autoridades, zonzas nos pouco mais de dez minutos de pregação guerrilheira. Foi a Central Globo de Jornalismo que comunicou ao

Dops o que ocorria, relatou o jornal *O Globo*. Até que a rádio conseguisse derrubar seu sinal, o pronunciamento já era transmitido pela terceira vez. A estação voltou ao ar às nove horas e nove minutos, com uma nota identificando erroneamente Marighella como o locutor. Enquanto isso, Sacchetta simulava cara de espanto ao ser alertado na redação sobre a novidade. Ele mudou a segunda edição, imprimiu a íntegra da proclamação flagrada pela radioescuta e determinou o aumento da tiragem. Ao se deparar logo após o meio-dia com o *Diário da Noite* nas bancas, antes que os leitores devorassem os exemplares e a polícia recolhesse os restantes, seu filho Vladimir lhe telefonou:

"Você ficou louco?"

Serenamente, o pai respondeu que aguardava os policiais para ser preso e que o rebento com o nome de Lênin sabia o que fazer. Vladimir correu à casa e limpou as gavetas de Sacchetta, onde repousava uma pistola Luger. O jornalista amargou duas semanas em cana, foi demitido em seguida e penou cinco anos sem emprego, barrado em todos os jornais. Acertara na mosca: no calor da hora, pagou sozinho pela audácia de que jamais se arrependeu.

Marighella exultou com o resultado da ação. O noticiário desencontrado tratou-o como a pena que escrevinhara o arrazoado, a voz que o propagara e foi além: testemunhas o reconheceram como participante da tomada da emissora, de posse de uma metralhadora Thompson. A alentada matéria do *New York Times* do dia seguinte consumiu seis colunas e 280 linhas. O matutino americano mencionou um coronel brasileiro, segundo o qual "o grupo de Marighella é o mais bem organizado, o mais ativo e o mais agressivo". O falatório já estava de bom tamanho, ainda que só o *Diário da Noite* tenha publicado o documento — outros jornais reportaram a ousadia que hipnotizara São Paulo, contudo sonegaram os termos da mensagem. O evento ficaria por aí, não fosse um bônus que Marighella ganhou de quem menos esperava, e o discurso nas ondas do rádio se renovou como assunto de todas as rodas.

O manifesto "Ao povo brasileiro" disparara uma acusação de gatunagem: "O governo, de sua parte, nada pode dizer, uma vez que um ministro corrupto como Andreazza tem apartamento no valor de 1 bilhão de cruzeiros velhos e recebe comissão de firmas estrangeiras". Coronel do Exército e titular do Ministério dos Transportes, Mário Andreazza contra-atacou Marighella. Talvez menos por ingenuidade, dando corda ao fato passado, e mais pela necessidade de marcar posição nas Forças Armadas. O ministro distribuiu nota à imprensa, em resposta à "calúnia": "Recebo a citação como quem recebe a medalha de mérito ou condecoração". Em entrevista à *Veja*, ele alegou que comprara em 1966 um apartamento simples na avenida Atlântica, na orla de Copacabana. Declarou:

> O comunista Carlos Marighella assaltou uma estação de rádio em São Paulo, fazendo ler uma proclamação subversiva. Resolveu atacar o ministro que lhe pareceu mais identificado com o desenvolvimento e a integração, esquecendo-se, inclusive, que essas conquistas são harmônicas, de todo o governo Costa e Silva, não particulares a um de seus ministros.

Se o duelo de Marighella com um prócer da ditadura soava natural, o encontro que ele antecipou a Antônio Flávio Médici de Camargo surpreendeu o companheiro: pediu-lhe um terno emprestado, para conversar com o general três estrelas Afonso Augusto de Albuquerque Lima, ministro do Interior. O anticomunista visceral mantinha um denominador comum com a esquerda, o nacionalismo. Cearense como Castello Branco, ansiava suceder o gaúcho Costa e Silva, mas sua vasta penetração na oficialidade jovem não se estendia aos altos coturnos. Embora quase nenhum membro graduado do antigo setor militar do PCB tenha marchado com Marighella, um ou outro se vinculava à ALN. Um coronel da ativa do Exército esteve com o armeiro Otávio Ângelo, e Marighella se acompanhou do guerrilheiro Domingos Fernandes a uma reunião com cinco oficiais. "Através da luta armada, ele queria criar uma crise política e dividir o Exército", interpretou José Luiz Del Roio, da ALN.

A calça do terno tropical preto não fechou em Marighella. "Ele estava barrigudo", notou o dono da roupa. Sem opção, o inimigo público número um saiu mal-ajambrado, disfarçando a incompatibilidade entre as medidas da calça e da cintura. Ao partir, reafirmou que veria o general linha-dura. Ao regressar, segredou, conforme a memória de Antônio Flávio: Albuquerque Lima propusera uma aliança em que supriria a ALN com equipamento para bombardear aviões militares em solo. "Estão superestimando as nossas forças", comentou Marighella. Ele diria ao guerrilheiro Carlos Eugênio da Paz que o acordo era impossível, porque se o ministro o descumprisse desmoralizaria quem já vivera as ilusões de 1964.

Anos mais tarde, Antônio Flávio avaliou que o general buscava um pretexto para mais um golpe dentro do golpe. Numerosos combatentes a favor e contra a ditadura duvidaram da tentativa de aproximação entre os antípodas, descartando-a como inverossímil. Não era tanto assim, evidenciou uma correspondência de 1973 do cineasta Glauber Rocha, quando a história vazara: "Em 69 o Albuquerque tentou transar com Marighella para uma aliança no sentido de evitar a subida de [o futuro presidente] Médici e virar a mesa". O frade Oswaldo Rezende, um dos representantes da ALN na Europa, escreveu a Joaquim Câmara Ferreira em 1970: "Tem gente do ALBUQUERQUE nos procurando aqui, porque aí não dá pé. Não sei se aceito o contato. Isto depende de você. É preciso que você me diga o que é que eu falaria a eles no caso de contato com essa área for [ser] útil. Não comentei isso nem mesmo com os mais íntimos". Evaporaram-se no tempo os meandros das tratativas, mas é certo que deram em nada.

36. Os *sobrinhos* do titio Marighella

Por mais que Marighella estimulasse a autonomia das redes da ALN, eram frequentes as convocações para ele se pronunciar quando seus partidários batiam cabeça. Os secundaristas do Rio de Janeiro pleiteavam entrar logo em ação, porém o homem de confiança de Marighella na cidade, Luiz José da Cunha, o *Davi* ou *Crioulo*, receava que estivessem verdes demais. Diante deles, o revolucionário pernambucano representava a madurez em pessoa, no ocaso de 1968: nascera havia 25 anos no Recife, cursara a escola da Juventude Comunista da União Soviética e fora o único funcionário do comitê carioca do PCB a acompanhar Marighella no rompimento. A conversa esquentou no dia em que o escoteiro Carlos Eugênio Coelho Sarmento da Paz, de dezoito anos, sentou-se numa lanchonete com o colega Marcos Nonato Fonseca, em cujo rosto não despontava um fio de barba sequer. Carlos Eugênio indagou:

"Você quer ir para a frente de massas ou para a frente de fogo?"

Marquinhos mal esperou o fim da pergunta para responder:

"Para a frente de fogo."

Crioulo se opôs. Marquinhos tinha só quinze anos. Talvez a data da certidão de nascimento fosse o de menos, se o garoto mirrado não aparentasse ser ainda mais novo. Mulato mais claro que Marighella e *Crioulo*, ele vivia com a família numa casa modesta de São Conrado, à época uma zona rural — "brincavam que era o camponês do grupo", recordou George Vidor, companheiro de ALN e então a décadas de se notabilizar pelos comentários sobre economia e a gravata-borboleta na televisão. O pai ganhava a vida como cozinheiro, a mãe como pedicure, e Marquinhos cuidava dos irmãos menores. Aluno de boas notas, era dos poucos pobres numa instituição de classe média, a unidade do bairro do Humaitá do tradicional Colégio Pedro II. Mostrava-se "durão, decidido", não esqueceria o guerrilheiro Sérgio Granja. Aos nove anos, os donos de um tobogã liberavam de graça suas exibições na pista para que os fregueses mais abastados, que pagavam ingresso, aprendessem como é que se fazia.

Carlos Eugênio e *Crioulo* deslizaram argumentos, sem que a discordância arranhasse a amizade. Meses antes, uma tuberculose castigara o "veterano", e a garotada nem o consultou para assaltar uma farmácia e recolher remédios para ele — Marighella acionou um antigo contato e conseguiu uma clínica para o tratamento, na cidade paulista de Campos do Jordão. O líder da organização ouvira uma lição na escola: na Guerra da Independência, na Bahia, um soldado de catorze anos pelejara com galhardia contra o jugo português. Se a vontade de Marquinhos era lutar e ele fazia jus às qualidades afiançadas, que lhe dessem as boas-vindas. Antes de viajar para Cuba com o *2º Exército* da ALN, o precavido *Crioulo* sugeriu que gente mais velha se encarregasse da ação planejada pelos secundaristas para a estreia. Carlos Eugênio apresentou o plano e interpelou Marighella, com uma espontaneidade que algumas esfinges históricas da esquerda brasileira talvez tomassem como insolência:

"Ô, Mariga, que história é essa? Agora precisa de licença para pescar?"

Ao receber o ok para a "pescaria", o adolescente encheu o peito:

"Vamos provar que você tem mais um grupo de fogo e que revolucionário não tem idade."

Podia estar coberto de razão, mas a censura do filme *O bebê de Rosemary* era de dezoito anos, e nem com tintura grisalha no cabelo Marquinhos convenceria o porteiro a deixá-lo entrar no Cine Ópera. A bilheteria do cinema na praia de Botafogo seria o alvo da primeira ação de maior envergadura exclusiva da ALN do Rio, pois o roubo do carro pagador do Ipeg, em novembro de 1968, fora conduzido pelo GTA paulista. Os amigos de Marquinhos haviam intercedido por ele, mas não o poupavam das piadas:

"A ação está suspensa até passar *Branca de Neve*", provocou Carlos Eugênio.

Das classes do Pedro II como os dois, Luiz Affonso Miranda da Costa Rodrigues, o Girafa, dezenove anos, emendou:

"Não dá certo, vão pensar que um dos anões fugiu da tela."

Juntaram-se ao trio Aldo de Sá Brito Souza Neto, dezoito anos, do Colégio Mallet Soares e sobrinho-neto do arcebispo do Rio de Janeiro, cardeal dom Jaime de Barros Câmara, e dois egressos da Escola Técnica Nacional: José Pereira da Silva, 21, ex-medalhista do judô carioca; e o decano da turma, Domingos Fernandes, 24, escolado por seu batismo de fogo com a viatura do Ipeg. Alguns fugiriam no Fusca dirigido por um médico quarentão, vinculado diretamente a Marighella. Faltava-lhes um automóvel de cobertura, o que não era o único furo: o Ópera se distanciava meros 2,3 quilômetros do Pedro II. Não seria paranoia temer que alguém da escola reconhecesse um ou outro debutante.

No levantamento, Domingos e Carlos Eugênio perderam a conta de quantas vezes assistiram à obra de Roman Polanski. Eles definiram a ação para a noite de 27 de abril de 1969, domingo, de olho na féria gorda do fim de semana. Entre as oito e as dez horas (inexistia restrições para ver várias sessões), Aldo, Pereira, Carlos Eugênio e Domingos se sentaram na sala de projeção. Marquinhos e Luiz Affonso permaneceram na calçada, para tirotear com a polícia se necessário — os seis portavam revólveres. Por volta das dez e meia, a bilheteira subiu a escada para o segundo andar, carregando uma bolsa com o dinheiro e protegida por um segurança. O quarteto já abandonara as cenas de terror na tela, quando Domingos declamou a rima clássica:

"Mãos ao alto! Isto é um assalto!"

O judoca Pereira tentou render o segurança Antônio Guedes de Moraes, cuja profissão era a de policial, como revelaria a *Última Hora*. Diante de três armas, o gatilho rápido Moraes sacou a sua, disparou, e a bala raspou uma orelha de Pereira. Carlos Eugênio, Domingos e Pereira descarregaram os tambores dos seus revólveres 38, e o vigilante foi atingido duas vezes antes de despencar. Graças à imperícia dos neófitos, sem ferimento grave — um projétil acertou um retrato de Brigitte Bardot, e outro o de Jean-Paul Belmondo. A reação do guarda permitiu à bilheteira se trancar na sala do gerente, que os secundaristas não lograram arrombar. Enquanto eles se escafediam de bolsos vazios e embarcavam no Fusca, Marquinhos e Luiz Affonso caminharam até sumir na escuridão de Botafogo. Mais tarde, os dois se reencontraram com Aldo e Carlos Eugênio no Aterro do Flamengo e vararam a madrugada jogando pelada com garçons e camareiros do Hotel Glória.

Em contraste com a ALN paulista, erguida a partir da antiga liderança estadual do PCB, no Rio de Janeiro a organização se desenvolveu ao redor de uma família comunista de classe média, os Xavier Pereira. O casal João Batista e Zilda Paula acumulava mais de duas décadas de militância. Foi na residência deles que Marighella parlamentou com sargentos antes do derradeiro suspiro de Jango, no Automóvel Club do Brasil. De 1948 a 1951, o representante comercial e a dona de casa tiveram três filhos: Iuri, Alex e Iara. Raros movimentos de Marighella não passavam por algum dos cinco. Seus aparelhos foram gerenciados por Zilda, a *Carmem*. A pedido dela, uma irmã indiferente à política alugou um apartamento para Marighella em São Paulo. As duas primeiras delegações da ALN despachadas para Cuba usufruíram da estrutura montada por Zilda, como a casa de recepção no bairro carioca da Tijuca. "Ela aglutinava todo mundo, era a nossa comandante", disse Carlos Eugênio. O careca João Batista, conhecido como Xavier ou *Zé do Boné*, serpenteava pelo Norte e Nordeste como emissário de Marighella às áreas reservadas à guerrilha rural. Como não era segredo para muitos companheiros, o casamento terminara, e a vida afetiva de Zilda e Xavier embicara por novos rumos.

A faixa etária era outra diferença com a ALN de São Paulo: na rede chefiada pelo jornalista Joaquim Câmara Ferreira, o grosso dos combatentes armados fora recrutado nas faculdades; na coordenada por Zilda, militante que cursou até o quarto ano primário, a maioria procedia do ensino médio. A primeira geração de guerrilheiros cariocas da ALN brotou nos colégios de Iuri e Alex Xavier Pereira. Embora apenas um ano os separasse, um expressava "a antítese do outro", no olhar de Domingos Fernandes. O primogênito Iuri era gordo, calado e Vasco. Alex, ao contrário, magro, falador e Flamengo. Se o irmão do meio era mais popular, o mais velho tinha influência maior no movimento estudantil, como primeiro-secretário do Comitê Secundarista do PCB na Guanabara. Iuri devorava as guloseimas preparadas pelas tias, e o asmático Alex se exercitava em montanhismo — desenredou-se de um arrastão policial no campo do Botafogo rompendo o cerco e escalando o morro da Babilônia por um cabo de aço. A caçula Iara, cujo coração pulsava mais pelos Beatles do que pelos Rolling Stones, foi a última a se incorporar à organização, na qual tocaria com Marighella o projeto de uma rádio. Os amigos dos irmãos cresciam os olhos para ela, bonita, adepta de minissaia e na flor dos dezessete anos em 1969.

Alex não perdia a esportiva. Quando investigaram os "agitadores" do Colégio Pedro II no Humaitá, ele inventou um álibi, o Caab, Centro de Aglutinação dos Anarquistas Brasileiros. Galhofava com o slogan "no Caab cabe todo mundo". A associação ao anarquismo era sinal de que estariam longe das maquinações da luta armada... "No início éramos quatro mosqueteiros, e Alex o nosso D'Artagnan", evocou Carlos Eugênio. Quase uma dezena de jovens provenientes do educandário federal empunharia armas com a ALN. Na casa de Marquinhos em São Conrado, Hans Rudolf Manz, formado em Cuba, ministrou aulas de explosivos. Em maio de 1969, Marighella infiltrou Carlos Eugênio no Exército, para prestar o serviço militar. Orientou-o a se empenhar no adestramento e a descobrir uma ação a ser desferida contra o quartel. O guerrilheiro viria a merecer a medalha de melhor soldado do Forte de Copacabana, afinando a pontaria que falhara no cinema.

Iuri era aluno de eletrônica na Escola Técnica Nacional, onde perceberam os dotes para as artes marciais de José Pereira da Silva, que ensinou caratê aos amigos. O companheiro Altamir Tojal, futuro jornalista, presidia a União Nacional dos Estudantes Técnicos Industriais. No mesmo estabelecimento, também ingressaram na ALN dois participantes do assalto ao carro do Ipeg, Gilson Ribeiro da Silva e Domingos Fernandes, que Marighella nomearia seu comandante militar no Rio. Iuri e Alex não poderiam exercer a função, como Gilson, Luiz José da Cunha e Sérgio Granja, um dos poucos universitários nas fileiras cariocas: Marighella e Zilda os embarcaram para Cuba no princípio de 1969.

As sementes da ALN no Pedro II e na Escola Técnica foram secundaristas rachados com o PCB. No Colégio Mallet Soares, em Copacabana, Marighella só empolgara um militante da esquerda do partido, Aldo de Sá Brito. Editor do jornal *O Diálogo*, ele vivia às turras com os colegas de outra publicação, *Verdade*, de tintas mais nacionalistas que comunistas, a despeito do título importado do *Pravda* bolchevique. No momento em que Aldinho atacou o cinema, seus ex-concorrentes já haviam combinado com Marighella a adesão à ALN. Com reforços de fora, formaram um grupo de fogo com mais de dez componentes. Entre eles, Nelson Luís Lott de Moraes Costa, neto do marechal legalista Henrique Teixeira Lott. "Éramos independentes, e as mensagens do Marighella caíram como uma luva, pela liberdade, democracia", assinalou Carlos Eduardo Fayal de Lyra. Oriundo do Mallet, Ronaldo Dutra Machado foi destacado por Marighella para expandir a ALN no Nordeste.

Mais uma característica, o gênero, distinguia a organização nos dois grandes centros do país. Em São Paulo os protagonistas veteranos eram homens; no Rio, as mulheres se sobressaíam. Entre suas numerosas atribuições, as senhoras transportavam armas, dinheiro e mensagens. A gênese desse núcleo fora a banida Liga Feminina da Guanabara. Nora de vereador pecebista, mulher de comunista e calejada pelas prisões decorrentes da atuação no partido, Antonieta Hampshire Campos da Paz tinha a idade de Marighella. Na sua casa de três andares no bairro do Horto — em cuja garagem ela promoveu instruções sobre confecção de bombas —, lavavam automóveis após as ações da ALN. Carlos Eugênio confidenciaria que Nieta fez levantamentos para assaltos, e ela reconheceu a presença em "pequenos atos de sabotagem". Sua filha Mariza foi abordada por um dos perseguidos pelo professor Eremildo Luiz Vianna, sabujo da ditadura afeito a urdir listas de cassações nas universidades. O atingido pediu o concurso de Mariza para apelar à ALN pelo assassinato de Eremildo. Ela falou com a mãe, que consultou Marighella. "Veio a resposta: a ALN topava a parada", contou a filha. Ao constatar que Marighella não blefava, a pessoa que encomendara a execução desistiu, e deixaram tudo para lá.

Na avenida Nossa Senhora de Copacabana, os apartamentos das irmãs Mariazinha e Carminha Cerqueira, ambas na casa dos quarenta anos, eram um entra e sai de guerrilheiros. Prestavam-se tanto à instalação de um mimeógrafo da ALN, que editou no Rio o jornal *Ação Revolucionária*, como esconderijo dos companheiros vindos do Pará a fim de costurar com Marighella os arranjos para as colunas rurais. Embora pretendesse se mudar para o campo assim que possível, Marighella desprezava o zelo com a boa forma ao fraquejar diante dos quindins e cuscuzes adoçados por Carminha, professora de biologia e ciências. O apartamento de Marighella no Lins de Vasconcelos, seu penúltimo aparelho, foi alugado por Mariazinha, mestra de música. Quem liderava as mulheres da organização era uma delas, Zilda.

Entre as poucas conexões de Marighella no Rio que não tangenciavam a família Xavier Pereira, estava Antônia Sento Sé, a mãe de santo da Ilha do Governador que nunca lhe faltou. Se o filho de Oxóssi precisava de um motorista de confiança, a ialorixá incumbia da tarefa um amigo, vendedor de ônibus Mercedes-Benz.

Também lhe deu caronas o jornalista Janio de Freitas. Velhos camaradas afastados da militância não sonegaram socorro, como o casal Anita Axelrud e Antônio Rodrigues Gouveia, presos com ele em 1939 — Clara Charf se hospedou por semanas na casa deles na Penha, onde Marighella a visitava e era tratado por Zé.

Ninguém jamais saberia quantos militantes e colaboradores a ALN carioca mobilizou. Desde a première dos estudantes no Ópera, uns quarenta guerrilheiros se arriscaram nas ações, no período de um ano. Na estimativa de Carlos Eugênio, para cada militante armado, havia quinze sem cartucheira. À primeira agência bancária "feita" pela organização no Rio, em junho de 1969, sobreviveram no mínimo vinte — Fayal esteve em sete. Espremendo os dados do Projeto Brasil: Nunca Mais, o historiador Marco Aurélio Vannucchi contabilizou 66 processos durante a ditadura em que a ALN foi o "objeto exclusivo de apuração" e onze em que apareceu "associada com outros agrupamentos". Ao todo, foram a juízo 870 réus nessas 77 ações judiciais, em oito estados (435 acusados em São Paulo, 229 no Rio de Janeiro). Os autos apenas margeiam a capilaridade da agremiação: houve um número inestimável de pessoas não denunciadas, como a professora Carminha.

Se em todo o país os militantes da luta armada encarnavam alguns traços semelhantes, o cotidiano carioca, ainda que sob a ditadura, guardava encantos peculiares. O Carnaval de 1969 foi o último antes de os secundaristas caírem na clandestinidade. Domingos e Carlos Eugênio perfilaram no rol dos fundadores da Ala dos Estudantes da Portela. Não deu para os portelenses, pois o Salgueiro ganhou, celebrando a terra de Marighella com "Bahia de todos os deuses", samba que ele cantarolava nos aparelhos. Outros ritmos seduziam: a guerrilheira Ana Maria Nacinovic Corrêa, garota de olhos azuis, aluna de um colégio de Ipanema, desencadeava borbulhas nos hormônios juvenis de Marquinhos e Aldinho ao trocar o revólver pelo violão e entoar "One too many mornings", de Bob Dylan. Flávio Molina, cria do Mallet Soares, temperava a existência com pólvora e poesia, como em sua "Balada para alguém distante": "Estou Aqui/ Aqui, bem junto a ti/ Posso não estar presente/ Mas por mais que me ausente/ Sempre estarei aqui". Também do Mallet, Frederico Eduardo Mayr era artista plástico. Alex recitava versos de García Lorca, e Iuri, a despeito de sua jornada de revolucionário exceder as 24 horas, não sacrificava as sessões do Cine Paissandu. Depois de ver *Blow-up* com Domingos, os dois imitaram uma sequência do filme e encenaram noite adentro uma partida de tênis com bola imaginária.

Um jogador de outra bola, maior, inspirou o batismo do rubro-negro Carlos Eugênio como *Clemente*. Foi maldade vascaína de Domingos, pespegando-lhe o sobrenome de Ari Clemente, um ex-corintiano do Bangu, time que bateu o Flamengo no Campeonato Carioca de 1966. Domingos suporia que George Vidor, do Pedro II, foi para a ALN (no apoio) tanto por política como por amizade. Amigos eram Gastone Lúcia Carvalho Beltrão e José Pereira da Silva. Já haviam atravessado uma madrugada dançando juntos numa festa, e nada mais. Sem nunca terem resvalado os lábios um no outro, ele se encorajou e lhe propôs casamento. Pedido prontamente aceito, o noivo saiu da conversa para pegar Marighella com o pomposo e insuspeito Simca Esplanada que alugara para levá-lo a São Paulo. Questionou se haveria inconveniente no casório, e o dirigente negou: Gastone não tinha idade para ir sozinha a Cuba; com o matrimônio, ela receberia a emancipação providencial. A lua de mel seria uma cobertura para a viagem dos dois. Em meados de 1969, a ALN do Rio decolava. Não muito longe, já começara a aterrissagem em Minas.

No parto, não designaram a ALN mineira com esse nome, e sim como Corrente Revolucionária de Minas Gerais. A organização foi concebida por duas rupturas de 1967: primeiro, com o PCB; a seguir, com a facção nacional de Mário Alves, radicado no estado àquela altura. Mário lançaria o PCBR, e os jovens que não deixariam de admirá-lo viajaram em 1968 para São Paulo, onde confabularam com Marighella. Impressionou-lhes o comportamento fiel à pregação: ele não tentou cooptá-los formalmente para a ALN, mas estabelecer pactos de ação comum. "Nós nos somamos, não nos fundimos, porque o Marighella não aceitava discutir isso", contou Mário Roberto Galhardo Zanconato, o *Xuxu*, universitário líder da Corrente.

Significava que seu grupo não comporia níveis intermediários de uma estrutura vertical típica: seria mais um dormente da malha horizontal do trem da ALN. Marighella explicaria: "Pequenas organizações ou grupos com vida própria e militantes revolucionários solitários ou franco-atiradores também integram nossa organização, gozando de inteira liberdade de ação e liberdade tática, sob a condição de aceitarem, defenderem e cumprirem sem reservas todos nossos princípios estratégicos, táticos e orgânicos".

A parceria com a Corrente era valiosa para Marighella, que estipulara como propósito "abalar o triângulo de sustentação do sistema estatal brasileiro e da dominação norte-americana no Brasil, triângulo cujos vértices são Rio, São Paulo e Belo Horizonte e cuja base é o eixo Rio-São Paulo". Ele mandou seu quadro militar modelo, Marquito, transmitir os macetes da guerrilha aos calouros em Minas. "Tem que ir para a prática", Marighella martelava, conforme o futuro deputado Gilney Amorim Viana, então bancário e acadêmico de medicina.

Membros da Corrente foram incluídos no 2º *Exército* da ALN em Cuba. A Antônio Carlos Bicalho Lana, de dezenove anos, faltava idade para viajar sem um responsável, e o aparato logístico paulista forjou um documento que lhe permitiu voar do Galeão em 13 de dezembro de 1968, dia do AI-5, em companhia de Ricardo Apgaua. Com Apgaua, Gilney e Zanconato, a cúpula da Corrente reunia Hélcio Pereira Fortes e José Júlio de Araújo. Transferido para Governador Valadares pelos companheiros, João Domingos Fassarella chegaria a chefe do Executivo da cidade, no retorno à democracia. Dois militantes da Corrente seriam prefeitos de capitais: Márcio Lacerda, de Belo Horizonte, e Cesar Maia, do Rio de Janeiro.

O bloco pró-luta armada perdera a disputa interna do PCB no estado, mas prevalecera em Belo Horizonte, onde Gilney encabeçava o comitê municipal. No Rio, a ALN carecia de bases proletárias; em Minas, os metalúrgicos da Corrente foram decisivos para o sucesso da maior greve operária de 1968, em Contagem. A presença se estendia a outras categorias, tanto que a organização produzia jornais específicos para o funcionalismo público, bancários e operários. Um periódico circulava somente em Ouro Preto, onde o militante Marco Antonio Victoria Barros presidira a união colegial.

Com o endurecimento da ditadura, os movimentos sociais se esvaziaram, com consequências desastrosas para a Corrente. Hélcio Pereira Fortes registrou numa carta: dos sessenta universitários que haviam debandado do PCB, sobravam dez; dos trinta operários, cinco. Deslocado de Ouro Preto para Contagem, ele colhera êxitos. Agora, dava a largada à guerrilha. A dobradinha com a ALN era notória, tanto que o pessoal da Corrente era apelidado nos meios de esquerda de "sobrinhos do titio Marighella", anotou Hélcio. Na última semana de outubro de 1968, eles roubaram uma farmácia. Pouco antes, Apgaua calculara em 35 os militantes "engajados na articulação" das ações. Gilney portava duas pistolas pequenas calibre 7,65 milímetros. O aluno de engenharia Cesar Maia treinou tiro, andava armado e, de acordo com ele, acompanhou duas ações de longe. Márcio Lacerda, estudante de administração, participou de várias. A denúncia contra a organização na Justiça abarcaria setenta réus.

Menos de seis meses após seu primeiro ato armado, a Corrente começou a ruir. "Não importa se o país não estava em guerra; quem estava na guerrilha urbana estava numa guerra", diria Gilney. As baixas vieram com um assalto à agência do Banco de Minas Gerais em Ibirité, na Grande Belo Horizonte: um guerrilheiro disparou sem querer o revólver 45 na própria perna, quebrou um osso e foi preso com outro militante. Em 9 de abril de 1969, a polícia capturou o principal dirigente, Zanconato. Surpreendido com ele, Hélcio foi baleado, mas escapou. A queda de *Xuxu* inaugurou um ciclo de infortúnio, e o *Jornal do Brasil* titulou dali a dois dias: "Polícia mineira prende dezessete assaltantes de bancos do grupo de Marighella". Nesse 11 de abril, deu-se o pior: no município de Teófilo Otoni, a PM matou o ex-ajudante de pedreiro Nelson José de Almeida, da Corrente, aos 21 anos. Depois do golpe, os remanescentes assumiram sem meio-termo a condição de membros da ALN.

Se *A crise brasileira* fora o livro de Marighella que cativara Marco Antonio Victoria Barros em Ouro Preto, *Por que resisti à prisão* arrebatou a secundarista Suzana Keniger em Porto Alegre. Ela decorou trechos, como "em meio a milhares, centenas de milhares, milhões de brasileiros inconformados, eu reivindico apenas um lugar na luta de resistência". Ao lado de colegas como Luiz Eurico Tejera Lisboa, o Ico, a guria não se curvava ao autoritarismo no Colégio Júlio de Castilhos. Insurgiam-se pelo direito ao uso de minissaia e contra o corte compulsório de cabelo na entrada da escola. A dissidência do PCB do Rio Grande do Sul fundaria o POC, em vez de se vincular a Marighella, como a mineira e a paulista. No POC, brincavam que a destemida turma de Suzana formava o "Incrível Exército de Brancaleone" da esquerda gaúcha, referência ao filme *O incrível exército de Brancaleone*. A sorte bafejou um dos seus combatentes: Ico se apaixonou e foi correspondido pela bela Suzana, que triunfara em um concurso de iê-iê-iê no Círculo Social Israelita e cujo beatle preferido era George Harrison. Casaram-se em março de 1969, ano em que entraram para a ALN.

Os dois acabariam por concentrar a militância no Sudeste, sem efetuar ação armada em Porto Alegre. Em Fortaleza e no Recife, os primeiros assaltos a banco da ALN aconteceram em dezembro de 1969. No Ceará, Marighella se interessava mais pela implantação nas zonas rurais, porém seus correligionários também batalhavam na capital. O coordenador era o professor de inglês Silvio de Albuquerque Mota. Na sua avaliação, a ALN local agrupava duzentas pessoas, computando a rede de apoio — instauraram onze processos contra acusados de pertencer à organização no estado. Nas manifestações estudantis, os marighellistas introduziram um coquetel molotov turbinado. Enredaram-se numa trama incrível em 1968: em abril, o comerciante grego Georgios Joannis Tsakiridis foi preso por suspeita de contrabando e sonegação de impostos; no mês seguinte, escapou e reapareceu altaneiro em Atenas. O diário *O Povo* estampou: "Grego enganou polícia e fugiu".

Passadas muitas décadas, Silvio Mota esclareceu o mistério: a ALN fora contratada para libertar o empresário, o que conseguiu com facilidade, auxiliada pelos subornos de praxe. Deu refúgio ao procurado, mas um parente dele enrolava e não pagava o combinado. Então a organização sequestrou Tsakiridis até receber o resgate. A ajuda ao suposto criminoso comum não os constrangeu, sustentou Silvio: "Estando a ALN em luta armada contra o Estado dirigido pela ditadura militar, estava claro que podia expropriar seus impostos, no todo ou em parte, assim como expropriava bancos. Não havia obstáculos políticos para a aceitação da proposta". Sem mencionar o episódio, Marighella advertiria: "Na luta revolucionária devemos evitar a distorção dessa finalidade política, impedindo que a guerrilha urbana ou rural se transforme em instrumento de banditismo e que nos juntemos aos bandidos ou empreguemos seus métodos".

A ALN carioca adotou o método paulista, e seus militantes trancafiaram em dois banheiros os treze funcionários de uma agência tijucana do Banco Boavista, na rua Uruguai. Atacaram às seis horas da tarde, pois sabiam que naquele 12 de junho de 1969 arrecadariam mais no final do expediente. Frustraram-se: uma moradora vizinha flagrou-os e soltou o berro. Os guerrilheiros deram no pé depois de limparem apenas um caixa, apropriando-se de 4270 cruzeiros novos, ou 21 mil reais corrigidos. Não era nenhuma fortuna, mas saíram do zero.

Do Banco de Crédito Territorial, levaram onze vezes aquele valor. Bancários e clientes foram espremidos nos sanitários, os assaltantes se disfarçaram com óculos escuros, e um deles ostentou uma metralhadora. Como ficara para trás o silêncio sobre a autoria, não faltou um discurso político pronunciado por Carlos Fayal, com pedido de desculpas pelo "susto". O banco funcionava na rua Bela, bairro de São Cristóvão, a quatrocentos metros de onde Marighella alugara um quarto em 1935. Na data da ação, 8 de julho, a ALN deu um passo adiante: pela primeira vez, no mesmo dia "expropriou" agências no Rio de Janeiro e em São

Paulo. Em resposta, o secretário de Segurança da Guanabara, general Luís de França, instituiu um núcleo de operações especiais para frear a esquerda armada.

Marighella costumava apanhar o dinheiro dos roubos com Domingos Fernandes. Encontravam-se em ruelas do Lins de Vasconcelos, nas cercanias de Todos os Santos, onde o dirigente vivia. A ALN carioca, à diferença da paulista, não descrevia seus comandos guerrilheiros como Grupos Táticos Armados, mas como equipes ou grupos de fogo, que inovaram com algumas técnicas. Domingos lera um livro sobre John Dillinger, célebre ladrão americano da década de 1930. Uma de suas sacadas era colar cartazes nas janelas de bancos, tapando a visão de quem estava fora. Foi como uma militante procedeu com pôsteres de turismo numa agência na avenida Beira-Mar, no Centro, antes de os companheiros anunciarem o assalto. A turma do Mallet Soares notou que em um banco do Catete as persianas permaneciam abaixadas, e só quem estava do lado de dentro lhes assistiu em ação.

Tudo isso soava como passatempo de quermesse comparado ao que antigos marinheiros propuseram a Marighella: uma joint-venture para arrancar presos políticos da Penitenciária Lemos de Brito. Íntimo do complexo de cadeias da rua Frei Caneca desde 1936, Marighella considerou "maluquice". Foi o que o jornalista Flávio Tavares disse ter ouvido ao lhe expor o plano.

Marighella: "Como é que vai sair?".

Tavares: "Pela porta da frente".

Marighella: "Isso é uma infantilidade".

Entre os detentos, figuravam os guerrilheiros Antônio Prestes de Paula, líder do levante dos sargentos em 1963, e Marco Antônio da Silva Lima, ex-vice-presidente da associação dos marujos, por quem Marighella nutria enorme estima. Na prisão, ex-militares haviam criado o MAR. A conspiração tinha mesmo ares de missão impossível, por mais que tudo se encaixasse no papel. Como Marighella não topou, Flávio Tavares pediu que ele adiasse qualquer ação por algumas semanas no Rio, onde a ALN se preparava para assaltar bancos. Sem turbulências, a polícia se ouriçaria menos. Marighella aceitou, e sua organização forneceu armamento e dois militantes, que se incorporaram por conta própria à iniciativa: Elio Ferreira Rego e Antônio Geraldo da Costa. Com armas e granadas, os ex-marinheiros dariam cobertura à troca de carros dos fugitivos.

Na tarde de 26 de maio de 1969, cruzaram o portão da frente nove deles, dos quais dois ou três eram presos comuns. Um guarda reagiu e foi morto pelos tiros que feriram um colega seu e um transeunte que passava. Se Hollywood se localizasse no Brasil, a Operação Liberdade, como seus artífices denominaram a fuga cinematográfica, teria rendido filmes de tirar o fôlego. O ex-marinheiro Pedro Viegas tacharia como omissão a cautela de Marighella, que vibrou com a façanha. Em um manifesto, ele saudou a "heroica operação guerrilheira". Celebrou com Elinho, que se mudara de São Paulo para o Rio:

"Assim que se faz: chegou aqui e já começou o fogaréu!"

Dissipada a fumaça, a ALN carioca foi à luta para financiar as colunas rurais. O primeiro revés ocorreu em julho de 1969, com a prisão de Newton Leão Duarte, ex-Mallet Soares, e Jorge Wilson Fayal de Lyra, irmão de Carlos Fayal e originário do Pedro II. Em agosto, o Dops espalhou que Marighella sofrera um infarto. Plantou que seus comissários vasculhavam as clínicas cardiológicas à procura do foragido "agonizando", como publicou a *Tribuna da Imprensa*. No dia 27, a ALN assaltou o Banco Novo Mundo, o que não levantava as persianas. Um guerrilheiro discursou e negou a notícia falsa.

Não mentiu: se havia um órgão do qual Marighella não padecia, era o coração.

37. É melhor ser alegre que ser triste

"Atenção: está no ar a Rádio Libertadora. De qualquer parte do Brasil, para os patriotas de toda parte. Rádio clandestina da revolução. O dever de todo revolucionário é fazer a revolução. Abaixo a ditadura militar."

Em vez das exclamações implícitas na mensagem, o gravador de rolo capta a voz feminina com a dicção contida, e não de pregoeiro. É proposital: se falar com alguns decibéis a mais, Iara Xavier Pereira arrisca desvendar à vizinhança o segredo mais bem guardado dos oponentes armados da ditadura: o paradeiro do inimigo público número um.

"Ouçam Carlos Marighella desmascarando a provocação da carta falsa a dom Agnelo, cardeal de São Paulo", anuncia a garota de dezessete anos.

"O atentado é obra da direita", ele acusa, lendo o script que redigiu. "Seus autores devem ser procurados entre os homens da ditadura militar que inspiram assassinatos como o do padre Henrique Pereira Neto, da equipe de dom Hélder Câmara no Nordeste. Nossa posição ante a Igreja é de absoluto respeito à liberdade religiosa e pela completa separação entre a Igreja e o Estado."

Enquanto o guerrilheiro dá o seu recado, um motor de carro ou motocicleta ronca defronte à casinha branca do subúrbio de Todos os Santos, onde ele se refugia nesse agosto de 1969. Um tom acima da locutora, o foragido pronuncia "fachismo" à antiga, e não "fascismo", e jamais se promove com o título de "comandante". Seu sotaque baiano contrasta com o da carioca quatro décadas mais jovem, que introduz o "Correspondente Libertador":

"Atenção: as gravações em fita das transmissões da Rádio Libertadora devem ser ligadas aos sistemas de alto-falantes dos bairros e subúrbios e irradiadas para o povo, mesmo que para isso tenhamos de empregar a mão armada."

Na Casa de Detenção do Rio de Janeiro, Marighella vivenciou em 1936 e 1937 a distração dos presos políticos com a Rádio Libertadora, cuja reencarnação homônima ele tenta estabelecer como porta-voz guerrilheira. Já dispôs de microfones potentes, como o da Constituinte de 1946. Nos novos tempos, só na marra para ser ouvido. Desde abril de 1969, no início das sessões improvisadas de gravação com Iara, ele tenciona reverberar os manifestos da ALN nas praças públicas. O auge do arrojo foi dias atrás, na tomada da Rádio Nacional, que Marighella festeja em um trecho, alertando para riscos excessivos:

"Temos avançado com audácia e com cautela. Não desafiamos o inimigo e só agimos quando estamos perto do êxito. Não travamos combate em campo raso. [...] Reconhecemos que somos infinitamente mais fracos."

Nem por isso abaixam a cabeça, e a organização se tonifica. Na segunda quinzena de agosto de 1969, ele e Iara intercalam apelos com vinhetas instrumentais. Todas pertencem a um disco do Milton Banana Trio que toca na vitrolinha da sala. Das doze faixas, Marighella seleciona quatro. A mais executada é "Está chegando a hora" ("Cielito lindo", no original mexicano), cuja versão jazzística evoca os versos "o dia já vem raiando, meu bem, eu tenho que ir embora". Há "Roda-viva", de Chico Buarque ("Tem dias que a gente se sente como quem partiu ou morreu"). E "Vesti azul", de Nonato Buzar, hit consagrado por Wilson Simonal ("Vesti azul, minha sorte então mudou"). Por último, uma espécie de epitáfio acidental, ainda que com o long-play exclusivo de melodias, sem as letras: "Samba da bênção", de Vinicius de Moraes e Baden Powell, o da profissão de fé "é melhor ser alegre que ser triste, a alegria é a melhor coisa que existe, é assim como a luz no coração". Antes e depois das músicas, Iara divulga com acento intimista o manuscrito incendiário de Marighella:

"A Ação Libertadora Nacional organiza a guerrilha, o terrorismo e os assaltos, no combate sem trégua que faz à ditadura militar e ao imperialismo dos Estados Unidos. [...] O lema da Ação Libertadora Nacional é GTA. Quer dizer guerrilha, terrorismo e assalto. Gê-tê-a, gê-tê-a, gê-tê-a..."

O mesmo Marighella exorciza o léxico assacado por seus perseguidores:

"A polícia nos acusa de terroristas e assaltantes, mas não somos outra coisa senão revolucionários que lutam à mão armada contra a atual ditadura militar brasileira e o imperialismo norte-americano."

A quimera das emissões guerrilheiras não vingaria, embora as fitas de Marighella tenham viajado, como uma que alcançou o Ceará, com sambas de Martinho da Vila entre as alocuções.

As duas janelas da casa ficam sempre fechadas, não só durante as gravações. Adentra-se na residência humilde passando por uma portinhola escoltada por um muro baixo de pedra e ferro, vencendo um pequeno pátio e caminhando por um corredor à direita. Ali se abre a porta, que dá para a sala, onde Marighella lê e escreve sobre uma mesa. O imóvel sem área livre nos fundos e com muros laterais espichados foi alugado por uma tia de Iara, irmã de sua mãe, Zilda. A menina conheceu o ilustre camarada dos pais quando tinha por volta de três anos. Não se esqueceria de sua "risada gostosa, do fundo da alma". Marighella só ensaia dispensar o humor ao encrencar com as minissaias de Iara:

"Tá faltando pano!"

O zelo paternal com a filha mulher que ele não teve permaneceu quando a aluna do Colégio Pedro II ingressou na organização. Já que Iara insiste em seguir para Cuba, onde os irmãos Iuri e Alex treinam, Marighella sugere que se dedique ao ensino superior regular da ilha, pois a almejada revolução no Brasil dependerá de profissionais qualificados. A fim de afastá-la das lições armadas, argumenta com a escoliose que a acomete. A adolescente bate pé e decola para o curso de guerrilha na virada de agosto para setembro. Antes, encomenda roupas à costureira, e o *Preto*, como ela e muitos companheiros chamam Marighella, inventa:

"Quem anda de minissaia é até preso em Cuba."

A bainha de um vestido cai até pouco acima do joelho, demasiado tecido para a moda vigente. Tanto que o secundarista Aldo de Sá Brito provoca:

"Iara vai para o convento, vai ser freira."

Ela reproduz fitas cassete na sala do aparelho de Todos os Santos quando repara outro movimento na sala apertada: ao embalo de uma canção do rádio, Zilda e Marighella dançam juntinhos.

Fazia muito tempo que eles bailavam aquele *pas de deux* secreto. Jorge Amado não se enganou ao assinalar que seu amigo Marighella "teve as suas mulheres, e creio que todas elas o quiseram intensamente". Em 1966, o artífice da ALN publicou o poema "Morena":

Lábios que eu beijo mordendo
como se fossem dois frutos
da mesma cor e sabor
dos frutos do jamelão.

A morena jambo Zilda Paula descendia de caboclo e de índia. Nasceu numa família pobre no Recife de 1925, desembarcou no Rio de Janeiro em 1944, no ano seguinte se inscreveu no PCB e em 1947 se casou com o camarada João Batista Xavier Pereira, de quem adotou o sobrenome e teve três filhos. Aos 43 anos, completados em novembro de 1968, era dona de uma "beleza agressiva, de pele morena", conforme o guerrilheiro Domingos Fernandes. Para o correligionário Carlos Eugênio da Paz, exibia "um encanto grande, porque era uma mulher de fibra, de uma beleza meio cabocla". Curtia "música de fossa", o avesso de Marighella, apreciador de "música sacudida", como ele próprio definiu ao companheiro Antônio Flávio Médici de Camargo.

A militância sacudiu a vida de Zilda, que mal concluíra o curso primário e se formou politicamente no partido. No entardecer do 1º de abril fatídico, quando Marighella a deixou em Copacabana, já não eram apenas parceiros de luta, embora tenha se perdido na lembrança a primavera em que a paixão desabrochou. "Sempre tive uma queda por ele", Zilda confidenciou. Era com ela que Marighella combinara de se encontrar após receber o pacote na praça Saens Peña em 9 de maio de 1964, mas o balearam no cinema. Durante a prisão, Zilda ligava para o Dops e vociferava impropérios cabeludos. No amanhecer de 31 de julho daquele ano, foi com seu rosto que o recém-libertado topou ao abrir a porta do apartamento no Catete. Na convalescença dele, Zilda lhe fez companhia em um sítio ensolarado de Nova Friburgo, na serra fluminense. Logo mergulharam no mar da praia capixaba de Guarapari. Na véspera do embarque de Marighella para a conferência da Olas, em 1967, passearam de charrete na ilha de Paquetá. Nos bares, ela pedia caipirinha. Abstêmio, ele brincava:

"Pau-d'água!"

Sabe-se lá o que teria sido do romance sem a quartelada. Com a deposição de Jango, os dois se achegaram ainda mais, quando ele a escalou para montar seu aparato logístico. Compartilharam quatro apartamentos em Copacabana. O terceiro, na rua Bolívar, quase grudado a um quartel do Corpo de Bombeiros. Em 1967, um morador passou a cortejar Zilda. Ele a esperava na portaria e subia no elevador se insinuando. Um dia, pôs debaixo da porta da senhora atraente um bilhete dizendo que haviam mandado um recado para ela, que não tinha telefone. No regresso de Cuba, Marighella foi avisado do assédio e o considerou perigoso. Mudaram-se para um aparelho na rua Figueiredo de Magalhães, onde viveram por dois meses, até se transferirem para o Lins de Vasconcelos. Na zona norte, o roteiro se repetiu, com mais pitadas de tensão. Zilda saía cedinho para comprar pão e jornais — um em cada banca, para não chamar a atenção como uma fanática por notícias. Um mulato alto e forte, como Marighella, cobria-a de galanteios. Era um vizinho de prédio, em cujo automóvel Zilda avistou um adesivo da Scuderie Le Cocq, temido grupo policial suspeito de conexão com o Esquadrão da Morte. Não demoraram a partir.

Desapareceram numa noite, depois das dez horas. "As tarefas importantes Marighella botava Zilda para fazer", recordou Carlos Eugênio. "Era uma pessoa em quem ele depositava a maior confiança", confirmou Itoby Junior, então chefe da rede de apoio da ALN paulista. "Não adianta propor nada ao Marighella, porque ele só faz o que a *Carmem* quer", queixava-se Joaquim Câmara Ferreira, mencionando o nome de guerra da companheira. Ela não se limitava a coordenar a organização no Rio: viajava o Brasil inteiro, sobretudo para São Paulo, onde contatava os frades dominicanos no convento. No passado, Olga Benario se encarregara da segurança de Luiz Carlos Prestes. Agora, Zilda cuidava de Marighella e assumia outras funções. Se o conhecimento de informações relevantes é critério de poder, os três militantes mais poderosos da ALN foram Marighella, Câmara e Zilda. Por um acaso da história, ela e Marighella se enfurnaram em Todos os Santos, o mesmo bairro da rua Honório, onde os tiras haviam capturado Olga e Prestes em 1936.

O policial Cecil Borer revelou que chegaram à alemã e ao ex-capitão espionando emissários que iam ao seu encontro. A ditadura militar jamais descobriria o aparelho de Marighella. A natureza dos frequentadores foi decisiva, todos com vínculos afetivos pessoais, e não apenas de militância. Zilda pediu, e sua irmã Irene alugou o imóvel. A Irene pouco importava a política, assim como a Elisabeth, outra irmã, que preparava a comida de Marighella nos períodos em que Zilda se ausentava. Só as duas, mais a sobrinha Iara e Zilda, conheciam a casa de onde Marighella saía depois que o sol se punha. Em suma, laços familiares e femininos protegeram um dos homens mais caçados do mundo.

Zilda e João Batista haviam se separado de fato, cada qual com novo amor. Ele e Marighella continuaram amigos e companheiros. Espertamente, o antigo casal preservou a fachada de esposa e marido, o que salvaria Zilda no dia em que os militares a apanhassem. Em um cochilo de investigação, eles ignoravam o status do relacionamento dela com o cabeça da ALN. Mais tarde, a ficha caiu para o CIE, que especulou com um boato improcedente: Iuri "seria o resultado dessa relação". Iuri já se adestrava em Cuba quando Iara comentou que um militante elogiara as formas da mãe. Marighella sugeriu que Zilda não o visse mais, e a filha dela alfinetou:

"O pançudo está com ciúme..."

Elisabeth Paula da Silva Lima, irmã de Zilda, não enxergava a barriga saliente descrita por Iara e Antônio Flávio Médici de Camargo, cuja calça não fechara na cintura do amigo. Elisabeth comprava peras, maçãs, bananas e laranjas para Marighella. Servia-lhe peixe cozido e salada, ao passo que Zilda assava um vermelho e o coloria com molho de camarão. A galinha ao molho pardo de Zilda era tratada por ele como galinha de molho sujo. Marighella perseverava com os exercícios domésticos, em busca de fôlego para encarar a guerrilha rural iminente. E compensar os doces, como o pudim de leite condensado que a companheira fazia e ele comia no pratão onde era guardado.

"Você está me desmoralizando como guerrilheiro", resmungava, depois de se lambuzar com a guloseima. Preocupado com a saúde, não tomava uma colher de xarope, ao primeiro sintoma de gripe: entornava o vidro inteiro goela abaixo. A despeito da convivência com Zilda, ele não rompeu com Clara Charf. Talvez Jorge Amado quisesse insinuar que o coração de Marighella era grande como a palma das suas mãos enormes.

Nas sombras da clandestinidade, quando um até logo pode significar adeus, os corações galopam, não trotam. "Você não sabe o dia seguinte, são coisas muito intensas, muita coisa em pouco tempo", disse a guerrilheira Maria Aparecida Costa, à época namorada de Takao Amano, colega no GTA. O GTB também aninhava seus casais, como Maria Luiza e Gilberto Belloque. No Rio, em um quarteto da ALN, Gastone Beltrão se apaixonou por Iuri Xavier Pereira, namorou Domingos Fernandes e se casou com José Pereira da Silva. Em São Paulo, a psicóloga Iara Iavelberg, que no fim do caminho batalharia no MR-8, enamorou-

-se de Antonio Benetazzo, da ALN, de José Dirceu, da Dissidência Universitária, e se tornou companheira do capitão Carlos Lamarca, que era casado com Maria Pavan. No inventário das perdas, Maria do Amparo Araújo, da ALN, seria viúva de três guerrilheiros. Marighella, semeador de paixões, só desprezava a convenção, como casamento no papel — a não ser que a formalidade facilitasse a ida para Cuba, caso de Gastone e Pereira. Domingos contou-lhe que era o que fariam ele e a militante Tânia Rodrigues, e Marighella desestimulou o ato cartorial como "besteira".

Zilda se deleitava com os causos que ele contava. Em um deles, Marighella estava em Moscou, onde os anfitriões faziam questão de que bebesse sua vodca de primeira linha. O visitante não apenas nutria ojeriza por álcool, como era fraco para bebida. Com receio de que tomassem a rejeição como ofensa, numa noite ele se permitiu alguns goles, a cabeça pesou, e a visão se embaralhou. Como enchiam seu copo sem cessar, derramava disfarçadamente o líquido por dentro da roupa — molhou-se todo, mas esquivou-se do porre.

Para Nadir, mulher do arquiteto Farid Helou, um dos pioneiros da ALN, Marighella narrou outro episódio: anos antes marcara um ponto com um camarada desconhecido, a quem deveria entregar um bilhete. No local combinado, ele olhava para um homem, e o homem retribuía o olhar. Ao se acercar do cidadão, o dito cujo atravessou a rua e foi reclamar a um policial. Marighella atinou que errara de pessoa e, por via das dúvidas, engoliu a mensagem. Saiu de mansinho, a tempo de ouvir o sujeito aflito apelar:

"Seu guarda, me ajuda que, além de ser bicha, ele come papel!"

Marighella também divertia os companheiros compondo paródias de sucessos musicais. Para Antônio Flávio, desfiou um repertório com canções de Dorival Caymmi. Causava impressão ao companheiro a higiene no apartamento que ele emprestava a Marighella na capital paulista. "Era tudo arrumadinho, tudo limpinho". Com a louça brilhando, o hóspede festejava:

"A melhor invenção do mundo é o detergente líquido."

Em São Paulo e no Rio, Marighella acompanhou a façanha da missão Apollo 11 na Lua. Em 20 de julho de 1969, o astronauta americano Neil Armstrong pisou no solo lunar e afirmou que era "um pequeno passo para o homem, um salto gigantesco para a humanidade". Marighella vibrou, porém lastimou:

"Pena que não foram os soviéticos."

Longe de habitar o mundo da Lua, Marighella colava seus pés à Terra. De acordo com Clara Charf, às vezes ele engolia dois comprimidos à noite, estimulantes para não dormir e varar a madrugada escrevendo. Era bom que ficasse atento, pois a ditadura engrossava as tropas no seu encalço. Em agosto de 1969, o Exército buscava-o em fazendas do estado do Rio de Janeiro. O Dops alertou: "Consta que Carlos Marighella encontra-se na Guanabara, homiziado em um subúrbio do Rio, provavelmente Bangu". Os arapongas não estavam tão mal informados: poderiam agarrá-lo num golpe de sorte.

O estudante de engenharia Vinícius Caldevilla, da ALN paulista, e Marighella circulavam pelo bairro carioca da Tijuca quando uma viatura policial se aproximou, e o líder da organização não perdeu a calma. Em São Paulo, Marighella era um dos passageiros que lotavam o Fusca do engenheiro Roberto Barros Pereira, ao serem surpreendidos por uma blitz do Exército. A maioria dos companheiros estava armada, e Roberto avançou lentamente entre os militares, que observavam o interior do automóvel. O motorista tremia, enquanto o sorridente Marighella sussurrava:

"Tão perto e tão longe... Se soubessem..."

Os soldados não os pararam, e eles passaram incólumes. A Justiça Militar, como previsível, não sorria para Marighella. Em julho de 1969, decretou sua prisão preventiva, por coautoria do assassinato do capitão Charles Chandler. Já havia uma pequena coleção de ordens semelhantes, decorrentes de outros crimes. Em abril, a Auditoria da 4ª Região Militar determinara seu encarceramento, na esteira do desmonte da ALN brasiliense. Em fevereiro, em menos de 48 horas, a Polícia Federal detivera dezessete acusados de integrar a organização no Distrito Federal. Foi a primeira queda em cascata da ALN. Dois meses mais tarde, viria a da Corrente mineira. No dia 4 de junho de 1969, ninguém caiu, mas o GTA se debateu com um drama.

"Era uma ação pequena, uma coisa banal", recapitularia o guerrilheiro Manoel Cyrillo. Entre os tropeços iniciais e o deslanche do novo GTA, Virgílio Gomes da Silva planeja arrancar a metralhadora de um soldado da Força Pública. Têm uma, precisam mais. O policial se posta solitário na avenida Penha de França, na zona leste paulistana, onde vigia uma agência do Banco Tozan. Pretendem arregimentar sete militantes contra ele, com a vantagem da surpresa. Vinícius Caldevilla estranha o plano de Virgílio: pegar a metralhadora no braço, sem intimidar o guarda com um revólver. Nega-se a participar e é tachado de medroso. Aton Fon Filho argumenta: se abordam o soldado com uma arma, ele pode reagir ou não; se atiram, não há reação; se o atacam com um murro, como o ex-boxeador Virgílio deseja, o agredido se sente obrigado a revidar. Diante da crítica, Virgílio diz que entregará a metralhadora a uma companheira que pouco praticou com ela. Para evitar a opção temerária, Fon se incorpora ao grupo.

Quinze minutos antes do meio-dia, com seu 38 oculto, Cyrillo toma posição no bar da calçada oposta à do banco. Se tudo der certo, continuará ali, pois sua função é de cobertura — intervir se houver problema. Mesma atribuição de Fon, que permanece com a metralhadora em um Aero-Willys furtado, ao lado do piloto Celso Horta. Noutro flanco, com papel idêntico, Carlos Eduardo Pires Fleury esconde a arma. Uma guerrilheira espera num Fusca para lhes dar fuga, se necessário. Inexplicavelmente, está com uma criança, seu filho. O coadjuvante de Virgílio é o seu irmão Francisco Gomes da Silva, de 24 anos. Também pugilista amador, Chiquinho cursou até a terceira série primária e se sustentou como engraxate e lixeiro.

O soldado Boaventura Rodrigues da Silva, de 28 anos, não nota os irmãos baixinhos e troncudos, até receber um soco que o derruba. Chiquinho apanha a metralhadora INA do homem e, como Virgílio, vira-lhe as costas sem revistá-lo. Mal despenca, Boaventura saca o revólver e atira. Cyrillo abandona o bar e vislumbra um segundo guarda, atraído pelo pipoco dos tiros. Fon sai do carro e flagra um policial se esgueirando sob um caminhão. Todos puxam o gatilho, e Chiquinho tomba no asfalto, baleado por Boaventura, a quem Fleuryzinho abate com um disparo fatal. Virgílio leva até o Aero-Willys o irmão caçula, cujo sangramento é tão intenso que uma testemunha declara ao *Jornal do Brasil* que o ferido certamente morreu.

No caminho, passam Chiquinho para o Fusca, cuja direção Celso assume, rumo ao Jardim Europa. Eliane Toscano Zamikhowsky está na casa do bairro de elite onde mora com Carlos Knapp, ambos da malha de apoio da ALN. Ela abre o portão, e carregam o corpo inerte até a cama do casal, cujo lençol de linho branco se encharca de sangue. Os militantes saem à procura de um médico da organização, Boanerges de Souza Massa. Alvejados pelas balas, o olho esquerdo de Chiquinho saltou para fora, e a barriga escancara as vísceras, como repara Eliane, que não sabe se o jovem vive. Boanerges aparece, mede a pressão arterial do moribundo e balbucia:

"Ele vai morrer."

A única chance é uma cirurgia para estancar a hemorragia. Boanerges telefona para um banco de sangue, cujos funcionários não tardam. O doutor mente que atropelou o pedestre que ora socorre e cujo abdome cobre com um curativo. Feita a transfusão numa ambulância, Eliane segura a bolsa que alimentará de sangue o companheiro. O pessoal do serviço de urgência descrê na desculpa esfarrapada e, assim que vai embora, delata-os à polícia. Knapp volta à casa, depara-se com o desespero e toma o volante do Mercedes-Benz. Boanerges se senta com Knapp na frente, e Eliane se acomoda atrás. Com a mão direita, ela protege a cabeça de Chiquinho, que é deitado no banco e empapa de vermelho a sua saia. Com a esquerda, ergue a bolsa de sangue. Na casa de saúde onde o médico supõe que o guerrilheiro possa ser operado em segredo, barram-nos sem dó. Já com Virgílio na trupe, ocupam o Hospital e Maternidade Boa Esperança, na periferia de São Paulo. Sob a mira das armas do comandante do GTA, uma equipe opera seu irmão, auxiliada por Boanerges.

Enquanto Chiquinho agoniza, Knapp e Eliane retornam à sua residência para limpá-la de uma metralhadora (depois descartada no rio Pinheiros), relógios e joias roubados pela ALN. O casal já armazenou coisa mais perigosa, como dinamite, e alojou Marighella por uma temporada. Graças à lerdeza da polícia, não são importunados. Em seguida, o telefone toca, com a convocação para resgatar o paciente cujo coração ainda bate. Paulo de Tarso Venceslau, o novo chefe da logística, recorre aos dominicanos, que acolhem Chiquinho — a essa altura as forças de segurança arrombam a casa do Jardim Europa e varejam a cidade no rastro dos "subversivos". Logo que o irmão de Virgílio dá sinais de melhora, transferem-no para o município litorâneo de São Sebastião. Numa casa da família de Sandra Negraes Brisolla, colega de faculdade de Venceslau, Chiquinho se restabelece. Eliane e Knapp pegam a estrada para o Rio e estacionam em um café, onde uma pessoa lê jornal de manhã. Eles veem as próprias fotos impressas, correm para o Mercedes e escapolem. Semanas depois, a organização retira-os do Brasil, sãos e salvos. A repressão rapina seus automóvel, livros, discos, biquínis, casacos e sapatos.

"Está predominando a linha burra na organização!", estrebucha Marighella, empregando a metáfora futebolística: "Para tirar uma metralhadora, matamos um guarda, invadimos um hospital e jogamos na clandestinidade quadros legais". De fato, os beleguins não faziam ideia da inserção de Boanerges, Eliane e do famoso publicitário Knapp na luta armada. Pelo menos o moço Chiquinho sobreviveu para saudar o século XXI. A ALN enriqueceu o arsenal com a segunda INA, e nunca mais Virgílio transformou em *sparring* involuntário um alvo a ser rendido, revistado e desarmado.

Lição aprendida, a organização se mobiliza para montar aparelhos médicos onde possa operar um ferido. Em São Paulo, instalam um embrião de clínica numa casa na movimentada alameda Santos, e militantes são instruídos sobre primeiros socorros. Assaltam a Instrumental Berse, no bairro do Ipiranga, em 29 de agosto de 1969. Orientados por Boanerges, enchem uma Kombi com material cirúrgico e deixam panfletos assinados por Marighella. Menos de uma semana depois, não haverá curativo que salve a vida de alguns deles.

Se Marighella se enfurecera com a incursão desastrada na Penha, ele pareceu apoplético ao ler nos jornais de agosto as novidades do Pará. As autoridades informaram que a guerrilha roubara uma fábrica de sorvetes em Belém.

"Isso tem alguma coisa a ver com o nosso pessoal?", indagou a Zilda.

Tinha, o que desatou sua cólera. Ele reiterara ao responsável pela ALN no estado, o advogado Carlos Sampaio, que ações armadas estavam interditadas. Não queria atrair as brigadas da ditadura à região onde concentrava seu projeto prioritário, as "áreas estratégicas" das colunas rurais. Zilda providenciava depósitos bancários, para que aos aliados do Norte não faltassem recursos. O universitário Flávio Augusto Neves Leão de Salles, de dezenove anos, estava a par do veto, mas confiscou o caixa da sorveteria, associado a um militante, um "conhecido" e um meliante. Marighella recomendara distância de criminosos comuns. Dito e feito: o bandido foi a um bordel torrar o dinheiro, alguém desconfiou da farra e deu com a língua nos dentes. Aos tiras, o gatuno perdulário esclareceu que agira com os "terroristas".

Acadêmico de direito e filho de um casal de médicos, Flávio lutava boxe, como Virgílio e Chiquinho. Seu codinome, *Ali*, reverenciava o peso pesado americano Muhammad Ali. O estudante peso médio amalgamava Woodstock, cujo festival de música, paz e amor se inaugurou em 15 de agosto de 1969, com a ALN, que naquela data transmitiu um manifesto pela Rádio Nacional. "Eu estava em sexo, drogas, rock 'n' roll e comunismo", disse ele. "Vivia na birita, puta, maconha, LSD e cocaína. Ficava naquela onda." Passados alguns dias, Sulamita Campos, sua antiga ama de leite, morreu ao pisar num explosivo enterrado no quintal da casa da família de Flávio. O adolescente sustentou que companheiros tinham-no colocado lá, quando estava foragido após o roubo.

Na fuga, desembestou-se até São Paulo. "Tomou um esporro do Marighella", lembrou Maria de Lourdes Rego Melo, da ALN. Segundo Flávio, o dirigente interpelou-o nestes termos:

"Porra! Eu não falei para o Carlos Sampaio que era para não fazer porra nenhuma lá no Pará? Que cagada foi essa que vocês fizeram?"

Flávio retrucou que obedecera a Marighella: não pedira autorização para cometer um ato revolucionário. "Flávio era louco", diria o guerrilheiro paraense João Alberto Capiberibe. O controverso militante atiçou a repressão, e a ALN teve de cancelar "uma movimentação de armas para os lados do Pará", nas palavras de Zilda. Marighella não se pronunciou por escrito sobre drogas ilícitas, mas se opunha ao seu consumo, entre outros motivos para prevenir duras da polícia. Joaquim Câmara Ferreira explicou a uma companheira, para frustração dela, que os cubanos condenavam a liberação.

Quando Flávio agitou Belém, uma antiga foto de Marighella já se espalhava Brasil afora em cartazes de "procurados". Entre os retratos três por quatro ampliados, via-se o de Eliane Toscano Zamikhowsky, uma das musas da ALN, em matéria de beleza e coragem. O anúncio conclamava: "À menor suspeita avise o primeiro policial que encontrar — Ajude-nos a proteger sua própria vida e a de seus familiares". Com Iara, Marighella gravou uma resposta furibunda.

Desde junho de 1969, circulava na moita o seu *Minimanual do guerrilheiro urbano*, receitando sequestros para "troca ou libertação de companheiros revolucionários presos": "O sequestro de norte-americanos residentes no Brasil ou em visita ao país constitui uma forma de protesto contra a penetração do imperialismo dos Estados Unidos em nossa pátria". No entanto, o opúsculo contraindicava: um "pecado do guerrilheiro urbano é exagerar suas forças e querer fazer coisas para as quais não tem condições e não está à altura, por não possuir uma infraestrutura adequada". Entre a receita e a contraindicação, Câmara Ferreira escolheu a primeira, sem consultar Marighella.

38. Sequestro do embaixador: o último a saber

Se Marighella tivesse sofrido um infarto, como os jornais trombetearam em agosto de 1969, não espantaria que um piripaque o fulminasse de vez no dia 4 de setembro, uma quinta-feira em que as rádios lhe pregaram um susto tremendo. Sua semana começara no domingo com o pé direito de Pelé: com gol do camisa 10, a Seleção brasileira derrotara a paraguaia por 1 a 0 no Maracanã, carimbando o passaporte para a Copa do Mundo de 1970. A despeito de a ditadura se promover à custa dos craques, Marighella torcia pelo escrete treinado por João Saldanha, seu camarada que rejeitara a luta armada. Na terça-feira, a Justiça Militar novamente esperou-o em vão, para uma audiência do processo do Ipeg. No dia seguinte, o tempo virou, com o anúncio da morte do herói vietnamita Ho Chi Minh. Também na quarta-feira, as forças de segurança fuzilaram em São Paulo o guerrilheiro José Wilson Lessa Sabbag. Talvez Marighella o tenha vinculado ao *Nestor* da ALN, com quem conspirara para a tomada da Rádio Nacional. Nada de estranho: *Nestor* era o codinome de Sabbag.

O sol não despontara na quinta-feira quando mais duas pessoas morreram na capital paulista, numa explosão misteriosa dentro de um Fusca. Os indícios sugeriam que pertenciam à organização. À tarde, irradiaram a bomba: a 22 quilômetros de onde Marighella se escondia no Rio de Janeiro, opositores da ditadura haviam acabado de sequestrar o embaixador norte-americano. As autoridades omitiram informações, até que pouco depois da meia-noite um comunicado dos captores foi transmitido pelos canais de rádio e TV. Sua veiculação era uma das condições para a sobrevivência do diplomata. Revelando pleno domínio da estrutura noticiosa jornalística, o texto principiava: "Grupos revolucionários detiveram, hoje, o sr. Charles Burke Elbrick, embaixador dos Estados Unidos, levando-o para algum ponto do país, onde o mantêm preso".

O manifesto exigiu a libertação de quinze militantes encarcerados. Alguns trechos chamaram a atenção de Marighella pelas coincidências: "O rapto do embaixador é apenas mais um ato da guerra revolucionária, que avança a cada dia e que este ano ainda iniciará sua etapa de guerrilha rural". Quem mais tagarelava sobre "guerra revolucionária" era ele, que elegera 1969 como "o ano da guerrilha rural". Os sequestradores se orgulhavam de levar "o terror e o medo para os exploradores" — Marighella era um raro guerrilheiro a se reconhecer como terrorista. Como se não bastasse, o pronunciamento ameaçou os repressores com a lei de talião, mote marighellista desde 1968: "Agora é olho por olho, dente por dente". Não bastou: constrangido, o locutor leu o nome do primeiro signatário, "Ação Libertadora Nacional".

Marighella se surpreendeu, no aparelho de Todos os Santos, onde Zilda o acompanhava. Que ação da ALN era aquela, sobre a qual ninguém se dignara a consultá-lo ou avisá-lo? Ele não precisava de um eletrocardiograma, mas de respostas. Seria difícil: com 4200 agentes alucinados no encalço de Elbrick e barreiras policiais e militares asfixiando a cidade, o dirigente ilhado teria de se trancar por 96 horas.

A Dissidência Comunista da Guanabara, a DI-GB, bolou e planejou o sequestro. Para executá-lo, convidou a ALN, mais tarimbada na arte da guerrilha. Joaquim Câmara Ferreira não titubeou ao ouvir a proposta do estudante Cláudio Torres da Silva, de 24 anos, num almoço de agosto. Uma semana antes da ação, um companheiro de Cláudio viajou a São Paulo: Cid de Queiroz Benjamin, vinte anos, acertou os ponteiros com Câmara, 55, e Virgílio Gomes da Silva, 36. Pretendia agir na Semana da Pátria, amplificando a repercussão. Desde o congresso de Ibiúna, em outubro de 1968, a DI-GB matutava sobre como soltar seu militante Vladimir Palmeira, em cana desde então. A ideia do sequestro foi do também líder estudantil Franklin Martins, gigante de 21 anos e, como Cid, judoca campeão. Filho de senador cassado, Franklin estivera no Planalto catorze meses antes, como um dos representantes da Passeata dos 100 mil recebidos pelo ditador Costa e Silva. No século XXI, regressaria ao palácio como ministro da Comunicação Social, na gestão do metalúrgico Luiz Inácio Lula da Silva. Em 1969, comandou-o outro operário, Virgílio.

A organização carioca dera sorte: por acaso, suas relações na ALN desembocaram em Câmara. Marighella havia recusado uma joint venture com a antiga VPR, para explodir múltiplos alvos em São Paulo, e com o MAR, para tirar marinheiros da cadeia. Nos dois casos, por julgar que eram passos maiores do que as pernas. Contivera o desatino da ALN cearense, tentada a torpedear a base aérea. Por idêntica precaução, o GTA descartara abater o avião do americano Nelson Rockefeller na pista do aeroporto de Congonhas.

Se o acordo com Câmara prosperasse, a dobradinha guerrilheira alvejaria a censura com fogo muito mais potente que na ocupação da Rádio Nacional, justo quando o governo endurecia. Em março de 1969, numa só sessão, o Conselho de Segurança Nacional cassara o mandato de 95 deputados, um a cada 94 segundos de reunião. O Congresso continuava fechado em agosto. No fim do mês, Costa e Silva sofreu uma isquemia cerebral. Em vez de empossar o vice, o civil Pedro Aleixo, como previa a norma legal, a ditadura reeditou o golpe dentro do golpe: substituiu o presidente por uma junta de ministros militares, eternizados com o título do seriado televisivo *Os Três Patetas*.

Para encarar o trio fardado, três militantes da ALN embarcaram para o Rio em um Fusca bege, em 2 de setembro de 1969. Seu proprietário era o estudante de economia Paulo de Tarso Vencelau, 25 anos, maestro da rede de apoio. Caberia a ele dirigir o carro de Elbrick após o bote. Ao seu lado sentou-se Virgílio, o chefe do GTA, cujo comando militar da ação foi exigência da ALN para se associar a ela. Atrás viajou o aluno de arquitetura Manoel Cyrillo de Oliveira Neto, 23. No automóvel, seguiram bombas, revólveres, metralhadora e pistola. Câmara voou pela ponte aérea no dia seguinte. Na definição de Cyrillo, empregando o clássico vocabulário bolchevique, o coordenador da ALN paulista seria o "comissário político". Assim que houvesse notícia momentosa do outro extremo da via Dutra, o GTB sabotaria uma torre de energia em São Paulo, atordoando ainda mais a repressão.

Como recordaram os guerrilheiros, eles nunca duvidaram de que executariam o diplomata, caso a ditadura não atendesse as reivindicações. Charles Burke

Elbrick, senhor esguio de 61 anos, falava português com sotaque lisboeta, herança do seu posto de embaixador em Portugal. Em julho de 1969, antes de apresentar as credenciais no Brasil, fora recepcionado pelo presidente Richard Nixon, com quem o fotografaram nos jardins da Casa Branca. No Rio, dispensou a segurança: por ser desconhecido, ela seria excessiva, iludiu-se. Dez minutos antes das duas da tarde de 4 de setembro, acomodado no banco traseiro de um Cadillac preto, Elbrick deixou o palacete onde residia no bairro de Botafogo. Rumo à embaixada, no centro, o motorista Custódio Abel da Silva pegou a rua São Clemente e dobrou à esquerda na terceira esquina. Ao embicar na rua Marques, as portas do carrão estavam destravadas.

Nove guerrilheiros e uma guerrilheira o aguardavam ali desde a manhã. Cyrillo se disfarçava com os óculos que garimpara no Fusca de Venceslau. Topo da hierarquia da ação, Virgílio ocultava a calvície com uma peruca menos espalhafatosa que as de Marighella. Ele advertiu, como não esqueceu Vera Sílvia Magalhães, militante da DI-GB à espreita na rua Marques:

"Quem correr da polícia morre antes com um tiro meu!"

"Senti firmeza, esse cara comanda mesmo", pensou Cláudio Torres. Por pouco não fracassaram. Antes do meio-dia, a mulher de um oficial da Marinha alertou a polícia sobre o movimento suspeito que vislumbrara da janela, mas sua aflição deu em nada. Depois, os militantes quase atacaram por engano o automóvel do embaixador português, no que seria um retorno vexatório à Colônia. No instante em que o Cadillac de Elbrick despontou, estavam prontos para o que a revista americana *Time* batizaria como missão impossível.

Só quem ignorava a trajetória de Câmara Ferreira, o *Toledo*, admirou-se com o caminho que o conduziu à casa de número 1026 da rua Barão de Petrópolis, no bairro carioca do Rio Comprido, onde esperava por Elbrick. Em janeiro de 1948, ele capitaneara de arma na mão a resistência à invasão policial da redação do diário comunista *Hoje*. Não foi Marighella, e sim Câmara, quem autorizou em 1967 a primeira ação mortal do núcleo que constituiria a ALN, contra o grileiro Zé Dico. Naquele ano, empunhou um revólver 38 no resgate de uma impressora instalada no apartamento de um companheiro italiano recém-preso. Mesmo assim, houve universitários céticos à sua pregação, na infância da luta armada. "Diziam que eram apenas palavras de um burocrata do Partidão dos anos 1930", testemunhou o guerrilheiro Carlos Lichtsztejn.

Vinha de longe sua militância, engatinhada no Socorro Vermelho em 1932. Ao ser apanhado pelo Estado Novo em 1940, integrava o Birô Político do PCB, no qual geria o setor militar ultrassecreto. Torturado, cortou os pulsos. Conhecera Marighella em 1937 e o reencontrou dali a cinco anos, na Ilha Grande. Conviveram em São Paulo de 1949 a 1953, ano em que Marighella pilotou a Greve dos Trezentos Mil e Câmara editou o periódico que a promoveu. De volta ao Comitê Central a partir de 1960, Câmara batalhou pela guerrilha após o golpe. Conquistou o principal comitê partidário, o paulista, e o entregou a Marighella. Sem Câmara, a ALN não teria sido a maior sigla guerrilheira.

"Eles eram unha e carne", disse Geraldo Rodrigues dos Santos, ex-camarada de Comitê Central. O que não implicava personalidades e estilos iguais. Em contraste com o abstêmio Marighella, Câmara estalava a língua com vinho. Enquanto o baiano implorava a Zilda para se livrar da "catinga", o cheiro de tabaco trazido da rua, o paulistano acendia um cigarro no outro. Marighella era filho de mecânico, e Câmara, de latifundiário da região paulista de Jaboticabal. Os dois ex-acadêmicos de engenharia, que não concluíram o curso, cultivavam o humor. O galhofeiro Câmara assinaria como *Branco* ou *El Blanco*, o negativo do *Preto*, como o companheiro também era tratado.

"*Toledo* era um lorde, e *Mariga*, um bonachão", comparou Carlos Eugênio da Paz, da ALN. "*Toledo* era o organizador, ganhava na conversa; *Mariga*, o agitador esfuziante. Tinham a mesma estatura política." Marighella aparentava ser mais jovem, embora tivesse nascido quase dois anos antes. Tanto que *Velho* era um dos nomes de guerra de Câmara. "Sua imagem era a de um pai", evocou José Dirceu, a quem o cordial *Toledo* orientara nos idos do PCB. Um militante brincou com Câmara: para a repressão achá-lo, bastava "procurar um coroa de pasta embaixo do braço e cercado de adolescentes". Quando o perigo aumentou, ele se submeteu a uma cirurgia plástica, como o capitão Carlos Lamarca. "O *Velho* tirou o bigode e a papada, ficou outra pessoa, pareceu renascer", disse Maria de Lourdes Rego Melo, sua fiel escudeira.

Como as aparências enganam, honrando o lugar-comum, o pacato *Toledo* se permitia licenças das quais o irrequieto Marighella queria distância. Em abril de 1968, já com ordem de prisão contra si, ele prestigiou a festa da família no casamento da filha, com quem posou para fotos. "Eu sou porra-louca, mas o Câmara era mais porra-louca do que eu", relembraria Ricardo Zarattini. Preso desde julho de 1969, o irmão do ator Carlos Zara não seria abandonado pelo companheiro, como se saberia quando o embaixador chegasse ao cativeiro.

* * *

Mal o Cadillac pisou na rua Marques, um Fusca guiado por Franklin manobrou à sua frente, com Cid de carona e uma metralhadora no colo. Quatro guerrilheiros abriram as portas do carro obrigado a frear. Venceslau entrou pela direita, puxou o motorista, forçou-o a se abaixar com a cabeça entre os joelhos e inutilizou o radiotransmissor. Como não era íntimo do trânsito local, passara a função de piloto a Cláudio Torres, que ajeitou na cabeça o quepe arrancado do chofer. Atrás, escoltando Elbrick, Cyrillo se sentou na janela da esquerda e Virgílio na da direita. Partiram de Botafogo, cortaram o Humaitá e estacionaram numa ladeira bucólica do Jardim Botânico. Ali, na rua Caio Melo Franco, tentaram transferir o diplomata para uma Kombi. Elbrick imaginou que o liquidariam e se atracou furiosamente com Virgílio, que segurava uma arma.

O desespero era compreensível: o embaixador dos Estados Unidos na Guatemala se tornara em 1968 o primeiro americano assassinado no exercício da função. Foi no falecido colega John Gordon Mein que Elbrick pensou ao se engalfinhar com Virgílio. "Vai sair um tiro", temeu Cyrillo, que bateu com a lateral do 38 na testa do sequestrado. A camisa de Elbrick se manchou de sangue, e ele foi carregado para a Kombi. Os fugitivos liberaram o motorista da embaixada, deixaram o manifesto, mergulharam nos 2800 metros do túnel Rebouças e emergiram no Rio Comprido.

Na casa da Barão de Petrópolis, Elbrick viu os captores de rosto limpo, porém juraria que eles se protegiam com máscaras e capuzes. Haviam concedido 48 horas à ditadura para anunciar se divulgaria o manifesto e libertaria os quinze presos, cujos nomes ficaram de informar mais tarde. Em caso de negativa ou silêncio, o embaixador seria "justiçado": "O sr. Burke Elbrick representa em nosso país os interesses do imperialismo, que, aliado aos grandes patrões, aos grandes fazendeiros e aos grandes banqueiros nacionais, mantém o regime de opressão e exploração". Ex-estagiário da *Última Hora*, Franklin redigira o texto básico, e Câmara o emendara. Ao assinar, a DI-GB cometeu uma traquinagem. O Cenimar alardeara o desmantelamento do MR-8, de Niterói. Pois foi como MR-8 que os cariocas firmaram o manifesto com a ALN, sugerindo que o êxito real do braço mais repressivo da Marinha se resumira a um blefe.

Logo que soube do ocorrido, o Departamento de Estado dos EUA pediu ao governo brasileiro "submissão às reivindicações dos sequestradores, se necessário".

Os Três Patetas anteciparam os dois dias de prazo e se ajoelharam: pouco mais de dez horas depois da investida em Botafogo, uma cadeia de emissoras pôs no ar o manifesto, desmoralizando a censura. Vitoriosos, os guerrilheiros se abraçaram. Não haveria presente melhor de aniversário para Câmara, que guardou segredo: em 5 de setembro, quando o locutor Hilton Gomes lia o documento na TV, ele completava 56 anos.

Enquanto seus companheiros celebravam no Rio, onde Marighella permanecia estupefato, Venceslau já regressara a São Paulo, de avião. Câmara o incumbira de apurar quem caíra na semana. Os presos recentes da ALN, àquela altura no tormento da tortura, não haveriam de sobrar da lista dos quinze.

Eles eram dois, sobreviventes da quarta-feira, 3 de setembro, em que tudo dera errado. Dezoito dias antes, José Wilson Lessa Sabbag, Maria Augusta Thomaz, Antenor Meyer e Francisco José de Oliveira haviam participado da ação na Rádio Nacional. Os universitários do GTB agora se reagrupavam na avenida Ipiranga, defronte à loja Lutz Ferrando, no centro paulistano. Iam buscar um gravador, para disseminar mais mensagens revolucionárias. O aparelho fora comprado com cheque de uma conta aberta por Antenor com identidade falsa. Assim que o banco o compensasse, pegariam o produto. Arriscaram-se ao voltar dias depois, já que a conta-corrente fora abastecida com cheques roubados do cursinho Objetivo. "Na minha ingenuidade, não imaginei que a repressão fosse associar o cheque à ação do Objetivo", contaria Antenor. Foi o que ocorreu, e policiais montaram uma campana.

Quando Sabbag e Francisco entraram na loja, com Maria Augusta na calçada e Antenor ao volante do carro, um funcionário saiu e os delatou. Irrompeu um tiroteio que feriu um guarda e Sabbag, este no braço esquerdo, onde o sangue escorreu abundante. Ele e o companheiro fugiram no Fusca com Antenor, e Maria Augusta diluiu-se na multidão. Não se livraram da polícia até a rua da Consolação, onde o tráfego os bloqueou, e Antenor mandou Francisco dar no pé. Com Sabbag, o motorista abandonou o automóvel e caminhou pelas cercanias, até subir num prédio da rua Epitácio Pessoa. Ali morava Roberto Ricardo Comodo, colega do movimento estudantil da PUC. Foram encurralados por esquadrões da Marinha, Exército, Dops, Força Pública e Guarda Civil, que os rastrearam pelo sangue pingado de Sabbag.

No apartamento do quarto andar, Antenor tentou estancar o sangramento do amigo. Seus perseguidores começaram a arrombar a porta e jogaram bombas de gás. Antenor pulou pelos fundos e se estatelou no térreo, com perfuração da bexiga e fraturas de fêmur e bacia. Lá em cima, as balas zuniram, numa dinâmica obscura: a polícia sustentou que Sabbag, de 25 anos, e o soldado da Força Pública João Guilherme de Brito, de 28, morreram na troca de tiros. Acumularam-se indícios de que aprisionaram o guerrilheiro vivo e depois o eliminaram, o que explicaria a entrega do corpo do policial militar ao Instituto Médico-Legal no mesmo dia e o de Sabbag só no dia seguinte. Os nomes dos detidos que Câmara queria eram, portanto, Antenor Meyer e Roberto Comodo.

O decano do sequestro indagara a Venceslau: seria Takao Amano, subcomandante do GTA, o descendente de japoneses morto na explosão de um Fusca na quinta-feira? Não era ele, e sim Ishiro Nagami, combatente do GTB e professor do cursinho Equipe. Atuara com Sabbag no sábado anterior, no assalto à Instrumental Berse, empresa de material cirúrgico. Antes da seis horas da manhã de 4 de setembro, Ishiro e o estudante Sérgio Roberto Corrêa passavam pela aziaga rua da Consolação. Os militantes de 28 anos bombardeariam a loja onde os companheiros haviam sido emboscados. Vingariam Sabbag, disse Otávio Ângelo, que ministrara aulas de explosivos a Ishiro. O instrutor supôs que o petardo estivesse ativado com o automóvel rodando, imperícia que teria provocado a detonação acidental. O Fusca se esfacelou, e Ishiro perdeu braço, perna e morreu. Os órgãos de Sérgio foram arremessados longe, seu corpo se desintegrou, e a perícia descreveu "alteração total da estrutura morfológica".

Com o GTB alquebrado, suspenderam a destruição da torre de energia. Venceslau decolou no sábado em Congonhas, munido das informações para Câmara. A bordo do Electra, não desconfiava de que era tarde demais.

Na correria, não lera os matutinos com a lista dos quinze. O jornalista Fernando Gabeira, do novo MR-8, depositara-a na sexta-feira na urna de sugestões de um supermercado. O governo condenou o "puro e simples terrorismo", mas confirmou que se curvava às exigências. O Ato Institucional nº 13, formulado às pressas pela junta militar, puniu com banimento os libertados — eles voariam para o México. No Rio, Venceslau enviou um bilhete manuscrito a Câmara, que lhe encaminhara perguntas numa mensagem datilografada. Para sua tristeza, o *Velho* não pudera esperar pelos nomes de Antenor e Comodo.

A escolha dos quinze prisioneiros contemplou sete organizações, consagrando o ecumenismo de Câmara, partidário de uma frente armada. O legendário comunista Gregório Bezerra encabeçou a relação, e não um guerrilheiro. Livrá-lo da cadeia era obsessão de Marighella, cujas emissárias o visitaram três vezes no Recife. Ao saber que o antigo camarada de Constituinte se propunha a arrancá-lo de lá, Gregório chorou diante das estudantes Iara Xavier Pereira e Gastone Beltrão. Não aceitou, pois seria à revelia do seu PCB. Zilda renovou a oferta, sem êxito. Ela perseverou, e o líder camponês afirmaria que se "sentiu comovido", pois a fuga era "questão de honra" para Marighella. Conforme Zilda, o dirigente da ALN ficou "muito decepcionado" com a recusa. Gregório saiu no sequestro, porém alfinetou a guerrilha: "Discordo das ações isoladas, que nada adiantarão para o desenvolvimento do processo revolucionário".

Os sequestradores subestimaram seu poder de barganha — em breve, um mero embaixador da Suíça valeria setenta presos. Nenhum membro da ALN de Brasília foi beneficiado. Da Corrente, encarnação mineira da organização, Câmara incluiu Mário Roberto Zanconato, o *Xuxu*. Dos pioneiros da sigla, o ex-vereador Agonalto Pacheco e Rolando Frati, caído num ponto com um informante dos Estados Unidos. Falsamente acusado pelo atentado contra Costa e Silva em 1966, Ricardo Zarattini se foi. Quinto personagem ligado à ALN, o sub de Marquito, João Leonardo da Silva Rocha, festejou no hotel da Cidade do México: enxugou uma garrafa de tequila com outro banido, o metalúrgico José Ibrahim, da VPR. Todos haviam padecido no pau de arara e assemelhados, inclusive a única mulher entre os quinze: a universitária Maria Augusta Carneiro Ribeiro, do mesmo MR-8 de Vladimir Palmeira, solto com ela. Marighella estudara no colégio da família de Guta, o Ginásio Carneiro Ribeiro, e fora colega de faculdade do seu pai. Na residência da menina, atendia por *Tio André* na década de 1950.

A ditadura reunia Guta e os presos para a viagem, e os guerrilheiros confabulavam com Elbrick. De sua pasta de couro, recolheram biografias sucintas de personalidades nacionais, como dom Hélder Câmara e o ministro Hélio Beltrão. Ambos configuravam opções civis aos generais, alegou o embaixador, embora a hipótese do cardeal de esquerda soasse como diplomacia com seus captores. Elbrick desaprovou o veto a Pedro Aleixo e censurou a permanência das tropas do seu país no Vietnã. Os militantes lhe expuseram atrocidades da ditadura e pediram para gravar uma "entrevista", ancorada por Câmara. O sequestrado topou e ratificou as opiniões. Virgílio separou a fita, para ecoá-la mais tarde, ocupando uma rádio. Em diálogos não gravados, o embaixador enfatizou que formava no corpo diplomático, e não na inteligência americana. No livro *Los subversivos*, publicado em Cuba, Gabeira assinalou: Elbrick mencionara "um dos diretores do *Jornal do Brasil* como um desses jornalistas que trabalhavam para a CIA, mas não disse o seu nome".

Não era com a CIA que os guerrilheiros se preocupavam mais no momento, e sim com o furor repressivo que somaria 1800 detenções nas 78 horas do cativeiro do embaixador. A primeira vítima foi Roberto Cietto, preso comum que escapulira da penitenciária Lemos de Brito com os marinheiros e se unira à luta armada. Ele nada tinha com o sequestro: no dia 4, borboleteava em frente à mansão de Elbrick em Botafogo quando o detiveram, levaram para a PE e assassinaram na tortura. O extermínio físico vigorava à sombra, e a ditadura radicalizou na legislação: com o AI-14, introduziu a pena de morte para crimes de "guerra revolucionária ou subversiva".

No auge da tensão, dois agentes de segurança bateram à porta da casa, com um pretexto cerca-lourenço. Talvez investigassem queixumes da vizinhança, incomodada pelo alarido suspeito: o imóvel sediava o aparato de imprensa do MR-8, onde operavam uma impressora. A poucos metros, na boca do túnel Rio Comprido-Laranjeiras, postava-se uma Rural Willys de órgão militar, como em todos os túneis da cidade vasculhada. No aparelho, os sequestradores monitoraram no sábado a partida de um Hércules C-130 com os banidos. No dia seguinte, 7 de setembro, a aeronave da FAB aterrissou no México.

O desenlace poderia ter sido outro. Na véspera, quarenta homens do Grupo de Artilharia Paraquedista haviam tentado barrar o acordo. Os rebelados se deslocaram para a Base Aérea do Galeão, a fim de impedir na marra a decolagem do Hércules. Um engarrafamento atrasou-os, e lhes restou invadir uma rádio pública, esperneando contra a "demonstração de fraqueza" da junta. Ao entardecer da jornada de paradas militares, Elbrick foi solto no bairro da Tijuca, com um pequeno curativo na cabeça. Na retirada do cativeiro, a solitária Rural grudara nos três Fuscas dos guerrilheiros e dera marcha a ré quando Cyrillo apontou uma metralhadora. Elbrick já despachava com Nixon pelo telefone da embaixada, e Câmara Ferreira não tinha onde dormir.

Não é que lhe faltasse um refúgio, "mas ele não confiava nos esquemas dos cariocas, frágeis em quase tudo", de acordo com Venceslau. Por isso, Câmara incumbiu-o de providenciar um pouso alternativo. Sem contato com a ALN do Rio, Venceslau apelou a um amigo do interior paulista: João Vitor Strauss, jovem repórter da sucursal do *Jornal da Tarde*, janguista distante do ativismo político. As noites que o jornalista calejado atravessou no apartamento do colega promissor em Copacabana foram suaves, comparadas ao sufoco de Virgílio e Cyrillo. A dupla do GTA escapou por um triz de um aparelho do MR-8 varejado pela repressão, mas deixou para trás o gravador e a fita com a "entrevista" de Elbrick. No dia 9, sem ter onde se enfurnar, fingiram-se de turistas no Corcovado e no Pão de Açúcar. Corintianos, assistiram à noite ao Flamengo enfiar 2 a 1 no Palmeiras. Desejavam viajar para São Paulo com uma excursão de torcedores palestrinos, mas não viram um só deles no Maracanã.

Ônibus comuns os devolveram à capital paulista, enquanto a ditadura reconstituía os labirintos da ação. A Marinha bravateou ter localizado o casarão horas após o ataque a Elbrick — não o teria invadido para preservar sua vida. A versão capengava. Senão, agentes não teriam batido à porta, expondo o americano a um banho de sangue, a Rural não teria se insinuado em torno do Fusca com o diplomata, e os soldados empregariam veículo menos ostensivo. E vários, para acossar os guerrilheiros que desembarcaram sem sustos dos três carros. Era quente a placa do Fusca bege diante do esconderijo, em 7 de setembro, mas um relatório secreto do Cenimar do dia 15 ignorou seu dono, Venceslau. Se a Marinha conhecesse o paradeiro do embaixador, teria fotografado os foragidos Câmara e Virgílio ao partir: por semanas, soube apenas que o misterioso *Breno* ou *Borges*, codinomes de Virgílio na ocasião, chefiara o sequestro. No limite, vigiaram a residência como local suspeito de abrigar "subversivos" — estouraram 36 na semana seguinte. A ficha caiu para os ocupantes da Rural ao se depararem com o comboio de Elbrick.

A teia repressiva que enredou os sequestradores foi tecida com erros deles. O operário Antônio Freitas da Silva recortou uma página de classificados, os militares sobrepuseram o jornal vazado sobre um intacto, anotaram o endereço do anúncio subtraído e, no quarto alugado, prenderam o militante que encenara ser o caseiro no Rio Comprido. Cláudio Torres caiu em 9 de setembro: o Cenimar recolheu seu paletó no aparelho, apertou o alfaiate indicado pela etiqueta e agarrou seu freguês — os companheiros asseguram que Cláudio pediu a Gabeira para retirar a peça de roupa, mas o futuro deputado deu a entender que a falha foi alheia. Sobreviveu na casa um bilhete com comentários sobre imprensa, com a introdução "Gabeira, aí vão os jornais prometidos". A ALN também cochilou: Câmara não se desfez da correspondência trocada com Venceslau. Retalhou-a, e os pedacinhos de papel foram resgatados sob um tapete e remontados. No bilhete, ele era chamado de *Velho*, identidade manjada. Venceslau se salvou como o incógnito "G.", de *Geraldo*, seu nome de guerra.

Marighella não declarou guerra na organização, mas peitou Câmara.

O sequestro de Elbrick foi a façanha mais espetacular da guerrilha, talvez a que tenha merecido mais simpatia popular. Constituiu a humilhação suprema da ditadura e a propaganda armada mais vigorosa contra a censura. Dos quinze libertados, três se tornariam deputados na democracia: Zarattini, Vladimir e o também ministro José Dirceu. "Golpe de mestre", aclamaria o historiador Jacob Gorender, então dirigente do PCBR. Renato Martinelli, da ALN, contrapôs: "o grande erro", "vitória de Pirro" com "trágicas consequências".

A posteridade seria fértil em elucubrações acerca das razões de Câmara para empreender a captura sem Marighella. Especularam que buscaria reconhecimento como homem de ação, e não de bastidores. Parece mais sensato admitir que ele não fez mais do que praticar a teoria da ALN, encarando o desafio que se descortinou. Não pôde pedir licença: após o convite do MR-8, não esteve com Marighella, com quem só trataria tête-à-tête de assunto tão sensível. Sob o ângulo da ousadia, inexistiu ação mais marighellista.

A contrariedade de Marighella vazou na esquerda, como farejaram os espiões da Capitania dos Portos em São Paulo. Em outubro, eles relataram que "pessoa ligada ao comunismo comentou que o sequestro [...] não teve a total aprovação de Carlos Marighella, já havendo divergência no seio do seu próprio grupo". *O Globo* titulou "Marighella em cerco fechado perde o comando do terror": Câmara "revela-se o novo chefão direto da subversão e do terror, aproveitando-se do estado de saúde de Carlos Marighella, cujos métodos de ação foram superados pelos grupos sob sua chefia". Em reação aos rumores, o "infartado" escreveu à mão um comunicado saudando os quinze banidos, e Zilda entregou-o em Havana, onde o diário *Granma* imprimiu o fac-símile na primeira página de 1º de novembro. Marighella ovacionou o "sensacional episódio do sequestro do embaixador ianque" e a "atitude patriótica dos revolucionários brasileiros".

Intramuros, o tom foi outro. O foco da sua crítica foi a temeridade de atiçar a ditadura na iminência do parto da guerrilha rural: "Cutucaram a onça com vara curta", condenou. "Achava que não havia retaguarda", contou Domingos Fernandes, do grupo de fogo carioca. Seu companheiro Carlos Fayal: "Marighella ficou chateado". Clara Charf: "Ele estava furioso". Zilda Xavier Pereira: "Foi contra, achou um erro". Gilberto Belloque, do GTB: "Preocupou-se com as possíveis reações das forças repressivas, a prioridade dele era ir para o campo". Paulo de Tarso Venceslau: "Deu uma bronca homérica na gente". Cícero Vianna, veterano da ALN: "Ele disse 'esse ato vai desatar a maior repressão, e nós não estamos preparados para enfrentá-la'". Frei Oswaldo Rezende: "Pude perceber, conversando com *Toledo*, uma grande irritação de Marighella".

Com Marighella de carona e Câmara no banco traseiro, o motorista Antônio Flávio Médici de Camargo testemunhou o primeiro interpelar o segundo:

"Como é que vocês fazem um negócio desses? Depois não vão aguentar a repressão! Será que nós temos estrutura para aguentar isso?"

Reclamou por não ter sido avisado. "Marighella não foi grosseiro, foi duro", disse Antônio Flávio. "Fiquei chocado." Na quitinete paulistana de Maria de Lourdes Rego Melo, Câmara também permaneceu "calado, tomando esporro de Marighella", ela confidenciou. Além do sequestro em si, Marighella protestou contra a presença do amigo no cativeiro de Elbrick. "Ele falou: 'Você podia ter morrido, você é mais importante que todos'", recordou Lourdes.

Em 17 de setembro de 1969, Marighella amaciou ao abordar o tema num encontro com a elite do GTA, mais dois ou três militantes, na casa de Jacques Breyton. "Passou as tropas em revista", na tirada do industrial francês. Perante Câmara, Virgílio, Venceslau e Cyrillo, ele recapitulou o perigo a que havia sido exposto com o pessoal do Rio de Janeiro. Não precisavam se vangloriar da intenção de raptar um figurão, mas não custava ter alertado os cariocas para reforçarem os cuidados. Os sequestradores concordaram, o que não impediu o guerrilheiro Carlos Eduardo Pires Fleury de cutucar Marighella: como rezavam suas cartilhas, permissões para atos revolucionários eram mesmo dispensáveis.

Marighella mirou adiante: em algumas semanas, Virgílio trocaria a guerrilha urbana pela rural. Antes disso, a mulher e os quatro filhos do comandante do GTA iriam para Cuba. Era lá que Cyrillo, pós-graduado no combate das cidades, treinaria nas montanhas. Se tudo corresse como previsto, a próxima reunião daquela turma seria em meio às árvores, cobras e muriçocas do campo.

39. O *Minimanual* não era Bíblia

O jornalista belga Conrad Detrez se alarmou com a sirene da patrulhinha policial que ensurdecia a rua, a uns trezentos metros, e Marighella sossegou-o, apostando em "simples coincidência". No terceiro número da revista francesa *Front*, publicado em novembro de 1969, o entrevistador relatou que a conversa ocorrera na segunda quinzena de setembro, na periferia de uma grande cidade brasileira. Foi sincero sobre a data, mas fraudou o local, cumprindo o trato com o entrevistado: eles se encontraram no Alto de Pinheiros, bairro nobre paulistano, no Colégio Rainha da Paz, das irmãs dominicanas. O repórter de 32 anos ingressara no país pela fronteira com o Uruguai, e frei Betto o encaminhara do Rio Grande do Sul para São Paulo. Frei Ivo levou-o de carro à escola, onde as respostas do inimigo público número um renderam oito páginas.

Os dominicanos da ALN eram velhos chapas de Detrez, que militara na AP em parte dos seis anos que vivera no Brasil. Em março de 1968, quando a polícia do Rio fuzilava o estudante Edson Luís, o jornalista escrevia no "Caderno B" do *Jornal do Brasil*. No mesmo ano, exerceu a função de comentarista internacional da *Folha da Tarde*. Poucos desconheciam sua homossexualidade, mas o assunto constituía tabu também na esquerda armada — ele se apaixonou por um frade e não foi correspondido. Marighella concedera a última entrevista em Cuba, dois anos antes. Não haveria outra.

"O senhor é maoísta?", indagou Detrez.

"Eu sou brasileiro", afirmou Marighella, ainda que citasse ícones revolucionários estrangeiros. Lembrou de sua viagem à terra de Mao Tsé-tung na década de 1950: "Na China eu estudei bem a revolução. Mas, se se pode falar de inspiração, ela vem sobretudo de Cuba e do Vietnã".

Detrez: "Sua ideologia?".

Marighella: "Marxista-leninista. Mas não ortodoxa, como se diz. [...] A ortodoxia é uma questão da Igreja".

Detrez: "A guerrilha rural surgirá simultaneamente em vários pontos do país?".

Marighella: "Sim". E sentenciou: "O Brasil se tornará um novo Vietnã, dezenas de vezes maior".

No mesmo novembro em que a recém-nascida *Front* estampava o pingue-pongue com Marighella, uma instituição consagrada da cultura francesa imprimiu cinco documentos de autoria dele e da ALN: *Les Temps Modernes*, revista literária no 25º ano de vida. Seu diretor, o filósofo existencialista Jean-Paul Sartre, recebera os textos em Roma, vertidos para o francês pela guerrilheira Ana Corbisier. Em um hotel vizinho à Piazza del Popolo, elogiou a "linguagem direta" e disse ao frade Oswaldo Rezende e ao advogado Aloysio Nunes Ferreira Filho que contassem com ele. Com Itoby Junior, a dupla coordenou as ações do grupo na Europa a partir de 1969. No ano seguinte, o cineasta italiano Luchino Visconti, então filmando *Morte em Veneza*, doou dinheiro aos marighellistas. Já se incorporara à organização seu compatriota Gianni Amico, corroteirista de *Antes da revolução*, película de Bernardo Bertolucci, e *Leão de sete cabeças*, de Glauber Rocha, outro baiano vinculado à ALN.

Por determinação da ordem, frei Oswaldo se transferira em julho de 1969 para a Suíça, a fim de se devotar a estudos teológicos. Lamentou a mudança, porém Marighella argumentou que havia "muito trabalho no exterior" e o aconselhou a evitar "certos ambientes de fuzarca e intriga" nos círculos parisienses de exilados. Itoby desembarcara pouco antes, associando-se a Aloysio, em ação no eixo Paris-Roma desde 1968. Marighella fez chegar a eles uma "Carta aos revolucionários europeus", apelo por ajuda na "luta anticapitalista". Na denúncia dos crimes da ditadura contra os direitos humanos, o jornalista brasileiro Jirges Ristum, radicado na Itália, batalhou com o trio. Com o recrudescimento da repressão, incharam as fileiras da ALN alhures, com militantes flanando pela Europa.

Marighella se aborreceu com o que percebeu como *la dolce vita* de alguns, e Zilda Xavier Pereira transmitiu seu recado em outubro de 1969: que fossem — quase todos — para Cuba treinar.

A guerrilha seduzia até na União Soviética. Dois brasileiros que lá estudavam decidiram aderir à ALN. Perly Cipriano, do curso de direito internacional, solicitou aos cubanos para conversar com Marighella e se adestrar na ilha caribenha. Como os soviéticos encrencaram, ele retornou ao Brasil em meados de 1969. Em novembro, Thomaz Antônio da Silva Meirelles Netto tomou o mesmo caminho. O professor de filosofia marcou o reencontro da família comunista amazonense com as armas: em 1935, seu tio Thomas Meirelles morrera como tenente rebelde no levante da praia Vermelha.

Nenhum gesto ou palavra de Marighella o promoveu mundo afora como o opúsculo de 51 páginas datilografadas que ele concluiu em junho de 1969. O *Minimanual do guerrilheiro urbano* seria o seu passaporte para a eternidade.

A ambição do livrinho ficava muito aquém disso, a começar pelo título — era mini, e não um manual. A obra consistia numa coletânea de dicas para a luta nas cidades com "meios não convencionais". "Estava em fase de preparação, era um esboço", recordou Manoel Cyrillo, um dos guerrilheiros a quem o autor pediu contribuições em setembro de 1969 para aprimorar os originais. "Era um guia prático, um dicionário de bolso", definiu Domingos Fernandes. O comandante militar da ALN carioca foi um dos datilógrafos do manuscrito. "Marighella entregava por capítulos, mudava", contou Domingos. Outra datilógrafa, Clara Charf, assinalou: o marido "recolhia experiências e escrevia sobre elas". Assim que alinhavava uma sequência, deitado na cama de um apartamento emprestado em São Paulo por Antônio Flávio Médici de Camargo, Marighella queria que o anfitrião palpitasse.

Marighella foi o redator, mas de certo modo o *Minimanual* teve elaboração coletiva, ao compartilhar o aprendizado do GTA paulista. Ele observou: "As ideias aqui expostas e sistematizadas refletem a experiência pessoal de um grupo de homens que lutam à mão armada no Brasil, e entre os quais tenho a honra de estar incluído". Como Ernesto Che Guevara já advertira em seu livro *Guerra de guerrilhas*, sobre o confronto rural: este é "um manual onde se sintetizam nossas experiências guerrilheiras". O brasileiro e o argentino eram caudatários do estrategista Sun Tzu, que anotara em *A arte da guerra*: "Nada disse em meus escritos que já não tivesse praticado nos exércitos".

O chinês evocara lições de triunfos, e o Che, de uma revolução épica. O paradoxo de Marighella é que seu objetivo central era se estabelecer no campo, mas desenvolveu o know-how da cidade. Seu texto de maior sucesso derivou da demora em implantar o projeto prioritário. Permaneceria como roteiro para empreendimentos revolucionários, a despeito da desventura do seu mestre. O barulho do *Minimanual* decorreu mais do seu caráter de peça tonitruante de propaganda do que de inventário de macetes para o bom combatente.

O lutador pretendido por Marighella não é um ser humano, mas um super-herói: "O guerrilheiro urbano caracteriza-se pela bravura e o espírito de decisão. Deve ser um grande tático e um bom atirador". "Outras qualidades importantes [...] são as seguintes: ser andarilho, resistir ao cansaço, à fome, à chuva, ao calor. Saber esconder-se e saber vigiar. Dominar a arte de disfarçar-se. Jamais temer o perigo. Atuar tão bem de dia como de noite. Não se precipitar. Possuir ilimitada paciência. Manter a calma e o sangue-frio nas piores condições e situações. Nunca deixar rastros ou pistas. Não desanimar."

São virtudes de trailer de filme do Super-Homem. Ao mesmo tempo que descreveu um guerrilheiro utópico, Marighella não cobrava demais a quem se dispusesse a dar os primeiros passos no desafio a tiranias: uma forma de aprender a atirar é "fazer tiro ao alvo, mesmo nos parques de diversões".

Bastava encarar o espelho para constatar a quimera do requisito de tamanhos atributos: "Todo bom guerrilheiro urbano é obrigado a ser motorista". Pois ele não sabia nem ligar o motor de um carro. Como Marquito, o superguerrilheiro. Além de exigir talentos de ficção, o professor mitificava um militante "mais agressivo e violento, recorrendo sem cessar à sabotagem, ao terrorismo, às expropriações, assaltos, sequestros, justiçamentos". Afinal, "só pode manter-se vivo se estiver disposto a matar os policiais e os que se dedicam à repressão". Qual o "fim principal da luta emboscada"? "É capturar armas do inimigo e puni-lo com a morte." O tom se assemelhava ao de Che Guevara na mensagem de 1967 à Tricontinental, estimulando "o ódio intransigente ao inimigo, que impulsiona mais adiante das limitações naturais do ser humano e o converte em uma efetiva, violenta, seletiva e fria máquina de matar".

O *Minimanual* representa a culminância da concepção de Marighella depreciada como "militarista" até por correligionários. Nela, a luta de classes se ausenta, e o "tiro" comparece com o status de "razão de ser do guerrilheiro". Como interpretou Aton Fon Filho, do GTA, a essência da frase atribuída a Guevara não é "sem perder a ternura jamais", e sim "é preciso endurecer". O russo Vladímir Maiakóvski versejou, na tradução de um jornal da ALN: "O tempo dos oradores já passou./ Hoje tem a palavra/ O camarada Mauser!". No entanto, a retórica ultraviolenta parecia não se conciliar com o criador de paródias de canções da Jovem Guarda que Marighella continuava a ser. Ele destoava de sua autoclassificação como marxista-leninista, o avesso da autonomia anárquica que preconizava. Para José Luiz Del Roio, da ALN, e Jacob Gorender, do PCBR, Marighella deve ter sido influenciado pelo pensamento do anarquista francês Georges Sorel, morto em 1922, arauto da violência revolucionária.

Ph.Ds em história militar esquadrinharam o *Minimanual*, especulando sobre as fontes em que bebeu. Acontece que suas instruções não provinham de outro autor ou peleja alheia, mas dos erros e acertos do GTA paulista até 4 de junho de 1969. Naquele dia, o guerrilheiro Francisco Gomes da Silva foi baleado depois de ele e o irmão Virgílio golpearem um guarda com um soco, arrancarem-lhe a metralhadora e lhe virarem as costas. Sem mencionar o episódio, Marighella martelou: "Quando se desarma o inimigo, é sempre necessário revistá-lo para ver se não está de posse de outra arma, além daquela de que é despojado. Em caso de descuido nosso, ele pode utilizar-se da arma não apreendida para disparar contra o guerrilheiro urbano".

Como dera certo trancar as pessoas no banheiro dos bancos assaltados, Marighella receitou o método. Bem como o emprego de revólver calibre 38 e de metralhadoras leves como armas-padrões. Contrariando seu prognóstico, marinheiros haviam fugido da cadeia no Rio de Janeiro. Então, o *Minimanual* vangloriou-se de inexistir "prisão, em ilha ou penitenciária urbana e agrícola, que seja inexpugnável diante da malícia, da astúcia e da potência de fogo dos revolucionários". Cada "grupo de fogo" deveria reunir quatro ou cinco componentes, com dois grupos formando uma "equipe de fogo" — assim funcionava o GTA. O "guia prático" aclamou o "guerrilheiro urbano armeiro", encarnado secretamente na ALN por Otávio Ângelo, e recomendou "criar o serviço de inteligência", atribuição de Joaquim Câmara Ferreira.

Como obra em progresso, sem a pretensão de uma Bíblia pronta e acabada, o *Minimanual* aparentava ser uma espécie de primeiro tratamento literário que o autor julgou útil editar, mesmo com insuficiências. Ainda assim, ele se omitiu a respeito de procedimentos que a clandestinidade já testara. Calou sobre inconfidências ao telefone e tempo de espera em ponto onde o companheiro não aparecia. Ignorou a temeridade de portar documento falso com nome catalogado pela repressão — é o que Marighella fazia, com a carteira de *Mário Reis Barros*, usada em 1968 para comprar um automóvel antes do assalto ao carro pagador do Ipeg. A abordagem da tortura tingiu-se de ilusão: "O guerrilheiro preso nada pode revelar à polícia que prejudique a organização". Quase todos tinham seus limites, não bastando valentia para suportar a destruição do corpo e da mente nas câmaras de suplício.

Outra lacuna negligenciou a questão dos esconderijos. Marighella considerou que "a logística convencional pode exprimir-se pela fórmula CCEM, que quer dizer comida, combustível, equipamentos e munições". "Para o guerrilheiro urbano, que parte da estaca zero e não dispõe inicialmente de nenhum apoio, sua logística expressa-se sob a fórmula MDAME, que quer dizer motorização, dinheiro, armas, munições e explosivos." Mais correto seria o acrônimo *MADAME*: faltou o *A*, de aparelho. Marighella sabia que o Dops carioca vasculhava apartamentos alugados por temporada na zona sul, mas não alertou para a ameaça. Nem condenou a exposição de residências a outros militantes, cuidado que teria salvado Marquito.

Apesar das fragilidades, "nunca se fez manual de guerrilha urbana melhor do que o de Marighella", opinou o general-de-brigada Durval Andrade Nery. Ele flagrou um exemplar do best-seller na biblioteca da Escola das Américas, no Panamá, centro militar americano de formação de oficiais estrangeiros.

O *Minimanual* renovou a apologia do terrorismo como "arma a que jamais o revolucionário pode renunciar". Marighella escreveu nele quinze palavras com o núcleo "terror": na sua ótica, uma com sentido neutro, uma com negativo ("terrorismo policial") e treze com positivo. Ao menos seis textos dele e três da ALN promoveram o "terrorismo de esquerda". O *Minimanual* foi didático: "O terrorismo é uma ação que na maioria dos casos se resume na colocação de uma bomba ou na explosão de petardos. [...] Há casos em que pode ser levado a efeito através de justiçamentos".

Ao contrário de alguns adeptos do *Minimanual*, Marighella vetava ataques a alvos não alinhados ao governo. Como esclareceu o artigo da ALN "Operações e táticas guerrilheiras", "os atos terroristas revolucionários e a sabotagem não visam inquietar, amedrontar ou matar o povo. Eles devem ser utilizados como tática para combater a ditadura. [...] Ao terrorismo que a ditadura emprega contra o povo nós contrapomos o terrorismo revolucionário". O *Minimanual* insistiu: "Quanto ao sistema de transportes e comunicações do inimigo [...], o único cuidado [ao fulminá-lo] é não causar mortes e danos fatais aos passageiros".

A preocupação era autêntica, reconheceu indiretamente um coronel do Exército Brasileiro ao *New York Times* em agosto de 1969: "Eles não querem ir para uma operação terrorista clássica aqui porque perderiam o apoio das pessoas". A ALN mimetizava o terror antinazista, admitiu *O Globo*: seus quadros "vinham-se aperfeiçoando dia a dia na prática de atos de sabotagem e subversão, utilizando-se algumas vezes de métodos semelhantes aos 'maquis' franceses, organização de resistência aos alemães na última grande guerra". A comparação procedia — o *scholar* inglês Paul Wilkinson, expert em terrorismo, dissecou os gauleses que enfrentaram a ocupação hitlerista: "Esses *partisans* recorreram frequentemente ao terror de guerrilha e ao terror urbano, inclusive o assassínio de oficiais alemães". Marighella não esquecia o "Canto dos partisans", hino célebre: "Sabotador, atenção à tua carga, dinamite!".

Bafejavam-no também o terrorismo argelino na guerra pela independência, perenizado no filme *A batalha de Argel*, e o combate ao colonialismo britânico na Palestina dos anos 1940: o *Minimanual* sugeriu a leitura de *Memórias de um terrorista: confissões do matador da organização terrorista israelense Stern*. "O livro nos ensinava alguns elementos de tática e de organização e os meios de ação", rememorou o guerrilheiro Takao Amano. "Marighella reivindicava com certa honra a condição de comunista e terrorista, mas a palavra 'terrorista' tinha outra conotação", menos pejorativa, testemunhou frei Oswaldo. Pelos critérios do *Minimanual*, são intoleráveis atentados como o do grupo de extrema esquerda alemão Baader-Meinhof contra uma redação jornalística, explodindo assalariados em vez de patrões. E atrocidades como ceifar vidas de inocentes nas torres gêmeas de Nova York.

O guerrilheiro e terrorista Marighella deu a volta ao mundo nas asas do *Minimanual*. Na origem, a ALN mimeografou cem cópias, de acordo com Domingos Fernandes. Já em outubro de 1969, uma delas aquecia os arquivos do CIE. O primeiro exemplar exportado de que se tem notícia viajou para Cuba naquele mês, quando Zilda Xavier Pereira o transportou colando suas páginas às da revista *O Cruzeiro*. Na virada para novembro, a Rádio Havana leu trechos. Em março de 1970, as Éditions du Seuil o publicaram em Paris, o governo francês proibiu-o, e 24 editoras se uniram para o relançamento que nocauteou a censura. Os cubanos o divulgaram na íntegra em abril, na revista *Tricontinental*. Na reportagem "Um manual para o terrorista urbano", o semanário americano *Time* informou em novembro sobre sua reprodução por jornais e movimentos de esquerda locais, como os Panteras Negras. Em 1971, saiu na Inglaterra como *Handbook of urban guerrilla warfare*.

"Carlos Marighella, o autor brasileiro do *Minimanual do guerrilheiro urbano*, substituiu tanto Guevara como [Régis] Debray como o teórico principal da revolução violenta no hemisfério", analisou a diretoria de Inteligência da CIA em janeiro de 1971. Na Argentina convulsionada dos anos 1970, o jovem guerrilheiro Jorge Masetti elegeu a cartilha de Marighella como livro de cabeceira. Uma década antes, seu pai, o jornalista Ricardo Masetti, desaparecera no país liderando uma coluna rural organizada em Cuba. No campo, o inspirador fora o Che; nas cidades, era Marighella. Sua obra atravessou fronteiras e arrebatou insurgentes, muitos atuando em democracias, e não no contexto extraordinário, uma ditadura militar, em que Marighella deflagrou a luta armada. Entre eles a Organização para a Libertação da Palestina, as Brigadas Vermelhas, na Itália, o IRA, na Irlanda, o Baader-Meinhof, na Alemanha, e o Exército Simbionês de Libertação, nos Estados Unidos. Caducara o título de janeiro de 1969 da revista chilena *Punto Final*, "Marighella, o profeta armado do Brasil". Com o *Minimanual*, o apóstolo da guerrilha urbana incendiava o planeta.

Ele não comovia Luiz Carlos Prestes. Em 1970, o secretário-geral do PCB declarou a um periódico patrocinado pela União Soviética: o terrorismo "é a sarna do revolucionarismo pequeno-burguês", e a guerrilha no Brasil configurava "uma aventura que causa profundos prejuízos à revolução".

No segundo semestre de 1969, o antigo Cavaleiro da Esperança era passado para Marighella, que se chocava, quem diria, com os cubanos.

Para Marighella, a turbulência chegou com o correio de agosto. Seu emissário João Batista Xavier Pereira viajara a Havana para acertar o cronograma do curso militar da terceira turma da ALN. Lá conversara com os filhos, Iuri e Alex, alunos do *2º Exército*. O primeiro lhe confiou uma carta pessoal endereçada a

Marighella. O segundo, para o mesmo destinatário, uma mensagem idealizada por ele, redigida por Sérgio Granja e assinada pelos colegas do Rio, de Minas e do Nordeste. Os aprendizes haviam rachado, porque "os cubanos estavam interferindo na vida interna da organização", relembrou Granja. Nada exasperou Marighella como a notícia de que os anfitriões tinham nomeado à sua revelia um "comandante", *Raul*, na classe brasileira.

Calejado por 33 anos no PCB, Marighella se vacinara contra a submissão aos bambambãs do exterior. Assistira ao partido reverenciar até o pacto sinistro entre Hitler e Stálin. Com Fidel Castro, celebrara o internacionalismo proletário, não um contrato humilhante de boneco de ventríloquo. Os cubanos não disfarçavam a vocação para enquadrar parceiros. Fundada como fórum de iguais, a Olas era um defunto, mal encerrada sua única conferência. A AP interceptara o assédio caribenho a um militante, à margem da organização. "A direção nacional da AP considerou essa conduta desagregadora e intervencionista", disse um dos seus membros, Duarte Pereira. Ao regressar de Havana em 1969, o líder do PCBR, Mário Alves, comentou com Gilney Viana, da ALN, que "os cubanos estavam se metendo demais". Correligionário de Gilney, Carlos Eugênio da Paz viria a disparar: os cubanos, "no mais puro estilo soviético", "não resistem à tentação de influenciar ou recrutar nossos combatentes, agindo como agentes secretos"; "é mais fácil mandar bala no inimigo que lidar com um aliado no poder".

Tudo começara bem, com um samba-enredo composto no Carnaval de 1969 pelos brasileiros recém-desembarcados. Cantaram em homenagem ao herói local José Martí. A harmonia atravessou logo que os cubanos "tentaram seduzir com privilégios quem lhes era mais subserviente", conforme o mineiro Ricardo Apgaua: mimoseavam os favoritos com "alimentação mais refinada, cigarros e entretenimento". O carioca Sérgio Granja reparou que os eleitos ganhavam convites para a vida social, cinema, teatro e boate. "Começavam a dar preferência, convidar a um restaurante os mais ligados", recordou o paulista José Luiz Del Roio. "Você está numa casa, chega um carrão preto, descem dois oficiais e dizem 'Agora você vai ao [luxuoso hotel] Habana Libre'." Del Roio é insuspeito: os cubanos o escalaram como embaixador da ALN junto a organizações estrangeiras. "Foi decisão deles, nosso grupo não foi consultado", reconheceu. Ele supunha que a deferência tivesse o aval de Marighella.

O passo seguinte foi entronizar o advogado paulista Washington Mastrocinque Martins como "comandante" da comitiva da ALN. De codinome *Raul*, era um baixinho bigodudo de 27 anos, talento político aguçado e assumidamente ruim de mira. Fora pioneiro do GTA de Marquito. "Os cubanos me prestigiavam muito, achavam que eu tinha liderança", confirmou. Ele confabulou sozinho com Manuel Piñeiro Losada, o executivo das conspirações latino-americanas. Formularam-lhe "um convite formal" para ficar no país, fazendo de bobo Marighella, que o aguardava no Brasil. Mastrocinque recusou.

"Era um dirigente imposto por uma organização que se dispunha a nos treinar, mas à qual não devíamos obediência política", criticou Apgaua. "O maior puxa-saco dos cubanos, causou mal-estar", fustigou Granja. Del Roio: "O grupo achava que só a organização podia nomear [o comandante]". Os cariocas que prepararam o abaixo-assinado a Marighella "tinham razão, Cuba não era lugar para disputa política", reforçou o paulista Renato Martinelli. O *2º Exército* se fraturou por região, com Mastrocinque e parte da delegação de São Paulo entrincheirados contra os demais. As cartas se perderam: a coletiva era virulenta, e a de Iuri, fiel ao seu estilo, mais sóbria. Ambas postulavam que decisões sobre comando fossem tomadas em território brasileiro.

Marighella se zangou mais ainda ao saber que, revogando o combinado, os cubanos vetaram o treinamento rural às mulheres, confinando-as na guerrilha urbana. Eram quatro, na turma de 25. "Revolucionário não tem sexo!", reagiu. Ele louvava as histórias intrépidas da baiana Maria Quitéria como soldado na luta contra os portugueses, das republicanas na Guerra Civil da Espanha e das guerrilheiras cubanas na sierra Maestra. Maria Augusta Thomaz se revelou atiradora emérita. "Guerrilheira nata, atirava a trinta metros e acertava na testa", assombrou-se José Dirceu, seu colega de curso em 1970. Do *2º Exército*, Ísis Dias de Oliveira se especializou em explosivos. O historiador Marcelo Ridenti computou que os acusados do sexo feminino nos processos judiciais focados na ALN representaram 15,4%.

O ambiente desandara em Havana. Alinhado ao Kremlin, Fidel acompanhara os soviéticos no rompimento com Mao Tsé-tung. Seus agentes limparam a casa dos brasileiros, surrupiando os livros de autoria dos timoneiros de Pequim. Não entendiam como, assim que concluíam o saque intolerante, compêndios maoístas ressurgiam desafiantes nas prateleiras. Os repositores dos títulos caídos em desgraça eram os bem-humorados cariocas, que os compravam num sebo do bairro chinês da cidade, só para provocar.

No Rio de Janeiro, Marighella não estava para brincadeiras. A primeira demonstração de incômodo ocorrera quando enviou Zilda para pegar a correspondência com uma brasileira proveniente de Havana. A mensageira disciplinada alegou que a ordem era entregar somente a ele, que mais tarde a obrigou a passar os papéis às mãos de Zilda. A moça reiterou que obedecera aos remetentes e chorou copiosamente no instante em que Marighella ralhou:

"E quem disse que os cubanos mandam no Brasil?"

"Marighella falou que os cubanos queriam controlar a organização", lembrou Domingos Fernandes. O cearense Silvio Mota se encontrou com ele antes de embarcar para o adestramento com o *3º Exército*. Marighella lhe pediu para transmitir um recado "desautorizando *Raul*", pois "não se faz comandante no exterior. Todo mundo lá é soldado raso". Para peitar os cubanos, despachou Zilda, a dirigente em quem depositava confiança irrestrita. "Carlos me mandou avisar os cubanos que o comandante era ele", ela contou.

Marighella não queria romper com Fidel, tanto que manteve o escoamento dos militantes do *3º Exército*. Guardava um passaporte falso tinindo de novo, para o caso de viagem de urgência ao Caribe. Se o conflito degringolasse de vez, já havia opção de campo de instrução militar, oferta do governo comunista da Coreia do Norte. Os agentes da embaixada asiática em Cuba haviam feito a proposta a Paulo Cannabrava, da ALN, então trabalhando na Rádio Havana. O jornalista consultou Marighella e relatou ter recebido sua resposta positiva no Hotel Nacional, de um carteiro ilustre: o dramaturgo brasileiro Augusto Boal, da rede de apoio da organização.

Cannabrava foi recepcionado com tapete vermelho ao pé do avião, na capital do país, Pyongyang. Em outubro de 1969, mesmo mês em que Zilda partiu para Cuba, Joaquim Câmara Ferreira voou rumo à metade setentrional da península coreana. O ok de Marighella resultaria no treinamento de militantes como a advogada paulista Darci Toshiko Miyaki. Uma missão da ALN negociou lá a remessa de carabinas, mas o plano gorou. Zilda contou ter recolhido no começo dos anos 1970 uma doação de 35 mil dólares dos coreanos em Havana — 200 mil dólares atualizados. Mandou tudo para o Brasil. Como retribuição ao camarada Kim Il-sung, o mandachuva norte-coreano, presentearam-no com um reluzente relógio de um lote roubado em São Paulo.

Para o entra e sai pela fronteira, a ALN se beneficiou do esquema montado em Buenos Aires por encomenda dos cubanos. Seu condutor era o médico Alfredo Moles, que esteve com Marighella em São Paulo na virada para 1968 e tinha Câmara como interlocutor fixo. O argentino batizou como Rede Vinicius a logística de alojamento, falsificação de documentos, intermediação de armas e viagens cruzando o Cone Sul, Guiana e Suriname. Foi seu tributo a Vinicius de Moraes, poeta e diplomata que a ditadura expulsou do Itamaraty. Moles e militantes da ALN como Maria Augusta Thomaz, a atiradora certeira, e Aylton Adalberto Mortati planejavam um sequestro aéreo com destino a Havana. Seria impossível esquecer a data escolhida: 4 de novembro de 1969.

Em meados de setembro, a ALN vivia o seu apogeu. Na entrevista à revista *Front*, Marighella vendeu uma "situação de guerra revolucionária" no país. No mesmo mês, fantasiou que o Brasil respirava "um clima semelhante ao de Cuba, nos meses finais da ditadura de Fulgencio Batista" — ou seja, a revolução arrombava a porta. Em agosto, ele diagnosticara: "O ambiente na área urbana é de rebelião social". Noutro texto, denunciou que "poucas famílias brasileiras existem que não tenham passado o vexame de ver o seu lar invadido pela polícia e que não tenham a lamentar a prisão ou assassinato de um de seus filhos". As quedas não afetavam a tropa da ALN, tripudiou o *Minimanual*, pois candidatos a guerrilheiros "afluem quase que diariamente". Afinal, como se gabou Marighella em setembro, "as fontes de recrutamento dos grupos revolucionários são inesgotáveis, a começar pelos estudantes".
Se ele acreditava mesmo nisso, embaçara a visão. A última leva de calouros da ALN arregimentara universitários feridos pelo AI-5 — as "fontes de recrutamento" não se mostravam renováveis. A sigla mobilizava então cerca de uma centena de combatentes nas ações urbanas, concentrados no triângulo São Paulo-Rio de Janeiro-Belo Horizonte, mais Brasília. Algumas dezenas engatilhavam as armas no campo, na expectativa da eclosão da luta rural, à qual se juntariam os 25 formandos de Cuba. A ALN beiraria 150 guerrilheiros em alguns meses. Marighella calculava em 300 mil os efetivos das Forças Armadas sob controle da ditadura. Jogo duro: 2 mil por um.
O historiador Wilson do Nascimento Barbosa, veterano da organização, cravou em 120 os guerrilheiros da ALN: "Teria que ter outros 120 para substituí--los", já que poucos passavam de um ano na ativa, e "não podíamos garantir o fluxo". As redes reuniam mais gente: 5 mil pessoas, na estimativa de Marighella, segregada ao companheiro Domingos Fernandes. A maioria era jovem, contabilizou Marcelo Ridenti, mapeando os acusados na Justiça: 53% não superavam os

25 anos, e meros 18% alcançavam 36 anos ou mais. Com exceção de reveses em Minas e no Distrito Federal, os efetivos permaneciam praticamente intactos, informou a *Veja* em agosto: "A dificuldade que a polícia tem em relação ao grupo de Marighella, até agora não atingido pela repressão, é que ele estimula a formação de 'grupos armados diferentes, de pequenos efetivos compartimentados uns dos outros e mesmo sem elos de ligação [sic]', como diz no seu panfleto".

O "criminoso mais procurado do Brasil", como o qualificou o *New York Times*, ultimava o deslocamento para o campo. Animava-o a esperança de que o respaldo político compensasse a inferioridade militar. Ao penetrar em Havana em 1959, trezentos guerrilheiros marchavam na coluna de Camilo Cienfuegos, e 10 mil soldados do Exército acantonados no aeroporto da cidade não ousaram confrontá-los. Um memorando da CIA de 13 de outubro de 1969 caracterizou o "regime" brasileiro como "impopular". Menos de um mês após o sequestro do embaixador americano, o almirante Ernesto Mello Baptista, ex-ministro da Marinha, referiu-se ao "processo de pré-guerra revolucionária comandado por grupos subversivos, [...] aceito pelo desespero ou pelo desânimo de largos segmentos de nossa população". Só que uma coisa era torcer pela guerrilha que capturara Elbrick, outra se dispor a enfiar um trabuco na cintura para tirotear com meganhas. Pior para a luta armada, seus dirigentes não perceberam que a economia trocava bocejos por rugidos.

Com o pretexto de debelar a herança inflacionária, o governo corroera a remuneração dos trabalhadores. O poder de compra do salário mínimo despencou 27% de 1964 para 1969. Além de anêmicos pela intervenção oficial, os sindicatos murcharam em número. Nenhum operário se arriscava a abrir faixa de protesto, para não ser demitido pelo patrão, processado pelo Estado, surrado pela polícia e, como aconteceu, torturado e morto. O arrocho tabelava com a pobreza: a mortalidade infantil estacionou, oscilando de 116 por mil bebês nascidos vivos, em 1965, para 115, em 1970. Até que a economia entorpecida despertou: de 1969 a 1973, vitaminou-se ao fabuloso ritmo médio anual de 11,4%. No dito "milagre econômico", o bolo cresceria, mas poucos devorariam as fatias maiores. Ainda assim, a ditadura capitalizou as novas oportunidades de emprego e renda.

Outro obstáculo para Marighella era o contraste com o cenário que ele buscava reeditar, o Vietnã. Sua catilinária contra o "imperialismo norte-americano" carecia da voltagem da pregação dos guerrilheiros de Ho Chi Minh: por mais que ditassem os rumos do Brasil, os Estados Unidos não haviam invadido o país, como na Ásia. Nada que acabrunhasse Marighella e seu triunfalismo. Confiante no fôlego do ciclo virtuoso da ALN, ele proclamou no *Minimanual*: "A organização é uma rede indestrutível".

Foi então que sobreveio o fim de setembro, com sua verdade amarga e sangrenta.

40. A queda do GTA e os gritos de *Jonas*

Em setembro de 1969, duas irmãs de Zilda Xavier Pereira esvaziaram o aparelho onde Marighella se escondia nos arredores do Anhangabaú. A pedido dele, Elisabeth e Irene viajaram a São Paulo, despacharam a mudança de caminhão para o Rio e devolveram o apartamento alugado. Pela mesma época, Antônio Flávio Médici de Camargo levou-o a um dentista no bairro paulistano do Bom Retiro. Marighella dispensou o apartamento porque estava na iminência de se instalar no campo, onde seria complicado tratar de cáries.

A ditadura plantava notícias de que o inimigo debandara para o estrangeiro, mas sabia o que ele tramava. O Cenimar detectou "fortes indícios" de andanças de Marighella pelo sudoeste de Goiás e o Triângulo Mineiro. Em 3 de setembro, o SNI preveniu: "Está previsto até o fim do ano 'estourar' uma guerrilha no norte de Goiás (Araguaína)"; "Marighella não tem parado em São Paulo porque constantemente visita as áreas de treinamento no interior". Para fulminar dúvidas, ele esclareceu em um manifesto sincero: "Encontro-me realmente dentro do país, compartilhando a mesma sorte do povo, e daqui não sairei".

Marighella convocou para o coadjuvarem nas colunas do campo guerrilheiros como Virgílio Gomes da Silva, Takao Amano e Aton Fon Filho, a quem advertiu para "estar preparado porque brevemente seria deslocado". Guiomar Silva Lopes permaneceria com os grupos de fogo da cidade. Tarimbados nas refregas urbanas, Carlos Eduardo Pires Fleury, Maria Aparecida dos Santos, Carlos Fayal e Gilney Viana se aperfeiçoariam em guerrilha rural em Cuba, apesar do desconforto com a intromissão de Havana nos assuntos da ALN. Para lá também rumariam o soldado Carlos Eugênio da Paz, que desertaria do Forte de Copacabana, e o secundarista Denison Luiz de Oliveira, funcionário de uma oficina de conserto de calçados.

Manoel Cyrillo, outro militante cujo destino seria o Caribe, frequentara cursos de curtume e criação de coelhos. Imaginava-os úteis à sobrevivência na selva. Desde que desfraldara a bandeira da luta armada, Marighella buscava a transição para o campo. Cansou de repetir que, longe dele, sucumbiriam. Em agosto de 1969, divulgou a "Alocução sobre guerrilha rural":

> Os revolucionários que já estavam no campo e os que para lá se dirigiram devem intensificar a montagem da infraestrutura revolucionária da guerrilha rural. É preciso continuar percorrendo os eixos guerrilheiros, estabelecendo pontos de apoio numa espécie de atividade à moda de Lampião, construindo a rede de coiteiros camponeses e a rede camponesa de informações.

Atiçou:

> As plantações dos fazendeiros devem ser queimadas, o gado dos grandes pecuaristas, dos frigoríficos, das invernadas deve ser expropriado e abatido para matar a fome dos camponeses. A parte restante deve ser dispersada pelas matas brasileiras a fim de que o guerrilheiro rural encontre carne para comer. Os grileiros e os norte-americanos proprietários de terra devem ser tocaiados e mortos, assim como os capangas dos fazendeiros.

À beira do rio Tocantins, para as bandas de Imperatriz (MA), o guerrilheiro João Alberto Capiberibe aguardava-o. Marighella dera a entender que passaria por lá, no eixo da rodovia Belém-Brasília. Bem como por Nerópolis (GO), onde Jeová Assis Gomes e companheiros de Brasília hibernavam numa chácara. As colunas não se fincariam nesses locais, pois "a guerrilha rural brasileira será feita sob a forma de marcha", Marighella martelou. Esperavam-no também no sertão baiano, em Marabá (PA) e, próximo à fronteira com a Bolívia, na chapada dos Parecis (MT). Se vingasse o plano, uma coluna não ocuparia Itobi, município visitado por Marighella com Alessandro Malavasi. Mas Guapiaçu, no norte paulista, a 450 quilômetros da capital — o professor primário Nei da Costa Falcão, também do GTA, e Takao Amano haviam feito o levantamento.

No comecinho de novembro, Marighella carregava no bolso um papel com garranchos de um roteiro com origem em São Paulo, escala em Ribeirão Preto (SP) e manobras de uma coluna a sudeste e a leste do Distrito Federal. Além de Formosa (GO), seus componentes serpenteariam pelas localidades mineiras de Paracatu, Unaí, Januária, São Francisco e São Romão. Assim que combatesse na caatinga, no cerrado e na floresta, Marighella pretendia escrever o *Minimanual do guerrilheiro rural*. Para transferir sua tropa, necessitava mais dinheiro do que nunca, e o GTA arquitetou seu assalto mais ambicioso.

"Todo mundo quer ir para o GTA, parece coisa de caubói", comentou Joaquim Câmara Ferreira com Ottoni Fernandes Júnior. O dirigente da ALN não queria nas ações armadas o ex-presidente do centro acadêmico de física da USP. Alegou que o galalau configurava alvo fácil de desmascarar, com seus dois metros de altura. Por isso, escalou-o para o núcleo de inteligência.

Os membros do GTA não eram mocinhos de faroeste, mas a organização gravitava ao redor deles, como os bangue-bangues de Hollywood em torno de John Wayne. Com o aparato urbano da ALN devorando gulosamente os recursos, eles se expunham cada vez mais ao infortúnio ao multiplicar as "expropriações" — quartetos de policiais militares substituíram as tradicionais duplas na vigilância de instituições financeiras. Em 9 de setembro, dois dias após libertar o embaixador americano, Virgílio Gomes da Silva pelejava no Rio para regressar a São Paulo. Seus comandados agiram sem ele, depenando uma agência do banco Itaú América na rua Pamplona. Capitaneou-os Takao Amano, um dos subcomandantes do GTA.

Takao participou do ataque noturno de 19 de setembro contra a radiopatrulha prefixo 21. Planejavam incendiar a viatura plantada na galeria do Conjunto Nacional, onde funcionava o consulado dos Estados Unidos. Antes, retirariam do Fusca os dois soldados da Força Pública e levariam suas armas. "Era uma ação contra o imperialismo", classificou Carlos Lichtsztejn, também presente. Entornaram gasolina no automóvel, queimaram-no e se apropriaram de uma metralhadora e três revólveres. Não foi o passeio que supunham: os policiais reagiram, e os guerrilheiros feriram um com gravidade e o outro, sem. Com Virgílio de volta ao batente, no dia 22 assaltaram pela segunda vez o Bradesco da rua Major Diogo. Já se encerrara o planejamento da grande ação, prevista para 25 de setembro, uma quinta-feira.

Não seria inédita a união de efetivos dos dois subgrupos do GTA, encabeçados por Takao e Fleuryzinho. Sob o comando de Virgílio, somariam mais de vinte militantes, pouco menos que no saque de dinamite da Rochester em dezembro de 1968. Interditariam um trecho da avenida Professor Alfonso Bovero, no bairro do Sumaré. No mínimo, quatro agências bancárias se esparramavam por uma quadra e meia, quase na confluência com a avenida Pompeia. Além de limpar os caixas de todas elas, arrancariam as armas dos seguranças e promoveriam comícios-relâmpago na rua. Se a repressão contra-atacasse com seu novo e badalado helicóptero, derrubariam a aeronave com um disparo de fuzil automático leve. "Otávio Ângelo atiraria", disse Cyrillo. "Seria nossa última ação", ratificou Carlos Alberto Lobão Cunha.

O GTA de Virgílio sobrepujara o antecessor em longevidade. O de Marquito vicejara por nove meses, de abril de 1968 à morte do chefe, em janeiro de 1969. Batizados no fogo no assalto ao carro pagador da Massey Ferguson, em outubro de 1968, Virgílio acumulava onze meses de riscos, dois a mais que os estreantes na Rochester — Takao, treze, desde o trem Santos-Jundiaí. Com a dinheirama a embolsar na Alfonso Bovero, poderiam enfim partir e escapar ao "cerco policial estratégico", como Marighella designava o esquema repressivo concentrado nas cidades.

O acosso não dava trégua. Na segunda-feira da semana que se prenunciava quente, mais uma vez correu à revelia de Marighella a sessão do Conselho Permanente de Justiça da 1ª Auditoria da Marinha — processavam-no pelo roubo do carro do Ipeg. A primavera chegou com a terça-feira e, no meio da tarde da quarta, o estudante de engenharia Roberto Cardieri Ferreira e a mãe, Leonor, vislumbraram um burburinho policial nas imediações da avenida Paulista. A mulher e o filho de Câmara Ferreira testemunharam da janela de seu apartamento, quase numa esquina da alameda Campinas, os tiras montando a emboscada. Não tinham a quem avisar, pois era *Toledo* que os procurava, não o contrário. Logo os guerrilheiros Manoel Cyrillo e Luiz Fogaça Balboni entraram em um Corcel branco ali estacionado. Era véspera da ação milionária, e eles acabavam de cair na arapuca.

* * *

Muitos anos depois daquela tarde nublada, no outono em que já envergava o pijama de ex-ministro do Exército, o general quatro estrelas Sylvio Frota lembrou que "o grande objetivo da Operação Bandeirante consistia na prisão de Marighella". A Oban foi lançada em julho de 1969, com o propósito de unificar os órgãos de repressão antiluta armada. À testa da sua coordenação, o general José Canavarro Pereira, comandante do II Exército, cercou-se dos chefes da Marinha, Aeronáutica, SNI, Polícia Federal e Secretaria de Segurança Pública — todos da área de São Paulo. O major Waldyr Coelho assumiu a Coordenação de Execução da Oban. Acomodou-a em um prédio de três andares nos fundos de uma delegacia policial na rua Tutoia. Fincava-se no bairro chamado Paraíso.

O nonsense não foi original — palco de histórias sombrias, a sede do Departamento Estadual de Ordem Política e Social se erguia na Luz. Como ramo da Secretaria de Segurança, o Dops se incorporou à Oban, embora concorressem por verbas oficiais e recompensas de empresários, mais do que por prestígio. Um agente graúdo da polícia política, da equipe do delegado Sérgio Paranhos Fleury, confidenciaria que o Dops flagrou mercenários norte-americanos circulando no Brasil. Caçavam Marighella, cuja prisão ou morte lhes renderia prêmios polpudos. Às vésperas da criação da Oban, o II Exército recebia quarenta visitas semanais de "industriais e pessoas da mais alta categoria social" pedindo que "interviesse", de acordo com o linha-dura Sylvio Frota. O dinamarquês Henning Boilesen, do grupo Ultragaz, foi um dos mecenas que bancaram as máquinas de eletrochoques da Oban. Torturados o reconheceram se deliciando nas sessões de suplício. A ALN executou-o em 1971, com um tiro fatal desferido por Carlos Eugênio Coelho Sarmento da Paz.

Em meados de 1969, era cada um por si no sistema de segurança: Carlos Eugênio sentou praça como recruta sem que o Exército sonhasse que sua irmã Maria Valderez havia sido presa pelo Dops paulista no congresso de Ibiúna. A guerrilha de Marighella fora consequência da repressão implantada em 1964, e não sua causa. Prestava-se, todavia, para justificar o recrudescimento da violência do Estado. A Oban veio a público em 1º de julho, um ano cravado após o assalto de Marighella a um banco na avenida Angélica. Em 1970, a ditadura disseminaria o modelo no país, rebatizando o time operacional da Oban como Destacamento de Operações de Informações (DOI). O balanço de junho de 1975 do doi e do Centro de Operações de Defesa Interna (Codi), do ii Exército, contabilizou 3176 presos e cinquenta cadáveres de opositores no currículo.

Os militares assistiam em sessões privadas nos quartéis a um filme de 1966 que a censura retirara dos cinemas, carimbando-o como subversivo. *A batalha de Argel* inspirava a luta armada, mas ensinava a sufocá-la — a obra se passa em 1957, a cinco anos da independência da Argélia. Um coronel francês compara os insurgentes às tênias, que se reproduzem pela cabeça: precisam cortar a organização revolucionária por cima. É o que fazem matando o guerrilheiro Ali La Pointe, líder da Frente de Libertação Nacional, cujo paradeiro descobriram torturando um companheiro seu. No Brasil, a lição argelina equivalia a abater Marighella. É o que a turma do Dops começaria a fazer na alameda Campinas.

Sozinho, o azar não explica as coincidências funestas que colheram o gta, mas a sorte pareceu mesmo abandoná-lo naqueles dias. Para obter automóveis, a aln os roubava e substituía as placas originais por furtadas. Sem garagem, estacionava-os a céu aberto, trocando-os de local a cada um ou dois dias, até executar as ações. A escolha da região para escondê-los traía imprudência: o entorno da avenida Paulista, agitado epicentro dos negócios no país. Na noite de 23 de setembro, não havia um veículo surrupiado pela organização, e sim dois, na alameda Campinas, a poucos passos da Paulista, no lado dos Jardins. Seriam empregados na despedida triunfal do gta de Virgílio, no dia 25. Sem um grupo saber do outro, pararam um Corcel branco rente a uma calçada e um Fusca bege na outra. Para piorar, o tipo de placa colocada no Corcel facilitava a identificação. A polícia encontrou-o no dia 24 de madrugada. Como bônus, deu com o Volkswagen. Tirara a sorte grande.

Em algum momento entre três e três e meia da tarde, Manoel Cyrillo, o *Benê*, sentou-se no banco do carona do Corcel, junto a Luiz Fogaça Balboni. Aos 24 anos, novato no gta, Fogaça estudava na Escola Politécnica da usp e trabalhava como desenhista. Crescera em São Miguel Arcanjo, cidade paulista onde fazia bonito nos bailes, favorecido pela pinta de galã e a elegância do smoking. Preparava-se para girar a chave da ignição quando Cyrillo reparou o movimento suspeito perto de uma mureta. Um homem apontou-os para outro, que levantou a camisa para sacar a arma.

"Não faça nada", disse Cyrillo.

Como manobrar custaria tempo demais, chisparam a pé no sentido oposto à Paulista. Surgiram policiais na porta de um prédio, na garagem de outro e detrás de um tapume. Atiraram nos fugitivos, ligaram os carros disfarçados, acionaram as sirenes e desabalaram no seu encalço. Enquanto corriam, os guerrilheiros retribuíram a fuzilaria descarregando seus revólveres. Para neutralizar uma camionete do Dops, dobraram à direita na alameda Santos, na contramão do trânsito. Cyrillo pulou à frente de um Chevrolet e exibiu a arma, o motorista se assustou e bateu. Com o engarrafamento, as viaturas da polícia não tiveram como prosseguir. Os tiros zuniam, inclusive rajadas de metralhadora. Os dois revolucionários mudaram da calçada direita para a esquerda, no contrafluxo da alameda Santos. Cyrillo ziguezagueava na frente quando ouviu Fogaça:

"Benê! Benê!"

Olhou para trás e viu o peito do companheiro encharcado de sangue, pois saíra por ali o projétil que penetrara pelas costas. Cyrillo enxergou os beleguins se aproximando, amparou Fogaça no ombro e retomou o caminho. O sangue borbulhava, as pernas do ferido fraquejavam, e ele pesava mais. "Não vou conseguir", temeu Cyrillo, antes de Fogaça balbuciar:

"Benê..."

Sua voz calou, a cabeça caiu, e o corpo desabou. Cyrillo deixou-o quase na esquina com alameda Pamplona e não se entregou. Entrou à força num Gordini e ganhou terreno, arranhando automóveis até entalar entre outros dois. Desceu e tomou na alameda Jaú o Corcel de uma senhora. Um homem abriu na marra a porta do motorista e o encarou. O guerrilheiro atirou na sua barriga, acelerou e sumiu. Por décadas, pensaria que Fogaça perecera na alameda Campinas. Contudo, o registro do Hospital das Clínicas elucidaria que o paciente deu entrada às 18h33, e seu coração pulsou até a uma e meia da madrugada. Por três horas, o Dops o reteve, privando-o de socorro e talvez tentando extrair a fórceps os seus segredos. Foi o oitavo morto da ALN.

Os tiras perderam Cyrillo, mas não desistiram da pescaria. Remontaram a rede, com o Fusca de isca. Pouco depois das sete horas da noite, Carlos Lichtsztejn e Takao Amano caminhavam pela avenida Paulista, em meio ao congestionamento de carros rumo ao estádio do Pacaembu, onde jogariam Corinthians e Cruzeiro. Não faziam ideia do que ocorrera. Mais uma vez, a fortuna não lhes sorriu: tivessem palmilhado as alamedas Santos e Campinas, as paredes furadas a bala e os vidros estilhaçados do cenário de guerra alertariam para o perigo. Dentro do carro que usariam na ação na avenida Alfonso Bovero, Takao percebeu a armadilha, e os policiais puxaram o gatilho.

Ao contrário da tocaia da tarde, quando os guerrilheiros fugiram do carro, Lichsztejn não conseguiu sair ou pressionar o pedal do acelerador. Suportaria os ferimentos na perna e no cotovelo esquerdos, alvejados, mas um atirador de elite destroçara sua perna direita. Ele a sentiu "cair, desmontar". Sentado ao volante, mirou os policiais e zerou o tambor do Taurus 38, até ser apanhado. Mesmo com as duas pernas atingidas por projéteis, Takao correu em direção à alameda Santos. Driblou os tiros, mas o sangramento o enfraqueceu, uma radiopatrulha surgiu por acaso, o soldado portando uma metralhadora lhe deu voz de prisão, e só o agarraram ao esgotar sua munição.

"A guerra acabou!", vociferaram na Oban, para onde os encaminharam, embora tivessem sido capturados pelo delegado Fleury e os esbirros do Dops. A tortura principiou com eletrochoques, até Takao desmaiar e Lichsztejn ficar semiconsciente. No Hospital Militar do Cambuci, hidrataram Takao com soro e reiniciaram as sevícias com o ferido estendido na maca. No Hospital das Clínicas, um médico amigo da guerrilha indagou se Lichsztejn queria uma injeção para morrer, o universitário recusou e pediu que ele avisasse os companheiros sobre as prisões. Ao retornar à Oban, castigaram-no com puxões na perna quebrada. Chefiando os torturadores, ele identificou Waldyr Coelho, major do Exército Brasileiro e comandante da unidade.

Ao amanhecer do dia 25, foi detido o guerrilheiro João Katsunobu Amano, irmão de Takao. Horas mais tarde, Maria Aparecida dos Santos e Aurora Maria Nascimento Furtado recolhiam o arsenal no aparelho da rua Minas Gerais que Cida dividia com Virgílio e sua xará de sobrenome Costa. O comandante do GTA irrompeu, contou que uma viatura policial já monitorava o prédio, e os três escaparam pelos fundos. Em 28 de setembro, caíram Denison Luiz de Oliveira e Francisco Gomes da Silva, o irmão de Virgílio milagrosamente restabelecido dos ferimentos graves de junho. Às nove horas da noite, Chiquinho penava na Oban. Queriam *Jonas*.

O desfecho do sequestro de Elbrick completava 22 dias na manhã seguinte, quando um carro conduzido pelo médico Boanerges de Souza Massa se avizinhou do prédio número 312 da avenida Duque de Caxias. Ao seu lado ia o comandante da ação mais retumbante da guerrilha, Virgílio Gomes da Silva, o *Jonas*. O carona desceu um pouco antes e caminhou para o edifício no cruzamento com a avenida São João, tradicional reduto paulistano. Dirigia-se a um apartamento do terceiro andar, onde vivia a família do companheiro Aton Fon Filho. Passava das nove horas de 29 de setembro, e o líder do GTA não desconfiava de que ali a jornada começara cedo, com visitantes indesejáveis.

O jornalista Antonio Carlos Fon havia sido despertado às seis e meia com o cano frio de uma pistola calibre 45 roçando seu nariz. Empunhava-a o agente Raul Nogueira Lima, do plantel da Oban. Era o Raul Careca, veterano do Dops, um dos matadores de Marquito. O recém-acordado deparou-se na sala com os pais e as irmãs, já detidos. E um jovem "baixo e entroncado", "cansado e machucado", com equimoses no rosto, curativo na testa, pulsos algemados e uma metralhadora apontada para o peito. Tratavam-no por *Davi*, e em breve o repórter do *Jornal da Tarde* saberia que seu nome era Francisco Gomes da Silva. Como não encontraram o guerrilheiro Aton, viajando ao Rio em missão atribuída por Marighella, levaram seu irmão. Antonio Carlos narraria o horror: "Se o inferno existe, a Operação Bandeirante é pior".

O jornalista reconheceu o capitão Maurício Lopes Lima como o chefe da invasão ao seu lar. Na campana por novas presas, permaneceram o capitão Benone de Arruda Albernaz e sua turma. Foram eles que Virgílio notou, antes de dar meia-volta e correr, sob uma saraivada de tiros. É possível que o tenham baleado, até militares e policiais pularem sobre o operário, na cena presenciada por Boanerges. Empurraram-no para dentro de uma camionete e dali a oito quilômetros desembarcaram no Paraíso — o bairro. Marighella denunciara que a ditadura transformara "os quartéis em sedes da Gestapo brasileira". Ainda que gerida pelo Exército, a repartição não era um quartel: na rua Tutoia, 921, quem dava plantão era mesmo o demônio.

Com mãos e pés algemados, o encapuzado Virgílio foi recepcionado com socos e pontapés. Chiquinho, que regressara à Oban, testemunhou o instante em que um agente chutou seu irmão no rosto, banhando-o de sangue. A cada negativa em fornecer as informações que os captores exigiam, mais Virgílio apanhava. Puxaram-no pela escada para o segundo andar, onde os torturadores supliciavam no pau de arara seu companheiro Celso Horta, outra baixa do GTA. Pela porta entreaberta, descortinou-se a Celso a imagem dos agressores histéricos, a quem o ex-retirante não se rendia. Cuspiam-lhe na cara, xingavam e esmurravam. Já sem o capuz, o antigo boxeur reagiu com cusparadas e tentativas de golpes com as pernas amarradas.

"A guerra acabou, filho da puta!", berravam.

"Estão matando um brasileiro!", *Jonas* retrucou.

Encolerizados porque o sangue do guerrilheiro respingara em suas roupas, os carrascos espancaram-no com mais ódio. Ao fim do corredor polonês em que lhe entorpeceram com sopapos, atiraram-no a um canto da sala do pau de arara. Com os joelhos dobrados sobre a barra e o tronco despencado, Celso viu um corte na testa do companheiro. Virgílio estava "exausto, ofegante como um carcará, ferido", o camarada não esqueceria. Sem murmurarem uma sílaba, seus olhares se cruzaram para nunca mais. Antes de ser retirado, Celso ouviu o grito de quem manteria a altivez até o suspiro derradeiro:

"Filhos da puta! Vocês estão matando um patriota!"

Daí em diante, do martírio de *Jonas* restaram vestígios no laudo do exame necroscópico que a ditadura ocultou. Hematomas, escoriações e equimoses escureceram rosto, braços, mãos, joelhos, tórax, abdome, o corpo inteiro. As depressões nos pulsos, típicas de dependurados no pau de arara, mediram um centímetro. O "hematoma intenso" na "polpa escrotal" era compatível com eletrochoques no órgão. Com bicos de calçados, tora de madeira ou pedaço de ferro, fraturaram-lhe três costelas. Na parte superior do crânio, produziram um "hematoma intenso e extenso". Em toda a superfície do encéfalo, um "hematoma irregularmente distribuído". Fraturaram e afundaram o osso frontal, do crânio. A autópsia concluiu que Virgílio "veio a falecer em consequência de traumatismo cranioencefálico (fratura do crânio)", provocado por "instrumento contundente". Uma fotografia mostrou o lado esquerdo da cabeça mais afundado que o direito.

O tormento e a agonia do brasileiro que mataram na Oban se arrastaram até a noite, por quase doze horas. No dia seguinte, Paulo de Tarso Venceslau deu entrada no mesmo recinto. Os torturadores se gabaram de que os resíduos grudados na parede constituíam massa encefálica de *Jonas*. Maria Aparecida dos Santos padecia ali, onde havia "sangue nas paredes, e eles faziam questão de falar que era do Virgílio". Um capitão ameaçava: "Você está vendo este sangue? É de um 'patriota'. Você também quer ser 'patriota'?". Um delegado revelou assombrado que "os olhos de Virgílio tinham saltado como dois ovos de galinha" e seu pênis "estava no joelho, de tanto pisarem em cima dele". Os presos políticos acusaram doze algozes de *Jonas*, entre eles o major Waldyr Coelho, os capitães

Benone de Arruda Albernaz e Maurício Lopes Lima e o delegado Octávio Gonçalves Moreira Junior.

O calvário de Virgílio sobreviveu à sua morte. Em 30 de setembro, seu corpo foi examinado no Instituto Médico-Legal, com o registro "desconhecido nº 4059/69". No laudo pericial, os legistas Roberto A. Magalhães e Paulo A. de Queiroz Rocha o fotografaram e descreveram as lesões. No quesito 4, juraram que o óbito não fora causado por "tortura" ou "outro meio insidioso e cruel". No mesmo dia, a Divisão de Identificação Civil e Criminal constatou que a impressão digital do "anônimo" batia com a do fichado Virgílio Gomes da Silva. No arquivo do Dops, os documentos foram guardados com a anotação "não podem ser informados". Pudera: jamais a ditadura entregou o cadáver, privando a família do direito sagrado de enterrá-lo. Nono morto da ALN, *Jonas* tornou-se o primeiro "desaparecido" da luta armada. A ditadura mentiu que ele fugira após ser preso. Noutra perversidade, em dezembro de 1969 a Justiça Militar decretou sua prisão preventiva.

Ao receber a notícia por Zilda, Marighella por pouco não se afogou nas próprias lágrimas. Consternado, abraçou-se à companheira que nunca o vira chorar. Quatro meses antes, ele celebrara com Virgílio o nascimento do quarto rebento do comandante do GTA. À emoção juntou-se um mistério. É provável que a Oban tenha descoberto a residência da família Fon por meio da tortura de militantes da ALN, mas nenhum deles assumiu ser a fonte da informação. Chiquinho assegurou que não conhecia, muito menos indicara o prédio onde tocaiaram seu irmão. Disse que lá estivera obrigado pelos militares.

"Onde mora o Marighella?", esbravejou o torturador.

Com pau de arara e descargas elétricas, os tiras do Dops tentavam arrancar de Jacques Breyton a pista que os obcecava e o industrial ignorava. Na esteira de confissões extraídas na tortura, haviam alcançado o francês e sua mulher, Nair Benedicto, tão maltratada quanto o marido — a rede de sustentação paulista da ALN ruía com o GTA. À polícia política não passara despercebida a inépcia dos sócios da Oban, cuja ira resultara na morte de Virgílio, elo evidente com o cobiçado inimigo número um. Os verdugos do Dops submeteram Breyton a castigos que ele não experimentara nem nos cárceres de Montluc, na França, domínio do carniceiro alemão Klaus Barbie. Ao longo de duas semanas, vigiaram sem sucesso sua casa, na esperança de surpreender Marighella.

Com o comandante do GTA morto e o subcomandante Takao Amano na rua Tutoia, sobrou o outro sub, mas Carlos Eduardo Pires Fleury caiu ainda em setembro. A primavera foi mais generosa com Márcio Beck Machado, que era empurrado para uma viatura da Oban quando companheiros o resgataram. E menos com Maria Aparecida dos Santos: à noitinha de 29 de setembro, *Vilma* bateu à porta do apartamento dos Fon. Combinara o ponto com Virgílio, cuja prisão ela desconhecia. Os valentões da Oban a arremessaram de cabeça contra o sofá, Cida viu um pôster dos Beatles na parede, e a intimidaram:

"Homem não aguenta, você não aguenta!"

Criada numa família comunista, a guerrilheira da ALN lera a brochura apócrifa *Se fores preso, camarada...*, difundida pelo PCB na década de 1950. Não tinha ideia da identidade do autor, Marighella, das orientações sobre comportamento na tortura. Desovaram-na na Oban com saia marrom, blusa bordada e cabelos compridos — parecia uma adolescente. Humilharam-na:

"Olha isso. Uma bostinha dessas!"

Daí em diante foi de "puta" para baixo. Socaram a garota de 22 anos no estômago, estapearam seu rosto, arroxearam-na com pontapés e lhe aplicaram "telefone", o golpe nos ouvidos. Na cadeira do dragão, amarraram fios em suas orelhas e no dedo médio da mão esquerda. Cida sangrou, sentiu cheiro de churrasco, menstruou e desmaiou. As mãos incharam e não fecharam, feridas pela palmatória. Penduraram-na nua no pau de arara e a ensoparam d'água, para o choque doer mais. Encostaram uma metralhadora nas suas costas e um revólver na cabeça, e ela torceu para que disparassem: "Eu queria morrer". Inspirada pelo velho texto de Marighella, resistiu: mordeu um, acertou um chute noutro e cuspiu em vários. Puniram-na com mais eletricidade. "Era um misto de raiva e vontade louca de chorar." Porém, determinou-se a não derramar lágrimas na frente dos torturadores. Conseguiu. E não cedeu uma só informação que levasse a um companheiro do GTA.

Os carcereiros do inferno não barravam mulheres. Nem crianças.

Com o desastre na alameda Campinas, Manoel Cyrillo se refugiou na casa de São Sebastião onde Chiquinho convalescera dos tiros. Viajaria para Cuba, como os parceiros de esconderijo: Ilda Martins da Silva e seus filhos com Virgílio. Como insistira Marighella, a família viveria com mais segurança e conforto, enquanto *Jonas* se embrenhasse pelas matas do Brasil. Cyrillo treinaria na ilha, como Paulo de Tarso Venceslau. A universitária Sandra Negraes Brisolla, colaboradora da ALN, emprestara a residência no litoral norte paulista ao coordenador da rede de apoio. Sofrendo nas masmorras da Oban, Chiquinho não imaginava que o local estivesse ocupado pela organização. Por um descanso, guiou os oficiais até lá. Ao levantar a cabeça na viatura, horrorizou-se: a repressão carregava sua cunhada e seus sobrinhos.

Junto com Manoel Cyrillo, eles foram detidos na manhã de 30 de setembro, quando seus captores já haviam trucidado Virgílio. Mal puseram Cyrillo na sala de torturas da Oban, exibiram o sangue do guerrilheiro morto. Os agentes se mantiveram à espreita na casa de praia. A 1º de outubro, Venceslau apareceu para buscar os viajantes e se somou às baixas. Espancavam-no e perguntavam por Marighella. O auge do furor dos torturadores foi constatar que tinham em mãos dois sequestradores do embaixador dos Estados Unidos, Cyrillo e Venceslau — é possível que ao assassinar Virgílio não o vinculassem àquele episódio.

Também questionaram Ilda sobre Marighella. Ela portava documentação falsa. Virgílio instruíra o primogênito Vladimir, de oito anos, a se apresentar como Dorival. Virgilinho, de seis, virou Vicente. A caçula Isabel tinha quatro meses. A camionete que os transportava capotou na estrada para São Paulo, ninguém se machucou, e a mãe abraçou os filhos. Na Oban, um murro quebrou os dentes frontais de Ilda, que provou do cardápio de pau de arara e barbárie. Os sádicos inquiriam sobre o paradeiro do marido morto. Para desespero da mãe, prometeram surrar as crianças, até o bebê, e doá-las.

Primeiro a avistar o comboio militar em São Sebastião, o pequeno Vladimir se deu conta: "Estou em cana". A Oban não encaminhou os meninos aos parentes, mas à sede do Dops, onde passaram dois dias trancados. Ao sair, não foram devolvidos aos avós, com quem ficara Gregório, o irmão de um ano e nove meses que também esperava pelo embarque para Cuba. Mandaram-nos para o Juizado de Menores. Lá tratavam Vladimir pelo nome, e ele reagia:

"O meu nome é Dorival!"

Instada a solucionar o problema, uma tia abordou-o, e Vladimir não traiu o pai. Disse que nunca a vira mais gorda ou mais magra, e a mulher abriu o berreiro, julgando-o vítima de lavagem cerebral. Uma das maldades impostas a Ilda na Oban era anunciar Isabel, cuja amamentação fora interrompida, e em seguida dizer que a enganaram e que o bebê morreria de fome. O berçário do Juizado era iluminado por lâmpadas roxas. De madrugada, Vlademir e Virgilinho se esgueiravam até a cozinha, abasteciam a mamadeira com leite da geladeira e alimentavam a irmãzinha. Com medo de que fossem dados a famílias diferentes, os meninos passaram a dormir no chão, ao lado de Isabel. Um se amarrava ao outro, e cada um prendia uma parte da roupa no berço. Se sentissem qualquer movimento, acordariam para lutar e impedir a separação.

Quando lhe permitiram rever o bebê na cadeia, dali a meses, a mãe se emocionou tanto que fraturou pé e tornozelo. Tempos depois, os Silva se mudaram para Cuba, onde os quatro filhos de operários se formariam na faculdade. Virgílio cultivava o hábito de assobiar ao voltar para casa. A ilusão do assovio persistiu por uma década nos tímpanos de Virgilinho. Já homem-feito, ele foi pai de um menino que, orgulhosamente, batizou como Jonas.

O arrastão da virada de setembro para outubro de 1969 engaiolou ao menos vinte militantes e desativou treze aparelhos da ALN. Os números não traduziam a extensão dos danos. A Oban e o Dops arrasaram a principal estrutura armada urbana da organização político-militar, embrião da coluna do campo. Em vez de se prostrar com o abalo, Marighella acelerou os ultimatos para a guerrilha rural e realinhou suas hostes na cidade. Na casa de uma família operária na Vila Carrão, zona leste paulistana, entregou o leme do GTA para Guiomar Silva Lopes. Declarou "a responsabilidade agora é sua". A acadêmica de medicina foi a primeira mulher comandante guerrilheira no país. Gilberto Luciano Belloque herdou as funções de Paulo de Tarso Venceslau, na gerência do aparato logístico da ALN paulista.

O coração de Maria Aparecida Costa repeliu a intenção de Marighella de adestrá-la em Cuba. Ela decidiu ficar no Brasil para ajudar na libertação do namorado, Takao Amano, talvez com um sequestro. A prisão dele fora "terrível e desesperadora" para Cida, que "não sabia como sobreviver a isso". A revolucionária reforçou o grupo de fogo do Rio, onde já atuava Aton Fon Filho. Também enviado de São Paulo, o especialista em explosivos recebeu de Marighella a incumbência de confeccionar uma bomba, antes de incursionar pelo campo. A explosão seria um dos eventos que proclamariam a eclosão da guerrilha rural, marcada por Marighella para 15 de novembro, data das festividades dos oitenta anos da República. Fon estimou que o petardo teria de quatro a cinco quilos de dinamite. Com um mecanismo retardador, detonaria à zero hora no forte de Copacabana, onde Carlos Eugênio da Paz o instalaria antes de partir para Havana. O soldado o poria em um lugar deserto, para evitar uma tragédia: "Faria um estardalhaço, sem ferir ninguém", disse Carlos Eugênio.

Um dos motivos da demora na transferência para o campo era o atraso no retorno dos 25 graduandos do *2º Exército* em Cuba. Marighella receava lançar a coluna sem combatentes qualificados. Fazia um mês que pedia para Zilda ir ao Caribe. Além de frear a ingerência cubana na delegação da ALN, queria apressar a repatriação. Ela hesitava, por ter "um pressentimento ruim". Sugeriu escalar outro emissário, e Marighella argumentou, conforme a interlocutora, só confiar nela. Além do mais, estaria apenas vinte dias fora. Zilda contou que, temendo pela segurança do homem que amava, apelou-lhe para "não se encontrar com os dominicanos", e o companheiro disse "vai ficar tudo bem". Num apartamento de São Paulo, com Zilda em pranto convulsivo, em meados de outubro eles se beijaram pela última vez. Sem conter os soluços, a guerrilheira foi para o aeroporto, com destino a Roma.

Não demorou muitos dias para outro adeus. Na noite de 19 de outubro, circulando em um Fusca dirigido por frei Ivo, Marighella conversou com Joaquim Câmara Ferreira, seu camarada e amigo desde 1937. É provável que, além de encarregá-lo das tratativas sobre treinamento na Coreia do Norte, o *Preto* desejasse *El Blanco* longe para garanti-lo vivo. A fim de mostrar serviço aos Estados Unidos, a ditadura buscava até o último sequestrador de Elbrick — da ALN, só faltava Câmara. Testemunha do encontro, o frei Magno José Vilela notou "uma tomada de posição clara de Marighella": com a repressão acossando-os, "era hora de o segundo homem, *Toledo*, ficar fora da linha de tiro". Magno guardaria para sempre a lembrança do "clima de emoção, terno, de despedida. Marighella agia como o homem que não sabia se reencontraria o velho companheiro e nós, dominicanos". Naquela noite, Câmara e Ivo foram para o Rio Grande do Sul.

Sem Zilda e Câmara Ferreira por perto, Marighella ficou mais só.

Ungido pelas Forças Armadas para suceder seu conterrâneo Costa e Silva e a junta dos Três Patetas, o gaúcho Emílio Garrastazu Médici tomou posse na presidência em 30 de outubro de 1969. Três dias antes, o general pronunciou um discurso no qual ressaltou sua passagem pelo comando do SNI: "O exercício da chefia do órgão nacional de informações, ao longo de mais de dois anos, fez-me conhecer um pouco do direito e do avesso das coisas e dos homens do Brasil". Era o ditador talhado para o momento, íntimo da espionagem contra a oposição em geral e da guerra à luta armada, em particular.

Um mês antes, o SNI identificara uma casa suspeita em Goiânia, no bairro Setor Aeroporto. Por coincidência, em 24 de setembro, dia em que se iniciou o esfarelamento do GTA paulista. Logo esquadrinharam uma rede da ALN, animada por Jeová Assis Gomes, cuja chácara não ficava distante. O relatório secreto número 2 da Operação Verniz, concernente até 6 de outubro, mirou alto: "Os elementos em observação parecem ter significativa importância. Sua detenção, no momento, não se indica. Tudo leva a crer que poderão conduzir a ligações importantes e até ao próprio Marighella". Jeová ia de avião ou num Jeep Willys azul a São Paulo, onde se reunia com Marighella e Câmara. Para a investigação promissora, o serviço mobilizou ao todo oito equipes, em três estados e no Distrito Federal — dez agentes e oito motoristas, no mínimo. E teve um avião à disposição na Base Aérea de Brasília. Seguiam Jeová, mas às vezes o perdiam. Não seria por ele que apanhariam Marighella.

A repressão encurralava a esquerda armada. Em agosto, pulverizara o MAR, no Rio. Em outubro, as Forças Armadas de Libertação Nacional, em Ribeirão Preto. O ciclo de um guerrilheiro da ALN encurtou: Carlos Alberto Lobão Cunha caiu em São Paulo em 23 de outubro, menos de dois meses após sua ação inaugural — o líder estudantil estava clandestino desde dezembro de 1968. Na segunda quinzena de outubro e na entrada de novembro de 1969, a revista semanal *Veja* estampou os títulos "O terror está cercado", "O terror sem saídas" e "O terror sem fôlego". Na gincana para pegar Marighella, a Oban prendera em setembro o portuário Oswaldo Lourenço. Na tortura, só se importavam com uma coisa:

"Onde está o Marighella?"

A Oban teve o rastro dele diante do nariz e não o enxergou. Ao capturar Paulo de Tarso Venceslau em 1º de outubro, barbarizaram-no com pau de arara, espancamento e os choques que dilaceraram sua língua. Indagavam "o tempo todo", em suas palavras, por Marighella. Como não compartilhava seu aparelho com outros companheiros, no dia 4 ele "abriu" o endereço, obtendo um respiro. Os militares registraram no quarto de pensão do bairro de Higienópolis a apreensão de uma metralhadora INA, uma pistola Luger e duas pistolas belgas. Omitiram o dinheiro armazenado num saco enorme, repartido entre eles na presença do quadro da ALN. Da papelada recolhida, constava um talão de cheques, que não lhes chamou a atenção. Os documentos foram repassados ao Dops, responsável pelas autuações processuais, e os tiras não vacilaram.

O *Minimanual do guerrilheiro urbano* advertia: "Anotações nas margens dos jornais, documentos esquecidos, cartões de visitas, cartas e bilhetes, tudo isto são pistas que a polícia jamais desprezará". Dito e feito: no talão de cheques, Venceslau escrevera um telefone. No Dops, apuraram que era o número do convento da Ordem Dominicana, e o preso foi para o pau. "A noite inteira", ele recapitulou. Até que, de acordo com o guerrilheiro, Fleury lhe disse para "deixar de ser burro" e mostrou uma fotografia do frei Oswaldo Rezende. Inventário traumático das baixas elaborado pelos detentos da ALN na cadeia, inclusive Venceslau, o *Quedograma* se referiu a "informação fornecida por Paulo de Tarso Venceslau sobre ligações orgânicas de frei Oswaldo Rezende e frei Betto".

Passadas quatro décadas, Venceslau rememorou:

"O telefone era do Oswaldo, que era o meu interlocutor e havia se mandado para a Europa. Eu sabia desse fato. Essa informação eu abri no pau. Fleury mandou me torturar e não perguntava nada. Só depois de um bom tempo (uma eternidade) ele apareceu dizendo que era sobre o telefone que queria saber. Abri o nome do Oswaldo e o apontei em uma foto em manifestação de religiosos em frente ao Dops. Acabei incluindo o Betto por não ter resistido à tortura — afogamento, além do kit de pau de arara, choque, cadeira do dragão, porradas etc."

O mês se passou, e ninguém foi preso por informação de Venceslau.

O telefone no talão de cheques foi a peça final do quebra-cabeça cujos encaixes eram óbvios fazia tempo. O Dops montou uma campana no convento e interceptou suas ligações telefônicas. Em 31 de outubro, uma sexta-feira véspera da festa de Todos os Santos, frei Ivo combinou por telefone uma viagem ao Rio. Lá conversaria no domingo com o ex-monge beneditino Sinval de Itacarambi Leão, que ingressava na ALN. Preocupado com grampos, Ivo jamais havia marcado um ponto por esse meio. Era tarde demais, a polícia o escutara. Começava a chegar ao fim a epopeia de Carlos Marighella.

41. Os frades voltam com Fleury

Não foi nenhuma implicância com os dominicanos que motivou o apelo de Zilda para Marighella interromper os encontros com os frades. E sim a constatação de que a rede estava mais devassada do que recomendavam cautelas elementares das conspirações clandestinas. Mais de uma centena de pessoas estava a par dos vínculos dos religiosos com a ALN. Na origem, eles cuidariam da logística rural, em torno do convento de Conceição do Araguaia. Passaram a carregar pianos de diversos tamanhos e pesos nas cidades.

A organização precisava reproduzir seus manifestos? Os inspiradores dos *Fradinhos* os imprimiam. Assim como escondiam armas e dinheiro, refugiavam perseguidos, entregavam mensagens secretas e transportavam guerrilheiros. Compraram um Fusca azul, licenciado no nome do companheiro Roberto de Barros Pereira — de acordo com frei Ivo, o dinheiro veio da ALN; frei Fernando afirmou que um frade bancou do próprio bolso. Nas tratativas com os secundaristas cariocas do colégio Mallet Soares, frei Oswaldo foi o emissário de Marighella. Fernando viajou a Belo Horizonte para confabular com a Corrente. No núcleo de inteligência, frei Magno compartilhou reuniões com Câmara Ferreira, o juiz Carlos Figueiredo de Sá, o major reformado Eddie Carlos Castor da Nóbrega e o arquiteto Sérgio Ferro. Uma das atribuições deles era se inteirar de declarações privadas de personalidades sobre a ditadura e avaliar as que poderiam ser abordadas em busca de apoio.

Pau para toda obra, os dominicanos recorriam a outros ramos da Igreja, aos quais expuseram seus laços. Marighella concedeu a entrevista à revista *Front* na escola das irmãs dominicanas. Em 4 de junho de 1969, uma Kombi estacionou diante do convento da rua Caiubi. Ao volante estava Paulo de Tarso Venceslau, atrás o médico Boanerges de Souza Massa e, estropiado numa maca, o recém-operado Francisco Gomes da Silva. Careciam de local seguro para abrigar o combatente ferido. Partiram com frei Tito e frei Magno para o bairro do Jaçanã, até uma casa dos religiosos camilianos. Fiéis à sua vocação de zelar pela saúde do próximo, os camilianos acolheram Chiquinho.

As costas dos frades se alargaram ainda mais quando Marighella incumbiu frei Betto de ajudar foragidos a deixar o país. Acossado pela polícia política paulista, o frade se mudara em maio de 1969 para o seminário Cristo Rei, dos jesuítas, no município gaúcho de São Leopoldo. Câmara chegou em outubro trajando *clergyman* e colarinho eclesiástico. "Assemelhava-se a um idoso monsenhor", Betto rememorou. Na lapela, ostentava uma cruzinha que Fernando lhe dera. Por Ivo, mandou um estojo com uma pistola Beretta para Magno, que não soube o que fazer com o presente. Da dezena de militantes socorridos por Betto no Rio Grande do Sul, metade treinaria em Cuba. Como Franklin Martins, do MR-8, um dos sequestradores do embaixador americano.

"A ALN e, com efeito, o grupo dos dominicanos degringolaram a partir do sequestro do diplomata estadunidense", escreveria Betto. Após aquela ação e a queda do GTA, "Marighella se apoiou de uma maneira bastante pesada nos dominicanos", ratificou Oswaldo. O frade se transferira em julho para estudar teologia na Suíça e batalhar no consulado informal da ALN na Europa. Seu sucessor natural, Betto estava longe de São Paulo. Assumiu Fernando, o mais velho. Magno continuou o intermediário da conexão com Câmara Ferreira. "Começou uma bagunça", criticou Oswaldo: "Depois que fui embora não havia o mesmo sistema de segurança". Para Fernando, já antes "estava muito aberto, muito bagunçado. Tinha contato com todo mundo".

No auge, a organização mobilizava nove frades, mas em outubro de 1969 já sofrera defecções. Como quatro deles confidenciaram, frei Tito se afastara da militância e acalentava dúvidas sobre a vida religiosa. Ele considerou insanável o conflito entre o cristianismo e o marxismo de Marighella. A paixão por uma moça agravou a crise vocacional. Para se livrar das privações da castidade, frei Maurício pedira exclaustração, retomando o nome civil de João Antônio Caldas

Valença. À beira dos trinta anos, "queria transar". Sua psicanalista estimulou-o a realizar o desejo, para não virar "um tarado". João explicou a Marighella que, por estar "emocionalmente canalizado para as experiências sexuais", daria um tempo fora da ALN. Guardou a resposta no coração:

"Caboclo, tudo bem. Eu compreendo e sei como é. Não se esqueça do seu compromisso com a revolução brasileira."

Como coordenador da rede da ALN, Oswaldo era o interlocutor de Marighella, que nunca o procurou por telefone. O dirigente despachava mensageiros ao convento para transmitir recados e agendar conversas. Com o novo comando, surgiu a opção de ligar para a livraria Duas Cidades, da qual Fernando era funcionário. "Levantei uma objeção", relembrou Oswaldo, condenando a inovação como temerária. "Marighella disse que era um excelente método" e o implantou. "Depois da minha ida, os contatos do Marighella se generalizaram", com vários frades se avistando com ele. "Não sei por que certas normas foram abandonadas, a metodologia em que cada macaco ficava no seu galho."

No segundo semestre de 1969, Marighella advertiu para o "desvio" dos seus planos sobre os dominicanos, recapitulou João Valença: "Ele falou: 'A partir de hoje, vocês estão ligados só a mim'". Fernando: "Marighella deu uma bronca geral: 'Vamos parar com isso, porque daqui a pouco vocês estão levando bala'. Eu faria contato com ele, Magno com *Toledo*, e só". Carlos Eduardo Pires Fleury se irritara com gente demais a elucubrar sobre um atentado a bomba. Fernando presenciou-o protestando contra "essa *liberalidade*, todo mundo sabe de tudo, e todo mundo conhece todo mundo. No dia em que um cair, cai todo mundo".

Era tudo com o que sonhava Sérgio Fernando Paranhos Fleury, homem tão sedento por abreviar vidas alheias que parecia querer vingar a morte que o surpreendera precocemente. Aos onze anos, o destino tinha lhe roubado o pai, médico-legista fulminado por uma infecção contraída na mesa de autópsia. Passado um quarto de século, o órfão se transformara em delegado de polícia de terceira classe e empilhava cadáveres como o que contaminara o dr. João Alfredo Curado Fleury. Punia à margem da lei proxenetas, larápios e meliantes de toda laia, emulando em São Paulo o horripilante Esquadrão da Morte carioca. No perfil "Fleury, o matador", a revista *Realidade* publicaria que seu personagem e três agentes esburacaram o marginal *Brechó* com 101 tiros. O bandido *Nego Sete* se rendeu em novembro de 1968, mas o executaram a sangue-frio. Não era justiça o que movia o tira, denunciou o promotor Hélio Bicudo: "Tratava-se de um esquema que favorecia determinadas quadrilhas de drogas em detrimento de outras".

Fleury entrelaçou sua trajetória à de Marighella ao trocar um posto no Departamento Estadual de Investigações Criminais pela chefia de uma equipe da Delegacia Especializada de Ordem Social. Era a mais vigorosa do Dops, que se adaptava aos tempos incandescentes da luta armada. No finzinho de agosto de 1969, o general Olavo Viana Moog tomou posse como secretário estadual de Segurança e convidou Benedito Nunes Dias para dirigir o Dops. O delegado topou e convocou o colega Rubens Cardoso de Mello Tucunduva para pilotar a Ordem Social. Também desafiou Fleury a caçar subversivos, em vez de ladrõezinhos vulgares. "Até então o Dops era um centro de discussões ideológicas, tudo muito abstrato", diagnosticou Nunes Dias.

Não foi abstração a armadilha que Fleury aprontou para o GTA na alameda Campinas em setembro. Menos de um mês após aterrissar no Dops, exibia suas credenciais. Ele capitaneara a segurança dos festivais de música da TV Record, alardeava amizade com o cantor Roberto Carlos e debulhava lágrimas assistindo aos melodramas do cinema. Era a face pública. Nas câmaras de tortura, encarnava o pavor. A novidade que introduziu na polícia política foi exacerbar a violência no confronto com a esquerda armada. Tratou os militantes como os criminosos comuns que o Esquadrão da Morte exterminava.

Para os guerrilheiros, o pior é que ele aparentava não cansar. Não só por dedicação à causa. Um policial revelou ao promotor Bicudo que Fleury mancava porque injetava estimulantes: "Peça para ele levantar as pernas das calças e abaixar as meias. É ali que ele se pica". "Chegava sempre drogado", testemunhou o portuário Oswaldo Lourenço. O ex-monge beneditino Sinval de Itacarambi Leão se assombrou com suas pupilas azuis "brilhando devido à cocaína". A jornalista Rose Nogueira reparou nos olhos: "Deu um medo, porque ele tem cara do demônio". No pau de arara, o guerrilheiro Chizuo Osava, da VPR, ouviu: "É o Fleury falando. Já vivi mais do que esperava e não tenho nenhum problema em matar ou morrer, portanto vai falando ou você já sabe o que pode acontecer".

Na primeira semana de novembro de 1969, como relatou um escudeiro devotado de Fleury, o delegado mancava de uma perna. Ele se cercara de um time da pesada. Rubens Pacheco de Souza, o Pachequinho, tiroteou na alameda Campinas. João Carlos Tralli, acusado de pertencer ao Esquadrão da Morte, não desgrudava da carabina Winchester calibre 44. Alcides Paranhos Junior era primo de Fleury. Todos seriam onipresentes nas relações de torturadores elaboradas pelos presos políticos. Ficara para trás a fase mais cerebral, embora truculenta, de Luis Apollonio, o célebre tira expert em comunismo. No ocaso da carreira, o tio do ministro Delfim Netto analisava documentos da lavra de Marighella. A imagem do Dops era a de Fleury e suas duas pistolas 45.

Por muitas décadas, ecoaria a interrogação sobre como Fleury, no rastro dos dominicanos, alcançou Marighella. Talvez se devesse perguntar por que a ditadura demorou tanto. Em outubro de 1968, o Dops prendera frei Ratton e frei Tito em Ibiúna. Apurou a atuação intensa e escancarada dos frades na preparação do congresso da UNE. No mesmo ano, um infiltrado do Dops na ALN de Marília alertou para uma reunião prevista para o convento, com a presença de Marighella. "O serviço de observação" policial aguardou-o com uma arapuca, mas "o conclave não se realizou".

A polícia política associou um frade à guerrilha no primeiro trimestre de 1969. O Dops protocolou um depoimento do jornalista Izaías Almada em 26 de março, nomeando Betto: "Estava sendo recrutado para fazer um trabalho de contrainformações na VPR". No século XXI, Almada esclareceria:

"Jamais disse aos torcionários que Betto estava sendo recrutado para um trabalho de contrainformação na VPR. Eu não dispunha dessa informação. Eu fazia parte da contrainformação da VPR por ser jornalista. Isso [convite a Betto], para quem esteve envolvido na luta e nas duas organizações naquele tempo, não faz o menor sentido. Como muitos dos meus companheiros, assinei o meu 'depoimento' em cartório sob ameaça de voltar para a tortura se eu discordasse do que lá estava escrito e se, principalmente, não o assinasse."

Mesmo sem Almada ter dito aquilo e com o teor do documento representando uma fraude, como tantas forjadas nas delegacias, a frase inventada fixou o irmão católico como alvo dos tiras. Frei Betto resolveu sumir: "A decisão veio quando Izaías Almada, repórter da *Folha de S.Paulo*, foi encarcerado sob a acusação de fazer parte do 'esquema de imprensa' da VPR: larguei o jornal, afastei-me da comunidade dominicana e passei a viver clandestinamente". O *Quedo-*

grama da ALN viria se referir a "informações sobre o convento" "fornecidas por Izaías Almada".

Para a repressão ainda desnorteada com tantas siglas guerrilheiras, o elo com os frades poderia ser Antônio Carlos Madeira. O médico era um quadro de primeira hora da ALN, condição da qual os beleguins não tinham certeza. Ele atendia os dominicanos — com hepatite, Betto foi seu paciente. Na inquirição a Almada, perguntaram se Madeira era "elemento integrado ao chamado Grupo Marighella", e o prisioneiro respondeu não saber. O ex-sargento Onofre Pinto, dirigente da VPR, foi questionado em 20 de março de 1969 sobre "ligação política do dr. Madeira com o religioso dominicano frei Chico". Jurou ignorar.

O CIE tropeçou em dois equívocos no dia 12 de maio de 1969, mas intuiu o caminho: "dr. Madeira" é "médico pertencente à VPR" (era da ALN) e "trabalha no Hospital Samaritano, em São Paulo" (correto), "dirigido por padres dominicanos" (errado). O II Exército atribuiu em relatório uma declaração a Diógenes de Oliveira. Capturado em 2 de março, o guerrilheiro da VPR teria admitido que "frei Alberto, da Ordem dos Dominicanos, conhecido como frei Betto, jornalista das *Folhas*, era um contato da VPR". O Serviço de Informações de Segurança da Aeronáutica (Sisa) comeu mosca em agosto, na prisão de Flávio Tavares no Rio. O jornalista militava no MAR. Seu colega Jorge Miranda Jordão, no apartamento de quem o detiveram, colaborava com a ALN. No levantamento dos telefonemas da residência, constavam duas chamadas do anfitrião para o convento paulistano dos dominicanos. O número 62-23-24 não fez sentido para o Sisa.

Nenhuma dica arrancada pelos militares foi promissora como uma difundida pelo comando do CIE em 29 de maio de 1969. A origem era um alegado depoimento de Mário Roberto Galhardo Zanconato, o *Xuxu*, líder da Corrente preso em Minas em abril. O informe citou Farid Helou, arquiteto pioneiro da ALN:

> Em dezembro de 1968, mais ou menos, Zanconato viajou para São Paulo, hospedando-se na residência de Farid Helou, de quem recebeu o endereço do dr. Antônio Carlos Madeira [...]. Ficou acertado que Farid providenciaria contato dos militantes do Grupo Marighella com os membros da Corrente, a ser realizado em meados do mês de janeiro de 1969, no convento dos dominicanos [...]. Tal encontro não se realizou.

Quarenta e três anos depois, Zanconato afirmaria que nada dissera sobre os frades: "Pelo menos em Belo Horizonte, o CIE redigia os inquéritos, com informações obtidas de várias fontes, e montava um 'depoimento', quase sempre obrigando, no pau, algum dirigente a assinar. Numa das vezes em que fui a São Paulo, Toledo me deu o contato com os dominicanos de Minas. Nunca tive contato com os padres em São Paulo. Não houve referências aos dominicanos nos meus interrogatórios ou depoimentos".

Mesmo que a fonte fosse outra, o aviso existia. Na época de improvisos, pré--Oban, foi desprezado pelo Exército.

Se as Forças Armadas tateavam no escuro e não enxergavam a luz evidente, o Departamento de Estado vislumbrava cenário mais claro. No dia 6 de novembro de 1969, o cônsul americano em São Paulo telegrafou a Washington tratando do tema. Robert Corrigan era o diplomata que encaminhara o italiano Alessandro Malavasi para os agentes que o haviam contratado como espião na ALN. Corrigan reiterou que "não era surpresa" o envolvimento dos padres com Marighella. Evocou seu memorando "Estado e Igreja", remetido em maio e julho de 1969. Sobre as "atitudes dos dominicanos", mencionou correspondências de agosto e dezembro de 1968. O nome da fonte das informações da primeira foi encoberto na cópia que o governo americano liberaria no futuro. O da segunda também, mas sobreviveu seu tratamento. Era um "frei".

Se estivessem mais atentos aos escritos de Marighella, os distraídos analistas de informações teriam mais sucesso. No texto "Questões de organização", de dezembro de 1968, ele anunciou: "Uma parte dos eclesiásticos" decidiu "integrar nossa organização". O *Minimanual* foi mais indiscreto, em junho de 1969: "O guerrilheiro urbano eclesiástico é um integrante ativíssimo da guerra revolucionária brasileira em curso".

É provável que o delegado Fleury não tenha lido nada disso antes da descoberta do telefone do convento no talão de cheques de Paulo de Tarso Venceslau. A ficha tardara, mas enfim caíra.

Tagarelar além da prudência a respeito de sacerdotes guerrilheiros foi um pecadilho de Marighella, se comparado a duas ilusões capitais. A primeira associava a resistência à tortura meramente a uma escolha. Como se fosse possível isolar a mente sã do corpo flagelado. No opúsculo *Se fores preso, camarada...* (1951), ele sustentou: a polícia tem consciência de que as "torturas físicas", "por piores que sejam, não são capazes de dobrar a vontade de um militante digno". Marighella relacionou confissões extirpadas a ferro e fogo à traição, como se a responsabilidade pelas informações obtidas não fosse do torturador e do Estado do qual é funcionário: "Não há torturas que façam um militante revolucionário trair seus camaradas". Era o que aprendera na sua infância no PCB. Comportara-se com tal altivez nas três semanas de 1936 em que gramou nas masmorras. Conservou as ideias na cartilha *Frente a frente com a polícia e os IPMs*, da virada de 1965 para 1966, e reeditou-as no *Minimanual*.

Os fatos da guerra de guerrilhas o desmentiram. Houve heróis como Jonas, trucidado sem comprometer ninguém. Mesmo preservando com valentia segredos que salvaram vidas, muitos militantes "abriam" aqui e ali, atenuando o sofrimento. A repressão provava a eficiência da barbárie. O balanço da ruína do GTA da ALN e do grupo de fogo da VPR em 1969 equivale ao inventário das pistas extraídas na tortura. Ao falar, os torturados não se converteram em "indignos" ou "traidores". A não ser que se os inculpasse pelo ouvido em sessões de suplício com um filhote de jacaré rastejando sobre o corpo nu ou com a introdução de barata no ânus, como sucedeu com guerrilheiras em guarnições do Exército. A subestimação dos efeitos da tortura fragilizou as defesas de Marighella em face dos perseguidores.

Ele não se pronunciou acerca de outro engano, mas companheiros o perceberam: a confiança na condição de membros da Igreja como salvaguarda dos frades da ALN. Novamente, os acontecimentos contradisseram a convicção. Os tiras aplicaram choques elétricos na madre franciscana Maurina Borges da Silveira, presa em outubro de 1969 em Ribeirão Preto. Alegaram falsamente que ela formava no agrupamento Forças Armadas de Libertação Nacional. Em maio, policiais anticomunistas haviam assassinado o padre Antônio Henrique Pereira Neto, auxiliar de dom Hélder Câmara na Arquidiocese de Olinda e Recife. Não o pouparam da castração.

No dia 11 de outubro de 1969, em seu aniversário de 33 anos, frei Fernando cismou com uma premonição: "Eu dizia que alguma coisa iria me acontecer, estava com a idade de Cristo". O mineiro fizera em 1958 seus primeiros votos de pobreza, castidade e obediência. Era o veterano no grupo dominicano da ALN que tinha no carioca frei Ivo o caçula dez anos mais jovem. Ao cair da tarde de 31 de outubro, uma sexta-feira, Ivo dirigiu-se à cabine telefônica do convento. Solicitou um interurbano para o jornalista Sinval de Itacarambi Leão, em Petrópolis (RJ), onde o ex-monge trabalhava na Editora Vozes. Combinaram de se ver domingo no Rio, no apartamento de Sinval, no bairro do Catete.

"Foi esse o nosso erro", apontaria Ivo. "Nunca antes a gente ligara do convento. Era um negócio meio urgente." Sinval pedira no primeiro semestre ingresso na ALN. Aos 26 anos, consumara a "opção marxista". Fernando e Ivo viajariam para incorporá-lo e arrecadar com advogados dados sobre tortura, a fim de desencadear uma campanha de denúncias. Frei Magno contou ter desaconselhado a Ivo a incursão ao Rio, em meio à temporada de baixas: "[O recrutamento de Sinval] não justificaria o risco". Com o plano mantido, preveniram-se: se até as duas horas da tarde da segunda-feira Magno não recebesse uma mensagem dos dois companheiros, "deveríamos considerar ter havido problemas e tomar precauções", ele relembrou. Ivo providenciou outra medida, com o noviço Roberto Romano da Silva, sem vínculos com a ALN. "Se eu demorar a dar sinal de vida, telefone para meus pais, no Rio", disse Ivo, como recordaria Romano.

Ao interceptar a ligação para Petrópolis, o Dops presumiu que Sinval intermediaria um encontro com Marighella. Fleury acionou o SNI e o Cenimar para agirem em conjunto no Rio. Sua parceria estreita com o Cenimar não derivava apenas da concorrência com a Oban, dominada pelo Exército. O comandante do órgão naval, capitão-de-mar-e-guerra Fernando Pessoa da Rocha Paranhos, era primo de Sérgio Paranhos Fleury, que não tinha parentesco, ao menos próximo, com o guerrilheiro Carlos Eduardo Pires Fleury. O caráter familiar da operação se completou com Alcides Paranhos Junior, policial escalado para acompanhar o delegado. Os outros foram Luiz Zampolo e Rubens Pacheco de Souza.

No fim da noite do sábado, 1º de novembro, os quatro se repartiram em dois carros. Desde a rodoviária da Luz, nas cercanias do prédio do Dops, seguiram o ônibus em que os frades embarcaram para o Rio. Ivo portava um envelope pardo com uma cópia do *Minimanual*. Ao chegar no domingo cedinho, foi para o apartamento dos pais, em Copacabana. Fernando, para o convento da ordem, no Leme. Fernando passou no edifício do amigo no início da tarde, e os dois pegaram um coletivo rumo ao Catete, onde visitariam Sinval na rua Silveira Martins. Para desfrutar a paisagem esplendorosa, Fernando permaneceu em pé.

Ficou mais fácil para a turma do Dops paulista, do Cenimar e do SNI observá-lo, desde os automóveis que escoltaram discretamente o ônibus. Dentro dele, um policial não perdeu os dominicanos de vista. Com receio de que escapassem, haviam resolvido dar o bote. Passava da uma hora da tarde quando Fernando e Ivo desceram na rua do Catete, defronte ao palácio. Não viram o tira saltar logo adiante, fora do ponto. Caminharam no sentido do trânsito e dobraram à direita na esquina. Palmilhavam a Silveira Martins no instante em que desconhecidos os imobilizaram por trás e empurraram para uma camionete. Percorreram menos de cinco quilômetros até o Ministério da Marinha, no centro. Separaram-nos no quinto andar, sede do Cenimar. Recepcionaram Fernando xingando-o de "terrorista" e "filho da puta". Foram direto ao assunto:

"Onde está o Marighella?"

Arrastam Ivo para uma sala sem janela e com teto rebaixado. Deixam-no de cuecas e lhe dão as boas-vindas com espancamento e impropérios. O que mais o machuca são os açoites com um tubo preto de borracha. A cena o fará lembrar a pergunta de um soldado para Jesus Cristo no processo da Paixão: "Adivinha quem foi que te bateu?". Querem saber como marcam pontos com Marighella e quando será o seguinte. Fleury lidera o interrogatório. Um dos agressores é *Mike*, o *Alemão*, sádico da Marinha que mais tarde presos identificarão como o oficial Alfredo Magalhães. São de seis a oito e dispensam capuzes. "Traiu a Igreja!", esbravejam. Um baixinho gordo gruda um fio desencapado em Ivo, que ao tentar se safar estapeia o torturador e é coberto de pancadas. Até que atravessam uma barra de madeira sobre duas escrivaninhas e instalam o pau de arara. Denominam "telefone de campanha" a maquininha de eletrochoques acionada por uma manivela. Quanto mais rápido gira a engenhoca, mais dilacerante é a dor. Fleury insiste em Marighella, Ivo despista, molham seu corpo, e o delegado exclama "É grupo!", sinônimo de mentira. Fleury repete que os dominicanos são "base fixa do Marighella". Acusam Ivo de comunista, e ele retruca que é um democrata. Ao sair da sala, vê que a noite desabou sobre o Rio de Janeiro.

Amarrado por um braço a um banco de outro aposento, Fernando sussurra "meu Deus, meu Deus". Não consegue "terminar uma frase, nem conversar com Deus". Seu suplício também principiou com o sol das duas da tarde.

"Veado!", esgoelam-se os verdugos. "Diabo! Você fodia a madre Maurina!" Esmurram-no, e ele se sente atordoado. Os golpes nos ouvidos o "tiram da realidade". Fleury martela a expressão "base fixa" — "Onde é que vocês vão encontrar o Marighella?!?!". Inteiramente despido, Fernando é suspenso no pau de arara armado sobre cavaletes. Berra com as descargas elétricas nos polegares das mãos e nos dedinhos dos pés. Nas orelhas e dentro dos ouvidos. No pênis e no escroto. "Fiquei fora de mim", contará, quando as cicatrizes tiverem trocado o corpo pela alma. Num grito ensurdecedor, desloca a mandíbula. *Alemão* soqueia o queixo por baixo e a cabeça por cima, para a boca fechar. No repertório infindo de crueldades, enfiam com capricho um fio na uretra e rodam a manivela. Em meio aos espasmos, o ser humano urra. Um agente aponta as mãos e os pés roxos do torturado a um tipo tratado por "doutor", que receita massagens. A circulação melhora, e o aparente médico dá alta, para o retorno ao pau de arara. O cheiro da urina de Fernando, que perdeu o controle, impregna as narinas. Mesmo assim, ninguém arreda pé, e o martírio recomeça.

Maldita premonição sobre a idade de Cristo no sacrifício. As sevícias cessam, e mandam Fernando para o chuveiro. Um torturador o amedronta:

"Vai descansar, que amanhã tem mais."

Na segunda-feira, 3 de novembro, Fleury já sabia o suficiente para o seu propósito: Marighella se reunia com os frades à noite, na altura do número 800 da alameda Casa Branca, nos Jardins, área nobre paulistana; os dominicanos o esperavam no Fusca azul, e ele chegava a pé; com o codinome *Ernesto*, o líder da ALN ou um representante combinava os pontos em telefonemas para Fernando na livraria Duas Cidades; a senha que designava o local era "a gráfica" — para o do Rio, no subúrbio do Méier, falava "pode buscar a tradução"; a próxima ligação ocorreria dali a um dia, na terça-feira à tarde.

Ivo e Fernando foram mantidos separados no Cenimar. Não conseguiram comer. Machucados, reencontraram-se na manhã da segunda. Fleury determinou que cada um desenhasse um organograma da ALN. E obrigou-os a gravar um vídeo confessando o que ditou. Ao se levantar para o regresso a São Paulo, Fernando foi agredido por um militar, com um golpe de caratê nas costas. O religioso correu, Fleury esticou a perna para ele tropeçar, e os cupinchas do delegado gargalharam. Na estrada, a camionete pifou. Os policiais não manifestaram pressa, até aparecer outra Veraneio. Ao entrarem no prédio do Dops, ao anoitecer, Ivo foi para a carceragem — de tão estropiado, os amigos em cana mal o reconheceram. Isolaram o companheiro numa sala. Antes da meia-noite Fernando não estava mais lá.

* * *

Enquanto os presos viajavam pela via Dutra, o noviço Roberto Romano ligou para o pai de Ivo. Soube do sumiço e disparou até um apartamento da rua Rego Freitas, onde vivia uma pequena comunidade de dominicanos em São Paulo. Alertou Magno e Ratton, e os dois partiram de lá às carreiras, na segunda-feira à tarde. Telefonaram para algumas pessoas, que deram de ombros à notícia, lamentaria Magno. Para elucidar o mistério, Romano pegou um ônibus para o Rio à noite, quando o Dops já invadira o condomínio da Rego Freitas.

Fleury corria contra o relógio. Para ele ter chances de êxito, a informação sobre as quedas de Fernando e Ivo não podia alcançar Marighella. Como explicaria o relatório oficial da operação, "era preciso conservar o sigilo e dar a aparência de absoluta normalidade, em todos os lugares, para que o contato [dos frades com Marighella] fosse concretizado". Ao amanhecer da segunda-feira, Fleury já mapeara a militância na órbita dos religiosos. O delegado deu a largada no arrastão repressivo à noitinha e cobiçou mais: apanhar Marighella antes de ele chamar a livraria. Já era tarde quando tocou a campainha de um apartamento no bairro de Pinheiros, onde moravam Rose Nogueira e Luiz Roberto Clauset.

Fazia pouco mais de uma semana que os jornalistas compartilhavam o lar com novo morador: seu filho Carlos, nome em homenagem a Marighella. Cacá viera ao mundo no dia 30 de setembro, contudo a mãe passara por uma cirurgia na bexiga e ficara internada com o bebê. Ela e o marido haviam hospedado Marighella, com quem frei Fernando se reunira ali. Ainda com a sonda trazida do hospital colada ao corpo, Rose abriu a porta. Uns dez policiais jogaram Fernando sobre a dona da casa e entraram alucinados. Fleury vociferou:

"Cadê o Marighella?"

Varejaram cada rodapé do imóvel de dois quartos, num dos quais o recém-nascido dormia no berço. Quando algemavam Clauset, Rose mirou-o e disse "eu te amo". Sobreveio o diálogo que se fincou para sempre na memória dela:

Fleury: "Vocês estão presos. E o bebê vai para o Juizado de Menores".

Rose: "O bebê não vai. E eu só vou com vocês se puder deixá-lo com a minha família".

Fleury: "Terrorista não tem família, não tem que ter filho. E eu sou curador de menores".

Rose: "Não sou terrorista".

Fleury: "Olha, moça, eu posso usar violência".

Rose: "Pode, mas sem o bebê eu não vou".

A mãe de 23 anos ganhou a parada. Os tiras carregaram Clauset e Fernando, também algemado. Amarraram Rose no sofá e a transferiram para o Dops na terça à tarde, entregando antes Cacá aos cuidados de uma avó. O casal descobriria em breve que a violência não era só ameaça retórica do facínora.

Um comboio de viaturas com a de Fleury à frente varou a cidade madrugada adentro. Agarraram o engenheiro Roberto de Barros Pereira, o dono legal do Fusca dos dominicanos. Na sala de torturas, no terceiro andar da sede do Dops, submeteram-no aos costumes, obcecados com Marighella. Outros esbirros tomaram o convento e prenderam frades como Tito. Depois de assistir naquele dia a três sessões do filme *Teorema*, de Pier Paolo Pasolini, João Antônio Caldas Valença foi detido em casa. Na polícia política, seu corpo reagiu com excrementos à selvageria. Esfregaram-no nu nas fezes e na urina, e seus órgãos mais íntimos, já feridos, se inflamaram.

A repressão contabilizou trinta e poucas prisões, mas foram muito mais. Na terça-feira, 4 de novembro, o Cenimar capturou Sinval e Roberto Romano no Rio. Outra equipe da Marinha se apresentou após as três horas da tarde no seminário Cristo Rei, em São Leopoldo. Buscava frei Betto, que estava lá, mas conseguiu escapar. Faltavam poucos minutos para um telefonema de vida ou morte decidir em São Paulo a sorte de Marighella.

Naquela manhã, Marighella pedira que Antônio Flávio Médici de Camargo telefonasse à tarde para a livraria Duas Cidades. Marighella costumava ligar, mas reuniões o ocupariam o dia inteiro. Ele instruiu o companheiro sobre como marcar o encontro com Fernando para as oito da noite. Passaria a pé nesse horário pela rua Oscar Freire, quase na esquina com alameda Casa Branca. Antônio Flávio deveria se plantar lá, caso o frade não confirmasse o ponto. Do contrário, só precisaria aparecer dali a meia hora, para levar Marighella de carro ao aparelho. Por volta das quatro horas, de um telefone público da rua Quinze de Novembro, o corretor de valores discou para 37-52-57. Ele e Fernando se conheciam, portanto as vozes lhes eram familiares.

Frei Fernando chegara mais cedo à rua Bento Freitas, na livraria onde trabalhava, de propriedade da Ordem dos Dominicanos. Fizera a barba no Dops, melhorando a aparência. Escoltado pelo delegado Roberto Guimarães e alguns agentes, ele se sentou à sua mesa, no segundo andar. Não o algemaram, mas os colegas não tiveram dúvidas de que os acompanhantes eram meganhas. O inimigo público número um da ditadura não pensara em senha de emergência para o frade — algo como "tudo em cima" significar "a casa caiu". Sob a vigilância dos policiais, Fernando atendeu à ligação de um amigo. O delegado monitorava-o por uma extensão. O frade não cogitou a hipótese de, ao ouvir Marighella ou um intermediário, dizer "fui preso" ou "fujam": "Nesse momento, eu estava com medo. Medo, medo, medo, não tinha outra coisa. Estava tomado inteiramente pelo medo". Então, o telefone tocou de novo, Antônio Flávio se certificou da identidade do interlocutor e disse:

"O *Ernesto* pediu que vocês o encontrem na gráfica hoje às oito horas."

Observado pelos tiras, Fernando deu o ok.

Antônio Flávio não notou nada estranho, mas checou:

"Tudo bem?"

"Tudo bem", tranquilizou-o Fernando.

Com toda a calma, os tiras desceram a escada com ele e pararam no boteco vizinho, para um café. Haviam desatado a euforia no Dops ao avisar das novidades alvissareiras. O agente que atendeu o telefonema na sala onde Fleury despachava não precisou mencionar o nome de Marighella:

"Ele entrou."

Os presos superlotavam as celas e engarrafavam os corredores. Um deles era o paraibano Eunício Precílio Cavalcante, segundo-sargento do Corpo de Fuzileiros Navais expulso da Marinha em 1964. Era um dos raríssimos companheiros que Marighella levara no Rio à casa — e terreiro — de Antônia Sento Sé. Fleury provocou o militante da ALN:

"Cadê o Marighella?"

"Você não é macho? Vá buscar!", desafiou o revolucionário.

Rose Nogueira testemunhou os socos e pontapés que o delegado desferiu no homem indefeso, gritando:

"Pois eu vou mesmo! Hoje é o último dia do Marighella!"

Fleury foi acompanhado de, no mínimo, mais 28 policiais. Colocaram Fernando e Ivo no Fusca azul dos dominicanos, apreendido pelo Dops. Com um tira ao volante, dirigiram-se para a alameda Casa Branca. Estacionaram no lado esquerdo, diante do número 806 da rua com mão única para a avenida Paulista.

Colocaram Ivo no banco do motorista e Fernando, no do carona. Deixaram-nos sozinhos e se esconderam em sete automóveis e atrás dos tapumes de uma obra. A tocaia estava pronta, beneficiada pela escuridão. Pouco depois das oito horas, um mulato baiano despontou na calçada para se despedir da vida.

42. Tocaia

Se acatasse os apelos dos companheiros, Marighella não amanheceria no Brasil, muito menos em São Paulo, em 4 de novembro de 1969. Não seria vergonha conspirar no exílio contra a ditadura, a exemplo de opositores da envergadura de Leonel Brizola e Miguel Arraes. Nem isolado num esconderijo à margem do ciclone repressivo, como Luiz Carlos Prestes. Mas aí Marighella não seria Marighella. Com rotina igual à da mudança das marés, ele martelava que aos líderes guerrilheiros se impunham os sustos do front, e não a calmaria da retaguarda. "Era criticado, diziam que se expunha demais", recordou Clara Charf. O perigo o espreitava, mas o inimigo público número um parecia imune às intempéries. "A gente brincava que ele tinha o corpo fechado", contou o jornalista Paulo Cannabrava. Na última semana de outubro, a mãe de santo Antônia Sento Sé pressentiu uma "boca do lobo", ou armadilha, em São Paulo. Em sua casa no Rio, ela o aconselhou a não viajar, e seu querido ex-cunhado deu de ombros, na presença de Regina, filha de Antônia. Antes de o hóspede partir, a garota descascou um melão, que ele devorou inteirinho.

Por aqueles dias, o glutão caminhou à noite por Copacabana com o soldado Carlos Eugênio da Paz. Acertaram os ponteiros para três medidas: a colocação da bomba no forte do Exército no bairro em 15 de novembro; a fuga do jovem pelas fronteiras no Sul; e a retirada do país da mãe e de uma irmã do militante, preservando-as da vendeta previsível. Também no finzinho do mês, Marighella compareceu a uma reunião que adentrou a madrugada no subúrbio carioca de Irajá. Participaram Eunício Precílio Cavalcante, sargento expulso da Marinha, Salatiel Teixeira Rolim, quadro do PCBR que flertava com a ALN, e um ex-marujo. Trataram de ações como assaltos a supermercados e marcaram um encontro para o fim da semana vindoura, assim que Marighella regressasse de viagem. O antigo marinheiro sumiu dali a dias. Com receio de que ele tivesse caído e "abrisse" o futuro ponto com Marighella, Cavalcante correu a São Paulo para advertir o dirigente. Foi preso na manhã de 4 de novembro pelo Dops, ao procurar o zelador de prédio Genésio Homem de Oliveira, da ALN.

Marighella chegara à cidade na semana anterior. Abrigou-se num quarto e sala na rua Martim Francisco, no bairro paulistano de Santa Cecília. Conforme Antônio Flávio Médici de Camargo, que alugara o apartamento, o companheiro viera do Rio conduzido de carro por João Batista Xavier Pereira. A maré da ALN começara a vazar com a queda do GTA, contudo Marighella não recolheu velas. Ao contrário, persistiu na rota original e acelerou os planos. Buscava em meio à tormenta um fato político, a eclosão da luta no campo, mesmo se limitando a iniciativas pontuais como a explosão no forte de Copacabana ou o ataque a um modesto posto policial em torno da rodovia Belém-Brasília. Para lograr o golpe de propaganda, desistiu de esperar pelo *2º Exército* da agremiação, ainda treinando em Cuba. Seus correligionários se mexiam: o universitário Jayme Hélio Dick se estabelecia no município baiano de Barreiras, para fixar uma base de apoio às colunas guerrilheiras. Já arranjara emprego lá quando o Exército o capturou em Goiânia, em 3 de novembro.

No anoitecer da véspera, Marighella se arriscou a engrossar o inventário de baixas. Para aquele domingo de Finados, ele combinara quatro pontos em esquinas da movimentada avenida Rebouças. Das cinco e meia da tarde às oito horas, perambulou de peruca pela confluência de Rebouças com ruas Capote Valente e Oscar Freire. Primeiro, com Otávio Ângelo, o *Tião*. Por último, recepcionou a mãe, Maria, e uma irmã, Valderez, de Carlos Eugênio. Anotara o compromisso: "d2 2000 RCvxAvRe Qeleh". As cinco letras finais significavam "Quelé", o apelido do soldado, inspirado no seu nome de guerra, *Clemente* — de posse do garrancho, a repressão não equacionou a charada.

O guerrilheiro Roberto Nolasco as transportara no JK azul-claro de segunda mão, comprado pela ALN no Rio para circular com Marighella. Os tiras não o imaginariam no pomposo automóvel Alfa Romeo. Na Oscar Freire, Nolasco e Marighella passaram Maria e Valderez às mãos de Clara Charf, a *Jandira*, e da professora de história Suzanna Sampaio, que as acolheu em casa. Marighella também recebeu na avenida Rebouças dois mineiros, que atravessaram a via Dutra em um carro pilotado por Reinaldo Guarany Simões. Um era Gilney Viana, o *Marcos*, cujo codinome Marighella escrevera num papel que carregava. Assinalara outras identidades falsas, de componentes do *3º Exército* a caminho de Havana.

"Nós estamos com problemas", reconheceu Marighella a Gilney.

Por isso ele se achava no lugar menos indicado, o olho do furacão, a metrópole onde as Forças Armadas e a polícia política sangravam a ALN desde setembro. Poderia permanecer blindado no Rio, onde suas fileiras continuavam incólumes. Mas antes de se transferir para o campo, na segunda semana de novembro, pretendia reordenar o reduto outrora mais vigoroso da organização. Na manhã e no princípio da tarde de Finados, enfurnara-se na residência de uma família proletária na Vila Carrão, onde a dona da casa serviu bolo aos visitantes. Passaram por lá o casal Maria Luiza e Gilberto Belloque, Guiomar Silva Lopes, Otávio Ângelo e Flávio Augusto Neves Leão de Salles. Gilberto, o novo chefe da logística, não notou Marighella "desanimado". "Nunca o vi abatido", observaria Otávio Ângelo. Responsável pela rede operária sobrevivente na ALN, Maria Luiza lembrou os "pitos do Marighella", contrariado com riscos que julgava excessivos. O paraense Flávio entregou meia dúzia de passaportes em branco que surrupiara em Brasília. Guiomar enfocou a reconstituição do GTA, sob seu comando, a partir dos escombros.

Dez pessoas que cruzaram com Marighella no domingo, dia 2, sustentariam que não falaram em aflição dos dominicanos — não desconfiavam da queda dos frades depois do meio-dia. Idem Domingos Fernandes, guerrilheiro do Rio que confabulou com Marighella na noite de 3 de novembro em São Paulo. Nas cercanias do estádio do Palmeiras, os dois reafirmaram o respaldo financeiro dos cariocas aos paulistas, cujas "expropriações" haviam cessado — a pindaíba era tamanha que Antônio Flávio vendera seu Karmann Ghia e doara o dinheiro à ALN. Mais cedo, o delegado Alcides Cintra Bueno Filho requisitara a enésima prisão preventiva de Marighella. A caça cobiçada não voltou tarde para a rua Martim Francisco, onde se trancou com Clara. A luta armada não separara *Lobinho* e *Chapeuzinho*, mas os afastara por até três meses consecutivos, ela não esqueceria. Marighella amava as mulheres, e talvez nenhuma tivesse arrebatado seu coração como Clara. Não havia companhia melhor para a noite de primavera.

* * *

A apenas dez quadras de onde Marighella cobrira seus pontos dois dias antes, policiais montavam a ratoeira na noite de 4 de novembro. Muitos trabalhavam sem descanso havia 72 horas. Decorrido um ano, nas mãos daquela turma do Dops, o militante Maurício Segall teria a convicção de que "o único não drogado era da Marinha". Frei Fernando reparou que Fleury mancava. Como um diretor de cena, o delegado de 36 anos distribuía ordens, embora a maior autoridade ali na alameda Casa Branca fosse o colega Tucunduva. De tão precária a iluminação, só de perto se percebiam as sobrancelhas finas, a cova no queixo e as bochechas salientes de Fleury. Além dos escassos postes de luz, a profusão de árvores ensombrecia a rua. Não havia como negar que era um recanto discreto para colóquios clandestinos. Melhor, só para uma tocaia.

Para sacramentar o silêncio sepulcral, findou o tráfego de veículos com torcedores rumo ao estádio do Pacaembu. Com portões abertos e transmissão pela tv, o Santos de Pelé enfrentaria a partir das oito e quinze o Corinthians de Rivellino e da paixão de Marighella. Fleury armou a cilada para que, ao ultrapassar a esquina da alameda Casa Branca com a alameda Lorena, Marighella não tivesse como escapar. Ele andaria ladeira acima, com a maioria dos tiras em nível mais alto. A rua seguinte era a Tatuí, com saída só à esquerda. Mais à frente, a rua José Maria Lisboa cortava a Casa Branca. Além de dominar militarmente o território, a tropa da ditadura possuía meios não letais para pegar o guerrilheiro: bombas de gás e o cão Átila, pastor-alemão da Força Pública. Bastava querê-lo vivo.

Fleury posicionou dois automóveis sem identificação policial na Lorena, um na Tatuí, um na José Maria Lisboa e outro num estacionamento. Como de costume, o Fusca azul dos frades encostou no meio-fio esquerdo da alameda Casa Branca, no sentido da avenida Paulista. A menos de três metros, policiais se esconderam atrás do tapume de uma obra. Pouco à frente, à direita, parou uma picape Willys nova. Denominaram-na "carro-assalto". Seus ocupantes fingiram descarregar material para a construção de um prédio que anunciava apartamentos "de alto padrão". A seguir, cinco homens se abaixaram na carroceria e se ocultaram sob uma lona. O instrutor se instalou na cabine com o cachorro. Mais adiante se plantou um Chevrolet da década de 1950. Era o "carro-piloto", com Fleury ao volante. Ao seu lado, a investigadora Estela Borges Morato, 22 anos e meros 29 dias na Polícia Civil. Fingiam namorar, como o casal do banco traseiro.

O delegado se assegurou de que seus comparsas não estariam na linha de tiro contra o Fusca dos dominicanos.

Nenhum dos sete carros da repressão era mais importante que o dos religiosos da ALN. Àquela altura, Fleury sabia que Marighella dispensava seguranças, chegava a pé pelas costas do Fusca de duas portas, empurrava o banco do carona e se sentava no de trás. Lá, estaria encapsulado, à mercê dos algozes. No assento do motorista, frei Ivo "rezava para que não fosse verdade, ou pelo menos para que o Marighella não aparecesse". Vibrava nos tímpanos de frei Fernando a voz aterrorizante do delegado Tucunduva no Dops:

"Ô, frade! Se ele não for, você vai pagar por isso!"

Embaixo da lona da picape, o guarda-civil João Carlos Tralli segurava sua carabina Winchester calibre 44. Conhecido pela corruptela *Trailer*, o investigador de 37 anos batizara a arma como *Vilminha*. Era um meganha temido, vinculado às matanças do Esquadrão da Morte, como seu amigo de fé e chefão Fleury. Magotes de torturados o denunciariam como carrasco. Com o filho Cacá distante, da presa Rose Nogueira escorria no Dops o leite que o bebê deveria mamar. O delegado Roberto Guimarães alcunhou-a "Miss Brasil", uma vaca premiada. Tralli mostrou-lhe um jornal com a foto do animal, dizendo: "Olha aqui, você é uma vaca leiteira". Amassou a página, esfregou-a no rosto da jornalista e machucou seu nariz. Sem direito a banhos frequentes, a mãe exalava cheiro de leite azedo e sangrava. Infecção e febre a castigaram. Tralli prometeu levá-la ao "barranco", se não melhorasse. Era como o torturador designava o local de execução e desova de cadáveres. Ele e seus sócios ameaçaram quebrar a perna de Cacá e queimá-lo com a ponta de cigarros. Na alameda Casa Branca transformada em alçapão, faltava pouco para Tralli cobrir *Vilminha* de beijos.

Marighella pulara da cama antes da aurora da terça-feira. Naquele 4 de novembro, completava 62 anos o desembarque de seu pai, o italiano Augusto, no porto de Salvador. E dois meses o sequestro do embaixador americano, prenúncio da corrosão da esquerda armada. Dali a 31 dias, Marighella festejaria seu aniversário de 58 anos, um a mais que a expectativa de vida dos homens brasileiros nascidos à época. Preparara-se com afinco para a guerrilha rural: retomou a ginástica, trocou comidas gordurosas por frutas e dizimou a barriga de sedentário.

"Vamos morrer juntos", dizia a Antônio Flávio, reiterando que resistiria aos botes da repressão. "Ele só falava uma coisa, que não ia ser preso vivo de jeito nenhum", relembraria o companheiro. Já procedera assim em 1964, no cinema. "Meu pai dissera muitas vezes que não voltaria para a tortura", recapitulou seu filho, Carlinhos. "Não vou mais ser preso", repetiu a Benedicto Sampaio, marido de Suzanna. "Era por causa do sofrimento por que tinha passado", entendeu o psiquiatra. Na casa dos velhos camaradas Anita Axelrud e Antônio Gouveia, prometeu: "Não alimentarei noticiário da ditadura; não serei troféu". Escrevera em 1968: "É melhor cometer erros fazendo, ainda que disto resulte a morte. Os mortos são os únicos que não fazem autocrítica".

Não bravateava. Providenciou um lote de cápsulas com o veneno mortal cianureto, para se suicidar, na hipótese de cerco irreversível. Uma simpatizante da ALN as produzia, e Otávio Ângelo repassava-as aos interessados. "Era orientação do Marighella", segundo *Tião*. Joaquim Câmara Ferreira as recomendava a "quem não quisesse sofrer na tortura", ouviu Gilberto Belloque. Como *Toledo*, Marighella portava duas unidades envoltas em algodão e as armazenava em um pequeno frasco plástico.

Clara e Marighella não especularam sobre o infortúnio antes de ele sair, após ela se certificar pela janela de que nada existia de suspeito na rua Martim Francisco. Marido e mulher se reencontrariam à noite. Marighella apanhou sua pasta preta, desceu e entrou no carro de Antônio Flávio. No trajeto até um bairro cujo nome o tempo apagou, instruiu-o para o telefonema a frei Fernando, na livraria. "Não estava estranho", considerou o motorista, que desconhecia onde era a "gráfica" da senha. Somente pediu que indagasse se estava tudo bem. Com Antônio Flávio e Clara, Marighella não informou ou foi informado sobre contratempo dos frades.

Tampouco com Maria de Lourdes Rego Melo, da rede de apoio, com quem esteve sozinho de manhã. À tarde, na Vila Carrão, reviu Guiomar Silva Lopes. "Marighella insistia que não nos expuséssemos, era hora de cuidar das feridas", ela rememorou. A nova comandante do GTA foi embora por volta das cinco horas. Marighella permaneceu na casa, e depois o levaram de carro ao Tatuapé, também na zona leste paulistana. Entre sete e sete e quinze da noite, após percorrer sete quilômetros, ele se acercou a pé de Otávio Ângelo — o armeiro contaria ter passado o dia na oficina. A desértica rua Soriano de Sousa, paralela à avenida Celso Garcia, era ponto tradicional dos dois. "Na cidade, não dá mais", enfatizou Marighella, ao discorrer sobre a fabricação de metralhadoras no campo. Otávio lhe deu um bilhete com o endereço de um contato em Curitiba. De acordo com *Tião*, Marighella não mencionou os dominicanos ou perguntou a seu respeito, antes de embarcar no automóvel que o aguardava à distância. Como ele, Otávio não recebera notícia preocupante.

Se havia uma pessoa a quem Marighella se sentiria obrigado a prevenir sobre mistério ou apuros de qualquer ordem na segurança dos frades, era Suzanna Sampaio. Ela se incorporara à ALN com o marido no alvorecer da organização. Valderez e Maria da Paz se hospedavam na residência deles, e Marighella planejara despachá-las para o exterior pela rota operada por frei Betto no Rio Grande do Sul. Tinha mil dólares na pasta, para entregá-los a Fernando e Ivo, bancando a viagem. Queria que os dominicanos as conduzissem via rodoviária até a fronteira. Não ignorava a conexão de Suzanna e Benedicto com Ivo e Fernando. Como era do conhecimento de Marighella, os Sampaio emprestavam um carro para os religiosos. Antes das sete e meia da noite, Suzanna atendeu ao telefone.

"É o *Maluf*", apresentou-se Marighella.

Provavelmente, ligava de um telefone público entre o Tatuapé e os Jardins, a região da alameda Casa Branca. Com a tranquilidade habitual, disse que às onze horas da manhã seguinte iria ao dentista. Era o código para a interlocutora se deslocar com seu Fusca até a rua Augusta, na confluência com a rua Estados Unidos, e ele entrar para conversarem — 1100 metros separavam o local da Casa Branca. A professora esperava que o amigo transmitisse as orientações finais para a partida de mãe e irmã de Carlos Eugênio. No seu último diálogo conhecido, Marighella não citou os dominicanos, fosse para apurar informações ou alertar sobre possíveis problemas. "Ele não sabia que os frades tinham sido presos no Rio", lamentaria Suzanna.

Deixado nos Jardins, Marighella procurou Antônio Flávio às oito horas na rua Oscar Freire. Como não o encontrou, presumiu que frei Fernando confirmara o ponto. Pela calçada direita da alameda Casa Branca, andou uma quadra, até a alameda Lorena. Conclamara, dois anos antes: "Tenhamos decisão, mesmo que seja enfrentando a morte. Porque para viver com dignidade, para conquistar o poder para o povo, para viver em liberdade, construir o socialismo, o progresso, vale mais a disposição de ir até ao sacrifício da vida". Atravessou a Lorena e, como previsto, avistou o Fusca azul parado antes da rua Tatuí, com seus companheiros Fernando e Ivo no interior. Alheio ao perigo, Carlos Marighella caminhou serenamente para o cadafalso.

★ ★ ★

Ao se aproximar do Fusca, ele desce da calçada e palmilha a pista de paralelepípedo em direção ao automóvel, do lado esquerdo da rua. No "carro-piloto", Estela Morato avisa o que Fleury já constatou:

"É o Marighella!"

O revolucionário puxa a porta do carona, empurra para a frente o banco de frei Fernando e se acomoda atrás. Mal senta, e os tiras abrem as duas portas aos berros. Puxam Ivo pela da esquerda e Fernando pela da direita. Deitam-nos de cabeça para baixo na calçada contígua ao veículo. Cercam Marighella, espremido. Mancando, Fleury demora a chegar, até que lhe dá voz de prisão, apontando a pistola 45. Sobrevêm segundos de silêncio dentro e fora do carro. Os agentes miram sua presa, enfiando as armas pelas janelas abertas — Tralli é um deles, com a Winchester. Outros se postam na frente do Volkswagen. Encurralado no Fusca baixinho, Marighella encolhe para o tamanho de um anão diante de um pivô de basquete. É a sua vez de se lançar à ação.

Escrupulosamente fiel ao discurso, não se rende. Luta até o fim para decidir seu destino, à sua maneira. Sem pronunciar uma palavra, estica as mãos até a pasta e se abaixa à esquerda para abrir o zíper amarelo. Tarde demais: atiram à queima-roupa, e a fuzilaria sacode a alameda Casa Branca. Uma bala perfura as nádegas e provoca quatro ferimentos. Outra, calibre 45, aloja-se no púbis. A terceira penetra e sai pelo queixo. A falange do dedo indicador da mão esquerda é arrancada, talvez quando Marighella tentasse se escudar de um tiro quase encostado. Até que, de uma janela do Fusca, acertam-no no tórax, lesionam a aorta, e ele não se mexe mais. Fernando ouve o grito de Fleury:

"Para, para!"

Carregam os frades, e o cão Átila morde Ivo. Com o coração de Marighella ainda pulsando, retiram sua peruca, arrastam-no pela porta do motorista e o deitam na calçada. A hemorragia interna o consome quando puxam sua camisa clara de listras, desafivelam o cinto preto e desabotoam a calça de igual cor. Reviram-no e acham papéis com anotações em alfabetos grego e russo, código Morse e hieroglifos que jamais decifrarão. Recolhem mil dólares e 85 cruzeiros novos. Apreendem o frasco com as cápsulas de cianureto. Incrédulos, recomeçam a revista: Marighella já suspirou pela última vez quando seus matadores se convencem de que ele está mesmo desarmado, sem um canivete sequer. Na pasta, buscou o veneno para não cair vivo.

A surpresa dá lugar ao sobressalto. Os tiras estão longe dos postos originais, nos quais se protegeram da saraivada de balas contra Marighella. Ao se deparar com uma barreira do Dops, o protético alemão Friedrich Adolf Rohmann a desafia, cruza a alameda Lorena com seu Buick preto e avança pela Casa Branca interditada. O ex-soldado das divisões nazistas da Segunda Guerra emigrara para o Brasil sedento por sossego. Tomam-no como membro retardatário de um fantasioso aparato de segurança de Marighella. O alvo agora é móvel, não fixo. Dessa vez, disparam também com metralhadoras. Matam Rohmann, e seu carro para. Essa segunda fuzilaria deixa outros feridos, alvejados pelos próprios parceiros: Tucunduva, baleado na perna esquerda, no meio da rua; e Estela Morato, na cabeça, dentro do Chevrolet. O sangue jorra do delegado, mas ele se safará. A investigadora falecerá em três dias.

Foi tudo tão rápido que está encerrado antes do apito inicial da goleada de 4 a 1 do Corinthians, pela Taça de Prata. No entanto, a área só é liberada aos repórteres pelas nove e meia da noite, quase noventa minutos mais tarde. Nesse intervalo, de fato como um encenador criativo, Fleury rascunha uma das maiores fraudes da ditadura: a versão oficial da morte de Marighella. Tem de justificar o vexame de dois policiais feridos e a morte do alemão desavisado. Além da execução do guerrilheiro solitário e sem armas de fogo.

Colocam o corpo de Marighella esticado no chão da parte traseira do Fusca, forjando a imagem que correrá o mundo. Em posição esdrúxula, a cabeça cai torta do lado direito, com um olho semiaberto. Os pés, enfiados nos sapatos, saem pela porta esquerda. O sangue escorreu pelo nariz, a boca e o queixo, encharcando rosto e camisa. Não tardam a estendê-lo de novo na calçada. Enquanto não põem o cadáver na viatura funerária, os tiras deitam falação.

Exultante, Tralli beija *Vilminha* e tripudia de Marighella, chamando-o de "muito folgado" por se aventurar por ali. O diretor da Polícia Federal em São Paulo, general Sílvio Corrêa de Andrade, aparece para cumprimentá-los. *Trailer* lhe exibe a carabina com a qual afirma ter liquidado o inimigo. Os colegas creem que o tiro fatal, no peito, foi desferido por ele — Fleury reivindicará a autoria de um dos quatro ou cinco disparos certeiros. No prólogo da farsa histórica, o delegado descreve um militante incauto que teria inspecionado a alameda Casa Branca antes de Marighella. E um feroz pelotão da ALN que haveria tiroteado com os agentes da lei, atingindo o protético e os policiais. Planta a informação que a imprensa reproduzirá: Marighella quis sacar uma pistola Luger calibre 9 milímetros. De uma farmácia, a investigadora Ana Tereza Leite telefona:

"Alô, mamãe. Sabe quem nós matamos? O Carlos Marighella."

Em torno das onze horas, jogam o cadáver num caixão de zinco sem tampa, e o rabecão o leva para o necrotério. Na calçada de cimento e terra, espalha-se uma poça gigantesca com o sangue do guerrilheiro morto.

Antônio Flávio não ficou para se despedir. Ele resgataria Marighella às oito e meia da noite na rua Oscar Freire. Antecipou-se, estacionou o carro e foi bebericar numa choperia. Logo divisou o alvoroço na Casa Branca, subiu rumo ao burburinho e abordou um policial que ostentava um fuzil.

"É terrorista que está escondido naquele prédio", desconversou o homem.

"Mas eu não estou ouvindo tiro nenhum", contestou o militante.

"Estão usando bala silenciosa. Vai andando", ordenou o tira.

Entristecida, uma senhora esclareceu:

"Mataram o Marighella."

Ele se retirou às pressas, pensando que era "o fim". Clara Charf os esperava no apartamento de Antônio Flávio, na rua São Vicente de Paula. Lá, na vizinhança do aparelho de Marighella, ela se referia ao marido como "o menino". O anfitrião irrompeu e lhe perguntou:

"Quer tomar um conhaque?"

Nada precisou acrescentar. Clara desabou, no testemunho de Antônio Flávio:

"Mataram 'o menino'! Acabou tudo! Acabou tudo!"

Nas catacumbas do Dops, o inferno estava longe de terminar. Com a truculência exacerbada pelo álcool com que celebraram a vitória, os tiras vararam pela carceragem à noite. Orgulharam-se: "Matamos o bicho!". Outro emendou: "Eu vou matar vocês todos!". Mais um bêbado vociferou, recordaria frei Fernando: "Os frades entregaram o Marighella!". Como num desfile carnavalesco, cantaram "Olê, olá, Marighella se fodeu foi no jantar...". Os companheiros não abaixaram a cabeça: os socialistas puxaram seu hino, *A Internacional*, e os dominicanos entoaram cantos gregorianos.

Na tarde do dia seguinte, um católico fervoroso de 42 anos foi escalado para autopsiar o corpo de Marighella no Instituto Médico-Legal. O legista Harry Shibata colecionaria acusações de conivência com crimes da repressão, omitindo a causa de óbitos por tortura. No colégio dos padres carmelitas, ele aprendera a "combater tudo quanto era materialismo". Um professor "falava muito contra o comunismo". O mestre ensinou que, "se a pessoa não quer ser batizada, você pode batizá-la sem ela saber. Assim, está pedindo a Deus o elo espiritual com Ele". Mesmo sem ser sacerdote, Shibata passou a batizar os cadáveres. "O espírito não está no corpo, mas fora", pregava o médico — por isso a morte não era empecilho. A mãe levara Marighella à igreja para o primeiro sacramento, e o menino recolhera o óbolo para a missa pedida de Cosme e Damião, sem falar na proteção do orixá Oxóssi. Não lhe faltavam batismos e bênçãos. Já não podia reagir quando o doutor que encarnou a ditadura, o anticomunista visceral, olhou para ele estirado sobre a mesa de necropsia e, numa cena de realismo fantástico, batizou-o solenemente:

"Que Deus o aceite em nome do Pai, do Filho e do Espírito Santo."

43. Post-mortem: anatomia de uma farsa

A edição de 5 de novembro de 1969 do *Diário da Justiça* circulou em Brasília com notícia velha, a ordem de mais uma prisão preventiva de Marighella, "atualmente em lugar incerto e não sabido". Enquanto distribuíam o jornal, o guerrilheiro jazia no necrotério paulistano. No dia seguinte, às dez horas da manhã de quinta-feira, meia dúzia de coveiros e uma dezena e meia de policiais testemunharam seu enterro numa cova rasa do cemitério da Vila Formosa. O caixão de quarta classe do Serviço Funerário Municipal, revestido em plástico preto, desceu à sepultura 1106 da quadra 53. O Dops pagou 3,50 cruzeiros novos de taxa, ou menos de um dólar americano, pela vaga na ala miserável, um nível acima da dos indigentes. Com medo de que a ALN resgatasse o corpo na marra, os tiras encaminharam tudo em segredo e se precaveram com metralhadoras. O morto não teve direito a flores, choro, nem vela. "Fizemos o enterro nessas condições porque ninguém procurou o cadáver", afirmou o delegado Alcides Cintra Bueno Filho.

Foi mais uma mentira da polícia política. Já haviam recebido um telegrama de Salvador, cujo original os arquivos do Dops preservariam: "Familiares Carlos Marighella solicitam congelamento corpo PT viajarao imediatamente sao paulo a fim sepultamento PT". Assinavam o filho, Carlinhos, e os irmãos Caetano e Humberto. O jovem de 21 anos desembarcou na capital paulista em companhia de Humberto, desafiou a cara feia das autoridades e no sábado visitou o cemitério com o tio. Desembolsaram 45 cruzeiros novos por uma cruz de cimento com o nome de Marighella e um singelo jardim ao redor. Almas generosas já haviam depositado na surdina uma vela e um ramo de flores. Carlinhos não se intimidou e declarou aos repórteres:

"Meu pai foi um grande amigo e muito bom para mim. Gostaria de falar muita coisa sobre ele e o que representou, mas estou proibido. Assim como o Dops de São Paulo me aconselhou a não levar o corpo para Salvador, para evitar manifestações populares e possíveis incidentes."

Ainda em novembro e dezembro, aprofundou-se o desmantelo da organização de seu pai, com a prisão de Otávio Ângelo, Jeová Assis Gomes e frei Betto. A Oban divulgaria um balanço do período de setembro de 1969, mês da queda do GTA, a janeiro de 1970: 320 militantes encarcerados em São Paulo, na maioria da ALN; 66 aparelhos vasculhados; 33 metralhadoras e setenta fuzis apreendidos. A ditadura despachou do Rio o afamado perito criminal Carlos Éboli para conferir as impressões digitais de Marighella.

O governo paulista promoveu por "bravura" 43 policiais que participaram do cerco ao inimigo, incluindo 28 dos 29 presentes ao fuzilamento na alameda Casa Branca. Havia mais gente lá, omitida por não pertencer às repartições públicas mobilizadas oficialmente na caçada. O delegado Ivair Freitas Garcia firmou o relatório, e um colega poderoso, porém discreto do Dops deixou sua marca involuntária na anotação datilografada por um subordinado: "Em tempo: por determinação do dr. Romeu Tuma, tendo sido mencionado o nome do investigador de polícia Pedro Antônio Mira Grancieri por engano [para promoção], deve constar o nome do investigador João Ribeiro de Carvalho Neto, no lugar do mesmo". A família contribuíra com um automóvel para a tocaia, contou o agora delegado Raul Nogueira Lima: "A operação teve que ser armada bem depressa. O pai do Tuma foi vê-lo no Dops, e acabamos pegando o carro dele".

Mal Fleury socorrera Estela Morato na Casa Branca, o Dops costurou sua ficção histórica. O torniquete feito pelo investigador Alcides Paranhos Junior na perna de Tucunduva conteve a hemorragia e o salvou, mas faltava justificar o tiro, e também os que fulminaram Friedrich Adolf Rohmann e a policial. O *Diário de Notícias* carioca não esperou pela empulhação da ditadura para estampar "Marighella matou Estela". Quando o periódico mais realista do que o rei veiculou a cascata, a investigadora estava viva, e a versão do Dops era outra: um grupo de fogo da ALN alvejara a novata, o alemão e o delegado. Seriam treze guerrilheiros numa só camionete, espalharam.

"Os elementos da segurança de Marighella começaram a atirar contra os policiais", descreveram os peritos Vladimir Zubkovsky e José Márcio Miranda Rizzo. Tucunduva respaldou as invencionices de sua equipe: "Caí e comecei a atirar contra o sujeito que me acertou. Acho que era um dos homens da segurança". A repressão fabricou personagens para a escaramuça imaginária: o SNI forjou o depoimento de um ex-capitão do Exército confessando que, "depois do tiroteio, conseguiu furar o cerco". O Dops não explicou como, favorecido pelo pleno domínio militar do terreno, não capturou um só "subversivo". E sonegou a descoberta da autópsia: uma bala 45 no corpo do protético. Era o calibre comum dos tiras — o *Minimanual do guerrilheiro urbano* recomendava 38 ou 32. Comandante na década de 1970 do maior centro urbano de tortura e morte de oposicionistas, o DOI do II Exército, o major Carlos Alberto Brilhante Ustra viria a elaborar uma lista de "vítimas do terror". Eternizando o embuste, incluiu Estela e Rohmann.

Para quem convivia com Marighella, o ardil foi evidente. "Ele sempre andava sozinho", reagiu Joaquim Câmara Ferreira numa entrevista. "Nunca o percebi com segurança", ratificou Vinícius Caldevilla. Renato Martinelli enfatizou: "Nunca". Como o frade Oswaldo Rezende: "Nunca vi segurança. Alguém chegando antes? Não". "Ia sempre sozinho aos pontos", confirmou Otávio Ângelo. "Marighella e *Toledo* tinham o GTA para ações, não para segurança", assinalou Maria de Lourdes Rego Melo. "Lógico que não existia escolta", arrematou Antônio Flávio Médici de Camargo. Marighella não queria testemunhas dos seus passos. Nem chamarizes para encontros clandestinos.

Se era tosca a invenção da tropa de choque guerrilheira, a criação de um guarda-costas inspecionando a rua antes da chegada de Marighella tingiu-se de maldade. O Dops sustentou que um militante vasculhou por intermináveis dez minutos o local do compromisso com os dominicanos, a quem o olheiro teria reconhecido. "Julgando não haver risco para seu chefe, desceu a pé pela alameda Casa Branca, no sentido cidade-bairro, desaparecendo no cruzamento com a alameda Lorena", falsificou o relatório do delegado Ivair Freitas Garcia. Além de inepto e desleixado, o companheiro foi respingado pela suspeita de traição: como não vislumbrar tantos tiras à espreita? A perversidade se completou com o nome: tratava-se de Edmur Péricles Camargo, o Gaúcho.

A imprensa endossou a lorota, logo adotada pela revista americana *Time*. O Dops escalou Edmur para o papel por ignorar que em abril de 1969, com uma carta a Câmara Ferreira, ele se desligara da organização. Priorizava a luta urbana, condenando a opção de Marighella pela guerrilha rural. Em junho, já assaltava bancos por conta própria em Porto Alegre. Fundou um grupúsculo, o M2G (Marx, Mao e Guevara). Em agosto, reuniu-se com o guerrilheiro Índio Vargas, que recordaria: "Ele rompera com a ALN antes de vir para o Rio Grande". Correligionário de Marighella, Cícero Vianna reforçou: "Nunca vi o Mariga com segurança, e não seria o Gaúcho, por ser muito falador".

A ditadura esqueceria sua estória. Ao pôr as mãos em Edmur, em 1970, não o obrigou a subscrever depoimento algum assumindo ter flanado pela Casa Branca. Ele rebatizara sua sigla para M3G, acrescentando o nome de Marighella. O relatório do Dops escancarou a patacoada. Em meio à penumbra, os policiais teriam enxergado "um mulato de 1,75 metro, trinta anos, com entradas no cabelo, porte atlético". Pois Gaúcho estava às vésperas dos 55 anos. Numa coincidência macabra, o dito-cujo que sumira por encanto no faz de conta de 1969 tornou-se, dali a meia década, "desaparecido" político de fato.

A fabulação, desmoralizada com Edmur no elenco, renasceu trocando o ator: o segurança seria Luiz José da Cunha, o *Davi, Gomes, Adilson* ou *Crioulo*. Lançada sem má-fé por combatentes antiditadura, foi encampada pelo tenente-coronel Lício Maciel, veterano do CIE. Cunha se encaixava no perfil desenhado pelo Dops e não poderia se defender, pois em 1973 os verdugos o mataram na tortura. A primeira pista a derrubar a hipótese foram os serviços secretos militares. Em documentação copiosa, todos relacionaram corretamente *Crioulo* no 2º *Exército* da ALN. O efetivo desembarcou em Havana entre meados de 1968 e o primeiro trimestre de 1969. Em novembro, lá prosseguia. Um graduando, José da Silva Tavares, mereceria a confiança dos oficiais brasileiros. Contou-lhes que deixou Cuba em junho de 1970. José Luiz Del Roio, companheiro de treinamento, escreveu que o regresso começou naquele mês. Convergiram: na altura da queda de Marighella, a turma permanecia no Caribe. *Crioulo* estava a 6500 quilômetros de São Paulo.

A condição solitária ou não de Marighella na alameda Casa Branca é a prova dos nove das reconstituições de sua noite derradeira. Ao retornar de Moscou para o Rio de Janeiro em novembro de 1969, disposto a engrossar as fileiras da ALN, Thomaz Meirelles Netto não achou o amigo Luiz José da Cunha. "O *Adilson* não estava no Brasil", relembrou a jornalista Miriam Marreiro, mulher de Thomaz. Enviada a Cuba por Marighella, Zilda Xavier Pereira afiançou: "O *Crioulo* continuava lá". Talvez um tribunal invalidasse seu testemunho por suspeição, já que ela gostava dele "como um filho". Bem como o de Darci Miyaki, guerrilheira com quem Cunha viveu: "Ele estava em Cuba. Nós estávamos no mesmo grupo de treinamento".

Outros integrantes do *2º Exército* da ALN se pronunciaram. Washington Mastrocinque Martins: "Não me lembro de que ele tenha saído. Esse era um dos dramas, ninguém saía". Silvio de Albuquerque Mota: "Ele estava lá". Sérgio Granja: "O *Davi* estava em Cuba". Ricardo Apgaua: "Estivemos juntos, diariamente, antes e depois da morte do *Preto*. Estávamos juntos quando a notícia [da morte de Marighella] nos foi transmitida por um oficial do Exército cubano". Renato Martinelli: "Se saiu antes? Absolutamente não!". José Luiz Del Roio: "O *Crioulo* estava lá. Eu estava lá. Asseguro". Viriato Xavier de Melo Filho: "O *Gomes* estava em Cuba". Valdemar Rodrigues de Menezes: "Encontrava-se em minha companhia, em Cuba". São fontes primárias, não quem "ouviu dizer": nove companheiros de curso, além de Zilda.

Nem Edmur Péricles Camargo, nem Luiz José da Cunha, nem ninguém: não houve um só guarda-costas de Marighella na Casa Branca, antes, durante ou depois da sua execução. As evidências já bastavam, mas em 1996 o policial Rubens Pacheco de Souza deu uma entrevista à *Folha de S.Paulo*. Admitindo a armação, disse: "Fora o Marighella, não vi ninguém". No século XXI, protegido pelo anonimato, outro ex-agente do Dops presente na alameda explicaria os tiros em Estela, Rohmann e Tucunduva: "Foi tudo fogo amigo".

Nenhuma fraude seria tão longeva como a versão de que Marighella estava armado. No improviso do calor da hora, o Dops plantou notícias distintas: que ele portava uma pistola 9 milímetros, fantasia acolhida pelo *Jornal da Tarde*; e que empunhava duas armas de fogo, reproduzida pela *Folha da Tarde*. No relatório de 9 de novembro de 1969, o delegado Ivair Freitas Garcia se traiu, sugerindo a verdade por omissão: não se referiu a qualquer revólver ou pistola em posse de Marighella. A não ser em suposições sobre a "pasta preta onde, segundo informações, sempre conduzia o revólver e granadas de mão". O objeto surgiu na perícia da Secretaria de Segurança: "Marighella tenta abrir uma pasta preta onde havia uma arma". Contudo os peritos não viram pasta, muito menos arma, como registraram: antes de chegarem, "Fleury já havia recolhido a pasta". Eles só foram acionados pelo Dops às nove e dez da noite, mais de uma hora após o incidente. Ao assaltar um banco em julho de 1968, Marighella usara um revólver calibre 38. Mais amiúde, exibia um 32. Também teve uma pistola 9 milímetros, herdada por Guiomar Silva Lopes. No entanto a maioria dos companheiros sempre o notou desarmado. Raphael Martinelli: "Nunca o vi armado". Paulo de Tarso Venceslau: "Nunca o vi pegar qualquer arma". Ricardo Zarattini: "Perguntei: 'Você não anda armado?'. E ele: 'Não'". Flávio Tavares: "Marighella falava: 'Não adianta andar armado'". O dirigente da ALN se zangou ao flagrar frei Oswaldo com uma Beretta: "Ele disse: 'Você tá louco! Que loucura. Se nos pegam rodando ou parados aqui no trânsito, vão pedir documento. Eu tenho documento, e você tem também. Você é um frade, eu sou um professor, e acabou. Mas, se eles encontram uma arma dentro do carro, aí vamos ter que explicar. Isso é um absurdo. Eu não estou armado, e nós vamos ser presos por porte de arma'". Era um procedimento comum. "Sempre que possível, eu não andava armado", disse Gilberto Belloque, da rede de apoio. Manoel Cyrillo, do GTA, recebia seu 38 antes das ações: "Eu não andava armado, não podia ser preso numa esquina por andar armado".

A arma fictícia de Marighella se materializou em um laudo do Instituto de Polícia Técnica. O perito Wilson Ferreira analisou um revólver entregue pelo Dops: Taurus, calibre 32, com os cinco cartuchos intactos. Instaram-no a recuperar o número de fabricação raspado, tarefa que se comprovou inviável, mas não requisitaram o elementar exame de digitais. A "pesquisa de resíduos de combustão" deu resultado negativo, atestando que o Taurus não fora disparado em "data recente". Enquanto a pasta preta fora perfurada por balas, o revólver não apresentou marcas de impacto, nem nas placas de plástico laterais. O indício mais patente do logro foi a remessa da arma de ocasião à perícia somente em 26 de novembro, passados 22 dias da morte. É possível que o revólver que ninguém viu na Casa Branca tenha sido escolhido com base na tortura de quem observara Marighella com um 32.

A primeira confrontação de fôlego à manobra da arma partiu do advogado Luís Francisco Carvalho Filho, relator do Caso Marighella na Comissão Especial sobre Mortos e Desaparecidos Políticos, instalada no Ministério da Justiça na década de 1990: "Por que esse incrível intervalo de tempo entre a apreensão e a remessa para a perícia?", indagou. "Do ponto de vista jurídico e processual, muito embora nunca tenha sido contestada, haveria fundadas razões até para se levantarem dúvidas sobre a veracidade da informação de que Carlos Marighella estaria efetivamente armado naquela noite."

Numa madrugada de maio de 2011, um dos protagonistas da emboscada para Marighella confidenciou o que de fato sucedera décadas antes. Com a condição de não ter a identidade revelada, o policial aposentado afirmou ter sido o primeiro a examinar o morto e seus pertences. "Ele não portava arma nenhuma", esclareceu em longa conversa num município da Grande São Paulo. É fonte insuspeita: fuzilar um homem desarmado jamais honrou currículo.

O relatório do Dops escondeu a morte à queima-roupa, calando sobre a distância dos tiros. As fotografias do cadáver, anexadas ao laudo de Harry Shibata, elucidariam o episódio. Coube ao legista Nelson Massini a constatação pioneira de que uma "arma a curtíssima distância" efetuara o disparo no tórax. Em um parecer de 1996, o médico analisou imagens do orifício de entrada da bala fatal. A fuligem desenhou seu entorno, como a moldura nas bordas de uma tela ou o pneu ao redor da roda. É o que os especialistas denominam tatuagem e esfumaçamento. Massini discorreu: "A impregnação bem evidente, constituída de material fuliginoso e escuro que se aglomera de forma circular e concentrada à volta do orifício de penetração do projétil, [...] corresponde a disparo muito próximo, quase encostado".

Os compêndios de medicina legal delimitam em cinquenta a 75 centímetros a distância máxima para um tiro de revólver ou pistola imprimir tatuagem na pele. Com armas de cano longo, a margem aumenta. É provável que o disparo no peito tenha sido desferido pela carabina calibre 44 de João Carlos Tralli, enfiada por uma janela do Fusca, quase grudada em Marighella. Não há como identificar o calibre do projétil porque o tiro no tórax foi transfixante — saiu pelas costas — e a perícia não juntou cartuchos e balas. Conforme os padrões científicos, é inquestionável ter havido execução à queima-roupa. Shibata diria que o batismo póstumo representara uma "forma de caridade", o que não o impediu de sonegar a proximidade do disparo. No laudo assinado por ele e o colega Abeylard Orsini, o mulato Marighella mudou de cor e virou "branco".

Marighella foi atingido cinco vezes. Talvez tenham sido quatro balas, se a que esfacelou um dedo da mão esquerda o acertou na sequência. Os projéteis contra o peito e o queixo entraram e saíram, denunciando a trajetória. Foram disparados de cima para baixo, com o atirador em pé, e Marighella sentado ou inclinado no banco traseiro. "São compatíveis com tiros pela janela", confirmou Massini em 2012. Outros dois penetraram em sentido perpendicular ao corpo: pela direita, rasgando as nádegas; e pela esquerda, alojando-se no púbis. Como demonstrou simulação com um Fusca igual e a trajetória das balas projetada em laser, esses tiros poderiam ter origem na frente do carro, estilhaçando o para-brisa, ou nas laterais, passando pelas janelas abertas.

Ao contrário do Buick do protético, transformado em queijo metálico pela profusão de furos, o Fusca não sofreu tantos estragos. O contraste: Marighella conformava um alvo encurralado e próximo demais, ainda que tenha se mexido, e seu corpo reagido ao impacto da fuzilaria; já o alemão, mais distante, movia-se em alta velocidade. O para-brisa dianteiro do carro da ALN foi varejado por balas, a maioria na parte de baixo, indicativo de trajetória descendente. O de trás foi destruído por projéteis com sentido de dentro para fora do veículo. Uma bala atravessou a poltrona do motorista e uma perfurou a do carona. À frente, a tampa do porta-malas e um para-lama foram alvejados. Na traseira, um tiro na tampa do motor decorreu do fogo contra o Buick.

Os policiais tinham controle da situação para capturar Marighella vivo, caso houvesse essa ordem. Antes de o guerrilheiro entrar no Fusca, mesmo que estivesse armado, poderiam ter se jogado sobre ele e o imobilizado, lançado o cão e disparado em membros inferiores. Com o revolucionário no carro, seria possível atacar com bombas de gás, pastor-alemão e tiros não letais. Fleury alegou à revista *Manchete* que não pretendia eliminá-lo: "Eu o queria vivo, pela soma de informações que ele poderia liberar". Seus atos o contradisseram. "Víamos fantasmas ao falar de Marighella", desabafou um tira. "Para nós, era o demônio", comparou outro. Os agentes do Estado reuniam condições seguras para apanhá-lo com vida. Não procederam com esse propósito e atiraram com o claro intuito de matar. Por isso, configurou-se um assassinato.

"Padres levam Marighella à morte", trombeteou *O Estado de S. Paulo*. *O Globo* publicou o editorial "O beijo de Judas", nomeando frei Fernando e frei Ivo como traidores de Marighella. O *Jornal da Tarde* titulou: "O padre fala, é a sentença de morte de Marighella". E equiparou os dominicanos e sua "vil traição" à rameira que dedurou o ladrão de bancos John Dillinger, cravejado de balas em 1934. Sobrou para o jornalista Izaías Almada, no *Estado de Minas*: "Almada levou Marighella para a cilada da morte".

A farsa propalada pela ditadura teve com alguns militantes um efeito similar à prorrogação da tortura que os castigara. Algo como substituir as jornadas de pau de arara pelo suplício moral perene. A polícia suprimiu dos seus relatos as pistas originais da relação dos frades com Marighella, sobretudo a dica de 1968 do araponga do Dops em Marília. O objetivo foi reduzir a três os passos da investigação: quadro da vpr, Almada teria comprometido frei Betto e o convento; Paulo de Tarso Venceslau, vinculado os frades à aln; Ivo e Fernando, servido Marighella de bandeja. A repressão empenhou-se em desmoralizar a esquerda guerrilheira e, mais ainda, a Igreja de oposição.

O laudo pericial sintetizou a desonestidade numa frase: os religiosos "resolveram colaborar com a polícia". Os fatos negam a sentença. Nem Fernando, Ivo, Venceslau, Almada ou outro militante citado pela ditadura no enredo da perseguição a Marighella se dispôs a ajudá-la. Ao padecer no inferno do Cenimar, atender ao telefonema na livraria ou se sentar no Fusca, Fernando era refém do Estado, submetido pela violência medieval. Não foram apenas as autoridades e a imprensa governista que satanizaram os sacerdotes. Na cadeia, houve quem os elegesse bodes expiatórios.

Em clima inquisitorial, a aln apurou as "responsabilidades" na tragédia de Marighella. Houve quem aventasse a hipótese de matar Ivo e Fernando. Um líder do pcbr escreveria sobre "delação dos frades". Quem delata é delator, substantivo associado a dedo-duro. Outros companheiros "abriram" pistas que resultaram em quedas, mas não foram "condenados" por seus pares. Afinal, o que se fala na tortura é obra do torturador, não do torturado. A regra não valeu na morte de Marighella. "Em 99% dos casos, as pessoas falaram, e não eram agentes da polícia", ponderou José Luiz Del Roio. Na disputa fratricida da aln, procuraram vilões entre vítimas. Quem matou Marighella foi a ditadura.

Frei Fernando não derramara uma lágrima no seu martírio, como recordaria: "Você chora depois da tortura, que aí lembra que falou alguma coisa", "foi aquém da sua própria expectativa"; "na ordem, a gente tem um ideal de santidade", "heroísmo do santo", "perfeccionismo", e aí "você fala"; "na tortura, você não joga só com a dor física. Joga com a culpabilidade", "você se sente um traidor"; "eles jogam com a culpa"; "isso não aconteceu só comigo. Aconteceu com praticamente todo mundo"; "você chora porque realmente sente vergonha de si mesmo. E introjeta a culpa psicológica".

Até no cronograma a esparrela prevaleceu. O Dops informou que a prisão dos frades no Rio de Janeiro ocorrera às oito e meia da noite de 2 de novembro. Evitou indagações sobre o que se passou com a dupla desde a detenção, entre uma e duas horas da tarde. Como se temesse Marighella mesmo sete palmos abaixo da terra, a polícia política carioca difundiu uma carta forjada. Sua remetente seria uma universitária, assumidamente de nome falso. A coitadinha se queixou de que fora ludibriada pelo amante Marighella, coroa cafajeste e dono de polpuda conta bancária na Suíça — logo ele, cuja penúria era constante.

O tempo não serenou as tramas sem lastro na realidade. Trinta e cinco anos após o oponente cair, o tenente-coronel Lício Maciel estreou novo capítulo: Marighella teria sido o responsável pela descoberta da Guerrilha do Araguaia pela ditadura. Organizado pelo PC do B, o movimento foi destroçado na década de 1970, com o concurso do então major Lício. O oficial disse que a "documentação" recolhida com Marighella na Casa Branca continha "a indicação de uma grande área de treinamento de guerrilha" no Araguaia. A verdade: a única região abrangida pelas anotações se situava a leste e sudeste de Brasília, tudo já mapeado pelos militares. Prenderam uma pessoa em virtude dos papéis com Marighella: um irmão do guerrilheiro Ottoni Fernandes Júnior. Nome e endereço do contato em Curitiba haviam sido passados por Ottoni a Otávio Ângelo, que os entregou a Marighella.

Dois americanos sem conexão com a ditadura brasileira semearam outro engano: a CIA, infiltrada na ALN, teria guiado o Dops até Marighella. Victor Marchetti, ex-agente da "companhia", e John D. Marks, antigo funcionário do Departamento de Estado, escreveram o livro *A CIA e o culto da inteligência*. Contaram: "No início de outubro de 1969, a CIA, por intermédio de um agente secreto, soube que um grupo de radicais pretendia sequestrar um avião no Brasil e fugir para Cuba". Em 8 de outubro, "os mesmos radicais identificados no relatório" tomaram um Caravelle da Cruzeiro do Sul e rumaram para Havana, sem que a agência tentasse impedi-los. Se barrasse a ação, ameaçaria o disfarce do espião que acabaria por descobrir Marighella.

É provável que os autores não entendessem bulhufas de fragmentação e idiossincrasias da esquerda armada no Brasil, assunto a respeito do qual silenciaram. O MR-8 executou o sequestro aludido pelo livro, não o grupo de Marighella, distinção que Marchetti e Marks aparentaram desconhecer. A ALN realizou sua primeira empreitada aérea em 4 de novembro de 1969. Na data da morte do dirigente, militantes desviaram para Havana um Boeing da Varig que decolara de Buenos Aires com destino a Santiago do Chile. A ALN não se envolveu com o episódio de 8 de outubro, e o plano do MR-8 não constituía o fio da meada que desembocava em Marighella. Alessandro Malavasi, cavalo de Troia dos americanos na ALN, estivera pela última vez com o líder da organização seis meses antes. Voltara ao xilindró em setembro, para fingir que a repressão o perseguia. Em novembro de 1969, continuava em cana. Não foi por intermédio dele e da CIA que o Dops chegou ao adversário odiado.

Outra controvérsia examinou o local da morte. Em 1979, dez anos mais tarde, um ex-militante da ALN declarou ter como provar que Marighella fora carregado já sem vida aos Jardins. Não provou, pois a especulação era infundada. Sobreveio a suposição de que o haveriam abatido ao atravessar a rua, a caminho do Fusca, e não dentro do automóvel. De novo, não procede. A divergência germinou no ambiente de caça às bruxas, deflagrado já na cadeia. Retirar-se ou não do carro após a entrada de Marighella equivaleria a "culpa" ou "inocência" nas acusações infames de traição contra os frades.

A ALN nunca duvidou de que alvejaram Marighella no veículo. Foi o que Fernando e Ivo narraram na prisão, garantiram companheiros dos mais solidários. Como Genésio Homem de Oliveira, primo de frei Tito, um dos que compartilharam a cela do Dops com os dominicanos: "Ivo me disse que Marighella entrou no carro". Eunício Precílio Cavalcante: "O que Genésio falou é verdade verdadeira". Roberto de Barros Pereira, dono do Fusca: Ivo reconheceu que, "quando o Marighella entrou, eles saíram do carro". De posse das informações vazadas dos cárceres, Joaquim Câmara Ferreira observou a frei Oswaldo, segundo o sacerdote: "Quanto à morte do Marighella, é o que a imprensa mais ou menos publicou". *Toledo* rejeitou em entrevista o conto da carochinha sobre guarda-costas, porém sabia da execução no automóvel.

O *Quedograma* da ALN concluiu que "Marighella foi assassinado ao entrar no carro onde os dois freis se encontravam". O caudaloso inventário das causas de prisões, mortes e desaparecimentos na organização se fundamentou no papel que cada militante admitiu ter desempenhado. Sua elaboração colecionou depoimentos dramáticos, como o da guerrilheira que "abriu" o namorado, a seguir trucidado na tortura. "As informações estavam muito vivas na cabeça de cada um", lembrou Paulo de Tarso Venceslau. "O *Quedograma* foi um processo crítico e autocrítico, um relato fiel", referendou Manoel Cyrillo. "Se alguém tem versões diferentes hoje em dia, é problema de cada um."

Na ótica da balística forense e da medicina legal, a presença de Marighella no Fusca é compatível com a trajetória dos projéteis que o atingiram. Ao contrário de Tucunduva, ferido na perna por estar de pé fora do seu carro, Marighella foi baleado das nádegas e da região pubiana para cima. Dos primeiros jornalistas a chegar, José Maria Mayrink e Sérgio Jorge não enxergaram uma gota de sangue nos paralelepípedos do meio da rua. É o que mostra igualmente uma foto da perícia. Repórter fotográfico da *Manchete*, Jorge contou ter flagrado Marighella morto, sentado na poltrona do motorista, antes de o deitarem atrás para a célebre imagem montada. É verossímil: antes de recolocá-lo na parte traseira do automóvel, de onde fora arrastado para a calçada, os tiras podem ter encostado seu corpo no banco dianteiro esquerdo.

Frei Fernando não negaria que alguém entrou no Fusca por sua porta, a direita. À Justiça, disse: "Apareceu um homem que foi logo afastando o banco da frente e entrando no veículo"; não viu "as feições do homem"; ele e Ivo "foram imediatamente arrancados e jogados ao chão, seguindo-se um tiroteio". Dali a décadas, detalharia: "Uma pessoa me empurra, entra, e os investigadores puxam a mim e a Ivo para fora"; os tiros vieram "logo em seguida", "depois que a gente já estava no chão". Era Marighella, obviamente, a pessoa não identificada. Os depoimentos de frei Ivo flutuaram, até a afirmação de que mataram Marighella antes de o guerrilheiro alcançar o Fusca. Num aspecto, Ivo manteve seu relato à justiça: "Foi retirado do automóvel violentamente e ouviu tiros, sendo jogado ao chão"; "só ouviu os tiros depois de ter sido jogado no chão".

É o que aconteceu. Os tiras não queriam eliminar os frades, complicando o Dops; desejavam queimá-los, constrangendo a Igreja. Se Marighella fosse fuzilado ao atravessar a Casa Branca, para que afastar os sacerdotes do automóvel? Ao puxá-los para fora, revelariam o cerco a Marighella, que correria ladeira abaixo, no sentido da alameda Lorena. Nessa hipótese, seria ferido pelas costas (todas as balas certeiras foram disparadas de frente ou lado). Removeram os religiosos do Fusca com uma única finalidade: não matá-los, já que os dois ficaram na linha de tiro dos policiais postados diante do carro.

* * *

A posteridade fermentou a versão de que Marighella teria conhecimento das prisões dos frades e cometeu a imprudência de comparecer ao encontro. A convicção se baseou em premissas falsas. Um memorialista escreveu: "Marighella foi avisado à noite [de 4 de novembro] por Casadei. Por que foi cobrir o ponto?". A resposta: como não o avisaram, ele ignorava a ameaça iminente. Fernando Casadei Salles, da ALN, esclareceria: "Nunca tive qualquer contato com Marighella". Não apenas naquele dia, mas na vida toda. Um emérito historiador argumentou: "Notícias de última hora lhe deram [a Marighella] conta de prováveis prisões de dominicanos no Rio e em São Paulo, sem precisão de nomes. Ainda assim, por precaução excepcional, instruiu Luiz Cunha, militante da ALN, a passar, antes das oito horas, pela alameda Casa Branca e vistoriar o terreno". Assim como Marighella não era um suicida, Luiz José da Cunha não perambulou pelos Jardins, pois estava em Cuba.

No fim de semana, Casadei transportara um militante a São Leopoldo, entregando-o a frei Betto — de lá a dupla partiu para a Argentina. Retornou a São Paulo com informações novas: "Não tenho claro na memória se elas se referiam a quedas ou a problemas de repressão policial no esquema dos padres no Rio de Janeiro". Com certeza, inteirara-se sobre "problemas de segurança" na "área dos padres no Rio". Nenhum revolucionário acossado necessitaria de mais de dois neurônios para compreender a gravidade da mensagem, mesmo difusa. Se a tivesse recebido, Marighella teria noção do perigo. Casadei planejava transmiti-la ao companheiro Jeová Assis Gomes num ponto às quatro horas da tarde da terça-feira, 4 de novembro. Vindo de Porto Alegre num DKW, atrasou-se na estrada e só falou com Jeová pelas seis horas.

Nova comandante do GTA, Guiomar Silva Lopes relembrou que estivera com Marighella na casa da Vila Carrão até por volta das cinco da tarde, quando ela saiu. Se Jeová conversou com Marighella, foi após o ponto com Casadei, às seis. Houve quem atribuísse a Jeová a condição de motorista de Marighella até a alameda Casa Branca, versão recusada por numerosos militantes — o mistério sobre quem conduziu o líder da ALN aos Jardins sobreviveria. Jeová assegurou a um companheiro que não vira Marighella nas horas que antecederam a morte. A outro, um dos amigos mais íntimos, nada contou sobre um alerta: "Nunca me disse", recapitulou Gilberto Belloque. "Ele teria falado, claro." Belloque e Jeová logo confabularam com o capitão Carlos Lamarca, que doou 10 mil dólares à aturdida ALN. Era certamente herança do cofre de Adhemar de Barros, 61 mil dólares em dinheiro atualizado. Na opinião do então frade Magno José Vilela, da rede dominicana da organização, Marighella não foi advertido sobre as quedas.

O tempo embaralha a memória. Durante anos, Guiomar teve a impressão de que à tarde Otávio Ângelo comentara com ela e Marighella acerca da prisão dos sacerdotes. "Fiquei o dia inteiro na fábrica de armas", no bairro de Artur Alvim, e "não sabia da queda dos dominicanos", contestou Otávio. É o que ele sustenta desde 1969: naquele dia, só esteve com Marighella pouco depois das sete horas da noite, no Tatuapé. "Marighella era um homem inteligentíssimo. É pouco plausível que fosse ao encontro sabendo de quedas." Ao conhecer a afirmação, Guiomar disse: "É verdade. O *Tião* [Otávio] apareceu no dia seguinte" na Vila Carrão — em 5 de novembro, e não 4. A trajetória de *Tião* embicaria por veredas obscuras. Após romper com a ALN em Cuba, ele voltou ao Brasil e sumiu nos anos 1970. Alguns companheiros suspeitam de que tenha bandeado para a repressão. Ao reaparecer, décadas mais tarde, alegou que submergira para não ser morto em meio à ruína da luta armada. É certo que, em novembro de 1969, era um guerrilheiro sincero. Do contrário, a ditadura teria agarrado Marighella mais cedo.

Se Marighella desconfiasse de aperto dos dominicanos, teria prevenido Suzanna Sampaio, com quem falou por telefone pouco antes das sete e meia da noite. Também não morreu por marcar pontos na Casa Branca — o desfecho de sua história não mudaria se optasse pelo jardim zoológico. Ou por supostamente manter hábitos mais temerários do que outros dirigentes da guerrilha — se assim fosse, a polícia não os teria apanhado. Não era um maluco irresponsável, com pouco apreço pela vida. Sua morte se inscreveu no cenário de declínio da luta armada, combalida pelo isolamento social e pela tortura consagrada como política de Estado.

O fato de não ter ideia das agruras dos frades não significa que tivesse tomado as precauções cabíveis. "Por que ele foi ao ponto naquela altura do campeonato?", perguntaria Paulo de Tarso Venceslau. "Apesar de eu estar preso havia mais de um mês, o Mariga sabia que eu conhecia o esquema dos frades." Talvez Marighella tenha se iludido com a interrupção das prisões — a de Venceslau não levou a nenhuma outra. Do mesmo modo que um aparelho era desativado quando alguém que o frequentava caía, ele deveria ter tomado distância dos dominicanos. É possível que estivesse consciente disso, mas tenha preferido se arriscar pessoalmente a expor um companheiro.

Em dezembro de 1979, ainda sob as nuvens da ditadura, os restos mortais de Marighella foram transferidos para Salvador. No cemitério Quinta dos Lázaros, centenas de velhos companheiros e camaradas se despediram. O arquiteto Oscar Niemeyer desenhou-o na lápide com um braço erguido, cinco balas no peito e a inscrição "Não tive tempo para ter medo". O deputado cassado Fernando Sant'Anna leu uma mensagem de Jorge Amado:

> Atravessaste a interminável noite da mentira e do medo, da desrazão e da infâmia e desembarcas na aurora da Bahia, trazido em mãos de amor e de amizade. Aqui estás e todos te reconhecem como foste e serás para sempre: incorruptível brasileiro, um moço baiano de riso jovial e coração ardente. Aqui estás entre teus amigos e entre os que são tua carne e teu sangue.

Muitos haviam ficado pelo caminho.

Epílogo
Uma pandorga no céu

Joaquim Câmara Ferreira foi assassinado sob tortura em outubro de 1970. Tinha 57 anos, a idade de Marighella ao ser morto. Soubera da queda do amigo pelos jornais de Paris, escala no seu itinerário rumo a Pyongyang, e mudou o destino para Havana. Abateu-se, mas preservou o humor. Andava com Aloysio Nunes Ferreira Filho pelo Panthéon quando o jovem militante da ALN apontou para o Hôtel des Grands Hommes e brincou que da próxima vez seria ali, no hotel dos grandes homens, que o viajante se hospedaria, e não no apartamento modesto de companheiros. Câmara mirou uma agência funerária e profetizou que aquele prédio, sim, esperava-o. Para o futuro ministro da Justiça, foi uma maneira de o revolucionário veterano reconhecer a derrota da guerrilha.

A caminho de Cuba, Câmara embarcou para Roma, onde Oswaldo Rezende expressou o desejo de regressar ao Brasil para lutar. *Toledo* pediu que ficasse na Europa. Argumentou que manter o frade dominicano em segurança sobrecarregaria a organização. Explicou por que voltaria:

"Para mim, é uma questão ética."

Itoby Alves Corrêa Junior se deslocou da França para a Itália, sobraçando um pacote de periódicos com o noticiário da tragédia de São Paulo. Câmara caiu em prantos e pronunciou a sentença que se perpetuou na memória de Itoby:

"O Marighella tinha razão! Nós precipitamos o massacre."

Referia-se ao sequestro do embaixador americano. A espionagem cubana descartou a rota via Praga, sob vigilância severa dos agentes ocidentais. Enquanto aguardava o voo para Moscou, baldeação para o Caribe, Câmara tentou realizar um sonho: conhecer Pompeia, cidade do Império Romano arrasada por uma erupção do Vesúvio. No fim de semana em que bateu às suas portas, o lugar estava fechado para as intermináveis obras de restauração.

Reencontrou-se com Zilda Xavier Pereira em Cuba. Combinaram compartilhar o comando da ALN, mas em breve a ditadura a prenderia no Brasil, e Câmara seria consagrado o sucessor de Marighella. A dupla se reuniu com Fidel Castro numa casa secreta e lhe pediu treinamento militar.

"Então, deem-lhes tiros, tiros, tiros!", ordenou Fidel, confidenciaria Zilda.

Adestraram-se com armas curtas num estande. Numa conversa com Maria de Lourdes Rego Melo, enviada a Havana depois da execução de Marighella, Câmara chorou copiosamente. Pensou alto, ao comentar combates vindouros:

"Vamos ver esse último esforço meu..."

Seu empenho frutificou. Com o reforço do *2º Exército*, repatriado de Cuba em meados do ano, a ALN fixou novas bases para lançar a coluna rural no Norte. Comprou um caminhão, no qual um militante subia e descia pelo país, transmitindo mensagens. Idealizou o "justiçamento" do delegado Fleury, para vingar a morte na Casa Branca. Programou ações violentas na cidade e no campo, para a "Semana Marighella", no começo de novembro. Não estava só: *Toledo* costurara uma frente com várias siglas alquebradas. Ele cantarolava os versos de um sucesso musical de Paulo Diniz e Odibar, evocando o exílio londrino de Caetano Veloso: *"I don't want to stay here, I want to go back to Bahia"*.

Nem Marighella tivera chance de voltar para a Bahia, nem Câmara dispunha de muito tempo pela frente, como parecia perceber. O estudante de ciências sociais Juca Kfouri, da ALN, se apresentara como voluntário ao serviço militar. Atendera ao apelo do dirigente, que pretendia que ele se adestrasse no Exército. Às vésperas dos seus vinte anos, convidaram o universitário para trabalhar como jornalista na Editora Abril. *Toledo* liberou-o da missão nas Forças Armadas, ponderando que "a revolução não vai precisar só de bons atiradores". Para Juca, o *Velho* demonstrou não ignorar que a guerra estava perdida. Maria de Lourdes relembraria: "Quando voltei de Cuba, eu tinha consciência de que a gente ia entrar pelo cano. Permaneci porque na sociedade daquele tempo você preferia morrer a viver". Afilhada de casamento de Câmara, a atriz Vera Gertel indagou em outubro por que ele prosseguia.

"Não posso abandonar os rapazes", o padrinho justificou.

Ao contrário de Marighella, que até o fim confiou numa reviravolta, Câmara se comportou como se protagonizasse um sacrifício: não nutria ilusões, mas não desistiria do terreno de batalha. No seu ritual de despedida, visitou Rachel Gertel, mãe de Vera. A legendária militante comunista vivia suas semanas finais, desenganada em um hospital paulistano. Em vez de dizer adeus, Câmara cutucou a amiga, que rejeitara a luta armada contra a ditadura:

"Levanta daí, que o acampamento já está pronto, esperando por você: só falta a cozinheira."

Sem abrir os olhos, Rachel esticou o dedo médio de uma mão e o ergueu na direção do camarada carinhoso, que arriscava o pescoço para vê-la pela última vez. Como Marighella, Câmara portava cápsulas de cianureto e assegurava que não o apanhariam com vida. Trinta anos antes, cortara os pulsos para interromper o suplício na sede da polícia política do Estado Novo. "Nunca mais vão me torturar do jeito que me torturaram", falou a Juca Kfouri. "Não me pegam vivo", reiterou ao companheiro Maurício Segall.

Os acontecimentos que se avizinhavam evidenciariam que a ditadura não planejava executá-lo, mas desmoralizá-lo, interpretaria Lourdes. A ALN incorporava o maior contingente urbano da luta armada, a despeito dos tropeços irreversíveis. Mesmo sem dobrar o *Velho* na tortura, divulgariam "delações" e "arrependimentos" seus. A chance veio em 8 de setembro, data em que Câmara exaltou Marighella como "nosso grande mestre" numa carta. Naquele dia, José da Silva Tavares, o *Severino* ou *Vitor*, foi capturado em Belém. Oriundo da Corrente mineira, o militante da ALN perfilara no *2º Exército* e se dedicava à implantação da guerrilha rural no Pará. Logo sumiu do hospital onde havia sido internado, num episódio que a imprensa vendeu como fuga audaz.

Reapareceu em São Paulo e se reconectou à organização. Câmara marcou um ponto com ele para o anoitecer de 23 de outubro, na avenida Lavandisca, bairro de Indianópolis. A seguir, ali pertinho, Tavares receberia documentos e dinheiro de Maria de Lourdes, ela veria Maurício Segall, e Câmara encontraria Viriato Xavier de Melo Filho. Viriato treinara com Tavares na segunda turma em Cuba. Viajaria naquele dia ao Nordeste, para participar de uma ação na "Semana Marighella". Filho do falecido pintor Lasar Segall e marido da atriz Beatriz Segall, Maurício era sociólogo, economista e empresário. Rompera com o PCB na década de 1950 e se engajara na ALN em 1969.

Os tiras do Dops paulista campanaram o ponto de Tavares com Câmara, depararam-se com Lourdes, vigiada até topar com Segall, e deram com Viriato. Com a eloquente exceção do sortudo Tavares, estavam todos sequestrados, levados para um sítio clandestino que Fleury administrava nos arredores da capital paulista. Segall contaria ter ouvido de um policial que, ao ser surpreendido, *Toledo* se engalfinhara com os beleguins, arrancara um pedaço de carne de um deles com uma mordida e não conseguira engolir o cianureto.

No sítio herdado do Esquadrão da Morte, Viriato padecia no pau de arara quando escutou um grito de Lourdes, "Não falei nada até agora!" — à revista *Realidade*, Fleury revelaria seu assombro com o destemor da guerrilheira. Mais tarde Viriato notou uma balbúrdia, com verdugos cogitando que Câmara tivesse entornado veneno, tal sua agitação. Também dependurado de cabeça para baixo, Segall foi largado sozinho pelos carrascos — um sádico lhe diria: "Adoro torturar burguês". O motivo foi a passagem de "um cara arfando", disse Segall. Era Câmara, debatendo-se com um colapso cardíaco. "A gente ouvia a agonia." Por baixo da venda, Segall entreviu um homem de calça e sapatos brancos, o médico convocado para impedir a morte do líder da ALN e permitir a retomada do tormento. Só um companheiro, Maria de Lourdes, narrou ter estado cara a cara com *Toledo* no sítio. Ela jamais se esqueceria do que assistiu.

Câmara nada reivindicou em seu benefício, mas "pediu clemência" para Lourdes. "O *Velho* disse que gostava muito de mim, que não me matassem." De tanto a torturarem, os policiais pensaram que estava desmaiada no instante em que dobraram o corpo de *Toledo* como um frango no espeto, sobre a barra do pau de arara. Consultaram-no a respeito da pressão arterial, ele informou que era "baixa", e os eletrochoques sacudiram seu corpo. Até então ele não manifestara as dores no peito. Antes, ao induzir os captores a aumentarem a dose, seu olhar coincidiu com o de Lourdes, que nunca soube de problemas de hipotensão apoquentando o companheiro. "Ele deu um sorrisinho para mim, eu dei para ele. Ele armou, queria se suicidar." O coração de Câmara baqueou, e "chamaram um médico. Morreu rápido. O risinho entre nós ficou na minha cabeça, nossa cumplicidade".

O testemunho de Lourdes comprova que a afirmação de preferir a morte ao martírio não constituía bravata. Como Marighella, Câmara lutou para ser o senhor do seu destino até o derradeiro gesto. A guerrilheira denunciou a nova farsa do Dops, cuja versão sustentou que o morto infartara ao ser detido. "Ele morreu de tortura", enfatizou. A lorota de 1970 foi mais fácil de desmontar que a de 1969. No dia 3 de novembro, o II Exército difundiu um relatório classificado como "confidencial", só conhecido na posteridade. Eliminou dúvidas: "Quando estava sendo submetido a interrogatório, *Toledo* foi acometido de crise cardíaca, que lhe ocasionou a morte". Portanto, a "crise cardíaca" ocorreu durante o "interrogatório", que não se desenvolveu em torno de uma mesa com chá e torradas ou, mais a gosto de Câmara, um copo de vinho tinto.

Fleury inventou que um militante preso renegara a ALN e levara o Dops até Câmara: Eduardo Leite, o *Bacuri*, que depois teria escapulido. Na verdade, o revolucionário que tentaram desmoralizar sem êxito não saíra do cárcere. Mutilaram-no na tortura, até matá-lo em dezembro. O relatório do Exército descreveu os fatos como ocorreram: "Fleury, tendo obtido informação de que *Vitor* havia contactado com *Toledo* antes de seguir para o Norte do país, obteve autorização e apoio do II Exército para buscar o marginado e trazê-lo para a área de São Paulo" — a fuga do hospital fora encenada. José da Silva Tavares ajudou a ditadura, declararam dezenas de militantes da ALN. O *Quedograma* qualificou-o como "traidor", pois "se passou para o lado do inimigo e dispôs-se a colaborar com a repressão".

O guerrilheiro Joaquim Câmara Ferreira foi enterrado no cemitério da Consolação, em São Paulo, na presença da família. Em Minas Gerais, José da Silva Tavares seguiu carreira como executivo da indústria automobilística.

Depois da morte de Marighella, Clara Charf viveu na clandestinidade até 1970, quando se mudou para Cuba. Voltou ao Brasil com a anistia, em 1979, e se filiou ao nascente Partido dos Trabalhadores (PT). Ao lado do enteado Carlinhos, conduziu desde então numerosas iniciativas de preservação da história do marido. Em 1982, granjeou perto de 20 mil votos como candidata à Assembleia Legislativa paulista, sem se eleger. Em abril de 2012, a incansável viúva de Marighella residia em São Paulo, presidia a Associação Mulheres pela Paz e era membro do Conselho Nacional dos Direitos da Mulher. No PT, integrava a Secretaria de Mulheres e a Secretaria de Relações Internacionais.

Carlos Augusto Marighella, o Carlinhos, sentiu na pele a brutalidade da ditadura. Quadro do PCB à época, o filho de Marighella foi preso na Bahia em 1975 e solto quase dois anos depois. Experimentou espancamentos e choques elétricos, aplicados por agentes do Destacamento de Operações de Informações da 6ª Região Militar. Foi a mesma selvageria com que a polícia de Getúlio Vargas castigara seu pai. Carlinhos e os demais torturados identificaram o major Carlos Alberto Brilhante Ustra como o comandante da operação do Exército. Eleito em 1982 pelo Partido do Movimento Democrático Brasileiro (PMDB), Carlos Augusto Marighella exerceu nos quatro anos seguintes o mandato de deputado estadual baiano. Uma decisão judicial de 2010 reintegrou-o à Petrobras, empresa da qual fora expulso quatro décadas antes por perseguição política. Além de trabalhar como petroleiro, em 2012 atuava em Salvador como advogado na área de direitos humanos. É pai de três filhos e avô de dois netos.

Elza Sento Sé, primeira mulher de Marighella e mãe de Carlinhos, retornou à Bahia após a separação. Casou-se novamente e morreu em 1998, aos 76 anos. No fim da vida, tinha exposta em sua residência uma fotografia de Marighella saindo da prisão.

Zilda Xavier Pereira não se demorou em Cuba e reingressou no Brasil em 1º de janeiro de 1970. Passados 28 dias, capturaram-na no Rio. Ela sobreviveu porque os militares desconheciam sua condição de dirigente da ALN e o caráter dos seus laços com o antigo comandante da organização. Na tortura, feriram-na nas partes mais íntimas. Não se livraria das sequelas nos joelhos e num tímpano. Guardou segredo de um ponto com *Toledo*, e por meio dela a ditadura não localizou nenhum companheiro. "Eu via o Marighella na minha frente. Pensava: 'Carlos Marighella não é homem para ser traído, eu jamais trairei Carlos Marighella'."

Determinada a escapar, Zilda simulou um surto de insanidade numa guarnição do Exército, e a transferiram para o Pinel. Em 1º de maio de 1970, ela fugiu pela porta da frente do hospital carioca. Atravessou o exílio na Itália, até a anistia. A repressão matara Alex, seu filho do meio, em janeiro de 1972. Logo chegou a vez do primogênito, Iuri. Um guerrilheiro contava 22 anos e o outro, 23. Comovido com a coragem da mãe na cadeia, Iuri lhe remetera uma carta: "Não nos dizemos adeus porque em verdade, estando integrados em uma luta assim, por mais distantes que estivermos, estaremos ombro a ombro sempre. E aconteça

65. Marighella na redação do *Jornal do Brasil*, em 31 de julho de 1964, dia em que deixou a prisão.

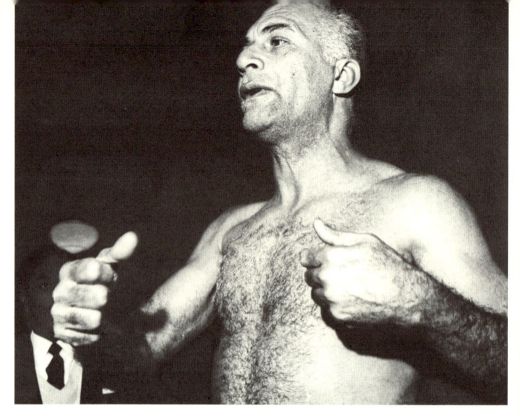
66. Em visitas aos jornais, Marighella mostrou em que parte do corpo o balearam no cinema.

67.
O marechal Castello Branco, primeiro presidente da ditadura militar.

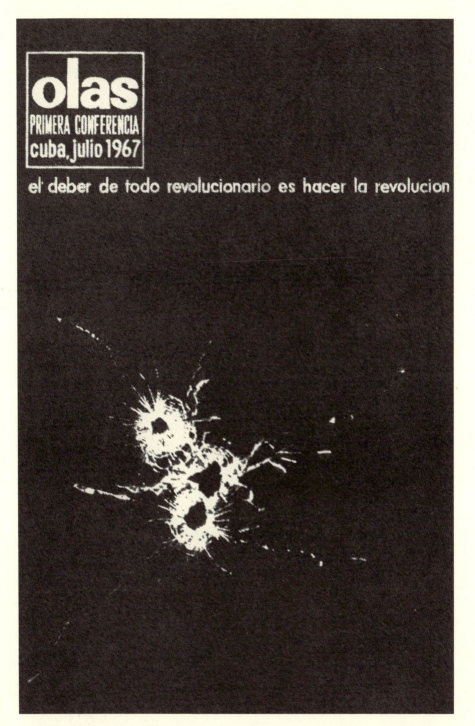

68. Cartaz da Primeira Conferência da Olas, em 1967: "O dever de todo revolucionário é fazer a revolução".

69. Manuel Piñeiro Losada, o *Barba Roja*, principal executivo do aparato secreto cubano de "exportação da revolução".

70. Líder do PCBR, Mário Alves viajou a Havana e reclamou: "Os cubanos estavam se metendo demais".

O GUERRILHEIRO

BRASIL — ABRIL — 1968
N.o 1 — 0,50

APRESENTAÇÃO

O aparecimento de O GUERRILHEIRO marca uma nova fase do movimento revolucionário brasileiro.

O GUERRILHEIRO é um órgão dos grupos revolucionários. Sua missão consiste em ajudar a levar para a frente a guerrilha brasileira.

Embrião do exército revolucionário

Acompanhando os passos da guerrilha e lhe emprestando decidido apoio, o que queremos é vê-la transformada no embrião do exército revolucionário de libertação. A criação desse exército constitui uma tarefa estratégica. Sua grande importância pode ser avaliada sabendo-se que com o exército revolucionário de libertação teremos a força armada do povo — a única capaz de destruir as forças armadas da reação, derrubar a ditadura e expulsar o imperialismo.

A frente antiimperialista

O maior inimigo da humanidade será intransigentemente combatido nas colunas dêste jornal. Nosso lema é trabalhar sem descanso pela organização da guerra justa e necessária contra o imperialismo dos Estados Unidos. Tendo isso em vista, batalharemos por uma frente antiimperialista, ou seja, uma frente popular revolucionária, não importa o nome que venha a ter.

O fundamental é que seja uma frente capaz de unir as forças interessadas na expulsão do imperialismo e na libertação do país pela via armada.

O núcleo armado operário-camponês

No que diz respeito a transformar a guerrilha em embrião do exército revolucionário de libertação, não o conseguiremos se não contarmos desde o início com um núcleo armado de operários e camponeses. Fruto da aliança revolucionária operário-camponesa, a êste núcleo básico é necessário juntar o movimento estudantil e as demais forças interessadas na revolução.

Dentro desta ordem de idéias, O GUERRILHEIRO incentivará o trabalho revolucionário com o proletariado e os camponeses, bem como com os estudantes, a intelectualidade, a juventude, as mulheres e outras camadas da população.

Conteúdo essencial da revolução

Combateremos tenazmente o latifúndio e a exploração capitalista, seguindo ao pé da letra a afirmativa da "Declaração Geral" da OLAS quando, no item 3 da parte final assinala que "o conteúdo essencial da revolução na América Latina é enfrentar o imperialismo e as oligarquias de burgueses e latifundiários. Por conseguinte, o caráter da revolução é o da luta pela independência nacional, a emancipação das oligarquias e o caminho socialista para seu pleno desenvolvimento econômico e social.

Independência nacional e oligarquia

Tratando-se da revolução de independência nacional, como é o caso da revolução brasileira — segundo pensamos — não há para o nosso povo outra alternativa senão a emancipação em face da oligarquia que domina o país. Sem esta opção não se poderá assegurar no Brasil o caminho do socialismo.

E o que chamamos de oligarquia é a fusão da burguesia, ou do seu setor fundamental, com o latifúndio.

Dados os laços estreitos e indissolúveis entre a burguesia e o latifúndio, de um lado, e o imperialismo de outro, a oligarquia brasileira apresenta diante do imperialismo dos Estados Unidos uma posição de submissão e dependência quase absoluta.

Em virtude disso, a burguesia brasileira, ou o seu setor fundamental e dominante, não tem capacidade de desenvolver uma ação política independente, nem pode exercer qualquer papel importante na revolução.

O papel dirigente da revolução cabe ao proletariado.

A ditadura militar brasileira

A ditadura militar brasileira, por sua vez, representa os interêsses da oligarquia, violentamente opostos aos do proletariado e dos camponeses, bem como aos das camadas médias e da população em geral.

Daí por que a ditadura militar brasileira não tem outra política a seguir senão a entrega do Brasil aos Estados Unidos. É um govêrno de traição nacional. Sua missão fundamental é servir aos interêsses do imperialismo norte-americano.

A ditadura militar brasileira terá nas páginas de O GUERRILHEIRO um opositor encarniçado. Não daremos trégua aos gorilas e ao govêrno de traição nacional que infelicita e aterroriza o povo brasileiro.

A tomada do poder

O grande objetivo de O GUERRILHEIRO é contribuir para a tomada do poder mediante a destruição do aparêlho burocrático militar do Estado e sua substituição pelo povo armado. O GUERRILHEIRO luta para mudar o regime social e econômico existente. Batalha para ver realizada a completa transformação da estrutura econômica brasileira. Proclama que tal objetivo só é possível através da luta de guerrilhas.

Estratégia global dos povos

O GUERRILHEIRO é partidário de uma estratégia global dos povos para combater a estratégia global do imperialismo dos Estados Unidos.

Nossa tarefa é contribuir para criar "dois, três, muitos Vietnãs", o que significa que devemos lutar para atrair as forças militares do imperialismo norte-americano a várias partes do mundo ao mesmo tempo, obrigando-as a guerrear desvantajosamente e levando-as à derrota e ao aniquilamento.

Apoio do povo e missão revolucionária

Paladino da organização da violência das massas, O GUERRILHEIRO espera viver do apoio do povo e dos revolucionários e, assim, cumprir sua missão revolucionária.

OLHO POR OLHO, DENTE POR DENTE!

A explosão de protestos desencadeada em todo o país pelo brutal assassinato do estudante Edson Luís de Lima Souto veio comprovar quanto o povo brasileiro já compreendeu o caráter da ditadura terrorista desse govêrno do sr. Costa e Silva e também a necessidade de opor a violência revolucionária das massas à violência da reação.

Prisões, espancamentos, assassinatos, a negação dos direitos dos brasileiros sob tôdas as formas é a constante da ditadura que há quatro anos se instaurou no Brasil. Os poderosos recorrem a êsses métodos para impedir que milhões de trabalhadores do campo lutem pela terra e por salários humanos. Para impor à classe operária e a todos quantos vivem de salários, ordenados e vencimentos uma drástica redução de seus níveis de vida. Para impedir os protestos do povo contra a carestia. Para sufocar o clamor dos estudantes contra a falta de escolas e o baixo nível de ensino. Para não permitir que os intelectuais traduzam em suas obras os anseios populares. Para assegurar lucros cada vez maiores aos grandes capitalistas americanos e nacionais, bem como a desnacionalização da indústria e a ruína dos pequenos e médios industriais e comerciantes. Para garantir o assalto às terras e às riquezas brasileiras pelos exploradores americanos.

Agora, foi para impedir os justos protestos dos estudantes pobres da Guanabara contra as condições deficientes do seu restaurante que se assassinou um jovem. Não foi um fato casual. Havia todo um propósito da polícia do sr. Negrão de Lima de assim agir. A ordem partiu do próprio comandante da sua Polícia Militar. As violências que se seguiram — até tiros dentro de igrejas — foram ordenadas pelo ministro da Justiça, pelo ministro da Guerra, pelos governadores, pelo gorilão Costa e Silva.

Mas o povo também já aprendeu nestes quatro anos. As ações contra a embaixada dos Estados Unidos e outras dependências norte-americanas em diversos pontos do país, bem como a queima da bandeira dos Estados Unidos diante da antiga sede da U.N.E., deixaram claro que o povo tem consciência de quem é seu maior inimigo. O fato de estudantes e povo em geral terem oposto a justa violência das massas à violência da reação comprovou também, que cresce, entre milhões de brasileiros, a compreensão de que não se pode esperar que a ditadura se "democratize", que não se pode esperar que esta situação se modifique através de eleições ou da ação dos homens do m.d.b. ou da "frente ampla". Em numerosos pontos do país, particularmente na Guanabara, Brasília, Goiânia, Fortaleza, etc. estudantes e povo travaram as primeiras escaramuças guerrilheiras.

Agora, o govêrno ameaça o povo com novas medidas de aprofundamento da ditadura, enquanto outros setores especulam com a possibilidade de manobras e golpes liberalizantes. Uns e outros o que pretendem, na realidade, é manter a velha e carcomida estrutura que infelicita os brasileiros.

Os acontecimentos das últimas semanas deixaram ainda mais claro que devemos responder à violência da reação com a violência do povo, que o lema é ôlho por ôlho, dente por dente. Que é preciso formar grupos armados de estudantes, trabalhadores e populares nas cidades, para enfrentar, de maneira vantajosa e utilizando as táticas de guerrilha urbana, as fôrças armadas da reação. Que é preciso juntar à luta dos estudantes, as lutas dos operários e dos camponeses. Que a luta do povo brasileiro pela derrubada da ditadura, pelo poder do povo, é uma luta global, que tem como centro o desencadeamento da guerrilha na área rural e em que as ações urbanas são indispensáveis para desnortear e imobilizar as forças da ditadura.

ÀS ARMAS

A ditadura repele a luta do povo com tiros. O que o povo deve fazer? Responder a ditadura com balas. Sim sòmente balas vingarão as balas. Sòmente o sangue pagará o sangue. O que nos resta, então? *vamos às armas!* Só o povo armado derruba a ditadura assassina! Só o povo armado vingará a morte do jovem companheiro Edson Luís Souto. Só o povo armado alcançará o poder! Só o povo armado fará chegar à nossa pátria a verdadeira democracia do povo no poder!

PÁTRIA OU MORTE!

(Boletim distribuído na Guanabara logo após ao assassinato de Edson Luís.)

---

71. A primeira edição do jornal clandestino *O Guerrilheiro* publicou, em abril de 1968, um manifesto do Agrupamento Comunista de São Paulo, embrião da ALN.

72. Marcos Antonio Braz de Carvalho, o Marquito, comandante do primeiro Grupo Tático Armado da ALN, no retrato 3x4 e na manifestação na praça da Sé em 1º de maio de 1968, sob o número 2.

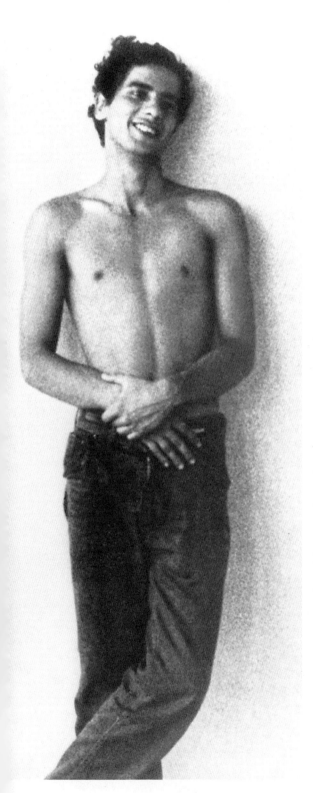

73.
Zilda Paula Xavier Pereira (acima), cuja família foi o coração da ALN carioca, e seus filhos Alex (sem camisa), Iara e Iuri em Cuba, onde os três treinaram guerrilha.

74. O carro pagador do Ipeg assaltado pela ALN em 1968, no Rio.

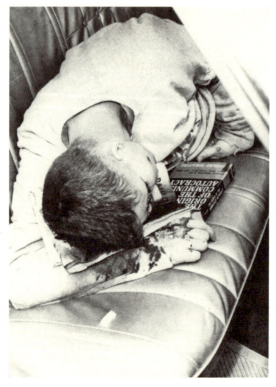

75.
O capitão americano Charles Chandler, morto em 1968 por um comando da ALN e da VPR.

76.
Em novembro de 1968, a ditadura anuncia a caçada a Marighella.

77.
Alessandro Malavasi, com um pacote, à dir., deixa a prisão em 1957; doze anos mais tarde, o ex-sequestrador atuaria como espião dos Estados Unidos na cúpula da ALN.

78. Virgílio Gomes da Silva, o *Jonas*, guerrilheiro que lutou boxe e venceu maratona de dança.

79. Carlos Lamarca dá aula de tiro a bancárias; relação do capitão com Marighella teria altos e baixos.

. Com um curativo na testa golpeada, o embaixador americano Charles Burke Elbrick (abaixo, à esq.), cujo sequestro pela ALN e pelo MR-8 permitiu a libertação de quinze presos (treze deles na foto acima); o "comissário político" da ação de 1969 foi Joaquim Câmara Ferreira (abaixo, primeiro à esq., no ano anterior, no casamento da filha).

81. Da turma de noviços dominicanos de 1965, em Belo Horizonte, cinco se tornariam militantes da ALN: da dir. para a esq., Oswaldo (segundo), Betto (quarto), Ratton (sexto), Magno (oitavo) e Ivo (12º).

82. Na primeira fila do julgamento na Justiça Militar, da esq. para a dir., frei Fernando de Brito (braços cruzados), frei Betto, frei Ivo e frei Roberto Romano; atrás de Betto, a jornalista Rose Nogueira.

Última fotografia conhecida de Marighella, em 1967.

84. Na revista francesa *Front*, a derradeira entrevista de Marighella.

85. Marighella e outros procurados pela ditadura, em 1969; ele gravou um manifesto em resposta ao cartaz.

86. O policial João Carlos Tralli, ao centro, de cabelo escuro e olhando para a frente, durante um julgamento em 1977 (à dir. está o delegado Fleury); dono da carabina *Vilminha*, Tralli afirmou ter sido o autor do tiro fatal em Marighella.

87. O delegado Sérgio Fernando Paranhos Fleury, em dezembro de 1968; ele comandaria a tocaia que matou Marighella.

Os carros na alameda Casa Branca, depois de Marighella ser morto; à esq., ao lado do Fusca dos frades, o sangue do guerrilheiro fuzilado formou uma poça; na camionete à dir., policiais se esconderam sob uma lona.

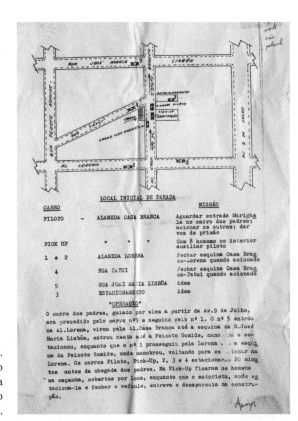

89.
O mapa do cenário da tocaia para Marighella, peça do inquérito policial.

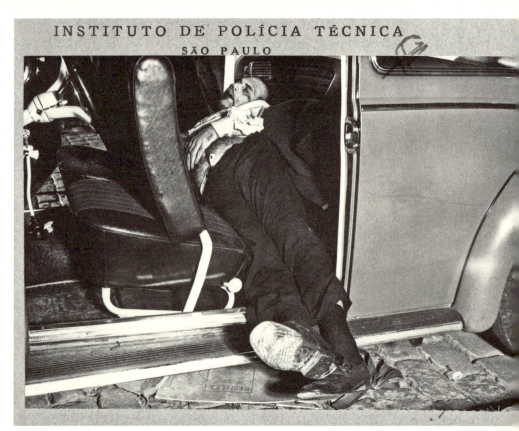
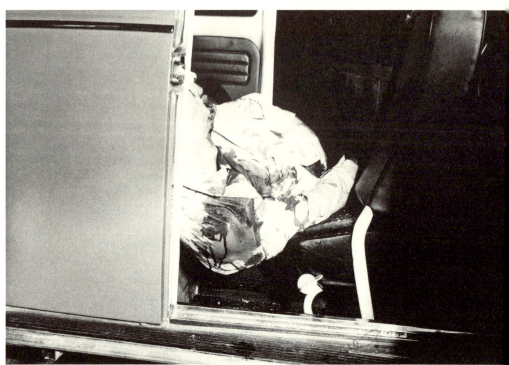

90. Fotografado pela esq. e pela dir. do Fusca, o corpo de Marighella na posição esdrúxula em que foi colocado pelos policiais depois de ser assassinado.

o que acontecer, todo ato que um realize será também ação do outro. [...] Um beijo do companheiro-filho (filho-companheiro) à companheira-mãe (mãe-companheira)". A caçula Iara, grávida, permanecia em ação no Brasil. O comando do que restara da ALN decidiu, em 1973, retirar do país a aguerrida militante. Em 2012, Iara era funcionária pública e vivia em Brasília.

O *Dicionário histórico-biográfico brasileiro pós-1930*, produzido pela Fundação Getúlio Vargas, assinalou no verbete "Carlos Marighella": "Viveu maritalmente até sua morte com Zilda Xavier Pereira". A relação entre eles também foi mencionada em livros memorialísticos, no *Jornal do Brasil*, na revista francesa *Jeune Afrique* e na italiana *L'espresso*. Zilda nunca reivindicou qualquer estatuto de ex-companheira afetiva de Marighella.

Ela morava no bairro de Copacabana em 2012.

Quando os presos políticos iam embora dos cárceres paulistas nos anos de chumbo, os que ficavam cantavam a "Suíte do pescador", de Dorival Caymmi: "Minha jangada vai sair pro mar/ Vou trabalhar, meu bem querer/ Se Deus quiser, quando eu voltar do mar/ Um peixe bom eu vou trazer/ Meus companheiros também vão voltar/ E a Deus do céu vamos agradecer".

Em 4 de outubro de 1973, dia de são Francisco, foi a vez de partirem Fernando de Brito, o frei Fernando, e Yves do Amaral Lesbaupin, o frei Ivo. Lesbaupin deixaria a Ordem Dominicana em 1977. Em 2012, o sociólogo ocupava a secretaria executiva do Iser Assessoria, organização não governamental destinada à formação de ativistas de movimentos populares. Frei Fernando radicou-se em Sítio do Conde, povoado praiano na Bahia. O sacerdote anima uma casa de cultura de jovens, com dança, teatro, coral e percussão. Estimula iniciativas conjuntas da Igreja católica com o candomblé e outras religiões. Todo ano, no dia 20 de novembro, celebra a Missa do Axé, homenagem a Zumbi dos Palmares e à consciência negra. Dentro ou fora da vida religiosa, Fernando e Lesbaupin renovaram a promessa de juventude de amparar os mais pobres.

Apanhado pelo arrastão que antecedeu a morte de Marighella, Tito de Alencar Lima foi destroçado na tortura. O dominicano saiu do Brasil em 1970, libertado no sequestro do embaixador suíço. Distanciou-se fisicamente dos algozes ao se instalar na França, mas eles não concederam trégua às suas lembranças e à sua alma. Em 1974, frei Tito descansou do horror, dando cabo da existência aos 28 anos. Seu sacrifício ecoou como denúncia dramática dos crimes da ditadura, e ele se tornou um mártir brasileiro. Meses antes de se enforcar, escrevera: "Quando secar o rio de minha infância, secará toda dor".

Líder do PCBR, Mário Alves caiu menos de três meses após a morte de Marighella. Os conterrâneos baianos haviam sido os mais influentes militantes a trocar o PCB pela guerrilha na ressaca de 1964. Mário tinha 46 anos em janeiro de 1970, quando o assassinaram na tortura. No quartel do Exército da rua Barão de Mesquita, no Rio, empalaram-no com um cassetete. Seu corpo não foi entregue à família, e ele se transformou em "desaparecido" político.

De cabeça e coração, Carlos Lamarca relegara como águas passadas os quiproquós com Marighella. O guerrilheiro mais odiado pelos militares chorou ao saber, pela TV, da morte do inimigo público número um. Em sua última encarnação militante, no MR-8, o capitão desfigurado pela fome foi alcançado por tropas do Exército em setembro de 1971, no sertão baiano. Fuzilaram-no sumariamente, aos 33 anos, ao lado do companheiro José Campos Barreto.

Ao desembarcar no aeroporto do Galeão em 1979, Luiz Carlos Prestes já perdera o controle do PCB. Em 1980, abandonou o partido ao qual pertencera por 46 anos — Giocondo Dias sucedeu-o na liderança. O mais importante dirigente comunista da história do Brasil perseverou na militância, eternamente fiel às suas convicções. Ao contrário de tantos compatriotas, não enriqueceu na política, vivendo de modo espartano. Teve tempo de acompanhar a queda do Muro de Berlim, em 1989, mas não de assistir à *débâcle* da União Soviética em 1991. Morreu em 1990, aos 92 anos. Seu corpo foi velado no palácio Tiradentes, palco da Constituinte em que combatera com Marighella. No cortejo até o cemitério, milhares de admiradores o aclamaram com o slogan "De norte a sul, de leste a oeste, o povo todo grita Luiz Carlos Prestes!".

A repressão exterminou dez membros do Comitê Central do PCB em 1974 e 1975 — na base, um dos mortos na tortura foi o jornalista Vladimir Herzog.

O antigo deputado João Massena Melo resistira ao Estado Novo, quando dividiu cela com Marighella na Ilha Grande. A ditadura militar abateu-o com injeção de matar cavalo. Outro ex-parlamentar, David Capistrano, não perecera nem no campo de concentração da Alemanha onde os nazistas o confinaram na Segunda Guerra. Servidores do Exército Brasileiro o esquartejaram em 1974.

Em 1992, a maioria do PCB esconjurou o comunismo e se rebatizou como Partido Popular Socialista (PPS). A minoria obteve na justiça o direito de manter a sigla. Três agremiações festejaram em 2012 os noventa anos da legenda mais longeva do país, reivindicando sua continuidade: o próprio PCB (Partido Comunista Brasileiro), o PPS e o PC do B (Partido Comunista do Brasil).

Maurício Grabois derramou lágrimas diante da filha, Victória, ao receber a notícia da morte de Marighella. Não importava que os colegas do Ginásio da Bahia estivessem agastados desde 1956 e 1957. Diógenes Arruda Câmara "chorou e ficou muito abalado", rememorou o filho, Marcucha. Grabois e Arruda morreram como dirigentes do PC do B. Idem João Amazonas e Pedro Pomar. Em 1945, o quarteto coadjuvava Prestes na cúpula comunista.

Aos 61 anos, Grabois foi morto por tropas militares no Natal de 1973, quando pelejava na Guerrilha do Araguaia. Seu corpo não foi devolvido. Em 1976, o DOI do II Exército executou Pomar, de 63 anos. O episódio ficou conhecido como Chacina da Lapa. Arruda sofreu nas penitenciárias e nos paus de arara da ditadura do final da década de 1960 ao princípio da de 1970. O gigante do comunismo nacional foi fulminado por um infarto em 1979, mal retornara do exílio, às vésperas dos 65 anos. Amazonas capitaneou o PC do B no período de maior crescimento do partido. Só sossegou ao falecer, em 2002, aos noventa anos.

O policial João Carlos Tralli, autor provável do tiro no peito de Marighella, acabou em cana. Entre 1973 e 1974, amargou seis meses preso, acusado por crimes cometidos pelo Esquadrão da Morte. Faleceu em 2007, aos 75 anos.

Sérgio Fernando Paranhos Fleury, mandachuva da tocaia na Casa Branca, morreu em 1º de maio de 1979, mês em que completaria 46 anos. Conforme a versão oficial, o delegado se afogou em Ilhabela, no litoral paulista. Teria caído de uma lancha, mas o cadáver não foi submetido a necropsia. Naquele feriado, dezenas de milhares de metalúrgicos lotaram uma assembleia em São Bernardo do Campo. Presidiu-a o líder sindical Luiz Inácio da Silva, um certo Lula. A multidão comemorou, parodiando a marchinha "A jardineira": "Ó repressão, por que estás tão triste?/ Mas o que foi que te aconteceu?/ Foi o Fleury que caiu do barco, deu dois suspiros e depois morreu".

A ditadura saiu de cena em 1985, 21 anos depois do golpe de Estado que a instaurou. Além de cometer outras atrocidades contra a democracia e os direitos humanos, deixou o saldo de ao menos 396 mortos e "desaparecidos" por motivos políticos.

A Comissão Especial sobre Mortos e Desaparecidos Políticos dissecou o Caso Marighella em 1996. O colegiado instituído pelo presidente Fernando Henrique Cardoso concluiu que o Dops, se quisesse, poderia ter rendido o guerrilheiro, sem liquidá-lo.

Na sessão de 5 de dezembro de 2011, a Comissão de Anistia do Ministério da Justiça apresentou um "pedido oficial de desculpas" à família de Marighella. "Em nome do Estado brasileiro", lamentou pelos "erros cometidos no passado", ao persegui-lo e matá-lo.

Assim como não recebeu certidão de nascimento, pois não veio ao mundo em evento formal como congresso ou reunião, a Ação Libertadora Nacional nunca teve a extinção declarada em atestado de óbito. Já se desarticulara em meados dos anos 1970. Só se manteve organizada nos presídios políticos, até a anistia. A ditadura matou 73 integrantes da ALN, incluindo dezoito da dissidência Movimento de Libertação Popular. Mais três perderam a vida em acidentes e outros três foram executados pelos companheiros — contra um destes, Márcio Leite de Toledo, não havia nem suspeita de ter traído; tratou-se do "ato mais insano da história da ALN", condenou o guerrilheiro Renato Martinelli. Um oficial do Exército atribuiu à conjuração marighellista 144 assaltos e 25 atentados a bomba.

Marcos Nonato Fonseca, recrutado pela ALN carioca aos quinze anos, foi morto aos dezenove. O secundarista saíra de casa aos dezesseis, sem que tivesse despontado um fio de barba em seu rosto. Sua mãe, Leda, só o reviu no caixão, em 1972. Pela primeira vez, reparou no filho vestígios de barba escanhoada.

Luiz José da Cunha, o correligionário que se opusera à admissão de Marquinhos em virtude da pouca idade, não escapou do furor repressivo. O DOI do II Exército, comandado à época pelo major Carlos Alberto Brilhante Ustra, assassinou-o na tortura em 1973. *Crioulo* tinha 29 anos. Tempos mais tarde, germinariam os relatos fantasiosos sobre sua presença no cenário da morte de Marighella. Ocultaram o cadáver de *Crioulo* no cemitério paulistano de Perus. Com o resgate de sua ossada dali a anos, ele mereceu em 2006 um funeral digno no Recife, sua terra natal.

A ditadura escondera também em Perus os despojos de outros "desaparecidos" da ALN, como Luiz Eurico Tejera Lisboa. Morto em setembro de 1972, aos 24 anos, Ico fora enterrado com nome falso. A antiga guerrilheira Suzana Keniger Lisboa, sua mulher, descobriu seu corpo em 1979. O catarinense Luiz Eurico foi sepultado em Porto Alegre, cidade onde despontara como líder do movimento secundarista.

No primeiro semestre de 1972, o casal de revolucionários da ALN se refugiava em Pinhal, balneário gaúcho. Acompanhava-o Nei, o irmão mais novo de Luiz Eurico. O guri de treze anos ainda estava longe de se tornar o consagrado compositor Nei Lisboa. Alguns invernos antes, ele murmurava em família que no futuro seria guerrilheiro. Ico ensinou-o a não repetir tais palavras perigosas na rua. Tranquilizou-o: como logo sobreviria a revolução, no futuro ninguém teria de pegar em armas. Na escola, a professora enunciou a pergunta infalível: o que você vai ser quando crescer? De médico a guitarrista, os coleguinhas responderam, menos Nei. Ela insistiu, e o aluno teimou que não podia falar. A professora receou que estivesse maluco, aninhou-o no colo, e ele cedeu: seria "uma coisa" que quando crescesse não precisaria mais ser... E só.

Na praia, Nei se sentia numa pós-graduação em pandorga, como no Rio Grande do Sul denominam pipa, papagaio e arraia. "Ico, mestre pandorgueiro, vinha me formando na arte", recordaria. Suzana observava os artesãos de pandorgas e se emocionava ouvindo "Debaixo dos caracóis dos seus cabelos". Não desconfiava que Caetano Veloso, admirador de Marighella, inspirara Roberto e Erasmo Carlos a compor a canção. Os irmãos Lisboa catavam taquara, colavam papel de seda e, como rabo, amarravam panos rotos. O símbolo da ALN era uma alça de mira. Com um papel de cor diferente, Luiz Eurico e o caçula a acrescentavam às pandorgas que soltavam na areia deserta à beira-mar. Nei não se esqueceu: "Algumas vezes atingiam o infinito azul do céu, noutras se despedaçavam entre os fios atravessados no caminho". Em um dia de vento forte, a pandorga alçou voo, e o cordão se rompeu. Livre, ela não despencou e continuou a subir. Sem se entregar, sumiu no horizonte, carregando para sempre o símbolo da última organização de Carlos Marighella.

Agradecimentos

O livro que você acaba de ler consumiu nove anos de trabalho, dos quais cinco anos e nove meses em dedicação exclusiva. Enfrentei obstáculos vigorosos. Por um lado, certa historiografia oficial se empenhou em eliminar da memória do país os rastros de Carlos Marighella. Por outro, ele tratou de não deixar pegadas em mais de duas décadas de clandestinidade rigorosa. Desviava de câmeras fotográficas. Não colecionava agendas (ao contrário de Luiz Carlos Prestes) ou cultivava diários (como os de Ernesto Che Guevara). Tampouco teve o tempo de tantos amigos (como Gregório Bezerra) e inimigos (Juracy Magalhães) para redigir ou ditar suas reminiscências.

Para esquadrinhar os passos de Marighella, beneficiei-me da generosidade e paciência de 256 pessoas entrevistadas e consultadas. Algumas em numerosas sessões, somando às vezes dezenas de horas de perguntas e respostas. Todas foram importantes e a todas agradeço: da professora de inglês do estudante Marighella, no velho Ginásio da Bahia, ao companheiro que foi apanhar o guerrilheiro cinquentão na vizinhança da alameda Casa Branca e o encontrou morto; dos partidários incondicionais aos adversários mais encarniçados. Sem suas recordações, esta biografia não existiria. Seus nomes aparecem a seguir, bem como a relação dos cerca de seiscentos títulos que compõem a bibliografia, dos 32 arquivos públicos e privados onde garimpei relíquias documentais e de outras fontes valiosas.

Ao fim do volume, por volta de 2580 notas indicam escrupulosamente a origem das informações mais relevantes. Como eu poderia escrever que Marighella, ao ser baleado no cinema em 1964, sentiu gosto adocicado no sangue que empapou sua boca? Uma nota esclarece: ele contou, em determinado livro. A reconstituição dos diálogos foi feita por ao menos um interlocutor, uma testemunha ou um confidente da conversa — quando a descrição não ocorreu em depoimento a mim, deixei claro em nota a fonte na qual me baseei. Umas poucas notas qualificam ("ex-militante da ALN", "ex-agente do Dops-SP") os raros entrevistados que falaram sob a condição de anonimato.

Em todos os casos, cheguei obsessivamente cada versão, sabedor das traições e idiossincrasias da memória. Evitei enganos como este: uma camarada de Marighella relatou com riqueza de detalhes e, na década de 1970, um eminente jornalista com ojeriza a ele publicou pormenores do que teria sido uma atuação eletrizante do ainda deputado na sessão que expulsou os parlamentares comunistas da Câmara, em 1948. Acontece que Marighella não estivera lá, como confirmei com membros do PCB, nas páginas do *Diário do Congresso Nacional* e nas coberturas da imprensa de variados matizes políticos.

Nascido na primeira semana de abril de 1964, a do golpe de Estado que marcou gerações, minha lembrança mais remota é a da final da Copa do Mundo de 1970 e do papel picado que joguei da janela do apartamento onde morava, em Copacabana. Por que biografar quem fora fuzilado em novembro de 1969? Eu desejava contar uma vida fascinante, sem as amarras de tempo e espaço, característica das emergências de uma redação de jornal; para um repórter, poucos desafios equivalem a descobrir e narrar a epopeia de quem quase sempre se viu obrigado a pelejar nas sombras; Marighella me permitiu mergulhar em quatro décadas conturbadas do Brasil e do mundo do século XX.

Este livro não é uma hagiografia, promovendo o personagem principal, ou um libelo de oposição a ele. E sim uma reportagem que escrutina seus triunfos e tropeços, grandezas e pequenezas, os altos e baixos próprios da espécie humana. Ninguém precisa amar ou odiar Marighella. Mas é difícil ficar indiferente ao seu épico.

Os entrevistados contribuíram com revelações, sugestões, críticas, documentos, fotografias, recortes de jornais, gravações de áudio e incentivo. Nunca meus agradecimentos serão suficientes para saldar a dívida de gratidão que tenho com eles.

Devo a Carlos Augusto Marighella, o Carlinhos, a confiança e o apoio desde a primeira vez que o procurei. Jamais o filho de Marighella pediu para ler um parágrafo sequer dos originais da biografia que ele conhece agora, como todos os leitores. Ao Carlos Augusto, meu reconhecimento e minha eterna gratidão. Agradeço a Clara Charf, viúva de Marighella, sua acolhida calorosa. A inspiradora vida de "dona Clara", como a chamo com carinho, merece uma biografia só dela. Tereza, última dos oito irmãos Marighella, confidenciou-me segredos de família. Infelizmente, não sobreviveu para ler este trabalho sobre "Carrinho", seu irmão mais velho. O livro não seria o que é se Zilda Paula Xavier Pereira não tivesse dividido comigo tantos segredos de Marighella e da ALN. Nas histórias dele, da organização e do combate à ditadura militar (1964-85), Zilda é um dos protagonistas.

Entre tantos entrevistados cuja boa vontade testei à exaustão, apelando por mais testemunhos e mais ajuda, Suzana Keniger Lisboa e Iara Xavier Pereira se excederam. De 2003, quando comecei, até hoje, elas foram mais do que fontes de informação, entusiastas do meu projeto e personagens do livro. Foram minhas amigas.

Nas incontáveis oportunidades em que épocas que eu não vivi teimaram em me confundir, desbotadas pelo tempo, recorri à sabedoria e à memória de Paulo Saturnino, o amigo mais antigo e fiel, e de Janio de Freitas, cuja amizade de duas décadas foi um dos melhores presentes que o jornalismo me deu. Agora, enfim, eles se livrarão das minhas infindáveis perguntas.

De Fortaleza, recebi conselhos, ensinamentos e encorajamento de amigos de todas as horas, como Sylvia Escóssia, Lauro da Escóssia Filho, Carla da Escóssia e Paulo Linhares. Em Brasília e São Paulo, em viagens em busca do passado, Elisabete Jaguaribe e Rubens Valente me hospedaram. Repórter notável, Rubens não se fartou de fornecer papéis históricos inéditos e dicas certeiras. Suas indagações implacáveis me alertaram sobre percepções erradas e me impuseram a retomada de apurações.

Atravessou fronteiras a teia solidária que conspirou para reviver a saga de Marighella. Nos Estados Unidos, de onde enviou preciosidades do seu fabuloso acervo de brasilianista, o historiador John W. Foster Dulles foi incansável, até que a morte o levasse. Do Uruguai, o jornalista Rolando Sasso remeteu o que julgou ser útil para mim. O advogado Martin Almada, no Paraguai, recolheu no Archivo del Terror todos os registros com menção a Marighella. Em Cuba, uma antiga anfitriã de guerrilheiros do Brasil exumou uma pasta com a documentação da passagem de militantes da ALN pelo país caribenho.

Pioneiros na investigação sobre Marighella no cinema, no jornalismo e na universidade me receberam de braços abertos, colaborando com seus vastos conhecimentos e arquivos volumosos. A começar pelos cineastas Isa Grinspum Ferraz — sobrinha de Marighella, entrevistada e personagem da biografia — e Silvio Tendler. O jornalista Emiliano José cedeu quilos de documentos que acumulara. O historiador Jorge Nóvoa me ajudou a aferir a bússola, no início da caminhada. Seu colega Edson Teixeira Jr. elucidou minhas dúvidas, com a autoridade de quem atravessou mestrado e doutorado pesquisando Marighella e a ALN. O amigo Vladimir Sacchetta, enciclopédia ambulante sobre o Brasil republicano e coautor de uma fotobiografia de Marighella, concedeu-me a honra de conduzir o levantamento de imagens para este volume — além de ser personagem e filho de personagem do livro.

Um dos mitos do dito jornalismo investigativo é o do repórter super-homem, que faz e acontece, da apuração à edição, um geniozinho que prescinde de socorro. Trata-se de falsidade a serviço de lendas. Reportagens, como *Marighella*, resultam de esforço coletivo. Se eu mesmo fiz todas as entrevistas e consultei a maioria dos arquivos, tive a sorte de contar, na averiguação de muitos acervos, com o auxílio imprescindível de historiadores e jornalistas talentosos e persistentes: Marina Darmaros, em Moscou; Sandra Barbosa da Silva e Solange Dias de Santana Alves, em Salvador; Mário Augusto Medeiros da Silva, em Campinas; Juliana Pontes de Paula Oliveira, Marystela Pinheiro de Oliveira e Tatiane dos Santos Montanholi, em São Paulo.

A transcrição das entrevistas ficou a cargo das mãos criteriosas e dos ouvidos atentos de Adriana Cruz, Adriana Petersohn, Lúcia Guerra, Ricardo Perrota, Tiago Kneip Ramos e Victor Gomide. Além de passar para o computador os mais importantes depoimentos gravados, João Amado contribuiu com indicações de leitura e lições de história.

Em arquivos, bancos de dados e instituições de todo o país, a competência conspirou a meu favor. Agradeço a Ana Célia Navarro de Andrade (Centro de Documentação e Informação Científica Professor Casemiro dos Reis Filho – Cedic/PUC-SP); Angela Chagas (Projeto Portinari); Barbara Bueno (ProQuest Information and Learning); Caiuby Alves da Costa (Escola Politécnica da Universidade Federal da Bahia); Carlos Henrique Kauffmann, Danilo Janúncio Alves e Marina Nihei (Banco de Dados – *Folha de S.Paulo*); Célia Mattos (Biblioteca Pública do

Estado da Bahia); Dílson Brusco (Câmara dos Deputados); Fernanda Santana (Arquidiocese de Salvador); Floripes Marinho Falcão (Centro de Pesquisa e Documentação do *Jornal do Brasil*); Francisco Helder M. Pereira (Comissão Especial sobre Mortos e Desaparecidos Políticos); Jaime Antunes e Inês Stampa (Arquivo Nacional); Leonel da Mata e Gonçalo Marcelino de Lira Neto (Superior Tribunal Militar); Luis Alberto Zimbarg (Centro de Documentação e Memória – Cedem/ Unesp); Marcília Gama (Arquivo Público Estadual Jordão Emerenciano – Pernambuco); Robson Rodrigues (Arquivo Público do Estado de São Paulo); Rose Oliveyra (Casa de Oswaldo Cruz/ Fundação Oswaldo Cruz); Sibélia Di Bella (*O Estado de S. Paulo*/Agência Estado); Syrléa Marques Pereira, que me brindou também com sua amizade, Jessie Jane Vieira de Souza, entrevistada para o livro, Rosa Filgueiras, Ismênia Martins, Francisco Alfredo Monte Vianna Pires (*in memoriam*) e Luciano Caldas Felipe (Arquivo Público do Estado do Rio de Janeiro).

Nessa quase uma década de trabalho, estenderam-me a mão velhos e novos amigos, figuras íntimas ou gente com quem nunca estivera antes, simpatizantes e antipatizantes de Marighella. Agradeço imensamente a Adalberto Leister Filho, Ademir Villatoro, Adriano Santos Oliveira, Alan Rodrigues, Ana Carolina Fernandes, Ana Flor, André Iki Siqueira, Angelo Trento, Angelo Zani, Antonio Góis, Antonio Pedroso Júnior, Antônio Risério, Augusto Nunes, Bob Fernandes, Brasilia Carlos Ferreira, Breno Altman, Carlos de Meira Mattos (*in memoriam*), Celso Castro, Chico Santos, Cláudio Dantas Sequeira, Cláudio Júlio Tognolli, Cláudio Kahns, Consuelo Pondé de Sena, Cristina Konder, Dainis Karepovs, Deborah Kelman, Edgard Alves, Edileuza Pimenta, Eduardo Escorel, Eduardo Ribeiro, Eliete Ferrer, Elio Gaspari, Emir Sader, Euler de França Belém, Fábio Altman, Fábio Seixas, Fernando Molica, Fernando Morais, Francisco Scliar, Frederico Raposo, Geraldo Galvão Ferraz, Hélio Contreiras (*in memoriam*), Hélio Fernandes, Janaína Teles, João Baptista Natali, João José Reis, João Pedro Stedile, Joaquim Ferreira dos Santos, José Carlos Silvares, José Ivan Pugliese, José Maschio, Josélia Aguiar, Josino Moraes, Karina Kuschnir, Laura Mattos, Leoncio de Queiroz Maya, Lucas Figueiredo, Luis Francisco da Silva Carvalho Filho, Luis Turiba, Luiz Carlos Azedo, Luiz Henrique de Castro Silva, Luiz Maklouf Carvalho, Marcelo Beraba, Marcelo Paixão, Marcelo Ridenti, Márcia de Camargo, Marco Aurélio Santana, Marco Aurélio Vannucchi, Marcos Pedlowski, Maria Almeida, Marieta Borges, Mario Cesar Carvalho, Maurice Politi, Maurício Mattos, Mônica Ramos, Murilo Leal, Otavio Frias Filho, Paula Gomes, Paulo Vannuchi, Paulo Zocchi, Pedro Estevam da Rocha Pomar, Persio Presotto, Plínio Fraga,

Ralph Machado, Raphael Gomide, Regina Bordallo, Ricardo Noblat, Roberto Gazzi, Roberto Lapiccirella, Roberto Sobral Pinto Ribeiro, Sandra Moreyra, Sarita Grinspum, Sergio Rezende, Sérgio Sá Leitão, Sergio, Fábio e Clara Torres, Silvana Arantes, Silvia Bolívar, Silvio Da-Rin, Stella Caymmi, Tatiana Roque, Teodoro Koracakis, Tom Cardoso, Valci Zuculoto, Vandeck Santiago, Vanderlei Tomaz, Wanda Nestlehner, Wilson do Nascimento Barbosa, Wilson Tosta, Wladimir Pomar e Zezé Sack.

Esta edição é fruto do profissionalismo de uma equipe que não cansa de se superar, a da Companhia das Letras. Muito obrigado a Luiz Schwarcz pelo apoio e pela aposta no projeto Marighella desde o primeiro contato, promovido por outro personagem destas páginas, o amigo Juca Kfouri. Matinas Suzuki Jr. e Otávio Marques da Costa tomaram conta do livro com zelo de cúmplices, capricho de artesãos e rigor de editores. Graças aos seus comentários e recomendações, corrigi erros, suprimi excessos, acrescentei explicações e tornei o texto mais legível. Todos os equívocos que tiverem restado são de responsabilidade exclusiva minha. Devo a Maria Emília Bender, leitora dos primeiros capítulos, observações argutas que me influenciaram em toda a redação. Na preparação do texto, jargão que define uma espécie de acabamento editorial, Cacilda Guerra foi implacável com impropriedades de padrão, crimes estilísticos, erros factuais e passagens obscuras. Sem a eficiência de Ana Laura Souza, tabelando com Vladimir Sacchetta, os cadernos de imagens seriam menos ricos. Agradeço também a Livia Deorsola, Clara Dias, Eliane Trombini e Juliana Vettore.

Há uma dupla a quem devo não somente gratidão, mas um pedido de perdão pelas prolongadas ausências nesses anos: em Pelotas, Idelma Magalhães; no Rio, Eliane Maia Alves da Silva. É a mesma dívida em relação a Angela Magalhães, Rafael Tubino, Leonardo Lacau e Lucas Saturnino.

Fernanda, Maria, Ana e Daniel, companheiros de vida, carregaram o fardo mais pesado. Não apenas pelas minhas viagens constantes, no encalço de novas informações, e pelo isolamento para escrever e reescrever compulsivamente cada parágrafo. Mas por compartilhar o projeto, tido como meio amalucado até por amigos próximos, de abandonar um emprego confortável e prestigioso de jornalista para me dedicar, torrando nosso parco pé-de-meia, à história de um brasileiro maldito. *Marighella* é para vocês.

Mário Magalhães
Rio de Janeiro, setembro de 2012.

Entrevistas e consultas

Agildo Ribeiro
Agonalto Pacheco
Air José Souza de Jesus (Pai Air)
Alberto Castiel
Alcides Rafful Raphael
Aldo Lins e Silva
Alexina Crespo
Alfredo Fadola Machado
Alfredo Moles
Alipio Freire
Aloysio Nunes Ferreira Filho
Altamir Tojal
Altanilo Simões Mattos
Américo Lourenço Masset Lacombe
Ana Corbisier
Ana Bursztyn Miranda
Ana Montenegro
Anacleto Julião
Anatólio Julião
Angela Sampaio
Anita Leocádia Chamorro
Antenor Meyer
Antônia Couto Nunes Sento Sé
Antonio Carlos Magalhães
Antônio Duarte
Antonio Ferreira Paim
Antônio Flávio Médici de Camargo
Antônio Geraldo da Costa
Apolônio de Carvalho
Aracy Cardoso
Ariston Andrade
Armênio Guedes
Arthur Cantalice
Aton Fon Filho
Avelino Capitani
Beatriz Cannabrava
Benedicto Arthur Sampaio
Benedito Gomes da Silva
Caio Venâncio Martins
Carlos Alberto Lobão da Silveira Cunha
Carlos Antonio Axelrud de Gouveia
Carlos Augusto Marighella
Carlos Eduardo Fayal de Lyra
Carlos Eugênio Sarmento Coelho da Paz
Carlos Gonzaga de Pinho
Carlos Guilherme Penafiel

Carlos Henrique Knapp
Carlos Henrique Tibiriçá Miranda
Carlos Lichtsztejn
Carmen Lúcia Ribeiro
Cecil de Macedo Borer
Celso Antunes Horta
Celso Mamede
Cesar Epitácio Maia
Chico Buarque
Cícero Silveira Vianna
Cid de Queiroz Benjamin
Cid Teixeira
Clara Charf
Cláudia Marighella
Clodomir Santos de Morais
Consuelo Pondé de Senna
Daniela Câmara Ferreira
Darci Toshiko Miyaki
Dinarco Reis Filho
Diógenes Carvalho de Oliveira
Diva Rodarte Neves
Domingos Fernandes
Duarte Pereira
Dulce Maia
Durval Andrade Nery
Dyrce Drach
Eduardo Chuay
Eliane Toscano Zamikhowsky
Elio Ferreira Rego
Elisabeth Mamede Batalha
Elisabeth Paula da Silva Lima
Elma Dezem
Emilie Moreira Helou
Eros Sucena Martins Teixeira
Eunício Precílio Cavalcante
Fernando Casadei Salles
Fernando de Brito
Fernando Henrique Cardoso
Fernando Heráclio da Silva
Fernando Pereira Cristino
Fernando Sant'Anna
Flávio Augusto Neves Leão de Salles
Flávio Tavares
Flora Abreu

Francisco Augusto Carmil Catão
Francisco Gomes
Francisco Soriano
Frida Zumbano
George Vidor
Geraldo Rodrigues dos Santos
Gilberto Gil
Gilberto Luciano Belloque
Gilney Viana
Girlete Marighella
Gregório Gomes da Silva
Guiomar Silva Lopes
Hamilton Pereira da Silva (Pedro Tierra)
Harry Shibata
Heddy Peltier Cajueiro
Helga Hoffmann
Iara Xavier Pereira
Ilda Gomes da Silva
Isa Grinspum Ferraz
Israel Pedrosa
Itoby Alves Corrêa Junior
Ivan de Lucena Ângulo
Ivan Seixas
Ivan Soter
Izaías Almada
Jacob Gorender
Jacques Breyton
Jacques D'Ornellas
Janete Capiberibe
Janio de Freitas
Jayme Hélio Dick
Jean Marc von der Weid
Jessie Jane Vieira de Souza
João Alberto Capiberibe
João Alves do Carmo
João Antônio Caldas Valença
João Cândido Portinari
João Carlos Kfouri Quartim de Moraes
João Falcão
Jorge Goulart
José Dirceu de Oliveira e Silva
José Duarte
José Guttman
José Luiz de Magalhães Lins

José Luiz Del Roio
José Maria Mayrink
José Maria Nunes Pereira
José Pereira da Silva
José Tarcísio Cecílio
Josina Maria Albuquerque Lopes de Godoy
Juca Kfouri
Jun Nakabayashi
Kardec Lemme
Ladislas Dowbor
Leda Nonato Fonseca
Liliana Freitas da Cunha
Lincoln de Abreu Penna
Luciana Villas-Boas
Luis Fernando Verissimo
Luiz Alberto Moniz Bandeira
Luiz Carlos Caldeira Brant
Luiz Carlos de Sá Carvalho
Luiz Carlos Helou
Luiz Contreiras
Luiz Mário Gazzaneo
Luiz Roberto Clauset
Luiz Tenório de Lima
Magno José Vilela
Manoel Cyrillo de Oliveira Neto
Manoelina de Barros
Marco Antônio Tavares Coelho
Marco Antônio Victoria Barros
Marcos Paraguassu Arruda Câmara
Maria Aparecida Costa Cantal
Maria Aparecida dos Santos
Maria Augusta Carneiro Ribeiro
Maria de Lourdes Rego Melo
Maria do Carmo Cerqueira
Maria Lúcia Alves Ferreira
Maria Luiza Locatelli Belloque
Maria Lygia Quartim de Moraes
Maria Marighella
Mário Roberto Galhardo Zanconato
Mário Simas
Marival Chaves
Mariza Campos da Paz
Marta Nehring
Maurício Segall

Mila Frati
Milton Bellintani
Milton Coelho da Graça
Miriam Marreiro Malina
Moacir Longo
Moacir Werneck de Castro
Mocide Bucheroni
Modesto da Silveira
Nadir Helou
Nei Dante da Costa Falcão
Nei Lisboa
Nelson Massini
Nelson Pondé
Norma Bengell
Oscar Niemeyer
Oswaldo Rezende Junior
Oswaldo Lourenço
Oswaldo Machado de Oliveira Junior
Otávio Ângelo
Paulo Cannabrava Filho
Paulo de Novais Coutinho
Paulo de Tarso Venceslau
Paulo Mercadante
Paulo Moura
Pedro Lobo de Oliveira
Perly Cipriano
Raimundo Alves
Raphael Martinelli
Regina Márcia Palieraqui
Reinaldo Guarany Simões
Renato Guimarães
Renato Leonardo Martinelli
Ricardo Apgaua
Ricardo Gontijo
Ricardo Zarattini Filho
Roberto Cardieri Ferreira
Roberto de Barros Pereira
Roberto Nolasco
Roberto Percinoto
Roberto Romano
Rômulo Noronha de Albuquerque
Rose Nogueira
Rubens Cardoso de Mello Tucunduva Filho
Rui Falcão

Ruy Ribeiro
Sandra Negraes Brisolla
Sara de Melo
Sérgio Ribeiro Granja
Sergio Teperman
Sérgio Vital Tafner Jorge
Severino Teodoro de Mello
Shizuo Osava
Silvio Albuquerque Mota
Sinval de Itacarambi Leão
Sônia Carmo
Sonia Hypólito
Suzana Keniger Lisboa
Suzanna Sampaio
Takao Amano
Tereza Marighella
Tom Zé

Dom Tomás Balduíno
Valter Uzzo
Vera Gertel
Victória Grabois
Vinícius Caldevilla
Virgildásio de Senna
Viriato Xavier de Melo Filho
Vlademir Gomes da Silva
Vladimir Sacchetta
Washington Mastrocinque Martins
Wladimir Pomar
Yves do Amaral Lesbaupin
Yvone Maria Cardoso
Yvonildes Cardoso da Silva
Zelito Viana
Zilda Xavier Pereira
Zuleika Alambert

OUTROS DEPOIMENTOS

Diógenes Arruda Câmara (a Albino Castro e Iza Freaza, com a participação de Rosental Calmon Alves, 1979). <http://grabois.org.br/portal/impriminot.php?id_sessao=29&id_noticia=101>.
Francisco Teixeira (TEIXEIRA, Francisco. *Francisco Teixeira (depoimento 1983/1984)*. Rio de Janeiro, CPDOC, 1992, 351 p. dat.).
Hermínio Sacchetta (a Noé Gertel). *Folha de S.Paulo*, 10 de janeiro de 1979. <http://almanaque.folha.uol.com.br/memoria_6.htm>.
Luiz Carlos Prestes (a Maria Christina Guido e Rose Ingrid Goldschmidt, 1983; Projeto Portinari).
Maria Portinari (a Maria Christina Guido e Rose Ingrid Goldschmidt, 1982 e 1983; Projeto Portinari).
Manuel Isnard Teixeira (a Carlos Roberto Oliveira, Flávio Edler e Rose Ingrid Goldschmidt, 1987; Fundação Oswaldo Cruz — Casa de Oswaldo Cruz — Programa de História Oral).
Noé Gertel (a Clara Charf e Vladimir Sacchetta, s/d).
Noé Gertel (a Edson Teixeira, 1998).

Lista de siglas

Ação Integralista Brasileira – AIB
Ação Libertadora Nacional – ALN
Ação Popular – AP
Aliança Nacional Libertadora – ANL
Aliança Renovadora Nacional – Arena
Associação Brasileira de Imprensa – ABI
Associação dos Marinheiros e Fuzileiros Navais do Brasil – AMFNB
Batalhão de Caçadores – BC
Birô de Informações dos Partidos Comunistas e Operários – Kominform
Birô Político – BP
Central Intelligence Agency – CIA
Centro de Informações da Marinha – Cenimar
Centro de Informações do Exército – CIE
Centro de Operações de Defesa Interna – Codi
Centro Estadual de Abastecimento – Ceasa
Centro Popular de Cultura – CPC
Comando de Caça aos Comunistas – CCC
Comando Geral dos Trabalhadores – CGT
Comandos de Libertação Nacional – Colina
Comissão Nacional de Organização Provisória – CNOP
Comitê Antimilitar – Antimil
Comitê Central – CC
Departamento de Imprensa e Propaganda – DIP
Departamento de Ordem Política e Social – Dops
Departamento Intersindical de Estatística e Estudos Socioeconômicos – Dieese
Destacamento de Operações de Informações – DOI
Dirección General de Inteligencia – DGI
Escola de Comando e Estado-Maior do Exército – Eceme
Estados Unidos – EUA
Federal Bureau of Investigation – FBI
Força Aérea Brasileira – FAB
Força Expedicionária Brasileira – FEB
Fundo Monetário Internacional – FMI
Fuzil Automático Leve – FAL
Grupo de Trabalho Estratégico – GTE
Grupo Tático Armado – GTA
Inquérito Policial-Militar – IPM
Instituto Brasileiro de Ação Democrática – Ibad
Instituto de Pesquisas e Estudos Sociais – Ipes

Instituto de Previdência do Estado da Guanabara – Ipeg
Instituto Superior de Estudos Brasileiros – Iseb
Kommunistische Internationale (Internacional Comunista) – Komintern
Movimento de Ação Revolucionária – MAR
Movimento Democrático Brasileiro – MDB
Movimento Revolucionário 8 de Outubro – MR-8
Movimento Unificador dos Trabalhadores – MUT
Operação Bandeirante – Oban
Organização Latino-Americana de Solidariedade – Olas
Partido Comunista Brasileiro – PCB
Partido Comunista Brasileiro Revolucionário – PCBR
Partido Comunista da União Soviética – PCUS
Partido Comunista do Brasil – PC do B
Partido Operário Comunista – POC
Partido Social Democrático – PSD
Partido Social Progressista – PSP
Partido Trabalhista Brasileiro – PTB
Polícia do Exército – PE
Polícia Militar – PM
Política Operária – Polop
Pontifícia Universidade Católica – PUC
Regimento de Infantaria – RI
Serviço de Informações de Segurança da Aeronáutica – Sisa
Serviço Nacional de Informações – SNI
Superintendência de Política Agrária – Supra
Supremo Tribunal Federal – STF
Supremo Tribunal Militar – STM
Tribunal de Segurança Nacional – TSN
Tribunal Superior Eleitoral – TSE
União da Juventude Comunista – UJC
União das Repúblicas Socialistas Soviéticas – URSS
União Democrática Nacional – UDN
União Nacional dos Estudantes – UNE
Universidade de São Paulo – USP
Vanguarda Armada Revolucionária – VAR
Vanguarda Popular Revolucionária – VPR

Bibliografia

ABRAMO, Lélia. *Vida e arte: Memórias de Lélia Abramo*. Campinas: Ed. da Unicamp; São Paulo: Fundação Perseu Abramo, 1997.

ABREU, Alzira Alves de; BELOCH, Israel; LATTMAN-WELTMAN, Fernando; LAMARÃO, Sérgio Tadeu de Niemeyer (Coords.). *Dicionário histórico-biográfico brasileiro pós-1930*. Vols. 1 a 5. Ed. rev. e atual. Rio de Janeiro: Editora FGV; CPDOC, 2001.

ABREU, Sebastião de Barros. *Trombas: A guerrilha de Zé Porfírio*. Brasília: Goethe, 1985.

AFFONSO, Almino. *Raízes do golpe: Da crise da legalidade ao parlamentarismo (1961-1963)*. São Paulo: Marco Zero, 1988.

AGEE, Philip. *Dentro da "Companhia": Diário da CIA*. Trad. de Sylvia Jambeiro. São Paulo: Círculo do Livro, 1975.

AGUIAR, Ronaldo Conde. *Vitória na derrota: A morte de Getúlio Vargas: quem levou Getúlio ao suicídio?* Rio de Janeiro: Casa da Palavra, 2004.

ALMEIDA, Francisco Inácio de (Org.). *O último secretário: A luta de Salomão Malina*. Brasília: Fundação Astrojildo Pereira, 2002.

ALVES, Antônio de Castro. *Antologia poética*. Apres., org. e sel. de Antônio Carlos Secchin. Rio de Janeiro: Funarte, 1997.

ALVES, Márcio Moreira. *Torturas e torturados*. Rio de Janeiro: Idade Nova, 1966.

_____. *O despertar da revolução brasileira*. Lisboa: Seara Nova, 1974.

ALVES FILHO, Ivan. *Giocondo Dias: Uma vida na clandestinidade*. Rio de Janeiro: Mauad, 1997.

_____. *A pintura como conto de fadas: Aparecida Azedo*. Brasília: Fundação Astrojildo Pereira; Editorial Abaré, 2003.

AMADO, Jorge. *Vida de Luiz Carlos Prestes — O Cavaleiro da Esperança*. 3. ed. São Paulo: Livraria Martins Editora, 1945.

AMADO, Jorge. *Homens e coisas do Partido Comunista*. Rio de Janeiro: Edições Horizonte, 1946.

_____. *Seara vermelha*. São Paulo: Livraria Martins Editora, 1946.

_____. *O mundo da paz: União Soviética e democracias populares*. Rio de Janeiro: Editorial Vitória, 1951.

_____. *Os subterrâneos da liberdade, vol. 1: Os ásperos tempos*. 42. ed. Rio de Janeiro, São Paulo: Record, 2000.

_____. *Os subterrâneos da liberdade, vol. 2: Agonia da noite*. 41. ed. Rio de Janeiro, São Paulo: Record, 2001.

_____. *Os subterrâneos da liberdade, vol. 3: A luz no túnel*. 40. ed. Rio de Janeiro: Record, 1987.

_____. *Bahia de todos os santos: Guia de ruas e mistérios*. 42. ed. Rio de Janeiro: Record, 2002.

_____. *Navegação de cabotagem: Apontamentos para um livro de memórias que jamais escreverei*. 6. ed. Rio de Janeiro: Record, 2006.

AMARAL, Roberto Mansilla. "Astrojildo Pereira e Octávio Brandão: os precursores do comunismo nacional". In *A formação das tradições (1889-1945)*. Org. de Jorge Ferreira e Daniel Aarão Reis. Rio de Janeiro: Civilização Brasileira, 2007.

ANDERSON, Jon Lee. *Che Guevara: Uma biografia*. Trad. de M. H. C. Côrtes. Rio de Janeiro: Objetiva, 1997.

ANDRADE, Carlos Drummond de. *A rosa do povo*. 27. ed. Rio de Janeiro: Record, 2003.

ANDRADE, João Batista de. *Vlado: 30 anos depois — Roteiro extraído do filme de João Batista de Andrade*. São Paulo: Imprensa Oficial do Estado, 2009.

ANTOINE, Pe. Charles. *O integrismo brasileiro*. Trad. de João Guilherme Linke. Rio de Janeiro: Civilização Brasileira, 1980.

ANTUNES, Priscila Carlos Brandão. *SNI & Abin: Uma leitura da atuação dos serviços secretos brasileiros ao longo do século XX*. Rio de Janeiro: Ed. FGV, 2002.

APOLLONIO, Luis. *Manual de polícia política e social*. 2. ed. revista e ampliada. São Paulo: s/e, 1958.

AQUINO, Maria Aparecida de. *Censura, imprensa, Estado autoritário (1968-1978): O exercício cotidiano da dominação e da resistência: O Estado de São Paulo e Movimento*. Bauru: Edusc, 1999.

ARAÚJO, Maria Celina Soares D'. *O Estado Novo*. Rio de Janeiro: Jorge Zahar, 2000.

ARGOLO, José Amaral; RIBEIRO, Kátia; FORTUNATO, Luiz Alberto. *A direita explosiva no Brasil*. Rio de Janeiro: Mauad, 1996.

ARMONY, Miguel. *A linha justa: A Faculdade Nacional de Filosofia nos anos 1962-1964*. Rio de Janeiro: Revan, 2002.

Arquipélago Fernando de Noronha: O paraíso do vulcão. Coord. de Wilson Teixeira et al. Fotografia de Roberto Linsker. São Paulo: Terra Virgem, 2003.

ARRUDA, Diógenes. *A educação revolucionária do comunista*. São Paulo: Anita Garibaldi, 2000.

ASSAF, Roberto; MARTINS, Clóvis. *Almanaque do Flamengo*. São Paulo: Abril, 2001.

ASSEMBLEIA LEGISLATIVA DO ESTADO DE PERNAMBUCO. *Francisco Julião: Luta, paixão e morte de um agitador*. Texto de Vandeck Santiago. Recife, 2001.

ASSEMBLEIA LEGISLATIVA DO ESTADO DO RIO DE JANEIRO. *Palácio Tiradentes: Fiel à democracia*. Rio de Janeiro, 2002.

AUGUSTO, Agnaldo Del Nero. *A grande mentira*. Rio de Janeiro: Biblioteca do Exército, 2001.

AZEVEDO, Carmem Lucia de; CAMARGOS, Marcia; SACCHETTA, Vladimir. *Monteiro Lobato, furacão na Botocúndia: Edição compacta*. São Paulo: Senac, 2000.

AZEVEDO, Ricardo; MAUÉS, Flamarion (Orgs.). *Rememória: Entrevistas sobre o Brasil do século XX*. São Paulo: Fundação Perseu Abramo, 1997.

BACELAR, Jeferson. *A hierarquia das raças: Negros e brancos em Salvador*. Rio de Janeiro: Pallas, 2001.

BAÉZ, Luis. *Secretos de generales*. Barcelona: Editorial Losada, 1997.

BAFFA, Ayrton. *Nos porões do SNI: O retrato do monstro de cabeça oca*. Rio de Janeiro: Objetiva, 1989.

BANDEIRA, Luiz Alberto Moniz. *De Martí a Fidel: A Revolução Cubana e a América Latina*. Rio de Janeiro: Civilização Brasileira, 1998.

_____. *O governo João Goulart: As lutas sociais no Brasil (1961-1964)*. 7. ed. rev. e ampl. Rio de Janeiro: Revan; Brasília: Ed. UnB, 2001.

BARATA, Agildo. *Vida de um revolucionário: Memórias*. 2. ed. São Paulo: Alfa-Omega, 1978.

BARBÊDO, Alceu. *O fechamento do Partido Comunista do Brasil (os pareceres Barbêdo)*. Rio de Janeiro: Imprensa Nacional, 1947.

BARCELLOS, Jalusa. *CPC: Uma história de paixão e consciência*. Rio de Janeiro: Nova Fronteira, 1994.

BARSTED, Dennis Linhares. *Medição de forças: O movimento grevista de 1953 e a época dos operários navais*. Rio de Janeiro: Zahar, 1982.

BASBAUM, Leôncio. *Uma vida em seis tempos: Memórias*. São Paulo: Alfa-Omega, 1976.

_____. *História sincera da República: De 1930 a 1960*. 6. ed. São Paulo: Alfa-Omega, 1991.

BASTOS, Elide Rugai. *As Ligas Camponesas*. Petrópolis: Vozes, 1984.

BASTOS, Paulo de Mello. *Salvo-conduto: Um voo na história*. Org. e texto final de Solange Bastos e Flávia Cavalcanti. 2. ed. rev. Rio de Janeiro: Família Bastos Editora, 2003.

_____. *A caixa-preta do golpe de 64: A república sindicalista que não houve*. Pesq. e ed. de Solange Bastos. Rio de Janeiro: Família Bastos Editora, 2006.

BATTIBUGLI, Thaís. *A solidariedade antifascista: Brasileiros na Guerra Civil Espanhola (1936-1939)*. Campinas: Autores Associados; São Paulo: Edusp, 2004.

BAUM, Ana (Org.). *Vargas, agosto de 54: A história contada pelas ondas do rádio*. Rio de Janeiro: Garamond, 2004.

BENIGNO (Dariel Alarcón Ramírez). *Memorias de un soldado cubano: Vida y muerte de la Revolución*. Barcelona: Tusquets Editores, 1997.

BERARDO, João Batista. *Guerrilhas e guerrilheiros no drama da América Latina*. São Paulo: Edições Populares, 1981.

BERCHT, Verônica. *Coração vermelho: A vida de Elza Monnerat*. São Paulo: Anita Garibaldi, 2002.

BERQUÓ, Alberto. *O sequestro dia a dia*. Rio de Janeiro: Nova Fronteira, 1997.

BERTOLINO, Osvaldo. *Maurício Grabois — Uma vida de combates: Da batalha de ideias ao comando da guerrilha do Araguaia*. São Paulo: Anita Garibaldi; Instituto Maurício Grabois, 2004.

BETTO, Frei. *Batismo de sangue: Guerrilha e morte de Carlos Marighella*. 14. ed. rev. e ampl. Rio de Janeiro: Rocco, 2006.

_____. *Diário de Fernando: Nos cárceres da ditadura militar brasileira*. Rio de Janeiro: Rocco, 2009.

BEZERRA, Gregório. *Memórias: Primeira parte — 1900-1945*. 3. ed. Rio de Janeiro: Civilização Brasileira, 1980.

_____. *Memórias: Segunda parte — 1946-1969*. 3. ed. Rio de Janeiro: Civilização Brasileira, 1979.

BICUDO, Hélio Pereira. *Meu depoimento sobre o Esquadrão da Morte*. 2. ed. São Paulo: Pontifícia Comissão de Justiça e Paz de São Paulo, 1976.

_____. *Minhas memórias*. São Paulo: Martins Fontes, 2006.

BITTMAN, Ladislav. *The KGB and Soviet disinformation: An insider's view.* EUA: Pergamon-Brassey's, 1985.

BOAL, Augusto. *Milagre no Brasil.* Rio de Janeiro: Civilização Brasileira, 1979.

_____. *Hamlet e o filho do padeiro: Memórias imaginadas.* Rio de Janeiro: Record, 2000.

BOITEUX, Bayard Demaria. *A guerrilha de Caparaó e outros relatos.* Rio de Janeiro: Inverta, 1998.

BOITO JR., Armando. *O golpe de 1954: A burguesia contra o populismo.* 2. ed. São Paulo: Brasiliense, 1984.

BOJUNGA, Claudio. *JK: O artista do impossível.* Rio de Janeiro: Objetiva, 2001.

BONI, Luis Alberto de. *A presença italiana no Brasil: Vol. II.* Porto Alegre: Escola Superior de Teologia; Turim: Fondazione Giovanni Agnelli, 1990.

BORBA, Marco Aurélio. *Cabo Anselmo: A luta armada ferida por dentro.* São Paulo: Global, 1981.

BORGES, Jafé (Coord.). *Salvador era assim: Vol. 2.* Salvador: Instituto Geográfico e Histórico da Bahia, 2001.

BOTOSSO, Marcelo. *FALN: A guerrilha em Ribeirão Preto.* Ribeirão Preto: Holos, 2006.

BRAGA, Sérgio Soares. *Quem foi quem na Constituinte de 1946: Um perfil socioeconômico e regional da Constituinte de 1946.* Vols. I e II. Brasília: Câmara dos Deputados, 1998.

BRANDÃO, Gildo Marçal. *A esquerda positiva: As duas almas do Partido Comunista (1920-1964).* São Paulo: Hucitec, 1997.

BRANDÃO, Octavio. *Combates e batalhas: Memórias — 1º vol.* São Paulo: Alfa-Omega, 1978.

BRASIL: nunca mais. Pref. de d. Paulo Evaristo Arns. 8. ed. Petrópolis: Vozes, 1985.

BRECHT, Bertolt. *Poemas 1913-1956.* Seleç., trad. e posf. de Paulo Cesar Souza. 4. ed. São Paulo: Brasiliense, 1990.

_____. *Teatro completo em 12 volumes: 3.* Trad. de Wolfgang Bader, Marcos Roma Santa e Wira Selanski. Rio de Janeiro: Paz e Terra, 1998.

BUONICORE, Augusto. *João Amazonas, um comunista brasileiro.* São Paulo: Expressão Popular, 2006.

CABRAL, Reinaldo; LAPA, Ronaldo (Orgs.). *Desaparecidos políticos: Prisões, sequestros, assassinatos.* Rio de Janeiro: Edições Opção, Comitê Brasileiro pela Anistia-RJ, 1979.

CABRAL, Sérgio. *No tempo de Ari Barroso.* Rio de Janeiro: Lumiar, s/d.

_____. *Pixinguinha: Vida e obra.* 4. ed. Rio de Janeiro: Funarte, 2007.

_____. *Ataulfo Alves: Vida e obra.* São Paulo: Lazuli; Companhia Editora Nacional, 2009.

CAETANO, Maria do Rosário. *João Batista de Andrade: Alguma solidão e muitas histórias.* São Paulo: Imprensa Oficial do Estado, 2004.

CALDAS, Álvaro. *Tirando o capuz.* 5. ed. rev. e ampl. Rio de Janeiro: Garamond, 2004.

CALDEVILLA, Vinícius. *Vitral do tempo.* São Paulo: Xamã, 1994.

CALLADO, Antonio. *Quarup: Romance.* 12. ed. Rio de Janeiro: Nova Fronteira, 1984.

CÂMARA DOS DEPUTADOS. *Deputados brasileiros: 1946-1967.* Pesquisa e introd. de David V. Fleischer. Brasília, 1981.

CAMPOS, Reynaldo Pompeu de. *Repressão judicial no Estado Novo: Esquerda e direita no banco dos réus.* Rio de Janeiro: Achiamé, 1982.

CAMPOS FILHO, Romualdo Pessoa. *Guerrilha do Araguaia: A esquerda em armas.* Goiânia: Ed. da UFG, 1997.

CANÇADO, José Maria. *Os sapatos de Orfeu: Biografia de Carlos Drummond de Andrade.* São Paulo: Globo, 2006.

CANNABRAVA FILHO, Paulo. *No olho do furacão: América Latina nos anos 60/70.* São Paulo: Cortez, 2003.

CANTARINO, Geraldo. *1964: A revolução para inglês ver*. Rio de Janeiro: Mauad, 1999.
CAPITANI, Avelino Bioen. *A rebelião dos marinheiros*. Porto Alegre: Artes e Ofícios, 1997.
CARDOSO, Alberto Mendes. *Os treze momentos: Análise da obra de Sun Tzu*. Rio de Janeiro: Biblioteca do Exército, 1987.
CARDOSO, Tom. *O cofre do dr. Rui: Como a Var-Palmares de Dilma Rousseff realizou o maior assalto da luta armada brasileira*. Rio de Janeiro: Civilização Brasileira, 2011.
CARNEIRO, Edison (Org.). *Antologia do negro brasileiro*. Rio de Janeiro: Ediouro, s/d.
CARNEIRO, Maria Luiza Tucci. *Livros proibidos, ideias malditas: O Deops e as minorias silenciadas*. 2. ed. ampl. São Paulo: Ateliê Editorial, PROIN — Projeto Integrado Arquivo do Estado/USP; Fapesp, 2002.
CARNEIRO, Nelson de Souza. *XXII de Agosto! O Movimento Constitucionalista na Bahia*. São Paulo: Companhia Editora Nacional, 1933.
CARONE, Edgard. *Revoluções do Brasil contemporâneo (1922-1938)*. 2. ed. rev. São Paulo: Difel, 1975.
_____. *O PCB: 1922 a 1943*. São Paulo: Difel, 1982.
_____. *O PCB: 1943 a 1964*. São Paulo: Difel, 1982.
_____. *O PCB: de 1964 a 1982*. São Paulo: Difel, 1982.
CARVALHO, Apolônio de. *Vale a pena sonhar*. Rio de Janeiro: Rocco, 1997.
CARVALHO, Ferdinando de. *Os sete matizes do vermelho*. Rio de Janeiro: Biblioteca do Exército, 1977.
CARVALHO, Luiz Maklouf. *Mulheres que foram à luta armada*. São Paulo: Globo, 1998.
_____. *Cobras criadas: David Nasser e O Cruzeiro*. São Paulo: Senac, 2001.
_____. *O coronel rompe o silêncio*. Rio de Janeiro: Objetiva, 2004.
CARVALHO, Luiz Maklouf et al. *Pedro Pomar*. São Paulo: Ed. Brasil Debates, 1980.
CARVALHO, Péricles de; ALMEIDA, Francisco. *PC do B (1962-1984): A sobrevivência de um erro*. São Paulo: Novos Rumos, 1985.
CASO, Antonio. *Los subversivos*. Havana: Casa de las Américas, 1973
CASTAÑEDA, Jorge G. *Utopia desarmada: Intrigas, dilemas e promessas da esquerda latino-americana*. Trad. de Eric Nepomuceno. São Paulo: Companhia das Letras, 1994.
_____. *Che Guevara: A vida em vermelho*. Trad. de Bernardo Joffily. 2. reimpr. São Paulo: Companhia das Letras, 1997.
CASTELLO BRANCO, Humberto de Alencar (Colab.). *A Revolução de 31 de Março — 2º aniversário — Colaboração do Exército*. Rio de Janeiro: Biblioteca do Exército, 1966.
CASTRO, Consuelo de. *À prova de fogo*. São Paulo: Hucitec, 1977.
CASTRO, Juanita. *Fidel y Raúl, mis hermanos: La historia secreta*. Memorias de Juanita Castro contadas a María Antonieta Collins. Doral, FL: Aguilar, 2009.
CASTRO, Moacir Werneck de. *Europa 1935: Uma aventura de juventude*. Rio de Janeiro: Record, 2000.
CAVALCANTI, Paulo. *O caso eu conto como o caso foi: Da Coluna Prestes à queda de Arraes: Memórias*. São Paulo: Alfa-Omega, 1978.
_____. *Nos tempos de Prestes: O caso eu conto como o caso foi — Memórias políticas: 3º volume*. Recife: Guararapes, 1982.
_____. *A luta clandestina: O caso eu conto como o caso foi — Memórias políticas: 4º volume*. Recife: Guararapes, 1985.
CAYMMI, Stella. *Dorival Caymmi: O mar e o tempo*. São Paulo: Ed. 34, 2001.
100 discursos históricos brasileiros. Organização Carlos Figueiredo. Belo Horizonte: Leitura, 2003.

CERQUEIRA, Luiz Lanat Pedreira de. *O primeiro carro da Bahia*. Brochura. Salvador: Instituto Geográfico e Histórico da Bahia, 2001.
CHAGAS, Carlos. *113 dias de angústia: Impedimento e morte de um presidente*. Porto Alegre: L&PM, 1979.
CHANG, Jung; HALLIDAY, Jon. *Mao: A história desconhecida*. Lisboa: Bertrand, 2006.
CHAVES NETO, Elias. *Minha vida e as lutas de meu tempo*. São Paulo: Alfa-Omega, 1977.
CHILCOTE, Ronald H. *O Partido Comunista Brasileiro: Conflito e integração — 1922-1972*. Trad. de Celso Mauro Paciornik. Rio de Janeiro: Graal, 1982.
CHURCHILL, Winston. *Grandes homens do meu tempo*. Trad. de Gleuber Vieira. Rio de Janeiro: Nova Fronteira; UniverCidade, 2004.
AVVERTENZE per l'emigrante italiano. Commissariato Generale dell'Emigrazione. Itália: s/d.
COELHO, Marco Antônio Tavares. *Herança de um sonho: As memórias de um comunista*. Rio de Janeiro: Record, 2000.
COLLAZO, Ariel. *La Olas: El camino revolucionario de los trabajadores*. Montevideo: LYS, 1968.
CONTREIRAS, Hélio. *Militares: Confissões — Histórias secretas do Brasil*. Rio de Janeiro: Mauad, 1998.
_____. *AI-5*. Rio de Janeiro: Record, 2005.
CORMIER, Jean. *Mística y coraje: La vida del Che*. Com colab. de Hilda Guevara Gadea e Alberto Granado Jiménez. Trad. de Amanda Forns de Gioia. Buenos Aires: Editorial Sudamericana, 1997.
CORRÊA, Hércules. *A classe operária e seu partido: Textos políticos do exílio*. Rio de Janeiro: Civilização Brasileira, 1980.
_____. *Memórias de um stalinista*. Rio de Janeiro: Opera Nostra, 1994.
CORRÊA, Marcos Sá. *1964 visto e comentado pela Casa Branca*. Porto Alegre: L&PM, 1977.
CORRÊA, Rodrigo Antunes. *Berta Zemel: A alma das pedras*. São Paulo: Imprensa Oficial do Estado, 2009.
COSTA, Caiuby Alves da (Org.). *105 anos da Escola Politécnica da UFBA*. Salvador: P&A Gráfica e Editora, 2003.
COSTA, Emília Viotti da. *A abolição*. Coord. de Jayme Pinsky. 7. ed. São Paulo: Global, 2001.
COSTA, Hélio da. *Em busca da memória: Comissão de fábrica, partido e sindicato no pós-guerra*. São Paulo: Página Aberta, 1995.
COSTA, Homero de Oliveira. *A insurreição comunista de 1935: Natal, o primeiro ato da tragédia*. São Paulo: Ensaio; Natal: Cooperativa Cultural Universitária do Rio Grande do Norte, 1995.
COSTA, José Caldas da. *Caparaó: A primeira guerrilha contra a ditadura*. São Paulo: Boitempo, 2007.
COUTO, Ronaldo Costa. *História indiscreta da ditadura e da abertura — Brasil: 1964-1985*. Rio de Janeiro: Record, 1998.
_____. *Memória viva do regime militar — Brasil: 1964-1985*. Rio de Janeiro: Record, 1999.
CUNHA, Euclides da. *Os sertões*. São Paulo: Nova Cultural, 2002.
CUNHA, José Gay da. *Um brasileiro na guerra espanhola*. Porto Alegre: Livraria do Globo, 1946.
CUNHA, Luiz Cláudio. *Operação Condor: O sequestro dos uruguaios — Uma reportagem dos tempos da ditadura*. 2. ed. Porto Alegre: L&PM, 2009.
CUNHA, Paulo Ribeiro da. *Um olhar à esquerda: A utopia tenentista na construção do pensamento marxista de Nelson Werneck Sodré*. Rio de Janeiro: Revan; São Paulo: Fapesp, 2002.
D'ARAÚJO, Maria Celina; SOARES, Gláucio Ary Dillon; CASTRO, Celso (Introd. e org.). *Os anos de chumbo: A memória militar sobre a repressão*. Rio de Janeiro: Relume Dumará, 1994.
D'ARAÚJO, Maria Celina; SOARES, Gláucio Ary Dillon; CASTRO, Celso (Introd. e org.). *A volta aos quartéis: A memória militar sobre a abertura*. Rio de Janeiro: Relume Dumará, 1995.

D'ARAÚJO, Maria Celina; CASTRO, Celso (Orgs.). *Ernesto Geisel*. 4. ed. Rio de Janeiro: Ed. FGV, 1997.

DA-RIN, Silvio. *Hércules 56: O sequestro do embaixador americano em 1969*. Rio de Janeiro: Jorge Zahar, 2007.

DEBRAY, Régis. *Revolução na revolução*. S/l: s/e, s/d.

_____. *A guerrilha do Che*. Trad. de Ronaldo Antonelli. São Paulo: Edições Populares, 1980.

DECKES, Flavio. *Radiografia do terrorismo no Brasil: 66/80*. São Paulo: Ícone, 1985.

DEL ROIO, José Luiz. *Zarattini: A paixão revolucionária*. São Paulo: Ícone, 2006.

DELGADO, Lucília de Almeida Neves. *O Comando Geral dos Trabalhadores no Brasil (1961-1964)*. 2. ed. Petrópolis: Vozes, 1986.

DEUTSCHER, Isaac. *Trotsky: El profeta desterrado*. 5. ed. Cidade do México: Ediciones Era, 1988.

DIAS, Eduardo. *Um imigrante e a revolução: Memórias de um militante operário (1934-1951)*. São Paulo: Brasiliense, 1983.

DIAS, Mauricio; CEREGHINO, Mario J. (Org., intr. e notas). *Relatório da CIA, Che Guevara: Documentos inéditos dos arquivos secretos*. Trad. de documentos originais de Roberta Barni e Luciano Munhoz. Rio de Janeiro: Ediouro, 2007.

DIETRICH, Ana Maria. "O Partido Nazista em São Paulo". In *Inventário Deops: Alemanha, módulo I*. Org. de Maria Luiza Tucci Carneiro. São Paulo: Arquivo do Estado, 1997.

DINES, Alberto et al. *Os idos de março e a queda em abril*. 2. ed. Rio de Janeiro: José Álvaro, Editor, 1964.

DIRCEU, José; PALMEIRA, Vladimir. *Abaixo a ditadura: O movimento de 68 contado por seus líderes*. Rio de Janeiro: Garamond, 1998.

DOSAL, Paul J. *Comandante Che: Guerrilheiro, líder e estrategista, 1956-1967*. Trad. de Marcos Maffei. São Paulo: Globo, 2005.

DOSSIÊ dos mortos e desaparecidos políticos a partir de 1964. Comissão responsável Maria do Amparo Almeida Araújo et al. Recife: Companhia Editora de Pernambuco, 1995.

DREIFUSS, René Armand. *1964: A conquista do Estado — Ação política, poder e golpe de classe*. 5. ed. Petrópolis: Vozes, 1987.

DUARTE, Antônio. *A luta dos marinheiros*. Rio de Janeiro: Inverta, 2005.

DUARTE, Marcelo. *O livro das invenções*. São Paulo: Companhia das Letras, 1997.

DULLES, John W. F. *Anarquistas e comunistas no Brasil, 1900-1935*. Trad. de César Parreiras Horta. Rio de Janeiro: Nova Fronteira, 1977.

_____. *O comunismo no Brasil, 1935-1945: Repressão em meio ao cataclismo mundial*. Trad. de Raul de Sá Barbosa. Rio de Janeiro: Nova Fronteira, 1985.

_____. *Carlos Lacerda: A vida de um lutador*. Vol. 1. Trad. de Vanda Mena Barreto de Andrade. Rio de Janeiro: Nova Fronteira, 1992.

_____. *Sobral Pinto: A consciência do Brasil — A cruzada contra o regime Vargas (1930-45)*. Trad. de Flávia Mendonça Araripe. Rio de Janeiro: Nova Fronteira, 2001.

ENCONTROS com a Civilização Brasileira. Vol. 13. Ed. de Moacyr Félix. Rio de Janeiro: Civilização Brasileira, 1979.

ERNANNY, Drault. *Meninos, eu vi... e agora posso contar*. Rio de Janeiro: Record, 1988.

ESPINOSA, Roberto. *Abraços que sufocam*. São Paulo: Viramundo, 2000.

FALCÃO, João. *O Partido Comunista que eu conheci: 20 anos de clandestinidade*. Rio de Janeiro: Civilização Brasileira, 1988.

FALCÃO, João. *Giocondo Dias: A vida de um revolucionário*. Rio de Janeiro: Agir, 1993.

_____. *A história da revista Seiva: Primeira revista do Partido Comunista do Brasil (PCB)*. Salvador: Ponto & Vírgula Publicações, 2008.

FALCÓN, Gustavo. *Do reformismo à luta armada: A trajetória política de Mário Alves (1923-1970)*. Salvador: EDUFBA/Versal Editores, 2008.

FARIAS, Airton de. *Além das armas: Guerrilheiros de esquerda no Ceará durante a ditadura militar (1968-72)*. Fortaleza: Edições Livro Técnico, 2007.

FARIAS, Gelásio de Abreu; MENEZES, Francisco da Conceição. *Memória histórica do ensino secundário oficial na Bahia: 1837-1937*. Bahia: Imprensa Official do Estado, 1937.

FAUSTO, Boris. *História do Brasil*. 11. ed. São Paulo: Edusp, 2003.

FEIJÓ, Martin Cezar. *O revolucionário cordial: Astrojildo Pereira e as origens de uma política cultural*. São Paulo: Boitempo, 2001.

FÉLIX, Moacyr (Org., sel. e notas). *Ênio Silveira: Arquiteto de liberdades*. Rio de Janeiro: Bertrand Brasil, 1998.

FELTRINELLI, Carlo. *Feltrinelli: Editor, aristocrata e subversivo*. São Paulo: Conrad, 2006.

FERNANDES, Fernando Augusto. *Voz humana: A defesa perante os tribunais da República*. Rio de Janeiro: Revan, 2004.

FERNANDES JÚNIOR, Ottoni. *O baú do guerrilheiro: Memórias da luta armada urbana no Brasil*. Rio de Janeiro: Record, 2004.

FERREIRA, Brasília Carlos. *O Sindicato do Garrancho*. 2. ed. Mossoró: Departamento Estadual de Imprensa, 2000.

FERREIRA, Jorge. *Prisioneiros do mito: Cultura e imaginário político dos comunistas no Brasil (1930-1956)*. Niterói: Eduff; Rio de Janeiro: Mauad, 2002.

_____. "A democratização de 1945 e o movimento queremista". In *O tempo da experiência democrática: Da democratização de 1945 ao golpe civil-militar de 1964*. Org. de Jorge Ferreira e Lucilia de Almeida Neves Delgado. Rio de Janeiro: Civilização Brasileira, 2003.

_____. "O governo Goulart e o golpe civil-militar de 1964". In *O tempo da experiência democrática: Da democratização de 1945 ao golpe civil-militar de 1964*. Org. de Jorge Ferreira e Lucilia de Almeida Neves Delgado. Rio de Janeiro: Civilização Brasileira, 2003.

FERREIRA, Jorge; REIS, Daniel Aarão (Orgs.). *A formação das tradições (1889-1945)*. Rio de Janeiro: Civilização Brasileira, 2007.

FERREIRA, Jorge; REIS, Daniel Aarão (Orgs.). *Nacionalismo e reformismo radical (1945-1964)*. Rio de Janeiro: Civilização Brasileira, 2007.

FERREIRA, Jorge; REIS, Daniel Aarão (Orgs.). *Revolução e democracia (1964-)*. Rio de Janeiro: Civilização Brasileira, 2007.

FERRER, Eliete (Org.). *68: A geração que queria mudar o mundo — Relatos*. Brasília: Ministério da Justiça, Comissão de Anistia, 2011.

FICO, Carlos. *Como eles agiam*. Rio de Janeiro: Record, 2001.

FIGUEIREDO, Lucas. *Ministério do Silêncio: A história do serviço secreto brasileiro de Washington Luís a Lula (1927-2005)*. Rio de Janeiro: Record, 2005.

FLORINDO, Marcos Tarcísio. *O serviço reservado da Delegacia de Ordem Política e Social de São Paulo na Era Vargas*. São Paulo: Ed. da Unesp, 2006.

FON, Antonio Carlos. *Tortura: A história da repressão política no Brasil*. 6. ed. São Paulo: Global, 1981.

FOREIGN RELATIONS of the United States, 1964-1968: Vol. XXXI: South and Central America; Mexico. Ed. de David C. Geyer e David H. Herschler. Org. de Edward C. Keefer. Washington: United States Government Printing Office, 2004.

FRAGA FILHO, Walter. *Encruzilhadas da liberdade: Histórias de escravos e libertos na Bahia (1870-1910)*. Campinas: Ed. da Unicamp, 2006.

FRANCIS, Paulo. *Trinta anos esta noite: 1964, o que vi e vivi*. São Paulo: Companhia das Letras, 1994.

FREITAS, Alípio de. *Resistir é preciso*. Rio de Janeiro: Record, 1981.

FRÓES, Hemílcio. *Véspera do primeiro de abril ou nacionalistas x entreguistas*. Rio de Janeiro: Imago, 1993.

FROTA, Sylvio. *Ideais traídos*. Rio de Janeiro: Jorge Zahar, 2006.

FUCHIK, Julio. *Testamento sob a forca*. Trad. de Lia Corrêa Dutra. São Paulo: Brasil Debates, 1980.

FURIATI, Claudia. *Fidel Castro: Uma biografia consentida*. 4. ed. rev., ampl. e atual. Rio de Janeiro: Revan, 2003.

GABEIRA, Fernando. *O que é isso, companheiro?* 12. ed. Rio de Janeiro: Codecri, 1979.

GALVÃO, Patrícia. *Paixão Pagu: Uma autobiografia precoce de Patrícia Galvão*. Org. de Geraldo Galvão Ferraz. Rio de Janeiro: Agir, 2005.

GARZA, Hedda. *Trotsky*. São Paulo: Nova Cultural, 1987.

GASPARI, Elio. *A ditadura envergonhada*. São Paulo: Companhia das Letras, 2002.

_____. *A ditadura escancarada*. São Paulo: Companhia das Letras, 2002.

_____. *A ditadura derrotada*. São Paulo: Companhia das Letras, 2003.

GATTAI, Zélia. *Um chapéu para viagem*. 8. ed. Rio de Janeiro: Record, 1987.

_____. *Senhora dona do baile*. 3. ed. Rio de Janeiro: Record, 1985.

_____. *Jardim de inverno*. Rio de Janeiro: Record, 1988.

GIAP, Vo Nguyen. *O Vietnam segundo Giap*. Trad. de Carlos Ferreira, a partir da edição francesa. 2. ed. Rio de Janeiro: Editora Saga, 1968.

GIORDANI, Marco Pollo. *Brasil sempre*. Porto Alegre: Tchê!, 1986.

GOETHE, J. W. *Fausto — Werther*. Trad. de Alberto Maximiliano. São Paulo: Nova Cultural, 2002.

GOMES, Angela de Castro (Coord.); FLAKSMAN, Dora Rocha; STOTZ, Eduardo. *Velhos militantes: Depoimentos*. Rio de Janeiro: Jorge Zahar, 1988.

GOMES, Dias. *Apenas um subversivo*. Rio de Janeiro: Bertrand Brasil, 1998.

GOMES, Dino Oliveira. *A práxis do guerreiro: A história de Antonio Ribeiro Granja*. Brasília: Edições Fundação Astrojildo Pereira, 2006.

GONTIJO, Ricardo. *Sem vergonha da utopia: Conversas com Betinho*. Petrópolis: Vozes, 1988

GORDON, Lincoln. *A segunda chance do Brasil: A caminho do Primeiro Mundo*. Trad. de Sérgio Bath e Marcelo Raffaelli. São Paulo: Senac, 2002.

GORENDER, Jacob. *Combate nas trevas*. 5. ed. rev., ampl. e atual. São Paulo: Ática, 1998.

GRANJA, Sergio Ribeiro. *Louco d'Aldeia: Em dois tempos*. Rio de Janeiro: Record, 1996.

GUARANY, Reinaldo. *A fuga*. São Paulo: Brasiliense, 1984.

GUARNIERI, Gianfrancesco. *Teatro de Gianfrancesco Guarnieri 2 — A semente*. Rio de Janeiro: Civilização Brasileira, 1978.

GUEDES, Carlos Luís. *Tinha que ser Minas*. Rio de Janeiro: Nova Fronteira, 1979.

GUEIROS, José Alberto. *O último tenente*. Rio de Janeiro: Record, 1996.

GUEVARA, Ernesto Che. *La guerra de guerrillas*. Havana: Departamento de Instrucción del Minfar, s/d.

_____. *Oeuvres I: Textes militaires*. Paris: François Maspero, 1968.

GUEVARA, Ernesto Che. *El diario del Che en Bolivia: Noviembre 7, 1966 a Octubre 7, 1967*. Havana: Instituto del Libro, 1968.

_____. *Mensaje a los pueblos del mundo a través de la Tricontinental*. Havana: Editorial de Ciencias Sociales, 1993.

GUIMARÃES, Archimedes Pereira. *Escola Politécnica da Bahia (1896-1947)*. Salvador: Escola Politécnica da Bahia, 1972.

GUIMARÃES, Renato. *Dois estudos para a mão esquerda*. Rio de Janeiro: Revan, 2000.

GUIMARÃES, Valéria Lima. *O PCB cai no samba: Os comunistas e a cultura popular (1945-50)*. Rio de Janeiro: Arquivo Público do Estado, 2009.

GUTIÉRREZ, Cláudio Antônio Weyne. *A Guerrilha Brancaleone*. Porto Alegre: Proletra, 1999.

HACIENDO HISTORIA: Entrevistas con cuatro generales de las Fuerzas Armadas Revolucionarias de Cuba. Pref. e Juan Almeida Bosque, intr. de Mary-Alice Waters. Nova York: Pathfinder, 2001.

HERRERA, Mariano Rodríguez. *Tania: La guerrillera del Che*. México, DF: Plaza Janés, 2005.

HILDEBRANDO, Luiz. *Crônicas de nossa época (memórias de um cientista engajado)*. São Paulo: Paz e Terra, 2001.

HILTON, Stanley E. *Brazil and the Soviet challenge: 1917-1947*. Austin: University of Texas Press, 1991.

HOBSBAWM, Eric. *Era dos extremos: O breve século XX — 1914-1991*. Trad. de Marcos Santarrita. Rev. técnica de Maria Célia Paoli. São Paulo: Companhia das Letras, 1995.

_____. *Revolucionários: Ensaios contemporâneos*. 3. ed. Trad. de João Carlos Victor Garcia e Adelângela Saggioro Garcia. Rio de Janeiro: Paz e Terra, 2003.

HOOBLER, Dorothy; HOOBLER, Thomas. *Stálin*. São Paulo: Nova Cultural, 1990.

HUGGINS, Martha K. *Polícia e política: Relações Estados Unidos/América Latina*. Trad. de Lólio Lourenço de Oliveira. São Paulo: Cortez, 1998.

IBGE, CENTRO DE DOCUMENTAÇÃO E DISSEMINAÇÃO DE INFORMAÇÕES. *Estatísticas do século XX*. Rio de Janeiro, 2003.

INQUÉRITO POLICIAL-MILITAR nº 709 — O comunismo no Brasil — Vols. 1º, 2º, 3º e 4º. Rio de Janeiro: Biblioteca do Exército, 1966 e 1967.

INSTITUTO DE ESTUDOS SOBRE A VIOLÊNCIA DO ESTADO (IEVE) — COMISSÃO DE FAMILIARES DE MORTOS E DESAPARECIDOS POLÍTICOS. *Dossiê ditadura: Mortos e desaparecidos políticos no Brasil (1964-1985)*. Org. de Criméia Schmidt et al. 2. ed. rev., ampl. e atual. São Paulo: Imprensa Oficial do Estado, 2009.

IUMATTI, Paulo Teixeira. *Diários políticos de Caio Prado Júnior: 1945*. São Paulo: Brasiliense, 1998.

JACINTA PASSOS, CORAÇÃO MILITANTE: Poesia, prosa, biografia, fortuna crítica. Org. de Janaína Amado. Salvador: EDUFBA; Corrupio, 2010.

JENKINS, Roy. *Churchill*. Trad. de Heitor Aquino Ferreira. Rio de Janeiro: Nova Fronteira, 2002.

JOFFILY, José. *Harry Berger*. Rio de Janeiro: Paz e Terra; Curitiba: Universidade Federal do Paraná, 1987.

JOSÉ, Emiliano. *Carlos Marighella: O inimigo número um da ditadura militar*. São Paulo: Sol e Chuva, 1997.

JOSÉ, Emiliano; MIRANDA, Oldack. *Lamarca: O capitão da guerrilha*. 6. ed. São Paulo: Global, 1981.

JUREMA, Abelardo. *Sexta-feira 13: Os últimos dias do governo João Goulart*. 3. ed. Rio de Janeiro: Edições O Cruzeiro, 1964.

KAREPOVS, Dainis. *Luta subterrânea: O PCB em 1937-1938*. São Paulo: Hucitec; Unesp, 2003.

KEHL, Renato. *Por que sou eugenista: 20 anos de Campanha Eugênica (1917-1937)*. Rio de Janeiro: Francisco Alves, 1937.

KING, David. *The commissar vanishes: The falsification of photographs and art in Stalin's Russia*. Nova York: Owl Books, 1999.

KONDER, Leandro. "O Barão de Itararé". In *A formação das tradições (1889-1945)*. Org. de Jorge Ferreira e Daniel Aarão Reis. Rio de Janeiro: Civilização Brasileira, 2007.

_____. *Memórias de um intelectual comunista*. Rio de Janeiro: Civilização Brasileira, 2008.

KONDER, Rodolfo. *Cassados e caçados*. São Paulo: RG Editores, 2007.

KONDER, Victor Márcio. *Militância*. São Paulo: Arx, 2002.

KOVAL, Boris. *História do proletariado brasileiro: 1857 a 1967*. Trad. de Clarice Lima Avierina. São Paulo: Alfa-Omega, 1982.

KUHN, Dione. *Brizola: Da legalidade ao exílio*. Porto Alegre: RBS Publicações, 2004.

KURLANSKY, Mark. *1968: O ano que abalou o mundo*. Trad. de Sônia Coutinho. Rio de Janeiro: José Olympio, 2005.

KUSHNIR, Beatriz. *Cães de guarda: Jornalistas e censores, do AI-5 à Constituição de 1988*. São Paulo: Boitempo, 2004.

KUSHNIR, Beatriz (Org.). *Perfis cruzados: Trajetórias e militância política no Brasil*. Rio de Janeiro: Imago, 2002.

LACERDA, Carlos. *Depoimento*. Rio de Janeiro: Nova Fronteira, 1978.

_____. (Marcos). *O quilombo de Manuel Congo*. 2. ed. Rio de Janeiro: Lacerda Ed., 1998.

_____. Na Tribuna da Imprensa: *Crônicas sobre a Constituinte de 1946*. Org. de Sérgio Braga. Rio de Janeiro: Nova Fronteira, 2000.

LAFAYETTE, Pedro. *Os crimes do Partido Comunista*. Rio de Janeiro: Moderna, 1976.

LAGE, Padre. *O padre do diabo*. São Paulo: EMW Editores, 1988.

LAQUE, João Roberto. *Pedro e os lobos: Os anos de chumbo na trajetória de um guerrilheiro urbano*. São Paulo: AVA Editorial, s/d.

LAQUEUR, Walter. *Guerrilla: A historical and critical study*. Boston, Toronto: Little, Brown and Company, 1976.

LAVAREDA, Antônio. *A democracia nas urnas: O processo partidário-eleitoral brasileiro 1945-1964*. 2. ed. rev. Rio de Janeiro: Iuperj; Revan, 1999.

LEAL, Murilo. *À esquerda da esquerda: Trotskistas, comunistas e populistas no Brasil Contemporâneo (1952--1966)*. São Paulo: Paz e Terra, 2003.

LENHARO, Alcir. *Cantores do rádio: A trajetória de Nora Ney e Jorge Goulart e o meio artístico de seu tempo*. Campinas: Ed. da Unicamp, 1995.

LÊNIN, Vladimir. *Sobre os princípios de organização do partido do proletariado*. Trad. de Maria Paula Duarte. Lisboa: Editorial Estampa, 1976.

LEVINE, Robert M. *O regime de Vargas, 1934-38: Os anos críticos*. Trad. de Raul de Sá Barbosa. Rio de Janeiro: Nova Fronteira, 1980.

LIMA, Haroldo; ARANTES, Aldo. *História da Ação Popular: Da JUC ao PC do B*. 2. ed. São Paulo: Alfa-Omega, 1984.

LIMA, Heitor Ferreira. *Caminhos percorridos: Memórias de militância*. São Paulo: Brasiliense, 1982.

LIMA, Hermes. *Travessia (Memórias)*. Rio de Janeiro: José Olympio, 1974.

LIMA, Luiz Tenório de. *Movimento sindical e luta de classes*. São Paulo: Editora Oliveira Mendes, 1998.

LINS E SILVA, Marieta Borges. *Fernando de Noronha: Cinco séculos de história*. Vols. 1 e 2. Recife: Celpe, 2007.

LIRA NETO. *Castello: A marcha para a ditadura*. São Paulo: Contexto, 2004.

LISBOA, Luiz Eurico Tejera. *Condições ideais para o amor*. Porto Alegre: Sulina, 1999.

LOBE, Mira. *Anita e o cinema*. Trad. de Leonid Kipman. São Paulo: Brasiliense, 1961.

LOURENÇO, Oswaldo. *Companheiros de Viagem — Volume 1*. São Paulo: Maturidade, 2005.

LÖWY, Michael (Org.). *O marxismo na América Latina*. Trad. de Claudia Schilling e Luís Carlos Borges. 2. reimp. atual., 2003. São Paulo: Fundação Perseu Abramo, 1999.

LUNGARETTI, Celso. *Náufrago da utopia: Vencer ou morrer na guerrilha. Aos 18 anos*. São Paulo: Geração Editorial, 2005.

LYRA, Carlos. *Eu & a bossa: Uma história da Bossa Nova*. Rio de Janeiro: Casa da Palavra, 2008.

MACHADO, Christina Matta. *As táticas de guerra dos cangaceiros*. Rio de Janeiro: Laemmert, 1969.

MACIEL, Licio. *Guerrilha do Araguaia: Relato de um combatente*. Rio de Janeiro: Corifeu, 2008.

MAGALHÃES, Juracy. *Defendendo o meu governo: Explicações à Bahia a propósito de um livro do Sr. J. J. Seabra*. Salvador: Tipografia Naval, 1934.

_____. *Minha vida pública na Bahia*. Rio de Janeiro: José Olympio, 1957.

_____. *Minhas memórias provisórias*. Depoimento prestado ao CPDOC. Coord. de Alzira Alves de Abreu, Eduardo Raposo Vasconcelos e Paulo César Farah. Rio de Janeiro: Civilização Brasileira, 1982.

MALINA, Salomão. *Questões históricas e atuais do PCB: Entrevistas com Salomão Malina*. São Paulo: Novos Rumos, 1986.

MALLIN SR., Jay. *Covering Castro: Rise and decline of Cuba's communist dictator*. New Brunswick, NJ: Transaction Publishers, 1994.

MALTA, Maria Helena. *A intentona da vovó Mariana*. Rio de Janeiro: Rosa dos Tempos, 1991.

MARANHÃO, Aluizio. *O Globo — Primeiras páginas: 80 anos de história nas manchetes do Globo*. Rio de Janeiro: Infoglobo Comunicações, 2005.

MARÇAL, João Batista. *Comunistas gaúchos: A vida de 31 militantes da classe operária*. Porto Alegre: Tchê!, 1986.

_____. *A imprensa operária do Rio Grande do Sul (1873-1974)*. Porto Alegre: s/e, 2004.

MARCH, Aleida. *Evocação: Minha vida ao lado do Che*. Trad. de André Oliveira Lima. Rio de Janeiro: Record, 2009.

MARCHETTI, Victor; MARKS, John D. *A CIA e o culto da inteligência*. Trad. de Milton Persson e Ruy A. de Sá. Rio de Janeiro: Nova Fronteira, 1974.

MARCONI, Paolo. *A censura política na imprensa brasileira (1968-1978)*. 2. ed. rev. São Paulo: Global, 1980.

MARIANI, Bethania. *O PCB e a imprensa: Os comunistas no imaginário dos jornais (1922-1989)*. Rio de Janeiro: Revan; Campinas: Unicamp, 1998.

MARIGHELLA, Caetano. *Missa pedida*. Salvador: datil., s/d.

MARIGHELLA, Carlos. *Os comunistas e o orçamento para 1948*. Rio de Janeiro: Editorial Vitória, 1947.

_____. *O estudante Marighella nas prisões do Estado Novo*. Rio de Janeiro: Editorial Vitória, 1948.

_____. *Se fores preso, camarada...* São Paulo: s/e, 1951.

_____. *Uma prova em versos (e outros versos)*. Rio de Janeiro: Edições Contemporâneas, 1959.

_____. *Por que resisti à prisão*. Rio de Janeiro: Edições Contemporâneas, 1965.

_____. *Frente a frente com a polícia e os IPMs*. Rio de Janeiro: s/e, 1965-1966.

MARIGHELLA, Carlos. *A crise brasileira: Ensaios políticos.* S/l: s/e, 1966.

_____. *Os lírios já não crescem em nossos campos.* Rio de Janeiro: s/e, 1966.

_____. *Pour la libération du Brésil.* Apres. de Conrad Detrez. Trad. de Conrad Detrez. Paris: Éditions du Seuil, 1970.

_____. *For the liberation of Brazil.* Trad. de John Butt e Rosemary Sheed. Londres: Pelican Books, 1971.

_____. *Manual do guerrilheiro urbano e outros textos.* 2. ed. Lisboa: Assírio & Alvim, 1974.

_____. *Rondó da liberdade.* São Paulo: Brasiliense, 1994.

_____. *Por que resisti à prisão.* São Paulo: Brasiliense, 1994.

MARKUN, Paulo; HAMILTON, Duda. *1961: Que as armas não falem.* São Paulo: Senac, 2001.

MARQUES NETO, José Castilho. *Solidão revolucionária: Mário Pedrosa e as origens do trotskismo no Brasil.* Rio de Janeiro: Paz e Terra, 1993.

MARQUES NETO, José Castilho (Org.). *Mário Pedrosa e o Brasil.* São Paulo: Fundação Perseu Abramo, 2001.

MARTINELLI, Renato. *Um grito de coragem: Memórias da luta armada.* São Paulo: COM-ARTE, 2006.

MARTINS, Celso. *Os comunas: Álvaro Ventura e o PCB catarinense.* Florianópolis: Paralelo 27; Fundação Franklin Cascaes, 1995.

MARTINS, Eloy. *Um depoimento político: 55 anos de PCB — Memórias de um metalúrgico.* Porto Alegre: s/e, 1989.

MARTINS, Ivan Pedro de. *A flecha e o alvo: A intentona de 1935.* Porto Alegre, Cachoeirinha: Instituto Estadual do Livro, Ed. Movimento, Ed. Igel, 1994.

MARX, Karl. *O capital: Crítica da economia política: Livro 1: O processo de produção do capital: Volume II.* 14. ed. Rio de Janeiro: Bertrand Brasil, 1994

MARX, Karl; ENGELS, Friedrich. *Manifesto comunista.* Rio de Janeiro: Edições Horizonte, 1945.

MASETTI, Jorge. *El furor y el delirio: Itinerario de un hijo de la Revolución cubana.* México, DF: Tusquets Editores, 1999.

MATOS, Maria Izilda Santos de. *Dolores Duran: Experiências boêmias em Copacabana nos anos 50.* Rio de Janeiro: Bertrand Brasil, 1997.

MATTOS, Carlos de Meira (Coord.). *Castello Branco e a revolução: Depoimentos de seus contemporâneos.* Rio de Janeiro: Biblioteca do Exército, 1994.

MATTOS, Marcelo Badaró. *O sindicalismo brasileiro após 1930.* Rio Janeiro: Jorge Zahar, 2003.

MAUÉS, Flamarion (Coord.). *Versões e ficções: O sequestro da história.* São Paulo: Fundação Perseu Abramo, 1997.

MÁXIMO, João. *João Saldanha: Sobre nuvens de fantasia.* Rio de Janeiro: Relume Dumará, Prefeitura do Rio de Janeiro, 1996.

MAYRINK, José Maria. *Vida de repórter.* São Paulo: Geração Editorial, 2002.

MAZZEO, Antonio Carlos. *Sinfonia inacabada: A política dos comunistas no Brasil.* Marília: Unesp-Marília Publicações; São Paulo: Boitempo, 1999.

MAZZEO, Antonio Carlos; LAGOA, Maria Izabel (Orgs.). *Corações vermelhos: Os comunistas brasileiros no século XX.* São Paulo: Cortez, 2003.

MAZZO, Armando. *Memórias de um militante político e sindical no ABC.* São Bernardo Campo: Secretaria de Educação Cultura e Esportes; Departamento de Cultura, 1991.

MEDEIROS FILHO, João. *82 horas de subversão: Intentona Comunista de 1935 no Rio Grande do Norte.* Natal: s/e, 1980.

MÉDICI, Emílio Garrastazu. *O jogo da verdade*. 3. ed. Brasília: Departamento de Imprensa Nacional, Secretaria de Imprensa da Presidência da República, 1971.

MELLO, Nelci Veiga. *Caminhadas vermelhas*. Campo Mourão: Editora da Fecilcam, 2010.

MELLO, Zuza Homem de. *A era dos festivais: Uma parábola*. São Paulo: Ed. 34, 2003.

MELO, Marcelo Mário de. *David Capistrano: Entre teias e tocaias*. Recife: Assembleia Legislativa do Estado de Pernambuco, 2001.

MEMÓRIAS DE UM TERRORISTA: *Confissões do matador da organização terrorista israelense Stern*. Por Avner. Trad. de Sylvio Monteiro. São Paulo: Livraria Exposição do Livro, 1961.

MERCADANTE, Paulo. *Das casernas à redação: A era de turbulências*. Rio de Janeiro: UniverCidade Editora, 2004.

MERLINO, Tatiana; OJEDA, Igor (Orgs.). *Direito à memória e à verdade: Luta, substantivo feminino*. São Paulo: Caros Amigos, 2010.

MICHALSKI, Yan. *Reflexões sobre o teatro brasileiro no século XX*. Org. de Fernando Peixoto. Rio de Janeiro: Funarte, 2004.

MIR, Luís. *A revolução impossível: A esquerda e a luta armada no Brasil*. São Paulo: Best Seller, 1994.

MIRANDA, Nilmário; TIBÚRCIO, Carlos. *Dos filhos deste solo: Mortos e desaparecidos durante a ditadura militar — a responsabilidade do Estado*. São Paulo: Fundação Perseu Abramo; Boitempo, 1999.

MIRANDA, Yvonne R. de. *Homens e fatos da Constituinte de 1946: Memórias de uma repórter política*. Rio de Janeiro: Argus, 1982.

MITCHELL, José. *Segredos à direita e à esquerda na ditadura militar*. Porto Alegre: RBS Publicações, 2007.

MOISÉS, José Álvaro. *Greve de massa e crise política (estudo da Greve dos 300 Mil em São Paulo — 1953-54)*. São Paulo: Polis, 1978.

MOLICA, Fernando. *O homem que morreu três vezes: Uma reportagem sobre o "Chacal brasileiro"*. Rio de Janeiro: Record, 2003.

MONIZ, Edmundo. *O golpe de abril*. Rio de Janeiro: Civilização Brasileira, 1965.

_____. *A originalidade das revoluções: Uma visão abrangente do socialismo no século XX*. Rio de Janeiro: Espaço e Tempo, 1987.

MONTEFIORE, Simon Sebag. *Stálin: A corte do czar vermelho*. Trad. de Pedro Maia Soares. São Paulo: Companhia das Letras, 2006.

_____. *O jovem Stálin*. Trad. de Pedro Maia Soares. São Paulo: Companhia das Letras, 2008.

MORAES, Dênis de. *A esquerda e o golpe de 64: Vinte e cinco anos depois, as forças populares repensam seus mitos, sonhos e ilusões*. 2. ed. Rio de Janeiro: Espaço e Tempo, 1989.

_____. *O imaginário vigiado: A imprensa comunista e o realismo socialista no Brasil (1947-53)*. Rio de Janeiro: José Olympio, 1994.

_____. *O velho Graça: Uma biografia de Graciliano Ramos*. 3. ed. Rio de Janeiro: José Olympio, 1996.

MORAES, Dênis de; VIANA, Francisco. *Prestes: Lutas e autocríticas*. 2. ed. Petrópolis: Vozes, 1982.

MORAES, João Luiz de. *O calvário de Sônia Angel: Uma história de terror nos porões da ditadura*. Narrativa a Aziz Ahmed. Rio de Janeiro: Gráfica MEC Editora, 1994.

MORAES, Maria Blassioli de. "Adhemar de Barros, o líder populista, e a política nacional através do Deops". In *A constância do olhar vigilante: A preocupação com o crime político — famílias 10 e 20*. Org. de Maria Aparecida de Aquino. São Paulo: Arquivo do Estado, Imprensa Oficial do Estado, 2002.

MORAES NETO, Geneton. *Dossiê Brasil: As histórias por trás da história recente do país*. 7. ed. Rio de Janeiro: Objetiva, 1997.

MORAIS, Fernando. *Olga*. 16. ed. rev. São Paulo: Companhia das Letras, 1994.

_____. *Chatô: O rei do Brasil — A vida de Assis Chateaubriand*. São Paulo: Companhia das Letras, 1994.

_____. *Montenegro*. São Paulo: Planeta, 2006.

MOREIRA, Neiva. *O pilão da madrugada*. Depoimento a José Louzeiro. Rio de Janeiro: Terceiro Mundo, 1989.

MOSER, Benjamin. *Clarice, uma biografia*. São Paulo: Cosac Naify, 2009.

MOTA, Silvio de Albuquerque. *Rebeldes*. Fortaleza: Expressão Gráfica Editora, 2009.

MOTTA, Aricildes de Moraes (Coord.). *1964 — 31 de março: O movimento revolucionário e a sua história*. Tomos 1 a 15. Rio de Janeiro: Biblioteca do Exército, 2003.

MOTTA, Rodrigo Patto Sá. *Em guarda contra o "Perigo Vermelho": O anticomunismo no Brasil (1917-1964)*. São Paulo: Perspectiva; Fapesp, 2002.

NASSER, David. *Falta alguém em Nuremberg: Torturas da polícia de Filinto Strubling Müller*. Rio de Janeiro: Edições do Povo, 1947.

NEQUETE, Abílio de. *Technocracia ou o 5º Estado*. Porto Alegre: Livraria do Globo, 1926.

NESTLEHNER, Wanda (Org.). *Velho Jota: O jornalista João Vitor Strauss por seus amigos*. São Paulo: s/e, 2009.

NETTO, Amorim. *Fernando de Noronha*. 2. ed. Rio de Janeiro: A Noite, 1946.

NETTO, Evaristo Giovannetti. *A bancada do PCB na Assembleia Constituinte de 1946*. São Paulo: Novos Rumos, 1986.

NEVES, Lucília de Almeida. *CGT no Brasil: 1961-1964*. Belo Horizonte: Veja, 1981.

NOVA, Cristiane; NÓVOA, Jorge (Orgs.). *Carlos Marighella: O homem por trás do mito*. São Paulo: Ed. da Unesp, 1999.

NUNES, Antonio Carlos Felix. *PC Linha Leste*. São Paulo: Editorial Livramento, 1980.

NUNES, Benedito; PEREIRA, Ruy; PEREIRA, Soraia Reolon (Orgs.). *Dalcídio Jurandir: Romancista da Amazônia*. Belém: Secult; Rio de Janeiro: Fundação Casa de Rui Barbosa/Instituto Dalcídio Jurandir, 2006.

O PCB: Atividades no Brasil. Recife: s/e, 1958.

OLAS: Première conférence de l'organisation latino-américaine de solidarité (La Havane, août 1967). Paris: François Maspero, 1967.

OLIVEIRA, Francisco de. *A economia brasileira: Crítica à razão dualista*. 6. ed. Petrópolis: Vozes, 1988.

_____. *O elo perdido: Classe e identidade de classe na Bahia*. São Paulo: Fundação Perseu Abramo, 2003.

OLIVEIRA, Paulo Affonso Martins de. *Atos institucionais: Sanções políticas*. Brasília: Câmara dos Deputados, Coordenação de Publicações, 2000.

OLIVEIRA, Waldir Freitas. *Santos e festas de santos na Bahia*. Salvador: Conselho Estadual de Cultura, 2005.

OLIVEIRA FILHO, Moacyr de. *Praxedes: Um operário no poder — A insurreição comunista de 1935 vista por dentro*. São Paulo: Alfa-Omega, 1985.

PACHECO, Eliezer. *O Partido Comunista Brasileiro (1922-1964)*. São Paulo: Alfa-Omega, 1984.

PAIVA, Mauricio. *Companheira Carmela: A história da luta de Carmela Pezzuti e seus dois filhos na resistência ao regime militar e no exílio*. Rio de Janeiro: Mauad, 1996.

PALMAR, Aluízio. *Onde foi que vocês enterraram nossos mortos?* Curitiba: Travessa dos Editores, 2005.

PANDOLFI, Dulce. *Camaradas e companheiros: História e memória do PCB*. Rio de Janeiro: Relume Dumará; Fundação Roberto Marinho, 1995.

PAPA, Dolores (Org.). *Nelson Pereira dos Santos: Uma cinebiografia do Brasil — Rio, 40 graus: 50 anos*. São Paulo: Editora Onze do Sete Comunicação, 2005.

PARKER, Phyllis R. *1964: O papel dos Estados Unidos no golpe de Estado de 31 de março*. Rio de Janeiro: Civilização Brasileira, 1977.

PATARRA, Judith Lieblich. *Iara: Reportagem biográfica*. 4. ed. Rio de Janeiro: Rosa dos Tempos, 1993.

PAULA, Hilda Rezende; CAMPOS, Nilo de Araújo (Orgs.). *Clodesmidt Riani: Trajetória*. Juiz de Fora: Funalfa, 2005.

PAULINO, Leopoldo. *Tempo de resistência*. S/l : s/e, 1998.

PAZ, Carlos Eugênio. *Viagem à luta armada: Memórias romanceadas*. Rio de Janeiro: Civilização Brasileira, 1996.

_____. *Nas trilhas da ALN*. Rio de Janeiro: Bertrand Brasil, 1997.

PCB: Processo de cassação do registro (1947). Belo Horizonte: Aldeia Global Editora, 1980.

PCB: Vinte anos de política — documentos (1958-1979). São Paulo: Livraria Editora Ciências Humanas, 1980.

PECHMAN, Clarice. *O dólar paralelo no Brasil*. Rio de Janeiro: Paz e Terra, 1984.

PEDROSO JÚNIOR, Antônio. *Márcio, o guerrilheiro*. Rio de Janeiro: Papel Virtual, 2003.

_____. *Subversivos anônimos*. Vol. 1. São Paulo: All Print, 2007.

PEIXOTO, Afrânio. *Breviário da Bahia*. Rio de Janeiro: Conselho Federal de Cultura, 1980.

PENNA, Lincoln de Abreu. *Roberto Morena, o militante*. São Paulo: Expressão Popular, 2006.

_____. *Imprensa e política no Brasil: A militância jornalística do proletariado*. Rio de Janeiro: E-papers, 2007.

PERALVA, Osvaldo. *O retrato*. Belo Horizonte: Itatiaia, 1960.

PEREIRA, Astrojildo. *Formação do PCB: 1922-1928 — Notas e documentos*. Guanabara: Editorial Vitória Ltda., 1962.

PERRONE, Fernando. *Relatos de guerra: Praga, São Paulo, Paris*. São Paulo: Busca Vida, 1988.

PIMENTA, Edileuza; TEIXEIRA, Edson. *Virgilio Gomes da Silva: De retirante a guerrilheiro*. São Paulo: Plena Editorial, 2009.

PIÑEIRO, Manuel *Barbarroja*. *Che Guevara and the Latin American revolution*. Ed. de Luis Suárez. Melbourne, Nova York: Ocean Press, 2006.

PINHEIRO, Paulo Sérgio. *Estratégias da ilusão: A revolução mundial e o Brasil, 1922-1935*. São Paulo: Companhia das Letras, 1991.

PINHEIRO NETO, João. *Jango: Um depoimento pessoal*. Rio de Janeiro: Record, 1993.

PINTO, Bilac. *Guerra revolucionária*. Rio de Janeiro: Forense, 1964.

PINTO, Heron Pereira. *Nos subterrâneos do Estado Novo*. Rio de Janeiro: Ed. do autor, 1950.

PINTO, Sobral. *Por que defendo os comunistas*. Org., intr. e notas de Ary Quintella. Belo Horizonte: Editora Comunicação, 1979.

POERNER, Arthur José. *O poder jovem: História da participação política dos estudantes brasileiros*. 5. ed. ilustr., rev., ampl. e atual. Rio de Janeiro: Booklink, 2004.

POLARI, Alex. *Em busca do tesouro: Uma ficção política vivida*. 2. ed. Rio de Janeiro: Codecri, 1982.

POLITI, Maurice. *Resistência atrás das grades*. São Paulo: Plena Editorial, 2009.

POMAR, Pedro Estevam da Rocha. *Massacre na Lapa: Como o Exército liquidou o Comitê Central do PC do B — São Paulo, 1976*. São Paulo: Busca Vida, 1987.

POMAR, Pedro Estevam da Rocha. *A democracia intolerante: Dutra, Adhemar e a repressão ao Partido Comunista (1946-1950)*. São Paulo: Arquivo do Estado, Imprensa Oficial do Estado, 2002.

POMAR, Wladimir. *Pedro Pomar: Uma vida em vermelho*. São Paulo: Xamã, 2003.

PRESTES, Anita Leocádia. *Da insurreição armada (1935) à "união nacional" (1938-45): A virada tática na política do PCB*. São Paulo: Paz e Terra, 2001.

PRESTES, Luiz Carlos. *Prestes com a palavra: Uma seleção das principais entrevistas do líder comunista*. Org. de Dênis de Moraes. Campo Grande: Letra Livre, 1997.

_____. *Anos tormentosos: Luiz Carlos Prestes — Correspondência da prisão (1936-45)*. Apres., sel. e notas: Anita Leocádia Prestes e Lygia Prestes. 3 vols. Rio de Janeiro: Arquivo Público do Estado, 2000.

PRESTES, Maria. *Meu companheiro: 40 anos ao lado de Luiz Carlos Prestes*. Rio de Janeiro: Rocco, 1992.

PROJETO BRASIL: NUNCA MAIS. Tomo III: *Perfil dos atingidos*. Petrópolis: Vozes, 1988.

RAMONET, Ignacio. *Fidel Castro: Biografia a duas vozes*. Trad. de Emir Sader. São Paulo: Boitempo, 2006.

RAMOS, Graciliano. *Viagem*. 14. ed. Rio de Janeiro, São Paulo: Record, 1984.

_____. *Memórias do cárcere*. 2 vols. São Paulo: Círculo do Livro, s/d.

RAMOS, Ricardo. *Graciliano: Retrato fragmentado*. São Paulo: Siciliano, 1992.

REBELO, Aldo. *Palmeiras x Corinthians 1945: O jogo vermelho*. São Paulo: Ed. da Unesp, 2010.

REBELO, Apolinário. *A Classe Operária: Aspectos da história, opinião e contribuição do jornal comunista na vida política nacional*. São Paulo: Anita Garibaldi, 2003.

REED, John. *Os dez dias que abalaram o mundo*. Trad. de José Octávio. São Paulo: Círculo do Livro, s/d.

REGO, Octavio Brandão. *Octavio Brandão (depoimento, 1977)*. Rio de Janeiro: CPDOC, 1993. 139 p. dat.

REIS, Dinarco. *A luta de classes no Brasil e o PCB*. Vols. 1 e 2. São Paulo: Novos Rumos, 1987.

_____. *O tenente vermelho*. Digit.

REIS, João José. *A morte é uma festa: Ritos fúnebres e revolta popular no Brasil do século XIX*. São Paulo: Companhia das Letras, 1991.

_____. *Rebelião escrava no Brasil: A história do levante dos malês em 1835*. Ed. rev. e ampl. São Paulo: Companhia das Letras, 2003.

REIS FILHO, Daniel Aarão. *A revolução faltou ao encontro: Os comunistas no Brasil*. São Paulo: Brasiliense, 1989.

REIS FILHO, Daniel Aarão et al. *História do marxismo no Brasil*. Rio de Janeiro: Paz e Terra, 1991.

REIS FILHO, Daniel Aarão; MORAES, Pedro de. *68: A paixão de uma utopia*. 2. ed. rev. e atual. Rio de Janeiro: Ed. FGV, 1998.

REIS FILHO, Daniel Aarão; SÁ, Jair Ferreira de (Orgs.). *Imagens da revolução: Documentos políticos das organizações clandestinas de esquerda dos anos 1961-1971*. 2. ed. São Paulo: Expressão Popular, 2006.

RENNÓ, Carlos (Org.). *Gilberto Gil: Todas as letras*. Colaboração especial Marcelo Fróes; texto de Arnaldo Antunes e José Miguel Wisnik; edição gráfica de João Baptista da Costa Aguiar. Ed. rev. e ampl. São Paulo: Companhia das Letras, 2003.

REZENDE, José Roberto. *Ousar lutar: Memórias da guerrilha que vivi*. Depoimento a Mouzar Benedito. São Paulo: Viramundo, 2000.

RIBEIRO, Darcy. *Confissões*. São Paulo: Companhia das Letras, 1997.

RIBEIRO, Octávio (Pena Branca). *Por que eu traí: Confissões de Cabo Anselmo*. 4. ed. São Paulo: Global, 1984.

RIDENTI, Marcelo. *O fantasma da revolução brasileira*. São Paulo: Ed. da Unesp, 1993.

_____. "Ação Popular: cristianismo e marxismo". In *História do marxismo no Brasil: Volume V — Partidos e organizações dos anos 20 aos 60*. Org. de Marcelo Ridenti e Daniel Aarão Reis Filho. Campinas: Ed. da Unicamp, 2002.

_____. *Brasilidade revolucionária: Um século de cultura e política*. São Paulo: Ed. da Unesp, 2010.

RIDENTI, Marcelo; REIS, Daniel Aarão (Orgs.). *História do Marxismo no Brasil. Volume V: Partidos e organizações dos anos 20 aos 60*. Campinas: Ed. da Unicamp, 2002.

RIEDINGER, Edward Anthony. *Como se faz um presidente: A campanha de JK*. Trad. de Roberto Raposo. Rio de Janeiro: Nova Fronteira, 1988.

RISÉRIO, Antonio. *Adorável comunista: História política, charme e confidências de Fernando Sant'Anna*. Rio de Janeiro: Versal, 2002.

_____. *Uma história da Cidade da Bahia*. 2. ed. Rio de Janeiro: Versal, 2004.

ROCHA, Glauber. *Cartas ao mundo*. Organização de Ivana Bentes. São Paulo: Companhia das Letras, 1997.

ROCHA, Lauro Reginaldo da. *Bangu: Memórias de um militante*. Organização de Brasília Carlos Ferreira. Natal: UFRN, CCHLA, 1992.

RODEGHERO, Carla Simone. *O diabo é vermelho: Imaginário anticomunista e Igreja Católica no Rio Grande do Sul (1945-64)*. 2. ed. Passo Fundo: UPF, 2003.

_____. *Capítulos da Guerra Fria: O anticomunismo brasileiro sob o olhar norte-americano (1945-1964)*. Porto Alegre: Ed. da UFRGS, 2007.

RODRIGUES, Flávio Luís. *Vozes do mar: O movimento dos marinheiros e o golpe de 64*. São Paulo: Cortez, 2004.

RODRIGUES, Francisco Theodoro. *Os 16 deportados cearenses*. Rio de Janeiro: Arquivo Público do Estado, 2000.

RODRIGUES, Leôncio Martins. "O PCB: Os dirigentes e a organização". In *O Brasil republicano 3 — Sociedade e política*. Ed. de Boris Fausto. 2. ed. São Paulo: Difel, 1983.

ROJO, Ricardo. *Meu amigo Che*. Trad. de Ivan Lessa. Rio de Janeiro: Civilização Brasileira, 1968.

ROLANDO, POMBO, BRAULIO: Diarios de Bolivia. Argentina (s/l): Ediciones Fuerte, 1971.

ROLLEMBERG, Denise. *O apoio de Cuba à luta armada no Brasil: O treinamento guerrilheiro*. Rio de Janeiro: Mauad, 2001.

ROSE, R. S.; SCOTT, Gordon D. *Johnny: A vida do espião que delatou a rebelião comunista de 1935*. Trad. de Bruno Casotti. Rio de Janeiro: Record, 2010.

ROZOWYKWIAT, Tereza. *Arraes*. São Paulo: Iluminuras, 2006.

RYFF, Raul. *O fazendeiro Jango no governo*. Rio de Janeiro: Avenir, 1979.

SÁ, Fernando; MUNTEAL, Oswaldo; MARTINS, Paulo Emílio (Orgs.). *Os advogados e a ditadura de 1964: A defesa dos perseguidos políticos no Brasil*. Petrópolis: Vozes; Rio de Janeiro: PUC-Rio, 2010.

SACCHETTA, Hermínio. *O caldeirão das bruxas e outros escritos políticos*. Campinas: Pontes; Ed. da Universidade Estadual de Campinas, 1992.

SACCHETTA, Vladimir; CAMARGOS, Marcia; MARINGONI, Gilberto. *A imagem e o gesto: Fotobiografia de Carlos Marighella*. São Paulo: Fundação Perseu Abramo, 1999.

SADER, Emir. "Cuba no Brasil: Influências da Revolução Cubana na esquerda brasileira". In *História do marxismo no Brasil*. Org. de Daniel Aarão Reis Filho. Rio de Janeiro: Paz e Terra, 1991.

SAINT-PIERRE, Héctor Luis. *A política armada: Fundamentos da guerra revolucionária*. São Paulo: Ed. da Unesp, 2000.

SALES, Jean Rodrigues. *A luta armada contra a ditadura militar: A esquerda brasileira e a influência da Revolução Cubana*. São Paulo: Fundação Perseu Abramo, 2007.

SANTIAGO, Vandeck. *Francisco Julião, as Ligas e o golpe militar de 64*. Recife: Comunigraf, 2004.

SANTOS, Davino Francisco dos. *A marcha vermelha*. São Paulo: Saraiva, 1948.

SANTOS, Geraldo Rodrigues dos. *A trajetória de um comunista*. Org. de Lincoln de Abreu Penna. Rio de Janeiro: Revan, 1997.

SANTOS, Joaquim Ferreira dos. *Feliz 1958: O ano que não devia terminar*. Rio de Janeiro: Record, 1997.

SANTOS, Maria Cecília Loschiavo dos (Org.). *Maria Antônia: Uma rua na contramão*. São Paulo: Nobel, 1988.

SANTOS, Mário Augusto da Silva. *A república do povo: Sobrevivência e tensão — Salvador (1890-1930)*. Salvador: EDUFBA, 2001.

SANTOS, Myrian Sepúlveda dos. *Os porões da República: A barbárie nas prisões da Ilha Grande — 1894--1945*. Rio de Janeiro: Garamond, 2009

SANTOS, Raimundo. *A primeira renovação pecebista: Reflexos do XX Congresso do PCUS no PCB (1956--1957)*. Belo Horizonte: Oficina de Livros, 1988.

SANTOS, Viviane Teresinha dos. *Inventário Deops — Módulo II, estudantes: Os subversivos das arcadas*. Org. de Maria Luiza Tucci Carneiro. São Paulo: Arquivo do Estado, Imprensa Oficial, 1999.

_____. *Inventário Deops — Módulo V, italianos: Os seguidores do Duce: os italianos fascistas no Estado de São Paulo*. São Paulo: Arquivo do Estado, Imprensa Oficial, 2001.

SARDINHA, Hermínio Ouropretano. *Memórias de um médico: Ilha Grande*. Rio de Janeiro: Reper, 1969.

SARTI, Ingrid. *Porto Vermelho*. Rio de Janeiro: Paz e Terra, 1981.

SAUNDERS, Frances Stonor. *Quem pagou a conta?* Trad. de Vera Ribeiro. Rio de Janeiro: Record, 2008.

SAUTCHUK, Jaime. *Luta armada no Brasil dos anos 60 e 70*. São Paulo: Anita Garibaldi, 1995.

SCHILLING, Paulo. *Como se coloca a direita no poder*. 2 vols. Trad. de Cláudia Schilling. São Paulo: Global Editora, 1981.

SCHUMAHER, Schuma; VITAL BRAZIL, Érico (Orgs.). *Dicionário mulheres do Brasil: De 1500 até a atualidade — biográfico e ilustrado*. Rio de Janeiro: Jorge Zahar, 2000.

SEABRA, J. J. *Humilhação e devastação da Bahia: Análise documentada da administração do Sr. Juracy Magalhães, reunida e anotada por Nelson de Souza Carneiro*. Salvador: Cia. Editora e Graphica da Bahia, 1933.

_____. *Esfola de um mentiroso*. Rio de Janeiro: s/e, 1936.

SECRETARIA ESPECIAL DOS DIREITOS HUMANOS. *Direito à memória e à verdade: Comissão especial sobre mortos e desaparecidos políticos*. Brasília, 2007.

SECRETARIA ESPECIAL DOS DIREITOS HUMANOS. *Direito à memória e à verdade: Histórias de meninas e meninos marcados pela ditadura*. Brasília, 2009.

SEGATTO, José Antonio. *Breve história do PCB*. São Paulo: Livraria Editora Ciências Humanas, 1981.

_____. *Reforma e revolução: As vicissitudes políticas do PCB (1954-1964)*. Rio de Janeiro: Civilização Brasileira, 1995.

SEGATTO, José Antonio; NETTO, José Paulo; NÉTO, José Ramos; AZEVEDO, Paulo Cesar de; SACCHETTA, Vladimir. *PCB: Memória fotográfica, 1922-1982*. São Paulo: Brasiliense, 1982.

SEIDL, Maurício. *Voo cego rumo ao exílio*. Texto final de Alexandre Rodrigues Alves. Rio de Janeiro: Edição Europa, s/d.

SEMERARO, Giovanni. *A primavera dos anos 60: A geração de Betinho*. São Paulo: Loyola, 1994.

SEMINÁRIO 40 ANOS DO GOLPE DE 1964 (2004: Niterói e Rio de Janeiro) 1964-2004: 40 anos do golpe: Ditadura militar e resistência no Brasil. Rio de Janeiro: 7Letras, 2004.

SERBIN, Kenneth P. *Diálogos na sombra: Bispos e militares, tortura e justiça social na ditadura*. Trad. de Carlos Eduardo Lins da Silva. São Paulo: Companhia das Letras, 2001.

SILVA, Emiliana Andréo da. *O despertar do campo: Lutas camponesas no interior do estado de São Paulo*. São Paulo: Arquivo do Estado, Imprensa Oficial do Estado, 2003.

SILVA, Fernando Teixeira da; SANTANA, Marco Aurélio. "O equilibrista e a política: O 'Partido da Classe Operária' (PCB) na democratização (1945-1964)". In *Nacionalismo e reformismo radical (1945-1964)*. Org. de Jorge Ferreira e Daniel Aarão Reis Filho. Rio de Janeiro: Civilização Brasileira, 2007.

SILVA, Gastão Pereira da. *Constituintes de 46: Dados biográficos*. Rio de Janeiro: Spinoza, 1947.

SILVA, Hélio. *1932: A guerra paulista*. Rio de Janeiro: Civilização Brasileira, 1967.

_____. *1937: Todos os golpes se parecem*. Rio de Janeiro: Civilização Brasileira, 1970.

_____. *1954: Um tiro no coração*. Porto Alegre: L&PM, 2004.

_____. *1964: Golpe ou contragolpe?* Colab. de Maria Cecília Ribas Carneiro. Porto Alegre: LP&M, 1978.

SILVA, José Wilson da. *O tenente vermelho*. 3. ed. Porto Alegre: Tchê!, 1987.

SILVA, Luis Sergio Lima e. *Isolda Cresta: Zozô Vulcão*. São Paulo: Imprensa Oficial do Estado, 2009.

SILVA, Lyndolpho. *O camponês e a história: A construção da Ultab e a fundação da Contag nas memórias de Lyndolpho Silva*. Org. de Paulo Ribeiro da Cunha. São Paulo: IPSO — Instituto de Projetos e Pesquisas Sociais e Tecnológicas, 2004.

SILVA, Mário Augusto Medeiros da. *Os escritores da guerrilha urbana: Literatura de testemunho, ambivalência e transição política (1977-1984)*. São Paulo: Annablume; Fapesp, 2008.

SILVA, Osvaldo Heller da. *A foice e a cruz: Comunistas e católicos na história do sindicalismo dos trabalhadores rurais do Paraná*. Curitiba: Rosa de Bassi Gráfica e Editora, 2006.

SILVEIRA, Joel; MORAES NETO, Geneton. *Hitler-Stalin: O pacto maldito*. Rio de Janeiro: Record, 1990.

SIQUEIRA, André Iki. *João Saldanha: Uma vida em jogo*. São Paulo: Companhia Editora Nacional, 2007.

SIRKIS, Alfredo. *Os carbonários*. São Paulo: Global, 1980.

SKIDMORE, Thomas E. *The politics of military rule in Brazil, 1964-85*. Nova York: Oxford University Press, 1988.

_____. *Brasil: De Castelo a Tancredo*. Trad. de Mário Salviano Silva. 7. ed. Rio de Janeiro: Paz e Terra, 1988.

SODRÉ, Nelson Werneck. *Introdução à revolução brasileira*. 2. ed. Rio de Janeiro: Civilização Brasileira, 1963.

_____. *Memórias de um soldado*. Rio de Janeiro: Civilização Brasileira, 1967.

_____. *Contribuição à história do PCB*. São Paulo: Global, 1984.

_____. *A fúria de Calibã: Memórias do golpe de 64*. Rio de Janeiro: Bertrand Brasil, 1994.

SODRÉ, Roberto Costa de Abreu. *No espelho do tempo: Meio século de política*. São Paulo: Best Seller, 1995.

SOUSA, Jessie Jane Vieira de. *Círculos operários: A Igreja Católica e o mundo do trabalho no Brasil*. Rio de Janeiro: Ed. da UFRJ, 2002.

SOUZA, Ismara Izepe de. *Inventário Deops — Módulo IV, espanhóis: República Espanhola: um modelo a ser evitado*. São Paulo: Arquivo do Estado, Imprensa Oficial, 2001.

SOUZA, Percival de. *Eu, Cabo Anselmo: Depoimento a Percival de Souza*. São Paulo: Globo, 1999.

_____. *Autópsia do medo: Vida e morte do delegado Sérgio Paranhos Fleury*. São Paulo: Globo, 2000.

SPINDEL, Arnaldo. *O Partido Comunista na gênese do populismo: Análise da conjuntura da redemocratização no após-guerra*. São Paulo: Edições Símbolo, 1980.

STALIN, Joseph. *Problemas econômicos do socialismo na URSS*. São Paulo: Anita Garibaldi, 1985.

TABACOF, Boris. *Perdidos & achados*. São Paulo: Hucitec, 2005.

TAHAN, Malba. *O homem que calculava: Aventuras de um singular calculista persa*. 7. ed. Rio de Janeiro: Getúlio Costa, 1941.

TALENTO, Biaggio; COUCEIRO, Luiz Alberto. *Edison Carneiro: O mestre antigo*. Salvador: Assembleia Legislativa do Estado da Bahia, 2009.

TAVARES, Flávio. *Memórias do esquecimento*. São Paulo: Globo, 1999.

TAVARES, Luís Henrique Dias. *História da Bahia*. São Paulo: Ed. da Unesp; Salvador: EDUFBA, 2001.

TAVARES, Rodrigo Rodrigues. *O porto vermelho: A maré revolucionária (1930-1951)*. São Paulo: Arquivo do Estado: Imprensa Oficial, 2001.

TELLES, Jover. *O movimento sindical no Brasil*. 2. ed. São Paulo: Livraria Editora Ciências Humanas, 1981.

THOMAS, Hugh. *La Guerra Civil Española*. 2 vols. Trad. de Neri Daurella. Barcelona: Grijalbo Mondadori, 1996.

Tiradentes, um presídio da ditadura: Memórias de presos políticos. Org. de Alipio Freire, Izaías Almada e J. A. de Granville Ponce. Il. de Sérgio Ferro. São Paulo: Scipione, 1997.

TORELLY, Aparício. *Almanaque para 1955, primeiro semestre, ou "Almanaque d'A manha"*. 2. ed. São Paulo: Studioma Editora; Arquivo do Estado, 1991.

TRENTO, Angelo. *Do outro lado do Atlântico: Um século de imigração italiana no Brasil*. Trad. de Mariarosária Fabris e Luiz Eduardo de Lima Brandão. São Paulo: Nobel: Instituto Italiano di Cultura di San Paolo; Instituto Cultural Ítalo-Brasileiro, 1989.

TROTSKY, Leon. *Minha vida: Ensaio autobiográfico*. Trad. de Lívio Xavier. 2. ed. Rio de Janeiro: Paz e Terra, 1978.

_____. *Stálin: O militante anônimo — volume 1*. Trad. de Victor de Azevedo. São Paulo: Ched, 1980.

TZU, Sun. *A arte da guerra*. Trad. de Sueli Barros Cassal. Porto Alegre: L&PM, 2000.

United States Policies and Programs in Brazil: Hearings before the Subcommittee on Western Hemisphere Affairs of the Committee on Foreign Relations — United States Senate — Ninety-Second Congress — First Session — May 4, 5 and 11, 1971. Washington: U. S. Government Printing Office, 1971.

USTRA, Carlos Alberto Brilhante. *Rompendo o silêncio: Oban DOI/Codi (29 Set 70 — 23 Jan 74)*. 2. ed. Brasília: Editerra Editorial, 1987.

_____. *A verdade sufocada: A história que a esquerda não quer que o Brasil conheça*. 4. ed. Brasília: Ser, 2007.

VARAZZE, Jacopo de. *Legenda áurea: Vidas de santos*. Trad. do latim, apres., notas de seleção iconográfica: Hilário Franco Júnior. São Paulo: Companhia das Letras, 2003.

VARGAS, Getúlio. *Getúlio Vargas: Diário*. Apres. de Celina Vargas do Amaral Peixoto. Ed. de Leda Soares. São Paulo: Siciliano; Rio de Janeiro: FGV, 1995.

VARGAS, Índio. *Guerra é guerra, dizia o torturador*. Rio de Janeiro: Codecri, 1981.

VELLOSO, Mônica Pimenta. "Inventando a vida: a presença de Mário Lago". In *A formação das tradições (1889-1945)*. Org. de Jorge Ferreira e Daniel Aarão Reis Filho. Rio de Janeiro: Civilização Brasileira, 2007.

VELOSO, Caetano. *Verdade tropical*. São Paulo: Companhia das Letras, 1997.

VENTURA, Zuenir. *1968: O ano que não terminou*. Rio de Janeiro: Nova Fronteira, 1988.

_____. *1968: O que fizemos de nós*. São Paulo: Planeta, 2008.

VERISSIMO, Erico. *Solo de clarineta: Memórias, vol. 1*. 20. ed. São Paulo: Companhia das Letras, 2005.

VIANA, Gilney Amorim. *131-D: Linhares — Memorial da prisão política*. Contagem: História, 1979.

_____. *Glória: Mãe de preso político*. São Paulo: Paz e Terra, 2000.

VIANNA, Deocélia. *Companheiros de viagem*. Coord. e pesq. de Maria Célia Teixeira. São Paulo: Brasilense, 1984.

VIANNA, Hildegardes. *A Bahia já foi assim: Crônicas de costumes*. 2. ed. São Paulo: GRD; Brasília: INL, 1979.

VIANNA, Marly. *Revolucionários de 35: Sonho e realidade*. São Paulo: Companhia das Letras, 1992.

_____. (Org.). *Pão, terra e liberdade: Memória do movimento comunista de 1935*. Rio de Janeiro: Arquivo Nacional; São Carlos: Universidade Federal de São Carlos, 1995.

_____. "A Aliança Nacional Libertadora". In *Corações vermelhos: Os comunistas brasileiros no século XX*. Org. de Antonio Carlos Mazzeo e Maria Izabel Lagoa. São Paulo: Cortez, 2003.

VIANNA, Martha. *Uma tempestade como a sua memória: A história de Lia, Maria do Carmo Brito*. Rio de Janeiro: Record, 2003.

VIANNA FILHO, Oduvaldo. *Teatro de Oduvaldo Vianna Filho: Vol. 1*. Org. Yan Michalski. Rio de Janeiro: Ilha, 1981.

VICTOR, Mário. *A batalha do petróleo brasileiro*. Rio de Janeiro: Civilização Brasileira, 1970.

VIEGAS, Pedro. *Trajetória rebelde*. São Paulo: Cortez, 2004.

VILLA, Marco Antonio. *Jango: Um perfil (1945-1964)*. São Paulo: Globo, 2004.

VINHAS, Moisés. *Operários e camponeses na revolução brasileira*. São Paulo: Fulgor, 1963.

_____. *O Partidão: A luta por um partido de massas, 1922-1974*. São Paulo: Hucitec, 1982.

VOLKOGONOV, Dmitri Antonovich. *Stálin: Triunfo e tragédia*. 2 vols. Trad. de Joubert de Oliveira Brízida. Rio de Janeiro: Nova Fronteira, 2004.

_____. *Os sete chefes do império soviético: Lênin, Stálin, Khruschev, Brejnev, Andropov, Chernenko, Gorbachev*. Ed. inglesa de Harold Shukman. Trad. de Joubert de Oliveira Brizida. Rio de Janeiro: Nova Fronteira, 2008.

WAACK, William. *As duas faces da glória: A FEB vista pelos seus aliados e inimigos*. Rio de Janeiro: Nova Fronteira, 1985.

_____. *Camaradas: Nos arquivos de Moscou — A história secreta da revolução brasileira de 1935*. São Paulo: Companhia das Letras, 1993.

WAINER, Samuel. *Minha razão de viver: Memórias de um repórter*. Org. e ed. de Augusto Nunes. 3. ed. Rio de Janeiro: Record, 1988.

WEINE, Tim. *Legado das cinzas: Uma história da CIA*. Trad. de Bruno Casotti. Rio de Janeiro: Record, 2008.

WELCH, Cliff; GERALDO, Sebastião. *Lutas camponesas no interior paulista: Memórias de Irineu Luís de Moraes*. Rio de Janeiro: Paz e Terra, 1992.

WERNECK, Maria. *Sala 4: Primeira prisão política feminina*. Rio de Janeiro: Cesac, s/d.

WILKINSON, Paul. *Terrorismo político*. Trad. de Jorge Arnaldo Fortes. Rio de Janeiro: Artenova, 1976.

WILSON, Edmund. *Rumo à estação Finlândia: Escritores e atores na história*. Trad. de Paulo Henriques Britto. São Paulo: Companhia das Letras, 1986.

WRIGHT, Delora Jan. *O coronel tem um segredo: Paulo Wright não está em Cuba*. Petrópolis: Vozes, 1993.

ZAIDAN FILHO, Michel. *Comunistas em céu aberto: 1922-1930*. Belo Horizonte: Oficina de Livros, 1989.

ZAPPA, Regina. *Chico Buarque: Para todos*. Rio de Janeiro: Relume Dumará: Prefeitura: 1999.

Fontes

ARTIGOS, MONOGRAFIAS, DISSERTAÇÕES E TESES

ALVES, Danilo Janúncio. *Thiago de Mello: Coração da floresta*. Taubaté: Unitau, 2000. Trabalho de Conclusão de Curso (Graduação em Jornalismo).

BORGES, Maria Celma. "Homens, mulheres e a natureza: A violência e a resistência na luta pela terra no extremo oeste paulista". *Revista de História*, Campo Grande, v. 1, nº 1, jan.-jun. de 2009.

DULLES, John W. F. "La izquierda brasileña: Esfuerzos de recuperación". In *Problemas Internacionales*, xx, jul.-ago., 1973.

FONTES, Paulo. *Comunidade operária, migração nordestina e lutas sociais: São Miguel Paulista (1945--1966)*. Campinas: Departamento de História do Instituto de Filosofia e Ciências Humanas, Universidade Estadual de Campinas, 2002. Tese de doutorado.

LIMA, Déborah Kelman de. *O banquete espiritual da instrução — O Ginásio da Bahia, Salvador: 1895--1942*. Salvador: Faculdade de Filosofia e Ciências Humanas, Universidade Federal da Bahia, 2003. Dissertação de mestrado.

LIMA, Edileuza Pimenta de. *"Trabalhador: arme-se e liberte-se": A Ação Libertadora Nacional (ALN) e a resistência operária pela luta guerrilheira*. Rio de Janeiro: Universidade Federal do Estado do Rio de Janeiro, 2007. Trabalho de Conclusão de Curso (Graduação em História).

MATTOS, Marco Aurélio Vannucchi Leme. *Em nome da segurança nacional: Os processos da Justiça Militar contra a Ação Libertadora Nacional (ALN), 1969-1979*. São Paulo: Departamento de História da Faculdade de Filosofia, Letras e Ciências Humanas, Universidade de São Paulo, 2002. Dissertação de mestrado.

PEREIRA, Syrléa Marques. *Mulheres imigrantes italianas e suas caixinhas de lembranças: Memória e fotografia delimitando a fronteira étnica e construindo identidades (1889-1948)*. Rio de Janeiro: Instituto de Ciências Humanas e Sociais, Universidade Federal Rural do Rio de Janeiro, 2003. Dissertação de mestrado.

PEREIRA NETO, Murilo Leal. *A reinvenção do trabalhismo no "vulcão do inferno": Um estudo sobre metalúrgicos e têxteis em São Paulo — A fábrica, o bairro e a política (1950-1964)*. Relatório de atividades de doutorado em história apresentado com vistas ao Exame de Qualificação. São Paulo: Faculdade de Filosofia, Letras e Ciências Humanas, Universidade de São Paulo, 2004.

POMAR, Pedro Estevam da Rocha. *Comunicação, cultura de esquerda e contra-hegemonia: O jornal* Hoje *(1945-1952)*. São Paulo: Escola de Comunicações e Artes, Universidade de São Paulo, 2006. Tese de doutorado.

PRANDI, Reginaldo. "De africano a afro-brasileiro: Etnia, identidade, religião". *Revista USP*, n° 46, jul.-ago., 2000.

SANTOS, Marcos Roberto Martins dos. *Aristeu Nogueira: a militância política e cultural de um comunista*. Salvador: Faculdade de Comunicação, Universidade Federal da Bahia, 2007. Monografia de graduação.

SILVA, Luiz Henrique de Castro. *O revolucionário da convicção: Joaquim Câmara Ferreira, o Velho Zinho*. Rio de Janeiro: Instituto de Filosofia e Ciências Sociais, Universidade Federal do Rio de Janeiro, 2008. Dissertação de mestrado.

SILVA JR., Edson Teixeira da. *Carlos: A face oculta de Marighella*. Vassouras: Universidade Severino Sombra, 1999. Dissertação de mestrado.

_____. *Um combate ao silêncio: A Ação Libertadora Nacional (ALN) e a repressão política*. Niterói: Instituto de Ciências Humanas e Filosofia, Departamento de História, Universidade Federal Fluminense, 2005. Tese de doutorado.

SOUZA, Admar Mendes de. *Frades dominicanos de Perdizes: Movimentos de prática política nos anos de 1960 no Brasil*. São Paulo: Departamento de História da Faculdade de Filosofia, Letras e Ciências Humanas, Universidade de São Paulo, 2003. Dissertação de mestrado.

ARQUIVOS

A Tarde — Salvador
Acervo Pró-Memorial Marighella Vive
Archivo del Terror — Assunção, Paraguai
Arquivo de Clara Charf
Arquivo de Claudio Dantas Sequeira
Arquivo de Emiliano José
Arquivo de Mário Magalhães
Arquivo de Zilda Xavier Pereira
Arquivo Edgard Leuenroth — Unicamp
Arquivo Estatal Russo de História Político-Social (RGASPI)
Arquivo Nacional (AN)
Arquivo Público do Estado da Bahia (Apeb)
Arquivo Público do Estado de São Paulo (Apesp)
Arquivo Público do Estado do Rio de Janeiro (Aperj)
Arquivo Público Estadual Jordão Emerenciano — Pernambuco (Apeje)

Banco de Dados — *Folha de S.Paulo*
Biblioteca Pública do Estado da Bahia
Biblioteca Nacional
Câmara dos Deputados — Centro de Documentação e Informação
Casa de Oswaldo Cruz/Fundação Oswaldo Cruz
Centro de Documentação e Memória da Universidade Estadual Paulista (Cedem/Unesp)
Centro de Documentação e Informação Científica Professor Casemiro dos Reis Filho (Cedic/PUC-SP)
Centro de Pesquisa e Documentação de História Contemporânea do Brasil — Fundação Getúlio Vargas (CPDOC/FGV)
Centro de Pesquisa e Documentação do *Jornal do Brasil*
Colégio Estadual da Bahia — Central (antigo Ginásio da Bahia)
Escola Politécnica da Universidade Federal da Bahia (EP/UFBA)
Instituto Geográfico e Histórico da Bahia
O Estado de S. Paulo/Agência Estado
Projeto Brasil: Nunca Mais — Arquidiocese de São Paulo
Projeto Portinari
Secretaria da Educação do Estado da Bahia — Setor de Escolas Extintas
Superior Tribunal Militar (STM)

JORNAIS

A Bahia (Salvador)
A Classe Operária (Rio de Janeiro e São Paulo)
Ação (Rio de Janeiro, mimeo)
A Gazeta (São Paulo)
A Noite (Rio de Janeiro)
A Notícia (Rio de Janeiro)
A Tarde (Salvador)
Cidade de Santos (Santos)
Coojornal (Porto Alegre)
Correio Braziliense (Brasília)
Correio da Bahia (Salvador)
Correio da Manhã (Rio de Janeiro)
Correio da Noite (Rio de Janeiro)
Correio de S. Paulo (São Paulo)
Correio Paulistano (São Paulo)
Diário Carioca (Rio de Janeiro)
Diário da Assembleia (Rio de Janeiro)
Diário da Bahia (Salvador)
Diário da Noite (Rio de Janeiro)
Diário da Noite (São Paulo)
Diário de Notícias (Rio de Janeiro)
Diário de Notícias (Salvador)

Diário de Pernambuco (Recife)
Diário de São Paulo (São Paulo)
Diário do Congresso Nacional (Rio de Janeiro)
Diário do Poder Legislativo (Rio de Janeiro)
Diário Popular (São Paulo)
Estado da Bahia (Salvador)
Folha da Manhã (Recife)
Folha da Manhã (São Paulo)
Folha da Noite (São Paulo)
Folha da Tarde (São Paulo)
Folha de S.Paulo (São Paulo)
Folha do Povo (Recife)
Folha Vespertina (Belém)
Gazeta Mercantil (São Paulo)
Gazeta do Povo (Salvador)
Granma (Cuba)
Hoje (São Paulo)
Imprensa Popular (Rio de Janeiro)
Jornal Contato (Taubaté)
Jornal da Ajufesp (São Paulo)
Jornal da Bahia (Salvador)
Jornal da República (São Paulo)
Jornal da Tarde (São Paulo)
Jornal de Notícias (Salvador)
Jornal do Brasil (Rio de Janeiro)
Jornal do Commercio (Recife)
Jornal do Commercio (Rio de Janeiro)
Jornal do Grupo Tortura Nunca Mais (Rio de Janeiro)
Jornal do Norte (Manaus)
Jornal Opção (Goiânia)
Juventud Rebelde (Cuba)
La Jornada (México)
Le Monde (França)
Le Monde Diplomatique — Brasil (Brasil)
Luta Democrática (Rio de Janeiro)
Movimento (São Paulo)
Novos Rumos (Rio de Janeiro)
Notícias de Hoje (São Paulo)
O Dia (Rio de Janeiro)
O Estado de Minas (Belo Horizonte)
O Estado de S. Paulo (São Paulo)
O Globo (Rio de Janeiro)
O Guerrilheiro (São Paulo, mimeo)
O Imparcial (Salvador)

O Jornal (Rio de Janeiro)
O Libertador (Rio de Janeiro, mimeo)
O Momento (Salvador)
O Pasquim 21 (Rio de Janeiro)
Público (Portugal)
Resistência (São Paulo)
The Miami Herald (Estados Unidos)
The New York Times (Estados Unidos)
Tribuna da Imprensa (Rio de Janeiro)
Tribuna de Debate (Rio de Janeiro)
Tribuna Popular (Rio de Janeiro)
Última Hora (Rio de Janeiro e São Paulo)
União de Ferro (Rio de Janeiro)
Unidade Operária (São Paulo, mimeo)
Voz Operária (Rio de Janeiro)

REVISTAS

A Cigarra (São Paulo)
Brecha (Uruguai)
Caros Amigos (São Paulo)
Carta Capital (São Paulo)
Confirmado (Argentina)
Cristianismo y Revolución (Argentina)
Cuba Socialista (Cuba)
Ele Ela (Rio de Janeiro)
Época (São Paulo)
Esquire (Estados Unidos)
Fatos e Fotos (Rio de Janeiro)
Front (França)
História Viva (São Paulo)
Imprensa (São Paulo)
IstoÉ (São Paulo)
IstoÉ Dinheiro (São Paulo)
Jeune Afrique (França)
Les Temps Modernes (França)
L'espresso (Itália)
L'Express (França)
Manchete (Rio de Janeiro)
Marcha (Uruguai)
Military Review (Estados Unidos)
Mouro (São Paulo)
Nossa História (Rio de Janeiro)

O Cruzeiro (Rio de Janeiro)
Pensamiento Crítico (Cuba)
Playboy (São Paulo)
Primeira Leitura (São Paulo)
Problemas (Rio de Janeiro)
Problemas Internacionales (Estados Unidos)
Punto Final (Chile)
Realidade (São Paulo)
Revés do Avesso (São Paulo)
Revista Histórica (São Paulo)
Revista Proletária (São Paulo, mimeo)
Seminários (São Paulo)
Teoria e Debate (São Paulo)
Tema (São Paulo)
Time (Estados Unidos)
Tricontinental (Cuba e Itália)
Veja (São Paulo)

* Algumas publicações clandestinas não informam o local de edição ou impressão; a indicação foi determinada após apuração sobre a cidade onde ficavam a redação e a oficina impressora.

FILMES, VÍDEOS E DESENHOS ANIMADOS

Os três lobinhos (*Three little wolves*), 1936, David Hand.
O porquinho Prático (*The Practical Pig*), 1938, Dick Rickard.
Comício de São Paulo a Luiz Carlos Prestes, 1945, Ruy Santos.
On vous parle du Brésil, 1969, Chris Marker.
Carlos Marighella, 1970, Chris Marker.
Revolução de 30, 1980, Sylvio Back.
O Velho, 1997, Toni Ventura.
Barra 68 — Sem perder a ternura, 2000, Vladimir Carvalho.
Marighella — Retrato falado do guerrilheiro, 2001, Silvio Tendler.
No olho do furação, 2003, Renato Tapajós e Toni Venturi.
Glauber o filme, labirinto do Brasil, 2003, Silvio Tendler.
Vale a pena sonhar, 2004, Stela Grisoti e Rudi Böhm.
Ato de fé, 2004, Alexandre Rampazzo.
Tempo de resistência, 2004, André Ristum.
Hércules 56, 2006, Silvio Da-Rin.
Memórias clandestinas, 2008, Maria Thereza Azevedo.
Cidadão Boilesen, 2009, Chaim Litewski.
Marighella, 2011, Isa Grinspum Ferraz.
Quem samba fica, quem não samba vai embora, 2011, Carlos Pronzato.

INTERNET

A verdade sufocada. <http://www.averdadesufocada.com>.
Academia Brasileira de Letras. <http://www.academia.org.br>.
Academia Militar das Agulhas Negras — Seções de Ensino. <http://www.aman.ensino.eb.br>.
ALBIN, Ricardo Cravo. *Dicionário Cravo Albin da Música Popular Brasileira.* <http://www.diciona riompb.com.br>.
Banco Central do Brasil — Calculadora do cidadão — Correção de valores. <https://www3.bcb.gov.br/CALCIDADAO/publico/exibirFormCorrecaoValores.do?method=exibirFormCorrecao Valores>.
Biblioteca da Presidência da República. <http://www.biblioteca.presidencia.gov.br/>.
Câmara dos Deputados — Agência Câmara de Notícias. <http://www2.camara.gov.br/agencia/noticias/86950.html>.
CANCELLI, Elizabeth. *De uma sociedade policiada a um Estado policial: O circuito de informações das polícias nos anos 30.* <http://ftp.unb.br/pub/UNB/ipr/rel/rbpi/1993/131.pdf>.
Carlos Scliar. <http://www.carlosscliar.com>.
CARNEIRO, Edison. *O caruru de Cosme e Damião.* <http://jangadabrasil.com.br/revista/outubro83/cp83010c.asp>.
CARNEIRO, Maria Luiza Tucci. *Guerreiras anônimas: Por uma história da mulher judia.* <http://www.usp.br/proin/download/artigo/artigo_guerreiras_anonimas.pdf>.
CASTRO, Flávio Mendes de Oliveira. *As relações oficiais russo-soviéticas com o Brasil (1808-1961).* <http://www.mundorama.info/Mundorama/RBPI_-_1993-2007_files/RBPI_1993_2.pdf>.
Central Intelligence Agency — Freedom of Information Act. <http://www.foia.cia.gov> (CIA/FOIA).
CHAIA, Vera. *Santa Fé do Sul: A luta dos arrendatários. Cadernos AEL,* nº 7, 1997. <http://www.ifch.unicamp.br/ael/website-ael_publicacoes/cad-7/Artigo-1-p11.pdf>.
Clube Militar. <http://www.clubemilitar.com.br>.
Desaparecidos políticos. <http://www.desaparecidospoliticos.org.br>.
Departamento Intersindical de Estatística e Estudos Socioeconômicos (Dieese). <http://www.dieese.org.br>.
Escola de Comando e Estado-Maior do Exército. <http://www.eceme.ensino.eb.br>.
Exército Brasileiro. <http://www.exercito.gov.br>.
Família Assis Brasil. <http://assisbrasil.org/argemiro/eleela.html>.
Fernando de Noronha. <http://www.noronha.pe.gov.br>.
Franklin Martins. <http://www.franklinmartins.com.br/index.php>.
Frei Tito — Memorial on-line. <http://www.adital.com.br/freitito/por/index.html>.
Fundação Maurício Grabois. <http://www.fmauriciograbois.org.br/portal>.
Graciliano Ramos. <http://www.graciliano.com.br>.
GREEN, James N. *"Restless youth": The 1968 Brazilian Student Movement as seen from Washington.* Brown University. <http://sitemason.vanderbilt.edu/files/iZnisU/Green.doc>.
Grupo Terrorismo Nunca Mais. <http://www.ternuma.com.br>.
HARNECKER, Marta. *Haciendo posible lo imposible. La izquierda en el umbral del siglo XXI.* 1999. <http://www.rebelion.org/docs/95166.pdf>.
Harry S. Truman Library and Museum. <http://www.trumanlibrary.org>.

HUDSON, Rex A. *The sociology and psychology of terrorism: Who becomes a terrorist and why?* — A report prepared under an Interagency Agreement by the Federal Research Division, Library of Congress. Washington, DC: Federal Research Division, Library of Congress, 1999. <http://www.loc.gov/rr/frd/pdf-files/Soc_Psych_of_Terrorism.pdf>.
Ilha Grande. <http://www.ilhagrande.com.br/>.
Instituto Brasileiro de Geografia e Estatística. <http://ibge.gov.br/home>.
Integralismo. <http://www.integralismo.com.br>.
Ipeadata. <http://www.ipeadata.gov.br>.
JÚNIOR, José Carlos Peixoto. *A quinta coluna do Diário de Notícias da Bahia: 1935-1941.* <http://www.jornalismo.ufsc.br/redealcar>.
Marxists Internet Archive. <http://www.marxists.org>.
Measuring Worth. <http://www.measuringworth.com/uscompare>.
MUNHOZ, Sidnei J. *Ecos da emergência da Guerra Fria no Brasil (1947-1953).* <http://www.dhi.uem.br/publicacoesdhi/dialogos/volume01/vol6_mesa3.htm>.
<www.no.com.br>. (site extinto antes de 2012)
O guia dos curiosos. <http://www.guiadoscuriosos.com.br>.
O Rio de Janeiro através dos jornais. <http://www1.uol.com.br/rionosjornais>.
O senhor gato. <http://elsenorgato.blogspot.com.br/>.
Ordem dos Pregadores. <http://www.dominicanos.org.br>.
"Projeto Orvil". <http://www.averdadesufocada.com/images/orvil/orvil_completo.pdf>.
Projeto Portinari. <http://www.portinari.org.br>.
ROCHA, João Augusto de Lima. "O primeiro periódico brasileiro de matemática". <http://www.jornaldaciencia.org.br/Detalhe.jsp?id=80813>.
SAMET, Henrique. *No pasarán olvidados: judeus do Brasil na Guerra Civil Espanhola e Resistência Francesa.* <http://www.espacoacademico.com.br/041/41csamet.htm#_ftnref7>.
SCHUELER, Paulo. *Raimundão, o gráfico vermelho.* <http://pcb.org.br/fdr/index.php?option=com_content&view=article&id=45:raimundao-o-grafico-vermelho&catid=6:memoria-pcb>.
SELVAGE, Donald R. *Che Guevara in Bolivia.* <http://www.globalsecurity.org/military/library/report/1985/SDR.htm>.
Sentando a pua! <http://www.sentandoapua.com.br/index.htm>.
TEIXEIRA, Anísio. *Relatório apresentado ao Ex. Sr. Cons. Bráulio Xavier da Silva Pereira, Secretário do Interior, Justiça e Instrução Pública, pelo Diretor Geral da Instrução Pública, para ser encaminhado ao governador do estado da Bahia.* Salvador, Imprensa Official do Estado, 1928. <http://www.bvanisioteixeira.ufba.br/artigos/summario.html>.
The Library of Congress. <http://lcweb.loc.gov>.
The National Security Archive. <http://www.gwu.edu/~nsarchiv>.
U. S. Department of State — Office of the Historian. <http://history.state.gov>.
Vaticano. <http://www.vatican.va/>.
VILLAÇA, Mariana Martins. "*América Nuestra* — Glauber Rocha e o cinema cubano". In *Revista Brasileira de História*, vol. 22, nº 44, 2002. <http://www.scielo.br/scielo.php?pid=S0102-01882002000200011&script=sci_arttext>.
Wikipedia. <http://www.wikipedia.org>.
Woodrow Wilson International Center for Scholars. <http://www.wilsoncenter.org>.
Yale University — Annals of Communism. <http://www.yale.edu/annals>.

Notas

PRÓLOGO: TIRO NO CINEMA [pp. 13-27]

* Para o encontro de Marighella com Valdelice de Almeida Santana, as ações de Marighella antes e durante a prisão, seus diálogos, impressões e pensamentos: *Por que resisti à prisão*, de Carlos Marighella.
* Para Valdelice de Almeida Santana: Dops-GB, prontuário 345. Aperj.
* Para a fuga pela escada: Clara Charf.
* Para "Marighella é valente" e algumas ações do Dops-GB: Cecil de Macedo Borer.
* Para alguns aspectos da prisão de Marighella: Dops-GB, inquérito 10/64. Prontuário 7593. Aperj.
* Para aversão a meias: Clara Charf.
* Para os três ternos: Clara Charf e Paulo Mercadante.
* Para os 27 graus: *Jornal do Brasil*, 8 e 9 de maio de 1964.
* Para João Barreto de Macedo: Cecil de Macedo Borer; *Jornal da Tarde*, 29 de novembro de 1968.
* Para a primeira prisão de Carlos Lacerda: Cecil de Macedo Borer; *Depoimento*, de Carlos Lacerda; *Europa 1935*, de Moacir Werneck de Castro.
* Para o diálogo entre Carlos Lacerda e Cecil Borer: Cecil de Macedo Borer.
* Para a morte de Mineirinho: *Diário Carioca*, 1º de maio de 1962.
* Para Cecil Borer e Esquadrão da Morte: *JK*, de Claudio Bojunga.
* Para o estilo da sede do Dops- GB: *Folha de S.Paulo*, 15 de abril de 2001.
* Para "carrasco" e "torturador": *Novos Rumos*, 14 de dezembro de 1962.
* Para "nazista": *Novos Rumos*, 23 de agosto de 1963.
* Para "a fachada do fascismo": *Última Hora* (Rio de Janeiro), 24 de março de 1964.

* Para o detetive Carlos Gomes: *Jornal da Tarde*, 29 de novembro de 1968.

* Para 1,78 metro de altura: Delegacia Especial de Segurança Política e Social-DF, 1939, ficha de identificação de Carlos Marighella. Prontuário 7593. Aperj ; Dops-SP, 3 de julho de 1964, registro geral de Carlos Marighella. 30-Z-160. Apesp; ao preencher uma requisição para carteira de identidade em nome alheio, em 3 de julho de 1967, Marighella informou a altura 1,78 metro. Prontuário 7593. Aperj.

* Para mestre Pastinha: "Capoeira". Em *Os lírios já não crescem em nossos campos*, de Carlos Marighella.

* Para o último dos moicanos: *Trinta anos esta noite*, de Paulo Francis.

* Para o apartamento de Oduvaldo Vianna: Vera Gertel; *Companheiros de viagem*, de Deocélia Vianna.

* Para "este é o bandido comunista": *Memórias*, de Gregório Bezerra.

* Para "se quiserem me prender": *Jornal da Tarde*, 6 de novembro de 1969.

* Para Mário Lago no Dops-GB: *Correio da Manhã*, 8 de maio de 1964.

* Para "o comunismo está sempre atuante": *Correio da Manhã*, 8 de maio de 1964.

* Para "sou uma vaca fardada": *Correio da Manhã*, 6 de maio de 1964.

* Para Cartola: Carlos Augusto Marighella.

* Para Cartola pagar cirurgia em samba: *Última Hora* (Rio de Janeiro), 9 de maio de 1964.

* Para o frevo sobre Cacareco: Carlos Augusto Marighella.

* Para o anúncio de *Rififi no safári*: *Correio da Manhã*, 3 de maio de 1964.

* Para a crítica de Antonio Moniz Vianna: *Correio da Manhã*, 8 de maio de 1964.

* Para "matem, bandidos!" e outros gritos: *Por que resisti à prisão*, de Carlos Marighella; *Correio da Manhã*, 10 de maio de 1964; *Jornal da Tarde*, 29 de novembro de 1968.

* Para gosto adocicado: *Por que resisti à prisão*, de Carlos Marighella.

* Para Marighella contra oito homens: *Jornal da Tarde*, 29 de novembro de 1968.

* Para os ferimentos de Marighella: *Por que resisti à prisão*, de Carlos Marighella; *Última Hora* (Rio de Janeiro), 11 de maio de 1964; *Jornal do Brasil*, 12 de maio de 1964.

* Para a comparação de Marighella a um leão: *Jornal da Tarde*, 29 de novembro de 1968.

* Para "Vermelho! Vermelho!": *Correio da Manhã*, 12 de maio de 1964.

* Para a ameaça ao fotógrafo: *Correio da Manhã*, 10 de maio de 1964.

* Para Marighella contra catorze homens: *Correio da Manhã*, 12 de maio de 1964.

* Para o tintureiro 964: *Última Hora* (Rio de Janeiro), 11 de maio de 1964.

* Para "Ex-deputado Marighella foi ferido [...]": *Jornal do Brasil*, 10 de maio de 1964.

* Para "Dops atira contra ex-deputado na GB": *Correio da Manhã*, 10 de maio de 1964.

* Para a primeira sede do PCB: *Formação do PCB*, de Astrojildo Pereira.

* Para Armando Teixeira com Marighella: Tereza Marighella.

* Para "lamentemos pelos inocentes": *Última Hora* (Rio de Janeiro), 11 de maio de 1964.

* Para a recusa a aceitar Marighella na penitenciária Lemos de Brito e no presídio Fernandes Viana: *Por que resisti à prisão*, de Carlos Marighella.

* Para Acioly Maia: *Por que resisti à prisão*, de Carlos Marighella.

* Para a ausência de acusação formal: Dops-GB, inquérito 10/64. Prontuário 7593. Aperj.

* Para "Show sanguinário": *Última Hora* (Rio de Janeiro), 13 de maio de 1964.

* Para "crueldade" e "imbecilidade": *Correio da Manhã*, 13 de maio de 1964.

* Para a Declaração Universal dos Direitos Humanos: *Correio da Manhã*, 13 de maio de 1964.

* Para "Em defesa das crianças": *Correio da Manhã*, 12 de maio de 1964.
* Para o Conselho de Segurança Nacional: *Jornal do Brasil*, 12 de maio de 1964.
* Para "o homem já estava dominado": *Jornal do Commercio* (Rio de Janeiro), 10 de maio de 1964. Em *Por que resisti à prisão*, de Carlos Marighella.
* Para a fotografia de Marighella carregado e "a imagem do terror": *Correio da Manhã*, 12 de maio de 1964.
* Para "falsa e tola": *Correio da Manhã*, 13 de maio de 1964.
* Para "não pertence aos quadros da polícia": *Correio da Manhã*, 13 de maio de 1964.
* Para violência física contra Valdelice de Almeida Santana: Clara Charf.
* Para a versão de Valdelice de Almeida Santana amante de Marighella: *Jornal do Brasil* e *Última Hora* (Rio de Janeiro), 12 de maio de 1964.
* Para "libelo acusatório": *Por que resisti à prisão*, de Carlos Marighella.
* Para o médico e o tiro para matar: *Por que resisti à prisão*, de Carlos Marighella.
* Para as 133 citações: processo 271/64. STM.
* Para "vice-xerife": José Maria Nunes Pereira.
* Para doze graus: *O Globo*, 2 de julho de 1964.
* Para "o mundo gira", Yuri Gagárin e a viagem a São Paulo: *Por que resisti à prisão*, de Carlos Marighella.

I. MENINO PRESO AO PÉ DA MESA [pp. 31-41]

* Para os planos e as ações da Revolta dos Malês, a punição aos insurgentes e a história de rebeldia de africanos e negros na Bahia: *Rebelião escrava no Brasil*, de João José Reis.
* Para "os angolenses [eram] mais dóceis": *Breviário da Bahia*, de Afrânio Peixoto.
* Para o desembarque de Augusto Marighella em Salvador: livro 10 do Comissariado da Polícia do Porto, folha 160, registro "Entrada de passageiros". Apeb.
* Para a temperatura e o vento no desembarque: *A Bahia*, 5 de novembro de 1907.
* Para Augusto Marighella em São Paulo e a fixação de sua mãe naquele estado: Carlos Augusto Marighella e Tereza Marighella.
* Para a idade de Augusto Marighella: nascimento em 18 de dezembro de 1884. Carteira de identidade para estrangeiros, Secretaria de Segurança Pública-BA, 26 de dezembro de 1941. Consulta a Cláudia Marighella.
* Para a fama dos oriundos da Romanha: *Do outro lado do Atlântico*, de Angelo Trento.
* Para 9103 imigrantes da Emília-Romanha: *Do outro lado do Atlântico*, de Angelo Trento.
* Para *Avvertenze per l'emigrante italiano*: cópia cedida pela historiadora Syrléa Marques Pereira.
* Para Américo Vespúcio: *Uma história da Cidade da Bahia*, de Antonio Risério; Thales de Azevedo. Em *A presença italiana no Brasil*, de Luis Alberto de Boni.
* Para o censo de 1920 e 1448 italianos na Bahia: *A presença italiana no Brasil*, de Luis Alberto de Boni.
* Para as populações de Salvador e São Paulo: 1910. *Estatísticas do século XX*, IBGE.
* Para a economia baiana no começo do século XX: *O elo perdido*, de Francisco de Oliveira; *História da Bahia*, de Luís Henrique Dias Tavares.

* Para Augusto Marighella motorista e mecânico de caminhão do lixo: Girlete Marighella e Yvonildes Cardoso da Silva; Caetano Marighella. Em *Jornal da Tarde*, s/d, "Um barbeiro fala do seu cliente mais famoso".
* Para "deixam de falar a língua pátria": *Do outro lado do Atlântico*, de Angelo Trento.
* Para Paganini e *"Porca Madonna"*: Tereza Marighella.
* Para cançonetas: *Missa pedida*, de Caetano Marighella.
* Para o primeiro encontro de Augusto Marighella e Maria Rita: Girlete Marighella e Yvonildes Cardoso da Silva.
* Para casa de uma família francesa: Tereza Marighella.
* Para a data de nascimento de Maria Rita: Tereza Marighella.
* Para serenatas: Tereza Marighella.
* Para a casa na rua da Fonte das Pedras: Tereza Marighella; Registro Civil do Distrito de Nazaré, Bahia, 30 de março de 1928. Livro 27, folha 203, nº de ordem 271. EP/UFBA.
* Para as vinte fontes públicas: *Breviário da Bahia*, de Afrânio Peixoto.
* Para local e hora do nascimento de Marighella: Tereza Marighella; Registro Civil do Distrito de Nazaré, Bahia, 30 de março de 1928. Livro 27, folha 203, nº de ordem 271. EP/UFBA.
* Para a parteira: Tereza Marighella.
* Para o distúrbio entre rameiras e polícia: *Gazeta do Povo*, 6 de dezembro de 1911.
* Para bombardeio e sucessão de Araújo Pinto: *História da Bahia*, de Luís Henrique Dias Tavares.
* Para *"fare e disfare è tutto lavorare"* e "papai Buick": Tereza Marighella.
* Para martelo de borracha, motores de navios e gasogênio: Carlos Augusto Marighella.
* Para roleta e caixa-d'água: Cid Teixeira.
* Para Osmar Macedo aprendiz: Carlos Augusto Marighella.
* Para Augusto Marighella não ter militado no anarquismo: Luiz Contreiras.
* Para Agripino Nazareth: *Uma história da Cidade da Bahia*, de Antonio Risério.
* Para Augusto Marighella, marombas e remo: Tereza Marighella.
* Para "tua escola é dentro de casa": Tereza Marighella.
* Para "militar é igual a macaco": Tereza Marighella.
* Para "por que o pobre trabalha toda a vida": *Por que resisti à prisão*, de Carlos Marighella.
* Para Augusto Marighella e são Brás: Tereza Marighella.
* Para Augusto Marighella expulsando um padre de uma reunião: Caetano Marighella. Em *Jornal da Tarde*, s/d, "Um barbeiro fala do seu cliente mais famoso".
* Para igrejas em Salvador: "365 igrejas", samba de Dorival Caymmi; *Bahia de todos os santos*, de Jorge Amado; *Apenas um subversivo*, de Dias Gomes. Arquidiocese de Salvador, 18 de novembro de 2005.
* Para a primeira comunhão de Marighella na igreja de São Francisco: Tereza Marighella. Não é certo que Marighella tenha sido batizado lá.
* Para o altar consagrado a santa Rita, santo Antônio, são Cosme e são Damião: Tereza Marighella.
* Para Marighella e missa pedida: Tereza Marighella; *Missa pedida*, de Caetano Marighella.
* Para "justiça de Deus na voz da história": Tereza Marighella.
* Para "Deus me livre!": Tereza Marighella.
* Para 190 e 45 ladeiras em Salvador: *Breviário da Bahia*, de Afrânio Peixoto.
* Para a Igreja contra os "santos do candomblé": Bartolomeu de Jesus Mendes. Em *Salvador era assim: vol. 2*, coordenação de Jafé Borges.

* Para Duizinha Marighella e o cheiro ruim: *Missa pedida*, de Caetano Marighella.
* Para arroz-doce e mungunzá: Tereza Marighella, Yvolnides Cardoso da Silva e Yvone Maria Cardoso.
* Para "escapei da escravidão": Tereza Marighella.
* Para a condição de neto de escravos haussás: *Por que resisti à prisão*, de Carlos Marighella; "Canto para atabaque". Em *Os lírios já não crescem em nossos campos*, de Carlos Marighella.
* Para Maria Rita "dada" a uma família francesa: Tereza Marighella.
* Para Marighella ajudando a mãe com as palavras: Tereza Marighella.
* Para a confidência de Maria Rita a Marighella e Caetano: Carlos Augusto Marighella.
* Para a provável altura de 1,72 metro de Maria Rita: Tereza Marighella.
* A afirmação de que Marighella seria bisneto, e não neto, de africanos se fundamenta também em considerações do historiador João José Reis.
* Para quinhentos africanos em Salvador: Nina Rodrigues. Em *A hierarquia das raças*, de Jeferson Bacelar.
* Para Augusto Marighella chorando de raiva: Tereza Marighella.
* Para Marighella preso ao pé da mesa: Tereza Marighella.

2. UMA PROVA EM VERSOS [pp. 42-53]

* Marighella jamais aprenderia a dirigir automóveis, como confirmariam parentes, amigos e companheiros.
* Para "olhem aqui os meus livros!": Tereza Marighella.
* Para estante de ferro e livros franceses: *Missa pedida*, de Caetano Marighella.
* Para escritório na oficina e crediário para livros: Tereza Marighella.
* Para xadrez e ajuda aos vizinhos nas lições: Tereza Marighella.
* Para o jeito de segurar o lápis: Tereza Marighella.
* Para decorar o dicionário: Tereza Marighella.
* Para Carrinho: Carlos Augusto Marighella e Tereza Marighella; carta de Carlos Marighella a Humberto Marighella, 1º de abril de 1963. Assinada como Carrinho. Arquivo de Clara Charf.
* Para o analfabetismo em 1920: <http://www.ipea.gov.br/pub/td/td_99/td_639.pdf>.
* Para "Po-li-the-a-ma": Tereza Marighella.
* Para "Ci-ne-ma-I-de-al": Yvonildes Cardoso da Silva e Yvone Maria Cardoso.
* Para Marighella lendo aos quatro anos: Tereza Marighella.
* Para botinas e chuteiras: *Jornal da Tarde*, 6 de novembro de 1969.
* Para Marighella torcedor do Esporte Clube Vitória: Clara Charf.
* Para a briga entre Caetano Marighella e um bombeiro: Carlos Augusto Marighella.
* Para Augusto Marighella e porcas de parafuso: Carlos Augusto Marighella.
* Para os apelidos inventados por Marighella: Tereza Marighella.
* Para Clube Bahiano de Tênis: "Tradição", música de Gilberto Gil ("No tempo que preto não entrava no Bahiano/ Nem pela porta da cozinha"). *Gilberto Gil*, organização de Carlos Rennó.
* Para nenhum ou poucos vendedores negros e mulatos: Thales de Azevedo. Em *A hierarquia das raças*, de Jeferson Bacelar.
* Para Maria Rita e "barriga suja": Tereza Marighella.

* Para Marighella branco: Registro Civil do Distrito de Nazaré, Bahia, 30 de março de 1928. Livro 27, folha 203, nº de ordem 271. EP/UFBA.

* Para Marighella mulato: Secretaria de Saúde e Assistência Pública-BA, registro 10397, certificado de vacinação, 30 de março de 1931. EP/UFBA.

* Para 64,9% de não brancos: censo de 1940. Em *A hierarquia das raças*, de Jeferson Bacelar.

* Para mulatos de projeção social: "Ascensão social do mulato", de Donald Pierson. Em *Antologia do negro brasileiro*, organização de Edison Carneiro.

* Para "dianteira da raça branca": *A Bahia*, 17 de março de 1911. Em *A hierarquia das raças*, de Jeferson Bacelar.

* Para "natural que sejam preferidos": *A Tarde*, 7 de fevereiro de 1923. Em *A hierarquia das raças*, de Jeferson Bacelar.

* Para Oliveira Viana e "movimento de arianização": *A hierarquia das raças*, de Jeferson Bacelar.

* Para os aguadores negros: *Salvador era assim: vol. 2*, coordenação de Jafé Borges, fotografia de sete aguadores.

* Para Giocondo Dias e a namorada: *Giocondo Dias*, de Ivan Alves Filho.

* Para a apuração de Donald Pierson em 1936: *O banquete espiritual da instrução*, de Deborah Kelman de Lima.

* Para as notas no Ginásio Carneiro Ribeiro: Acta do Gymnasio Carneiro Ribeiro. Secretaria da Educação do Estado da Bahia — Setor de Escolas Extintas.

* Para o espanto de Iracema Guedes: Armênio Guedes.

* Para tonsura eclesiástica: Tereza Marighella.

* Para "se Jesus Cristo andou de sandália": Tereza Marighella.

* Para os poetas da devoção de Marighella: "Engenhariadas", de Carlos Marighella. Arquivo de Clara Charf; *Uma prova em versos*, de Carlos Marighella.

* Para alguns eventos históricos baianos: *História da Bahia*, de Luís Henrique Dias Tavares.

* Para um naco de perna: Democides Francisco da Cruz. Em *Salvador era assim: vol. 2*, coordenação de Jafé Borges.

* Para as saias das ginasianas: Zilah Moreira. Em *Salvador era assim: vol. 2*, coordenação de Jafé Borges; *A Tarde*, 16 de agosto de 1932, fotografia.

* Para a reforma urbana promovida por J. J. Seabra: *História da Bahia*, de Luís Henrique Dias Tavares.

* Para os 884 carros: *O primeiro carro da Bahia*, de Luiz Lanat Pedreira de Cerqueira.

* Para a história do Ginásio da Bahia: *O banquete espiritual da instrução*, de Deborah Kelman de Lima; *Salvador era assim: vol. 2*, coordenação de Jafé Borges.

* Para a nomeação de Anísio Teixeira: *História da Bahia*, de Luís Henrique Dias Tavares.

* Para a reforma do ensino: relatório de Anísio Teixeira, 1928. <http://www.bvanisioteixeira.ufba.br/artigos/summario.html>.

* Para a palmatória no Colégio Olímpio Cruz: *Dorival Caymmi*, de Stella Caymmi.

* Para Heddy Peltier professora em 1927: Heddy Peltier Cajueiro.

* Para o nascimento de Maurício Grabois em São Paulo: Victória Grabois.

* Para a origem de Augustin Grabois: *Maurício Grabois*, de Osvaldo Bertolino.

* Para Francisco da Conceição Menezes: Cid Teixeira.

* Para "fui um dos primeiros": autobiografia de Carlos Marighella, 26 de maio de 1954, manuscrito em espanhol. Fundo 495, armazenamento 197, dossiê 170. RGASPI.

* Para as notas no Ginásio da Bahia: EP/UFBA.

* Para Marighella bacharel em março de 1931: *Memória histórica do ensino secundário oficial na Bahia*, de Gelásio de Abreu Farias e Francisco da Conceição Menezes.

* Para o concerto de piano: "Genealogias, transversalidades e rupturas de Carlos Marighella", de Cristiane Nova e Jorge Nóvoa. Em *Carlos Marighella*, organização de Cristiane Nova e Jorge Nóvoa.

* Para a epigrama: "Epitáfio". Em "Engenharíadas", de Carlos Marighella. Arquivo de Clara Charf; Armênio Guedes e Cid Teixeira.

* Para a prova de física: *Uma prova em versos*, de Carlos Marighella.

* Para a correção da prova por Clemente Guimarães: *Diário da Noite* (Rio de Janeiro), 2 de junho de 1936.

* Para a reprodução da prova em *O Cenáculo*: *Diário da Noite* (Rio de Janeiro), 2 de junho de 1936.

3. OS FUZIS DE CANUDOS [pp. 54-66]

* Para os poemas de Marighella com versos reproduzidos neste capítulo, com exceção de "Vozes da mocidade acadêmica", "Dançarina do Norte" e o poema sem título sobre pedido de canjica e versos de agradecimento: "Engenharíadas", de Carlos Marighella. Arquivo de Clara Charf.

* Para Marighella e o vestibular: EP/UFBA.

* Para provas parciais: João Falcão; *A Tarde*, 16 e 17 de agosto de 1932; *XXII de Agosto!*, de Nelson de Souza Carneiro.

* Para os quatro votos: *A Tarde*, 17 de agosto de 1932.

* Para o caroço de manga, o tiro para cima, e o golpe com um livro: João Falcão.

* Para a aluna esbofeteada: *XXII de Agosto!*, de Nelson de Souza Carneiro.

* Para "Faculdade livre": *Diário de Notícias*, 23 de agosto de 1932.

* Para a proclamação "às armas, baianos!": *XXII de Agosto!*, de Nelson de Souza Carneiro.

* Para os amotinados passando o chapéu: *XXII de Agosto!*, de Nelson de Souza Carneiro.

* Para a metralhadora numa torre da catedral: *XXII de Agosto!*, de Nelson de Souza Carneiro.

* Para "castigo de Deus": Boletim Interno do Comitê Regional do PCB da Bahia, s/d. Processo 65/TSN. STM.

* Para dois jornais impedidos de circular: *A Tarde*, 15 de julho de 1932.

* Para Juracy Magalhães e o envio de tropas: *A Tarde*, 12 de julho de 1932.

* Para a venda de 116 radiolas: *A Tarde*, 4 de agosto de 1932.

* Para a notícia falsa da morte de Arthur Friedenreich: *Diário de Notícias*, Salvador, 20 de agosto de 1932.

* Para João Facó e a "rapariga" Maria da Conceição: *A Tarde*, 2 e 5 de julho de 1932.

* Para os (doze) fuzis Mauser subtraídos do Instituto Nina Rodrigues: Departamento de Polícia Preventiva, Delegacia Especial, 23 de agosto de 1932, inquérito s/nº, auto de apreensão. Cx. 42, PC 01. Apeb.

* Para duzentos revólveres: *XXII de Agosto!*, de Nelson de Souza Carneiro.

* Para Marighella de revólver: "Vozes da mocidade acadêmica", de Carlos Marighella. Datil. Arquivo de Clara Charf.

* Para o arsenal dos estudantes: Departamento de Polícia Preventiva, Delegacia Especial, 23 de agosto de 1932, inquérito s/nº, auto de apreensão. Cx. 42, PC 01. Apeb.

* Para os policiais infiltrados: "Vozes da mocidade acadêmica", de Carlos Marighella. Datil. Arquivo de Clara Charf; *XXII de Agosto!*, de Nelson de Souza Carneiro.

* Para o morto e os quatro feridos: *Diário de Notícias*, Salvador, 23 de agosto de 1932; Departamento de Polícia Preventiva, Delegacia Especial, 22 de agosto de 1932, inquérito s/nº, Serviço de Socorros de Urgência. Cx. 42, PC 01. Apeb.

* Para "gritei ao sicário": "Vozes da mocidade acadêmica", de Carlos Marighella. Datil. Arquivo de Clara Charf.

* Para "reacionários aqui": telegrama de Juracy Magalhães para Getúlio Vargas, 22 de agosto de 1932. Em *Minhas memórias provisórias*, depoimento de Juracy Magalhães ao CPDOC/FGV.

* Para a "atmosfera um tanto": *Getúlio Vargas: Diário*, 22 de agosto de 1932.

* Para "dar um murro na cangalha": *O último tenente*, de José Alberto Gueiros.

* Para o perfil de Juracy Magalhães: *Defendendo o meu governo*, de Juracy Magalhães; *Minhas memórias provisórias*, depoimento de Juracy Magalhães ao CPDOC/FGV; *O último tenente*, de José Alberto Gueiros.

* Para "rapazola imberbe" e "energúmeno": *Esfola de um mentiroso*, de J. J. Seabra.

* Para "porta de latrina": *História da Bahia*, de Luís Henrique Dias Tavares.

* Para "país traído": "Vozes da mocidade acadêmica", de Carlos Marighella. Datil. Arquivo de Clara Charf.

* Para Juracy Magalhães bom de tiro: *O último tenente*, de José Alberto Gueiros.

* Para a comissão de professores e o ultimato de Juracy Magalhães: *Diário de Notícias*, 27 de agosto de 1932; *XXII de Agosto!*, de Nelson de Souza Carneiro.

* Para a fuga pelos fundos do prédio: Armênio Guedes.

* Para 514 estudantes presos: *Humilhação e devastação da Bahia*, de J. J. Seabra.

* Para Maria Rita rezando: Tereza Marighella.

* Para a penitenciária interditada pela Saúde Pública: *Esfola de um mentiroso*, de J. J. Seabra.

* Para "ei-lo engaiolado", dorso sangrando, gorro, frio, argamassa, aranhas e noite sem dormir: "Vozes da mocidade acadêmica", de Carlos Marighella. Datil. Arquivo de Clara Charf.

* Para "marido e mulher": *XXII de Agosto!*, de Nelson de Souza Carneiro.

* Para "vitoriosos morais": *XXII de Agosto!*, de Nelson de Souza Carneiro.

* Para abaixo-assinado em papel almaço com 130 signatários: Departamento de Polícia Preventiva, Delegacia Especial, 24 de agosto de 1932, inquérito s/nº. Cx. 42, PC 01. Apeb.

* Para "Onde estás, Juracy?": "Vozes da mocidade acadêmica", de Carlos Marighella. Datil. Arquivo de Clara Charf.

* Para Agildo Barata em 1932: *Vida de um revolucionário*, de Agildo Barata.

* Para Nelson Werneck Sodré em 1932: *Memórias de um soldado*, de Nelson Werneck Sodré.

* Para Pedro Pomar em 1932: *Pedro Pomar*, de Wladimir Pomar.

* Para a surra em Nelson Carneiro: *O último tenente*, de José Alberto Gueiros; *XXII de Agosto!*, de Nelson de Souza Carneiro.

* Para Juracy Magalhães negando ter ordenado a surra: *O último tenente*, de José Alberto Gueiros.

* Para Juracy Magalhães negando violência contra estudantes: *Diário de Notícias*, 25 de agosto de 1932.

* Para um policial ter dado o tiro mortal: *XXII de Agosto!*, de Nelson de Souza Carneiro.

* Para o mistério sobre a autoria do tiro mortal: *O último tenente*, de José Alberto Gueiros.

* Para "mentira é como terra": *O último tenente*, de José Alberto Gueiros.

* Para a ameaça de "triturar-lhe os ossos", denunciada por Marighella e negada por Juracy Magalhães: *Diário do Congresso Nacional*, 13 de novembro e 3 de dezembro de 1947.

* Para "filho coagido": ofício de Augusto Marighella ao Conselho Técnico da Escola Politécnica da Bahia: EP/UFBA.

* Para "notas murcharam" e reprovações: EP/UFBA.

* Para velas e orações: Tereza Marighella.

* Para resmungos contra mesas pequenas: "Engenharíadas", de Carlos Marighella. Arquivo de Clara Charf.

* Para Marighella e a *Revista Brasileira de Matemática*: "O primeiro periódico brasileiro de matemática", de João Augusto de Lima Rocha; Aídres Guedes. Em *Salvador era assim: vol. 2*, coordenação de Jafé Borges.

* Para a prova de química em versos e as notas 5 e 7: EP/UFBA.

* Para as referências às mulheres: "Engenharíadas", de Carlos Marighella. Arquivo de Clara Charf.

* Para "Zulita": "Dançarina do Norte", de Carlos Marighella. Cópia de manuscrito. Arquivo de Clara Charf.

* Para as amigas das irmãs e a fama de namorador: Fernando Sant'Anna e Tereza Marighella.

* Para Marighella abstêmio: Agonalto Pacheco, Antônio Flávio Médici de Camargo, Benedicto Arthur Sampaio, Cícero Silveira Vianna, Clara Charf, Jorge Goulart, José Luiz Del Roio, Oswaldo Rezende Junior, Suzanna Sampaio e Zilda Xavier Pereira.

* Para a aversão de Marighella ao fumo: João Alberto Capiberibe e Zilda Xavier Pereira.

* Para "quando a água bate nos fundilhos": Otávio Ângelo e Zilda Xavier Pereira; cadernetas de Prestes. Processo 271/64. STM.

* Para canjica e versos: 1933, poema sem título, de Carlos Marighella. Datil. Arquivo de Clara Charf.

* Para a aprovação em sete cadeiras: EP/UFBA.

* Para o projeto de pavilhão: "Projeto de um pavilhão para a Escola Politécnica", 18 de novembro de 1933, Carlos Marighella. EP/UFBA.

* Para o "aparecimento de boletins": autos da Comissão de Inquérito. EP/UFBA.

* Para furto de provas: *Escola Politécnica da Bahia*, de Archimedes Pereira Guimarães.

4. ESTANISLAU ENCARA OS GALINHAS-VERDES [pp. 67-77]

* Para receita de "foguetão extremista", seu emprego em Salvador, batismo pelos jornais, paraquedas e balões: "Métodos originais de agitação e propaganda". Apreendido em 1936. Processo 65/TSN. AN.

* Para Marighella na Federação Vermelha dos Estudantes: autobiografia de Carlos Marighella, 26 de maio de 1954, manuscrito em espanhol. Fundo 495, armazenamento 197, dossiê 170. RGASPI.

* Para Marighella na Juventude Comunista: autobiografia de Carlos Marighella, 26 de maio de 1954, manuscrito em espanhol. Fundo 495, armazenamento 197, dossiê 170. RGASPI; depoimento de Manuel Isnard Teixeira à Casa de Oswaldo Cruz.

* Para o ingresso de Marighella no PCB em 1934: autobiografia de Carlos Marighella, 26 de maio de 1954, manuscrito em espanhol. Fundo 495, armazenamento 197, dossiê 170. RGASPI.

* Para os períodos de legalidade do PCB: *Camaradas e companheiros*, de Dulce Pandolfi.
* Para *A Internacional* cantada a meia voz: *Caminhos percorridos*, de Heitor Ferreira Lima.
* Para fundação e infância do PCB: *Formação do PCB*, de Astrojildo Pereira.
* Para Astrojildo Pereira e Machado de Assis: *O revolucionário cordial*, de Martin Cezar Feijó.
* Para Abílio de Nequete libanês: *Comunistas gaúchos*, de João Batista Marçal.
* Para "gigantesco laboratório": *Solidão revolucionária*, de José Castilho Marques Neto.
* Para *Diário Oficial da União*: *O Partidão*, de Moisés Vinhas.
* Para o surgimento da Juventude Comunista em 1924: *O Partidão*, de Moisés Vinhas.
* Para Marighella, comunismo e estivadores: Clara Charf.
* Para dezenove greves de estivadores: *A hierarquia das raças*, de Jeferson Bacelar.
* Para Leôncio Basbaum na Bahia: *Uma vida em seis tempos*, de Leôncio Basbaum.
* Para PCB, Getúlio Vargas, Estados Unidos e Inglaterra: *Caminhos percorridos*, de Heitor Ferreira Lima; *Combates e batalhas*, de Octavio Brandão.
* Para a 14ª prisão de Octavio Brandão: *Combates e batalhas*, de Octavio Brandão.
* Para Minervino de Oliveira beirando 1% dos votos: *Anarquistas e comunistas no Brasil*, de John W. F. Dulles.
* Para o perfil de Octavio Brandão: *Combates e batalhas*, de Octavio Brandão.
* Para "obreirismo": *Anarquistas e comunistas no Brasil*, de John W. F. Dulles.
* Para as expulsões de Astrojildo Pereira e Leôncio Basbaum: *Uma vida em seis tempos*, de Leôncio Basbaum; *O revolucionário cordial*, de Martin Cezar Feijó.
* Para o cenário desolador do PCB baiano: *Uma vida em seis tempos*, de Leôncio Basbaum.
* Para escaramuça de elites: *O PCB*, de Edgard Carone.
* Para *Bedegueba* dirigente do PCB baiano: Armênio Guedes e João Falcão.
* Para Marighella recepcionado por Manoel Isnard Teixeira: depoimento de Manuel Isnard Teixeira à Casa de Oswaldo Cruz.
* Para nova suspensão do universitário Marighella: *Diário da Noite* (Rio de Janeiro), 27 de maio de 1936.
* Para "liderei uma série de movimentos": autobiografia de Carlos Marighella, 26 de maio de 1954, manuscrito em espanhol. Fundo 495, armazenamento 197, dossiê 170. RGASPI.
* Para Augusto Marighella enterrando livros: Tereza Marighella.
* Para o motorista que deu fuga a Marighella: Tereza Marighella.
* Para disfarce com vestido e pés grandes: Girlete Marighella.
* Para o tamanho dos pés de Marighella: Clara Charf.
* Para o pai de Liev Trótski: *Minha vida*, de Liev Trótski.
* Para "esse negócio de comunismo": *Jornal da Tarde*, 6 de novembro de 1969.
* Para "eu pedi a Deus que tirasse esses pensamentos": Tereza Marighella.
* Para a mortalidade infantil em 1930: *Estatísticas do século XX*, IBGE.
* Para o episódio no porto de Santos: *Paixão Pagu*, de Patrícia Galvão.
* Para Genny Gleiser: *Guerreiras anônimas*, de Maria Luiza Tucci Carneiro.
* Para 1123 núcleos integralistas: agosto de 1935. *Dicionário histórico-biográfico brasileiro pós-1930*.
* Para Eliéser Magalhães: *Minhas memórias provisórias*, depoimento de Juracy Magalhães ao CPDOC/FGV.
* Para "minha orientação doutrinária": carta de Juracy Magalhães a Getúlio Vargas, 1º de junho de 1933. Em *Minhas memórias provisórias*, depoimento de Juracy Magalhães ao CPDOC/FGV.

* Para a ANL na Bahia: *História da Bahia*, de Luís Henrique Dias Tavares.
* Para o programa da ANL: "Ao povo brasileiro", 12 de março de 1935, Diretório Nacional Provisório da ANL. Processo 65/TSN. AN.
* Para "fui recrutado para o partido": autobiografia de Carlos Marighella, 26 de maio de 1954, manuscrito em espanhol. Fundo 495, armazenamento 197, dossiê 170. RGASPI.
* Para transformação da Federação Vermelha dos Estudantes: autobiografia de Carlos Marighella, 26 de maio de 1954, manuscrito em espanhol. Fundo 495, armazenamento 197, dossiê 170. RGASPI.
* Para a célula comunista da Faculdade de Direito: Armênio Guedes.
* Para onze irmãos e mãe comunista: dona Sinhá Guedes. Em *O Partido Comunista que eu conheci*, de João Falcão.
* Para refúgio em terreiros: Fernando Sant'Anna; *Edison Carneiro*, de Biaggio Talento e Luiz Alberto Couceiro.
* Para *ABC do comunismo*: Carlos Lacerda, de John W. F. Dulles.
* Para alguns aspectos do perfil de Prestes: *Prestes*, de Dênis de Moraes e Francisco Viana.
* Para a popularidade de Prestes: *Prestes*, de Dênis de Moraes e Francisco Viana.
* Para a altura de Prestes: *Olga*, de Fernando Morais.
* Para Prestes e os prazeres da carne: *Olga*, de Fernando Morais.
* Para a Coluna Prestes e as mulheres: *Olga*, de Fernando Morais.
* Para primeiro da turma: *Prestes*, de Dênis de Moraes e Francisco Viana.
* Para "muito retraído": *Camaradas*, de William Waack.
* Para Astrojildo Pereira e Prestes na Bolívia: *Formação do PCB*, de Astrojildo Pereira.
* Para o manifesto de Prestes pró-sovietes: *Prestes*, de Dênis de Moraes e Francisco Viana.
* Para os encontros de Prestes com Getúlio Vargas: *Prestes*, de Dênis de Moraes e Francisco Viana.
* Para o manifesto de 5 de julho de 1935: *O PCB*, de Edgard Carone.
* Para *Bangu* na Bahia: *Bangu*, de Lauro Reginaldo da Rocha; *Giocondo Dias*, de João Falcão; *Uma vida em seis tempos*, de Leôncio Basbaum; *Anarquistas e comunistas no Brasil*, de John W. F. Dulles.
* Para dois infiltrados policiais: *Revolucionários de 35*, de Marly Vianna.
* Para perseguição policial: Delegacia Especial de Segurança Política e Social-DF, 12 de maio de 1936, termo de declarações de Carlos Marighella. Processo 65/TSN. AN; Fernando Sant'Anna e Tereza Marighella.
* Para Marighella cobrando por aulas: Tereza Marighella.
* Para alta no preço da carne: *A Classe Operária*, 19 de outubro de 1935.
* Para peitar um desfile integralista: *A Classe Operária*, 19 de outubro de 1935.
* Para um estudo sobre a economia da Bahia: processo 65/TSN. AN.
* Para os trajes de Marighella, inclusive a abotoadura: "Relação de móveis e roupas e demais utensílios que se achavam no quarto de frente da rua Senador Alencar nº 115", 6 de maio de 1936. Anexo ao prontuário 7593. Aperj.
* Para "ler muita bobagem": Tereza Marighella.
* Para Marighella se mudar para o Rio de Janeiro ainda em 1935: autobiografia de Carlos Marighella, 26 de maio de 1954, manuscrito em espanhol. Fundo 495, armazenamento 197, dossiê 170. RGASPI.
* Para Marighella viajar para o Rio de Janeiro de navio: Paulo Mercadante.

5. A REVOLUÇÃO QUE NÃO HOUVE [pp. 78-87]

* Para Pedro Ernesto: "Carta de Luiz Carlos Prestes a Pedro Ernesto", 16 de novembro de 1935. Em *Pão, terra e liberdade*, organização de Marly Vianna; *Camaradas*, de William Waack.

* Para Oduvaldo Vianna simpatizante do comunismo: Vera Gertel.

* Para Procópio Ferreira: *Caminhos percorridos*, de Heitor Ferreira Lima.

* Para Oswald de Andrade no PCB: *Uma vida em seis tempos*, de Leôncio Basbaum.

* Para as populações de Rio de Janeiro e Salvador: *Estatísticas do século XX*, IBGE.

* Para Rubem Braga: *O Partido Comunista Brasileiro*, de Ronald H. Chilcote.

* Para integralistas de cuecas: *Vida de um revolucionário*, de Agildo Barata.

* Para rua Bella de São João: Delegacia Especial de Segurança Política e Social- DF, 12 de maio de 1936, termo de declarações de Carlos Marighella; 28 de maio de 1936, termo de declarações de Isaac Souhami. Processo 65/TSN. AN.

* Para a impressão sobre Marighella e o valor do aluguel: Delegacia Especial de Segurança Pública e Social-DF, 28 de maio de 1936, termo de declarações de Isaac Souhami. Processo 65/TSN. AN.

* Para o codinome *Nerval*: processo 65/TSN. AN.

* Para a comissão especial e "incumbida de fazer ligações": autobiografia de Carlos Marighella, 26 de maio de 1954, manuscrito em espanhol. Fundo 495, armazenamento 197, dossiê 170. RGASPI.

* Para "a força é a parteira": *O capital: Crítica da economia política: Livro 1*, de Karl Marx.

* Para Olga Benario, Elise Saborowski e Arthur Ewert: *Olga*, de Fernando Morais; *Camaradas*, de William Waack.

* Para Olga Benario, agente do serviço secreto militar soviético: *Camaradas*, de William Waack.

* Para o levante comunista no Rio de Janeiro: *Revolucionários de 35*, de Marly Vianna; *Pão, terra e liberdade*, organização de Marly Viana; *Camaradas*, de William Waack; *Olga*, de Fernando Morais; processos 65 e 66/TSN. AN.

* Para a altura de Olga Benario: Instituto de Identificação-DF. Prontuário 1675. Aperj.

* Para a assinatura "GIN": *Camaradas*, de William Waack.

* Para *Guralski*: *Uma vida em seis tempos*, de Leôncio Basbaum; *Camaradas*, de William Waack.

* Para o VII Congresso do Komintern: *Estratégias da ilusão*, de Paulo Sérgio Pinheiro; *Caminhos percorridos*, de Heitor Ferreira Lima; *Sinfonia inacabada*, de Antonio Carlos Mazzeo.

* Para *Sentinela Vermelha*: *A marcha vermelha*, de Davino Francisco dos Santos.

* Para *Asas Vermelhas*: *O tenente vermelho*, de Dinarco Reis.

* Para "o embaixador inglês": *Getúlio Vargas: Diário*, 20 de junho de 1935.

* Para a notícia plantada: *Pravda*, 25 de agosto de 1935. Em *Olga*, de Fernando Morais.

* Para *Miranda*: *Caminhos percorridos*, de Heitor Ferreira Lima.

* Para Honório de Freitas Guimarães, "Milionário" e Eton: *Anarquistas e comunistas no Brasil*, de John W. F. Dulles; *O regime de Vargas, 1934-38*, de Robert M. Levine.

* Para Prestes e os eleitos no VII Congresso do Komintern: *Estratégias da ilusão*, de Paulo Sérgio Pinheiro.

* Para o Antimil: *Uma vida em seis tempos*, de Leôncio Basbaum.

* Para o efetivo do Exército: *Estatísticas do século XX*, IBGE. Dado de 1936.

* Para "Povo do Brasil, às armas!": manifesto do Comitê Central do PCB, julho de 1935. Em *Pão, terra e liberdade*, organização de Marly Vianna.

* Para "é bem possível": carta do Secretariado Nacional do PCB ao Comitê Regional do partido no Maranhão, outubro de 1935. Em *Pão, terra e liberdade*, organização de Marly Vianna.

* Para 19h12: denúncia de Carlos Gomes de Freitas, procurador da República no Rio Grande do Norte, 3 de setembro de 1936. Cópia cedida pelo jornalista Lauro da Escóssia Filho.

* Para "o senhor está preso": *Giocondo Dias*, de João Falcão; denúncia de Carlos Gomes de Freitas, procurador da República no Rio Grande do Norte, 3 de setembro de 1936. Cópia cedida pelo jornalista Lauro da Escóssia Filho.

* Para muitos aspectos da Comuna de Natal: *Praxedes: Um operário no poder*, de Moacyr de Oliveira Filho; *82 horas de subversão*, de João Medeiros Filho; "Informe de Santa (João Lopes) sobre o Rio Grande do Norte", 16 de janeiro de 1936. Em *Pão, terra e liberdade*, organização de Marly Vianna; *Giocondo Dias*, de João Falcão; denúncia de Carlos Gomes de Freitas, procurador da República no Rio Grande do Norte, 3 de setembro de 1936. Cópia cedida pelo jornalista Lauro da Escóssia Filho.

* Para "líderes resguardaram a integridade": denúncia de Carlos Gomes de Freitas, procurador da República no Rio Grande do Norte, 3 de setembro de 1936. Cópia cedida pelo jornalista Lauro da Escóssia Filho. O procurador cita nominalmente Giocondo Dias.

* Para os 99 revólveres: denúncia de Carlos Gomes de Freitas, procurador da República no Rio Grande do Norte, 3 de setembro de 1936. Cópia cedida pelo jornalista Lauro da Escóssia Filho.

* Para os 135 estivadores: "Informe de Santa (João Lopes) sobre o Rio Grande do Norte", 16 de janeiro de 1936. Em *Pão, terra e liberdade*, organização de Marly Vianna.

* Para os doze municípios dominados pelos rebeldes: *Bangu*, de Lauro Reginaldo da Rocha.

* Para o navio *Santos* em 1907, 1931 e 1935: livro 10 do Comissariado da Polícia do Porto, folha 160, registro "Entrada de passageiros". Apeb; *Minha vida pública na Bahia*, de Juracy Magalhães; denúncia de Carlos Gomes de Freitas, procurador da República no Rio Grande do Norte, 3 de setembro de 1936. Cópia cedida pelo jornalista Lauro da Escóssia Filho.

* Para "guardar às famílias", "serão presos e punidos" e "liberdade é a vida": *A Liberdade*, 27 de novembro de 1935. Em *Giocondo Dias*, de João Falcão.

* Para o quinteto do PCB: *Praxedes: Um operário no poder*, de Moacyr de Oliveira Filho.

* Para o perfil de Giocondo Dias: *Giocondo Dias*, de Ivan Alves Filho; *Giocondo Dias*, de João Falcão.

* Para a cunhada de Giocondo Dias: *Giocondo Dias*, de João Falcão.

* Para Silo Meireles: *O caso eu conto como o caso foi*, de Paulo Cavalcanti.

* Para os eventos no 29º Batalhão de Caçadores: Severino Teodoro de Mello; *O caso eu conto como o caso foi*, de Paulo Cavalcanti.

* Para Gregório Bezerra e suas ações no levante: *Memórias*, de Gregório Bezerra.

* Para 175 fuzis e 6500 tiros: *Memórias*, de Gregório Bezerra.

* Para bondes, subúrbios e bandeira em Pernambuco: *Pão, terra e liberdade*, organização de Marly Vianna.

* Para o levante na Escola de Aviação: *O tenente vermelho*, de Dinarco Reis.

* Para Prestes, Arthur Ewert, Rodolfo Ghioldi e *Miranda* reunidos em 25 de novembro de 1935: *Revolucionários de 35*, de Marly Vianna.

* Para "já começou a encrenca": *O tenente vermelho*, de Dinarco Reis.

* Para Thomaz Meirelles Filho, Misael de Mendonça, obuzes e bombas: *Vida de um revolucionário*, de Agildo Barata.

* Para o diálogo de Agildo Barata com um capitão: *Vida de um revolucionário*, de Agildo Barata.

6. TRÊS SEMANAS NO INFERNO [pp. 88-103]

* Para movimentos no Judiciário, documentos e objetos apreendidos com Marighella e em suas residências, suas anotações e correspondência: processo 65/TSN. AN.
* Para Marighella ausente do levante comunista: *Por que resisti à prisão*, de Carlos Marighella.
* Para os militantes do PCB à margem do levante: *Estratégias da ilusão*, de Paulo Sérgio Pinheiro.
* Para três fábricas: "A luta armada no Recife e no Rio", s/a. Em *Pão, terra e liberdade*, organização de Marly Vianna.
* Para 100 mil integralistas: *História do proletariado brasileiro*, de Boris Koval.
* Para a condecoração a Affonso Henrique de Miranda Corrêa: *Polícia e política*, de Martha K. Huggins.
* Para Newton Cavalcanti e o "mal judaico": *Dicionário histórico-biográfico brasileiro pós-1930*.
* Para 15 mil presos: "Viva o Primeiro de Maio [...]", s/d, Partido Comunista. Processo 65/TSN. AN.
* Para 7056 presos no Rio de Janeiro: *1937*, de Hélio Silva.
* Para o rim de Miranda: *O comunismo no Brasil*, de John W. F. Dulles.
* Para a loucura de Arthur Ewert: *Olga*, de Fernando Morais.
* Para a suspeita de Prestes sobre Franz Paul Gruber: *Olga*, de Fernando Morais.
* Para a confirmação de Franz Paul Gruber como agente inglês: *Johnny*, de R. S. Rose e Gordon D. Scott.
* Para 40 mil proclamações: "Relação dos fatos ocorridos em fins de novembro de 1935", 25 de dezembro de 1935, direção do PCB. Em *Pão, terra e liberdade*, organização de Marly Vianna.
* Para Taciano Fernandes: processo 66/TSN. AN.
* Para bravata: "Começou a revolução", dezembro de 1935, Secretariado Nacional do PCB. Processo 65/TSN. AN.
* Para Olga Benario salvando Prestes: *Olga*, de Fernando Morais.
* Para "Libertemos Luiz Carlos Prestes": *O Libertador*, 23 de março de 1936. Processo 65/TSN. AN.
* Para "pela segurança!": "A todos os CR, CL, CZ e células do PCB", 1º de abril de 1936, Birô Nacional de Organização do PCB. Processo 65/TSN. AN.
* Para o Partido Nazista em nove estados: "O Partido Nazista em São Paulo", de Ana Maria Dietrich. Em *Inventário Deops: Alemanha, módulo I*, organização de Maria Luiza Tucci Carneiro.
* Para uma sala na rua Senador Alencar e o valor do aluguel: Delegacia Especial de Segurança Política e Social-DF, 12 de maio de 1936, termo de declarações de Carlos Marighella; dois recibos de pagamento de aluguel, 1936. Processo 65/TSN. AN.
* Para Remington, restos de munição, tipos metálicos, petardos, químicos e receita de artefato: Delegacia Especial de Segurança Política e Social-DF, 1º de maio de 1936, auto de apresentação e apreensão. Processo 65/TSN. AN.
* Para "Dona Claudina": Delegacia Especial de Segurança Política e Social-DF, 15 de maio de 1936, termo de declarações de Taciano Fernandes. Processo 65/TSN. AN.
* Para "grande data": "Viva o Primeiro de Maio...", Partido Comunista. Processo 65/TSN. AN.
* Para a pichação: processo 67/TSN. AN.
* Para a prisão de Taciano Fernandes: processo 66/TSN. AN.
* Para Marighella ignorar a prisão de Taciano Fernandes: autobiografia de Carlos Marighella, 26 de maio de 1954, manuscrito em espanhol. Fundo 495, armazenamento 197, dossiê 170. RGASPI.

* Para prisão, tortura, idas e vindas de Marighella: autobiografia de Carlos Marighella, 26 de maio de 1954, manuscrito em espanhol. Fundo 495, armazenamento 197, dossiê 170. RGASPI; depoimento de Carlos Marighella à Comissão de Inquérito sobre Atos Delituosos da Ditadura, 21 de agosto de 1947, Câmara dos Deputados. Em *O estudante Marighella nas prisões do Estado Novo*; memorial de presos políticos enviado ao presidente Getúlio Vargas, junho de 1936. Em *Falta alguém em Nuremberg*, de David Nasser; discurso de João Mangabeira, 9 de julho de 1937, Câmara dos Deputados. Em *Jornal do Brasil*, 10 de julho de 1937; *Falta alguém em Nuremberg*, de David Nasser; processo 65/TSN. AN.

* Para 140 mil-réis, cartas e envelopes: Delegacia Especial de Segurança Política e Social-DF, 4 de maio de 1936, auto de apresentação e apreensão. Processo 65/TSN. AN; *O estudante Marighella nas prisões do Estado Novo*.

* Para Serafim Braga e Lapa: *O estudante Marighella nas prisões do Estado Novo*.
* Para cinquenta chibatadas: *Rebelião escrava no Brasil*, de João José Reis.
* Para José Torres Galvão na prisão em Todos os Santos: *Correio da Noite*, 5 de março de 1936.
* Para Francisco Menezes Julien e a embaixada alemã: *Johnny*, de R. S. Rose e Gordon D. Scott.
* Para Marighella e catinga: Zilda Xavier Pereira.
* Para Lei de Proteção aos Animais: *Por que defendo os comunistas*, de Sobral Pinto.
* Para a mensagem de Antônio Romano: radiograma de Antônio Romano a Sá Pereira, 2 de maio de 1936. Prontuário 7593. Aperj.
* Para Sá Pereira e Augusto Marighella: radiograma de Sá Pereira a Antônio Romano, 11 de maio de 1936. Prontuário 7593. Aperj.
* Para Filinto Müller e desvio de fundos: *Olga*, de Fernando Morais.
* Para o primeiro depoimento protocolar de Marighella: Delegacia Especial de Segurança Política e Social-DF, 12 de maio de 1936, termo de declarações de Carlos Marighella. Processo 65/TSN. AN.
* Para o paradeiro de José Athayde: Delegacia Especial de Segurança Política e Social-DF, 14 de maio de 1936, Affonso Henrique de Miranda Corrêa, 731/S-2. Processo 65/TSN. AN.
* Para "não foi possível identificar": Delegacia Especial de Segurança Política e Social-DF, 5 de junho de 1936, Affonso Henrique de Miranda Corrêa, 860/S-2. Processo 65/TSN. AN.
* Para a tortura de Taciano Fernandes: *Falta alguém em Nuremberg*, de David Nasser.
* Para a morte de Victor Allen Baron e almas penadas: *Folha de S.Paulo*, 15 de abril de 2001.
* Para manchete do *Diário da Noite*: "A polícia descobriu fuzis e metralhadoras — Um verdadeiro arsenal de guerra e a prisão de um novo secretário do Partido Comunista". *Diário da Noite* (Rio de Janeiro), 23 de maio de 1936.
* Para "Carlos era muito popular": *Diário da Noite* (Rio de Janeiro), 27 de maio de 1936.
* Para "Marighella nasceu poeta": *Diário da Noite* (Rio de Janeiro), 31 de maio de 1936.
* Para "se dissera engenheiro": *Diário da Noite* (Rio de Janeiro), 29 de maio de 1936.
* Para "sua palavra fluente": *Diário Carioca*, 24 de maio de 1936.
* Para imagem retocada: *Correio de S. Paulo*, 26 de maio de 1936.
* Para "Praia maravilhosa": *O tenente vermelho*, de Dinarco Reis.
* Para *A Voz da Liberdade* e a "Rádio PR-ANL": *Vale a pena sonhar*, de Apolônio de Carvalho.
* Para "Governo mais avacalhado": *Vida de um revolucionário*, de Agildo Barata.
* Para "procedimento magnânimo": Biblioteca da Presidência da República.<http://www.biblioteca.presidencia.gov.br/ex-presidentes/getulio-vargas/discursos-1/1936/02.pdf/at_download/file>.

* Para a morte de José Lourenço Bezerra: *O caso eu conto como o caso foi*, de Paulo Cavalcanti.
* Para "Bastilha da rua Frei Caneca": *A Classe Operária*, abril de 1936. Processo 65/TSN. AN.
* Para Marighella contra Aluizio Neiva: *A marcha vermelha*, de Davino Francisco dos Santos.
* Para seios esmagados: *Sala 4*, de Maria Werneck.
* Para o peso de Olga: bilhete de Olga Benario para Luiz Carlos Prestes, maio de 1936. Prontuário 1675. Aperj.
* Para *Sabo* torturada diante de Arthur Ewert: *O comunismo no Brasil*, de John W. F. Dulles.
* Para a última carta de Olga Benario a Prestes e Anita Leocádia: *Olga*, de Fernando Morais.
* Para Miguel Costa: carta de Miguel Costa a Luiz Carlos Prestes, 3 de agosto de 1935. Em *Pão, terra e liberdade*, organização de Marly Vianna.
* Para a declaração contra o TSN: *Sala 4*, de Maria Werneck.
* Para a denúncia contra Marighella: 10 de maio de 1937, Himalaia Virgulino. Processo 65/TSN. AN.
* Para sem "competência para iniciar o processo": TSN, 21 de junho de 1937, termo de audiência, réu Carlos Marighella. Processo 65/TSN. AN.
* Para "dantesco e apavorante": defesa prévia de Carlos Marighella, 30 de junho de 1937, Ulysses Moreira Senna. Processo 65/TSN. AN.
* Para punguistas: Getúlio Vargas: *Diário*, 7 de junho de 1937.
* Para Álvaro Mariante padrinho de Olímpio Mourão Filho: *Dicionário histórico-biográfico brasileiro pós-1930*.
* Para João Mangabeira: discurso do deputado João Mangabeira, 9 de julho de 1937, Câmara dos Deputados. Em *Jornal do Brasil*, 10 de julho de 1937.
* Para habeas corpus a Marighella: STM, 19 de julho de 1937, habeas corpus 9450. STM.
* Para a condenação de Marighella: TSN, 18ª sessão, 25 de agosto de 1937. Processo 65/TSN. AN.
* Para "Não será": *O comunismo no Brasil*, de John W. F. Dulles.

7. "ATENÇÃO, CAMARADAS! FALA MOSCOU!" [pp. 104-17]

* Para movimentos no Judiciário, documentos e objetos apreendidos com Marighella e camaradas, suas anotações e correspondência: processo 827/TSN. AN.
* Para Marighella em São Paulo no começo de 1938: Dops-SP, 6 de junho de 1939, registro geral 525138; 22 de setembro de 1939, relatório de inquérito, Antônio de Pádua Pinto Moreira. Prontuário 3849. Apesp.
* Em 1939, Deops representava a sigla de Delegacia Especializada de Ordem Política e Social de São Paulo. Adotei a sigla, Dops, que viria a ser consagrada pela tradição.
* Para Marighella em Niterói: Clara Charf.
* Para a nova aparência de Marighella: processo 827/TSN. AN.
* Para 3 mil militantes: relato de *Miranda* em Moscou, julho de 1934. Em *Camaradas*, de William Waack.
* Para 2160 militantes: *Luta subterrânea*, de Dainis Karepovs.
* Para "animalização da criatura": *O Paiz*, 26 de julho de 1930. Em *O PCB e a imprensa*, de Bethania Mariani.
* Para "novo Barrabrás": *O Diário*, 7 de setembro de 1936. Em *Em guarda contra o "Perigo Vermelho"*, de Rodrigo Patto Sá Motta.

* Para "intrinsecamente mau": Encíclica *Divinis redemptoris*. Em *Em guarda contra o "Perigo Vermelho"*, de Rodrigo Patto Sá Motta.
* Para Plínio Salgado e iminente assalto aos céus: Em *Em guarda contra o "Perigo Vermelho"*, de Rodrigo Patto Sá Motta.
* Para "nitidamente sexual": *Dicionário histórico-biográfico brasileiro pós-1930*.
* Para *Hora do Brasil: 1937*, de Hélio Silva.
* Para exposição de motivos e "catástrofe": *1937*, de Hélio Silva.
* Para 3% da população: *Estatísticas do século XX*, IBGE.
* Para os pormenores do Plano Cohen: *1937*, de Hélio Silva.
* Para a cisão no Birô Político do PCB: *Luta subterrânea*, de Dainis Karepovs.
* Para mil membros do Comitê Regional-SP do PCB: *Luta subterrânea*, de Dainis Karepovs.
* Para a carta de quinze militantes: *Luta subterrânea*, de Dainis Karepovs.
* Para o nome do boxeador Éder Jofre: Frida Zumbano.
* Para a análise de Dainis Karepovs: *Luta subterrânea*, de Dainis Karepovs.
* Para Joaquim Câmara Ferreira no Birô Político: *Bangu*, de Lauro Reginaldo da Rocha.
* Para a moeda em 1º de abril: Vera Gertel.
* Para Marighella secretário de Propaganda: autobiografia de Carlos Marighella, 26 de maio de 1954, manuscrito em espanhol. Fundo 495, armazenamento 197, dossiê 170. RGASPI.
* Para o "testamento" de Lênin: *Stálin*, de Simon Sebag Montefiore.
* Para *A luta contra Trótski*: processo 827/TSN. AN.
* Para a divisão de tarefas no Comitê Regional-SP do PCB: processo 827/TSN. AN.
* Para os olhos de Jamile Hadad: fotografias. Processo 827/TSN. AN; carta manuscrita de Carlos Marighella a Silvio de Almeida Sampaio, diretor da Casa de Detenção, 26 de agosto de 1939. Prontuário 3849. Apesp.
* Para ao menos 330 cópias: "Circular nº 21 sobre o trabalho sindical", julho de 1938, manuscrito com letra de Carlos Marighella. Processo 827/TSN. AN.
* Para no mínimo 1% do salário: "Aos comitês locais e a todas as células do partido", s/d, Comissão de Finanças Regional-SP do PCB. Processo 827/TSN. AN.
* Para quatro mortos: *O comunismo no Brasil*, de John W. F. Dulles.
* Para Orlando José dos Reis, *Lourival*, *Mauro* e *Mário*: processo 827/TSN. AN.
* Para os endereços de Marighella na Grande São Paulo: processo 827/TSN. AN.
* Para Marighella se virando de supetão, bondes em movimento, cédulas rasgadas, confeitaria, guloseimas e frutas: Dops-SP, 7 de janeiro a 25 de maio de 1939, relatórios de vigilância 1 a 69. Processo 827/TSN. AN.
* Para "Atenção, camaradas! Fala Moscou!", "bando de sabotadores" e nomes públicos dos expulsos: *Boletim Interno-Regional*, outubro de 1938, PCB-SP. Processo 827/TSN. AN.
* Para a prisão, fuga e recaptura de Hermínio Sacchetta: *Luta subterrânea*, de Dainis Karepovs.
* Para "nossa moral": carta s/a ao "'CR' do PCB de São Paulo", s/d. Apreendida na residência de Carlos Marighella. Processo 827/TSN. AN.
* Para "união democrática nacional": "União democrática nacional para preservar o Brasil da invasão fascista", outubro de 1938, Birô Político Ampliado do PCB. Processo 827/TSN. AN.
* Para "renovação criadora": *Combates e batalhas*, de Octavio Brandão.
* Para direito a um "lugar ao sol": *O poder jovem*, de Arthur José Poerner.

* Para "sangue jorrando": *Boletim Interno-Regional*, novembro de 1938, PCB- SP. Processo 827/TSN. AN.
* Para Brigadas Internacionais, além de autobiografias: *A solidariedade antifascista*, de Thaís Battibugli.
* Para "bandeiras da Espanha": *Vale a pena sonhar*, de Apolônio de Carvalho.
* Para Marighella e Hermínio Sacchetta dali a três décadas: ver capítulo 38.
* Para "normas para o trabalho conspirativo": s/d, Comitê Regional-SP do PCB. Processo 827/TSN. AN.
* Para "sob as ordens de Hitler": maio de 1930, Comitê Regional-SP do PCB. Processo 827/TSN. AN.
* Para dezoito exemplares: Dops-SP, 26 de janeiro de 1939, auto de exibição e apreensão. Processo 827/TSN. AN.
* Para a vigilância policial: Dops-SP, 7 de janeiro a 25 de maio de 1939, relatórios de vigilância 1 a 69. Processo 827/TSN. AN.
* Para o pedido de autorização para as prisões: Dops-SP, 25 de maio de 1939, ofício de Antônio de Pádua Pinto Moreira a Juvenal de Toledo Ramos. Processo 827/TSN. AN.
* Para a autorização: Dops-SP, 25 de maio de 1939, resposta manuscrita de Juvenal de Toledo Ramos a Antônio de Pádua Pinto Moreira. Processo 827/TSN. AN.
* Para os poemas do "Dr. Carijó": folha datil. apreendida na residência de Carlos Marighella. Processo 827/TSN. AN.
* Para Luis Apollonio torturador: *Falta alguém em Nuremberg*, de David Nasser.
* Para Luis Apollonio "espancar presos": março de 1939, Comitê Regional-SP do PCB. Processo 827/TSN. AN.
* Para "você é durão, hein!": *Caminhos percorridos*, de Heitor Ferreira Lima.
* Para o primeiro depoimento de Marighella: Dops-SP, 31 de maio de 1939, termo de declarações de Carlos Marighella. Processo 827/TSN. AN.
* Para Amaro Cavalcanti como "X-U": Superintendência de Segurança Política e Social-SP, 17 de janeiro de 1941, Luis Apollonio. Em *Luta subterrânea*, de Dainis Karepovs.
* Para o segundo depoimento de Marighella: Dops-SP, 26 de junho de 1939, termo de declarações de Carlos Marighella. Processo 827/TSN. AN.
* Para Luis Apollonio tratando José Lino do Carmo como "personagem": Dops-SP, 27 de junho de 1939, termo de declarações de Carlos Marighella. Apollonio assina como escrivão ad hoc. Processo 827/TSN. AN.
* Para os bilhetes de Marighella: Dops-SP, 29 de junho de 1939, auto de exibição e apreensão. Processo 827/TSN. AN.
* Para Marighella noivo de Jamile Hadad: carta manuscrita de Carlos Marighella a Silvio de Almeida Sampaio, diretor da Casa de Detenção, 26 de agosto de 1939. Prontuário 3849. Apesp.
* Para o poema "Liberdade": *Uma prova em versos*, de Carlos Marighella.
* Para a denúncia contra Marighella: 16 de outubro de 1939, Clóvis Kruel de Morais. Processo 827/TSN. AN.
* Para a condenação: TSN, 6 de março de 1939, sentença de Antonio Pereira Braga. Processo 827/TSN. AN.
* Para a apelação de Marighella: TSN, 30 de abril de 1940, acórdão negando provimento. Processo 827/TSN. AN.

* Para "Ilha Maldita": *Revista Proletária*, números 13 e 14, s/d. Processo 827/TSN. AN.
* Para o embarque em 1º de maio de 1940: portaria 51, s/d. Prontuário 7593. Aperj.

8. BICÃO SIDERÚRGICO [pp. 118-30]

* Para o *Almirante Alexandrino*: Delegacia Especial de Segurança Política e Social-DF, s/d. Apeje.
* Para os judeus do Brazkor expulsos do Brasil: *No pasarán olvidados*, de Henrique Samet.
* Para Fernando de Noronha e seus presos do passado: *Fernando de Noronha*, de Marieta Borges Lins e Silva.
* Para *Pirão Escaldado* e outros criminosos: *Fernando de Noronha*, de Amorim Netto.
* Para "ilha do sofrimento": *Fernando de Noronha*, de Amorim Netto.
* Para "o paraíso é aqui": *Fernando de Noronha*, de Marieta Borges Lins e Silva.
* Para Charles Darwin: *Fernando de Noronha*, de Marieta Borges Lins e Silva.
* Para 21 ilhas: *Arquipélago Fernando de Noronha*, coordenação editorial de Wilson Teixeira et al.
* Para Nestor Verissimo: *Solo de clarineta*, de Erico Verissimo; *Vida de um revolucionário*, de Agildo Barata; Luis Fernando Verissimo.
* Para "vigoroso como um touro": *Solo de clarineta*, de Erico Verissimo.
* Para 27 ferimentos: *Vida de um revolucionário*, de Agildo Barata.
* Fontes primárias sobre a passagem de Marighella por Fernando de Noronha: José Guttman e Severino Teodoro de Mello; *Vida de um revolucionário*, de Agildo Barata; *A marcha vermelha*, de Davino Francisco dos Santos; *Memórias*, de Gregório Bezerra; João Lopes e Hilcar Leite. Em *Velhos militantes*, coordenação de Angela de Castro Gomes; embora só tenha estado preso com Marighella na Ilha Grande, Noé Gertel forneceu informações valiosas em dois depoimentos: a Clara Charf e Vladimir Sacchetta; e a Edson Teixeira. Muitos entrevistados ouviram relatos de Marighella. Alguns são parentes de outros detidos, como Agildo Ribeiro (filho de Agildo Barata) e Carlos Antonio Axelrud de Gouveia (filho de Antônio Gouveia).
* Para noventa integralistas e 180 aliancistas: Severino Teodoro de Mello.
* Para o Grêmio Atlético Brasil: *Memórias*, de Gregório Bezerra; em uma fotografia, Marighella aparece diante da sigla GAB.
* Para quadra de vôlei e Soveral Ferreira de Souza: Severino Teodoro de Mello; *Memórias*, de Gregório Bezerra.
* Para Marighella, vôlei, José Guttman e Gregório Bezerra: Agildo Ribeiro, José Guttman e Severino Teodoro de Mello; depoimento de Noé Gertel a Edson Teixeira.
* Para Marighella e chocolate: Clara Charf.
* Para Bicão Siderúrgico: Severino Teodoro de Mello.
* Para Marighella beque: Severino Teodoro de Mello.
* Para Marighella beque "impenetrável": depoimento de Noé Gertel a Clara Charf e Vladimir Sacchetta.
* Para o jogo contra presos comuns: Severino Teodoro de Mello.
* Para o jogo de vôlei contra os integralistas: Severino Teodoro de Mello.
* Para "Teatro Tupã": Severino Teodoro de Mello.
* Para "Teatro de Brinquedo": Severino Teodoro de Mello; *Fernando de Noronha*, de Marieta Borges Lins e Silva.

* Para Agildo Barata adaptando Monteiro Lobato: Agildo Ribeiro.
* Para *Deus lhe pague*: Severino Teodoro de Mello.
* Para Gastão Tojeiro: Agildo Ribeiro.
* Para Marighella como tia velha e Gregório Bezerra com glúteos postiços (encenariam novamente na Ilha Grande): Agildo Ribeiro.
* Para "boia sórdida": *Memórias do cárcere*, de Graciliano Ramos.
* Para Marighella na horta: Severino Teodoro de Mello; *Memórias*, de Gregório Bezerra; *A marcha vermelha*, de Davino Francisco dos Santos.
* Para escorbuto: Clara Charf.
* Para aviário: Severino Teodoro de Mello; *Memórias*, de Gregório Bezerra; *Falta alguém em Nuremberg*, de David Nasser.
* Para Trompinha e lagostas: Severino Teodoro de Mello.
* Para o tubarão de quase dois metros: Severino Teodoro de Mello.
* Para Marighella na cozinha: Clara Charf; *Memórias*, de Gregório Bezerra.
* Para a produção de sal: *Memórias*, de Gregório Bezerra.
* Para a trajetória de Gregório Bezerra: *Memórias*, de Gregório Bezerra.
* Para a tentativa de fuga: *Memórias*, de Gregório Bezerra.
* Para a liderança de Agildo Barata: *A marcha vermelha*, de Davino Francisco dos Santos; *O comunismo no Brasil*, de John W. F. Dulles.
* Para Marighella carregando água e calosidades nos ombros: Clara Charf.
* Para "universidade popular": Clara Charf e José Guttman; *Vida de um revolucionário*, de Agildo Barata; depoimento de Noé Gertel a Chara Charf e Vladimir Sacchetta.
* Para preso que não sabia dizer *"good morning"*: entrevista de Noé Gertel a Jorge Nóvoa. Em *Carlos Marighella*, organização de Cristiane Nova e Jorge Nóvoa.
* Para José Maria Crispim: depoimento de Noé Gertel a Clara Charf e Vladimir Sacchetta.
* Para Marighella ensinando matemática e português: depoimento de Noé Gertel a Edson Teixeira.
* Para Marighella no comando do coletivo: José Guttman e Severino Teodoro de Mello.
* Para "uma Alemanha forte": *O comunismo no Brasil*, de John W. F. Dulles.
* Para "meter a cara no travesseiro": *O Partido Comunista que eu conheci*, de João Falcão.
* Para "sentimento de desamparo": *Vale a pena sonhar*, de Apolônio de Carvalho.
* Para "companheiros não compreenderam": *Memórias*, de Gregório Bezerra.
* Para "a União Soviética botou por terra": *O comunismo no Brasil*, de John W. F. Dulles.
* Para Jorge Amado e Oswald de Andrade no Meio-Dia e o vínculo do jornal com a embaixada da Alemanha: *Hitler-Stálin: o pacto maldito*, de Joel Silveira e Geneton Moraes Neto.
* Para as cartas tratando da morte de Elvira Cupello Colônio: *Pão, terra e liberdade*, organização de Marly Vianna; *Repressão judicial no Estado Novo*, de Reynaldo Pompeu de Campos.
* Para a "traição" de *Miranda*: autobiografia de Carlos Marighella, 26 de maio de 1954, manuscrito em espanhol. Fundo 495, armazenamento 197, dossiê 170. RGASPI.
* Para "certinho como beiço de bode": *Memórias*, de Gregório Bezerra.
* Para o incidente no café da manhã: *Memórias*, de Gregório Bezerra.
* Para "há os descontentes": *A marcha vermelha*, de Davino Francisco dos Santos.
* Para Davino Francisco dos Santos como informante policial: *O serviço reservado da Delegacia de Ordem Política e Social de São Paulo na era Vargas*, de Marcos Tarcísio Florindo.

* Para "o negroide Marighella": *A marcha vermelha*, de Davino Francisco dos Santos.
* Para Maria Cláudia: *A marcha vermelha*, de Davino Francisco dos Santos.
* Para os Diabos de Fernando: *Memórias*, de Gregório Bezerra.
* Para "Menina, não tenha receio...": *A marcha vermelha*, de Davino Francisco dos Santos.
* Para a morte de Pascácio Fonseca: *Memórias*, de Gregório Bezerra.
* Para o morto por afogamento: Severino Teodoro de Mello.
* Para a morte do cabo Aristides: *Memórias*, de Gregório Bezerra.
* Para a morte da mulher de Sebastião Francisco: *O comunismo no Brasil*, de John W. F. Dulles.
* Para a festa dos integralistas com a invasão da União Soviética: João Lopes. Em *Velhos militantes*, coordenação de Angela de Castro Gomes; *Memórias*, de Gregório Bezerra.
* Para o café da manhã em Moscou planejado por Hitler: *Memórias*, de Gregório Bezerra.
* Para Stálin não dar crédito às advertências: *Stálin*, de Simon Sebag Montefiore.
* Para "nossa causa é justa!": *Stálin*, de Dmitri Antonovich Volkogonov.
* Para "Depois que Barcelona cair": *Tribuna Popular*, 17 de junho de 1945.
* Para o comércio entre Brasil e Alemanha: *História do Brasil*, de Boris Fausto.
* Para os navios brasileiros bombardeados: *O Partido Comunista que eu conheci*, de João Falcão.
* Para o *Comandante Ripper*: *A marcha vermelha*, de Davino Francisco dos Santos.
* Para "Praça Onze": Severino Teodoro de Mello.

9. POR UM LUGAR NO FRONT [pp. 131-40]

* Para as prisões na Ilha Grande: *Os porões da República*, de Myrian Sepúlveda dos Santos.
* Às fontes primárias do capítulo anterior, presos também transferidos de Fernando de Noronha para a Ilha Grande, somam-se Agildo Ribeiro, Sara de Melo e Vera Gertel. Em depoimentos a Clara Charf e Vladimir Sacchetta e a Edson Teixeira, Noé Gertel contou sua passagem pela Ilha Grande como preso. Outras fontes primárias: *Bangu*, de Lauro Reginaldo da Rocha; *Memórias de um médico*, de Hermínio Ouropretano Sardinha.
* Para o banho de mar de duas horas: *A marcha vermelha*, de Davino Francisco dos Santos.
* Para sinal de fuga iminente: depoimento de Noé Gertel a Clara Charf e Vladimir Sacchetta.
* Para comer de colher: Severino Teodoro de Mello.
* Para o desjejum: depoimento de Noé Gertel a Clara Charf e Vladimir Sacchetta.
* Para os companheiros de cela de Marighella: depoimento de Noé Gertel a Clara Charf e Vladimir Sacchetta; prontuário 8622. Aperj.
* Para a loja Dannemann & Cia. e o *Diário de Notícias*: *O Partido Comunista que eu conheci*, de João Falcão.
* Para o telegrama a Getúlio Vargas em 21 de agosto de 1942: *A marcha vermelha*, de Davino Francisco dos Santos; *Bangu*, de Lauro Reginaldo da Rocha.
* Para 7 de setembro de 1942: depoimento de Noé Gertel a Clara Charf e Vladimir Sacchetta.
* Para o manifesto com "Viva Getúlio!": *A solidariedade antifascista*, de Thaís Battibugli.
* Para o peso de 37 quilos: *David Capistrano*, de Marcelo Mário de Melo.
* Para a oficina de artesanato: *Memórias*, de Gregório Bezerra; depoimento de Noé Gertel a Clara Charf e Vladimir Sacchetta; *Falta alguém em Nuremberg*, de David Nasser.
* Para Anita Marighella: Tereza Marighella; *Jornal da Tarde*, 6 de novembro de 1969.
* Para Augusto Marighella e gasogênio: Carlos Augusto Marighella.

* Para pesadelos e promessas de Maria Rita: Tereza Marighella; *Missa pedida*, de Caetano Marighella.
* Para Marighella nadando: depoimento de Noé Gertel a Edson Teixeira.
* Para a arraia: depoimento de Noé Gertel a Clara Charf e Vladimir Sacchetta; *Os porões da República*, de Myrian Sepúlveda dos Santos, menciona duas arraias pescadas.
* Para ostras: depoimento de Noé Gertel a Clara Charf e Vladimir Sacchetta.
* Para competições esportivas com os integralistas: depoimento de Noé Gertel a Edson Teixeira.
* Para a história da Ilha Grande: <http://www.ilhagrande.com.br/pages/br_historia_02.html>.
* Para erradicação do analfabetismo: *Vida de um revolucionário*, de Agildo Barata.
* Para Marighella estudando inglês: depoimento de Noé Gertel a Edson Teixeira.
* Para Marighella e o jornal mural: depoimento de Noé Gertel a Edson Teixeira.
* Para Marighella numa grande pedra: depoimento de Noé Gertel a Clara Charf e Vladimir Sacchetta.
* Para duas camisetas: depoimento de Noé Gertel a Clara Charf e Vladimir Sacchetta.
* Para Marighella versus Agildo Barata: *A marcha vermelha*, de Davino Francisco dos Santos.
* Para o bom humor de Agildo Barata: Severino Teodoro de Mello.
* Para o poema "Muralha": *1944. Uma prova em versos*, de Carlos Marighella.
* Para a pirâmide em Fortaleza: *Repressão judicial no Estado Novo*, de Reynaldo Pompeu de Campos.
* Para cem militantes do PCB: João Falcão.
* Para 150 comunistas na Ilha Grande: depoimento de Noé Gertel a Clara Charf e Vladimir Sacchetta.
* Para o alistamento em Salvador: Ariston Andrade e Jacob Gorender.
* Para Augusto Villas-Boas: Armênio Guedes, Jacob Gorender e Luciana Villas-Boas; *Giocondo Dias*, de João Falcão.
* Para Carlos Scliar: <http://www.carlosscliar.com/autoretrato.htm>.
* Para Salomão Malina: *O último secretário*, organização de Francisco Inácio de Almeida.
* Para a estimativa de comunistas na FEB: Jacob Gorender e Kardec Lemme.
* Para o número de integrantes, mortos e feridos da FEB: Exército Brasileiro.
* Para Apolônio de Carvalho na França: *Vale a pena sonhar*, de Apolônio de Carvalho.
* Para os partidos comunistas subordinados ao Komintern: *Era dos extremos*, de Eric Hobsbawm.
* Para a menção a Marighella no arquivo do Komintern: *Camaradas*, de William Waack.
* Para *Miranda* fora da Ilha Grande e do PCB: *O comunismo no Brasil*, de John W. F. Dulles.
* Para a eleição de Marighella ao Comitê Central do PCB: autobiografia de Carlos Marighella, 26 de maio de 1954, manuscrito em espanhol. Fundo 495, armazenamento 197, dossiê 170. RGASPI; Armênio Guedes; depoimento de Diógenes Arruda Câmara a Albino Castro e Iza Freaza, com a participação de Rosental Calmon Alves; Departamento Federal de Segurança Pública, ficha de Carlos Marighella até 1949. Prontuário 7593. Aperj.

10. RACHA NA ILHA [pp. 141-9]

* Para a recusa de Marighella em aceitar a indicação ao Comitê Central: autobiografia de Carlos Marighella, 26 de maio de 1954, manuscrito em espanhol. Fundo 495, armazenamento 197, dossiê 170. RGASPI; Armênio Guedes, Jacob Gorender e Paulo Mercadante; *Pedro Pomar*, de Wladimir Pomar.

* Para Marighella liderança civil: depoimento de Noé Gertel a Clara Charf e Vladimir Sacchetta.
* Para Agildo Barata e Agliberto Azevedo militares de maior ascendência: Severino Teodoro de Mello; *Memórias*, de Gregório Bezerra; *A marcha vermelha*, de Davino Francisco dos Santos.
* Para "apoiavam [...] incondicionalmente": autobiografia de Carlos Marighella, 26 de maio de 1954, manuscrito em espanhol. Fundo 495, armazenamento 197, dossiê 170. RGASPI.
* Para relatórios com tinta invisível: Severino Teodoro de Mello.
* Para *Seiva: A história da revista Seiva*, de João Falcão.
* Para Jacob Gorender carregando o retrato de Getúlio Vargas: João Falcão; fotografia cedida por João Falcão.
* Para *Continental*: Armênio Guedes; *Da insurreição armada (1935) à "união nacional" (1938-45)*, de Anita Leocádia Prestes.
* Para João Falcão na Argentina: Armênio Guedes e João Falcão.
* Para Diógenes Arruda Câmara: Armênio Guedes, João Falcão e Marcos Paraguassu Arruda Câmara; depoimento de Diógenes Arruda Câmara a Albino Castro e Iza Freaza, com a participação de Rosental Calmon Alves.
* Para a fuga de Pedro Pomar e João Amazonas durante jogo de futebol: *Pedro Pomar*, de Wladimir Pomar.
* Para a Conferência da Mantiqueira: Armênio Guedes; *O tenente vermelho*, de Dinarco Reis; depoimento de Diógenes Arruda Câmara a Albino Castro e Iza Freaza, com a participação de Rosental Calmon Alves.
* Para doze secretários-gerais do PCB antes de Prestes: levantamento do autor.
* Para 1800 membros do PCB: depoimento de Diógenes Arruda Câmara a Albino Castro e Iza Freaza, com a participação de Rosental Calmon Alves.
* Para mil membros do PCB: *O tenente vermelho*, de Dinarco Reis.
* Para o Comitê de Ação: *PCB: memória fotográfica*, de José Antonio Segatto et al.
* Para o racha no coletivo: Sara de Melo; *Bangu*, de Lauro Reginaldo da Rocha; depoimentos de Noé Gertel a Clara Charf e Vladimir Sacchetta e a Edson Teixeira.
* Para Joaquim Câmara Ferreira cortando os pulsos: Roberto Cardieri Ferreira e Vera Gertel; *Uma vida em seis tempos*, de Leôncio Basbaum; registros médicos do prontuário 33 807. Aperj; Basbaum afirma que houve tentativa de suicídio; Cardieri, filho de Câmara, sustenta que o pai simulou a tentativa de suicídio, para que parassem de torturar um companheiro.
* Para "isso *vai* levar a uma cisão": depoimento de Noé Gertel a Edson Teixeira.
* Para "eu também me recusei": autobiografia de Carlos Marighella, 26 de maio de 1954, manuscrito em espanhol. Fundo 495, armazenamento 197, dossiê 170. RGASPI.
* Para Marighella e Agildo Barata no mesmo grupo: autobiografia de Carlos Marighella, 26 de maio de 1954, manuscrito em espanhol. Fundo 495, armazenamento 197, dossiê 170. RGASPI; Dops-SP, s/d. Origem: comunicado de 16 de fevereiro de 1945. Processo 41/68. STM.
* Para "estender a mão": Luiz Carlos Prestes, 14 de março de 1944. Em *Memórias*, de Gregório Bezerra.
* Para "cartilha": *Memórias*, de Gregório Bezerra.
* Para poemas: "Luiz Carlos Prestes", 1944; "A Prestes", 1945. Em *Uma prova em versos*, de Carlos Marighella.
* Para o casamento de Joaquim Câmara Ferreira e Leonora Cardieri: Roberto Cardieri Ferreira.
* Para Rachel Gertel: Vera Gertel; *Diário Carioca*, 8 de novembro de 1940.

* Para Maria Barata: Agildo Ribeiro.
* Para cheiro de banana: Vera Gertel.
* Para Agildo Barata arremessando um tinteiro: Agildo Ribeiro.
* Para a conversa de Marighella com Agildinho: Agildo Ribeiro.
* Para "ditador filho da puta!": Agildo Ribeiro.
* Para o "Manifesto dos Mineiros": *Dicionário histórico-biográfico brasileiro pós-1930*.
* Para Astrojildo Pereira redator de declaração: *O revolucionário cordial*, de Martin Cezar Feijó; *Diários políticos de Caio Prado Júnior*, de Paulo Teixeira Iumatti.
* Para entrevista de José Américo de Almeida: *Correio da Manhã*, 22 de fevereiro de 1945.
* Para a festa de Natal em 1944: *Memórias*, de Gregório Bezerra.
* Para Marighella e presépio: Agildo Ribeiro.
* Para o pedido de transferência de Marighella: Departamento Federal de Segurança Pública, s/d, prontuário de Carlos Marighella até 1968. Prontuário 7593. Aperj.
* Para a valise marrom: fotografias. Prontuário 7593. Aperj; *O Jornal*, 18 de abril de 1945.
* Para a morte de Nestor Verissimo: *Bangu*, de Lauro Reginaldo da Rocha.
* Para a viagem de Marighella para o Rio de Janeiro e suas declarações: *O Jornal*, 18 de abril de 1945.
* Para autocrítica: autobiografia de Carlos Marighella, 26 de maio de 1954, manuscrito em espanhol. Fundo 495, armazenamento 197, dossiê 170. RGASPI.
* Para "longo sofrimento": *O Jornal*, 18 de abril de 1945.
* Para Marighella com João Alberto: *O Jornal*, 18 de abril de 1945.
* Para cardápio e comensais do último almoço na prisão: *O Jornal*, 19 de abril de 1945.
* Para seiscentos presos libertados: Dops-SP, 14 de janeiro de 1958. Prontuário 3849. Apesp.
* Para a saída de Prestes da prisão: *Diário Carioca*, 19 de abril de 1945.
* Para "melhor aluno da Escola Politécnica": *O Jornal*, 18 de abril de 1945.
* Para o embarque de Arthur Ernst Ewert em 1946: *Olga*, de Fernando Morais.
* Para "onde estão as garotas?": Paulo Mercadante.

11. A MARCHA DOS ARCHOTES [pp. 153-65]

* Para Marighella, da libertação ao expediente na sede da UNE: Paulo Mercadante.
* Para Marighella e Marina: Marcos Paraguassu Arruda Câmara.
* Para Marighella e a viúva: Severino Teodoro de Mello.
* Para a filha de um militante, uma intelectual do Norte e a mulher de um escritor: militante comunista muito próximo de Carlos Marighella em 1945; para a intelectual do Norte, também Luiz Carlos Caldeira Brant.
* Para Marighella e José Zacarias Sá Carvalho: Paulo Mercadante.
* Para "não sou eu que as procuro", "caiu nos meus braços" e "cuidado, que ela espalha": militante comunista muito próximo de Carlos Marighella em 1945.
* Para o apartamento no Catete: Paulo Mercadante.
* Para os 27 milhões de mortos soviéticos na guerra: *Stálin*, de Dmitri Antonovich Volkogonov.
* Para José Veloso: *Verdade tropical*, de Caetano Veloso.
* Para João Severiano Torres: *O Partido Comunista que eu conheci*, de João Falcão.

* Para Joaquim Câmara Ferreira detido duas vezes: prontuário 33 807. Aperj.
* Para Marighella na comissão pró-comício: Departamento Federal de Segurança Pública, 1946. Prontuário 7593. Aperj.
* Para o terno da família de Manoel Venâncio Campos da Paz: Clara Charf.
* Para o par de abotoaduras: Eros Sucena Martins Teixeira.
* Para "um grande partido para um grande líder": *Herança de um sonho*, de Marco Antônio Tavares Coelho; *Memórias de um stalinista*, de Hércules Corrêa.
* Para "mestre do proletariado": *O Momento*, s/d, abril de 1945.
* Para o comício em São Januário: Armênio Guedes e João Falcão; *Tribuna Popular*, 23 e 24 de maio de 1945; *O Momento*, 28 de maio de 1945.
* Para público de 100 mil: *O Momento*, 28 de maio de 1945.
* Para "ordem e tranquilidade": *A bancada do PCB na Assembleia Constituinte de 1946*, de Evaristo Giovannetti Netto.
* Para o discurso de Prestes em São Januário: *O PCB*, de Edgard Carone.
* Para "apertar a barriga, passar fome": *O Partidão*, de Moisés Vinhas.
* Para "não acho oportuno desencadear": *O Momento*, 3 de dezembro de 1945.
* Para Lindemberg, Assunção e Cia.: *O Partido Comunista na gênese do populismo*, de Arnaldo Spindel.
* Para Caio Prado Jr.: *Diários políticos de Caio Prado Júnior*, de Paulo Teixeira Iumatti.
* Para a proibição de fotografias da União Soviética: depoimento de Hermínio Sacchetta a Noé Gertel. Em *Folha de S.Paulo*, 10 de janeiro de 1979.
* Para 6800 membros do PCB: depoimento de Diógenes Arruda Câmara a Albino Castro e Iza Freaza, com a participação de Rosental Calmon Alves.
* Para 180 mil a 220 mil filiados ao partido: Severino Teodoro de Mello.
* Para oitocentos comícios: *Manual de polícia política e social*, de Luis Apollonio.
* Para Darcy Ribeiro: *Confissões*, de Darcy Ribeiro.
* Para mais de mil membros da célula da Nitroquímica: Luiz Mário Gazzaneo.
* Para Marighella e universitários paulistas do PCB: Luiz Mário Gazzaneo.
* Para Paulo Silveira membro do PCB: Paulo Mercadante.
* Para "maré enchente": *Combates e batalhas*, de Octavio Brandão.
* Para Marighella comensal na casa de Jorge Amado: *Um chapéu para viagem*, de Zélia Gattai.
* Para Marighella almoçando com Graciliano Ramos: Paulo Mercadante.
* Para Carlos Drummond de Andrade como um dos editores da *Tribuna Popular*: Affonso Romano de Sant'Anna. No prefácio de *A rosa do povo*; no expediente da edição de 3 de agosto de 1945 do jornal consta Pedro Motta Lima como diretor e Aydano do Couto Ferraz como redator-chefe.
* Para "Nosso tempo": *A rosa do povo*, de Carlos Drummond de Andrade:
* Para Portinati doando quadros ao PCB: João Cândido Portinari.
* Para Di Cavancanti, José Pancetti e comício do Pacaembu: *O Momento*, s/d, julho de 1945.
* Para o jingle composto por Dorival Caymmi: *Dorival Caymmi*, de Stella Caymmi.
* Para Mário Schenberg amigo de Albert Einstein: Jorge Amado. Em *O Momento*, s/d, julho de 1945.
* Para Oscar Niemeyer cedendo um escritório: Severino Teodoro de Mello.
* Para Marighella ausente da Comissão Executiva: *O comunismo no Brasil*, de John W. F. Dulles; Departamento Federal de Segurança Pública, s/d. Prontuário 7593. Aperj.

* Para Marighella com o MUT: Dops-SP, s/d. Origem: relatório de 8 de junho de 1945. Processo 41/68. STM.
* Para 491 greves: Dops-SP, s/d. 30-C-1. Apesp.
* Para "exuberância oratória": *Herança de um sonho*, de Marco Antônio Tavares Coelho.
* Para Roberto Burle Marx: *Herança de um sonho*, de Marco Antônio Tavares Coelho.
* Para 140 jornalistas: *Militância*, de Victor Márcio Konder.
* Para doação de um dia mensal de salário: *Palmeiras x Corinthians 1945*, de Aldo Rebelo.
* Para banqueiros e industriais doando ao PCB: *Uma vida em seis tempos*, de Leôncio Basbaum.
* Para o jogo no Pacaembu: *Palmeiras x Corinthians 1945*, de Aldo Rebelo.
* Para Marighella torcedor de Flamengo e Corinthians: Carlos Augusto Marighella e Clara Charf.
* Para a faixa saudando a "gloriosa FEB": *Tribuna Popular*, 20 de julho de 1945.
* Para o regresso de Marighella ao convívio familiar: Tereza Marighella; *Missa pedida*, de Caetano Marighella.
* Para a traquinagem de Caetano Marighella: *Missa pedida*, de Caetano Marighella.
* Para Marighella tentando aprender a dançar: Tereza Marighella.
* Para Maria Rita em busca de cicatrizes: Tereza Marighella.
* Para *O Momento* operando no azul: João Falcão.
* Para a eleição Boris Tabacof versus Antonio Carlos Magalhães: Antonio Carlos Magalhães; *Perdidos & Achados*, de Boris Tabacof.
* Para "valhacouto de comunistas": *Depoimento*, de Carlos Lacerda.
* Para "sou um mulato baiano": Ana Montenegro.
* Para Marighella "tão jovial": *O Momento*, 11 de junho de 1945.
* Para os alunos no Engenho Velho: *O Momento*, 10 de dezembro de 1945.
* Para Pablo Neruda na Bahia: *O Partido Comunista que eu conheci*, de João Falcão.
* Para a noite de 23 de outubro de 1945 no Cine-Teatro Jandaia: *O Momento*, s/d, junho de 1945.
* Para Eurico Gaspar Dutra e o Eixo: *Dicionário histórico-biográfico brasileiro pós-1930*.
* Para o comício de 19 de novembro de 1945: *O Momento*, 19 e 23 de novembro de 1945.
* Para "autêntico herói": *O Momento*, 19 de novembro de 1945.
* Para Marighella discursando na sede do Comitê Estadual: *O Momento*, 23 de novembro de 1945.
* Para dois comícios marcados para o mesmo horário: *O Momento*, 23 de novembro de 1945.
* Para a mortalidade infantil em Salvador em 1945: *Estatísticas do século XX*, IBGE.
* Para Marighella pró-estádio da Fonte Nova: *O Momento*, 10 de dezembro de 1945.
* Para cópias da prova em versos: Luiz Contreiras e Virgildásio de Senna.
* Para a prova em versos e Antonio Carlos Magalhães: Antonio Carlos Magalhães.
* Para a contribuição de Helenauro Sampaio: Virgildásio de Senna.
* Para a ajuda de Carlos Costa Pinto de Pinho: João Falcão; para a amizade de Marighella com Costa Pinto, reportagem produzida para o *Jornal do Brasil*, 7 de dezembro de 1979. Original em oito laudas. Centro de Pesquisa e Documentação do *Jornal do Brasil*; para o Edifício Oceania, Carlos Gonzaga de Pinho.
* Para os candidatos preferenciais do PCB: Armênio Guedes e João Falcão.
* Para a marcha dos archotes, "Fiúza já ganhou?" e "imprensa reacionária": *O Momento*, 3 de dezembro de 1945.
* Para a imagem do Senhor do Bonfim: *O Momento*, 29 de novembro de 1945.

* Para comunistas currando freiras: *Confissões*, de Darcy Ribeiro.
* Para os sinos dobrando em Triunfo: *O caso eu conto como o caso foi*, de Paulo Cavalcanti.
* Para a procissão em Catende: *O caso eu conto como o caso foi*, de Paulo Cavalcanti.
* Para votantes e população do Brasil em 1945: *Estatísticas do século XX*, IBGE.

12. UM COMUNISTA NA COMISSÃO DE POLÍCIA [pp. 166-79]

* Para os discursos no Parlamento, diálogos, projetos, emendas, outras manifestações e resultados de votações (as exceções são indicadas): *Diário da Assembleia, Diário do Congresso Nacional* e *Diário do Poder Legislativo*.
* Para quatro horas e vinte minutos e outros aspectos do discurso de Claudino José da Silva: *Bahia de todos os santos* e *Navegação de cabotagem*, de Jorge Amado.
* Para uma hora e meia, número de laudas e outros aspectos do discurso de Claudino José da Silva: *Na Tribuna da Imprensa*, de Carlos Lacerda.
* Para Marighella e Jorge Amado redatores da bancada: Clara Charf; *Navegação de cabotagem*, de Jorge Amado; *Um chapéu para viagem*, de Zélia Gattai.
* Para único negro retinto na Constituinte: *Quem foi quem na Constituinte de 1946*, de Sérgio Soares Braga; *Navegação de cabotagem*, de Jorge Amado.
* Para o apelido Lápis: *A classe operária e seu partido*, de Hércules Corrêa.
* Para pontes literárias: *Navegação de cabotagem*, de Jorge Amado.
* Para a retirada de Álcio Souto: *Na Tribuna da Imprensa*, de Carlos Lacerda.
* Para pintor de paredes: *Homens e fatos da Constituinte de 1946*, de Yvonne R. de Miranda.
* Para "autêntico popular e crioulo": *O Estado de S. Paulo*, 14 de fevereiro de 1946.
* Para "não sabia que analfabetismo" e Marighella pedindo uma lâmpada: *Homens e fatos da Constituinte de 1946*, de Yvonne R. de Miranda.
* Para "meia língua": *Correio da Manhã*, 9 de janeiro de 1948.
* Para os ternos de Gregório Bezerra: *Memórias*, de Gregório Bezerra.
* Para o terno de Claudino José da Silva: *Navegação de cabotagem*, de Jorge Amado.
* Para o terno de Maurício Grabois: Victória Grabois.
* Para o resultado eleitoral na Bahia: Tribunal Regional Eleitoral do Estado da Bahia, 1º de fevereiro de 1946, diploma de deputado federal de Carlos Marighella. Prontuário 7593. Aperj.
* Para Marighella coordenador da fração parlamentar comunista: Clara Charf; *Um chapéu para viagem*, de Zélia Gattai; Dops-GB, 13 de dezembro de 1968, informação 251/68. Processo 41/68. STM.
* Para a mesa diretiva como Comissão de Polícia: *Diário do Poder Legislativo*, 19 de fevereiro de 1946.
* Para Álvaro Ventura: *Os comunas*, de Celso Martins.
* Para os revólveres do monsenhor Arruda Câmara: Marcos Paraguassu Arruda Câmara.
* Para "elementos perturbadores": *A bancada do PCB na Assembleia Constituinte de 1946*, de Evaristo Giovannetti Netto.
* Para "o mais talentoso" e "especialista em regimento": *Na Tribuna da Imprensa*, de Carlos Lacerda.
* Para o livro de João Barbalho: Paulo Mercadante.
* Para o cinto e a cordinha: Clara Charf.
* Para os vencimentos de Marighella e sua renuncia a 92% do valor: Declaração de rendimentos de Carlos Marighella à Divisão do Imposto de Renda do Ministério da Fazenda, abril de 1947.

Prontuário 7593. Aperj; Dops-SP, s/d, relatório sobre comício em Santo André em 17 de abril de 1946. 30-C-1. Apesp.
* Para "estritamente necessário": relatório de 9 de outubro de 1946, assinado por "S. S. — Q/17", informante policial infiltrado em um comício em Barra do Piraí. Prontuário 7593. Aperj.
* Para "tresloucado gesto": "O Barão de Itararé", de Leandro Konder. Em *A formação das tradições*, organização de Jorge Ferreira e Daniel Aarão Reis.
* Para o apartamento no Catete: Dinarco Reis Filho.
* Para Almir Neves coordenador do setor militar: Luiz Mário Gazzaneo.
* Para sanduíche de mortadela e barriga cheia de feijão: Clara Charf.
* Para o restaurante na Glória: *O Partido Comunista que eu conheci*, de João Falcão.
* Para sopa à noite: Clara Charf.
* Para estenógrafas: Clara Charf.
* Para "um verdadeiro deputado do povo": *O Momento*, 4 de fevereiro de 1946.
* Para o "Comício Fonte Nova a Carlos Marighella": *O Momento*, 1º de janeiro de 1947.
* Para a banda do Corpo de Bombeiros: *O Momento*, 4 de janeiro de 1947.
* Para os times "Carlos Marighella" versus "Jorge Amado": *O Momento*, 31 de março de 1946.
* Para as reportagens em *O Cruzeiro*: *Falta alguém em Nuremberg*, de David Nasser.
* Para o adjetivo "reacionário", além dos diários oficiais: *A bancada do PCB na Assembleia Constituinte de 1946*, de Evaristo Giovannetti Netto; *Quem foi quem na Constituinte de 1946*, de Sérgio Soares Braga; resposta de João Amazonas a questionário enviado por Emiliano José, s/d, "Apontamentos sobre Marighella". Cópia cedida por Emiliano José.
* Para "em noite chuvosa e lúgubre": *Na Tribuna da Imprensa*, de Carlos Lacerda.
* Para 306 061 casamentos católicos: *Estatísticas do século XX*, IBGE.
* Para Marighella e o feminismo: *O Momento*, s/d, provavelmente maio de 1946.
* Para o fechamento do MUT: *Em busca da memória*, de Hélio da Costa.
* Para a *Tribuna Popular* suspensa: *O Partido Comunista Brasileiro*, de Ronald H. Chilcote.
* Para a morte de Zélia Magalhães: *PCB: memória fotográfica*, de José Antonio Segatto et al.
* Para a condecoração a Eurico Gaspar Dutra pelo Terceiro Reich: *As relações oficiais russo-soviéticas com o Brasil*, de Flávio Mendes de Oliveira Castro.
* Para "cortina de ferro": *Churchill*, de Roy Jenkins.
* Para o beijo de Otávio Mangabeira: Boris Fausto. Em *Folha de S.Paulo*, 2 de outubro de 2005.
* Para a invasão do apartamento de Marighella: Dinarco Reis Filho.
* Para Getúlio Vargas distante da Constituinte: *Homens e fatos da Constituinte de 1946*, de Yvonne R. de Miranda.
* Para os discos de cera: reprodução em fita cassete. Prontuário 7593. Aperj.
* Para 195 intervenções e 21 emendas de Marighella: Câmara dos Deputados, Coordenação de Estudos Legislativos, Seção de Documentação Parlamentar, "Atuação do ex-deputado Carlos Marighela na Constituinte de 1946". Pesquisadora: Ângela Mancuso.
* Para transferência de matrícula: Escola Politécnica da Universidade da Bahia, 22 de janeiro de 1947, requerimento de Carlos Marighella. EP/UFBA.
* Para a versão de "Ai, que saudades da Amélia": "Inventando a vida: a presença de Mário Lago", de Mônica Pimenta Velloso. Em *A formação das tradições (1889-1945)*, organização de Jorge Ferreira e Daniel Aarão Reis.
* Para a versão de "Mamãe eu quero": *O PCB cai no samba*, de Valéria Lima Guimarães.

* Para Heleno de Freitas: *João Saldanha*, de André Iki Siqueira.
* Para "o que eles querem é rosetar!": *O Momento*, 17 de janeiro de 1947.
* Para a proibição de "Eu quero é rosetar!": *Dorival Caymmi*, de Stella Caymmi.
* Para o bloco da Mula Manca: Clara Charf e Marcos Paraguassu Arruda Câmara.
* Para Prestes contra o bloco carnavalesco: Clara Charf.
* Para a festa no Campo de São Cristóvão: *Tribuna Popular*, 11 de fevereiro de 1947.
* Para Marighella vestido de cigana e lendo mãos: reportagem produzida para o *Jornal do Brasil*, 7 de dezembro de 1979. Original em oito laudas. Centro de Pesquisa e Documentação do *Jornal do Brasil*.
* Para o brinde de Cartola: *Tribuna Popular*, 13 de fevereiro de 1947.
* Para a entidade pirata: *O PCB cai no samba*, de Valéria Lima Guimarães.
* Para a probição de batalhas de confetes: *Tribuna Popular*, 20 de fevereiro de 1947.
* Para a versão de "O pagamento não saiu": *Tribuna Popular*, 13 de fevereiro de 1947.

13. DEPUTADO ACOSSADO [pp. 180-91]

* Para os discursos no parlamento, diálogos, projetos, emendas, outras manifestações e resultados de votações (as exceções são indicadas): *Diário da Assembleia*, *Diário do Congresso Nacional* e *Diário do Poder Legislativo*.
* Para Elza Sento Sé na célula da Light & Power: Carlos Augusto Marighella.
* Para a data dos bailes no sindicato dos bancários: *Tribuna Popular*, 16 de fevereiro de 1947.
* Para os olhos de Elza: Carlos Augusto Marighella e Maria Marighella.
* Para o primeiro encontro de Marighella e Elza Sento Sé: *A Noite*, 30 de abril de 1948.
* Para Elza Sento Sé: Antônia Couto Nunes Sento Sé e Carlos Augusto Marighella.
* Para Cruz Vermelha: carteira da Cruz Vermelha Brasileira, 14 de novembro de 1944. Cedida por Carlos Augusto Marighella.
* Para "da tua infeliz filha": verso de fotografia, 5 de junho de 1944. Cedida por Carlos Augusto Marighella.
* Para Marighella e Elza Sento Sé morando juntos: Antônia Couto Nunes Sento Sé, Carlos Augusto Marighella, Paulo Mercadante e Zilda Xavier Pereira.
* Para a declaração de Marighella casado com Elza Sento Sé: *Deputados brasileiros*, pesquisa e introdução de David V. Fleischer. Publicação produzida e editada pela Câmara dos Deputados.
* Para "prova de fraqueza": *Vale a pena sonhar*, de Apolônio de Carvalho.
* Para a interdição de quatrocentos sindicatos: *O Partido Comunista Brasileiro*, de Ronald H. Chilcote.
* Para a invasão de *O Momento*: *Diário do Congresso Nacional*, 28 de maio de 1947.
* Para a novela da cassação da sigla: *PCB: processo de cassação do registro (1947)*.
* Para a declaração de Prestes sobre uma guerra com a União Soviética, em sabatina: transcrição da *Tribuna Popular*. Em *PCB: processo de cassação do registro (1947)*.
* Para Barreto Pinto de fraque e cueca: *Cobras criadas*, de Luiz Maklouf Carvalho.
* Para o relato de Osvaldo Peralva: *O retrato*, de Osvaldo Peralva.
* Para os papéis deixados na sede da Glória: Severino Teodoro de Mello.
* Para a ida ao cinema: *Herança de um sonho*, de Marco Antônio Tavares Coelho.

* Para a sessão do TSE: *PCB: processo de cassação do registro* (1947).
* Para "o ensinamento que Lênin nos dá": *A Classe Operária*, 9 de março de 1946. Em *PCB: processo de cassação do registro (1947)*.
* Para Eurico Gaspar Dutra "em face do comunismo": *Tribuna Popular*, 18 de janeiro de 1947, reproduzindo carta de Dutra a Átila Soares, de 17 de abril de 1945.
* Para "sensacional episódio": *O Globo*, 12 de maio de 1947. Em *O fechamento do Partido Comunista do Brasil*, de Alceu Barbêdo.
* Para "sou pelo livre funcionamento": *O Momento*, 9 de janeiro de 1947.
* Para "ora, ora!...": *Memórias de um militante político e sindical no ABC*, de Armando Mazzo.
* Para "aconselhamos maior calma": *O Momento*, 10 de maio de 1947.
* Para palavras cruzadas: João Falcão.
* Para 265 vereadores: *História do proletariado brasileiro*, de Boris Koval.
* Para os cochilos de Ivo D'Aquino: *Homens e fatos da Constituinte de 1946*, de Yvonne R. de Miranda.
* Para "foi sob o fogo de nosso ataque": *Problemas*, nº 2, setembro de 1947.
* Para *Problemas*, Marighella e Andrei Jdánov: *Problemas*, nº 5, dezembro de 1947.
* Para a visita de Harry Truman ao Brasil, inclusive a sensação de calor californiano: <http://www.trumanlibrary.org/calendar/travel_log/key1947/rio47_toc.htm>.
* Para Marighella, Harry Truman e os mandatos comunistas: *Problemas*, nº 6, janeiro de 1948.
* Para João Batista Soares de Pina e a ruptura do Brasil com a União Soviética: *Meninos, eu vi... e agora posso contar*, de Drault Ernanny; *Brazil and the Soviet challenge*, de Stanley E. Hilton; *As relações oficiais russo-soviéticas com o Brasil*, de Flávio Mendes de Oliveira Castro.
* Para "acho feio para um cavalheiro": *Diário Carioca*, 20 de dezembro de 1947.
* Para "apenas apartes de cidadãos brasileiros": *Diário Carioca*, 27 de dezembro de 1947.
* Para "não permito que elementos de cor", racista, "singrarei as águas do oceano" e "de automóvel?": *Tribuna Popular*, 27 de dezembro de 1947.
* Para a emenda constitucional 3259: *Imprensa e política no Brasil*, de Lincoln de Abreu Penna; *Quem foi quem na Constituinte de 1946*, de Sérgio Soares Braga.
* Para os projetos Marighella para o petróleo: "A batalha do petróleo", de Arthur Cabral. Em *Problemas*, nº 7, fevereiro de 1948; *A batalha do petróleo brasileiro*, de Mário Victor; Câmara dos Deputados, Coordenação de Estudos Legislativos, Seção de Documentação Parlamentar, "Atuação do ex-deputado Carlos Marighella na Constituinte de 1946". Pesquisadora: Ângela Mancuso; *O Momento*, 3 de janeiro de 1947, divulgou o empenho do PCB-BA "pela exploração do petróleo da Bahia por capitalistas nacionais".
* Para "a carne é fraca": *Repressão judicial no Estado Novo*, de Reynaldo Pompeu de Campos.
* Para Marighella na CPI: *O estudante Marighella nas prisões do Estado Novo*.
* Para Assis Chateaubriand: um artigo do jornalista foi mencionado no *Diário do Congresso Nacional*, 3 de dezembro de 1947.
* Para Marighella, Álcio Souto e Canrobert Pereira da Costa: *1954*, de Hélio Silva.
* Para Marighella saber na tribuna sobre a morte da mãe: Clara Charf.
* Para Maria Rita no leito de morte: Tereza Marighella.
* Para a opinião de Sobral Pinto: *Problemas*, nº 7, fevereiro de 1948.
* Para a opinião de Tristão de Athayde: *A batalha do petróleo brasileiro*, de Mário Victor.
* Para a partida de Marighella, Prestes, Diógenes Arruda e João Amazonas antes das cassações, além dos diários oficiais: *Correio da Manhã*, 9 de janeiro de 1948.

* Para cooptação de Marighella para a Comissão Executiva: autobiografia de Carlos Marighella, 26 de maio de 1954, manuscrito em espanhol. Fundo 495, armazenamento 197, dossiê 170. RGASPI.

* Para a sessão da Câmara dos Deputados que cassou os mandatos dos comunistas: *Diário do Congresso Nacional*, 8 de janeiro de 1948; *Correio da Manhã*, 8 e 9 de janeiro de 1948; *Diário Carioca*, 8 de janeiro de 1948; *Problemas*, nº 7, fevereiro de 1948.

* Para o resultado de 169 a 74: *Correio da Manhã*, 8 de janeiro de 1948; o *Diário do Congresso Nacional* registrou o placar 243 a 74. É provável que tenha incluído deputados que registraram o voto depois da sessão.

* Para a banana de Trifino Corrêa: *Travessia*, de Hermes Lima.

14. CHAPEUZINHO FOGE DE CASA [pp. 192-9]

* Para o romance de Marighella com Clara Charf e seus obstáculos: Clara Charf.
* Para Marcucha: Marcos Paraguassu Arruda Câmara.
* Para o aparelho de Marighella no Méier: Clara Charf.
* Para a vigilância sobre Elza: Carlos Augusto Marighella.
* Para Gregório Bezerra: *Memórias*, de Gregório Bezerra.
* Para *Pinocchio*: *Diário Carioca*, 8 de janeiro de 1948.
* Para Gervásio Gomes de Azevedo: *Ecos da emergência da Guerra Fria no Brasil*, de Sidnei J. Munhoz.
* Para Mario Vianna na invasão da *Imprensa Popular*: *Correio da Manhã*, 9 de janeiro de 1948.
* Para "Acusado de crime de sedução": *A Noite*, 30 de abril de 1948.
* Para "Pereira Lira é de amargar": Carlos Augusto Marighella.
* Para Marighella e João Amazonas: Clara Charf.
* Para "branquinha arrumadinha": depoimento de Maria Iara Portela para o filme *Marighella*, de Isa Grinspum Ferraz, 25 de março de 2010.
* Para Clara Charf princesa de *A Classe Operária*: a eleição ocorreu em 1946. Dops-GB, 3 de dezembro de 1968, memo 911/68. Processo 41/68. STM.
* Para Alzira Grabois: Victória Grabois.
* Para Marighella e Zélia Gattai: *Um chapéu para viagem*, de Zélia Gattai.
* Para a família de Clarice Lispector: *Clarice, uma biografia*, de Benjamin Moser.

15. SÃO PAULO VAI PARAR [pp. 200-13]

* Para a mudança para São Paulo em 1949: autobiografia de Carlos Marighella, 26 de maio de 1954, manuscrito em espanhol. Fundo 495, armazenamento 197, dossiê 170. RGASPI; Clara Charf.
* Para a estrutura do PCB paulista e Marighella como chefe do Comitê Regional Piratininga: Moacir Longo; *Problemas*, nº 70, setembro-outubro de 1955.
* Para Marighella à luz de velas: Clara Charf.
* Para os 55 militantes do PCB assassinados no governo Dutra: *Prestes*, de Dênis de Moraes e Francisco Viana; *O Partido Comunista que eu conheci*, de João Falcão.
* Para os 38 mortos do PCB: *Dos filhos deste solo*, de Nilmário Miranda e Carlos Tibúrcio.
* Para o artigo "Chacina da Sé": *Imprensa Popular*, 21 de março de 1948.

* Para Prestes com Severino Teodoro de Mello: Severino Teodoro de Mello.
* Para Prestes com Giocondo Dias: *Meu companheiro*, de Maria Prestes.
* Para o mandado de prisão em 1954: Dops-GB, 13 de outubro de 1965, ofício 3148. Apeje.
* Para o Dodge 1942: João Falcão.
* Para Graciliano Ramos: Paulo Mercadante.
* Para Marighella com uniforme de aviador: *O retrato*, de Osvaldo Peralva.
* Para Marighella secretário de Agitação e Propaganda: autobiografia de Carlos Marighella, 26 de maio de 1954, manuscrito em espanhol. Fundo 495, armazenamento 197, dossiê 170. RGASPI; Jacob Gorender.
* Para Elisa Branco Batista: *Novos Rumos*, 16 de fevereiro de 1962.
* Para a morte de Vicente Maluoni: *A democracia intolerante*, de Pedro Estevam da Rocha Pomar.
* Para a pancadaria na sede da UNE: *O caso eu conto como o caso foi*, de Paulo Cavalcanti; *João Saldanha*, de André Iki Siqueira.
* Para assinaturas no Apelo de Estocolmo: *Problemas*, nº 29, agosto-setembro de 1950; *Prisioneiros do mito*, de Jorge Ferreira.
* Para o programa *Defendendo o Direito de Viver*: *Prisioneiros do mito*, de Jorge Ferreira.
* Para "contingente de 5 mil brasileiros": *Voz Operária*, 14 de julho de 1951.
* Para "tomaram o pião na unha": *Teoria e Debate*, março de 1988.
* Para Fernando Henrique Cardoso membro do PCB: Fernando Henrique Cardoso.
* Para 20 mil membros do PCB: *O Partidão*, de Moisés Vinhas.
* Para 60 mil membros do PCB: CIA, 4 de dezembro de 1953, "Probable developments in Brazil". CIA/FOIA.
* Para "ditadura terrorista": Luiz Carlos Prestes, 28 de janeiro de 1948. Em *O PCB*, de Edgard Carone.
* Para o Manifesto de Agosto: *O PCB*, de Edgard Carone.
* Para "uma frente como a de 1935": *Imprensa Popular*, 12 de dezembro de 1950.
* Para "engenhos de autodefesa": *Manual de polícia política e social*, de Luis Apollonio.
* Para pecebistas incendiando bondes: *Memórias de um stalinista*, de Hércules Corrêa.
* Para a guerrilha em Porecatu: *A foice e a cruz*, de Osvaldo Heller da Silva.
* Para Marighella e Porecatu: Câmara dos Deputados, Coordenação de Estudos Legislativos, Seção de Documentação Parlamentar, "Atuação do ex-deputado Carlos Marighella na Constituinte de 1946". Pesquisadora: Ângela Mancuso.
* Para a carabina de José Porfírio de Souza: *Trombas*, de Sebastião de Barros Abreu.
* Para os seis meses de prisão de Maria Aparecida Rodrigues: Luiz Carlos Azedo.
* Para "um dia, vão se convencer": Clara Charf.
* Para Graciliano Ramos e a eleição da Associação Brasileira de Escritores: *O velho Graça*, de Dênis de Moraes.
* Para o resultado da eleição de 1953: *Dicionário histórico-biográfico brasileiro pós-1930*.
* Para "fundadas razões": Dops-Niterói, 18 de fevereiro de 1952, circular 6/52. Prontuário 7593. Aperj.
* Para a greve dos bancários: *Movimento sindical e luta de classes*, de Luiz Tenório de Lima.
* Para 763 687 empregados: Censo de 1950. Em *Operários e camponeses na revolução brasileira*, de Moisés Vinhas.
* Para os grevistas em 1951 e 1952: *O movimento sindical no Brasil*, de Jover Telles.

* Para a resolução sobre "unidade da classe operária": *Problemas*, nº 42, setembro-outubro de 1952.
* Para "abaixo a carestia": *Imprensa Popular*, 19 de março de 1953. O jornal carioca reproduzia a cobertura da greve publicada no mesmo dia pelo paulistano *Notícias de Hoje*. O PCB controlava os dois.
* Para as reivindicações dos grevistas: *Imprensa Popular*, 28 de março de 1953; *Greve de massa e crise política*, de José Álvaro Moisés; *Em busca da memória*, de Hélio da Costa.
* Para mais de 2 mil presos: *O movimento sindical no Brasil*, de Jover Telles.
* Para o confronto de 9 de abril de 1953: *Imprensa Popular*, 10 de abril de 1953.
* Para o anúncio de 300 mil grevistas: *Imprensa Popular*, 14 de abril de 1953.
* Para os analistas do Dops: *Manual de polícia política e social*, de Luis Apollonio.
* Para o estímulo do PCB a comissões de fábrica independentes: *A reinvenção do trabalhismo no "vulcão do inferno"*, de Murilo Leal Pereira Neto.
* Para "só aceitaremos uma proposta": *Imprensa Popular*, 12 de abril de 1953.
* Para "mais nojento que o escarro": *Em busca da memória*, de Hélio da Costa.
* Para o aumento do custo de vida em 173%: *Imprensa Popular*, 7 de abril de 1953.
* Para a votação no hipódromo em 17 de abril de 1953: *Imprensa Popular*, 18 de abril de 1953.
* Para o sobrado em Moema: Jacob Gorender.
* Para Marighella no comando da greve: Geraldo Rodrigues dos Santos e Jacob Gorender; João Saldanha. Em *João Saldanha*, de André Iki Siqueira.
* Para João Saldanha e Maria Sallas: *João Saldanha*, de André Iki Siqueira.
* Para João Saldanha na greve: Geraldo Rodrigues dos Santos e Luiz Tenório de Lima; *João Saldanha*, de André Iki Siqueira; resposta de João Amazonas a questionário enviado por Emiliano José, s/d, "Apontamentos sobre Marighella". Cópia cedida por Emiliano José.
* Para "como dizia o Marighella": *João Saldanha*, de André Iki Siqueira.
* Para "está orientando o movimento grevista": Dops-SP, s/d. Origem: dados reservados de 7 de abril de 1953. Processo 41/68. STM.
* Para a chegada de João Amazonas: Jacob Gorender; resposta de João Amazonas a questionário enviado por Emiliano José, s/d, "Apontamentos sobre Marighella". Cópia cedida por Emiliano José.
* Para querer cancelar passeatas: Paul Singer. Em *Folha de S.Paulo*, 6 de janeiro de 2004.
* Para *Notícias de Hoje* como o "o jornal da greve": *Imprensa Popular*, 19 de abril de 1953.
* Para a circulação de *Notícias de Hoje*: Jacob Gorender.
* Para os grevistas no Brasil em 1953: *O movimento sindical no Brasil*, de Jover Telles.
* Para "sua comunistinha de merda": Clara Charf.
* Para *Marta Santos*: Clara Charf; *O Estado de S. Paulo*, 5 de junho de 1954.
* Para o relatório da polícia política: Dops-SP, 17 de maio de 1954, Hugo Ribeiro da Silva e Arnaldo de Camargo Pires. 30-Z-143. Apesp.
* Para agente soviética: *Diário de São Paulo*, 10 de junho de 1954.
* Para o amante: Clara Charf.
* Para a aplicação dos ensinamentos de *Se fores preso, camarada...*: Dops-SP, 17 de maio de 1954, Hugo Ribeiro da Silva e Arnaldo de Camargo Pires. 30-Z-143. Apesp.
* Para a autoria de *Se fores preso, camarada...*: Clara Charf.
* Para comunista "com muito orgulho": Clara Charf.
* Para a concessão do habeas corpus: *Notícias de Hoje*, 2 de julho de 1954.

* Para a pneumonia e a viagem à China e à União Soviética: Clara Charf.
* Para o sumiço do dicionário de mandarim: Clara Charf.
* Para "linha de capitulação": autobiografia de Carlos Marighella, 26 de maio de 1954, manuscrito em espanhol. Fundo 495, armazenamento 197, dossiê 170. RGASPI.
* Para "é a maior desgraça": *Imprensa Popular*, 11 de março de 1953.

16. O MUNDO DE STÁLIN [pp. 214-26]

* Para o choro de Graciliano Ramos: *Graciliano*, de Ricardo Ramos.
* Para a prisão do soldado no Batalhão de Guardas: *Imprensa Popular*, 24 de março de 1953.
* Para o telegrama de Prestes: *Imprensa Popular*, 7 de março de 1953.
* Para o "que de melhor a humanidade produziu": *O mundo da paz*, de Jorge Amado.
* Para "como a de meu pai": *Imprensa Popular*, 7 de março de 1953.
* Para Jacob Gorender ("gigante todo bondade" e "radioso diamante"), Mário Alves ("maior gênio"), Moacir Werneck de Castro ("maior dos homens" e "fronte de gênio") e Osvaldo Peralva ("amigo mais querido" e "pai amado"): *Imprensa Popular*, março e abril de 1953.
* Para "pai previdente": "O PCB: os dirigentes e a organização", de Leôncio Martins Rodrigues. Em *O Brasil republicano 3 — Sociedade e política*, direção de Boris Fausto.
* Para Jorge Amado na *Gazeta Literária* de Moscou: *Imprensa Popular*, 22 de março de 1953.
* Para a elegia de Marighella ao "nosso estremecido guia, mestre, educador e pai", "o maior benfeitor da humanidade", o "gênio imortal": *Imprensa Popular*, 11 de março de 1953.
* Para Marighella e o recrutamento Stálin: *Imprensa Popular*, 9 de março de 1953.
* Para a filha de Armando Mazzo: *Memórias de um militante político e sindical no ABC*, de Armando Mazzo.
* Para Apolônio de Carvalho e a morte da mãe: *Vale a pena sonhar*, de Apolônio de Carvalho.
* Para Gregório Bezerra e a família: *Memórias*, de Gregório Bezerra.
* Para o diálogo de Agildo Barata com o filho: Agildo Ribeiro.
* Para "somos como as corujas": *Vale a pena sonhar*, de Apolônio de Carvalho.
* A tradução de *A decisão* é de Ingrid Dormien Koudela. Em *Teatro completo em 12 volumes: 3*, de Bertolt Brecht.
* Para "coração de fogo" e "cabeça de gelo": *Folha do Povo*, 17 de novembro de 1955.
* A tradução de "Elogio do partido" é de Paulo Cesar Souza. Em *Poemas 1913 – 1956*, de Bertolt Brecht.
* Para "mataram minha mãe": *Minha razão de viver*, de Samuel Wainer.
* Para "sentimento quase religioso": *Vale a pena sonhar*, de Apolônio de Carvalho.
* Para Astrojildo Pereira e o sacerdócio: *Combates e batalhas*, de Octavio Brandão.
* Para João Falcão e Deus: *O Partido Comunista que eu conheci*, de João Falcão.
* Para Fernando Sant'Anna e a alma da prima: Fernando Sant'Anna.
* Para "ele fez passar o mar": *Imprensa Popular*, 7 de março de 1953.
* Para o medo de Elza Monnerat: *Coração vermelho*, de Verônica Bercht.
* Para o militante que se masturbava e o que surrava a mulher: *Militância*, de Victor Márcio Konder.
* Para a militante expulsa por infidelidade conjugal: Paulo Mercadante.

* Para o estatuto e a "dissolução dos costumes": *Problemas*, nº 64, dezembro de 1954; *Memórias de um stalinista*, de Hércules Corrêa.
* Para José Medina e "negócio de mulher": Armênio Guedes.
* Para a renúncia de um deputado por acusação de adultério: Zuleika Alambert; *Dicionário mulheres do Brasil*, organização de Schuma Schumaher e Érico Vital Brazil.
* Para Diógenes Arruda e a mulher de um jornalista: Luiz Mário Gazzaneo e Zuleika Alambert.
* Para a resolução expulsando José Maria Crispim: *O PCB*, de Edgard Carone.
* Para a expulsão de Patrícia Galvão: "Contra o trotskismo — Resolução do C. R. de São Paulo do PCB (Seção da IC) expulsando o grupo trotskista", s/mês, 1939. Processo 827/TSN. AN.
* Para Pagu ir para a cama a fim de obter informações: *Paixão Pagu*, de Patrícia Galvão.
* Para Lélia Abramo e Noé Gertel: *Vida e arte*, de Lélia Abramo.
* Para Armênio Guedes e Zuleika Alambert: Armênio Guedes.
* Para João Saldanha e Maria Sallas: *Memórias de um stalinista*, de Hércules Corrêa; *João Saldanha*, de André Iki Siqueira.
* Para bebidas, festinhas e francesas: *Caminhos percorridos*, de Heitor Ferreira Lima.
* Para João Amazonas e o moralismo na União Soviética: Armênio Guedes, Geraldo Rodrigues dos Santos, Moacir Werneck de Castro, Severino Teodoro de Mello e Zuleika Alambert; *Memórias de um stalinista*, de Hércules Corrêa.
* Para a afirmação sobre "vigilância revolucionária": *O mundo da paz*, de Jorge Amado.
* Para Hermínio Sacchetta sobre Jorge Amado: "Jorge Amado e os porões da decência". Em *O caldeirão das bruxas e outros escritos políticos*, de Hermínio Sacchetta.
* Para Diógenes Arruda e *Os subterrâneos da liberdade*: *Jardim de inverno*, de Zélia Gattai.
* Para "matava e ressuscitava": *Nos tempos de Prestes*, de Paulo Cavalcanti.
* Para Marighella por *Memórias do cárcere* sem mudanças: Paulo Mercadante.
* Para Astrojildo Pereira e *Memórias do cárcere*: *Graciliano*, de Ricardo Ramos.
* Para "ninguém vai saber quem foi Graciliano": *Graciliano*, de Ricardo Ramos.
* Para Marighella e *Linha do parque*: *Dalcídio Jurandir*, organização de Benedito Nunes et al.
* Para "Luiz Carlos Prestes" e "A Prestes": *Uma prova em versos*, de Carlos Marighella.
* Para Aydano do Couto Ferraz e o "gênio de Prestes": *Camaradas e companheiros*, de Dulce Pandolfi.
* Para "mais agudo intérprete do marxismo criador": *O imaginário vigiado*, de Dênis de Moraes.
* Para a bronca em Armando Mazzo: *Memórias de um militante político e sindical no ABC*, de Armando Mazzo.
* Para "nossas necessidades teóricas": *O Partido Comunista que eu conheci*, de João Falcão.
* Para Moacir Werneck de Castro e o "gênio de Prestes": *Imprensa Popular*, 31 de março de 1953.
* Para Cândido Portinari pintando Prestes: <http://www.portinari.org.br/>.
* Para Prestes e piadas: *Uma vida em seis tempos*, de Leôncio Basbaum.
* Para Maria Ribeiro e Prestes: *Meu companheiro*, de Maria Prestes.
* Para "ele tem uma mulher!": *Apenas um subversivo*, de Dias Gomes.
* Para a morte de Tobias Warchavski: *Camaradas*, de William Waack.
* Para o espião: Cecil de Macedo Borer.
* Para o assassinato em Belo Horizonte: *Memórias de um stalinista*, de Hércules Corrêa.
* Para Joaquim Câmara Ferreira e Hermínio Sacchetta: *O comunismo no Brasil*, de John W. F. Dulles.

* Para 20 milhões de mortos na União Soviética: *Stálin*, de Simon Sebag Montefiore.
* Para "taras congênitas": *Vale a pena sonhar*, de Apolônio de Carvalho.
* Para Diógenes Arruda versus Pedro Pomar: *O retrato*, de Osvaldo Peralva.
* Para as tiradas de Maurício Grabois: Victória Grabois.
* Para Marighella e suruba: Antonio Ferreira Paim.
* Para Diógenes Arruda e canivete: *O retrato*, de Osvaldo Peralva.
* Para palitos de fósforo: *Pedro Pomar*, de Wladimir Pomar.
* Para os incidentes gerados pela aversão a cebola: *Meu companheiro*, de Maria Prestes.
* Para capataz de fazenda: *Octavio Brandão*, depoimento ao CPDOC/FGV.
* Para senhor de escravos: *Memórias*, de Gregório Bezerra.
* Para Diógenes Arruda e Clara Charf: Clara Charf.
* Para "mandar é melhor do que foder": *Memórias de um intelectual comunista*, de Leandro Konder.
* Para Nádia Stálina e Vladímir Maiakóvski: *Stálin*, de Simon Sebag Montefiore.
* Para o suicídio de Mário Scott: *O Partidão*, de Moisés Vinhas.
* Para "você é um semianalfabeto!": Jacob Gorender.
* Para Fernando de Lacerda: *Memórias de um stalinista*, de Hércules Corrêa.
* Para Darcy Ribeiro e Paulo Emílio Sales Gomes: *Confissões*, de Darcy Ribeiro.
* Para ex-militares no comando do PCB: *Problemas*, nº 64, dezembro de 1954.
* Para "todos os meios são bons e justos": *O mundo da paz*, de Jorge Amado.
* Para "nunca entrou dinheiro público": *Memórias de um stalinista*, de Hércules Corrêa.
* Para o grampo policial: *Pedro Pomar*, de Wladimir Pomar.
* Para 50 mil cruzeiros ao PCB: Armênio Guedes.
* A atualização de cruzeiros para reais se baseou no valor original de janeiro de 1949 e no índice IGP-DI. O instrumento foi a Calculadora do Cidadão, do Banco Central do Brasil.
* Para "vantagens financeiras": *O Partido Comunista que eu conheci*, de João Falcão.
* Para "a quem mais pagar": *Uma vida em seis tempos*, de Leôncio Basbaum.
* Para o maior químico da terra: *Caminhos percorridos*, de Heitor Ferreira Lima.
* Para "quem chama outro homem de pai": Ivan Seixas.

17. MEU MUNDO CAIU [pp. 227-37]

* Para a reunião de Marighella com o PCB gaúcho em 10 de dezembro de 1954, inclusive a frase "o golpe está à vista", e as doações financeiras ao partido: Departamento Federal de Segurança Pública, 15 de dezembro de 1954, relatório de Adauto Esmeraldo. O ex-delegado de Ordem Política e Social citado pelo documento é o deputado Helio Carlomagno. O chefe de polícia mencionado é Aldo Sirangelo. Prontuário 7593. Aperj.
* Para Marighella réu: 9ª Vara Criminal-DF, 3 de fevereiro de 1954, processo 11 530. Prontuário 7593. Aperj.
* Para Jover Telles recrutado pelo Exército: *Direito à memória e à verdade*; *Dossiê ditadura*.
* Para a correção dos valores que João Goulart teria doado ao PCB: período de dezembro de 1951 a março de 2012. Índice IGP-DI. O salário mínimo de referência é o de dezembro de 1951.
* Para o Memorial dos Coronéis: *1954*, de Hélio Silva.
* Para o resultado da eleição de 1950: *1954*, de Hélio Silva.

* Para "candidato, não deve ser eleito": *Montenegro*, de Fernando Morais.
* Para "governo de traição nacional": *Imprensa Popular*, 5 de agosto de 1954.
* Para "mãe dos ricos": *O Momento*, s/d, 1946.
* Para comunistas escorraçados: *Memórias de um stalinista*, de Hércules Corrêa.
* Para impeachment e Roberto Morena: *Roberto Morena, o militante*, de Lincoln de Abreu Penna.
* Para "deve ter matado muito russo": *Folha de S.Paulo*, 1º de dezembro de 2000.
* Para encomenda de Gregório Fortunato: *Dicionário histórico-biográfico brasileiro pós-1930*.
* Para "VARGAS RESPONSÁVEL [...]" e "caráter sangrento": *Imprensa Popular*, 10 de agosto de 1954.
* Para trinta generais pela renúncia: *1954*, de Hélio Silva.
* Para "PRESTES DESMASCARA [...]": *Imprensa Popular*, 21 e 24 de agosto de 1954.
* Para Marighella em São Paulo: Clara Charf.
* Para a nota de licenciamento: *Vargas, agosto de 54*, organização de Ana Baum.
* Para "uma revolução branca": *Vargas, agosto de 54*, organização de Ana Baum.
* Para a Carta Testamento: *1954*, de Hélio Silva.
* Para o recolhimento da *Imprensa Popular*: Dinarco Reis Filho.
* Para o empastelamento da *Tribuna Gaúcha*: *Um depoimento político*, de Eloy Martins.
* Para o militante que ia para Pompeia: Severino Teodoro de Mello.
* Para "Comunistas dirigindo [...]": *O Globo*, 25 de agosto de 1954.
* Para "ombro a ombro": *Imprensa Popular*, 26 de setembro de 1954.
* Para a notícia com que Marighella se deparou: *O Estado de S. Paulo*, 7 de julho de 1956.
* Para "é mentira": Clara Charf.
* Para a tradução do informe oficial de Nikita Khruschóv: *Reforma e revolução*, de José Antonio Segatto.
* Para artigo de Joaquim Câmara Ferreira: *Notícias de Hoje*, 16 de fevereiro de 1956.
* Para artigo de Marighella: *Folha do Povo*, 28 de março de 1956.
* Para "monstruosos excessos": *O Globo*, 28 de março de 1956.
* Para "alto, robusto": *Caminhos percorridos*, de Heitor Ferreira Lima.
* Para 1,68 metro: *Stálin*, de Simon Sebag Montefiore.
* Para 1,65 metro: *Stálin*, de Dmitri Antonovich Volkogonov.
* Para 1,58 metro: *Era dos extremos*, de Eric Hobsbawm.
* Para Diógenes Arruda, em 1956, monoglota: Jacob Gorender.
* Para Diógenes Arruda saber do relatório na China: *O retrato*, de Osvaldo Peralva.
* Para o regresso de Diógenes Arruda em julho de 1956: *O retrato*, de Osvaldo Peralva; *PCB: memória fotográfica*, de José Antonio Segatto et al.
* Para Astrojildo Pereira: Clara Charf.
* A expressão "se desidratou de tanto chorar" é inspirada na música "Assim, assim", de Vitor Ramil.
* Para Marighella chorando na reunião do Comitê Central: Alberto Castiel, Armênio Guedes, Clara Charf, Marco Antônio Tavares Coelho e Severino Teodoro de Mello; depoimento de Jorge Amado a Jorge Nóvoa. Em *Carlos Marighella*, organização de Cristiane Nova e Jorge Nóvoa.
* Para "ar triste e lamentoso": *Uma vida em seis tempos*, de Leôncio Basbaum.
* Para "solitário e lúgubre": *O retrato*, de Osvaldo Peralva.
* Para "depressão nervosa" e "criança de peito": *O retrato*, de Osvaldo Peralva.
* Para "perdera a graça e o riso": *Bahia de Todos os Santos*, de Jorge Amado.
* Para Marighella e insônia: Clara Charf.

* Para a crise de choro no Rio de Janeiro e as visitas ao psiquiatra: Paulo Mercadante.
* Para "Não se pode adiar uma discussão [...]": *A primeira renovação pecebista*, de Raimundo Santos.
* Para "graves erros" e "democratizar a vida": *PCB*, de Edgard Carone.
* Para "são inadmissíveis": *Imprensa Popular*, 20 de novembro de 1956.
* Para a expressão "carta-rolha": *Vida de um revolucionário*, de Agildo Barata.
* Para "busca honesta dos caminhos": *Folha do Povo*, 10 de janeiro de 1957.
* Para "quem me ajudou": *O último secretário*, organização de Francisco Inácio de Almeida.
* Para Paulo Cavalcanti: *A luta clandestina*, de Paulo Cavalcanti.
* Para "um sedutor": Apolônio de Carvalho.
* Para Marighella e Fernando Henrique Cardoso: Fernando Henrique Cardoso.
* Para "general que desconhece o terreno": *Manchete*, 25 de maio de 1957.
* Para Jorge Amado, "sangue e lama": *Reforma e revolução*, de José Antonio Segatto.
* Para 9 mil militantes: *O Partidão*, de Moisés Vinhas.
* Para a Declaração de Março de 1958: *PCB: vinte anos de política*.
* Para "devassa completa na vida particular": *O retrato*, de Osvaldo Peralva.

18. ENFIM, O VERÃO [pp. 238-54]

* Para 10,8% de crescimento: IBGE e Ipea. Em *Folha de S.Paulo*, 10 de julho de 2008.
* Para "A alegria do povo" e "A garota que não é de Ipanema": *Os lírios já não crescem em nossos campos*, de Carlos Marighella.
* Para "o maior inimigo da América Latina": *Feliz 1958*, de Joaquim Ferreira dos Santos.
* Para Marighella e a turnê musical: Jorge Goulart.
* Para "Assombra o mundo [...]": *O Globo*, 7 de janeiro de 1958.
* Para "estamos às vésperas": *O PCB: atividades no Brasil*.
* Para os 22 diários no Rio de Janeiro: IBGE. Em *Folha de S.Paulo*, 10 de julho de 2008.
* Para "apresentou-se espontaneamente": *Folha da Noite*, 22 de novembro de 1957.
* Para "inteiramente livre": *Folha da Manhã* (Recife), 22 de novembro de 1957.
* Para "espancadores profissionais": *Diário Carioca*, 21 de novembro de 1957.
* Para "atuamos na ilegalidade": *Imprensa Popular*, 21 de novembro de 1957.
* Para "pele tostada do sol": *Tribuna da Imprensa*, 21 de novembro de 1957.
* Para "eu não sou um telepata": *O Globo*, 21 de novembro de 1957.
* Para a previsão dos espiões cariocas: Dops-sp, s/d. Origem: informes reservados, 21 de novembro de 1957. Processo 41/68. STM.
* Para novo inquérito sobre o "extinto PCB": *Diário Carioca*, 28 de agosto de 1958.
* Para a bravata de Danilo Nunes: *Folha da Manhã* (São Paulo), 24 de outubro de 1958.
* Para carteira de identidade nova: 23 de dezembro de 1958. Prontuário 7593. Aperj.
* Para Café Filho líder grevista: *O Partido Comunista que eu conheci*, de João Falcão.
* Para "ditadura americana": *A primeira renovação pecebista*, de Raimundo Santos.
* Para Newton Estillac Leal: *Teoria e Debate*, julho de 1990.
* Para João Goulart na cabeça da coligação: *Herança de um sonho*, de Marco Antônio Tavares Coelho.

* Para "legalidade de fato": conferência de organização do PCB, 1962. Em *Inquérito Policial--Militar nº 709*.
* Para o resultado da eleição de 1955: *A democracia nas urnas*, de Antônio Lavareda.
* Para a Carta Brandi: *Jango*, de Marco Antonio Villa.
* Para o Movimento Nacional Popular Trabalhista: *Como se faz um presidente*, de Edward Anthony Riedinger.
* Para o discurso de Jurandir de Bizarria Mamede e a crise: *O Globo*, 11 de novembro de 1955.
* Para "A bancarrota da UDN": *Imprensa Popular*, 20 de novembro de 1955.
* Para a votação do Cacareco: *O Cruzeiro*, 24 de outubro de 1959.
* Para o frevo do Cacareco: Carlos Augusto Marighella.
* Para as palmadas de Augusto Marighella: Tereza Marighella.
* Para "Tem bububu no bobobó": Tereza Marighella.
* Para Marighella e radionovelas: Carlos Augusto Marighella.
* Para vistos para Zurique e Praga: Dops-GB, s/d. Consta embarque em abril de 1960. Prontuário 7593. Aperj.
* Para 56 metros quadrados: Condomínio Corrêa Dutra, 10 de setembro de 2010.
* Para Jackson do Pandeiro: Carlos Augusto Marighella.
* Para "muito menos comunista": *Diário Carioca*, 13 de junho de 1958.
* Para "não veria com bons olhos": *Cantores do rádio*, de Alcir Lenharo.
* Para Jorge Goulart membro do PCB: Jorge Goulart.
* Para Jorge Goulart em programas da Rádio Nacional; sua eleição como melhor artista, junto com Nora Ney; e "Mexericos da Candinha": *Feliz 1958*, de Joaquim Ferreira dos Santos.
* Para a chave do apartamento: Jorge Goulart.
* Para acarajés, cigana e Vinicius de Moraes: Jorge Goulart.
* Para Paulo Moura nem desconfiar: Paulo Moura.
* Para Dolores Duran na União Soviética e KGB: Jorge Goulart.
* Para o Teatro Paulista do Estudante como missão do PCB: Vera Gertel.
* Para o enterro de Cândido Portinari: Geraldo Rodrigues dos Santos; *Novos Rumos*, s/d, 1962.
* Para publicar os exames em rimas: *Uma prova em versos*, de Carlos Marighella.
* Para versos em reuniões do PCB: Fernando Pereira Cristino.
* Para "quem está dirigindo o PCB": Dops-SP, s/d. Origem: informes confidenciais de 16 de abril de 1958. Processo 41/68. STM.
* Para Marighella no comando do PCB do Rio de Janeiro: *Questões históricas e atuais do PCB*, de Salomão Malina.
* Para Marighella na Secretaria de Finanças: Marco Antônio Tavares Coelho, Severino Teodoro de Mello e Zilda Xavier Pereira; *O retrato*, de Osvaldo Peralva.
* Para Marighella na Secretaria de Trabalho de Massas: Clara Charf; Dops-SP, s/d. Origem: relatório de 30 de outubro de 1961. Processo 41/68. STM.
* Para Marighella no movimento de mulheres: Clara Charf e Zilda Xavier Pereira.
* Para Marighella e Chagas Freitas: Raimundo Alves; *Raimundão, um gráfico vermelho*, de Paulo Schueler.
* Para 60 mil exemplares: Luiz Mário Gazzaneo.
* Para o artigo sobre Álvaro Cunhal: *Novos Rumos*, 3 de abril de 1959.
* Para agência de viagens: Luiz Carlos Caldeira Brant

* Para Air France: Aldo Lins e Silva e Clara Charf.
* Para passagem paga do próprio bolso: cadernetas de Prestes, 8 de maio de 1962, anotação sobre reunião da Comissão Executiva do PCB. Processo 271/64. STM.
* Para "valor, galhardia e heroísmo": *Folha de S.Paulo*, 13 de abril de 1961.
* Para "ver as estrelas de perto": *Novos Rumos*, 14 de abril de 1961.
* Para o crescimento das economias de União Soviética e Estados Unidos: *Voz Operária*, dezembro de 1965.
* Para a "última piada russa": *Manchete*, 16 de setembro de 1961.
* Para "epopeia do amor e da ternura": *Novos Rumos*, 19 de maio de 1959.
* Para Yuri Gagárin e "glúteos semidesnudos": *Meninos, eu vi... e agora posso contar*, de Drault Ernanny.
* Para a nova Carta Brandi: Fundo *Última Hora*, 2 de outubro de 1958. Apesp.
* Para militares e a exposição soviética: *A direita explosiva no Brasil*, de José Amaral Argolo et al.
* Para "pisa na cabeça do comunista!": Clycio D'Azevedo. Em *1964 — 31 de março*, tomo 6, coordenação de Aricildes de Moraes Motta.
* Para cubanos no Brasil e sindicato dos barbeiros: *O Globo*, 1º de abril de 1959.
* Para Fidel Castro, charuto e vatapá: *O Globo*, 7 de maio de 1959.
* Para Marighella, o filho e brigas de galo: Carlos Augusto Marighella.
* Para Jânio Quadros bebendo cachaça e Marighella: *Giocondo Dias*, de Ivan Alves Filho.
* Para Jânio Quadros se lambuzando e bebendo "como gente grande": Geraldo Rodrigues dos Santos.
* Para "programa entreguista de governo": *Novos Rumos*, 7 de março de 1959.
* Para "Comunistas apoiam Lott": *Novos Rumos*, 18 de março de 1960.
* Para "caráter reacionário e pró-imperialismo": *PCB*, de Edgard Carone.
* Para Prestes no palácio do Catete: *O Globo*, 18 de junho de 1959.
* Para expansão a 9,3% anuais: *Estatísticas do século XX*, IBGE.
* Para a renda dos 10% mais ricos e dos 10% mais pobres: *Estatísticas do século XX*, IBGE.
* Para "reforçar agora o movimento nacionalista": *PCB*, de Edgard Carone.
* Para "com os atuais dirigentes da União Soviética": *Novos Rumos*, 8 de abril de 1960.
* Para Clodomir Santos de Morais: Clodomir Santos de Morais.
* Para "Lott não é o candidato": *Novos Rumos*, 15 de abril de 1960.
* Para Marighella e a reunião em agosto de 1960: Dops-SP, s/d. Origem: informe reservado de 19 de agosto de 1960. Processo 41/68. STM.
* Para Marighella no comício de Sérgio Magalhães: *Carlos Lacerda*, de John W. F. Dulles.
* Para a coluna de Didi: Armênio Guedes e Luiz Mário Gazzaneo.
* Para "isso vai dar merda": Luiz Mário Gazzaneo.
* Para o resultado da eleição presidencial de 1960: *A democracia nas urnas*, de Antônio Lavareda.
* Para Helga Hoffmann: Helga Hoffmann.
* Para "forças terríveis": *Brizola*, de Dione Kuhn.
* Para a invasão do apartamento no Catete: Clara Charf.

19. O TAQUÍGRAFO DA HISTÓRIA [pp. 255-66]

* Para a invasão do apartamento no Catete: Clara Charf.

* Para Marighella em Salvador: Clara Charf.
* Para 104 emissoras de rádio na Cadeia da Legalidade: *Brizola*, de Dione Kuhn.
* Para "não daremos o primeiro tiro": Leonel Brizola. Programa *Senado Documento*, TV Senado, 4 de abril de 2004.
* Para "empregue a Aeronáutica": *1964*, de Hélio Silva.
* Para "absoluta inconveniência": *Raízes do golpe*, de Almino Affonso.
* Para "comunista só vai no pau": *A luta clandestina*, de Paulo Cavalcanti.
* Para Leonel Brizola cuspindo em telegrama: *Novos Rumos*, 15 de julho de 1959.
* Para reivindicar a reassunção de Jânio Quadros: Raphael Martinelli.
* Para "Prestes lança manifesto": *Novos Rumos*, 26 de agosto de 1961.
* Para Marighella no Recife: *A luta clandestina*, de Paulo Cavalcanti.
* Para Operação Mosquito: *1964*, de Hélio Silva.
* Para "que as armas não falem": *1961*, de Paulo Markun e Duda Hamilton.
* Para "cambalacho": *Novos Rumos*, 29 de setembro de 1961.
* Para os gritos de "covarde!": *Como se coloca a direita no poder*, de Paulo Schilling.
* Para "Jango firma logo um acordo": *Como se coloca a direita no poder*, de Paulo Schilling.
* Para "por outro efetivamente capaz": *Novos Rumos*, 17 de novembro de 1961.
* Para seiscentos camponeses armados: *Trombas*, de Sebastião de Barros Abreu.
* Para dezessete detidos em Santos: Oswaldo Lourenço.
* Para "nossas discordâncias": Carlos Marighella, 10 de dezembro de 1966, "Carta à Executiva".
* Para as cadernetas de Prestes: processo 271/64. STM. Leitura de cópia do manuscrito original.
* Para "uma solução radical": Declaração de Março de 1958. Em *PCB: vinte anos de política*.
* Para sete redatores: *A luta de classes no Brasil e o PCB*, de Dinarco Reis.
* Para "bando de pulgas": *Uma vida em seis tempos*, de Leôncio Basbaum.
* Para "baiano safado": *Companheiros de viagem*, de Deocélia Vianna.
* Para Marighella raspando a cabeça: Clara Charf.
* Para "ser revolucionário não é ser 'radical'": *Novos Rumos*, 15 de julho de 1960.
* Para a recriminação da Executiva: cadernetas de Prestes. Processo 271/64. STM.
* Para "período de forte crise": Dops-SP, s/d. Origem: relatório de 26 de julho de 1963. Processo 41/68. STM.
* Para Marighella pouco frequente na sede informal do PCB: Clara Charf.
* Para as Ligas Camponesas em catorze estados: Clodomir Santos de Morais.
* Para o episódio com Augusto Boal: *Hamlet e o filho do padeiro*, de Augusto Boal.
* Para "calcanhar de aquiles": *Novos Rumos*, 29 de novembro de 1963.
* Para "Eles são os donos da terra": *Novos Rumos*, 26 de abril de 1963.
* Para "teses errôneas e nocivas": Giocondo Dias. Em *Novos Rumos*, 29 de junho de 1962.
* Para 140 delegados: Clodomir Santos de Morais.
* Para 215 delegados: *As Ligas Camponesas*, de Elide Rugai Bastos.
* Para a população rural e urbana: *Estatísticas do século XX*, IBGE.
* Para 3,4% das propriedades em 62,3% das áreas: *O camponês e a história*, de Lyndolpho Silva.
* Para a mensagem contida de Prestes e "reforma agrária radical": *Novos Rumos*, 24 de novembro de 1961.
* Para o inventário encomendado por Brizola: *Como se coloca a direita no poder*, de Paulo Schilling.
* Para Marighella na casa de Francisco Julião: Francisco Julião. Em *Novos Rumos*, 10 de agosto de 1962.

* Para Alexina Crespo e a Beretta: filme *Memórias clandestinas*, de Maria Thereza Azevedo.
* Para Marighella, Dinarco Reis, David Capistrano e Mário Alves debatendo Francisco Julião e o campo: cadernetas de Prestes. Processo 271/64. STM.
* Para Dinarco Reis chefe do trabalho no campo: *O camponês e a história*, de Lyndolpho Silva.
* Para a artilharia contra Francisco Julião: *Novos Rumos*, 29 de junho e 10 de agosto de 1962.
* Para lavagem de roupa suja nas cartas: *O Estado de S. Paulo*, 29 de janeiro de 1963.
* Para o hino de Cuba: *Francisco Julião, as Ligas e o golpe militar de 64*, de Vandeck Santiago.
* Para o núcleo da serra da Saudade: Clodomir Santos de Morais.
* Para a estação de rádio no Araguaia: Clodomir Santos de Morais.
* Para Fidel Castro incitando a subir montanhas: *1961*, de Paulo Markun e Duda Hamilton.
* Para Clodomir Morais em Cuba: Clodomir Santos de Morais.
* Para Alexina Crespo na Ásia: Alexina Crespo.
* Para "deu milhões": cadernetas de Prestes. Processo 271/64. STM.
* Para 20 mil dólares recebidos pelas Ligas Camponesas: Clodomir Santos de Morais.
* A correção de 20 mil dólares foi feita com base no Consumer Price Index. O instrumento foi o site Measuring Worth.
* Para Marighella e o congresso pró-Cuba: cadernetas de Prestes. Processo 271/64. STM.
* Para "aldeia nazista": *Novos Rumos*, 29 de março de 1963.
* Para José Sarney: *Novos Rumos*, 29 de março de 1963.
* Para "foi um espetáculo": carta de Carlos Marighella a Humberto Marighella, 1º de abril de 1963. Arquivo de Clara Charf.
* Para Marighella e funcionários cubanos: entrevista a Dênis de Moraes. Em *Prestes com a palavra*, organização de Dênis de Moraes.
* Para Celia de la Serna no apartamento de Nora Ney: Jorge Goulart.
* Para Celia de la Serna na casa de Antonieta Campos da Paz: Mariza Campos da Paz.
* Para *"Nikita, mariquita"*: *Fidel Castro*, de Claudia Furiati.
* Para Clara Charf em Cuba: Clara Charf.
* Para "primeira brasileira": *Novos Rumos*, 9 de novembro de 1962.
* Para "nossa única baixa": Luiz Carlos Helou.

20. CUTUCANDO JANGO [pp. 267-81]

* Para "aventureiro pequeno-burguês": *De Martí a Fidel*, de Luiz Alberto Moniz Bandeira.
* Para "agente da CIA": *Memórias de um stalinista*, de Hércules Corrêa.
* Para o relatório de Jover Telles: *Folha de S.Paulo*, 8 de abril de 2001.
* Para o relatório de Prestes sobre sua viagem à União Soviética, incluindo os diálogos com Nikita Khruschóv e Mikhail Súslov: processo 271/64. STM.
* Para Lúcio Marreiro: Miriam Marreiro Malina.
* Para inteligência do Exército: "Projeto Orvil", redigido por oficiais do Exército com base no arquivo do CIE.
* Para "centros da luta revolucionária": *Inquérito Policial-Militar nº 709*.
* Para "transformar o Brasil na China da década de 1960": telegrama da embaixada dos Estados Unidos no Rio de Janeiro para Washington, 26 de março de 1964. Em *A segunda chance do Brasil*, de Lincoln Gordon.

* Para o telegrama da embaixada do Brasil em Havana: Arquivo Privado de Golbery do Couto e Silva/Heitor Ferreira. Consulta ao jornalista Elio Gaspari.
* Para "perturbasse suas próprias estratégias": CIA, 14 de junho de 1963, "Situation and prospects in Cuba". CIA/FOIA.
* Para "A vitória da Revolução Cubana": *Novos Rumos*, 3 de janeiro de 1964.
* Para Marighella discursando na ABI: *Novos Rumos*, 17 de janeiro de 1964.
* Para "não tomar as resoluções": cadernetas de Prestes. Processo 271/64. STM.
* Para "isto pode contrariar": cadernetas de Prestes. Processo 271/64. STM.
* Para "quando a água chega aos fundilhos": cadernetas de Prestes. Processo 271/64. STM.
* Para "delegação comercial chinesa": cadernetas de Prestes. Processo 271/64. STM.
* Para o dinheiro entregue por um funcionário soviético: Severino Teodoro de Mello.
* Para a correção de 100 mil e 150 mil dólares: Consumer Price Index. Ano de referência: 1961.
* Para o financiamento de um suplemento de *Novos Rumos*: Luiz Mário Gazzaneo.
* Para 10 mil dólares: Armênio Guedes. Correção: Consumer Price Index.
* Para João Goulart e a caixinha de empresários: *Minha razão de viver*, de Samuel Wainer.
* Para "um banqueiro a serviço do Brasil": <http://www.gazetadopovo.com.br/blog/rolmopsecatchup/index.phtml?mes=201202>.
* Para empréstimo do Banco Nacional à UNE: José Luiz de Magalhães Lins; Herbert de Souza. Em *CPC*, de Jalusa Barcellos, e *Sem vergonha da utopia*, de Ricardo Gontijo.
* Para a inclusão dos valores emprestados na rubrica "lucros e prejuízos" do banco: José Luiz de Magalhães Lins; Herbert de Souza. Em *Sem vergonha da utopia*, de Ricardo Gontijo.
* Para o dinheiro entregue a Roberto Morena: José Luiz de Magalhães Lins.
* Para "reformular isto aí": cadernetas de Prestes. Processo 271/64. STM.
* Para João Pedro Teixeira membro do PCB e o nome Lênin de um filho: *Francisco Julião, as Ligas e o golpe militar de 64*, de Vandeck Santiago.
* Para "reacionário e entreguista": resolução do PCB, outubro de 1961. Em *Inquérito Policial-Militar nº 709*.
* Para "conciliador com o imperialismo e o latifúndio": *Novos Rumos*, 10 de agosto de 1962.
* Para "conciliador com o imperialismo e as forças reacionárias": conferência de organização do PCB, 1962. Em *O Partidão*, de Moisés Vinhas.
* Para os índices de inflação: *Estatísticas do século XX*, IBGE.
* Para "Brizola atua em combinação": cadernetas de Prestes. Processo 271/64. STM.
* Para "preparar a classe operária": cadernetas de Prestes. Processo 271/64. STM.
* Para "situação dos sargentos": cadernetas de Prestes. Processo 271/64. STM.
* Para "contra qualquer golpe?": cadernetas de Prestes. Processo 271/64. STM.
* Para "palavra de ordem que devemos retirar": processo 271/64. STM.
* Para Marighella encaminhando a Darcy Ribeiro: Antônio Duarte.
* Para "comunista confesso": CIA, 7 de dezembro de 1961, "Short-term prospects for Brazil under Goulart". CIA/FOIA.
* Para Prestes "chocado" com Darcy Ribeiro: *Prestes*, de Dênis de Moraes e Francisco Viana.
* Para Marighella e Mário Alves chamando Prestes de janguista: *Prestes*, de Dênis de Moraes e Francisco Viana.
* Para o Decreto da Supra e o telefonema de Prestes a João Pinheiro Neto: *Jango*, de João Pinheiro Neto.

* Para Prestes chamando sindicalistas do PCB de janguistas: entrevista a Dênis de Moraes. Em *Prestes com a palavra*, organização de Dênis de Moraes.
* Para a brincadeira com Roberto Morena: *Como se coloca a direita no poder*, de Paulo Schilling.
* Para "vocês querem que eu faça a revolução": *Camaradas e companheiros*, de Dulce Pandolfi.
* Para "não serei o Kerenski": Luiz Tenório de Lima.
* Para Carlos Lacerda atacando João Goulart como Kerenski brasileiro: *Trinta anos esta noite*, de Paulo Francis.
* Para "um serviçal do Jango": Hércules Corrêa. Em *A caixa-preta do golpe de 64*, de Paulo de Mello Bastos.
* Para "sou um reformador do capitalismo": *Memórias de um stalinista*, de Hércules Corrêa.
* Para "prefiro largar esta merda": *Movimento sindical e luta de classes*, de Luiz Tenório de Lima.
* Para Prestes e Marco Antônio Coelho interlocutores do PCB com Jango: *Prestes*, de Dênis de Moraes e Francisco Viana.
* Para 9 mil membros do PCB, em 1957: *O Partidão*, de Moisés Vinhas.
* Para 15 mil membros, em 1960: Severino Teodoro de Mello.
* Para 30 mil membros, em outubro de 1962: *O Partidão*, de Moisés Vinhas.
* Para 55 mil membros, em março de 1964: Severino Teodoro de Mello.
* Para 48 greves rurais: *As Ligas Camponesas*, de Elide Rugai Bastos.
* Para 58 714 firmas: *Novos Rumos*, 15 de dezembro de 1961.
* Para os grevistas em 1960 e 1963: *História do proletariado brasileiro*, de Boris Koval.
* Para "fraqueza nas empresas" e "nossos documentos são longos": cadernetas de Prestes. Processo 271/64. STM.
* Para "a política de conciliação": *Novos Rumos*, 12 de julho de 1963.
* Para "manifestação heroica": *Novos Rumos*, 21 de setembro de 1963.
* Para "causa dos sargentos é causa do povo": *Novos Rumos*, 27 de setembro de 1963.
* Para o editorial "BASTA": *Jornal do Brasil*, 13 de setembro de 1963.
* Para "De-fi-ni-ção!": *Novos Rumos*, 30 de agosto de 1963.
* Para o programa *Pinga-Fogo*: *Novos Rumos*, 24 de janeiro de 1964.
* Para Prestes ir ao *Pinga-Fogo* sem discutir com o PCB: *Tribuna de Debate*, 15 de março de 1967, "Linha política e construção do Partido em São Paulo", Sabino Gonçalves (Jacob Gorender).
* Para Marighella, Mário Alves e a Frente Ampla: *Prestes*, de Dênis de Moraes e Francisco Viana.
* Para Marighella na redação de *O Panfleto*: *Como se coloca a direita no poder*, de Paulo Schilling.
* Para Olímpio Mourão Filho e um roteiro de golpe: *1964*, de Hélio Silva.
* Para três arsenais de opositores: *Novos Rumos*, 18 de outubro de 1963.
* Para os 8 milhões de dólares para candidatos no Brasil: *Legado das cinzas*, de Tim Weine.
* Para o resultado da eleição à Câmara em 1962: *Dicionário histórico-biográfico brasileiro pós-1930*.
* Para Philip Agee: *Dentro da "Companhia"*, de Philip Agee.
* Para a correção de 20 milhões de dólares: Consumer Price Index.
* Para Rubem Fonseca no Ipes no Rio de Janeiro e a lista sobre "infiltração comunista": *1964*, de René Dreifuss.
* Para "Khruschóv se entusiasmou" e "se a reação levantar a cabeça": *Meu companheiro*, de Maria Prestes.
* Para "Teses para o VI Congresso do PCB": citação em "VI Congresso do Partido Comunista Brasileiro — Informe de balanço do Comitê Central — Dezembro de 1967". Em *PCB: vinte anos de política*.

* Para Hércules Corrêa autor da ideia do Comício da Central: *Herança de um sonho*, de Marco Antônio Tavares Coelho; *Clodesmidt Riani*, organização de Hilda Rezende Paula e Nilo de Araújo Campos.
* Para a advertência sobre a sexta-feira 13: *Clodesmidt Riani*, organização de Hilda Rezende Paula e Nilo de Araújo Campos.

21. SOLDADOS VERMELHOS [pp. 282-93]

* Para o encontro de Marighella com Gdal Charf: Clara Charf.
* Para "sempre vêm os duros tempos": depoimento de Maria Iara Portela para o filme *Marighella*, de Isa Grinspum Ferraz, 25 de março de 2010.
* Para a matrícula no Colégio Batista: Carlos Augusto Marighella; Colégio Batista Shepard, 8 de novembro de 2004, histórico escolar de Carlos Augusto Marighella.
* Para o refúgio no Méier: Clara Charf.
* Para o plano de bombardeio do palácio Guanabara e as reuniões de Marighella com Francisco Teixeira, Marco Antônio da Silva Lima e Antônio Geraldo da Costa: Antônio Geraldo da Costa.
* Para o fim do horário de verão: Araújo Neto. Em *Os idos de março e a queda em abril*, de Alberto Dines et al.
* Para Marighella e "oficiais da reserva": cadernetas de Prestes. Processo 271/64. STM.
* Para Almir Neves coordenador do setor militar: Marco Antônio Tavares Coelho.
* Para a reunião de Prestes com Nikita Khruschóv: *Meu companheiro*, de Maria Prestes.
* Para "tradição democrática das Forças Armadas": *Novos Rumos*, 24 de janeiro de 1964.
* Para a criação do Antimil em 1929: *Revolucionários de 35*, de Marly Vianna.
* Para Hélio Anísio e Sergio Cavallari: *A ditadura envergonhada*, de Elio Gaspari.
* Para trinta membros do PCB oficiais das Forças Armadas e Nelson Werneck Sodré, Joaquim Ignácio Cardoso e Kardec Lemme como integrantes do partido: Kardec Lemme.
* Para o núcleo do PCB entre oficiais da Marinha: Josina Maria de Godoy.
* Para Maurício Seidl membro do PCB: *Crônicas de nossa época*, de Luiz Hildebrando.
* Para o trabalho especial: *O último secretário*, organização de Francisco Inácio de Almeida; cadernetas de Prestes. Processo 271/64. STM.
* Para os revólveres com Manoel Baptista Sampaio Netto: Angela Sampaio.
* Para "dispositivo militar com que agora conta": *Inquérito Policial-Militar nº 709*.
* Para "esquema é invencível!" e "estão desarvorados": *Salvo-conduto*, de Paulo de Mello Bastos.
* Para "comigo é na ponta da faca!": *O pilão da madrugada*, de Neiva Moreira.
* Para "pele avermelhada": *Jango*, de João Pinheiro Neto.
* Para "bebia demasiadamente": Octávio Pereira da Costa. Em *1964 — 31 de março*, tomo 2, coordenação de Aricildes de Moraes Motta.
* Para "ruidosa embriaguez": *A segunda chance do Brasil*, de Lincoln Gordon.
* Para a indicação de Eduardo Chuahy, por Nelson Werneck Sodré e Kardec Lemme, para ajudante de ordens de Assis Brasil: Kardec Lemme.
* Para o diálogo em frente à Biblioteca Nacional: Kardec Lemme.
* Para "transferência de oficiais de confiança": Carlos Alberto Brilhante Ustra. Em *1964 — 31 de março*, tomo 5, coordenação de Aricildes de Moraes Motta.

* Para a tentativa de incendiar o palanque: *1964*, de Hélio Silva.
* Para a explosão de bomba perto do palanque: *Jornal do Brasil*, 14 de março de 1964.
* Para o ferimento leve de Renée de Carvalho: Renée de Carvalho.
* Para o conselho de Euryclides de Jesus Zerbini: *Jango*, de João Pinheiro Neto.
* Para a crise cardíaca de João Goulart em 1961: *A caixa-preta do golpe de 64*, de Paulo de Mello Bastos; Denise Goulart. Em *Jango*, de João Pinheiro Neto.
* Para a crise cardíaca de João Goulart em 1962: *A segunda chance do Brasil*, de Lincoln Gordon; *Jango*, de Marco Antonio Villa.
* Para "se Deus é realmente brasileiro": telegrama de Lincoln Gordon do Rio de Janeiro para Washington, 21 de agosto de 1963. Em *A segunda chance do Brasil*, de Lincoln Gordon.
* Para "não forçasse os acontecimentos": *Meu companheiro*, de Maria Prestes.
* Para "palavras de ordem extremistas": *Minha razão de viver*, de Samuel Wainer.
* Para a convocatória do comício: "Concentração popular, dia 13 de março, em frente à Central do Brasil", 19 de fevereiro de 1964. Setor: BR, nº 32. Aperj.
* Para os redatores do discurso de Lyndolpho Silva e os cutucões: *O camponês e a história*, de Lyndolpho Silva.
* Para "a bela e a fera": *Salvo-conduto*, de Paulo de Mello Bastos.
* Para Darcy Ribeiro soprando para João Goulart: *O Globo* e *Jornal do Brasil*, 14 de março de 1961.
* Para "sem discriminações ideológicas": *Jornal do Brasil*, 14 de março de 1964.
* Para um discurso de Prestes: Alacyr Frederico Werner. Em *1964 — 31 de março*, tomo 1, coordenação de Aricildes de Moraes Motta.
* Para Fernando Henrique Cardoso e Plínio de Arruda Sampaio: Programa *Senado Documento*, TV Senado, 4 de abril de 2004.
* Para Marighella e a "gravidade extrema": José Luiz Del Roio.
* Para circular reservada de Humberto de Alencar Castello Branco: *A Revolução de 31 de Março*, de Humberto de Alencar Castello Branco.
* Para Quasímodo: entrevista de Paulo V. Castello Branco a John W. F. Dulles, com a participação de Marcos Sá Corrêa, 7 de dezembro de 1975. Cedida pelo historiador John W. F. Dulles.
* Para "perigo real e presente": telegrama de Lincoln Gordon endereçado a Dean Rusk, secretário de Estado, John McCone, diretor da CIA, Robert McNamara, secretário de Defesa, e outras autoridades, 27 de março de 1964. The National Security Archive.
* Para o crescimento da economia: *Estatísticas do século XX*, IBGE.
* Para a pesquisa Ibope: Ibope — Boletim de Pesquisas Especiais (1943-1973) — Pesquisa de opinião pública — 9 a 26 de março de 1964. Arquivo Edgard Leuenroth — Unicamp; *A democracia nas urnas*, de Antônio Lavareda.
* Para "Armai-vos uns aos outros!": Roberto Saturnino Braga. <http://www.fpabramo.org.br/artigos-e-boletins/artigos/quarenta-anos-de-distancia>.
* Para os 58344 membros do Grupo dos Onze: "Projeto Orvil", redigido por oficiais do Exército com base no arquivo do CIE.
* Para "não tenho o domínio do Partido Comunista": Neiva Moreira. Em *A esquerda e o golpe de 64*, de Dênis de Moraes.
* Para o discurso de Prestes na ABI: *Novos Rumos*, 20 de março de 1964.
* Para carta de Humberto de Alencar a Miguel Arraes: *Inquérito Policial-Militar nº 709*.

* Para a afirmação de Miguel Arraes a Janio de Freitas: Janio de Freitas.
* Para "o elemento golpista": *Tribuna de Debate*, 15 de novembro de 1966, "Por que votei contra as Teses e contra as Resoluções Políticas do CC — I", *Sabino Gonçalves* (Jacob Gorender).
* Para "venha de onde vier": *Como se coloca a direita no poder*, de Paulo Schilling.
* Para "ficaram no ora-veja" e "a coisa está ruim": Cícero Silveira Vianna.
* Para Marighella na redação de *O Panfleto*: *Como se coloca a direita no poder*, de Paulo Schilling.
* Para marinheiros e *O encouraçado Potemkin: A linha justa*, de Miguel Armony.

22. O GHOST-WRITER [pp. 294-9]

* Para sete diretores encarcerados: Antônio Geraldo da Costa; *Jornal do Brasil*, 25 de março de 1964.
* Para Marighella redator do discurso pronunciado pelo Cabo Anselmo: Antônio Geraldo da Costa, que contou ter ouvido o relato de Marco Antônio da Silva Lima; *A luta dos marinheiros*, de Antônio Duarte; *Vozes do mar*, de Flávio Luís Rodrigues; José Anselmo dos Santos. Em *Por que eu traí*, de Octávio Ribeiro, e *Eu, Cabo Anselmo*, de Percival de Souza.
* Para Marighella "superenvolvente": *Eu, Cabo Anselmo*, de Percival de Souza.
* Para o discurso pronunciado pelo Cabo Anselmo: *100 discursos históricos brasileiros*, organização de Carlos Figueiredo.
* Para Marighella em companhia de Cândido Aragão numa festa: Antônio Duarte.
* Para "magnetismo incrível": *Trajetória rebelde*, de Pedro Viegas.
* Para "líder inconteste": *A luta dos marinheiros*, de Antônio Duarte.
* Para leitor de Castro Alves: *Eu, Cabo Anselmo*, de Percival de Souza.
* Para ter se julgado militante do PCB: *Eu, Cabo Anselmo*, de Percival de Souza.
* Para três diretores do PCB: José Duarte.
* Para seiscentos e 3647 presentes na festa dos marujos: *Jornal do Brasil*, 27 de março de 1964.
* Para 3 mil presentes: *Última Hora* (Rio de Janeiro), 27 de março de 1964; *Jornal do Brasil*, 26 de março de 1964.
* Para "a revolução está nas ruas": *Jornal do Brasil*, 25 de março de 1964.
* Para Tatá: *A luta dos marinheiros*, de Antônio Duarte; *Vozes do mar*, de Flávio Luís Rodrigues.
* Para Cláudio Ribeiro: *Vozes do mar*, de Flávio Luís Rodrigues.
* Para "violento discurso": *Correio da Manhã*, 26 de março de 1964.
* Para Paulo de Novais Coutinho: Paulo de Novais Coutinho.
* Para o diálogo entre Marighella e Kardec Lemme: Kardec Lemme.
* Para o manifesto do Clube Naval: *Jornal do Brasil*, 29 de março de 1964.
* Para "dessa vez ou nós vamos": *Giocondo Dias*, de João Falcão.
* Para "A NAÇÃO INTEIRA [...]" e "bravo marujo": *Novos Rumos*, 27 de março de 1964.
* Para "Goulart saiu fortalecido": *Jornal do Brasil*, 28 de março de 1964.
* Para Eduardo Chuahy e Darcy Ribeiro: Eduardo Chuahy.
* Para Paulo Mário getulista: Josina Maria de Godoy.
* Para Paulo Silveira Werneck e Thales Fleury de Godoy membros do PCB: Josina Maria de Godoy.

23. OS AVIÕES FICARAM NO CHÃO [pp. 300-17]

* Para a reunião de Marighella com sargentos: Zilda Xavier Pereira.
* Para "certos movimentos da área militar": *Carlos*, de Edson Teixeira da Silva Jr.
* Para "luta por um novo poder": cadernetas de Prestes. Processo 271/64. STM.
* Para Tancredo Neves: *Sexta-feira 13*, de Abelardo Jurema.
* Para o discurso de João Goulart: *Jornal do Brasil*, 31 de março de 1964.
* Para "pálido, assustado": *Trinta anos esta noite*, de Paulo Francis.
* Para "bolinhas": Janio de Freitas.
* Para o plano de Olímpio Mourão Filho: *1964*, de Hélio Silva.
* Para Lua minguante: *Tinha que ser Minas*, de Carlos Luís Guedes.
* Para "dois velhinhos gagás": *Jango*, de João Pinheiro Neto.
* Para "muito boato": *Sexta-feira 13*, de Abelardo Jurema.
* Para "fomos surpreendidos": *Ernesto Geisel*, organização de Maria Celina D'Araujo e Celso Castro.
* Para "*blitzen* da Alemanha": *Jornal do Brasil*, 2 de abril de 1964.
* Para "será sangrenta": telegrama da estação da CIA no Brasil, 30 de março de 1964, "Plans of revolucionary plotters in Minas Gerais". CIA/FOIA.
* Para "o mais rápido possível": telegrama de Lincoln Gordon endereçado a Dean Rusk, secretário de Estado, John McCone, diretor da CIA, Robert McNamara, secretário de Defesa, e outras autoridades, 27 de março de 1964. The National Security Archive.
* Para a mensagem de Dean Rusk: 31 de março de 1964. The National Security Archive.
* Para a reunião com Lincoln Gordon em Washington: telegrama de Lincoln Gordon endereçado a Dean Rusk, secretário de Estado, John McCone, diretor da CIA, Robert McNamara, secretário de Defesa, e outras autoridades, 27 de março de 1964. The National Security Archive.
* Para Operação Brother Sam: *1964 visto e comentado pela Casa Branca*, de Marcos Sá Corrêa.
* Para "passar fogo nos comunistas": Reynaldo de Biasi Silva Rocha. Em *1964 — 31 de março*, tomo 3, coordenação de Aricildes de Moraes Motta.
* Para a reunião do PCB na Cinelândia: Severino Teodoro de Mello; *Vale a pena sonhar*, de Apolônio de Carvalho; *Combate nas trevas*, de Jacob Gorender.
* Para Francisco Teixeira membro do PCB: Armênio Guedes, Jacob Gorender, Kardec Lemme, Luís Mário Gazzaneo, Severino Teodoro de Mello e Zilda Xavier Pereira; Roberto Freire. Em *Jornal do Brasil*, 21 de março de 2004; *Crônicas de nossa época*, de Luiz Hildebrando; *Um olhar à esquerda*, de Paulo Ribeiro da Cunha.
* Para "termo à política de conciliação": citação em "VI Congresso do Partido Comunista Brasileiro — Informe de balanço do Comitê Central — Dezembro de 1967". Em *PCB: vinte anos de política*.
* Para "Esmagar o golpe reacionário": *Jango*, de Marco Antonio Villa.
* Para alguns aspectos do episódio na federação dos estivadores: Raphael Martinelli; *Salvo-conduto*, de Paulo de Mello Bastos; *A classe operária e seu partido*, de Hércules Corrêa; *Correio da Manhã*, 1º de abril de 1964.
* Para o telefonema de João Goulart a Clodesmidt Riani: *Clodesmidt Riani*, organização de Hilda Rezende Paula e Nilo de Araújo Campos.
* Para a reunião de Marighella com sargentos: Jacques D'Ornellas.

* Para "eles tomam a banda de lá": Jacques D'Ornellas.
* Para a reunião na residência de Renato Guimarães Cupertino: Armênio Guedes e Renato Guimarães Cupertino.
* Para "bombardeia essa merda!": Renato Guimarães Cupertino.
* Para Mário Alves e Orlando Bonfim Junior autores do manifesto: Renato Guimarães Cupertino.
* Para "2h19": *Véspera do primeiro de abril ou nacionalistas x entreguistas*, de Hemílcio Fróes.
* Para a sugestão, por Assis Brasil, de Amaury Kruel comandar o II Exército: *Ele Ela*, maio de 1980. <http://assisbrasil.org/argemiro/eleela.html>.
* Para "salvar a pátria em perigo": *1964*, de Hélio Silva.
* Para Marighella às cinco da manhã: Zilda Xavier Pereira.
* Para Marighella com Cândido Aragão: Zilda Xavier Pereira.
* Para Francisco Teixeira com Abelardo Jurema: depoimento de Francisco Teixeira ao CPDOC/FGV.
* Para "não adianta pressionar": José Duarte.
* Para "não tenho mais condições de fornecê-las": *Salvo-conduto*, de Paulo de Mello Bastos.
* Para a pistola Colt: *Salvo-conduto*, de Paulo de Mello Bastos.
* Para a espera por munição na Faculdade Nacional de Direito: *Os advogados e a ditadura de 1964*, organização de Fernando Sá et al.
* Para operários da construção civil: Almyr Gajardoni. Programa *Observatório da Imprensa*, TVE (Rio de Janeiro), 30 de março de 2004.
* Para o sindicato dos marítimos: Dinarco Reis Filho.
* Para Gregório Bezerra e camponeses: *Memórias*, de Gregório Bezerra.
* Para 120 membros do PCB na Faculdade Nacional de Filosofia: *A linha justa*, de Miguel Armony.
* Para 98 membros do PCB na Refinaria Duque de Caxias e 62 na fábrica de borracha: Dinarco Reis Filho.
* Para Marighella na 3ª Zona Aérea com Francisco Teixeira: José Duarte e Zilda Xavier Pereira.
* Para Rui Moreira Lima, voo, diálogos e missões de guerra: Rui Moreira Lima. Em *1964 — 31 de março*, tomo 12, coordenação de Aricildes de Moraes Motta.
* Para Francisco Teixeira e Rui Moreira Lima com Anísio Botelho: *Folha de S.Paulo*, 4 de abril de 2004.
* Para "não queriam reagir": depoimento de Francisco Teixeira ao CPDOC/FGV.
* Para "meus tenentes estão todos": entrevista a Dênis de Moraes. Em *Prestes com a palavra*, organização de Dênis de Moraes.
* Para "pus uma esquadrilha": Rui Moreira Lima. Em *A caixa-preta do golpe de 64*, de Paulo de Mello Bastos.
* Para a conversa de João Goulart com Francisco Teixeira: *Jango*, de João Pinheiro Neto.
* Para "o Jango não quer mais nada": Jacques D'Ornellas.
* Para o telefonema de Paulo Mário a João Goulart: Josina Maria de Godoy.
* Para "ostensivo conluio": *A ditadura envergonhada*, de Elio Gaspari.
* Para os telefonemas de Castello Branco a Carlos Luís Guedes: *Tinha que ser Minas*, de Carlos Luís Guedes.
* Para o veto ao ataque ao QG do Exército: *Prestes*, de Dênis de Moraes e Francisco Viana.
* Para o apartamento de Letelba Rodrigues de Brito e as ações de Prestes: Severino Teodoro de Mello.

* Para alguns aspectos da tomada do quartel da Artilharia de Costa: César Montagna de Souza. Em *1964 — 31 de março*, tomo 3, coordenação de Aricildes de Moraes Motta.
* Para Francisco Julião e "500 mil camponeses": filme *Memórias clandestinas*, de Maria Thereza Azevedo; *Francisco Julião*, texto de Vandeck Santiago.
* Para "o presidente compreendeu": *Última Hora* (Rio de Janeiro), 1º de abril de 1964.
* Para os boletins do Clube Militar: *Jornal do Brasil*, 2 de abril de 1964.
* Para "um, dois, três, Lacerda no xadrez!": *Jornal do Brasil*, 2 de abril de 1964.
* Para Nelson Alves com Marighella na Cinelândia: entrevista de Nelson Alves a Jorge Nóvoa e Cristiane Nova. Em *Carlos Marighella*, organização de Cristiane Nova e Jorge Nóvoa.
* Para Marighella e a estátua: Zilda Xavier Pereira.
* Para Marighella e a retirada: Zilda Xavier Pereira.
* Para mortes no golpe militar e nos dias seguintes: *Direito à memória e à verdade*; *Dossiê ditadura*.
* Para João Severino amarrado pelos testículos: *Nos tempos de Prestes*, de Paulo Cavalcanti.
* Para Marighella em Copacabana: Zilda Xavier Pereira.
* Para "companheira, não chore, não": Zilda Xavier Pereira.
* Para "é preciso acreditar": *Vale a pena sonhar*, de Apolônio de Carvalho.
* Para Prestes em busca de refúgio no subúrbio: Severino Teodoro de Mello; Prestes contou parte da história em *Prestes*, de Dênis de Moraes e Francisco Viana.
* Para sauna em Copacabana: Zuleika Alambert.
* Para Hércules Corrêa sem teto: *Memórias de um stalinista*, de Hércules Corrêa.
* Para o choro: Luiz Tenório de Lima.
* Para "recuo organizado" na sede da UNE: Vera Gertel.
* Para Manoel Baptista Sampaio Netto: Angela Sampaio.
* Para Assis Brasil não conversar com Francisco Teixeira sobre o que fazer em caso de golpe: depoimento de Francisco Teixeira ao CPDOC/FGV.
* Para "fração forte": Luiz Carlos Prestes. Em *A esquerda e o golpe de 64*, de Dênis de Moraes.
* Para o diálogo entre João Goulart e Ladário Teles: Ernani Corrêa de Azambuja. Em *1964 — 31 de março*, tomo 13, coordenação de Aricildes de Moraes Motta.
* Para a afirmação de que João Goulart se comportou como quem renunciou: Leonel Brizola. Programa *Observatório da Imprensa*, TVE (Rio de Janeiro), 30 de março de 2004.
* Para "estávamos confiados": *A crise brasileira*, de Carlos Marighella.
* Para "como já ocorrera em 1954 e 1961": *Tribuna de Debate*, 15 de fevereiro de 1967, "Repudiar as teses oportunistas do CC, lutar por uma linha revolucionária — VII", Martim Silva (Mário Alves).
* Para "melhor noite de sono": *O Estado de S. Paulo*, 31 de março de 2004.
* Para o panfleto em nome de um comando fictício: Arthur Cantalice.
* Para o cancelamento da Operação Brother Sam: *1964 visto e comentado pela Casa Branca*, de Marcos Sá Corrêa.
* Para "mais de mil comunistas" detidos: *Correio da Manhã*, 2 de abril de 1964.
* Para 3500 detidos: *1964*, de Geraldo Cantarino.
* Para 10 mil detidos: *Polícia e política*, de Martha K. Huggins.
* Para o plano de atacar o QG do Exército em 8 de abril de 1964: *Vale a pena sonhar*, de Apolônio de Carvalho.
* Para a tentativa de revolta na Vila Militar em 8 de abril de 1964: *A luta dos marinheiros*, de Antônio Duarte.

* Para "os golpistas ainda estão no ar": *Vale a pena sonhar*, de Apolônio de Carvalho.
* Para a perspectiva de luta armada: Dinarco Reis Filho.

24. A CPI DA LINGUIÇA [pp. 321-31]

* Para "vamos montar um terreiro": Geraldo Rodrigues dos Santos.
* Para "isso aqui não vai dar certo": Geraldo Rodrigues dos Santos.
* Para "pedra rolou, pai Xangô": Angela Sampaio.
* Para a casa na avenida Camões: Angela Sampaio e Geraldo Rodrigues dos Santos.
* Para Manoel Baptista Sampaio Netto: Angela Sampaio.
* Para Marighella e ginástica: Angela Sampaio.
* Para "prefiro vender gravatas": Geraldo Rodrigues dos Santos.
* Para a rima escatológica: Angela Sampaio.
* Para "não tenho mais paciência": Angela Sampaio.
* Para *O Fugitivo* e Éder Jofre: Angela Sampaio e Geraldo Rodrigues dos Santos.
* Para a *CPI da Linguiça*: Angela Sampaio e Geraldo Rodrigues dos Santos.
* O Departamento de Ordem Política e Social de São Paulo é tratado em parte da historiografia como Deops. Mantive a sigla consagrada pela tradição, Dops, adotada também em numerosos documentos do órgão.
* Para chegada de Marighella à sede do Dops-SP, frio e cobertor: *Folha de S.Paulo*, 4 de julho de 1964.
* Para "propagandazinha do partido": *Folha de S.Paulo*, 4 de julho de 1964.
* Para "polícia é polícia": *Por que resisti à prisão*, de Carlos Marighella.
* Para "o Marighella faz propaganda": *Por que resisti à prisão*, de Carlos Marighella.
* Para Noé Gertel no Dops-SP: depoimento de Noé Gertel a Edson Teixeira.
* Para "sob vigilância": *O Globo*, 19 de maio de 1964.
* Para "abusos nas prisões": *O Globo*, 22 de julho de 1964.
* Para santo Agostinho e "o comunismo nega Deus": *Por que defendo os comunistas*, de Sobral Pinto.
* Para "é provável que Marighella ignorasse": *Correio da Manhã*, 13 de abril de 1964.
* Para o último abraço de pai e filho: Carlos Augusto Marighella.
* Para honorários: carta de Carlos Marighella a Sobral Pinto, 17 de fevereiro de 1965. Arquivo de Clara Charf.
* Para "não posso ter na minha escola": Carlos Augusto Marighella.
* Para o pedido de habeas corpus: cópia cedida por Roberto Sobral Pinto Ribeiro.
* Para o cordel: epígrafe apócrifa do prefácio de Jorge Amado. Em *Por que resisti à prisão*, de Carlos Marighella, edição de 1994.
* Para dezesseis quilos perdidos: *Correio da Manhã*, 1º de agosto de 1964.
* Para dezenove quilos: *A Notícia*, 1º de agosto de 1964.
* Para a militante que levou dinheiro a Marighella: Zilda Xavier Pereira.
* Para Marighella na *Última Hora*: Moacir Werneck de Castro.
* Para a Casa de Saúde Santa Maria e Ênio Silveira: Aldo Lins e Silva.

* Para Marighella no apartamento de Oduvaldo Vianna: Clara Charf e Vera Gertel; *Companheiros de viagem*, de Deocélia Vianna.
* Para a residência de Álvaro Lins: Clara Charf.
* Para "o barbeiro pegou metade de um coco": Isa Grinspum Ferraz.
* Para José Barros Magaldi: Clara Charf.
* Para a ordem de prisão preventiva: 13 de outubro de 1964. Processo 271/64. STM.
* Para as cadernetas de Prestes: processo 271/64. STM.
* Para Prestes, um ferroviário e "não comprometiam ninguém": *Prestes*, de Dênis de Moraes e Francisco Viana.
* Para suspensão dos direitos políticos: *Diário Oficial*, 23 de maio de 1966. Em "Relação das pessoas cujos direitos políticos foram suspensos", Ministério da Justiça. Apesp.
* Para a condenação em 6 de junho de 1966: processo 271/64. STM; Dops-SP, s/d. 50-Z-9. Apesp.
* Para a ordem de "prisão incomunicável": coronel Ferdinando de Carvalho, 3 de novembro de 1965. Prontuário 7593. Aperj.
* Para a Comissão de Solidariedade: Modesto da Silveira.
* Para o ato institucional de 9 de abril de 1964: <http://www.planalto.gov.br/ccivil_03/AIT/ait-01-64.htm>.
* Para a cassação de 150 membros da Câmara: <http://www2.camara.gov.br/agencia/noticias/86950.html>.
* Para "estado de putrefação": *Correio da Manhã*, 24 de julho de 1964.
* Para a morte de Manoel Raimundo Soares: *Direito à memória e à verdade*; *Dossiê ditadura*.
* Para a proibição de vodca: *Nossa História*, outubro de 2004.
* Para Sófocles: *Isolda Cresta*, de Luis Sergio Lima e Silva.
* Para o panfleto de Marighella sobre República Dominicana: Clara Charf.
* Para salário mínimo e quilo de manteiga: *Voz Operária*, fevereiro de 1966.
* Para 433 entidades sindicais: *O sindicalismo brasileiro após 1930*, de Marcelo Badaró Mattos.
* Para a prisão de Rachel Gertel: Vera Gertel.
* Para Marighella no apartamento de Rachel e Noé Gertel: Vera Gertel.
* Para o concurso de *O Globo*: Noé Gertel. Em *Rondó da liberdade*, de Carlos Marighella.
* Para a gráfica de Armando Teixeira: Clara Charf e Tereza Marighella.
* Para "A rainha do mar", "A uma índia", "Seios", "A saudade" e "O país de uma nota só": *Os lírios já não crescem em nossos campos*, de Carlos Marighella.
* Para "poderia ter tido todas as mulheres": depoimento de Jorge Amado a Jorge Nóvoa. Em *Carlos Marighella*, organização de Cristiane Nova e Jorge Nóvoa.
* Para "muitas damas": reportagem produzida para o *Jornal do Brasil*, 7 de dezembro de 1979. Original em oito laudas. Centro de Pesquisa e Documentação do *Jornal do Brasil*.
* Para "ele deve ter tido muitas namoradas, não quero nem saber. Ele atraía": Clara Charf.

25. ADEUS, PRESTES [pp. 332-42]

* Para "Rondó da liberdade": *Os lírios já não crescem em nossos campos*, de Carlos Marighella.
* Para companheiros de Executiva se enfureceram: Carlos Marighella, 10 de dezembro de 1966, "Carta à Executiva"; Clara Charf; *Prestes*, de Dênis de Moraes e Francisco Viana.

* Para Zuleika Alambert com Vladímir N. Kazimirov em março de 1966: Ministério das Relações Exteriores da União Soviética, 1º de abril de 1966, entrada 13 673. Fundo 495, armazenamento 197, dossiê 170. RGASPI.

* Para textos de Marighella, com exceção de livros: exemplares originais ou cópias de brochuras, documentos e panfletos lançados quase todos quando ele vivia. No limite, na coletânea de escritos de Marighella mimeografada pela ALN em janeiro de 1972. Quando não houver referência contrária: Arquivo de Mário Magalhães.

* Para "a tese é stalinista": Carlos Marighella, 10 de dezembro de 1966, "Carta à Executiva".

* Para a sugestão de José Barros Magaldi: Clara Charf.

* Para "já era uma façanha": *Combate nas trevas*, de Jacob Gorender.

* Para "Esquema para discussão": *Inquérito Policial-Militar nº 709*; *Vale a pena sonhar*, de Apolônio de Carvalho.

* Para a reunião do Comitê Central em maio de 1965: *O PCB*, de Edgard Carone.

* Para sete apoiadores da guerrilha no Comitê Central: *Combate nas trevas*, de Jacob Gorender.

* Para "'Moderados' como Prestes e Giocondo": documento de Leslie Fry enviado a Londres, 23 de junho de 1965. Em *Dossiê Brasil*, de Geneton Moraes Neto.

* Para 5 mil dólares: *Herança de um sonho*, de Marco Antônio Tavares Coelho.

* Para "nosso aparecimento ao lado": *A crise brasileira*, de Carlos Marighella.

* Para trabalho com camponeses: Ministério das Relações Exteriores da União Soviética, 5 de novembro de 1965, informação 42 631, conversa de Vladímir N. Kazimirov com Moacir Longo em 7 de outubro de 1965. Fundo 495, armazenamento 197, dossiê 170.

* Para proibição do carteado: Cícero Silveira Vianna.

* Para Marighella na Rádio Marconi: Paulo Cannabrava Filho.

* Para "a luta parlamentar": Alberto Goldman. Em *Relatos de guerra*, de Fernando Perrone.

* Para "Luta interna e dialética": *Tribuna de Debate*, 15 de outubro de 1966, C. Menezes (Carlos Marighella).

* Para "Ecletismo e marxismo": *Tribuna de Debate*, 1º de dezembro de 1966, C. Menezes (Carlos Marighella).

* Para Conceição Menezes: Jacob Gorender.

* Para a inclinação política dos artigos na *Tribuna de Debate*: levantamento do autor.

* Para Janio de Freitas: Janio de Freitas.

* Para "crença religiosa no mito": *Tribuna de Debate*, 1º de fevereiro de 1967, "As teses do revisionismo — II", J. Diniz (Janio de Freitas).

* Para laranjas e tangerinas: Oswaldo Lourenço e Raphael Martinelli.

* Para 33 votos a quatro: *Prestes*, de Dênis de Moraes e Francisco Viana; *Combate nas trevas*, de Jacob Gorender.

* Para Marighella com pistola: Oswaldo Lourenço.

* Para "profeta do que já passou" e desenhos de anciãos: Cícero Silveira Vianna.

* Para sete delegados: Cícero Silveira Vianna.

* Para "comunista brasileiro é igual a represa": *Memórias de um stalinista*, de Hércules Corrêa.

* Para PCB desidratou ao menos pela metade: *O fantasma da revolução brasileira*, de Marcelo Ridenti.

* Para perda de hegemonia: Jacob Gorender. Em *O fantasma da revolução brasileira*, de Marcelo Ridenti.

* Para o choro na despedida: Geraldo Rodrigues dos Santos.
* Para "desde 1964 estou esperando": *Relatos de guerra*, de Fernando Perrone.
* Para Pedro Lobo de Oliveira: *Pedro e os lobos*, de João Roberto Laque.
* Para Marighella com Kardec Lemme e Joaquim Ignácio Cardoso: Kardec Lemme.
* Para Marighella com Dinarco Reis: Dinarco Reis Filho.
* Para Dario Canale: Paulo Cannabrava Filho.
* Para o embarque da delegação do PC do B: *Combate nas trevas*, de Jacob Gorender.
* Para demonstração da "guerra revolucionária": *Jornal do Brasil*, 26 de julho de 1966.
* Para "provocação grosseira": *Voz Operária*, setembro de 1966.
* Para a revelação de Jair Ferreira de Sá: *Sem vergonha da utopia*, de Ricardo Gontijo.
* Para alguns aspectos da Guerrilha de Caparaó: *Caparaó*, de José Caldas da Costa.
* Para Brizola "eixo político": *Memórias do esquecimento*, de Flávio Tavares.
* Para emissários de Marighella ao Uruguai: SNI/ARJ, 23 de março de 1965, informe 285. Prontuário 7593. Aperj.
* Para "disse que não estivera": *Guerra é guerra, dizia o torturador*, de Índio Vargas.
* Para "conversei com Brizola": *Relatos de guerra*, de Fernando Perrone.
* Para "sumiu do mapa e desertou": *Caparaó*, de José Caldas da Costa.
* Para 1 milhão de dólares e 4 mil toneladas de açúcar: *O tenente vermelho*, de José Wilson da Silva.
* Para 20 mil dólares devolvidos: Herbert de Souza. Em *Dossiê Brasil*, de Geneton Moraes Neto.
* Para menos de 500 mil dólares no foco da Bolívia: *Che Guevara*, de Jorge G. Castañeda.
* Para Harry Villegas Tamayo: *Rolando, Pombo, Braulio: Diarios de Bolivia*.
* Para "informado na última hora": *A guerrilha do Che*, de Régis Debray.
* Para o roteiro de *Pombo* e *Rolando*: *Rolando, Pombo, Braulio: Diarios de Bolivia*.
* Para o roteiro de *Benigno*: *Memorias de un soldado cubano*, de Benigno.
* Para Philip Agee: *Dentro da "Companhia"*, de Philip Agee.
* Para "estaria para entrar no Brasil" e fotos de Che Guevara: 4ª Zona Aérea, Quartel-General, 21 de julho de 1966, informe 386/QG-4. 50-D-26. Apesp.
* Para os passaportes de Che Guevara apreendidos na Bolívia: "Memorandum from the President's Special Assistant (Rostow) to President Johnson", 6 de setembro de 1967. Em *Foreign Relations of the United States, 1964-1968: Volume XXXI: South and Central America; Mexico*. Edição de David C. Geyer e David H. Herschler; *Covering Castro*, de Jay Mallin Sr.
* Para "depois de nos estabelecermos": *Memorias de un soldado cubano*, de Benigno.
* Para os sete brasileiros na Conferência Tricontinental: *Voz Operária*, março de 1966.
* Para "dois, três, muitos Vietnãs": *Mensaje a los pueblos del mundo a través de la Tricontinental*, de Ernesto Che Guevara.
* Para o horário de transmissões da Rádio Havana: *Voz Operária*, setembro de 1966.
* Para a União Soviética sem embaixador em Havana: Department of State — CIA — Defense Intelligence Agency, Joint Assessment, 1º de setembro de 1971, "Cuban Subversion in Latin America". CIA/FOIA.
* Para a agência de turismo Riviera: Zilda Xavier Pereira; processo 207/69. STM.
* Para ilha de Paquetá e embarque no Galeão: Zilda Xavier Pereira.

26. CONEXÃO HAVAVA: UM FILHO DO OXÓSSI NA ILHA DA SANTERIA [pp. 343-59]

* Para as frequências da Rádio Havana: *Voz Operária*, setembro de 1966.

* Para os textos de Marighella divulgados em Havana: gravações da Rádio Havana e boletins distribuídos no Brasil. Sempre que houve gravação disponível, maioria dos casos, o autor se baseou no áudio com a voz de Carlos Marighella. Arquivo de Mário Magalhães.

* Para lojas de santeria: Carlos Marighella, s/d, Rádio Havana, "Mensagem sobre a situação do povo cubano".

* Para Antônia Couto Nunes Sento Sé: Antônia Couto Nunes Sento Sé.

* Para "A alma do samba": *Os lírios já não crescem em nossos campos*, de Carlos Marighella.

* Para Marighella no candomblé: Antônia Couto Nunes Sento Sé e Regina Márcia Palieraqui.

* Para Mãe Caetana no terreiro da Casa Branca: Air José Souza de Jesus, o Pai Air.

* Para Oxóssi, Jorge Amado e Carybé: *Bahia de Todos os Santos*, de Jorge Amado.

* Para "processo de intercâmbio": carta de Carlos Marighella (não assinou) a Fidel Castro (tratado como "prezado companheiro"), 26 de dezembro de 1966. Arquivo de Clara Charf.

* Para Farid Helou desconversou: Departamento Federal de Segurança Pública, 24 de fevereiro de 1969, termo de declarações de Farid Helou. 30-Z-160. Apesp.

* Para Hans Rudolf Jacob Manz e alguns aspectos da viagem rumo a Havana: Dops-SP, 15 de janeiro de 1970, auto de qualificação e interrogatório de Hans Rudolf Jacob Manz. Processo 207/69. STM.

* Para "centro de aperfeiçoamento": Carlos Marighella, dezembro de 1968, "Questões de organização".

* Para "en Cuba la pinga es buena?": Aton Fon Filho, que não foi o autor da gafe.

* Para Marighella em Santiago de Cuba e Havana: Carlos Marighella, s/d, Rádio Havana, "Mensagem sobre a situação do povo cubano".

* Para sessenta agentes: CIA, 16 de fevereiro de 1968, "Cuban subversive activities in Latin America: 1959-1968". CIA/FOIA.

* Para Manuel Piñeiro Losada com Neiva Moreira e Herbert de Souza: *O pilão da madrugada*, de Neiva Moreira; Herbert de Souza. Em *Dossiê Brasil*, de Geneton Moraes Neto.

* Para Manuel Piñeiro Losada e Luiz Inácio Lula da Silva: *Utopia desarmada*, de Jorge G. Castañeda.

* Para "onde o Brasil for": *A ditadura escancarada*, de Elio Gaspari.

* Para "um revolucionário de muita lucidez": *Fidel Castro*, de Claudia Furiati.

* Para "Marighella é atualmente": SNI/AC, 20 de maio de 1969. ACE A0014448. AN.

* Para "revolucionário compulsivo": CIA, 16 de fevereiro de 1968, "Cuban subversive activities in Latin America: 1959-1968". CIA/FOIA.

* Para a composição da delegação brasileira na Olas: Ação Popular, s/d, "Informe sobre a Primeira Conferência da Olas"; *O coronel tem um segredo*, de Delora Jan Wright; SNI/ARJ, 6 de novembro de 1967, ACE C0084334. AN; *A grande mentira*, de Agnaldo Del Nero Augusto; Delegacia Especializada de Ordem Social-SP, 4 de junho de 1971, declarações prestadas por José Anselmo dos Santos. Apesp.

* Para Josina Godoy: Josina Maria de Godoy.

* Para Marighella ghost-writer do Cabo Anselmo: *Eu, Cabo Anselmo*, de Percival de Souza.

* Para os discursos na conferência da Olas: *Olas: Première conférence de l'organisation latino-américaine de solidarité* (La Havane, août 1967).

* Para "largo discurso de Fidel": *El diario del Che en Bolívia*, de Ernesto Che Guevara.
* Para o propósito real da viagem: Zilda Xavier Pereira.
* Para "guerra justa e necessária": *Pensamiento Crítico*, 8 de agosto de 1967. Em "Carlos Marighella", ALN, coletânea mimeo, janeiro de 1972.
* Para a carta ao Comitê Central do PCB: Carlos Marighella, s/d, Rádio Havana.
* Para "imbecilizada": Carlos Marighella, 18 de agosto de 1967, "Carta a Fidel Castro".
* Para um manifesto fraterno: Carlos Marighella, 28 de setembro de 1967, "Carta ao almirante Aragão".
* Para "Marighella prega violência": *O Globo*, 5 de agosto de 1967.
* Para "Marighella diz que guerrilha": *Jornal do Brasil*, 5 de agosto de 1967.
* Para "cada patriota": Carlos Marighella, s/d, "Mensagem ao povo brasileiro através da Rádio Havana".
* Para "'redemocratização'": Carlos Marighella, 28 de setembro de 1967, "Carta ao almirante Aragão".
* Para a visita à família Julião: Alexina Crespo, Anacleto Julião e Anatólio Julião.
* Para "diga com a franqueza": carta de Francisco Julião a Carlos Marighella, 28 de julho de 1967. Arquivo de Zilda Xavier Pereira.
* Para a resposta de Marighella a Francisco Julião: Anatólio Julião.
* Para as acomodações dos guerrilheiros brasileiros: Aton Fon Filho e Otávio Ângelo.
* Para Marighella liberando passeios: Aton Fon Filho.
* Para o treinamento: Aton Fon Filho e Otávio Ângelo; Dops-SP, 15 de janeiro de 1970, auto de qualificação e interrogatório de Hans Rudof Manz. Processo 207/69. STM.
* Para a mala de fundo falso: Dops-SP, 15 de janeiro de 1970, auto de qualificação e interrogatório de Hans Rudof Manz. Processo 207/69. STM.
* Para Marighella e sessões de tiro: Zilda Xavier Pereira.
* Para filho de cangaceiro: Otávio Ângelo.
* Para "muito bem-feita": José Dirceu de Oliveira e Silva.
* Para o infiltrado do CIE: I Exército, 3 de abril de 1972, informação 674/72-II. Origem: CIE. Setor Secreto, pasta 104. Aperj.
* Para o álbum com a relação de 205 brasileiros com curso em Cuba: I Exército, 21 de novembro de 1972, ofício 72/E-2. Origem: CIE. Registro Dops-GB, 23 de janeiro de 1973. Aperj.
* Para "no mínimo 150": Department of State — CIA — Defense Intelligence Agency, Joint Assessment, 1º de setembro de 1971, "Cuban Subversion in Latin America". CIA/FOIA.
* Para Che Guevara e os enxadristas: Diógenes Carvalho de Oliveira.
* Para *Fermín* e levantamentos minuciosos: Delegacia Especializada de Ordem Social-SP, 4 de junho de 1971, declarações prestadas por José Anselmo dos Santos. Apesp.
* Para doze militantes em Paranatinga: Elio Ferreira Rego.
* Para rota de retirada dos cubanos: *Secretos de generales*, de Luis Baéz; *Memorias de un soldado cubano*, de Benigno.
* Para "desejo de vir lutar no Brasil": I Exército, 3 de abril de 1972, informação 674/72-II. Origem: CIE. Setor Secreto, pasta 104. Aperj.
* Para singrar os rios da Amazônia: Carlos Eugênio Sarmento Coelho da Paz.
* Para "dinheiro nós levantamos": Itoby Alves Corrêa Junior e Zilda Xavier Pereira.
* Para "prova sólida": CIA, 22 de janeiro de 1971, "The Latin American guerrilla today". CIA/FOIA.

* Para a ideia sobre hepatite: Cícero Silveira Vianna.
* Para despachos da agência Tass: Fundo 495, armazenamento 197, dossiê 170. RGASPI.
* Para o correspondente do *Izvestia*: Ministério das Relações Exteriores da União Soviética, 15 de junho de 1964, informação 23 911, com base em conversa do jornalista V. Kobin com uma militante do PCB de Copacabana. Fundo 495, armazenamento 197, dossiê 170. RGASPI.
* Para o KGB e o Ministério das Relações Exteriores da União Soviética como destinatários de relatórios: Fundo 495, armazenamento 197, dossiê 170. RGASPI.
* Para a pasta com 121 páginas: Fundo 495, armazenamento 197, dossiê 170. RGASPI.
* Para a reunião do Comitê Central do PCB de março de 1967: KGB, agosto de 1967 (sem dia), s/nº. Fundo 495, armazenamento 197, dossiê 170. RGASPI.
* Para a fundação do PCBR: informação s/nº, com base em documento do KGB de 23 de maio de 1968. Fundo 495, armazenamento 197, dossiê 170. RGASPI.
* Para o encontro de Vladímir Kasimirov com João Mesplé: Ministério das Relações Exteriores da União Soviética, 30 de outubro de 1964, entrada 45 422. Fundo 495, armazenamento 197, dossiê 170. RGASPI.
* Para o encontro de Vladímir Kasimirov com Moacir Longo: Ministério das Relações Exteriores da União Soviética, 5 de novembro de 1965, entrada 42 631. Fundo 495, armazenamento 197, dossiê 170. RGASPI.
* Para o encontro de Vladímir Kasimirov com Orestes Timbaúba: Ministério das Relações Exteriores da União Soviética, 4 de março de 1966, entrada 08 449. Fundo 495, armazenamento 197, dossiê 170. RGASPI.
* Para o encontro de Vladímir Kasimirov com Zuleika Alambert: Ministério das Relações Exteriores da União Soviética, 1º de abril de 1966, entrada 13 673. Fundo 495, armazenamento 197, dossiê 170. RGASPI.
* Para o relato de John Wills Tuthill: telegrama da embaixada dos Estados Unidos no Rio de Janeiro para Washington, 4 de agosto de 1967. Em *Foreign Relations of the United States, 1964-1968: Volume XXXI: South and Central America; Mexico*. Edição de David C. Geyer e David H. Herschler.
* Para "pinto de fora": Zilda Xavier Pereira.
* Para "se o câncer atacar": Luiz Tenório de Lima.
* Para Prestes pedindo cabeça: *Prestes*, de Dênis de Moraes e Francisco Viana.
* Para a suspensão de Marighella: Comissão Executiva do Comitê Central do PCB, 15 de agosto de 1967. Em *Voz Operária*, setembro de 1967.
* Para a expulsão de Marighella pelo Comitê Central: Comitê Central do PCB, setembro de 1967, "Pela unidade do partido". Em *PCB*, de Edgard Carone.
* Para a ratificação da expulsão de Marighella, pelo VI Congresso: *Voz Operária*, janeiro de 1968.
* Para "não cederemos à aventura": *Voz Operária*, novembro de 1967.
* Para "a história me absolverá": *Juventud Rebelde*, 5 de agosto de 1967. Em "Carlos Marighella", ALN, coletânea mimeo, janeiro de 1972.
* Para Dinarco Reis na explosão da granada: Dinarco Reis Filho e Jacob Gorender.
* Para a traíra assada: Dinarco Reis Filho.
* Para Fernando Perrone mensageiro: *Relatos de guerra*, de Fernando Perrone.
* Para Vera Gertel mensageira: Vera Gertel.
* Para Jorge Goulart mensageiro: Jorge Goulart.

* Para o protesto do Itamaraty, a resposta da embaixada da Tchecoslováquia e a Operação Manuel, talvez batizada assim em referência a Manuel Piñeiro Losada: Cold War International History Project, Virtual Archive. Fonte primária: Arquivos do Ministério do Interior, Praga. Documentação obtida por Oldrich Tuma, do Institute of Contemporary History, Praga. Os documentos originais foram traduzidos para o inglês por Ruth Tosek. Projeto do Woodrow Wilson International Center for Scholars. <http://www.wilsoncenter.org>.

* Para as fotografias e o alerta do governo do Paraguai: Comando en Jefe de las Fuerzas Armadas de la Nación, 4 de outubro de 1967, 00193F, 0073 a 0075. Archivo del Terror.

* Para "polícias políticas à captura" e "Uruguai como porta": Dops-SP, s/d. Origem: informes do Ministério do Exército em 21 de setembro e 20 de outubro de 1967. O segundo informe menciona a presença de Marighella em Praga em 26 de setembro de 1967. Processo 41/68. STM.

* Para "rotas do Pacífico": Dops-GB, 24 de outubro de 1967, pedido de busca nº 146. Prontuário 7593. Aperj.

* Para nova carta de Marighella a Fidel Castro: Zilda Xavier Pereira.

* Para o regresso de Marighella pela fronteira com a Guiana: Zilda Xavier Pereira.

27. A QUADRILHA DA METRALHADORA OU *CIRO MONTEIRO* ROUBA O BANCO [pp. 360-72]

* Para Edmur Péricles Camargo como assassino de Zé Dico: Cícero Silveira Vianna e Raphael Martinelli; processo 207/69. STM.

* Para Edmur Péricles Camargo e horóscopo: *Operação Condor*, de Luiz Cláudio Cunha; João Aveline. Em *Segredos à direita e à esquerda na ditadura militar*, de José Mitchell.

* Para "dependa de seus recursos": *Folha de S.Paulo*, 24 de setembro de 1967.

* Para algumas ações atribuídas a Zé Dico: *Folha de S.Paulo*, 19 de junho de 1967; "Homens, mulheres e a natureza", de Maria Celma Borges; *O Guerrilheiro*, nº 1, abril de 1968. 30-Z-160. Apesp.

* Para o pedido dos agricultores para matar Zé Dico, a mudança de ideia e a decisão de Edmur Péricles Camargo de manter o plano: Cícero Silveira Vianna.

* Para "Zé Dico, que mandou matar": *Folha de S.Paulo*, 25 de setembro de 1967.

* Para "é um direito das vítimas": *O Guerrilheiro*, nº 1, abril de 1968. 30-Z-160. Apesp.

* Para "não é organizar cúpulas": Carlos Marighella, s/d, "Mensagem ao povo brasileiro através da Rádio Havana".

* Para "não saí de um Partidão": José Luiz Del Roio e Zilda Xavier Pereira.

* Para a perda de 10 mil militantes: *O Partidão*, de Moisés Vinhas.

* Para 6 mil alinhados com Marighella: *A fuga*, de Reinaldo Guarany.

* Para os três princípios: "Pronunciamento do Agrupamento Comunista de São Paulo", fevereiro de 1968. Em *O Guerrilheiro*, nº 1, abril de 1968. 30-Z-160. Apesp.

* Para "alergia a documentos": Iuri Xavier Pereira, junho de 1971. Mimeo da ALN, setembro de 1972. Arquivo de Zilda Xavier Pereira.

* Para "sob o signo da ação": *Como se coloca a direita no poder*, de Paulo Schilling.

* Para "a ortodoxia é coisa de religião": Joaquim Câmara Ferreira, novembro de 1969, "Marighella: vida e ação criadoras". Cópia cedida por Paulo Cannabrava Filho.

* Para "área reservada à luta complementar": Carlos Marighella, s/d, "Mensagem ao povo brasileiro através da Rádio Havana".

* Para "evitar o confronto", "bases fixas" e "a defensiva é a morte": Carlos Marighella, 10 de outubro de 1967, "Algumas questões sobre as guerrilhas no Brasil".

* Para "guerra de movimento" e "fases fundamentais da luta": Carlos Marighella, 10 de outubro de 1967, "Algumas questões sobre as guerrilhas no Brasil".

* Para anotações no texto de Vo Nguyen Giap: Arquivo de Clara Charf.

* Para 300 mil soldados: *Pensamiento Crítico*, 8 de agosto de 1967. Em "Carlos Marighella", ALN, coletânea mimeo, janeiro de 1972.

* Para "lutar para atrair": Carlos Marighella, s/d, "Mensagem sobre a Olas na Rádio Havana".

* Para "o foco seria lançar": "Pronunciamento do Agrupamento Comunista de São Paulo", fevereiro de 1968. Em *O Guerrilheiro*, nº 1, abril de 1968. 30-Z-160. Apesp.

* Para "o caráter da revolução é": "Declaração geral da Primeira Conferência da Olas". Em *O Guerrilheiro*, nº 1, abril de 1968. 30-Z-160. Apesp.

* Para o apartamento no Anhangabaú: Elisabeth Paula da Silva Lima, Iara Xavier Pereira e Zilda Xavier Pereira.

* Para o roubo da agência do Banco Francês e Italiano em 15 de abril de 1968: Cícero Silveira Vianna e Mocide Bucheroni; requerimento 2002.01.09392. Comissão de Anistia do Ministério da Justiça; processo 207/69. STM; *O Estado de S. Paulo* e *Folha de S.Paulo*, 16 de abril de 1968.

* Para a correção de 35 mil cruzeiros novos: índice IGP-DI.

* Para "ação expropriatória para levantamento de fundos": 4 de novembro de 1979, "ALN: contribuição para um balanço crítico". Os autores, não nomeados, são veteranos da ALN.

* Para "assalto": "Carta circular ao bancário brasileiro" (abril de 1969), "Ao povo brasileiro" (junho de 1969) e *Minimanual do guerrilheiro urbano* (junho de 1969).

* Para "gritei uma onomatopeia" e "simpatia pessoal": Gilberto Gil.

* Para Caetano Veloso, guerrilha, Marighella e Maria de Lourdes Rego Melo: *Verdade tropical*, de Caetano Veloso; *O Globo*, 28 de agosto de 2011.

* Para "consenso nas esquerdas": Tom Zé.

* Para "estima e admiração": Chico Buarque.

* Para Marighella e "A banda": Clara Charf.

* Para as cartas de Glauber Rocha a Alfredo Guevara: *Cartas ao mundo*, de Glauber Rocha, organização de Ivana Bentes; "América Nuestra", de Mariana Martins Villaça.

* Para a residência da viúva de Modesto de Souza: Zilda Xavier Pereira.

* Para Glauber Rocha e Gianni Amico: Aloysio Nunes Ferreira Filho, Itoby Alves Corrêa Junior e Oswaldo Rezende Junior.

* Para a doação de Jean-Luc Godard: Itoby Alves Corrêa Junior.

* Para o censor e *A batalha de Argel*: "Filmes que o Brasil não viu", de Denise Assis. <www.no.com.br>.

* Para o filme na cordilheira: Norma Bengell, em *Glauber o filme, labirinto do Brasil*, de Silvio Tendler.

* Para Norma Bengell simpatizante da ALN: Norma Bengell.

* Para Marighella (tratado como "um importante líder guerrilheiro") abrindo o mapa do Brasil: *Hamlet e o filho do padeiro*, de Augusto Boal.

* Para Joaquim Câmara Ferreira e a residência de Augusto Boal: Oswaldo Rezende Junior.

* Para Américo Lourenço Lacombe: Américo Lourenço Masset Lacombe.

* Para João Leonardo na sessão de *Roda-viva*: Manoelina de Barros.

* Para os mistérios dos bigodes falsos: Vera Gertel.
* Para os bigodes de *O avarento*: *Isolda Cresta*, de Luis Sergio Lima e Silva.
* Para "pequeno milagre": *Reflexões sobre o teatro brasileiro no século XX*, de Yan Michalski.
* Para a proposta de sova em Mário Borges: *Isolda Cresta*, de Luis Sergio Lima e Silva.
* Para "se quiserem fazer a revolução": *Apenas um subversivo*, de Dias Gomes.
* Para Thiago de Mello: *Thiago de Mello*, de Danilo Janúncio Alves.
* Para Antonio Callado e o carro com armas: entrevista de Antonio Callado a Marcelo Ridenti. Em *Perfis cruzados*, organização de Beatriz Kushnir.
* Para a contracapa enaltecendo uma Winchester: *Tricontinental* (Itália), setembro de 1968.
* Para Jean-Paul Sartre: *Les Temps Modernes*, novembro de 1969.
* Para a doação de Joan Miró: Domingos Fernandes.
* Para a casa de Lina Bo Bardi: Diógenes Carvalho de Oliveira, Dulce Maia e Isa Grinspum Ferraz.
* Para Marighella no *Show do Crioulo Doido*: Zilda Xavier Pereira.
* Para "olho por olho": panfleto reproduzido em *O Guerrilheiro*, nº 1, abril de 1968. 30-Z-160. Apesp.
* Para Aton Fon Filho: Aton Fon Filho.
* Para Alfredo Sirkis: *Os carbonários*, de Alfredo Sirkis.
* Para Jean Marc von der Weid: Jean Marc von der Weid.
* Para José Dirceu e José Roberto Arantes de Almeida: José Dirceu de Oliveira e Silva.
* Para "princípio estratégico": Carlos Marighella, janeiro de 1969, "Sobre problemas e princípios estratégicos".
* Para a greve em Contagem: carta de Hélcio Pereira Fortes, assinada como *Nelson*, para "Companheiro", s/d. Arquivo de Clara Charf.
* Para Marighella com José Ibrahim: José Ibrahim. Em *Hércules 56*, de Silvio Da-Rin.
* Para "isto é um assalto!": Elio Ferreira Rego.
* Para o primeiro roubo a banco, pela VPR: *Pedro e os lobos*, de João Roberto Laque; "Projeto Orvil", redigido por oficiais do Exército com base no arquivo do CIE.
* Para o impasse no largo Ana Rosa: ex-militante da ALN, 29 de maio de 2005.
* Para o disparo acidental de metralhadora: ex-militante da ALN, 29 de maio de 2005.
* Para "não atirava muito bem": *Relatos de guerra*, de Fernando Perrone.
* Para "bunda-mole": *Jornal da Tarde*, 2 de junho de 1997.
* Para o assalto à agência do Banco Leme Ferreira em 1º de julho de 1968: Antônio Flávio Médici de Camargo, Elio Ferreira Rego, José Luiz Del Roio, Liliana Freitas da Cunha e Washington Mastrocinque Martins; *Folha de S.Paulo*, 2, 3, 4 e 5 de julho de 1968; *O Estado de S. Paulo*, 2 de julho de 1968.
* Para a correção de 23 mil cruzeiros novos: índice IGP-DI.
* Para a cara de Ciro Monteiro: Antônio Flávio Médici de Camargo.
* Para 901 agências e Polícia Bancária: *Folha de S.Paulo*, 4 de julho de 1968.
* Para "inovação feita": *Minimanual do guerrilheiro urbano*.

28. O FILATELISTA INVOCADO [pp. 373-83]

* Para a grafia de Marcos Antonio Braz de Carvalho: livro 16 de "Registro de nascimentos", folha 124 v., 9 de janeiro de 1939. Certidão do Registro Civil do Primeiro Distrito de Angra dos Reis, 9 de janeiro de 1957. Processo 017/02. Comissão Especial sobre Mortos e Desaparecidos Políticos.

* Para cachorrinho e "baixinho só serve": Oswaldo Rezende Junior. Não era ele o militante enviado por Marquito.
* Para "vela acesa": *Pedro e os lobos*, de João Roberto Laque.
* Para o "nada consta": Dops-GB, 27 de março de 1968, registro 166. Setor Secreto, pasta 18. Aperj.
* Para a entrada de Marquito na "subversão": Dops-SP, 23 de dezembro de 1969, carta do delegado Alcides Cintra Bueno Filho ao delegado Celso Telles. 30-Z-160. Apesp.
* Para averiguação das instalações elétricas: Washington Mastrocinque Martins.
* Para "batata eriçada de pregos": *No espelho do tempo*, de Roberto Costa de Abreu Sodré.
* Para o Dops fotografando Marquito: Dops-SP, 26 de maio de 1969, relatório sobre Marcos Antonio Braz de Carvalho. 30-Z-160. Apesp.
* Para Marquito e filatelia: Elio Ferreira Rego e Vinícius Medeiros Caldevilla.
* Para o assalto na avenida Paulista: Renato Leonardo Martinelli.
* Para o vigia baleado: Itoby Alves Corrêa Junior, que não estava com Marquito.
* Para "a história se encarregará de julgá-lo": Itoby Alves Corrêa Junior.
* Para "invocado": *A ditadura escancarada*, de Elio Gaspari.
* Para Marquito xingando um cão: Caio Venâncio Martins.
* Para "não entendo de política": José Luiz Del Roio.
* Para "põe o dedo no olho": Oswaldo Rezende Junior.
* Para "olha um arco-íris morto": Caio Venâncio Martins.
* Para Marquito no Ceasa: Vinícius Medeiros Caldevilla.
* Para o disparo acidental de pistola: Vinícius Medeiros Caldevilla.
* Para João Leonardo da Silva Rocha: Manoelina de Barros.
* Para "James, o Bom [...]" e os alvos de cartolina: Dops-SP, 28 de janeiro de 1969, auto de exibição e apreensão. Processo 017/02. Comissão Especial sobre Mortos e Desaparecidos Políticos.
* Para a pontaria de Ísis Dias de Oliveira: *Resistência atrás das grades*, de Maurice Politi.
* Para Marighella e Aldo de Sá Brito: Domingos Fernandes.
* Para 28 militantes: oficial do Exército, 24 de janeiro de 2004.
* Para as três frentes: Carlos Marighella, dezembro de 1968, "Questões de organização".
* Para Carlos Knapp e Mercedes-Benz: Carlos Henrique Knapp e Eliane Toscano Zamikhowsky.
* Para o ferido na casa de Carlos Knapp: Eliane Toscano Zamikhowsky.
* Para o ferido na casa de Américo Lourenço Lacombe: Américo Lourenço Masset Lacombe.
* Para Carlos Figueiredo de Sá: Magno José Vilela; processo 207/69. STM.
* Para Agostinho Fioderlísio em Interlagos: Renato Leonardo Martinelli.
* Para Marighella e estudantes da Universidade Mackenzie: Jun Nakabayashi e Renato Leonardo Martinelli; *Jornal da Tarde*, 4 de julho de 1968.
* Para "é bem possível que Marighella esteja": *Jornal da Tarde*, 4 de julho de 1968.
* Para o aparelho no Anhangabaú: Elisabeth Paula da Silva Lima, Iara Xavier Pereira e Zilda Xavier Pereira.
* Para o aparelho em Santa Cecília: Antônio Flávio Médici de Camargo.
* Para a casa de Carlos Knapp e Eliane Toscano Zamikhowsky: Eliane Toscano Zamikhowsky.
* Para os aparelhos no Rio de Janeiro: Elisabeth Paula da Silva Lima, Iara Xavier Pereira e Zilda Xavier Pereira.
* Para "agregado à missão militar": *O Partido Comunista Brasileiro*, de Ronald H. Chilcote.

* Para "especialista em guerrilhas": *Veja*, 16 de outubro de 1968.
* Para Marighella, a fotografia e a descrição de Charles Chandler: José Luiz Del Roio.
* Para "foi iniciativa da ALN": carta de Sergio Ferro. *Folha de S.Paulo*, 19 de março de 2008.
* Para a morte do major alemão: *O Estado de S. Paulo*, 9 de outubro de 2007.
* Para Dilma Rousseff no Colina: *O cofre do dr. Rui*, de Tom Cardoso.
* Para alguns aspectos da morte de Charles Chandler: Pedro Lobo de Oliveira; inquérito policial 19/69. 30-Z-160. Apesp; processo 207/69. STM.
* Para Marquito e os mórmons: Pedro Lobo de Oliveira.
* Para o conselheiro de segurança dos Estados Unidos investigando em São Paulo a morte de Charles Chandler: Theodore D. Brown. Em *United States policies and programs in Brazil: hearings before the Subcommittee on Western Hemisphere Affairs of the Committee on Foreign Relations — United States Senate — Ninety-Second Congress — First Session — May 4, 5 and 11, 1971*.
* Para "espionagem da CIA": Carlos Marighella, junho de 1969, "Ao povo brasileiro".
* Para Dulce Maia perto do local onde Charles Chandler foi morto: Dulce Maia.
* Para a feijoada e os comensais: Dulce Maia.

29. ASSALTO AO TREM PAGADOR [pp. 384-91]

* Para Marighella no levantamento: Francisco Gomes e Raphael Martinelli.
* Para "cada dia uma pequena ação": Carlos Marighella, dezembro de 1968, "Quem samba fica, quem não samba vai embora".
* Para 1800 funcionários: Raphael Martinelli.
* Para Aladino Félix: *Veja*, 18 de dezembro de 1968; *Folha de S.Paulo*, 28 de novembro de 1969.
* Para "imporiam respeito": Renato Leonardo Martinelli.
* Para o assalto ao trem: Aloysio Nunes Ferreira Filho, Caio Venâncio Martins, Elio Ferreira Rego, Francisco Gomes, Itoby Alves Corrêa Junior, José Luiz Del Roio, Manoel Cyrillo de Oliveira Neto, Raphael Martinelli, Renato Leonardo Martinelli e Takao Amano; João Leonardo da Silva Rocha, apresentado como "companheiro Carlos". Em *Los subversivos*, de Antonio Caso; processo 41/68. STM; *A rebelião dos marinheiros*, de Avelino Bioen Capitani; *Folha da Tarde*, 13 a 28 de agosto de 1968; *Folha de S.Paulo*, 11 e 12 de agosto de 1968.
* Para Heleny e Ulisses Guariba: Aloysio Nunes Ferreira Filho.
* Para a correção de 108 mil cruzeiros novos: índice IGP-DI.
* Para "tratamento delicado": *Folha da Tarde*, 13 de agosto de 1968.
* Para "pelo ex-deputado": *Última Hora* (Rio de Janeiro), 12 de agosto de 1968.
* Para a charge de Chico Caruso: *Folha da Tarde*, 14 de agosto de 1968.
* Para "Sataro Banko [...]": *Folha da Tarde*, 16 de agosto de 1968.
* Para "Filhos da puta. Fomos nós!": Raphael Martinelli.
* Para "o dinheiro só vem da ação" e "a cidade é um cemitério": Carlos Marighella, dezembro de 1968, "Quem samba fica, quem não samba vai embora".
* Para quinhentos dólares mensais por militante: oficial do Exército, 24 de janeiro de 2004.
* Para 530 mil cruzeiros novos em mais de trinta roubos: "Projeto Orvil", redigido por oficiais do Exército com base no arquivo do CIE.
* Para a correção de 138 mil dólares: Consumer Price Index.

* Para 370 assaltos e 2,5 milhões de dólares: *Como eles agiam*, de Carlos Fico.
* Para o cofre: *O cofre do dr. Rui*, de Tom Cardoso.
* Para a oferta de 1 milhão de dólares do Bom Burguês: Itoby Alves Corrêa Junior.
* Para o repórter e o Bom Burguês: *O Globo*, 28 de julho de 1969.
* Para "uma isca" e "provocação primária": Domingos Fernandes e Itoby Alves Corrêa Junior.
* Para manifestar gratidão: *Vale a pena sonhar*, de Apolônio de Carvalho.
* Para a carta de Marighella sobre ICR: II Exército, Quartel-General, EMG — E/2, 10 de abril de 1969, pedido de busca nº 568/69. 50-Z-9. Apesp.
* Para frei Betto, Marighella e a latrina rachada: frei Betto. Em *Playboy*, junho de 1992.
* Para Antônio Ribeiro Pena: João Antônio Caldas Valença.
* Para o filme *Os assassinos* e o ex-funcionário da Massey Ferguson: Aton Fon Filho.
* Para o apreço de Marquito por Guimarães Rosa: Manoelina de Barros.
* Para a escala em Praga: Aton Fon Filho.
* Para o assalto ao carro da Massey Ferguson: Aloysio Nunes Ferreira Filho, Aton Fon Filho, Itoby Alves Corrêa Junior e Takao Amano; processos 41/68 e 207/69. STM; *Veja*, 16 de outubro de 1968.
* Para a correção de 73 mil cruzeiros novos roubados: índice IGP-DI.
* Para "foram geniais": *Veja*, 16 de outubro de 1968.

30. A REVOLUÇÃO VEM DO CAMPO [pp. 392-405]

* Para frei Betto e o primeiro encontro com Marighella: *Batismo de sangue*, de frei Betto.
* Para frades fazerem psicanálise: João Antônio Caldas Valença.
* Para "abominável e diabólica": *Brasil Urgente*, 29 de dezembro de 1963. Em *Frades dominicanos de Perdizes*, de Admar Mendes de Souza.
* Para "insurreição revolucionária": encíclica *Populorum progressio*. <http://www.vatican.va/holy_father/paul_vi/encyclicals/documents/hf_p-vi_enc_26031967_populorum_po.html>.
* Para "única instituição": CIA, 13 de fevereiro de 1969, "The situation in Brazil". CIA/FOIA.
* Para a cúpula militar da Corrente-MG: Gilney Amorim Viana e Ricardo Apgaua.
* Para Luiz Felipe Ratton Mascarenhas e Baixim: *Batismo de sangue*, de frei Betto.
* Para frei Betto carregando mala com dinheiro: *Batismo de sangue*, de frei Betto.
* Para a residência de Antônio Flávio Médici de Camargo: Antônio Flávio Médici de Camargo e Fernando de Brito; processo 207/69. STM.
* Para a presença de frei Benevenutto Santa Cruz: Francisco Augusto Carmil Catão.
* Para a expedição ao Brasil Central: Fernando de Brito, João Antônio Caldas Valença, Oswaldo Rezende Junior e Yves do Amaral Lesbaupin; processo 207/69. STM.
* Para "O helicóptero na antiguerrilha" e "A luta de guerrilhas na campanha de Canudos": <http://200.20.16.3/biblio/monografias.listar.php>.
* Para *Os sertões* e *As táticas de guerra dos cangaceiros*: carta de Joaquim Câmara Ferreira para "Meus caros", 18 de setembro de 1970. Arquivo de Zilda Xavier Pereira.
* Para Marighella recordar o exemplo de Lampião: Joaquim Câmara Ferreira, novembro de 1969, "Marighella: vida e ação criadoras". Cópia cedida por Paulo Cannabrava Filho.
* Para "temos que ser como Lampião": José Luiz Del Roio.

* Para concentrações urbanas em 1960 e 1970: *Estatísticas do século XX*, IBGE.
* Para Goiás Velho: Fernando de Brito.
* Para as cartas a dom Hélder Câmara e dom Antônio Fragoso: agosto de 1969. Arquivo de Clara Charf.
* Para "sei apenas que é um homem": *O Estado de S. Paulo*, 26 de novembro de 1968.
* Para "apenas um elo": Carlos Marighella, dezembro de 1968, "Questões de organização".
* Para alguns aspectos da viagem de Marighella ao Brasil Central: II Exército, 2ª Divisão de Infantaria, EMG, 2ª Seção, Oban, declarações prestadas por Alessandro Malavasi a 13 e 14 de outubro de 1969. 50-Z-9. Apesp; processo 207/69. STM; aditamento da denúncia do processo 38/69, 20 de abril de 1970. STM. Cópia cedida por Luiz Carlos Helou.
* Para alguns aspectos do conflito de Edmur Péricles Camargo com a ALN de Brasília: Fernando Casadei Salles.
* Para o revólver dado a Alessandro Malavasi: ex-agente do Dops-SP, 4-5 de maio de 2010.
* Para Jeová Assis Gomes: Jayme Hélio Dick; SNI/ABSB, relatórios especiais 1, 2 e 8, períodos 24 a 30 de setembro, 30 de setembro a 6 de outubro e 11 a 13 de novembro de 1969. ACE A0682676. AN.
* Para a viagem de Virgílio Gomes da Silva e Celso Antunes Horta: Celso Antunes Horta; Celso Antunes Horta. Em *Virgílio Gomes da Silva*, de Edileuza Pimenta e Edson Teixeira.
* Para o casal Capiberibe e Almir Gabriel: Janete Capiberibe e João Alberto Capiberibe.
* Para "sistema de preparação": SNI/ARJ, 29 de outubro de 1964. ACE A0959390. AN.
* Para o treinamento de militantes do PC do B na academia militar de Nanquim: <http://elsenorgato.blogspot.com.br/2009_10_01_archive.html>.
* Para guerrilha no Ceará e estados vizinhos: Silvio Albuquerque Mota.
* Para guerrilha na Bahia: Gilney Amorim Viana, Itoby Alves Corrêa Junior, João Alberto Capiberibe, Oswaldo Rezende Junior, Paulo de Novais Coutinho e Paulo de Tarso Venceslau; *O baú do guerrilheiro*, de Ottoni Fernandes Júnior.
* Para a Corrente-MG no campo: carta de Hélcio Pereira Fortes, assinada como *Nelson*, para "Companheiro", s/d. Arquivo de Clara Charf.
* Para o Espigão Mestre: Hamilton Pereira da Silva.
* Para guerrilha em Mato Grosso: Otávio Ângelo; *O baú do guerrilheiro*, de Ottoni Fernandes Júnior; *A fuga*, de Reinaldo Guarany; II Exército, 2ª Divisão de Infantaria, Quartel-General, 12 de outubro de 1969, "Relatório especial de informações" nº 28. 30-Z-163. Apesp.
* Para Trombas e Formoso: Ricardo Apgaua.
* Para o sítio em Águas Virtuosas: Aton Fon Filho, Guiomar Silva Lopes, Ilda Gomes da Silva, Manoel Cyrillo de Oliveira Neto, Maria Aparecida dos Santos e Vladimir Gomes da Silva.
* Para viagens em teco-teco: Clara Charf e Zilda Xavier Pereira.
* Para a pregação escrita por frei Betto: Luiz Roberto Clauset e Rose Nogueira.
* Para o Karmann Ghia de Jorge Miranda Jordão: Flávio Tavares.
* Para o Fusca de Moacir Werneck de Castro: Moacir Werneck de Castro.
* Para Joaquim Câmara Ferreira e a adega: *Memórias do esquecimento*, de Flávio Tavares.
* Para a morte de Luiz Eduardo Merlino: *Direito à memória e à verdade*; *Dossiê ditadura*.
* Para cobertura vigorosa e bastidores: *Batismo de sangue*, de frei Betto.
* Para 25 militantes: levantamento do autor, com base na relação de presos arquivada pelo Exército. CIE, s/d, S/103 — S/103.3. Cópia cedida pelo jornalista Raphael Gomide; processo 207/69. STM.

* Para o local do congresso de Ibiúna e o casal Zerbini: Oswaldo Rezende Junior.
* Para Marighella supostamente em Ibiúna: Jean Marc von der Weid.
* Para as bombas em Ibiúna: Paulo de Tarso Venceslau.
* Para os jovens no ensino superior do Brasil e da França: *Veja*, 16 de outubro de 1968.
* Para a pichação "Fora, padres comunistas": *Folha de S.Paulo*, 28 de agosto de 1968.
* Para a campana no convento dos dominicanos, motivada por informação de um infiltrado: Dops-SP, Serviço Secreto, 16 de janeiro de 1969. 30-C-1. Apesp.

31. A DITADURA DÁ O ALARME: O INIMIGO PÚBLICO NÚMERO UM [pp. 406-19]

* Para o comportamento dos compradores do Fusca: Zilda Xavier Pereira; processo 41/68. STM.
* Para a placa do Fusca, a identidade de Mário Reis Barros e o documento de Virgílio Gomes da Silva: 30ª Delegacia Distrital-GB, 14 de novembro de 1968, registro 2546/68. Processo 41/68. STM.
* Para Gilson Ribeiro da Silva: Domingos Fernandes e Sérgio Granja.
* Para sete membros da ALN de São Paulo: nomes apurados com duas dezenas de ex-militantes da ALN. Seis foram mortos pela ditadura. Um morreu após o fim do regime militar.
* Para a turma da padaria, *Tales, Eusébio* e *Benê*: Manoel Cyrillo de Oliveira Neto.
* Para o comando de Marquito: Domingos Fernandes e Sérgio Granja.
* Para Marighella e Paulo César Monteiro Bezerra: processo 41/68. STM.
* Para a correção de 121 mil cruzeiros novos: índice IGP-DI.
* Para aspectos do assalto: Domingos Fernandes, Sérgio Granja e Zilda Xavier Pereira; processo 41/68. STM.
* Para as observações de Ivan Alves Fernandes e o diálogo com Paulo César Monteiro Bezerra: 30ª Delegacia Distrital-GB, 8 de novembro de 1968, depoimento de Ivan Alves Fernandes. Processo 41/68. STM.
* Para "sai logo, rapaz!": 30ª Delegacia Distrital-GB, 8 de novembro de 1968, depoimentos de Hélio de Mendonça Moscoso e Manoel Francisco dos Reis. Processo 41/68. STM.
* Para o ferimento de João Baptista Salles Vanni: Itoby Alves Corrêa Junior, Manoel Cyrillo de Oliveira Neto e Sérgio Granja.
* Para "senhor idoso": 7º BPM, 11 de novembro de 1968, relatório; 30ª Delegacia Distrital-GB, 21 de novembro de 1968, depoimento de Ricardo Gilberto de Oliveira Paiva. Processo 41/68. STM.
* Para a voz de prisão: 30ª Delegacia Distrital-GB, 8 de novembro de 1968, depoimento de Ivan Alves Fernandes. Processo 41/68. STM.
* Para a fuga de Guaratiba: Zilda Xavier Pereira.
* Para "ROUBO RECORDE [...]": *Última Hora* (Rio de Janeiro), 9 de novembro de 1968.
* Para o Hotel Canadá: Dops-GB, 19 de novembro de 1968, informação 475. Processo 41/68. STM.
* Para "Nesse desastre [...]": *Jornal da Tarde*, 18 de novembro de 1968.
* Para "Polícia fuzilou o casal": *Última Hora* (Rio de Janeiro), 20 de novembro de 1968.
* Para Maria Magalhães Monteiro viúva de um motorista de Prestes: Clara Charf.
* Para "amante de Marighella": *Folha de S.Paulo*, 11 de novembro de 1968.
* Para "*Silvia* sempre conduzia": *Jornal do Brasil*, 12 de novembro de 1968.
* Para a morte de João Lucas Alves: *Direito à memória e à verdade*; *Dossiê ditadura*.

* Para a perícia da metralhadora: Dops-SP, 3 de novembro de 1969, relatório do inquérito 19/69, Alcides Cintra Bueno Filho. 30-Z-160. Apesp.
* Para "Marighella armado": *Correio da Manhã*, 14 de novembro de 1968.
* Para o avião paulistinha: *Última Hora* (Rio de Janeiro), 20 de novembro de 1968.
* Para o cartório de Carangola: *Folha de S.Paulo*, 29 de novembro de 1968.
* Para a carrocinha de pipoca: Ricardo Gontijo.
* Para "Grupo dos Pistoleiros" e outras fantasias: *Jornal da Tarde*, 23 de novembro de 1968.
* Para "mulato hercúleo" de olhos verdes: *Le Monde*, 6 de novembro de 1969.
* Para olhos verdes: *Time*, 2 de novembro de 1970.
* Para "Um homem inteligente": *Diário de S. Paulo*, 14 de novembro de 1968.
* Para a reportagem de capa: *Veja*, 20 de novembro de 1968.
* Para "Na moda, na poesia": *Última Hora* (Rio de Janeiro), 23 de novembro de 1968.
* Para Gama e Silva e o "inimigo público número um": *Última Hora* (Rio de Janeiro), 21 de novembro de 1968.
* Para o artigo de Moacir Werneck de Castro: *Última Hora* (Rio de Janeiro), 21 de novembro de 1968.
* Para "cresceu bruscamente": *Punto Final*, 28 de janeiro de 1969.
* Para a correção de 5 milhões e 120 mil cruzeiros novos: índice IGP-DI.
* Para publicidade gratuita com o assalto ao carro do Ipeg: Joaquim Câmara Ferreira, novembro de 1969, "Marighella: vida e ação criadoras". Cópia cedida por Paulo Cannabrava Filho.
* Para "problema com a insurgência": CIA, 13 de fevereiro de 1969, "The situation in Brazil". CIA/FOIA.
* Para "inevitavelmente fadados": Ministério das Relações Exteriores da União Soviética, 12 de agosto de 1968, entrada 22 376. Fundo 495, armazenamento 197, dossiê 170. RGASPI.
* Para carta branca: *Jornal da Tarde*, 18 de novembro de 1968; *Veja*, 20 de novembro de 1968.
* Para Interpol: *Diário de Notícias*, 17 de novembro de 1968.
* Para "vigilância permanente": *Diário de S. Paulo*, 14 de novembro de 1968.
* Para "prendê-lo vivo ou morto": *Diário de Notícias*, 17 de novembro de 1968.
* Para "eu esconderia esse cara": Clara Charf.
* Para os aparelhos de Marighella no Rio de Janeiro: Antônia Couto Nunes Sento Sé, Elisabeth Paula da Silva Lima, Iara Xavier Pereira e Zilda Xavier Pereira.
* Para a cabeleireira Isabel: Zilda Xavier Pereira.
* Para Carlos Augusto Marighella e SNI: SNI/NASV, 8 de janeiro de 1969. ACE P0033339. AN.
* Para Carlos Augusto Marighella e escolas públicas: Carlos Augusto Marighella.
* Para Carlos Augusto Marighella baleado: Carlos Augusto Marighella; SNI/NASV, 29 de janeiro de 1969. ACE P0051718. AN.
* Para a pesquisa Gallup: telegrama da embaixada dos Estados Unidos no Rio de Janeiro para Washington, 27 de janeiro de 1969. Em "Restless youth", de James N. Green.
* Para inflação e popularidade do governo: CIA, 13 de fevereiro de 1969, "The situation in Brazil". CIA/FOIA.
* Para "todos os escrúpulos de consciência": *A ditadura envergonhada*, de Elio Gaspari.
* Para Celso Sampaio Nascimento Filho: carta de Sobral Pinto a Luiz Mendes de Moraes Neto, 23 de dezembro de 1968. Cópia cedida pelo historiador John W. F. Dulles.

* Para "caráter fascista": Carlos Marighella, 1969 (sem mês), "O papel da ação revolucionária na organização".
* Para "direção estratégica": Carlos Marighella, janeiro de 1969, "Sobre problemas e princípios estratégicos".
* Para Joaquim Câmara Ferreira no Rio de Janeiro: Zilda Xavier Pereira.
* Para "A primeira bomba" e "propaganda de uma força": *Jornal da Tarde*, 17 de dezembro de 1968.
* Para o assalto à Rochester: Aton Fon Filho, Carlos Henrique Knapp, Eliane Toscano Zamikhowsky, Manoel Cyrillo de Oliveira Neto, Oswaldo Rezende Junior, Roberto de Barros Pereira e Vinícius Caldevilla; processo 207/69. STM.
* Para o material roubado da Rochester: processo 207/69. STM.
* Para "oficial de Justiça" e "aproximadamente quarenta": "Nota do II Exército sobre assalto em Mogi das Cruzes". Em *Folha de S.Paulo*, 3 de janeiro de 1969; processo 207/69. STM.
* Para Marighella e Carlos Knapp: Clara Charf.
* Para o assalto no Réveillon: Paulo de Tarso Venceslau.

32. KUBRICK DÁ IDEIA [pp. 420-30]

* Para Costa e Silva apostar em corridas de cavalos: *113 dias de angústia*, de Carlos Chagas; Carlos Chagas. Programa *Senado Documento*, TV Senado, 4 de abril de 2004.
* Para fardas da Força Pública: Otávio Ângelo.
* Para duas militantes na Gávea: Domingos Fernandes.
* Para "aventou-se a possibilidade": Dops-SP, Serviço Secreto, 15 de agosto de 1968. 30-C-1. Apesp.
* Para "avanço aos atos terroristas": Carlos Marighella, dezembro de 1968, "Questões de organização".
* Para o croqui de ponte e a planta de refinaria: Arquivo de Clara Charf.
* Para a recusa de Marighella ao plano da VPR: *Pedro e os lobos*, de João Roberto Laque.
* Para o número de fuzis roubados pela VPR no hospital: Vanguarda Armada Revolucionária-Palmares, s/d, "Ao povo brasileiro". SNI/ASP, 3 de setembro de 1969, informação 6/6/SNI/ASP/69. ACE A0202794. AN.
* Para "desafio os subversivos": *Folha de S.Paulo*, 23 de junho de 1969.
* Para Carlos Lamarca e a invasão da Tchecoslováquia: *Iara*, de Judith Lieblich Patarra.
* Para "no seio do inimigo": Carlos Marighella, 10 de outubro de 1967, "Algumas questões sobre as guerrilhas no Brasil".
* Para a orientação de permanecer no quartel: Maria de Lourdes Rego Melo.
* Para Joaquim Câmara Ferreira com Carlos Lamarca: Ricardo Zarattini Filho.
* Para "conversei com Lamarca": Oswaldo Rezende Junior.
* Para "extraordinário revolucionário": carta de Carlos Lamarca a Maria Pavan, 10 de maio de 1969. Cópia cedida pelo cineasta Sérgio Rezende.
* Para as 28 organizações da guerrilha urbana: *A verdade sufocada*, de Carlos Alberto Brilhante Ustra. O oficial somou 29. O PC do B empenhou-se somente na guerrilha rural.

* Para "há ainda um longo caminho": Carlos Marighella, dezembro de 1968, "Questões de organização".
* Para "queria que me explicassem": *Viagem à luta armada*, de Carlos Eugênio Paz.
* Para "identidade muito grande": *Granma*, 6 de outubro de 1969.
* Para "na luta pela liderança": ALN, 1969 (sem mês), "Operações e táticas guerrilheiras". O documento recebeu outros títulos. Empreguei o adotado por Marighella no *Minimanual do guerrilheiro urbano*.
* Para a data da cúpula guerrilheira: *O homem que morreu três vezes*, de Fernando Molica.
* Para AP, Marighella e Betinho: *Sem vergonha da utopia*, de Ricardo Gontijo.
* Para o material levado por Lamarca do 4º Regimento de Infantaria: *Pedro e os lobos*, de João Roberto Laque; processo 207/69. STM.
* Para as explosões em 26 de janeiro de 1969: Aton Fon Filho, Eliane Toscano Zamikhowsky, Itoby Alves Corrêa Junior e Manoel Cyrillo de Oliveira Neto; processo 207/69. STM.
* Para Lílian Lemmertz: *O homem que morreu três vezes*, de Fernando Molica.
* Para a feijoada: Dulce Maia.
* Para a tortura de Dulce Maia: Dulce Maia; Dulce Maia. Em *Direito à memória e à verdade: Luta, substantivo feminino*, organização de Tatiana Merlino e Igor Ojeda.
* Para "deve estar dormindo": Vinícius Caldevilla.
* Para o olhar fulminante de João Leonardo: Dulce Maia.
* Para os ferimentos de Marquito: Instituto Médico-Legal-SP, 29 de janeiro de 1969, exame necroscópico 370. Processo 017/02. Comissão Especial sobre Mortos e Desaparecidos Políticos.
* Para "Marquinho será vingado": II Exército, 2ª Divisão de Infantaria, Quartel-General, s/d, "Relatório especial de informações" nº 15. 30-Z-163. Apesp.
* Para o cabelo de Manon: Manoelina de Barros.
* Para o plano de assassinar Costa e Silva: Dops-SP, 28 de janeiro de 1969, auto de exibição e apreensão. Processo 017/02. Comissão Especial sobre Mortos e Desaparecidos Políticos.
* Para a versão de Raul Nogueira Lima de ter atingido Marquito na perna, e não pelas costas: Dops-SP, s/d, depoimento de Raul Nogueira Lima. Processo 017/02. Comissão Especial sobre Mortos e Desaparecidos Políticos; *Autópsia do medo*, de Percival de Souza.
* Para Carmem Jacomini e o convento: Itoby Alves Corrêa Junior.
* Para "o pessoal facilita": Antônio Flávio Médici de Camargo.
* Para o balanço da VPR/VAR-Palmares sobre a disputa pelos fuzis; as armas e munição subtraídas; as barganhas de Joaquim Câmara Ferreira; e as acusações a Marighella, como "personalista e oportunista": Vanguarda Armada Revolucionária-Palmares, s/d, "Informe sobre as relações da VAR-Palmares com a organização de M."; Vanguarda Armada Revolucionária-Palmares, s/d, "Ao povo brasileiro". SNI/ASP, 3 de setembro de 1969, informação 6/6/SNI/ASP/69. ACE A0202794. AN.
* Para Genésio Homem de Oliveira: *Trabalhador: arme-se e liberte-se*, de Edileuza Pimenta de Lima.
* Para os fuzis no rio Pinheiros: Itoby Alves Corrêa Junior.
* Para a ameaça de arrancar os fuzis à força: *Pedro e os lobos*, de João Roberto Laque.
* Para "ficamos muito bravos": *Ousar lutar*, de José Roberto Rezende.
* Para Marighella "egoísta, personalista e desleal": carta de Carlos Lamarca a Maria Pavan, 26 de julho de 1969. Em *Pedro e os lobos*, de João Roberto Laque.
* Para a doação de 2 mil dólares: Otávio Ângelo.
* Para 100 mil dólares do cofre: Flávio Augusto Neves Leão de Salles

33. O INFILTRADO: UM ESPIÃO DÁ CARONA [pp. 431-40]

* Para vigilância "severa": "Pronunciamento do Agrupamento Comunista de São Paulo", fevereiro de 1968. Em *O Guerrilheiro*, nº 1, abril de 1968. 30-Z-160. Apesp.
* Para "punidos exemplarmente": Carlos Marighella, dezembro de 1968, "Questões de organização".
* Para "punir com a morte": Carlos Marighella, dezembro de 1968, "Mensagem aos brasileiros".
* Para a ALN em Marília, o vínculo de José Tarcísio Cecílio com a polícia política e os relatórios do informante: Maria Lygia Quartim de Moraes e Otávio Ângelo; Dops-SP, Serviço Secreto, 16 de janeiro de 1969. 30-C-1. Apesp; Dops-SP, 20 de fevereiro de 1970, informação do delegado Gil Antônio Ferreira ao "delegado chefe do SI". Processo 207/69. STM; Dops-SP, 16 de fevereiro de 1970, depoimento da testemunha José Tarcísio Cecílio. Processo 207/69. STM.
* Para o reconhecimento de ter treinado com explosivos e a negativa de delação, militância na ALN, colaboração com o Dops-SP e depoimento em inquérito: José Tarcísio Cecílio.
* Para Norberto Nehring considerar José Tarcísio Cecílio um infiltrado: Maria Lygia Quartim de Moraes.
* Para Roman Malinovski: *O jovem Stálin*, de Simon Sebag Montefiore.
* Para o falso suicídio de Norberto Nehring: *Direito à memória e à verdade*; *Dossiê ditadura*.
* Para a versão do Cabo Anselmo sobre adesão em 1971: *Folha de S.Paulo*, 1º de setembro de 2009.
* Para Dr. Kimble: *Eu, Cabo Anselmo*, de Percival de Souza.
* Para a versão de Cecil Borer: Cecil de Macedo Borer.
* Para "tudo indicava que Anselmo": *A rebelião dos marinheiros*, de Avelino Bioen Capitani.
* Para Roberto Ferreira Teixeira de Freitas: *Folha de S.Paulo*, 1º de setembro de 2009.
* Para "nunca aceitaremos": ALN, 1969 (sem mês), "Operações e táticas guerrilheiras".
* Para a trajetória de Alessandro Malavasi, sua infiltração na ALN e o sequestro de Eduardo Andrea Maria Matarazzo: *O Cruzeiro*, s/d, "Pai, não me deixe morrer"; *Folha da Manhã*, 14 de março de 1957; Delegacia Auxiliar da 7ª Divisão Policial-SP, 9 de maio de 1967, registro 202/67. 50-Z-81. Apesp; II Exército, 2ª Divisão de Infantaria, EMG, 2ª Seção, Oban, declarações prestadas por Alessandro Malavasi a 13 e 14 de outubro de 1969. 50-Z-9. Apesp; I Exército, 2ª Seção, 27 de maio de 1969, informação 741 CH/69. Origem: CIE, 12 de maio de 1969, informação 1140 s/102-CIE. Setor Secreto, pasta 44. Aperj; II Exército, Quartel-General, EMC, 2ª Seção, 5 de fevereiro de 1968, informe 45/68. 50-Z-9. Apesp; processo 207/69. STM.
* Para a correção de 10 milhões de cruzeiros: índice IGP-DI.
* Para a correção de 330 dólares: Consumer Price Index.
* Para a CIA preservar Marighella: ex-agente do Dops-SP, 4-5 de maio de 2010.
* Para a cilada policial de 7 de maio de 1969: Delegacia de Ordem Política e Social de Santos, 8 de maio de 1969, relatório do delegado Paulo Fernando Furquim de Almeida. 50-Z-81. Apesp; II Exército, 2ª Divisão de Infantaria, EMG, 2ª Seção, Oban, declarações prestadas por Alessandro Malavasi a 13 e 14 de outubro de 1969. 50-Z-9. Apesp.
* Para "paredão": Carlos Marighella, dezembro de 1968, "Mensagem aos brasileiros".
* Para "incapaz de prender os terroristas": CIA, 13 de fevereiro de 1969, "The situation in Brazil". CIA/FOIA.
* Para Adauto Alves dos Santos: Armênio Guedes e Cecil de Macedo Borer; *Jornal do Brasil*, 3 e 7 de dezembro de 1972.
* Para "procurou contato": Cecil de Macedo Borer.

* Para a abordagem da CIA: Armênio Guedes.
* Para a abordagem do SNI: Severino Teodoro de Mello.
* Para Virgínia Leitão da Cunha: *Fidel y Raúl, mis hermanos*, de Juanita Castro.
* Para o português em Cuba: Sérgio Granja.
* Para a deserção de Orlando Castro Hidalgo e a mudança de senhas e rotas da ALN: José Luiz Del Roio e Oswaldo Rezende Junior; *Covering Castro*, de Jay Mallin Sr.
* Para o infiltrado do Exército no grupo da ALN em Cuba: I Exército, 3 de abril de 1972, informação 674/72-II. Origem: CIE. Setor Secreto, pasta 104. Aperj.
* Para "mais dinâmico que Prestes": CIA, 21 de março de 1968, "Brazil". CIA/FOIA.
* Para William Belton: telegrama de William Belton, da embaixada dos Estados Unidos no Rio de Janeiro para Washington, 15 de dezembro de 1968. Em "Restless youth", de James N. Green.
* Para a apostila sobre tortura: CIE, 1971, "Interrogatório". Arquivo de Zilda Xavier Pereira.
* Para os militares e policiais brasileiros treinados por Washington e o efetivo de funcionários dos Estados Unidos no Brasil: Theodore D. Brown e William M. Rountree. Em *United States policies and programs in Brazil: hearings before the Subcommittee on Western Hemisphere Affairs of the Committee on Foreign Relations — United States Senate — Ninety-Second Congress — First Session — May 4, 5 and 11, 1971*.
* Para Dan Mitrione e a tortura: *Brasil: nunca mais*.
* Para *Altair* e o porta-aviões: MRE/Ciex, 12 de março de 1969, informe 443. AN, BSB IE 25.1, P. 123/812. AN.
* Para a carta de Miguel Arraes a Marighella: MRE/Ciex, 15 de agosto de 1970, informe interno (M) OS-023. A carta de Arraes tem a data 25 de janeiro de 1967. AN, BSB IE 25.1, P. 48/812. AN.
* Para José de Sá Roriz: MRE/Ciex, 12 de março de 1969, informe 443. AN, BSB IE 25.1, P. 122/812. AN.
* Para Ladislav Bittman e a Operação Thomas Mann: Dops-GB, 22 de outubro de 1964, informação 198. Cópia de carta falsa assinada por J. E. Hoover em 15 de abril de 1964. Setor: Dops, pasta 17. Aperj; *The KGB and Soviet disinformation*, de Ladislav Bittman; *A CIA e o culto da inteligência*, de Victor Marchetti e John D. Marks.
* Para "ser recompensado": *Os treze momentos*, de Alberto Mendes Cardoso.
* Para Vanderli Pinheiro dos Santos agente do SNI: *Época*, 28 de novembro de 2011.
* Para Virgílio Gomes da Silva: Cícero Silveira Vianna.

34. O BOXEUR DA ALN CRIAVA PASSARINHOS [pp. 441-51]

* Para a mortalidade infantil no Nordeste: *Estatísticas do século XX*, IBGE.
* Para muitos aspectos da biografia de Virgílio Gomes da Silva: Gregório Gomes da Silva, Ilda Gomes da Silva e Vlademir Gomes da Silva; *Virgílio Gomes da Silva*, de Edileuza Pimenta e Edson Teixeira.
* Para a altura de 1,62 metro: Dops-GB, 25 de novembro de 1968. Origem: Polícia Marítima-GB. Processo 41/68. STM.
* Para a venda de "pescaditos de colores" e corridas até a praça da Sé: Otávio Ângelo.
* Para "aqui não tem bandido": Vinícius Caldevilla.
* Para a tortura de João Leonardo: João Leonardo da Silva Rocha, no filme *On vous parle du Brésil*, de Chris Marker.

* Para dezessete ações armadas de Virgílio Gomes da Silva: processo 207/69. STM.
* Para "borderô, borderô!": Aton Fon Filho; processo 207/69. STM.
* Para o valor roubado dos estabelecimentos: processo 207/69. STM.
* Para a agência do Unibanco em Suzano: Aton Fon Filho e Manoel Cyrillo de Oliveira Neto; processo 207/69. STM.
* Para Takao Amano ferido: Américo Lourenço Masset Lacombe, Eliane Toscano Zamikhowsky, Itoby Alves Corrêa Junior e Takao Amano.
* Para Aton Fon Filho sem sentir culpa: Aton Fon Filho.
* Para o soldado que testemunhou Naul José Mantovani tentando sacar o revólver: Força Pública-SP, 4 de junho de 1969, auto de perguntas a Nicácio Conceição Pupo. Processo 207/69. STM.
* Para Majô Relógios: Aton Fon Filho, Maria Aparecida Costa, Maria Aparecida dos Santos e Manoel Cyrillo de Oliveira Neto; processo 207/69. STM.
* Para a correção de 130 mil cruzeiros novos: índice IGP-DI.
* Para Aton Fon Filho confeccionar bomba: Aton Fon Filho.
* Para "pecha de assaltante": Carlos Marighella, junho de 1969, *Minimanual do guerrilheiro urbano*.
* Para "não somos marginais" e "viva a democracia!": Força Pública-SP, 10º BP, 1ª Cia., 8 de julho de 1969, parte 010-426-BA. Processo 207/69. STM.
* Para "Marighella Guerrilha" e "Marighella Revolução": 18 de agosto de 1969, Banco do Comércio e Indústria de São Paulo. Processo 207/69. STM.
* Para "vestibular do guerrilheiro": Carlos Marighella, junho de 1969, *Minimanual do guerrilheiro urbano*.
* Para "os covardes e os corajosos": Zilda Xavier Pereira.
* Para o processo-mãe listando 48 combatentes: processo 207/69. STM.
* Para "Características de nossa atual estrutura": Carlos Marighella, abril de 1969.
* Para três comandantes do GTA: Dops-SP, 31 de março de 1970, relatório de inquérito, Valter Fernandes. Processo 207/69. STM.
* Para *Chinezinho*: Zilda Xavier Pereira.
* Para Ho Chi Minh: *O baú do guerrilheiro*, de Ottoni Fernandes Júnior.
* Para "deram um tiro no guarda": *Teoria e Debate*, jul.-set. de 1991.
* Para o socorro a Takao Amano na casa de Américo Lacombe: Américo Lourenço Masset Lacombe.
* Para a bomba na Vila Buarque: Paulo de Tarso Venceslau.
* Para o carro de Malu Alves Ferreira: Maria Lúcia Alves Ferreira e Paulo de Tarso Venceslau.
* Para Jacques Émile Frédéric Breyton, sua casa como bunker da ALN e a confecção de bombas na empresa Telem: Jacques Breyton e Paulo de Tarso Venceslau.
* Para a fábrica de armas: Otávio Ângelo.

35. QUEM NÃO SE COMUNICA SE TRUMBICA [pp. 452-60]

* Para a ordem nº 716: *A censura política na imprensa brasileira*, de Paolo Marconi.
* Para a tomada de uma rádio pela Ala Vermelha: Alipio Freire; transcrição do manifesto lido no ar, com a abertura "Companheiros operários!". 30-Z-163. Apesp.
* Para documento da lavra de Marighella: *Jornal do Brasil*, 15 de setembro de 1968.

* Para "a guerra revolucionária": *Inquérito Policial-Militar nº 709*.
* Para "o povo não mais aceita o ópio": 30-Z-163. Apesp.
* Para a assinatura arquivada em 1964: Dops-SP, 3 de julho de 1964, assinatura do identificando Carlos Marighella. 30-Z-160. Apesp.
* Para a convicção de Boni: José Bonifácio de Oliveira Sobrinho. Programa *Roda-Viva*, TV Cultura, 19 de dezembro de 2011.
* Para "não somos responsáveis": Carlos Marighella e ALN, s/d, manifesto sem título, com a abertura "BRASILEIROS: Mais uma vez estamos recolhendo dinheiro para a Revolução de Libertação do Povo Brasileiro".
* Para o esclarecimento redigido por Joaquim Câmara Ferreira: ALN, julho de 1969, "Comunicado". Cedic/PUC-SP.
* Para "A carta é mesmo de Marighella": *O Estado de S. Paulo*, 7 de agosto de 1969.
* Para a reunião no atelier de Gontran Guanaes Netto: Gilberto Luciano Belloque.
* Para o raio de seiscentos quilômetros: *O Globo*, 16 de agosto de 1969.
* Para a audiência de 80%: *O Estado de S. Paulo*, 5 de novembro de 1969.
* Para o estúdio profissional: Gilberto Luciano Belloque.
* Para o plano de matar Hermínio Sacchetta: *O comunismo no Brasil*, de John W. F. Dulles.
* Para muitos aspectos da colaboração de Hermínio Sacchetta com a ALN: *Combate nas trevas*, de Jacob Gorender; SNI/ASP, 4 de novembro de 1970. ACE E0086010. AN.
* Para "cem deles não valem um dos nossos": Rose Nogueira.
* Para a tomada da Rádio Nacional: Gilberto Luciano Belloque, Guiomar Silva Lopes, Manoel Cyrillo de Oliveira Neto e Otávio Ângelo; processo 207/69. STM; carta de Joaquim Câmara Ferreira, assinada como *Branco*, para "Meus caros", 18 de setembro de 1970. Arquivo de Zilda Xavier Pereira; *Diário da Noite* (São Paulo), 15 de agosto de 1969; *O Globo*, 16 de agosto de 1969; *O Estado de S. Paulo*, 5 de novembro de 1969.
* Para o texto lido na Rádio Nacional: *Diário da Noite* (São Paulo), 15 de agosto de 1969; II Exército, s/d, "Relatório especial de informações" nº 25. 30-Z-163. Apesp.
* Para o aviso da Central Globo de Jornalismo ao Dops: *O Globo*, 16 de agosto de 1969.
* Para a reportagem de 280 linhas: *The New York Times*, 16 de agosto de 1969.
* Para a nota de Mário Andreazza: *Última Hora* (Rio de Janeiro), 18 de agosto de 1969.
* Para a entrevista de Mário Andreazza: *Veja*, 24 de setembro de 1969.
* Para "Albuquerque tentou transar": carta de Glauber Rocha a João Carlos Rodrigues, 31 de agosto de 1973. Em *Cartas ao mundo*, de Glauber Rocha, organização de Ivana Bentes.
* Para a carta de Oswaldo Rezende a Joaquim Câmara Ferreira: II Exército, Quartel-General, 2ª Seção, 3 de novembro de 1970, "Relatório especial de informações" nº 7/70. Prontuário 33 807. Aperj.
* Para é certo que deram em nada: Oswaldo Rezende Junior.

36. OS SOBRINHOS DO TITIO MARIGHELLA [pp. 461-73]

* Para Marcos Nonato Fonseca: Carlos Eugênio Sarmento Coelho da Paz e Leda Nonato Fonseca.
* Para o assalto a uma farmácia: Carlos Eugênio Sarmento Coelho da Paz.
* Para o soldado de catorze anos: *História da Bahia*, de Luís Henrique Dias Tavares.

* Para "vamos provar", "a ação está suspensa" e "vão pensar que um dos anões fugiu": *Viagem à luta armada*, de Carlos Eugênio Paz.

* Para o assalto ao Cine Ópera: Carlos Eugênio Sarmento Coelho da Paz, Domingos Fernandes e José Pereira da Silva; *Última Hora* (Rio de Janeiro), 28 de abril de 1969.

* Para Antônio Guedes de Moraes como policial: *Última Hora* (Rio de Janeiro), 28 de abril de 1969.

* Para Alex Xavier Pereira escalando morro: Carlos Henrique Tibiriçá Miranda.

* Para as aulas de explosivos na casa de Marcos Nonato Fonseca: Carlos Eugênio Sarmento Coelho da Paz.

* Para Nelson Luís Lott de Moraes Costa membro da ALN: Carlos Eduardo Fayal de Lyra e Silvio de Albuquerque Mota; Dops-GB, inquérito 8/70. Aperj.

* Para a casa de Antonieta Hampshire Campos da Paz como local de lavagem de carros da ALN e de instruções para confecção de bombas: Mariza Campos da Paz.

* Para Antonieta Hampshire Campos da Paz e "pequenos atos de sabotagem": *Dicionário mulheres do Brasil*, organização de Schuma Schumaher e Érico Vital Brazil.

* Para caronas de Janio de Freitas: Janio de Freitas.

* Para os processos contra acusados de pertencer à ALN: *Em nome da segurança nacional*, de Marco Aurélio Vannucchi Leme Mattos.

* Para "One too many mornings": *A fuga*, de Reinaldo Guarany.

* Para "Balada para alguém distante": convite da Comissão de Familiares de Mortos e Desaparecidos Políticos de São Paulo para o traslado dos restos mortais de Flávio de Carvalho Molina, 10 de outubro de 2005.

* Para versos de García Lorca: Carlos Eugênio Sarmento Coelho da Paz.

* Para "nós nos somamos": Mário Roberto Galhardo Zanconato. Em *Hércules 56*, de Silvio Da-Rin.

* Para "pequenas organizações": Carlos Marighella, abril de 1969, "Características de nossa atual estrutura".

* Para "triângulo de sustentação": Carlos Marighella, junho de 1969, *Minimanual do guerrilheiro urbano*.

* Para numerosas informações sobre a Corrente-MG, inclusive "sobrinhos do titio Marighella": carta de Hélcio Pereira Fortes, assinada como *Nelson*, para "Companheiro", s/d. Arquivo de Clara Charf.

* Para Márcio Lacerda em ações armadas: Gilney Amorim Viana; processo 15/70. STM.

* Para "Polícia mineira prende dezessete assaltantes": *Jornal do Brasil*, 11 de abril de 1969.

* Para a morte de Nelson José de Almeida: *Direito à memória e à verdade*; *Dossiê ditadura*.

* Para onze processos no Ceará: *Em nome da segurança nacional*, de Marco Aurélio Vannucchi Leme Mattos.

* Para "Grego enganou polícia e fugiu": *O Povo*, 3 de maio de 1968. Em *Além das armas*, de Airton de Farias.

* Para o sequestro no Ceará: Silvio de Albuquerque Mota; *Além das armas*, de Airton de Farias.

* Para "estando a ALN em luta armada": *Além das armas*, de Airton de Farias.

* Para "evitar a distorção": Carlos Marighella, janeiro de 1969, "Sobre problemas e princípios estratégicos".

* Para os valores roubados em ações da ALN carioca: I Exército, Pelotão de Investigações Criminais, 1º de outubro de 1969, relatório do major Carlos Noli Netto. Processo 90/69. STM.

* Para a correção de 4270 cruzeiros novos: índice IGP-DI.
* Para Antônio Geraldo da Costa: Elio Ferreira Rego.
* Para omissão de Marighella: *Trajetória rebelde*, de Pedro Viegas.
* Para o infarto de Marighella: *Tribuna da Imprensa*, 22 de agosto de 1969, citando como fontes "agentes de informações"; *O Estado de S. Paulo*, 22 e 23 de agosto de 1969.
* Para o discurso no Banco Novo Mundo: *Tribuna da Imprensa*, 28 de agosto de 1969.

37. É MELHOR SER ALEGRE QUE SER TRISTE [pp. 474-85]

* Para os textos lidos na Rádio Libertadora: gravações de Carlos Marighella e Iara Xavier Pereira. Fita cassete. Cedem/Unesp.
* Para a fita enviada ao Ceará: *Rebeldes*, de Silvio de Albuquerque Mota.
* Para a casa em Todos os Santos: Elisabeth Paula da Silva Lima, Iara Xavier Pereira e Zilda Xavier Pereira.
* Para a frase de Aldo de Sá Brito: Zilda Xavier Pereira.
* Para "teve as suas mulheres": depoimento de Jorge Amado a Jorge Nóvoa. Em *Carlos Marighella*, organização de Cristiane Nova e Jorge Nóvoa.
* Para "Morena": *Os lírios já não crescem em nossos campos*, de Carlos Marighella.
* Para a relação amorosa entre Marighella e Zilda Xavier Pereira: Carlos Eugênio Sarmento Coelho da Paz, Domingos Fernandes, Elisabeth Paula da Silva Lima, Flávio Augusto Neves Leão de Salles, Gilney Amorim Viana, Iara Xavier Pereira, Itoby Alves Corrêa Junior, José Luiz Del Roio, Miriam Marreiro Malina, Paulo de Tarso Venceslau, Sérgio Granja, Severino Teodoro de Mello, Suzana Lisboa, Suzanna Sampaio, Vinícius Caldevilla, Zilda Xavier Pereira e Zuleika Alambert; MRE/Ciex, 4 de outubro de 1976. ACE A0979260. AN; *A fuga*, de Reinaldo Guarany (Zilda é tratada como *Júlia*); *Dicionário histórico-biográfico brasileiro pós-1930*; *Rebeldes*, de Silvio de Albuquerque Mota; *Jeune Afrique*, 8 de julho de 1972; *Jornal do Brasil*, 12 de janeiro de 1995; *L'espresso*, 24 de dezembro de 1972.
* Para "ele só faz o que a *Carmem* quer": Zilda Xavier Pereira.
* Para a especulação de que Iuri Xavier Pereira "seria o resultado dessa relação": "Projeto Orvil", redigido por oficiais do Exército com base no arquivo do CIE.
* Para Maria do Amparo Araújo: *Mulheres que foram à luta armada*, de Luiz Maklouf Carvalho.
* Para "pena que não foram os soviéticos": Clara Charf.
* Para busca em fazendas: I Exército, 2ª Seção, 6 de agosto de 1969, pedido de busca 702/69. Prontuário 22947. Aperj.
* Para está "provavelmente" em Bangu: Ministério da Justiça, Divisão de Segurança e Informações, 27 de junho de 1969, informe 43/DSI/MJ. Prontuário 7593. Aperj.
* Para a decretação da prisão pela morte de Charles Chandler: recorte de jornal sem título registrado, 15 de julho de 1969. 30-B-152. Apesp.
* Para a prisão de dezessete militantes no Distrito Federal: *Jornal do Brasil*, 26 de fevereiro de 1969.
* Para o episódio na avenida Penha de França: Aton Fon Filho, Celso Antunes Horta, Eliane Toscano Zamikhowsky, Manoel Cyrillo de Oliveira Neto e Vinícius Caldevilla; *Jornal do Brasil*, 5 de junho de 1969; processo 207/69. STM.

* Para a testemunha que pensou que Francisco Gomes da Silva morrera: *Jornal do Brasil*, 5 de junho de 1969.
* Para "ele vai morrer" e a agonia de Francisco Gomes da Silva: Eliane Toscano Zamikhowsky.
* Para a viagem com Chiquinho até a casa de saúde: Carlos Henrique Knapp e Eliane Toscano Zamikhowsky.
* Para a casa em São Sebastião: Paulo de Tarso Venceslau.
* Para "retornam à sua residência" e rapina da repressão: Carlos Henrique Knapp e Eliane Toscano Zamikhowsky.
* Para "correm para o Mercedes e escapolem": Eliane Toscano Zamikhowsky.
* Para "linha burra": Itoby Alves Corrêa Junior.
* Para Carlos Sampaio e a proibição, por Marighella, de ações armadas no Pará: Flávio Augusto Neves Leão de Salles, João Alberto Capiberibe e Zilda Xavier Pereira.
* Para o assalto à fábrica de sorvetes: Flávio Augusto Neves Leão de Salles.
* Para Joaquim Câmara Ferreira e maconha: Suzana Lisboa, que não era a militante surpresa com o relato de Câmara.
* Para o cartaz de "procurados": original cedido por Eliane Toscano Zamikhowsky.

38. SEQUESTRO DO EMBAIXADOR: O ÚLTIMO A SABER [pp. 486-98]

* Para Marighella durante o sequestro: Zilda Xavier Pereira.
* Para a audiência judicial sem Marighella: *Correio da Manhã*, 3 de setembro de 1969.
* Para o manifesto dos sequestradores: *Jornal do Brasil*, 5 de setembro de 1969.
* Para 4200 agentes: *Veja*, 10 de setembro de 1969.
* Para o almoço de Cláudio Torres da Silva com Joaquim Câmara Ferreira: Cláudio Torres da Silva. Em *Hércules 56*, de Silvio Da-Rin.
* Para Franklin Martins autor da ideia do sequestro: Franklin Martins. Em *Hércules 56*, de Silvio Da-Rin; Vera Sílvia Magalhães. Programa *Memória Política*, TV Câmara, 15 de janeiro de 2004.
* Para a hipótese de o GTA abater um avião: Manoel Cyrillo de Oliveira Neto.
* Para sabotar uma torre de energia: Paulo de Tarso Venceslau.
* Para a decisão de executar Charles Elbrick, se as reivindicações não fossem atendidas: Franklin Martins e Manoel Cyrillo de Oliveira Neto. Em *Hércules 56*, de Silvio Da-Rin.
* Para a dispensa de seguranças: *Jornal do Brasil*, 5 de setembro de 1969.
* Para algumas informações sobre o sequestro: processo 207/69. STM.
* Para "quem correr": Vera Sílvia Magalhães. Programa *Memória Política*, TV Câmara, 15 de janeiro de 2004.
* Para "senti firmeza": Cláudio Torres da Silva. Em *Hércules 56*, de Silvio Da-Rin.
* Para "missão impossível": *Time*, 12 de setembro de 1969.
* Para o resgate de uma impressora: José Luiz Del Roio.
* Para Joaquim Câmara Ferreira: Maria de Lourdes Rego Melo, Roberto Cardieri Ferreira, Sara de Melo e Vera Gertel; *O revolucionário da convicção*, de Luiz Henrique de Castro Silva; prontuário 35035. Aperj.
* Para *Branco* e *El Blanco*: cartas de Joaquim Câmara Ferreira para "Meus caros", 18 de setembro de 1970, e *Combatente Filomeno*, 12 de outubro de 1970. Arquivo de Zilda Xavier Pereira.

* Para a cirurgia plástica: Maria de Lourdes Rego Melo.
* Para "coroa de pasta embaixo do braço": Suzana Lisboa.
* Para a captura de Charles Elbrick: Cid de Queiroz Benjamin, Manoel Cyrillo de Oliveira Neto e Paulo de Tarso Venceslau.
* Para pensar no colega assassinado na Guatemala: *Manchete*, 20 de setembro de 1969.
* Para a descrição dos sequestradores com máscaras: *Veja*, 17 de setembro de 1969.
* Para Franklin Martins autor do texto básico do manifesto, com emendas de Joaquim Câmara Ferreira: Franklin Martins, no filme *Tempo de resistência*, de André Ristum.
* Para "submissão às reivindicações": telegrama do Department of State para a embaixada dos Estados Unidos no Rio de Janeiro, 4 de setembro de 1969. Orienta a representação para exigir aquela atitude do governo brasileiro. <http://history.state.gov/historicaldocuments/frus1969--76ve10/d122>.
* Para a loja Lutz Ferrando e a morte de José Wilson Lessa Sabbag: Antenor Meyer; *Direito à memória e à verdade*; *Dossiê ditadura*; processo 207/69. STM.
* Para Roberto Ricardo Cômodo: Antenor Meyer.
* Para os corpos de Ishiro Nagami e Sérgio Roberto Corrêa: Instituto Médico-Legal-SP, 4 de setembro de 1969, exame necroscópico 30107; Instituto de Polícia Técnica-SP, 4 de setembro de 1969, perícia 22856. Processo 207/69. STM.
* Para "puro e simples terrorismo": *Jornal do Brasil*, 5 de setembro de 1969.
* Para a proposta de libertar Gregório Bezerra: Iara Xavier Pereira e Zilda Xavier Pereira; *Memórias*, de Gregório Bezerra.
* Para "discordo das ações isoladas": *Memórias*, de Gregório Bezerra.
* Para a tequila: José Ibrahim. Em *Hércules 56*, de Silvio Da-Rin.
* Para *Tio André*: Maria Augusta Carneiro Ribeiro.
* Para biografias sucintas e opiniões do embaixador: Manoel Cyrillo de Oliveira Neto; *O que é isso, companheiro?*, de Fernando Gabeira; Cláudio Torres da Silva e Paulo de Tarso Venceslau. Em *Hércules 56*, de Silvio Da-Rin.
* Para a "entrevista" de Charles Elbrick a Joaquim Câmara Ferreira: Manoel Cyrillo de Oliveira Neto; Daniel Aarão Reis Filho. Em *Versões e ficções*, coordenação editorial de Flamarion Maués.
* Para as 1800 detenções: *O Estado de S. Paulo*, citado em *Veja*, 17 de setembro de 1969.
* Para a morte de Roberto Cietto: *Direito à memória e à verdade*; *Dossiê ditadura*.
* Para "demonstração de fraqueza": Grupo Terrorismo Nunca Mais, "O sequestro do embaixador dos Estados Unidos". <http://www.ternuma.com.br>.
* Para a placa quente (legal) do Fusca bege: Paulo de Tarso Venceslau.
* Para o relatório do Cenimar, incluindo o estouro de 36 aparelhos: Cenimar, 15 de setembro de 1969, informação 0862. 50-D-7. Apesp.
* Para o recorte da página de classificados e consequências: Cid de Queiroz Benjamin.
* Para o esquecimento do paletó por Fernando Gabeira: Cid de Queiroz Benjamin, Manoel Cyrillo de Oliveira Neto e Paulo de Tarso Venceslau; *O sequestro dia a dia*, de Alberto Berquó.
* Para a negativa de Fernando Gabeira ter esquecido o paletó: *O que é isso, companheiro?*, de Fernando Gabeira.
* Para o bilhete "Gabeira, aí vão": Cenimar, 25 de novembro de 1969, informação 1057. 50-D-7. Apesp.

* Para a correspondência entre Joaquim Câmara Ferreira e Paulo de Tarso Venceslau, rasgada em pedaços: II Exército, 2ª Divisão de Infantaria, Quartel-General, 12 de outubro de 1969, "Relatório especial de informações" nº 28. 30-Z-163. Apesp.
* Para "golpe de mestre": *Combate nas trevas*, de Jacob Gorender.
* Para "o grande erro" e "vitória de Pirro": *Um grito de coragem*, de Renato Martinelli.
* Para "pessoa ligada ao comunismo": Estado-Maior da Armada, 6º Distrito Naval, 29 de outubro de 1969, informação 226. Origem: Capitania dos Portos-SP, 20 de outubro de 1969, informação 156. 50-D-7. Apesp.
* Para "Marighella em cerco fechado": *O Globo*, 14 de outubro de 1969.
* Para "sensacional episódio do sequestro": *Granma*, 1º de novembro de 1969.
* Para "onça com vara curta": Zilda Xavier Pereira.

39. O MINIMANUAL NÃO ERA BÍBLIA [pp. 499-512]

* Para a entrevista de Marighella a Conrad Detrez: *Front*, novembro de 1969.
* Para a sirene da patrulhinha: Fernando de Brito.
* Para o Colégio Rainha da Paz: Fernando de Brito e Oswaldo Rezende Junior.
* Para frei Betto encaminhar Conrad Detrez: *Batismo de sangue*, de frei Betto.
* Para Conrad Detrez e o "Caderno B". *Jornal do Brasil*, 30 de março de 1968.
* Para Conrad Detrez e a *Folha da Tarde*: processo 207/69. STM.
* Para a revista de Jean-Paul Sartre: *Les Temps Modernes*, novembro de 1969.
* Para Ana Corbisier tradutora: Aloysio Nunes Ferreira Filho e Ana Corbisier.
* Para Luchino Visconti e a ALN: Oswaldo Rezende Junior.
* Para Gianni Amico na ALN: Itoby Alves Corrêa Junior e Oswaldo Rezende Junior.
* Para o apelo por ajuda na "luta anticapitalista": Carlos Marighella, setembro-outubro de 1969, "Carta aos revolucionários europeus".
* Para o recado de ir para Cuba treinar: Itoby Alves Corrêa Junior e Zilda Xavier Pereira.
* Para Thomaz Antônio da Silva Meirelles Netto: Miriam Marreiro Malina.
* Para a data do *Minimanual*: em novembro de 1969, a Polícia Federal difundiu uma versão resumida pela 2ª Seção do I Exército. Datou em junho de 1969 o surgimento do *Minimanual*. DPF/Delegacia Regional da Guanabara, 24 de novembro de 1969, registro 039065. Apeje.
* Para o texto do *Minimanual*: cópia mimeografada apreendida pelo Dops-SP e carimbada em 12 de fevereiro de 1970. 30-Z-160. Apesp. As edições do *Minimanual* citadas na bibliografia foram usadas somente para cotejos.
* Para "máquina de matar": *Mensaje a los pueblos del mundo a través de la Tricontinental*, de Ernesto Che Guevara.
* Para Vladímir Maiakóvski: *O Guerrilheiro*, nº 4, agosto de 1971. Apelação 40577. STM.
* Para Marighella saber que o Dops-GB vasculhava apartamentos alugados por temporada: Zilda Xavier Pereira.
* Para seis textos de Marighella e três da ALN promovendo o terrorismo de esquerda: "Questões de organização", "Sobre problemas e princípios estratégicos", "Ao povo brasileiro", *Minimanual do guerrilheiro urbano*, "Alocução sobre guerrilha rural" e "O papel da ação revolucionária na organização", todos da lavra de Marighella; "Comunicado", "Operações e táticas guerrilheiras" e o manifesto dos sequestradores de Charles Elbrick, assinados pela ALN.

* Para "não visam inquietar": ALN, 1969 (sem mês), "Operações e táticas guerrilheiras".
* Para "operação terrorista clássica": *The New York Times*, 16 de agosto de 1969.
* Para "métodos semelhantes aos 'maquis'": *O Globo*, 3 de novembro de 1970.
* Para "esses partisans recorreram": *Terrorismo político*, de Paul Wilkinson.
* Para "o livro nos ensinava": Takao Amano. Em *Mouro*, nº 5, julho de 2011.
* Para o grupo terrorista Baader-Meinhof: *Esquire*, 18 de julho de 1978.
* Para um exemplar do *Minimanual* em posse do CIE em outubro de 1969. Documento afirma que o *Minimanual* foi "elaborado em junho de 1969". ACE A0205679. AN.
* Para a união de editoras francesas: *L'Express*, 13 de julho de 1970.
* Para *Tricontinental*: *Jornal do Brasil*, 13 de abril de 1970.
* Para a difusão do *Minimanual* nos Estados Unidos: *Time*, 2 de novembro de 1970.
* Para "teórico principal": CIA, 22 de janeiro de 1971, "The Latin American guerrilla today". CIA/FOIA.
* Para livro de cabeceira: *El furor y el delírio*, de Jorge Masetti.
* Para "sarna" e "aventura": *O Estado de S. Paulo*, 29 de dezembro de 1970, citando como fonte a *Nova Revista Internacional*, pró-União Soviética. Em *Prestes com a palavra*, organização de Dênis de Moraes.
* Para as cartas de Iuri e Alex Xavier Pereira endereçadas a Marighella: Iara Xavier Pereira, José Luiz Del Roio, Ricardo Apgaua, Sérgio Granja e Zilda Xavier Pereira.
* Para "mais puro estilo soviético": *Nas trilhas da ALN*, de Carlos Eugênio Paz.
* Para o samba-enredo: Ricardo Apgaua.
* Para veto a mulheres: Iara Xavier Pereira, Renato Leonardo Martinelli, Sérgio Granja e Zilda Xavier Pereira.
* Para "revolucionário não tem sexo!": Iara Xavier Pereira.
* Para Ísis Dias de Oliveira especialista em explosivos: Guiomar Silva Lopes.
* Para os processos judiciais: *O fantasma da revolução brasileira*, de Marcelo Ridenti.
* Para compêndios maoístas: Sérgio Granja.
* Para "quem disse que os cubanos mandam": Zilda Xavier Pereira.
* Para o passaporte falso novo: Carlos Guilherme Penafiel.
* Para Augusto Boal e Coreia do Norte: Paulo Cannabrava Filho.
* Para Coreia do Norte e Joaquim Câmara Ferreira: Oswaldo Rezende Junior e Zilda Xavier Pereira.
* Para Darci Miyaki e Coreia do Norte: Darci Toshiko Miyaki, Iara Xavier Pereira e Paulo de Tarso Venceslau.
* Para Coreia do Norte e carabinas para a ALN: Otávio Ângelo.
* Para a correção de 35 mil dólares: Consumer Price Index.
* Para o relógio a Kim Il-sung: Carlos Eugênio Sarmento Coelho da Paz.
* Para Rede Vinicius: Alfredo Moles.
* Para "clima semelhante": Carlos Marighella, setembro de 1969, "Ao povo e aos revolucionários da Guanabara".
* Para "ambiente na área urbana": Carlos Marighella, agosto de 1969, "Alocução sobre guerrilha rural".
* Para "poucas famílias brasileiras": Carlos Marighella, agosto de 1969, "Procurados".

* Para "fontes de recrutamento": Carlos Marighella, setembro de 1969, "As perspectivas da revolução brasileira".

* Para 300 mil membros das Forças Armadas: *Pensamiento Crítico*, 8 de agosto de 1967. Em "Carlos Marighella", ALN, coletânea mimeo, janeiro de 1972.

* Para 120 guerrilheiros: Wilson do Nascimento Barbosa. Em *Mouro*, nº 5, julho de 2011.

* Para os acusados na Justiça: *O fantasma da revolução brasileira*, de Marcelo Ridenti.

* Para "a dificuldade que a polícia tem": *Veja*, 13 de agosto de 1969.

* Para "criminoso mais procurado": *The New York Times*, 5 de novembro de 1969.

* Para a coluna de Camilo Cienfuegos e soldados no aeroporto: *Memorias de un soldado cubano*, de Benigno.

* Para regime "impopular": CIA, 13 de outubro de 1969, "Assessment of the internal security threat in Latin America". CIA/FOIA.

* Para Ernesto Mello Baptista: *Militares: confissões*, de Hélio Contreiras.

* Para o salário mínimo: *Boletim Dieese*, maio de 2002. <http://www.dieese.org.br/esp/salminmai02.pdf>.

* Para a mortalidade infantil: *Estatísticas do século XX*, IBGE.

* Para o crescimento da economia: *Estatísticas do século XX*, IBGE.

40. A QUEDA DO GTA E OS GRITOS DE JONAS [pp. 513-29]

* Para "fortes indícios": Cenimar, 4 de setembro de 1969, registro 0435. Origem: Comando Naval de Brasília, 26 de agosto de 1969, informe 0089/26AGO69/ARME-178. ACE 20736/69. AN.

* Para "está previsto até o fim do ano": SNI/ASP, 3 de setembro de 1969, informação 6/6/SNI/ASP/69. ACE A0202794. AN.

* Para "encontro-me realmente": Carlos Marighella, setembro de 1969, "Ao povo e aos revolucionários da Guanabara".

* Para "sob a forma de marcha": Carlos Marighella, agosto de 1969, "Alocução sobre guerrilha rural".

* Para Guapiaçu: Nei Dante da Costa Falcão e Takao Amano.

* Para os garranchos e anotações com Marighella: prontuário 7593. Aperj.

* Para o *Minimanual do guerrilheiro rural*: Zilda Xavier Pereira.

* Para "todo mundo quer ir para o GTA": *O baú do guerrilheiro*, de Ottoni Fernandes Júnior.

* Para plano de assaltos na avenida Professor Alfonso Bovero: Carlos Alberto Lobão da Silveira Cunha, Guiomar Silva Lopes, Manoel Cyrillo de Oliveira Neto, Otávio Ângelo e Takao Amano.

* Para "cerco policial estratégico": Carlos Marighella, junho de 1969, *Minimanual do guerrilheiro urbano*.

* Para a 1ª Auditoria da Marinha: *O Estado de S. Paulo*, 21 de setembro de 1969.

* Para "o grande objetivo da Operação Bandeirante": *Ideais traídos*, de Sylvio Frota.

* Para Waldyr Coelho chefe da Coordenação de Execução da Oban: II Exército, 2ª Divisão de Infantaria, Quartel-General, 10 de novembro de 1969, ofício 129/OB. 50-Z-9. Apesp.

* Para mercenários norte-americanos: ex-agente do Dops-SP, 4-5 de maio de 2010.

* Para quarenta visitas semanais: *Ideais traídos*, de Sylvio Frota.

* Para a morte de Henning Boilesen: Carlos Eugênio Sarmento Coelho da Paz.

* Para 3176 presos e cinquenta mortos: II Exército, DOI/Codi, junho de 1975, "Relatório de estatística". Cópia cedida pelo jornalista Pedro Estevam da Rocha Pomar.

* Para as quedas do GTA em 24 de setembro de 1969: Carlos Lichtsztejn, Manoel Cyrillo de Oliveira Neto e Takao Amano; Takao Amano. Em *Mouro*, nº 5, julho de 2011; Dops-SP, 9 de novembro de 1969, relatório do delegado Ivair Freitas Garcia. 30-Z-160. Apesp; processo 207/69. STM

* Para a morte de Luiz Fogaça Balboni: Manoel Cyrillo de Oliveira Neto; *Direito à memória e à verdade*; *Dossiê ditadura*.

* Para Luiz Fogaça Balboni como o oitavo membro da ALN morto: antes faleceram Catarina Abi-Eçab, João Antônio Abi-Eçab, Marcos Antonio Braz de Carvalho, Nelson José de Almeida (na origem, Corrente-MG), José Wilson Lessa Sabbag, Ishiro Nagami e Sérgio Roberto Corrêa.

* Para o aparelho da rua Minas Gerais: Maria Aparecida dos Santos.

* Para Boanerges de Souza Massa levar Virgílio Gomes da Silva à residência da família Fon e o relato de Boanerges: Paulo de Tarso Venceslau.

* Para a prisão da família Fon: *Tortura*, de Antonio Carlos Fon.

* Para "Gestapo brasileira": Carlos Marighella, setembro de 1969, "As perspectivas da revolução brasileira".

* Para Francisco Gomes da Silva e o irmão na Oban: *Jornal da Tarde*, 16 de maio de 1997.

* Para Celso Horta e Virgílio Gomes da Silva na Oban: Celso Antunes Horta; Celso Horta. Em *Versões e ficções*, coordenação editorial de Flamarion Maués.

* Para os ferimentos de Virgílio Gomes da Silva: Instituto Médico-Legal-SP, 30 de setembro de 1969, exame necroscópico 32369. 30-Z-160. Apesp.

* Para delegado, olhos e pênis: *Virgílio Gomes da Silva*, de Edileuza Pimenta e Edson Teixeira.

* Para doze algozes: *Direito à memória e à verdade*; *Dossiê ditadura*.

* Para "não podem ser informados": 30-Z-160. Apesp.

* Para a "fuga" de Virgílio Gomes da Silva: II Exército, 2ª Divisão de Infantaria, Quartel-General, 12 de outubro de 1969, "Relatório especial de informações" nº 28. 30-Z-163. Apesp.

* Para a prisão preventiva de Virgílio Gomes da Silva: 2ª Auditoria da 2ª Região Militar, 5 de dezembro de 1969. 50-Z-9. Apesp.

* Para a tortura de Jacques Breyton e a vigilância à sua casa: Jacques Breyton.

* Para o resgate de Márcio Beck Machado: ALN, *Quedograma*. Arquivo de Mário Magalhães; II Exército, 2ª Divisão de Infantaria, Quartel-General, 12 de outubro de 1969, "Relatório especial de informações" nº 28. 30-Z-163. Apesp.

* Para a tortura de Maria Aparecida dos Santos: Maria Aparecida dos Santos.

* Para Francisco Gomes da Silva levantando a cabeça: Vlademir Gomes da Silva.

* Para os eventos com a família de Virgílio Gomes da Silva: Gregório Gomes da Silva, Ilda Gomes da Silva e Vlademir Gomes da Silva; Virgílio Gomes da Silva Filho. Em *Direito à memória e à verdade: histórias de meninas e meninos marcados pela ditadura*.

* Para a queda de vinte militantes e treze aparelhos: II Exército, 2ª Divisão de Infantaria, Quartel-General, 12 de outubro de 1969, "Relatório especial de informações" nº 28. 30-Z-163. Apesp.

* Para o discurso de Emílio Garrastazu Médici: *O jogo da verdade*, de Emílio Garrastazu Médici.

* Para a Operação Verniz: SNI/ABSB, relatórios especiais 1, 2 e 8, períodos 24 a 30 de setembro, 30 de setembro a 6 de outubro e 11 a 13 de novembro de 1969. ACE A0682676. AN.

* Para os títulos de *Veja*: edições de 22 e 29 de outubro e 5 de novembro de 1969.

* Para as armas apreendidas no aparelho de Paulo de Tarso Venceslau: II Exército, 2ª Divisão de Infantaria, Quartel-General, 12 de outubro de 1969, "Relatório especial de informações" nº 28. 30-Z-163. Apesp.
* Para a tortura de Paulo de Tarso Venceslau na Oban e no Dops-SP: Paulo de Tarso Venceslau.
* Para a omissão sobre o dinheiro guardado em um saco: Paulo de Tarso Venceslau.
* Para a campana do Dops-SP e a interceptação das ligações telefônicas do convento: Dops-SP, 9 de novembro de 1969, relatório do delegado Ivair Freitas Garcia. 30-Z-160. Apesp.

41. OS FRADES VOLTAM COM FLEURY [pp. 530-44]

* Para mais de uma centena de pessoas: levantamento do autor com base em entrevistas, consultas, bibliografia e processo 207/69. STM.
* Para os camilianos: Magno José Vilela.
* Para Marighella incumbir frei Betto de ajudar foragidos a deixar o país e os eventos no Rio Grande do Sul: frei Betto. Em *Playboy*, junho de 1992; *Batismo de sangue*, de Frei Betto.
* Para "degringolaram": *Batismo de sangue*, de Frei Betto.
* Para o afastamento de frei Tito da militância e suas dúvidas sobre a vida religiosa: Fernando de Brito, João Antônio Caldas Valença, Magno José Vilela e Oswaldo Rezende Junior.
* Para Sérgio Fleury: *Realidade*, abril de 1971; *Autópsia do medo*, de Percival de Souza.
* Para delegado de polícia de terceira classe: Dops-SP, 9 de novembro de 1969, relatório do delegado Ivair Freitas Garcia. 30-Z-160. Apesp.
* Para "tratava-se de um esquema": *Minhas memórias*, de Hélio Bicudo.
* Para o diagnóstico de Benedito Nunes Dias: *Folha de S.Paulo*, 20 de maio de 1996.
* Para "é ali que ele se pica": *Minhas memórias*, de Hélio Bicudo.
* Para escudeiro devotado: ex-agente do Dops-SP, 4-5 de maio de 2010.
* Para Luis Apollonio analisando documentos: Dops-SP, 29 de janeiro de 1969. Processo 017/02. Comissão Especial sobre Mortos e Desaparecidos Políticos.
* Para "estava sendo recrutado": Dops-SP, 26 de março de 1969, depoimento de Izaías do Vale Almada. Processo 139/69. STM.
* Para "a decisão veio quando Izaías Almada": *Batismo de sangue*, de Frei Betto.
* Para "elemento integrado ao chamado Grupo Marighella": Dops-SP, 26 de março de 1969, depoimento de Izaías do Vale Almada. Processo 139/69. STM.
* Para questionamento a Onofre Pinto e resposta: Dops-SP, 20 de março de 1969, depoimento de Onofre Pinto. Processo 139/69. STM.
* Para "médico pertencente à VPR" e outras informações: I Exército, 2ª Seção, 27 de maio de 1969, informação 741 CH/69. Origem: CIE, 12 de maio de 1969, informação 1140 S/102-CIE. Setor Secreto, pasta 44. Aperj.
* Para declaração atribuída a Diógenes de Oliveira: II Exército, 2ª Divisão de Infantaria, Quartel-General, s/d, "Relatório especial de informações" nº 15. 30-Z-163. Apesp.
* Para o levantamento de telefonemas feito pelo Serviço de Informações de Segurança da Aeronáutica: 4ª Zona Aérea, Quartel-General, Divisão de Segurança, 16 de janeiro de 1970, informe 021/QG-4/70. Origem: levantamento do Sisa em agosto de 1969. 50-D-26. Apesp.

* Para "Zanconato viajou para São Paulo": CIE, 29 de maio de 1969, pedido de busca 363 S/102 — CIE. Origem: depoimento de Mário Roberto Galhardo Zanconato em Minas Gerais. Setor Secreto, pasta 47. Aperj.
* Para "Pelo menos em Belo Horizonte": Mário Roberto Galhardo Zanconato.
* Para "não era surpresa": telegrama de Robert Corrigan de São Paulo para Washington, 6 de novembro de 1969. Em *IstoÉ*, 11 de novembro de 1987.
* Para jacaré no corpo nu e barata no ânus: *Brasil: Nunca Mais*.
* Para Maurina Borges da Silveira e eletrochoques: *Folha de S.Paulo*, 7 de junho de 1998.
* Para a morte de Antônio Henrique Pereira Neto: *Direito à memória e à verdade*; *Dossiê ditadura*.
* Para frei Ivo como autor do telefonema a Sinval de Itacarambi Leão, e não o contrário: Sinval de Itacarambi Leão e Yves do Amaral Lesbaupin.
* Para a presunção do Dops-SP de que o encontro no Rio de Janeiro seria com Marighella: Fernando de Brito e Yves do Amaral Lesbaupin; Dops-SP, 9 de novembro de 1969, relatório do delegado Ivair Freitas Garcia. 30-Z-160. Apesp.
* Para SNI, Cenimar, viagem de quatro policiais ao Rio de Janeiro e outras informações: Dops-SP, 9 de novembro de 1969, relatório do delegado Ivair Freitas Garcia. 30-Z-160. Apesp.
* Para a tortura de frei Ivo, *Alemão-Mike* e Sérgio Fleury: Yves do Amaral Lesbaupin.
* Para a identidade de *Alemão-Mike* como Alfredo Magalhães: *Tirando o capuz*, de Álvaro Caldas; *Diário de Fernando*, de frei Betto.
* Para a tortura de frei Fernando, *Alemão-Mike* e Sérgio Fleury: Fernando de Brito.
* Para "relatório oficial da operação": Dops-SP, 9 de novembro de 1969, relatório do delegado Ivair Freitas Garcia. 30-Z-160. Apesp.
* Para "medo, medo, medo": Fernando de Brito.
* Para "o *Ernesto* pediu que vocês o encontrem [...]": Antônio Flávio Médici de Camargo.
* Para a pergunta "tudo bem?" e a resposta "tudo bem": Antônio Flávio Médici de Camargo e Fernando de Brito.
* Para "ele entrou": Rose Nogueira.
* Para "você não é macho?": Eunício Precílio Cavalcante e Rose Nogueira.
* Para Fleury e no mínimo mais 28 policiais e sete automóveis em torno do Fusca dos dominicanos: Dops-SP, 9 de novembro de 1969, relatório do delegado Ivair Freitas Garcia. 30-Z-160. Apesp.

42. TOCAIA [pp. 545-55]

* Para Salatiel Teixeira Rolim e a ALN: Eunício Precílio Cavalcante; *Combate nas trevas*, de Jacob Gorender.
* Para os quatro encontros de Marighella no anoitecer de 2 de novembro de 1969: anotações e garranchos de Carlos Marighella. Prontuário 7593. Aperj; Carlos Eugênio Sarmento Coelho da Paz, Clara Charf, Gilney Amorim Viana, Otávio Ângelo, Reinaldo Guarany Simões, Roberto Nolasco e Suzanna Sampaio.
* Para a incapacidade dos órgãos de segurança de decifrar o significado de "Qeleh": II Exército, EM, 2ª Seção, s/d, "Relatório especial de informações" nº 8/69, anexo 5. Arquivo de Mário Magalhães. Na íntegra, a anotação "d2 2000 RCvxAvRe Qeleh" quer dizer: dia 2, às oito horas da noite, na esquina de rua Capote Valente com avenida Rebouças, Quelé.

* Para as dez pessoas com quem Marighella cruzou em 2 de novembro de 1969, sem falar ou ouvir sobre problemas com a segurança dos dominicanos: Antônio Flávio Médici de Camargo, Clara Charf, Flávio Augusto Neves Leão de Salles, Gilberto Luciano Belloque, Gilney Amorim Viana, Guiomar Silva Lopes, Maria Luiza Locatelli Belloque, Otávio Ângelo, Roberto Nolasco e Suzanna Sampaio.

* Para Marighella não falar dos dominicanos em 3 de novembro de 1969: Domingos Fernandes.

* Para o novo pedido de prisão preventiva de Marighella: Dops-SP, 3 de novembro de 1969, relatório do inquérito 19/69, Alcides Cintra Bueno Filho. 30-Z-160. Apesp.

* Para alguns aspectos da cilada: Dops-SP, 9 de novembro de 1969, relatório do delegado Ivair Freitas Garcia. 30-Z-160. Apesp.

* Para os 22 anos de Estela Morato: *O Estado de S. Paulo*, 6 de novembro de 1969.

* Para os 29 dias de Estela Morato na Polícia Civil: *Manchete*, 22 de novembro de 1969.

* Para *Vilminha*: *Jornal da Tarde*, 5 de novembro de 1969.

* Para João Carlos Tralli e o Esquadrão da Morte: *Folha de S.Paulo*, 20 de maio de 1996; *Meu depoimento sobre o Esquadrão da Morte*, de Hélio Pereira Bicudo; *Autópsia do medo*, de Percival de Souza.

* Para ameaças e agressão de João Carlos Tralli e Roberto Guimarães: Rose Nogueira.

* Para expectativa de vida: <http://www.ipea.gov.br/sites/000/2/comunicado_presidencia/08_09_18_ExpectativaVidaSaudavel_NPresi_8_comunicado%20presidencia_1.pdf>.

* Para "não alimentarei noticiário da ditadura": Carlos Antonio Axelrud de Gouveia.

* Para "os mortos são os únicos": Carlos Marighella, dezembro de 1968, "Quem samba fica, quem não samba vai embora".

* Para Maria de Lourdes Rego Melo: Maria de Lourdes Rego Melo.

* Para se despedir de Marighella por volta das cinco horas da tarde: Guiomar Silva Lopes.

* Para se encontrar com Marighella entre sete e sete e quinze da noite: Otávio Ângelo.

* Para o telefonema de Marighella antes das sete e meia da noite: Suzanna Sampaio.

* Para os mil dólares que Marighella carregava na pasta: I Exército, 27 de novembro de 1969, "Relatório especial de informações" nº 3/69. Prontuário 22947. Aperj.

* Para Marighella saber que o casal Sampaio emprestava um carro aos dominicanos: Benedicto Arthur Sampaio e Suzanna Sampaio.

* Para "tenhamos decisão": Carlos Marighella, 1967 (sem mês), "Mensagem ao povo brasileiro através da Rádio Havana".

* Para "é o Marighella!": *Jornal da Tarde*, 5 de novembro de 1969.

* Para Fleury mancando: Fernando de Brito; ex-agente do Dops-SP, 4-5 de maio de 2010.

* Para numerosos detalhes da morte de Marighella: ver capítulo 43.

* Para os ferimentos de Marighella: Instituto Médico-Legal-SP, 11 de novembro de 1969, exame necroscópico 36229. Prontuário 3849. Apesp.

* Para os tiros de metralhadora no Buick: Dops-SP, 9 de novembro de 1969, relatório do delegado Ivair Freitas Garcia. 30-Z-160. Apesp.

* Para João Carlos Tralli beijando *Vilminha* e "muito folgado": *Jornal da Tarde*, 5 de novembro de 1969.

* Para João Carlos Tralli mostrando a Sílvio Corrêa de Andrade como acertou Marighella: *Autópsia do medo*, de Percival de Souza.

* Para os colegas que creem que o tiro fatal contra Marighella foi disparado por Tralli: três ex--agentes do Dops-SP, 12 de abril de 2005, 4 de maio de 2010 e 4-5 de maio de 2010.

* Para Sérgio Fleury reivindicar um tiro certeiro: *Manchete*, 22 de novembro de 1969.
* A versão com um segurança de Marighella vistoriando a alameda Casa Branca antes da sua chegada e com a turma de seguranças está em praticamente todas as coberturas jornalísticas de 1969.
* Para a versão de que Marighella quis sacar uma pistola: *Jornal da Tarde*, 5 de novembro de 1969.
* Para "alô, mamãe": *Jornal da Tarde*, 5 de novembro de 1969.
* Para "matamos o bicho!": Rose Nogueira.
* Para "eu vou matar vocês todos!": Roberto de Barros Pereira.
* Para "olê, olá, Marighella se [...]": *Tiradentes, um presídio da ditadura*, organização de Alipio Freire, Izaías Almada e J. A. de Granville Ponce.
* Para Harry Shibata: Harry Shibata.

43. POST-MORTEM: ANATOMIA DE UMA FARSA [pp. 556-70]

* Para Marighella "em lugar incerto": *Diário da Justiça*, citado em *O Estado de S. Paulo*, 6 de novembro de 1969.
* Para o horário do enterro: Dops-SP, 6 de novembro de 1969, telegrama do delegado Alcides Cintra Bueno Filho para o Centro de Comunicações e Operações da Polícia Civil-SP. Prontuário 3849. Apesp.
* Para o caixão de quarta classe: *Jornal do Brasil*, 7 de novembro de 1969.
* Para a taxa de 3,50 cruzeiros novos e os números de sepultura e quadra: Prefeitura do Município de São Paulo, Taxas Funerárias, 6 de novembro de 1969, recibo 983 603. Prontuário 3849. Apesp.
* Para "ninguém procurou o cadáver": *Folha de S.Paulo*, 7 de novembro de 1969.
* Para "familiares Carlos Marighella": telegrama de Caetano, Humberto e Carlos Augusto Marighella para o Dops-SP. The Western Telegraph Co. Ltd. Recebido às 18h50, aparentemente em 5 de novembro de 1969. Prontuário 3849. Apesp.
* Para 45 cruzeiros novos: *Jornal do Brasil*, 9 de novembro de 1969.
* Para "meu pai foi um grande amigo": *Jornal do Brasil*, 9 de novembro de 1969.
* Para o balanço da Oban: *Veja*, 4 de fevereiro de 1970.
* Para Carlos Éboli: relatório do perito criminal Carlos de Mello Éboli, 12 de dezembro de 1969. Prontuário 7593. Aperj.
* Para os 43 policiais promovidos: Dops-SP, 9 de novembro de 1969, relatório do delegado Ivair Freitas Garcia. 30-Z-160. Apesp.
* Os 43 promovidos "por bravura e ação meritória", conforme a ordem do relatório: Rubens Cardoso de Mello Tucunduva, Francisco Guimarães do Nascimento, Sérgio Fernando Paranhos Fleury, Edsel Magnotti, Roberto Guimarães, Firmiano Pacheco Netto, Orlando Rosante, Raul Ferreira, Fábio Lessa de Souza Camargo, Walter Fernandes, Alfeu Forte, Ana Tereza Leite, Amador Navarro Parra, Aduzino Uribe, Alcides Paranhos Junior, Antônio Pereira Gomes, Adão da Silva Azevedo, Clarismundo da Silva Filho, Henrique de Castro Perrone, João Ribeiro de Carvalho Netto, Joaquim Ferreira da Silva Filho, Luiz Hena, Luiz Antônio Mariano, Luiz Gonzaga Xavier, Mário Rocco Sobrinho, Natal Tuglia, Nelson Laurindo, Oswaldo Machado de Oliveira, Paulo Guilherme Peres, Rubens Pacheco de Souza, Walter Francisco, Wanderval Vieira de Souza, Izidoro Tescarollo,

João Carlos Tralli, Luiz Zampolo, Darci de Souza, Antônio dos Santos, Gumercindo João de Oliveira, João Lopes, Valmor Trevisan, Tokioshy Nakahara e Djalma Oliveira da Silva. Promoção póstuma para Estela Borges Morato. Raul Nogueira Lima participou da tocaia, mas não reunia requisitos legais para a promoção. 30-Z-160. Apesp.

* Para participantes da tocaia não mencionados no relatório de Ivair Freitas Garcia: três ex-agentes do Dops-sp, 12 de abril de 2005, 4 de maio de 2010 e 4-5 de maio de 2010.

* Para "por determinação do dr. Romeu Tuma": Dops-sp, 9 de novembro de 1969, relatório do delegado Ivair Freitas Garcia. 30-Z-160. Apesp.

* Para Raul Nogueira Lima e o carro do pai de Romeu Tuma: *Autópsia do medo*, de Percival de Souza.

* Para "Marighella matou Estela": *Diário de Notícias* (Rio de Janeiro), 6 de novembro de 1969.

* Para a versão de treze pessoas na segurança de Marighella: *Veja*, 12 de novembro de 1969.

* Para "os elementos da segurança de Marighella começaram a atirar": Instituto de Polícia Técnica-sp, 11 de novembro de 1969, perícia 26379. Prontuário 7593. Aperj.

* Para "caí e comecei a atirar": *Jornal da Tarde*, 5 de novembro de 1969.

* Para "conseguiu furar o cerco": SNI/ACT, 11 de novembro de 1969, informação 556/SNI/ACT/69. ACE A0215673. AN.

* Para a autópsia de Marighella: Instituto Médico-Legal-sp, 11 de novembro de 1969, exame necroscópico 36229. Prontuário 3849. Apesp.

* Para "vítimas do terrorismo": *A verdade sufocada*, de Carlos Alberto Brilhante Ustra.

* Para "ele sempre andava sozinho": *Pensamiento Crítico*, s/d. Reprodução em mimeo cedida por Renato Leonardo Martinelli.

* Para o segurança que vasculhou a alameda Casa Branca "julgando não haver risco": Dops-sp, 9 de novembro de 1969, relatório do delegado Ivair Freitas Garcia. 30-Z-160. Apesp.

* Para Edmur Péricles Camargo no cenário da morte de Marighella: *Time*, 2 de novembro de 1970.

* Para "ele rompera com a ALN": *Guerra é guerra, dizia o torturador*, de Índio Vargas.

* Para a ausência de menção à morte de Marighella: II Exército, 2ª Divisão de Infantaria, EMG, 27 de maio de 1970, declarações prestadas por Edmur Péricles Camargo. 50-Z-9. Apesp.

* Para Luiz José da Cunha na alameda Casa Branca: *Guerrilha do Araguaia*, de Lício Maciel.

* Para a morte de Luiz José da Cunha: *Direito à memória e à verdade*; *Dossiê ditadura*.

* Para Luiz José da Cunha integrante do 2º Exército da ALN: CIE, 20 de outubro de 1970, informação 2939/70/S-102-M2-CIE. ACE A0221697. AN; I Exército, 2ª Seção, 13 de novembro de 1970, informação 1985/70. Setor Secreto, pasta 78. Aperj; CIE, 21 de junho de 1972, s/nº info. Setor Terrorismo, pasta 15. Aperj.

* Para a confiança dos oficiais em José da Silva Tavares e sua partida de Cuba em junho de 1970: CIE, 20 de outubro de 1970, informação 2939/70/S-102-M2-CIE. ACE A0221697. AN.

* Para o regresso do 2º Exército a partir de junho de 1970: *Zarattini*, de José Luiz Del Roio.

* Para "encontrava-se em minha companhia": declaração escrita de Valdemar Rodrigues de Menezes, 13 de abril de 1998. Cópia cedida por Iara Xavier Pereira.

* Para a declaração de Rubens Pacheco de Souza: *Folha de S.Paulo*, 20 de maio de 1996.

* Para "foi tudo fogo amigo": ex-agente do Dops-sp, 4 de maio de 2010.

* Para Marighella com uma pistola 9 milímetros: *Jornal da Tarde*, 5 de novembro de 1969.

* Para Marighella com duas armas de fogo: *Folha da Tarde*, 5 de novembro de 1969.

* Para a "pasta preta onde, segundo informações": Dops-SP, 9 de novembro de 1969, relatório do delegado Ivair Freitas Garcia. 30-Z-160. Apesp.

* Para "Marighella tenta abrir": Instituto de Polícia Técnica-SP, 11 de novembro de 1969, perícia 26379. Prontuário 7593. Aperj.

* Para os peritos acionados às nove e dez da noite: Instituto de Polícia Técnica-SP, 11 de novembro de 1969, perícia 26379. Prontuário 7593. Aperj.

* Para Marighella se aproximar do Fusca dos dominicanos "por volta" das oito horas da noite: Dops-SP, 9 de novembro de 1969, relatório do delegado Ivair Freitas Garcia. 30-Z-160. Apesp.

* Para Marighella com revólver calibre 38 em um assalto a banco: Elio Ferreira Rego.

* Para uma pistola calibre 9 milímetros de Marighella: Guiomar Silva Lopes.

* Para o laudo do revólver Taurus calibre 32 e da pasta preta: Instituto de Polícia Técnica-SP, 26 de novembro de 1969, perícia 28549. Processo 272/96. Comissão Especial sobre Mortos e Desaparecidos Políticos.

* Para o relatório de Luís Francisco Carvalho Filho: Processo 272/96. Comissão Especial sobre Mortos e Desaparecidos Políticos.

* Para "ele não portava arma nenhuma": ex-agente do Dops-SP, 4-5 de maio de 2010.

* Para o parecer de Nelson Massini: Parecer Médico-Legal, 8 de maio de 1996. Processo 272/96. Comissão Especial sobre Mortos e Desaparecidos Políticos.

* Para os compêndios de medicina legal: anexos ao Parecer Médico-Legal, 8 de maio de 1996. Processo 272/96. Comissão Especial sobre Mortos e Desaparecidos Políticos.

* Para o provável disparo fatal de João Carlos Tralli: três ex-agentes do Dops-SP, 12 de abril de 2005, 4 de maio de 2010 e 4-5 de maio de 2010; Tralli contou como baleou Marighella. Em *Autópsia do medo*, de Percival de Souza.

* Para a análise de Massini em 2012: e-mail de Nelson Massini, 3 de abril de 2012.

* Para as fotografias dos carros alvejados e a trajetória das balas: Instituto de Polícia Técnica-SP, 11 de novembro de 1969, perícia 26379. Prontuário 7593. Aperj.

* Para "eu o queria vivo": *Manchete*, 22 de novembro de 1969.

* Para "víamos fantasmas": ex-agente do Dops-SP, 4 de maio de 2010.

* Para "era o demônio": ex-agente do Dops-SP, 12 de abril de 2005.

* Para "Padres levam Marighella à morte": *O Estado de S. Paulo*, 5 de novembro de 1969.

* Para "O beijo de Judas": *O Globo*, 6 de novembro de 1969.

* Para "O padre fala [...]": *Jornal da Tarde*, 6 de novembro de 1969.

* Para dominicanos e John Dillinger: *Jornal da Tarde*, 6 de novembro de 1969.

* Para "Almada levou Marighella [...]": *Estado de Minas*, 7 de novembro de 1969.

* Para "resolveram colaborar com a polícia": Instituto de Polícia Técnica-SP, 11 de novembro de 1969, perícia 26379. Prontuário 7593. Aperj.

* Para membros da ALN e a hipótese de matar frei Ivo e frei Fernando: *Folha de S.Paulo*, 20 de maio de 1996.

* Para "delação dos frades": Jacob Gorender. Em *Tiradentes, um presídio da ditadura*, organização de Alipio Freire, Izaías Almada e J. A. de Granville Ponce.

* Para prisão de frei Fernando e frei Ivo às oito e meia da noite de 2 de novembro de 1969: Dops-SP, 9 de novembro de 1969, relatório do delegado Ivair Freitas Garcia. 30-Z-160. Apesp.

* Para a prisão entre uma e duas horas da tarde: Fernando de Brito e Yves do Amaral Lesbaupin.

* Para a carta da universitária ludibriada: *Folha de S.Paulo, Jornal da Tarde, Jornal do Brasil, O Globo, Última Hora* (Rio de Janeiro), 30 de dezembro de 1969.

* Para Marighella responsável pela descoberta da Guerrilha do Araguaia: Lício Maciel. Em *O coronel rompe o silêncio*, de Luiz Maklouf Carvalho.
* Para as regiões abrangidas pelos garranchos e anotações de Marighella: Prontuário 7593. Aperj.
* Para a prisão de um irmão de Ottoni Fernandes Júnior: *O baú do guerrilheiro*, de Ottoni Fernandes Júnior; processo 207/69. STM.
* Para Ottoni Fernandes Júnior entregar um bilhete com o nome de um irmão a Otávio Ângelo, que o repassou a Marighella: Otávio Ângelo; *O baú do guerrilheiro*, de Ottoni Fernandes Júnior.
* Para militantes da ALN autores do sequestro de 4 de novembro, e não de 8 de outubro de 1969: Alfredo Moles; *Desaparecidos políticos*, organização de Reinaldo Cabral e Ronaldo Lapa; *O baú do guerrilheiro*, de Ottoni Fernandes Júnior; "Projeto Orvil", redigido por oficiais do Exército com base no arquivo do CIE.
* Para Alessandro Malavasi estar preso em 4 de novembro de 1969: II Exército, 2ª Divisão de Infantaria, Quartel-General, 10 de novembro de 1969, ofício 129/OB. 50-Z-9. Apesp.
* Para "Ivo me disse que Marighella entrou no carro": *Folha de S.Paulo*, 22 de maio de 1996.
* Para "verdade verdadeira": Eunício Precílio Cavalcante.
* Para Ivo reconheceu que "quando o Marighella entrou": Roberto de Barros Pereira.
* Para "quanto à morte do Marighella": Oswaldo Rezende Junior.
* Para *Toledo* rejeitou em entrevista: *Pensamiento Crítico*, s/d. Reprodução em mimeo cedida por Renato Leonardo Martinelli.
* Para não ver sangue nos paralelepípedos: José Maria Mayrink e Sérgio Vital Tafner Jorge.
* Para a fotografia que mostra os paralelepípedos da alameda Casa Branca: Instituto de Polícia Técnica-SP, 11 de novembro de 1969, perícia 26379. Foto 2. Prontuário 7593. Aperj.
* Para a descrição de Fernando de Brito, à Justiça, "apareceu um homem": 2ª Auditoria da 2ª Região Militar, 1º de outubro de 1970, auto de interrogatório. Processo 207/69. STM.
* Para "uma pessoa me empurra": Fernando de Brito.
* Para a descrição de Yves do Amaral Lesbaupin, à Justiça, "foi retirado do automóvel": 2ª Auditoria da 2ª Região Militar, 19 de outubro de 1970, auto de interrogatório. Processo 207/69. STM.
* Para "nunca tive qualquer contato com Marighella": Fernando Casadei Salles.
* Para "não tenho claro na memória": Fernando Casadei Salles.
* Para o encontro com Jeová Assis Gomes por volta das seis horas da tarde: Fernando Casadei Salles.
* Para "Jeová assegurou a um companheiro": Fernando Casadei Salles, mencionando um amigo que contou ter ouvido, de Jeová de Assis Gomes, que Jeová não esteve com Marighella nas horas que antecederam a morte do líder.
* Para "nunca me disse": Gilberto Luciano Belloque.
* Para 10 mil dólares doados por Carlos Lamarca: Gilberto Luciano Belloque.
* Para a correção de 10 mil dólares: Consumer Price Index.
* Para a opinião de que Marighella não foi advertido sobre as quedas dos dominicanos: Magno José Vilela.
* Para "fiquei o dia inteiro": Otávio Ângelo.
* Para "é verdade": Guiomar Silva Lopes.
* Para o texto escrito por Jorge Amado: *Folha de S.Paulo*, 11 de dezembro de 1979.

EPÍLOGO: UMA PANDORGA NO CÉU [pp. 571-82]

* Para Joaquim Câmara Ferreira em Paris e Roma: Aloysio Nunes Ferreira Filho, Itoby Alves Corrêa Junior e Oswaldo Rezende Junior.
* Para o caminhão da ALN: *Viagem à luta armada*, de Carlos Eugênio Paz; processo 207/69. STM.
* Para o plano de "justiçar" Sérgio Fleury: Ivan Seixas; *O Globo*, 3 de novembro de 1970.
* Para *"I don't want to stay here* [...]": Maria de Lourdes Rego Melo.
* Para o encontro com Rachel Gertel: Vera Gertel.
* Para cápsulas de cianureto: Gilberto Luciano Belloque e Maurício Segall.
* Para "nosso grande mestre": carta de Joaquim Câmara Ferreira a Zilda Xavier Pereira, 8 de setembro de 1970. Arquivo de Zilda Xavier Pereira.
* Para a captura de José da Silva Tavares, a falsa fuga e sua colaboração com os órgãos de segurança: II Exército, Quartel-General, 2ª Seção, 3 de novembro de 1970, "Relatório especial de informações" nº 7/70. Prontuário 33 807. Aperj; CIE, 29 de outubro de 1970. ACE A0221697. AN; ALN, *Quedograma*. Arquivo de Mário Magalhães; *Direito à memória e à verdade*; *Dossiê ditadura*.
* Para o encontro marcado de Joaquim Câmara Ferreira e José da Silva Tavares em 23 de outubro de 1969 e a presença de Câmara no sítio: Maria de Lourdes Rego Melo, Maurício Segall e Viriato Xavier de Melo Filho.
* Para a tortura dos três companheiros de Joaquim Câmara Ferreira no sítio do Dops-SP: Maria de Lourdes Rego Melo, Maurício Segall e Viriato Xavier de Melo Filho.
* Para Sérgio Fleury e o destemor de Maria de Lourdes Rego Melo: *Realidade*, abril de 1971.
* Para a morte de Joaquim Câmara Ferreira: Cartório do Registro Civil, 20º Subdistrito, município de São Paulo, 5 de novembro de 1970, certidão de óbito 168 840, livro 152, folha 269. Causa mortis, com óbito datado em 24 de outubro de 1970: congestão e edema pulmonar no decurso de miocardite esclerose com hipertrofia ventricular esquerda. 30-B-152. Apesp.
* Para a tortura de Joaquim Câmara Ferreira: Maria de Lourdes Rego Melo.
* Para "quando estava sendo submetido a interrogatório": II Exército, Quartel-General, 2ª Seção, 3 de novembro de 1970, "Relatório especial de informações" nº 7/70. Prontuário 33 807. Aperj.
* Para a versão de Sérgio Fleury sobre *Bacuri*: *Jornal do Brasil*, 25 de outubro de 1970.
* Para a morte de *Bacuri*: *Direito à memória e à verdade*; *Dossiê ditadura*.
* Para José da Silva Tavares na indústria automobilística: *Estado de Minas*, 18 de janeiro de 2009.
* Para a tortura de Carlos Augusto Marighella: Carlos Augusto Marighella.
* Para Carlos Alberto Brilhante Ustra na Bahia: *Folha de S.Paulo*, 8 de fevereiro de 2009.
* Para a fotografia de Marighella na residência de Elza Sento Sé: Carlos Augusto Marighella.
* Para a tortura de Zilda Xavier Pereira: Zilda Xavier Pereira.
* Para "um beijo do companheiro-filho": carta de Iuri Xavier Pereira a Zilda Xavier Pereira, maio de 1970. Arquivo de Zilda Xavier Pereira.
* Para a relação de Marighella e Zilda Xavier Pereira, no *Jornal do Brasil*: 12 de janeiro de 1995.
* Para a relação de Marighella e Zilda Xavier Pereira, em *Jeune Afrique*: 8 de julho de 1972.
* Para a relação de Marighella e Zilda Xavier Pereira, em *L'espresso*: 24 de dezembro de 1972.
* Para "Suíte do pescador": Dulce Maia. Em *Tiradentes, um presídio da ditadura*, organização de Alipio Freire, Izaías Almada e J. A. de Granville Ponce.
* Para os versos de frei Tito: <http://www.adital.com.br/freitito/por/pedras_rio.html>.
* Para a morte de Mário Alves: *Combate nas trevas*, de Jacob Gorender.

* Para o choro de Carlos Lamarca: *Iara*, de Judith Lieblich Patarra.
* Para o fuzilamento de Carlos Lamarca: *Direito à memória e à verdade*; *Dossiê ditadura*.
* Para "De norte a sul, de leste a oeste": *Folha de S.Paulo*, 10 de março de 1990.
* Para os dez mortos do Comitê Central do PCB: *O Partidão*, de Moisés Vinhas.
* Para a morte de Vladimir Herzog: *Direito à memória e à verdade*; *Dossiê ditadura*.
* Para a morte de João Massena Melo: *Veja*, 18 de novembro de 1992.
* Para Davi Capistrano em campo de concentração: *David Capistrano*, de Marcelo Mário de Melo.
* Para David Capistrano esquartejado: *Veja*, 18 de novembro de 1992.
* Para a morte de Maurício Grabois: *Direito à memória e à verdade*; *Dossiê ditadura*.
* Para a morte de Pedro Pomar: *Massacre na Lapa*, de Pedro Estevam da Rocha Pomar.
* Para a prisão de João Carlos Tralli: *Folha de S.Paulo*, 20 de maio de 1996.
* Para a ausência de necropsia de Sérgio Fleury: *Autópsia do medo*, de Percival de Souza.
* Para a paródia de "A jardineira": *Folha de S.Paulo*, 25 de novembro de 2000.
* Para os 396 mortos e "desaparecidos" políticos no regime militar: *Dossiê ditadura*. Acrescentando trinta militantes mortos ou desaparecidos no exterior, a soma alcança 426.
* Para a sentença sobre o Caso Marighella: 11 de setembro de 1996. Processo 272/96. Comissão Especial sobre Mortos e Desaparecidos Políticos.
* Para a decisão da Comissão de Anistia: DVD com gravação da sessão de 5 de dezembro de 2011. Comissão de Anistia do Ministério da Justiça.
* Para os mortos da ALN: levantamento do autor, com base em *Direito à memória e à verdade*. A conta acrescenta Catarina Abi-Eçab e João Antônio Abi-Eçab. Inclui frei Tito. Além dos 79 mortos no total, houve mais um: Jane Vanini, da ALN e do Molipo, assassinada no Chile.
* Para 144 assaltos e 25 atentados a bomba: *A verdade sufocada*, de Carlos Alberto Brilhante Ustra.
* Para a morte de Luiz José da Cunha: *Direito à memória e à verdade*; *Dossiê ditadura*.
* Para Carlos Alberto Brilhante Ustra comandante do Destacamento de Operações de Informações do II Exército em 1973: *Rompendo o silêncio*, de Carlos Alberto Brilhante Ustra.
* Para o episódio da pandorga: Nei Lisboa e Suzana Keniger Lisboa; Nei Lisboa. Em *Condições ideais para o amor*, de Luiz Eurico Tejera Lisboa.

Créditos das imagens

Todos os esforços foram feitos para determinar a origem das imagens deste livro. Nem sempre isso foi possível. Teremos prazer em creditar as fontes, caso se manifestem.

1. Fundo *Correio da Manhã*/ Arquivo Nacional.
2, 66, 77, 86 e 87. Arquivo *Folhapress*.
3. Agência O Globo.
4-6, 27, 28, 35, 41, 42 e 83. Cortesia de Carlos Augusto Marighella.
7. Cortesia de Nelson Pondé.
8, 9, 12. Escola Politécnica da Universidade Federal da Bahia.
10, 11, 14, 18, 19, 20, 24 (a primeira de cima para baixo), 33, 37, 39, 40, 47, 49 (a debaixo), 51, 55, 57, 60, 61, 64, 67, 70, 71, 75, 79, 80. Acervo Iconographia.
13, 21 e 23. Arquivo Hermínio Sacchetta.
15, 31, 32 e 38. Arquivo Público do Estado do Rio de Janeiro.
16, 17, 24, 26, 34, 72, 84, 88, 89 e 90. Fundo DEOPS - Arquivo Público do Estado de São Paulo.
22 e 25. Arquivo Nacional.
29. Cortesia de Vera Gertel.
30 e 36. Arquivo pessoal de João Falcão.
43 e 44. DR/ Revista *Problemas*. Arquivo Hermínio Sacchetta.
45. Cortesia de Clara Charf e Sarita Grinspum.
46 e 80. (Abaixo, à dir.). Cortesia de Roberto Cardieri. Acervo Iconographia.
48 e 50. Cedem/ Unesp.
49. (A primeira de cima para baixo): Fundo *Última Hora* – Arquivo Público do Estado de São Paulo – Apesp.
52 e 53. © Bettmann/ Corbis/ Latinstock.
54. Arquivo pessoal JSFC.
56. Fundo ASMOB – Cedem/ Unesp.

58. © Xinhua Press/ Corbis/ Latinstock.
59. Superior Tribunal Militar.
62. Foto de arquivo/ Agência *O Globo*.
63 e 82. Agência do Estado.
65. Brás Bezerra/ Jornal do Brasil.
68. Fundo Cemap – Cedem/ Unesp.
69. Arquivo pessoal Camila Piñeiro Harnecker.
73. Cortesia de Iara Xavier Pereira.
74. CPDoc *Jornal do Brasil*.
76. Fundo *Última Hora*. Arquivo Público do Estado de São Paulo.
78. Cortesia de Vlademir Gomes da Silva.
81. Cortesia de Yves do Amaral Lesbaupin.
85. Cortesia de Eliane Toscano Zamikhowsky.

Índice onomástico

Abi-Eçab, Catarina Helena, 407, 408, 410, 411, 443
Abi-Eçab, João Antônio, 377, 387, 393, 407, 408, 410, 411, 443
Abramo, Lélia, 218
Abreu, Casimiro de, 64
Abreu, Flora, 312
Agee, Philip, 280, 340
Agostinho, santo, 324
Alambert, Zuleika, 213, 217, 218, 219, 314, 333
Albernaz, Benone de Arruda, 521, 523
Albuquerque, Rômulo Noronha de, 401
Aleixo, Pedro, 415, 488, 494
Ali, Muhammad, 484
Allende, Salvador, 341, 349
Almada, Izaías, 534, 535, 564
Almeida, Agnaldo Oliveira de, 85
Almeida, José Américo de, 106, 147
Almeida, José Farias de, 82
Almeida, José Roberto Arantes de, 369
Almeida, Nelson José de, 470
Alprin Filho, José, 455
Alves, Antônio de Castro, 47, 56, 62, 64, 77, 295
Alves, Ataulfo, 130, 178
Alves, Carmélia, 247
Alves, João Lucas, 411
Alves, Márcio Moreira, 415
Alves, Nelson, 312
Alves, Raimundo, 248
Amado, Jorge, 38, 124, 145, 158, 166, 168, 171, 195, 196, 205, 214, 215, 219, 220, 225, 233, 236, 244, 330, 345, 476, 479, 570
Amano, João Katsunobu, 520
Amano, Takao, 387, 391, 444, 446, 447, 448, 449, 479, 493, 505, 513, 515, 516, 519, 520, 524, 526
Amaral, Tarsila do, 158
Amazonas, João, 142, 175, 183, 195, 210, 218, 236, 256, 259, 579
Amico, Gianni, 366, 500
Amorim Netto, 118
Anchieta, José de, padre, 56
Andrade, Ariston, 138
Andrade, Carlos Drummond de, 129, 158, 207
Andrade, José Praxedes de, 84
Andrade, Mário de, 225

Andrade, Oswald de, 78, 124
Andrade, Sílvio Corrêa de, 418, 553
André Filho, 78
Ângelo, Otávio, 346, 352, 353, 421, 422, 431, 447, 448, 451, 459, 493, 503, 516, 546, 547, 550, 557, 558, 565, 569
Anísio, Hélio, 284
Antônio Conselheiro, 59
Antônio Maria, 246
Apgaua, Ricardo, 469, 507, 560
Apollonio, Luis, 114, 115, 116, 117, 211, 212, 323, 324, 440, 534
Aquino, Ivo D', 185, 189
Aragão, Cândido, 285, 295, 297, 298, 301, 308, 313, 350
Aragon, Louis, 108, 204
Araújo, José Júlio de, 469
Araújo, Maria do Amparo, 480
Arcoverde, Júlia, 321
Armstrong, Neil, 417, 480
Arraes, Miguel, 292, 313, 425, 439, 545
Artigas, Vilanova, 159, 225
Assis Brasil, Argemiro de, 286, 297, 299, 307, 315
Assis Brasil, Hermenegildo de, 286
Assis, Machado de, 68
Athayde, José, 96
Athayde, Tristão de, 190
Axelrud, Anita, 113, 467, 550
Azambuja, Ernani Corrêa de, 315, 316
Azevedo, Afrânio, 253, 254
Azevedo, Agliberto, 86, 101, 123, 127, 132, 141, 202
Azevedo, Gervásio Gomes de, 193

Balboni, Luiz Fogaça, 516, 518
Bandeira, Beatriz, 99
Bangu ver Rocha, Lauro Reginaldo da
Baptista, Ernesto Mello, 511
Barata, Agildo, 63, 79, 81, 87, 120, 122, 123, 127, 132, 133, 134, 136, 141, 143, 145, 146, 147, 148, 159, 215, 220, 235, 236, 237, 245, 290

Barbalho, João, 170
Barbêdo, Alceu, 183, 184
Barbie, Klaus, 450, 523
Barbosa, Abelardo, 453
Barbosa, Ruy, 43, 46, 246
Barbosa, Wilson do Nascimento, 377, 510
Bardi, Lina Bo, 368, 424
Bardot, Brigitte, 463
Baron, Victor Allen, 97
Barreto, Frederico de Barros, 103
Barreto, José Campos, 578
Barros, Adhemar de, 112, 177, 184, 225, 303, 317, 354, 389, 430, 569
Barros, João Alberto Lins de, 146, 148
Barros, Manoelina de, 95, 377, 383, 427, 428
Barros, Marco Antonio Victoria, 469, 470
Barros, Mário Reis, 406, 504
Barroso, Gustavo, 72
Basbaum, Leôncio, 69, 70, 159, 222, 226, 233, 259
Bastos, Paulo de Mello, 305, 308
Batista, Elisa Branco, 203
Batista, Fulgencio, 266, 347, 510
Batista, Miguel, 288, 356
Batista, Wilson, 158
Bedegueba ver Souza, Manoel Batista de
Beduíno ver Gomes, Francisco
Belloque, Gilberto Luciano, 454, 455, 457, 479, 498, 526, 547, 550, 561, 568
Belloque, Maria Luiza, 479, 547
Belmondo, Jean-Paul, 463
Belton, William, 438
Beltrão, Gastone Lúcia Carvalho, 468, 479, 480, 494
Benario, Olga, 15, 79, 89, 91, 94, 100, 129, 145, 189, 478
Benedicto, Nair, 450, 523
Benetazzo, Antonio, 377, 418, 449, 480
Bengell, Norma, 366
Benjamin, Cid de Queiroz, 487, 491
Bernardes, Artur, 74, 190
Bertolucci, Bernardo, 157, 500
Besouchet, Alberto, 85

Betinho *ver* Souza, Herbert de
Betto, frei, 366, 367, 390, 393, 401, 402, 499, 529, 531, 534, 535, 542, 551, 557, 564, 568
Bezerra, Gregório Lourenço, 18, 19, 85, 86, 99, 120, 121, 122, 124, 126, 128, 132, 145, 148, 165, 167, 168, 175, 191, 193, 202, 215, 224, 308, 309, 313, 369, 442, 494
Bezerra, José Lourenço, 99
Bezerra, Paulo César Monteiro, 408, 409, 410, 411
Bicudo, Hélio, 533
Biggs, Ronald, 385
Bittencourt, Sérgio, 25
Bittman, Ladislav, 439, 440
Boal, Augusto, 261, 366, 509
Bocage, Manuel Maria Barbosa du, 55, 64
Boilesen, Henning, 517
Bolívar, Simon, 348, 349
Bom Burguês *ver* Valle, Jorge Medeiros
Bonaparte, Napoleão, 75
Bonassa, Mauro, 391
Bonchristiano, José Paulo, 323, 427
Bonfim Jr., Orlando, 249, 307
Bonfim, Antônio Maciel, 76, 81, 86, 89, 92, 97, 98, 101, 104, 125, 126, 139
Boni *ver* Oliveira Sobrinho, José Bonifácio de
Borer, Cecil de Macedo, 13, 15, 16, 20, 89, 91, 114, 203, 223, 239, 324, 433, 437, 478
Borer, Charles, 15
Borges, Gustavo, 25
Borges, Mário, 367
Botelho, Anísio, 310
Brady, Thomas, 439
Braga, Antonio Pereira, 117
Braga, Edson, 392
Braga, Rubem, 79
Braga, Serafim, 93
Brandão, Laura, 110, 139
Brandão, Octavio, 69, 110, 158, 224
Brandi, Antonio, 241
Brant, Maurício Caldeira, 249
Brant, Vinícius Caldeira, 348
Braun, Otto, 80

Brecht, Bertolt, 216
Breyton, Jacques Émile Frédéric, 449, 450, 498, 523
Brisolla, Sandra Negraes, 483, 525
Brito, Aldo de Sá, 378, 463, 465, 476
Brito, Fernando de, 393, 394, 422, 530, 537, 541, 542, 549, 550, 551, 552, 554, 563, 564, 566, 567, 577
Brito, João Guilherme de, 493
Brito, Letelba Rodrigues de, 311, 313
Brito, Milton Caires de, 177
Brizola, Leonel, 255, 256, 257, 263, 273, 275, 279, 283, 287, 288, 289, 291, 292, 312, 315, 316, 338, 339, 340, 353, 367, 545
Buarque, Chico, 365, 367, 475
Bucheroni, Mocide, 364
Bueno Filho, Alcides Cintra, 374, 547, 556
Bukhárin, Nikolai, 69, 74, 223
Buzar, Nonato, 475

Caetana, Mãe (ialorixá) *ver* Sowzer, Caetana América
Café Filho, 172, 190, 231, 240, 242
Calazans, José, 177
Caldevilla, Ayrton, 376, 418
Caldevilla, Vinícius, 374, 376, 421, 427, 481, 482, 558
Callado, Antonio, 367
Calmon, Francisco Marques de Góes, 49, 50, 59
Câmara, Alfredo de Arruda, 169, 173, 259
Câmara, Diógenes Arruda, 142, 154, 164, 168, 169, 183, 185, 192, 199, 203, 212, 217, 220, 224, 232, 236, 579
Câmara, Hélder, dom, 301, 397, 494, 537
Câmara, Jaime de Barros, dom, 463
Camargo, Antônio Flávio Médici de, 370, 371, 372, 380, 395, 421, 422, 424, 428, 459, 460, 477, 479, 480, 498, 501, 513, 542, 543, 546, 547, 550, 551, 554, 558
Camargo, Edmur Péricles, 360, 398, 435, 558, 559, 560
Camargo, Joracy, 120
Campos, Milton, 241, 326

Campos, Sulamita, 485
Canale, Dario, 337
Candia, Carlos, 346
Candido, Antonio, 205
Cannabrava Filho, Paulo, 337, 354, 509, 545
Capiberibe, Janete, 399
Capiberibe, João Alberto, 399, 485, 514
Capistrano, David, 87, 134, 257, 263, 265, 579
Capitani, Avelino, 433
Cardieri, Leonora, 146
Cardoso, Alberto Mendes, 440
Cardoso, Felicíssimo, 205, 283, 285
Cardoso, Fernando Henrique, 205, 236, 289, 580
Cardoso, Joaquim Ignácio, 285, 337
Cardoso, Leônidas, 205
Cardoso, Maria Laurinda, 43
Carmo, José Lino do, 115, 116
Carneiro, Édison, 73, 74, 344
Carneiro, Nelson, 56, 63, 73, 191
Cartola, 19, 178, 372
Caruso, Chico, 388
Carvalho Filho, Francisco Bispo de, 451
Carvalho Filho, Luís Francisco, 561
Carvalho Neto, João Ribeiro de, 557
Carvalho, Agostinho José de, 109, 113
Carvalho, Apolônio de, 102, 118, 124, 139, 215, 216, 223, 236, 287, 303, 314, 317, 356, 390
Carvalho, Benedito de, 121
Carvalho, Ferdinando de, 328
Carvalho, José de (investigador), 444
Carvalho, José Luís (ferroviário), 387
Carvalho, José Zacarias Sá, 154
Carvalho, Marcos Antonio Braz de, 370, 371, 373, 374, 375, 376, 377, 378, 379, 380, 381, 382, 383, 385, 386, 387, 390, 391, 394, 407, 408, 409, 418, 421, 423, 425, 426, 427, 428, 429, 442, 443, 444, 446, 447, 449, 457, 469, 494, 502, 504, 508, 516, 521
Carvalho, Renée de, 287
Carybé, 345
Cascardo, Herculino, 81, 101
Casqueiro, Jorge Teixeira, 409

Cassavetes, John, 390
Castello Branco, Carlos, 298
Castello Branco, Humberto de Alencar, 19, 24, 230, 290, 302, 303, 304, 305, 310, 317, 326, 328, 334, 350, 459
Castro, Fidel, 163, 251, 263, 264, 266, 267, 269, 337, 338, 339, 340, 341, 345, 347, 348, 349, 350, 351, 353, 354, 357, 358, 388, 391, 438, 507, 508, 509, 572
Castro, Juanita, 438
Castro, Moacir Werneck de, 214, 215, 221, 236, 326, 402, 412
Castro, Raúl, 438
Catão, Bernardo, 395
Cavalcante, Eunício Precílio, 543, 546, 566
Cavalcanti, Adalgisa, 199
Cavalcanti, Amaro, 115
Cavalcanti, Newton, 89
Cavalcanti, Paulo, 203, 220, 235, 257
Cavalheiro, Aimoré, 278
Cavallari, Sergio, 284
Caymmi, Dorival, 38, 158, 193, 480, 577
Cecílio, José Tarcísio, 432, 433, 435
Chachamovitz, Betty, 367
Chacrinha *ver* Barbosa, Abelardo
Chade, Calil, 236
Chamberlain, Neville, 111
Chamorro, Antônio, 209, 211
Chandler, Charles Rodney, 380, 381, 382, 383, 403, 411, 423, 481
Chaplin, Charles, 138
Charf, Abraão, 197
Charf, Clara, 13, 17, 22, 195, 196, 197, 198, 199, 200, 201, 205, 211, 212, 213, 223, 224, 232, 233, 234, 239, 243, 244, 254, 255, 259, 261, 265, 266, 282, 313, 314, 324, 325, 326, 327, 331, 411, 453, 467, 479, 481, 498, 501, 545, 547, 550, 554, 575
Charf, Ester, 197, 198, 199
Charf, Gdal, 196, 197, 198, 199, 282
Charf, Sara *ver* Grinspum, Sara
Chateaubriand, Assis, 189
Chediak, José, 209

Chemp, Eugenio, 208, 209
Chilcote, Ronald H., 381
Chiquinho *ver* Silva, Francisco Gomes da
Christo, Carlos Alberto Libânio *ver* Betto, frei
Chuahy, Eduardo, 286, 299, 301
Churchill, Winston, 132, 175, 377
Cietto, Roberto, 495
Cipriano, Perly, 501
Clair, Janete, 18
Clark, irmãs, 197
Clauset, Carlos, o bebê Cacá, 541, 542, 549
Clauset, Luiz Roberto, 401, 402, 541, 542
Clausewitz, general, 168
Clemente, Ari, 468
Clift, Montgomery, 210
Coelho, Marco Antônio Tavares, 159, 183, 241, 261, 276, 278
Coelho, Waldyr, 517, 520, 522
Colônio, Elvira Cupello, 101, 125, 126, 194, 223
Comelli, Mario, 434
Contreiras, Luiz, 163
Cony, Carlos Heitor, 367
Corbisier, Ana, 500
Corrêa Jr., Itoby Alves, 366, 373, 375, 377, 379, 389, 390, 391, 425, 427, 428, 442, 449, 478, 500, 571
Corrêa, Adalberto, 105
Corrêa, Affonso Henrique de Miranda, 88, 89, 95, 96
Corrêa, Ana Maria Nacinovic, 467
Corrêa, José Celso Martinez, 367
Corrêa, Sérgio Roberto, 493
Corrêa, Trifino, 148, 191
Correia, Raimundo, 64
Corrigan, Robert, 435, 536
Costa e Silva, Arthur da, 19, 338, 350, 356, 413, 415, 421, 428, 459, 488, 494, 527
Costa Pinto, João Adolfo Castro da, 334, 361, 415
Costa, Álvaro Ribeiro da, 183
Costa, Antônio Geraldo da, 283, 295, 378, 472
Costa, Canrobert Pereira da, 190, 242
Costa, Gal, 364

Costa, Maria Aparecida, 444, 448, 479, 526
Costa, Miguel, 74, 101, 108
Costa, Nelson Luís Lott de Moraes, 465
Costa, Octávio Pereira da, 286
Cotta, Linneu, 96, 98
Coutinho, Afrânio, 40
Coutinho, Armando, 116
Coutinho, Eduardo, 273
Coutinho, Lamartine, 85, 86
Coutinho, Paulo de Novais, 297
Crespo, Alexina, 263, 264, 351
Cresta, Isolda, 367
Crioulo *ver* Cunha, Luiz José da
Crispim, José Maria, 123, 136, 198, 217
Cunha, Carlos Alberto Lobão da Silveira, 447, 516, 528
Cunha, Euclides da, 396
Cunha, Guilherme, 371
Cunha, José Gay da, 87
Cunha, Luiz José da, 368, 461, 462, 465, 559, 560, 568, 581
Cunha, Tristão da, 186
Cunha, Vasco Leitão da, 438
Cunha, Virgínia Leitão da, 438
Cunhal, Álvaro, 249
Cupertino, Renato Guimarães, 253, 306, 356, 357

D'Ornellas, Jacques, 306
Daladier, Edouard, 111
Daltro, investigador, 114
Darwin, Charles, 119
Debray, Régis, 337, 340, 363, 372, 415
Del Roio, José Luiz, 289, 334, 371, 373, 374, 377, 381, 393, 416, 459, 503, 507, 508, 559, 560, 564
Delfim Netto, 115, 534
Denys, Odylio, 256
Detrez, Conrad, 499, 500
Di Cavalcanti, 158
Dias, Benedito Nunes, 533
Dias, Giocondo, 46, 82, 84, 202, 215, 222, 236, 259, 263, 275, 284, 292, 298, 303, 306, 307, 314, 333, 578

Dick, Jayme Hélio, 546
Didi, jogador, 253
Dillinger, John, 472, 564
Diniz, Leila, 402
Diniz, Paulo, 572
Dinotos, Sábado, 385
Dirceu, José *ver* Silva, José Dirceu de Oliveira e
Dodô, 37
Domingues, Heron, 230
Duarte, Antônio, 295, 299
Duarte, José, 295, 308
Duarte, Newton Leão, 473
Duran, Dolores, 238, 247
Dutra, Eurico Gaspar, 106, 146, 162, 174, 175, 176, 181, 184, 185, 186, 188, 202, 205, 207, 211, 229, 328
Dylan, Bob, 467

Éboli, Carlos, 557
Einstein, Albert, 159
Eisenhower, Dwight, 175
Eisenstein, Serguei, 293
Ekberg, Anita, 20
Elbrick, Charles Burke, 486, 487, 488, 489, 491, 494, 495, 496, 497, 498, 511, 520, 527
Elinho *ver* Rego, Elio Ferreira
Elizabeth II, rainha da Inglaterra, 408
Ellis, Arthur, 250
Engels, Friedrich, 70, 76, 215
Erasmo Carlos, 581
Ernanny, Drault, 186, 250
Ernesto, Pedro, 78, 89, 91
Esmeraldo, Adauto, 227
Estrela, Arnaldo, 158
Ewert, Arthur Ernst, 75, 80, 86, 89, 91, 95, 100, 101, 125, 149

Facó, João, 57
Faissal, Roberto, 19
Falcão, João, 50, 124, 137, 142, 156, 161, 163, 202, 203, 216, 225
Falcão, Nei da Costa, 515
Falcão, Valdemar, 168

Farias, João Fontes, 239
Felisberto, João Cândido, 295, 296, 297
Feltrinelli, Giangiacomo, 368
Fernandes Jr., Ottoni, 447, 515, 565
Fernandes, Domingos, 378, 407, 408, 421, 459, 463, 464, 465, 467, 468, 472, 477, 479, 480, 498, 501, 505, 509, 510, 547
Fernandes, Ivan Alves, 408
Fernandes, Rafael, 83
Fernandes, Taciano José, 90, 91, 92, 96, 97, 104
Ferraz, Aydano do Couto, 221, 225
Ferreira Filho, Aloysio Nunes, 377, 387, 391, 404, 449, 500, 571
Ferreira, Fernando Borges de Paula, 455
Ferreira, Gil Antônio, 432
Ferreira, Joaquim Câmara, 107, 112, 143, 146, 155, 202, 223, 232, 247, 257, 259, 334, 335, 337, 355, 356, 361, 366, 396, 402, 413, 417, 422, 426, 429, 430, 431, 432, 435, 436, 437, 443, 445, 450, 451, 455, 456, 460, 464, 478, 485, 487, 488, 489, 490, 491, 492, 493, 494, 495, 496, 497, 498, 503, 509, 515, 516, 527, 528, 530, 531, 550, 558, 559, 566, 571, 572, 573, 574, 575, 576
Ferreira, Malu Alves, 449
Ferreira, Procópio, 78
Ferreira, Roberto Cardieri, 516
Ferreira, Wilson, 561
Ferro, Sergio, 381
Fioderlísio, Agostinho, 379, 403
Fiúza, Yedo, 162, 165
Fleury, Carlos Eduardo Pires, 444, 446, 447, 448, 482, 498, 514, 516, 524, 532, 538
Fleury, João Alfredo Curado, 532
Fleury, Sérgio Fernando Paranhos, 517, 520, 529, 532, 533, 534, 536, 538, 539, 540, 541, 542, 543, 548, 549, 552, 553, 557, 561, 563, 572, 574, 575, 579, 580
Fon, Antonio Carlos, 521
Fon Filho, Aton, 346, 352, 369, 375, 391, 443, 444, 445, 447, 448, 454, 482, 503, 513, 521, 524, 526
Fonseca, Hermes da, 36

Fonseca, Leda Nonato, 580
Fonseca, Marcos Nonato, 461, 462, 463, 465, 467, 580, 581
Fonseca, Nestor Verissimo da, 119, 122, 126, 134, 148
Fonseca, Pascácio, 127, 128
Fonseca, Rubem, 280
Fortes, Hélcio Pereira, 369, 401, 469
Fortunato, Gregório, 230
Fragoso, Antônio, dom, 397
França, Carlos, 87
Francis, Paulo, 16, 17, 301, 312
Francisco, Sebastião, 128
Franco, Afonso Arinos de Melo, 207
Franco, Francisco, 111
Frati, Rolando, 334, 361, 398, 415, 435, 436, 494
Freire, Vitorino, 175
Freitas, Antônio de Pádua Chagas, 248
Freitas, Heleno de, 177
Freitas, Janio de, 236, 292, 301, 335, 467
Freitas, Roberto Ferreira Teixeira de, 434
Freyre, Gilberto, 171
Friedenreich, Arthur, 57
Frota, Sylvio, 228, 517
Fry, Leslie, 333

Gabeira, Fernando, 493, 495, 496, 497
Gabriel, Almir, 399
Gagárin, Yuri, 27, 249, 250, 251, 317
Galvão, José Torres, 94
Galvão, Patrícia, 71, 217, 218
Gama, Luiz, 45
Garcez, Lucas Nogueira, 208
García Lorca, Federico, 467
Garcia, Ivair Freitas, 557, 558, 560
Garcia, Wilson de Queiroz, 366
Garrincha, Mané, 15, 24, 238, 368
Gaspari, Elio, 262, 284
Gattai, Zélia, 158, 196, 220
Gaúcho, policial, 94
Gazzaneo, Luiz Mário, 253, 261
Geisel, Ernesto, 87, 302
Gertel, Noé, 112, 120, 132, 144, 146, 218, 324, 329

Gertel, Rachel, 146, 329, 573
Gertel, Vera, 18, 146, 247, 315, 324, 357, 367, 435, 572, 573
Ghioldi, Rodolfo, 80, 82, 86, 91, 122, 123, 124, 141
Gil, Gilberto, 364, 365, 401, 453
Gilberto, João, 331
Gleiser, Genny, 72
Godard, Jean-Luc, 366
Godoy, Josina Maria Albuquerque Lopes de, 285, 349
Godoy, Thales Fleury de, 285, 299, 349
Goldman, Alberto, 334
Gomes, Carlos, 16
Gomes, Dias, 18, 38, 222, 367
Gomes, Eduardo, 87, 162, 165, 167, 228
Gomes, Francisco, 384, 385, 387, 389
Gomes, Hilton, 492
Gomes, Jeová Assis, 398, 454, 455, 514, 528, 557, 568
Gomes, José, 113
Gomes, Paulo Emílio Sales, 225
Gonçalves, Bento, 118
Gonçalves, Bibiano, 116
Gonçalves, José Conceição, 360, 361, 398, 489
Gonçalves, Nelson, 245
Gontijo, Ricardo, 402, 412
Gonzaga, Luiz, 447
Gordon, Lincoln, 269, 280, 286, 287, 290, 302, 303, 316
Gorender, Jacob, 50, 138, 142, 161, 210, 215, 240, 259, 260, 274, 292, 333, 336, 356, 497, 503
Gorki, Maksim, 108
Goulart, João, 13, 14, 16, 17, 18, 22, 25, 211, 228, 241, 242, 246, 250, 253, 254, 255, 256, 257, 258, 260, 262, 263, 264, 267, 270, 271, 272, 273, 274, 275, 276, 277, 278, 279, 280, 281, 283, 284, 285, 286, 287, 288, 289, 290, 291, 292, 294, 296, 297, 298, 300, 301, 302, 303, 304, 305, 306, 307, 308, 309, 310, 311, 312, 313, 315, 316, 317, 329, 333, 334, 337, 339, 361, 415, 433, 440, 449, 464, 477

Goulart, Jorge, 19, 238, 245, 265, 272, 344, 357
Goulart, Maria Thereza, 288
Gouveia, Antônio Rodrigues, 110, 113, 116, 117, 467, 550
Graaf, Johnny de, 89
Grabois, Alzira, 196
Grabois, Augustin, 49
Grabois, Bernardo, 49
Grabois, Jaime, 49
Grabois, José, 49
Grabois, Maurício, 49, 50, 51, 142, 143, 168, 188, 190, 196, 220, 223, 224, 236, 259, 579
Grabois, Victória, 579
Graça, Milton Coelho da, 253
Grancieri, Pedro Antônio Mira, 557
Grande Otelo, 130
Granja, Alírio, 407
Granja, Antônio Ribeiro, 322, 323
Granja, Sérgio, 407, 409, 462, 465, 507, 560
Grinspum, Isa, 193, 327
Grinspum, Sara, 197, 327
Guanaes Netto, Gontran, 455
Guariba, Heleny Telles, 368
Guariba, Ulisses, 387
Guarnieri, Gianfrancesco, 247
Guedes, Armênio, 73, 143, 163, 218, 219, 225, 233, 253, 259, 271, 306, 437
Guedes, Carlos Luís, 302, 304, 309, 311
Guedes, Iracema, 46, 73
Guerra, Ruy, 271
Guevara, Alfredo, 365, 366
Guevara, Che, 254, 264, 265, 266, 337, 339, 340, 341, 347, 348, 349, 353, 354, 358, 363, 372, 377, 381, 382, 401, 501, 502, 503, 506, 559
Guimarães, Archimedes Pereira, 65
Guimarães, Clemente, 53
Guimarães, Honório de Freitas, 82, 104, 125
Guimarães, José, 403
Guimarães, Roberto, 543, 549
Guttman, José, 99, 120

Hadad, Eugenia, 109
Hadad, Jamile, 109, 116, 117

Harrison, George, 470
Hart, Armando, 349, 362
Heck, Sylvio, 256
Heifetz, Boris, 80
Helou, Farid, 266, 346, 480, 535
Helou, Luiz Carlos, 266
Hendrix, Jimi, 417
Henfil, 394
Hermes, rodoviário, 212
Herzog, Vladimir, 578
Heskett, Roberto, 63
Heston, Charlton, 372
Hidalgo, Orlando Castro, 358, 438
Himmler, Heinrich, 89
Hitler, Adolf, 15, 71, 72, 81, 89, 108, 111, 113, 114, 117, 124, 128, 129, 133, 155, 175, 220, 223, 507
Ho Chi Minh, 337, 447, 486, 511
Hobsbawm, Eric, 232
Hoffmann, Helga, 254
Holmos, Sérgio, 236
Hoover, John Edgar, 439
Hope, Bob, 20
Horta, Celso, 398, 447, 482, 521
Houska, Josef, 358
Hunovitch, David, 435

Iavelberg, Iara, 479, 480
Ibárruri, Dolores, 112
Ibrahim, José, 370, 494
Isabel, cabeleireira, 414
Ivo, frei *ver* Lesbaupin, Yves do Amaral

Jackson do Pandeiro, 245
Jacomini, Carmem Monteiro, 376, 427, 428
Jagan, Cheddi, 359
Jamelão, 416
Jango *ver* Goulart, João
Jdánov, Andrei, 185, 186, 219, 220
Joana Angélica, abadessa, 47
João de Barro, 245
Jobim, Tom, 365
Jobim, Walter, 177

Jofre, Éder, 107, 323, 441, 442
Johnson, Lyndon, 317
Jonas *ver* Silva, Virgílio Gomes da
Jordão, Jorge Miranda, 402, 535
Josaphat, Carlos, 393
Júkov, Gueorgi, 137
Julião, Anacleto, 351
Julião, Anatólio, 351
Julião, Francisco *ver* Paula, Francisco Julião Arruda de
Julien, Francisco Menezes, 94
Jurandir, Dalcídio, 159, 207, 220
Jurema, Abelardo, 308

Kahn, Fritz, 244
Karepovs, Dainis, 107
Kasimirov, Vladímir N., 333, 355, 356
Kátia, prima de Elisabeth Mamede, 20, 21
Kelly, João Roberto, 19
Kennedy, Jacqueline, 288
Kennedy, John, 20, 265, 279, 388, 439
Kerensky, Alexander, 276
Kfouri, Juca, 379, 572, 573
Khruschóv, Nikita, 20, 231, 232, 236, 249, 266, 268, 269, 270, 280, 284, 341
Kim Il-sung, 509
Knapp, Carlos Henrique, 379, 380, 418, 449, 482, 483, 484
Kollontai, Alexandra, 154
Konder, Valério, 224
Kozel Filho, Mário, 423
Kruel, Amaury, 307
Kubitschek, Juscelino, 190, 225, 238, 240, 241, 242, 246, 248, 249, 251, 252, 272, 273, 291, 334, 415, 449
Kubrick, Stanley, 420, 421
Kudrna, Josef, 358
Kuraki, Paulo, 360

Lacerda, Carlos, 15, 74, 147, 161, 163, 166, 169, 216, 228, 230, 241, 248, 253, 265, 276, 283, 291, 303, 306, 308, 334, 367, 415
Lacerda, Fernando de, 143, 144, 225
Lacerda, Márcio, 469
Lacerda, Maurício de, 74
Lacerda, Paulo de, 74
Lacombe, Américo Lourenço Masset, 367, 379
Lago, Mário, 19, 130, 177
Lagoa, Rocha, 183
Lamarca, Carlos, 368, 423, 424, 425, 426, 429, 430, 434, 443, 480, 490, 569, 578
Lampião, Virgulino Ferreira *dito*, 54, 57, 142, 326, 353, 396, 514
Lana, Antônio Carlos Bicalho, 469
Laqueur, Walter, 396
Laura, dona, 160
Leal, Newton Estillac, 240, 241
Leão, Sinval de Itacarambi, 529, 533, 538, 542
Leite, Ana Tereza, 553
Leite, Carlos da Costa, 143
Leite, Eduardo, 575
Lemme, Kardec, 138, 139, 284, 285, 286, 297, 299, 337
Lemmertz, Lílian, 426
Lênin, Vladímir, 76, 80, 108, 112, 184, 213, 215, 216, 222, 223, 224, 231, 237, 247, 273, 362, 412, 416, 432, 442, 458
Lesbaupin, Yves do Amaral, 395, 403, 499, 527, 529, 530, 538, 549, 551, 552, 563, 564, 566, 567, 577
Lessa, Orígenes, 131, 204
Lichtsztejn, Carlos, 446, 447, 448, 489, 515, 519, 520
Lima Sobrinho, Barbosa, 171
Lima, Afonso Augusto de Albuquerque, 459
Lima, Elisabeth Paula da Silva, 478, 479, 513
Lima, Heitor Ferreira, 106, 107, 115, 218, 232
Lima, Hermes, 273
Lima, Irene Paula da Silva, 478, 513
Lima, Lourenço Moreira, 102
Lima, Luiz Tenório de, 275, 314, 356
Lima, Marco Antônio da Silva, 283, 294, 295, 472
Lima, Maurício Lopes, 521, 523
Lima, Pedro Motta, 79, 143
Lima, Raul Nogueira, 394, 427, 428, 521, 557

Lima, Rui Moreira, 309, 310
Lima, Tito de Alencar, 395, 403, 429, 531, 534, 566, 577
Linhares, José, 162, 169
Lins, Álvaro, 22, 327
Lins, José Luiz de Magalhães, 271, 272, 276
Lipes, Moises, 118
Lira, Francisco Natividade, 125
Lira, José Pereira, 153, 194
Lisboa, Luiz Eurico Tejera, 470, 581
Lisboa, Manuel de Carvalho, 422
Lisboa, Nei, 581
Lisboa, Suzana Keniger, 470, 581
Lispector, Clarice, 197
Lobato, Monteiro, 120, 158
Lobe, Mira, 323
Lobo, Cândido Mesquita da Cunha, 184
Lobo, Haroldo, 158, 177, 178
Longo, Moacir, 355
Lopes, Guiomar Silva, 446, 447, 448, 456, 457, 513, 526, 547, 550, 561, 568, 569
Lopes, José Machado, 256
Losada, Manuel Piñeiro, 347, 348, 351, 508
Lott, Henrique Teixeira, 242, 252, 253, 254, 465
Lourenço, Oswaldo, 334, 335, 528, 533
Lovecchio Filho, Orlando, 381
Lula *ver* Silva, Luiz Inácio Lula da
Luxemburgo, Rosa, 71
Luz, Carlos, 174, 242
Lyra, Carlos Eduardo Fayal de, 363, 404, 466, 471, 473, 498, 514
Lyra, Jorge Wilson Fayal de, 473

Macedo, João Barreto de, 14, 15, 16, 17, 19, 20, 25
Macedo, Osmar, 37
Machado, Christina Matta, 396
Machado, Dionélio, 159
Machado, Márcio Beck, 419, 446, 524
Machado, Raul Campello, 101, 102
Machado, Ronaldo Dutra, 466
Maciel, Lício, 559, 565

Madeira, Antônio Carlos, 396, 405, 432, 434, 535
Magaldi, José Barros, 327, 333
Magalhães, Alfredo, 539
Magalhães, Antonio Carlos, 50, 161, 164
Magalhães, Eliéser, 72
Magalhães, Francisco, 92
Magalhães, Juracy, 56, 57, 58, 59, 61, 62, 63, 70, 79, 83, 165, 182, 189, 190, 191, 245
Magalhães, Roberto A., 523
Magalhães, Sérgio, 253
Magalhães, Vera Sílvia, 489
Magalhães, Zélia, 174
Magno, frei *ver* Vilela, Magno José
Maia, Acioly, 24
Maia, Cesar, 469
Maia, Dulce de Souza, 383, 426, 427
Maiakóvski, Vladímir, 224, 503
Malavasi, Alessandro, 398, 434, 435, 436, 437, 448, 515, 536, 566
Malina, Salomão, 138, 193, 202, 235, 268, 285, 300, 322, 357
Malinovski, Roman, 432
Maluf, Paulo Salim, 379
Maluoni, Vicente, 203
Mamede, Celso, 20, 21
Mamede, Elisabeth, 20, 21
Mamede, Jurandir de Bizarria, 242
Mangabeira, João, 102
Mangabeira, Otávio, 165, 175, 177, 184, 187, 189
Manna, Hílio de Lacerda, 106, 107, 110
Manon *ver* Barros, Manoelina de
Mantovani, Naul José, 444
Manuilski, Dmitri, 82
Manz, Hans Rudolf Jacob, 346, 352, 447, 465
Manzon, Jean, 183
Mao Tsé-tung, 75, 82, 213, 264, 362, 372, 392, 396, 397, 447, 500, 508, 559
Marchetti, Victor, 565
Marcílio, investigador, 114
Maria Cláudia, 127
Mariani, Clemente, 165

Mariante, Álvaro Guilherme, 102, 106
Marighella, Agostinho (irmão de Marighella), 36, 42
Marighella, Anita (irmã de Marighella), 36, 39, 44, 135
Marighella, Augusto (pai de Marighella), 33, 34, 36, 37, 38, 43, 44, 45, 65, 70, 71, 83, 96, 190, 243, 436, 549
Marighella, Caetano (irmão de Marighella), 19, 36, 40, 43, 44, 160, 331, 556
Marighella, Carlos (avô de Marighella), 36
Marighella, Carlos Augusto (Carlinhos, filho de Marighella), 17, 19, 195, 215, 243, 245, 251, 282, 325, 336, 344, 414, 550, 556, 557, 575, 576
Marighella, Edvige (avó de Marighella), 33, 40
Marighella, Edwiges (irmã de Marighella), 36, 39, 43
Marighella, Humberto (irmão de Marighella), 36, 42, 556
Marighella, Julieta (irmã de Marighella), 36, 44
Marighella, Maria Rita (mãe de Marighella), 36, 38, 39, 40, 41, 43, 44, 45, 60, 61, 71, 77, 135, 155, 160, 161, 173, 190, 192, 195
Marighella, Rita (neta de Marighella), 336
Marighella, Tereza (irmã de Marighella) *ver* Teixeira, Tereza Marighella
Marina (affair de Marighella), 154
Marks, John D., 565
Marques, Domingos Pereira, 109, 116
Marquito *ver* Carvalho, Marcos Antonio Braz de
Marreiro, Lúcio, 268
Marreiro, Miriam, 560
Martí, José, 345, 507
Martinelli, Raphael, 276, 305, 334, 384, 385, 422, 561
Martinelli, Renato Leonardo, 375, 376, 379, 385, 497, 508, 558, 560, 580
Martinho da Vila, 476
Martins *ver* Guimarães, Honório de Freitas
Martins, Caio Venâncio, 376, 377
Martins, Franklin, 353, 487, 488, 491, 531
Martins, Herivelto, 130
Martins, Washington Mastrocinque, 348, 354, 373, 374, 375, 376, 377, 397, 507, 508, 560
Marx, Karl, 70, 71, 76, 79, 215, 362, 394, 559
Marx, Roberto Burle, 159
Marzo, Cláudio, 421
Mascarenhas, Luiz Felipe Ratton, 394, 403, 534, 541
Masetti, Jorge, 506
Masetti, Ricardo, 506
Massa, Boanerges de Souza, 449, 482, 483, 484, 520, 521, 531
Massi, Tia (ialorixá), 344
Massini, Nelson, 562
Mata, Abelardo, 187
Mata, Edgar, 73
Matarazzo, Eduardo Andrea Maria, 434
Matarazzo, Francesco, 434
Matarazzo Filho, Francesco (conde Chiquinho), 434
Matos, Almir, 253
Matos, Gregório de, 47, 377
Matos, investigador, 93
Maurício, frei *ver* Valença, João Antônio Caldas
Mautner, Jorge, 407
Mayr, Frederico Eduardo, 467
Mayrink, José Maria, 567
Mazzilli, Ranieri, 316
Mazzo, Armando, 184, 193, 215, 221
Médici, Emílio Garrastazu, 460, 527
Medina, José, 217
Mein, John Gordon, 491
Meira, Tarcísio, 421
Meireles, Silo, 85
Meirelles Filho, Thomaz, 87
Meirelles Netto, Thomaz, 501, 559, 560
Mello, Fernando Collor de, 194
Mello, Severino Teodoro de, 85, 141, 183, 202, 233, 260, 270, 304, 311, 437
Mello, Thiago de, 367
Melo Filho, Viriato Xavier de, 560, 573

Melo Neto, João Cabral de, 261
Melo, Inácio Luís Madeira de, 47
Melo, João Massena, 132, 579
Melo, Maria de Lourdes Rego, 365, 423, 485, 490, 498, 550, 558, 572
Melo, Viriato Xavier de, 432
Mendes, Bete, 368
Mendes, José Nonato, 346
Mendonça, Bruzzi, 236
Mendonça, Misael de, 87
Menezes, Francisco da Conceição, 50, 335
Menezes, Glória, 421
Menezes, Valdemar Rodrigues de, 560
Mercadante, Paulo, 149, 153, 154, 170, 203, 220, 234
Mercader, Ramon, 129
Merlino, Luiz Eduardo, 402
Mesplé, João, 355
Meyer, Antenor, 492, 493
Michalski, Yan, 367
Mignone, Francisco, 158
Mineirinho *ver* Rosa, José Miranda
Miranda, Aurora, 78
Miranda, secretário-geral *ver* Bonfim, Antônio Maciel
Miranda, Yvonne Rego de, 167
Miró, Joan, 368
Miyaki, Darci Toshiko, 509, 560
Mocinha *ver* Cardoso, Maria Laurinda
Moles, Alfredo, 509
Molina, Flávio, 467
Molina, Mario Monje, 340, 341
Mólotov, Viatcheslav, 124, 128, 129, 186
Monnerat, Elza, 217
Montefiore, Simon Sebag, 232
Monteiro, Ciro, 178, 360, 372
Monteiro, Maria Magalhães, 411
Monteiro, Pedro Aurélio de Góis, 106, 162
Montenegro, Ana, 161, 192, 195
Moog, Olavo Viana, 533
Moraes, Antônio Guedes de, 463
Moraes, Estocel de, 184
Moraes, João Carlos Quartim de, 381

Moraes, Vinicius de, 246, 265, 475, 510
Morais, Clodomir Santos de, 253, 264, 265
Morais, Clóvis Kruel de, 117
Morato, Estela Borges, 548, 552, 553, 557
Moreira Jr., Octávio Gonçalves, 523
Moreira, Antônio de Pádua Pinto, 113, 114
Moreira, Juliano, 45
Moreira, Neiva, 291, 347
Morena, Roberto, 135, 143, 205, 210, 229, 272, 275, 288
Moreyra, Eugênia Álvaro, 156
Mortati, Aylton Adalberto, 419, 446, 510
Moscoso, Hélio de Mendonça, 409
Moss, Gabriel Grün, 256
Mota, Silvio de Albuquerque (guerrilheiro), 400, 470, 471, 509, 560
Motta, Sylvio (almirante), 294, 297, 298
Moura, Paulo, 238, 247
Moura, Walter Nogueira de, 409
Mourão Filho, Olímpio, 19, 102, 105, 106, 279, 301, 302, 304, 309
Müller, Filinto, 89, 96, 104, 171, 205
Murici, Antônio Carlos, 338
Mussolini, Benito, 71, 72, 81, 111, 113, 133, 137, 155, 182, 223

Nagami, Ichiro, 446, 493
Nakabayashi, Jun, 379
Nascimento Filho, Celso Sampaio, 415
Nasser, David, 115, 171
Nazareth, Agripino, 37
Nego Sete, 532
Nehring, Norberto, 431, 432, 433
Nequete, Abílio de, 68
Neruda, Pablo, 160, 162, 311
Nery, Durval Andrade, 504
Neves, Aécio, 186
Neves, Almir de Oliveira, 170, 176, 251, 284, 317
Neves, Tancredo, 257, 273, 301
Ney, Nora, 238, 246, 265
Niemeyer, Oscar, 159, 249, 285, 570
Nixon, Richard, 348, 445, 489, 495

Nóbrega, Eddie Carlos Castor da, 337, 530
Nogueira, Ataliba, 187
Nogueira, José Antônio, 183
Nogueira, Rose, 401, 402, 533, 541, 542, 543, 549
Nolasco, Roberto, 546, 547
Nunes Jr., André, 207
Nunes, Danilo, 239

Ochoa, Arnaldo, 354
Odibar, 572
Oliveira Neto, Manoel Cyrillo de, 375, 407, 443, 444, 445, 446, 447, 454, 456, 481, 482, 488, 489, 491, 495, 496, 498, 501, 514, 516, 518, 519, 524, 525, 561, 567
Oliveira Netto, Clóvis de, 109, 113, 116, 132
Oliveira Sobrinho, José Bonifácio de, 454
Oliveira, Agostinho Dias de, 210
Oliveira, Armando de Salles, 106
Oliveira, Denison Luiz de, 514, 520
Oliveira, Diógenes Carvalho de, 353, 382, 423, 426
Oliveira, Francisco José de, 446, 492
Oliveira, Genésio Homem de, 429, 546, 566
Oliveira, Ísis Dias de, 377, 378
Oliveira, Luís de França, 411, 472
Oliveira, Manuel Alves de, 306
Oliveira, Milton de, 177
Oliveira, Minervino de, 69
Oliveira, Pedro Lobo de, 337, 373, 382, 422, 426
Olivetto, Washington, 379
Orsini, Abeylard, 562
Osava, Chizuo, 533
Osório, Jefferson Cardim de Alencar, 338
Osório, Oromar, 310
Oswaldo, frei ver Rezende Jr., Oswaldo Augusto
Otero, Francisco Leivas, 87, 88, 142, 270
Ovando, Altivo, 212

Pacheco, Agonalto, 415, 494
Pacheco, Osvaldo, 257, 276, 288, 298, 305
Paganini, Niccolò, 35
Pagu ver Galvão, Patrícia

Palhano, Aluísio, 349
Palmeira, Sinval, 73
Palmeira, Vladimir, 369, 487, 494, 497
Pancetti, José, 158
Paranhos Jr., Alcides, 534, 538, 557
Parmigiani, Elio ver Gaspari, Elio
Pasolini, Pier Paolo, 542
Passarinho, Jarbas, 415
Passos, Wilson Leite, 229
Pastinha, mestre, 17
Paula, Antônio Prestes de, 472
Paula, Francisco Julião Arruda de, 261, 262, 263, 264, 265, 267, 273, 274, 312, 347, 351, 354
Paulus, Friedrich, 137
Pavan, Maria, 423, 480
Paz, Antonieta Hampshire Campos da, 265
Paz, Carlos Eugênio Sarmento Coelho da, 354, 369, 424, 459, 461, 462, 463, 464, 465, 466, 467, 468, 477, 478, 490, 507, 514, 517, 527, 545, 546, 551
Paz, Manoel Venâncio Campos da, 155
Paz, Maria Sarmento da 546, 547, 551
Paz, Maria Valderez Sarmento da, 517, 546, 547, 551
Pedrosa, Israel, 138
Peixoto, Afrânio, 33, 39
Peixoto, Demerval, 138
Pelé, 417, 486, 548
Peltier, Heddy, 49
Pena, Antônio Ribeiro, 390
Penafiel, Carlos Guilherme, 402, 421
Pêra, Marília, 367
Peralva, Osvaldo, 183, 213, 214, 215, 220, 223, 233, 235, 236, 237
Pereira Neto, Antônio Henrique, 537
Pereira, Alex Xavier, 464, 465, 467, 476, 506, 576
Pereira, Astrojildo, 68, 69, 70, 75, 147, 216, 220, 224, 233
Pereira, Duarte, 507
Pereira, Geraldo, 178
Pereira, Hiram de Lima, 257

Pereira, Iara Xavier, 464, 474, 475, 476, 478, 479, 485, 494, 577
Pereira, Iuri Xavier, 362, 464, 465, 467, 476, 479, 506, 508, 576
Pereira, João Batista Xavier, 300, 401, 407, 464, 477, 479, 506, 546
Pereira, José Canavarro, 517
Pereira, José Maria Nunes, 26, 27
Pereira, Roberto de Barros, 530, 542, 566
Pereira, Zilda Paula Xavier, 195, 300, 313, 368, 407, 410, 414, 417, 420, 421, 442, 464, 465, 466, 476, 477, 478, 479, 480, 484, 485, 487, 490, 494, 497, 498, 501, 505, 508, 509, 513, 523, 527, 530, 560, 572, 576, 577
Péricles, cartunista, 281
Perrone, Fernando, 334, 336, 339, 357, 370
Picasso, Pablo, 204
Pierson, Donald, 46
Pilsudski, Józef, 105
Pina, João Batista Soares de, 186
Pinha, Hilário, 206
Pinheiro Neto, João, 286, 310
Pinho, Araújo, 36
Pinho, Carlos Costa Pinto de, 164
Pinto, Barreto, 182, 187
Pinto, Heráclito Fontoura Sobral, 95, 190, 324, 325, 415
Pinto, Magalhães, 271, 272, 291, 302, 304
Pinto, Onofre, 381, 424, 425, 429, 434, 535
Pio xi, papa, 105
Pires, Francisco Sá, 234
Pires, Homero, 207
Pires, Roberto, 421
Pires, Tito Vespasiano Augusto César, 51
Pixinguinha, 178
Polanski, Roman, 463
Politi, Maurice, 378
Pomar, Pedro, 63, 142, 185, 223, 225, 252, 259, 450, 579
Pomar, Wladimir, 225
Pondé, Jayme, 50
Pontecorvo, Gillo, 366
Portela, Maria Iara, 282

Portinari, Cândido, 138, 158, 185, 222, 247
Porto, Sérgio, 368
Powell, Baden, 475
Prado Jr., Caio, 143, 157, 204
Prazeres, Heitor dos, 99, 178
Preis, Arno, 377, 387, 391, 450
Prestes, Anita Leocádia, 100
Prestes, Júlio, 59
Prestes, Leocádia, 75
Prestes, Luiz Carlos, 15, 26, 74, 75, 80, 81, 82, 86, 89, 91, 92, 94, 100, 143, 145, 146, 147, 149, 156, 162, 163, 168, 185, 203, 207, 214, 221, 222, 224, 225, 230, 236, 248, 258, 261, 267, 276, 280, 284, 285, 287, 291, 303, 304, 321, 332, 333, 334, 335, 336, 337, 339, 355, 356, 372, 411, 437, 438, 478, 506, 545, 578, 579
Proust, Marcel, 63
Prudhomme, Sully, 64
Pucca, Quirino, 113

Quadros, Jânio da Silva, 207, 251, 252, 253, 256, 259, 268, 270
Queiroz, Eusébio de, 94
Quitéria de Jesus, Maria, 47

Ramírez, Dariel Alarcón, 340
Ramos, Graciliano, 100, 121, 131, 158, 171, 203, 207, 214, 220, 311
Ramos, Juvenal de Toledo, 113
Ramos, Márcio, 214
Ramos, Nereu, 171, 172, 176, 180, 242
Ramos, Ricardo, 214, 220
Raphael, Alcides, 21
Ratton, frei *ver* Mascarenhas, Luiz Felipe Ratton
Raul Careca *ver* Lima, Raul Nogueira
Reagan, Ronald, 390
Rebouças, André, 45
Rebouças, Antônio, 45
Regina (filha de Antônia Couto Nunes Sento Sé), 345, 545
Rego, Elio Ferreira, 353, 371, 372, 375, 378,

386, 387, 388, 397, 446, 472, 473
Reis Filho, Dinarco, 176, 308, 357
Reis, Dinarco, 86, 87, 143, 170, 176, 263, 317, 337, 355, 357
Reis, Hércules Corrêa dos, 218, 223, 276, 281, 298, 305, 336
Reis, João Carlos Cavalcanti, 407, 418
Reis, João José, 32
Reis, Lygia, 176
Reis, Manoel Francisco dos, 408
Requião, Altamirando, 187
Reyes, Lauriberto José, 419, 449
Rezende Jr., Oswaldo Augusto, 375, 392, 394, 395, 396, 401, 403, 404, 422, 423, 425, 438, 460, 498, 500, 505, 529, 530, 531, 532, 558, 561, 566, 571
Rezende, Estevão Taurino de, 324
Rezende, José Roberto, 429
Riani, Clodesmidt, 281, 305
Ribbentrop, Joachim von, 124, 128
Ribeiro, Agildo, 146
Ribeiro, Cláudio, 297
Ribeiro, Darcy, 157, 225, 274, 288, 299
Ribeiro, Ernesto Carneiro, 46
Ribeiro, Ivan Ramos, 87, 142
Ribeiro, Jair Dantas, 297, 315
Ribeiro, Maria (mulher de Prestes), 222, 224, 280, 321
Ribeiro, Maria Augusta Carneiro, 494
Ribeiro, Orlando Leite, 148
Ridenti, Marcelo, 508, 510
Righi, Gastone, 334
Ristum, Jirges, 500
Rizzo, José Márcio Miranda, 558
Roberto Carlos, 327, 533, 581
Rocha, Francisco de Paula Brochado da, 273
Rocha, Glauber, 50, 365, 366, 460, 500
Rocha, Glauce, 306
Rocha, Humberto, 260
Rocha, João Leonardo da Silva, 367, 376, 377, 382, 383, 386, 387, 400, 407, 426, 427, 428, 443, 494
Rocha, Lauro Reginaldo da, 76, 77, 79, 97,
104, 106, 107, 108, 112, 126, 213
Rocha, Monclair Martinho da, 97
Rocha, Paulo A. de Queiroz, 523
Rocha, Reynaldo de Biasi Silva, 303
Rockefeller, Nelson, 445, 452
Rodrigues, Dagoberto, 307
Rodrigues, Darcy, 426
Rodrigues, Luiz Affonso Miranda da Costa, 463
Rodrigues, Maria Aparecida, 206
Rodrigues, Newton, 236
Rodrigues, Nina, 41, 57, 58
Rodrigues, Paulo Mário da Cunha, 298, 299, 310
Rodrigues, Tânia, 480
Rodríguez, Eliseo Reyes, 340
Rohmann, Friedrich Adolf, 553, 557, 558, 560
Roitberg, Waldemar, 118
Rolim, Francisco Moésia, 117
Rolim, Salatiel Teixeira, 546
Rolland, Romain, 108
Romano, Antônio Emílio, 93, 95, 96, 146
Roosevelt, Franklin Delano, 132
Roriz, José Mendes de Sá, 439
Rosa, Guimarães, 390
Rosa, José Miranda, 16
Rosa, Noel, 99
Rossi, Agnelo, dom, 453, 454, 474
Rousseff, Dilma, 259, 382, 429
Rusk, Dean, 303
Ryff, Raul, 274

Sá Filho, Francisco, 183, 189
Sá, Carlos Figueiredo de, 379, 530
Sá, Jair Ferreira de, 338
Sá, José Corrêa de, 144
Sabbag, José Wilson Lessa, 454, 455, 486, 492, 493
Saborowski, Elise, 79, 80, 100
Sacchetta, Hermínio, 106, 107, 108, 110, 112, 219, 220, 223, 356, 456, 458
Sacchetta, Vladimir, 458
Sacco, Ferdinando Nicola, 71

Saldanha, João, 177, 203, 210, 218, 253, 423, 486
Salgado, Plínio, 72, 105, 106, 113, 114, 134, 290
Sallas, Maria, 210, 218
Salles, Fernando Casadei, 568
Salles, Flávio Augusto Neves Leão de, 430, 484, 547
Sampaio Netto, Manoel Baptista, 285, 315, 321, 322
Sampaio, Angela, 321, 323
Sampaio, Benedicto, 363, 379, 400, 429, 550
Sampaio, Carlos Augusto, 399, 484, 485
Sampaio, Helenauro, 164
Sampaio, José, 86
Sampaio, Maria de Lourdes Marques, 321
Sampaio, Plínio de Arruda, 289
Sampaio, Suzanna, 547, 550, 551, 569
Sampaio, Teodoro, 45
Sant'Anna, Fernando, 50, 163, 217, 265, 570
Santa Cruz, Benevenuto, 395
Santana, Valdelice de Almeida, 13, 14, 16, 20, 21, 25, 325
Santoro, Cláudio, 158
Santos, Adauto Alves dos, 437
Santos, Adelino Deícola dos, 125
Santos, Davino Francisco dos, 127, 136
Santos, Geraldo Rodrigues dos, 192, 210, 218, 252, 276, 321, 336, 345, 490
Santos, Jesuíno dos (avô materno de Marighella), 40
Santos, José Anselmo dos, 283, 294, 299, 301, 349, 430, 433
Santos, Maria Aparecida dos (Cida), 444, 445, 448, 514, 520, 522, 524, 526
Santos, Maria Especiosa dos (avó materna de Marighella), 40, 41
Santos, Maria Rita dos *ver* Marighella, Maria Rita (mãe de Marighella)
Santos, Nelson Pereira dos, 159, 246
Santos, Otacílio dos Anjos, 297
Santos, Ruy, 159
Santos, Serapião Pio dos, 116
Santos, Vanderli Pinheiro dos, 440
Sarney, José, 265
Sartre, Jean-Paul, 368, 379, 500
Schenberg, Mário, 143, 159, 204
Schilling, Paulo, 275, 279, 293, 339
Scliar, Carlos, 138
Scott, Mário, 224
Sé, Antônia Couto Nunes Sento, 325, 343, 344, 345, 358, 413, 466, 543, 545
Sé, Elza Sento, 180, 181, 191, 192, 193, 194, 195, 197, 243, 344, 414, 576
Sé, Etelvina Sento, 194
Seabra, José Joaquim, 36, 38, 48, 59, 79
Segall, Beatriz, 573
Segall, Lasar, 573
Segall, Maurício, 548, 573, 574
Seidl, Maurício, 285
Seixas, Joaquim Alencar de, 226
Senna, Ulysses Moreira, 102
Senna, Virgildásio de, 164
Serna, Celia de la, 265
Serra, José, 271, 288
Severino, João, 313
Shibata, Harry, 554, 555, 562
Silva Filho, Virgílio Gomes da, 525, 526
Silva, Adilson Ferreira da, 352
Silva, Albertino José da, 328
Silva, Aldo Lins e, 244
Silva, Antônio Freitas da, 496
Silva, Augusto Álvaro da, dom, 56
Silva, Boaventura Rodrigues da, 482
Silva, Claudino José da, 166, 167, 168
Silva, Cláudio Torres da, 487, 489, 491, 496
Silva, Custódio Abel da, 489
Silva, Francisco Gomes da, 482, 483, 484, 503, 520, 521, 523, 524, 525, 531
Silva, Francisco Pereira da, 191
Silva, Gilson Ribeiro da, 407, 465
Silva, Golbery do Couto e, 228
Silva, Gregório Gomes da, 442
Silva, Heitor, 110
Silva, Ilda Martins da, 442, 524, 525
Silva, Isabel Gomes da, 525, 526
Silva, João Batista de Lima e, 234
Silva, José Dirceu de Oliveira e, 353, 369, 403,

433, 448, 480, 490, 497, 508
Silva, José Pereira da, 463, 465, 468, 479
Silva, José Wilson da, 339
Silva, Lélio Gonçalves Rodrigues da, 396
Silva, Luís Antônio da Gama e, 412
Silva, Luiz Inácio Lula da, 194, 347, 488, 580
Silva, Lyndolpho, 262, 263, 288
Silva, Mauro Lins e, 326
Silva, Roberto Romano da, 538, 541, 542
Silva, Sócrates Gonçalves da, 86, 123
Silva, Virgílio Gomes da, 346, 352, 391, 398, 399, 401, 406, 407, 410, 427, 428, 440, 441, 442, 443, 444, 445, 446, 447, 448, 450, 451, 456, 457, 481, 482, 483, 484, 487, 488, 491, 494, 496, 498, 503, 513, 515, 516, 518, 520, 521, 522, 523, 524, 525, 526
Silva, Vlademir Gomes da, 442, 525, 526
Silveira, Joaquim, 181
Silveira, Maurina Borges da, 537
Silveira, Modesto da, 328
Silveira, Paulo, 158
Simões, Reinaldo Guarany, 361, 397, 547
Simonal, Wilson, 475
Sirkis, Alfredo, 369
Soares, José Carlos de Macedo, 102
Soares, Manoel Raimundo, 328
Soares, Vital, 59
Sodré, Nelson Werneck, 63, 283, 285, 286
Sodré, Roberto de Abreu, 374
Sófocles, 328
Sorel, Georges, 503
Souhami, Isaac, 79, 93
Sousa, Washington Luís Pereira de, 59, 169
Souto, Álcio, 167, 190
Souto, Edson Luís de Lima, 368, 499
Souza, Álvaro de, 87, 123
Souza, César Montagna de, 311
Souza, Herbert de, 338, 339, 347, 425
Souza, Herculano de, 71
Souza, José Porfírio de, 206, 257
Souza, Manoel Batista de, 70
Souza, Modesto de, 366
Souza, Rubens Pacheco de, 533, 538, 560

Souza, Soveral Ferreira de, 120
Sowzer, Caetana América, 344, 345
Stálin,Ióssif, 80, 108, 117, 124, 129, 132, 137, 139, 142, 148, 154, 156, 157, 191, 204, 207, 213, 214, 215, 217, 218, 221, 223, 224, 226, 231, 232, 233, 234, 237, 250, 259, 335, 507
Stálina, Nádia, 224
Strauss, João Vitor, 496
Sued, Ibrahim, 175
Sun Tzu, 440, 502
Súslov, Mikhail, 268, 269

Tabacof, Boris, 161
Tahan, Malba, 243
Tamayo, Harry Villegas, 340
Tavares, Flávio, 339, 402, 425, 472, 535, 561
Tavares, José da Silva, 559, 573, 574, 575
Távora, Juarez, 241
Teixeira, Anísio, 49, 55
Teixeira, Armando, 23, 329
Teixeira, Eros Martins, 155
Teixeira, Francisco, 283, 304, 305, 306, 308, 309, 315
Teixeira, Humberto, 447
Teixeira, João Pedro, 273
Teixeira, José Augusto, 245
Teixeira, Manoel Isnard, 70
Teixeira, Tereza Marighella, 23, 37, 39, 40, 44, 190, 244, 329
Teles, Ladário, 315
Telles, Goffredo, 175
Telles, Manoel Jover, 181, 227, 267, 275, 356
Thomaz, Maria Augusta, 419, 492, 508, 510
Thorez, Maurice, 157, 216
Tião Motorista, 416
Tillon, Charles, 160
Tito, frei *ver* Lima, Tito de Alencar
Tito, Josip Broz, 271
Togliatti, Palmiro, 82, 160
Tojal, Altamir, 465
Toledo, Márcio Leite de, 379, 381, 580
Tom Zé, 365
Tomás de Aquino, São, 182, 393

Tomaz, Expedito, 364
Torá, Lia, 65
Torelli, Aparício, 99
Torquemada, Tomás, 394
Torres, Camilo, 394
Torres, João Severiano, 155
Tourinho, Antônio, 148
Tralli, João Carlos, 534, 549, 562, 579
Trindade, Hélio, 325
Trótski, Liev, 71, 108, 129, 225
Truman, Harry, 185, 186
Tsakiridis, Georgios Joannis, 471
Tucunduva, Rubens Cardoso de Mello, 533, 548, 549, 553, 557, 558, 560, 567
Tuma, Romeu, 557
Tuthill, John Wills, 356

Ustra, Carlos Alberto Brilhante, 286, 287, 424, 558, 576, 581

Valadares, Benedito, 191
Valença, João Antônio Caldas, 390, 392, 395, 531, 532, 542
Valentino, Rodolfo, 65
Valle, Jorge Medeiros, 389, 390
Valle, Marcos, 365
Valle, Paulo Sérgio, 365
Vandré, Geraldo, 365, 394
Vanni, João Baptista Salles, 407, 409
Vannucchi, Marco Aurélio, 467
Vanzetti, Bartolomeo, 71
Vargas, Getúlio, 14, 15, 55, 58, 59, 60, 69, 72, 75, 76, 81, 92, 99, 100, 102, 105, 106, 110, 111, 118, 129, 132, 139, 141, 145, 155, 157, 162, 169, 171, 176, 189, 202, 207, 212, 222, 228, 229, 230, 240, 244, 245, 256, 290, 299, 576, 577
Vargas, Índio, 339, 559
Vasconcelos, Vivaldo, 328
Vaz, Rubens, 230
Veiga, Jorge, 158, 177
Veloso, Caetano, 155, 356, 364, 365, 572, 581

Veloso, José, 155
Venceslau, Paulo de Tarso, 370, 403, 404, 419, 448, 449, 450, 483, 488, 489, 491, 492, 493, 495, 496, 497, 498, 522, 525, 526, 528, 529, 531, 536, 561, 564, 567, 569
Ventura, Álvaro, 156, 168
Verissimo, Erico, 119, 329
Verissimo, Nestor *ver* Fonseca, Nestor Verissimo da
Vermelho, Alcyr Pires, 245
Verne, Júlio, 244, 323
Vespúcio, Américo, 34, 119
Viana, Fernando de Melo, 169, 171, 175, 187
Viana, Gilney Amorim, 396, 469, 470, 507, 514, 547
Viana, Oliveira, 45
Viana, Segadas, 182, 188
Vianna Filho, Oduvaldo, 247
Vianna, Cícero, 292, 334, 337, 346, 355, 361, 416, 417, 440, 498, 559
Vianna, Darcy Ursmar Villocq, 251
Vianna, Deocélia, 212, 326, 327
Vianna, Eremildo Luiz, 466
Vianna, Mario, 193
Vianna, Oduvaldo, 18, 78, 246, 259, 326, 327
Vidigal, Pedro Maciel, 291
Vidor, George, 462, 468
Viedma, Soledad Barret, 433
Viegas, Pedro, 295, 473
Vieira, Antônio, padre, 56
Vieira, Francisco Sabino Álvares da Rocha, 48
Vieira, Mário Alves de Souza, 50, 138, 161, 162, 215, 225, 236, 249, 253, 259, 260, 263, 270, 274, 275, 279, 293, 307, 316, 322, 333, 356, 468, 507, 578
Vilela, Magno José, 527, 530, 531, 532, 538, 541, 569
Villas-Boas, Augusto, 138
Vinhas, Moisés, 205, 236, 361
Virgílio *ver* Silva, Virgílio Gomes da
Virgulino, Himalaia, 101, 182
Visconti, Luchino, 500

Vo Nguyen Giap, 337, 362
Volkogonov, Dmitri, 232
Von der Weid, Jean Marc, 369, 403

Wainer, Samuel, 216, 271, 287, 301
Walters, Vernon, 290
Warchavski, Tobias, 223
Washington Luís *ver* Sousa, Washington Luís Pereira de
Wayne, John, 515
Werneck, Paulo Silveira, 285, 299
Werner, Alacyr Frederico, 289
Wilkinson, Paul, 505
Wolfenson, Jacob, 197
Wright, Paulo Stuart, 348

Xavier, Eduardo Ribeiro, 139
Xuxu *ver* Zanconato, Mário Roberto Galhardo

Zacarias, comediante, 414
Zamikhowsky, Eliane Toscano, 376, 380, 418, 427, 428, 482, 483, 484, 485
Zampolo, Luiz, 538
Zanconato, Mário Roberto Galhardo, 468, 469, 470, 494, 535
Zara, Carlos, 490
Zarattini Filho, Ricardo, 338, 423, 490, 494, 497, 561
Zé Dico *ver* Gonçalves, José Conceição
Zé Kéti, 245
Zerbini, Euryale, 403, 404
Zerbini, Euryclides de Jesus, 287
Zerbini, Therezinha, 403, 404
Zinóviev, Grigori, 223
Zubkovsky, Vladimir, 558
Zulita, 65
Zumbano, Waldemar, 106, 323

1ª EDIÇÃO [2012] 12 reimpressões

ESTA OBRA FOI COMPOSTA EM DANTE PELO ACQUA ESTÚDIO E IMPRESSA
PELA GEOGRÁFICA EM OFSETE SOBRE PAPEL PÓLEN SOFT DA SUZANO S.A.
PARA A EDITORA SCHWARCZ EM DEZEMBRO DE 2021

A marca FSC® é a garantia de que a madeira utilizada na fabricação do papel deste livro provém de florestas que foram gerenciadas de maneira ambientalmente correta, socialmente justa e economicamente viável, além de outras fontes de origem controlada.

dio de ingeneria civil i
Después de completar la ma
alejado de la Escuela, co
inquerito mandado hacer po
Esto ha sido en 1934 qu
Entonces participava de
los Estudiantes y hey l
mientos en la Escuela
sido alejado. Hey trans
Federacion Roja de los
de los Estudiantes. Luego
Partido y hey ingressad
jadores de tecidos